DUDEN

Briefe gut und
richtig schreiben!

DUDEN

Briefe gut und richtig schreiben!

Ratgeber für richtiges und
modernes Schreiben

Bearbeitet
von der Dudenredaktion

DUDENVERLAG
Mannheim · Leipzig · Wien · Zürich

Redaktionelle Mitarbeiter:
Wolfgang Eckey · Dieter Mang
Dr. Charlotte Schrupp
Marion Trunk-Nußbaumer

Außerredaktionelle Mitarbeiter:
Rainer Röngen · Ulrich Schoenwald

CIP-Titelaufnahme der Deutschen Bibliothek
Duden »Briefe gut und richtig schreiben!«
Ratgeber für richtiges und modernes Schreiben.
Bearb. von d. Dudenred. [Red. Mitarb.: Wolfgang Eckey...].
Nachdr.- Mannheim; Wien; Zürich: Dudenverl., 1989.
Frühere Ausg. u. d. T.: Duden »Einfach richtig schreiben«
ISBN 3-411-02850-5
NE: Eckey, Wolfgang [Red.]: Briefe gut und richtig schreiben.

Satz: Bibliographisches Institut (DIACOS Siemens)
und Mannheimer Morgen
Großdruckerei und Verlag GmbH
Druck u. Bindearbeit: Druckerei Parzeller, Fulda
Printed in Germany
ISBN 3-411-02850-5

Vorwort

Obwohl das Telefon in unserem Leben eine bedeutende Rolle spielt, gibt es doch zahlreiche Situationen, in denen wir gezwungen sind zu schreiben. Wir müssen Anträge stellen, haben ein Bewerbungsschreiben aufzusetzen und einen Lebenslauf beizufügen, wir müssen Protokolle verfassen und Geschäftskorrespondenz erledigen. Aber auch im Privatleben genügt ein telefonischer Anruf oft nicht, wenn es darum geht, jemandem in persönlicher Form zu gratulieren oder zu kondolieren oder aber Dank zu sagen für eine Einladung.

Während wir im allgemeinen der gesprochenen Sprache gegenüber ein völlig natürliches Verhältnis haben, ohne langes Nachdenken sprechen und uns verständigen können, sind wir der geschriebenen Sprache gegenüber befangen – wenn der Mensch schreiben muß, so sagt man, zieht er sich seine Sonntagskleidung an! Da hat man plötzlich Angst, orthographische oder grammatische Fehler zu machen oder die Sätze nicht richtig zu verknüpfen, es fällt einem nicht die richtige Formulierung ein, und man wird unsicher, ob man mit einem Schreiben an eine Behörde, den Geschäftspartner oder an eine befreundete Familie den richtigen Ton trifft.

Dieses Buch ist ein Ratgeber für richtiges und modernes Schreiben. Es besteht aus drei Teilen. Im ersten Teil werden zunächst die Unterschiede zwischen geschriebener und gesprochener Sprache, Schreibanlässe und -situationen und stilistische Fragen des Schreibens behandelt. Daran schließt sich eine Zusammenstellung der heute üblichen Formen der Anschrift und der brieflichen Anrede an. Es folgen Anleitungen für das Verfassen von Privatbriefen, Bewerbungen, Lebensläufen, Schreiben an Behörden, Geschäftsbriefen, Protokollen usw. mit den entsprechenden Mustern dazu. Den ersten Teil beschließen die Hinweise für das Maschinenschreiben.

Der zweite, alphabetisch geordnete Teil enthält eine Sammlung von Sprachtips. Heißt es z. B. „Am Montag, dem ...“ oder „Am Montag, den ...“, ist „halbjährige Kündigung“ oder „halbjährliche Kündigung“ richtig, gibt es einen Unterschied zwischen „Kosten“ und „Unkosten“? In diesem Teil werden auch die wichtigsten Regeln der Rechtschreibung, der Interpunktion und der Grammatik in leichtverständlicher Form dargestellt.

Der dritte Teil besteht aus einem alphabetischen Wörterverzeichnis mit ca. 35 000 Stichwörtern. Dieser Teil verzeichnet aber nicht nur die korrekte Schreibweise der Wörter, er zeigt auch die richtige Silbentrennung, macht Angaben zur Grammatik und zum Stilwert der Wörter und veranschaulicht schwierige Verwendungsweisen an Beispielen. Bei zahlreichen Stichwörtern werden sinnverwandte Wörter oder Fügungen angeboten, die dem Benutzer andere Formulierungen ermöglichen.

Wann immer sich beim Formulieren und Schreiben Probleme einstellen, dieses Nachschlagewerk der Dudenredaktion mit seinen Schreibanleitungen und Musterbriefen, den Sprachtips und dem Wörterverzeichnis ist ein zuverlässiger Ratgeber, der richtiges Schreiben leichtmacht.

Mannheim, im September 1987

DIE DUDENREDAKTION

Inhaltsverzeichnis

Schreibanleitungen und Musterbriefe

Einleitung

Der private Bereich

Der geschäftliche Bereich

Einleitung

Vom Sprechen und Schreiben

Das Sprichwort sagt: „Reden ist Silber, Schweigen ist Gold.“ Aber was ist Schreiben? „Schreiben ist schwierig“, sagen die meisten. Stimmt das? Ist Schreiben wirklich so schwierig, oder machen wir es uns unnötig schwer? Es gibt sehr viele Menschen, die sich wunderbar unterhalten können, die Geschichten so vortrefflich erzählen, daß man ihnen gern zuhört, oder die Naturtalente beim Anpreisen einer Ware sind – die aber nie eine Weihnachtskarte schreiben und lieber zehnmal anrufen als einmal schreiben.

Was ist aber eigentlich der Unterschied zwischen Sprechen und Schreiben? Nun, zunächst einmal ist die Situation jeweils eine andere. Schreiben ist ein Vorgang, der nur eine Person betrifft; beim Sprechen sind es dagegen in der Regel mindestens zwei. Wenn diese beiden nun miteinander sprechen – oder der eine redet, der andere hört zu –, können sie unmittelbar aufeinander reagieren: Der eine sagt etwas, der andere schüttelt den Kopf oder nickt, widerspricht oder stimmt zu, blickt skeptisch, fragend oder zustimmend. Der Sprecher kann erkennen, ob der Gesprächspartner die Aussage verstanden hat und wie er sie aufnimmt.

Diese „Rückmeldung“ des Partners entfällt nun beim Schreiben – es existiert keine gemeinsame Situation. Der Schreiber ist deshalb gezwungen, die beim mündlichen Verkehr so wichtigen nichtsprachlichen Mittel – dazu gehören Satzmelodie, Betonung, aber eben auch Mimik, Gestik und anderes – durch sprachliche Mittel auszudrücken. Dieses Unterfangen ist nicht ganz einfach.

Weitere Unterschiede zwischen Sprechen und Schreiben sind:

- Schreiben ist weniger spontan, ist meist unpersönlicher.
- Geschriebene Texte sind meist überlegt aufgebaut, die einzelnen Teile sind besser miteinander verknüpft.
- Geschriebene Texte weisen eine größere Ausdrucksvielfalt, eine größere Genauigkeit in der Wortwahl auf.
- Die Sätze in der geschriebenen Sprache sind ausformuliert und vollständig; Nebensätze kommen häufiger vor.

Und jetzt wird vielleicht auch klar, warum viele vor dem Schreiben zurückschrecken: Der Schreiber muß alle diese Punkte beachten. Man erwartet von ihm eben einen überlegt aufgebauten, ausformulierten Text mit wohlgeformten Sätzen und Abwechslung in der Wortwahl. Der Empfänger kann kontrollieren, ob der Schreiber das leisten konnte; er kann seine – eventuell negativen – Schlüsse ziehen. Außerdem: Beim Schreiben kann man fatalerweise Rechtschreibfehler machen, und grammatische Fehler werden auch auffälliger als beim Sprechen.

Abgesehen von diesen Fehlerquellen ist es oft auch schwierig, den für einen bestimmten Anlaß richtigen Ton zu treffen.

Man könnte jetzt den Eindruck gewonnen haben: Beim Schreiben kann man nur alles falsch machen. Aber das wiederum stimmt auch nicht. Das Schreiben hat nämlich auch große Vorteile: Man hat Zeit zum Formulieren, kann sich ungestört erst einmal ein Konzept ausdenken, kann auch mal nachschlagen, wenn man etwas nicht ganz genau weiß, kann seine Worte in Ruhe wählen, darüber nachdenken, sie verwerfen oder gutheißen. Das geht beim Gespräch nicht. Schnell ist da etwas Ungeschicktes gesagt, und eine Korrektur ist nur noch schwer möglich. Im Brief lassen sich solche Fehler und Unachtsamkeiten vermeiden. Man kann den Text planen und seine Wirkung genau überlegen.

Wie man diese Chance am besten nutzt, wollen wir uns jetzt genauer ansehen.

Wer schreibt wem warum?

Obwohl das Telefon in unserem Leben eine bedeutende Rolle spielt, gibt es doch zahlreiche Situationen, in denen wir gezwungen sind zu schreiben. Diese Situationen können rein privater Natur sein, wie z. B. Weihnachtsgrüße oder Glückwünsche an Verwandte, Einladungen oder Kondolenzschreiben an Freunde oder Bekannte. Es kann sich jedoch auch um Briefe handeln, die „halbamtlicher" Natur sind, z. B. um den Briefwechsel zwischen Mieter und Vermieter, um ein Entschuldigungsschreiben für das kranke Kind oder eine Bewerbung mit Lebenslauf. Nicht zu vergessen ist natürlich die Geschäftskorrespondenz. Da fast jeder vierte Erwerbstätige heute bereits seinen Lebensunterhalt am Schreibtisch verdient, kommt dem Schreiben in unserer Gesellschaft eine große Bedeutung zu. Nicht eingehen können wir auf die Formen des ironischen, humorvollen, leidenschaftlichen usw. Stils. Wer nicht schon eine Begabung dafür mitbringt, der zwinge sich nicht dazu. Mit der Kenntnis und dem Gebrauch von ein paar Wendungen ist es da nicht getan;

es kommen dann doch nur Klischees heraus. Originalität läßt sich nicht lehren – die hat man, oder man hat sie nicht. Originalitätssucht führt meist nur zu Verkrampftheiten. Die Unterschiede im persönlichen Schreib- und Redestil lassen sich nicht aufheben und sollen auch gar nicht beseitigt werden. Jedem gebührt seine eigene „Handschrift“, an der man ihn wiedererkennt. Persönliche Vorlieben und Eigenheiten brauchen nicht verleugnet zu werden, sie dürfen sich aber nicht aufdrängen. Die landschaftlichen Besonderheiten in Wortwahl und Satzbau sind liebenswert. Doch je weiter wir aus dem Privaten hinaustreten, um so weniger sollten sie unsere Ausdrucksweise bestimmen. Die Beherrschung der Hochsprache ist nun einmal für gutes Schreiben unerläßlich, Abweichungen davon sind nur als Farbtupfer zugelassen.

Bevor wir nun aber zu schreiben beginnen, müssen wir uns erst einmal über bestimmte Dinge im klaren sein: Warum schreibe ich? Was ist der Zweck, was will ich erreichen? Dann müssen wir uns den Empfänger des Briefes vorstellen: Wer ist es, und wie wird er auf meinen Brief reagieren? Was will er wissen? Was weiß er schon? Was ist für ihn wichtig?

Wenn man also schreiben will, muß man seinen Stil anpassen – und zwar anpassen an den Empfänger und an den Anlaß des Schreibens. Es ist klar, daß man an seine Großmutter anders schreibt als an das Finanzamt, daß eine Beschwerde in einem anderen Stil verfaßt ist als ein Glückwunsch. Deswegen kann man auch nicht von d e m Stil in Briefen reden – es gibt viele. Für fast jeden Anlaß wählen wir bewußt oder unbewußt eine andere Art zu schreiben, einen anderen Stil. Vergleichen Sie bitte die folgenden beiden Briefe – sie sind von ein und demselben Schreiber:

Stadtverwaltung Grünstadt
Bauamt

6718 Grünstadt

Verkehrsberuhigung Lippestraße

Sehr geehrte Damen und Herren,

vor zwei Tagen wurde in der Zeitung über die geplante Verkehrsberuhigung an der Lippestraße berichtet.
Nehmen Sie dazu bitte zur Kenntnis, daß ich im Namen der industriellen Anlieger scharf gegen diese Maßnahme protestiere, denn die Lippestraße ist die kürzeste Strecke von der A 6 zu unseren Firmengeländen.

Es ist nicht im Interesse der Bürger, daß eine Straße verkehrsberuhigt wird und dafür der Schwerstlastverkehr durch drei bis dahin ruhige Straßen geführt wird.

Wir erwarten Ihre diesbezügliche Antwort.

Hochachtungsvoll

Herrn
Gerd Baumann
Lippestraße 4

6718 Grünstadt

Lieber Gerd,

hast Du auch gelesen, was gestern in der Zeitung stand? Die wollen die Lippestraße "verkehrsberuhigen".

Das heißt, wir müssen demnächst immer den Umweg über die Weserstraße fahren. Das ist ja viel weiter, und unsere Wagen stören die Leute da doch genauso!

Ich will im Namen aller Unternehmer an der Lippestraße einen Protestbrief an die Stadt schreiben. Machst Du mit?

Bis dann

Der erste Brief wirkt sehr förmlich. Man erkennt es an Formulierungen wie *Nehmen Sie dazu bitte zur Kenntnis, diesbezüglich* und *Hochachtungsvoll.* Der zweite Brief ist im normalen Umgangston geschrieben, locker wie ein Gespräch.

Wie soll man es nun machen? Soll man schreiben, wie man spricht, oder sprechen, wie man schreibt? Dafür gibt es keine Faustregel, aber fest steht, daß ein Brief in lockerem Ton besser ankommt als ein Brief in gedrechseltem Deutsch. Und sprechen, wie viele schreiben, das wäre unerträglich: „Liebe Erika, gehst Du bezüglich meiner Pläne für das kommende Wochenende mit mir einig und unterstützt grundsätzlich die Idee, bei schönem Wetter mit dem Fahrrad einen Ausflug zu machen?“

Kein Mensch würde so reden, man mutet diese Sprache aber noch oftmals Briefempfängern zu.

Festzustellen ist: Nicht ein einzelnes Wort entscheidet über den Stil und den Ton eines Briefes, sondern der Gesamteindruck. Der Stil wird von vielen Faktoren bestimmt, z. B. von der Wortwahl, vom Satzbau, vom Textaufbau, am stärksten aber vom Schreiber und vom Adressaten. Die Art und Weise, wie der Schreiber sich ausdrückt, ist geprägt von Lebenserfahrung, Beruf, Alter, Zugehörigkeit zu einer sozialen Schicht und vielem anderen mehr. Während bei einem sechzehnjährigen Schüler philosophische Lebensbetrachtungen wahrscheinlich altklug, wenn nicht gar peinlich anmuten, darf sich ein Mensch im gesetzteren Alter diese natürlich erlauben. Umgekehrt ist es wenig sinnvoll, einer Konfirmandin allzu hochgestochene Lebensweisheiten, Parabeln und Betrachtungen zuzumuten. Wie gesagt: Es kommt darauf an, wer schreibt und an wen er schreibt. Deshalb: Bewußt und mit Bedacht schreiben, das ist die wichtigste Stilregel. Man muß seine Sätze und seine Texte begründen können: „Ich habe diesen Satz so geschrieben, weil ... Ich habe den Text so aufgebaut, damit ..." Und daß man sich klar und präzise ausdrücken sollte, ist eine Forderung, die eigentlich selbstverständlich ist und immer gilt. Suchen Sie nicht nach irgendwelchen Floskeln, sondern bleiben Sie lieber bei Ihren eigenen Worten, und versuchen Sie, eine möglichst unverkrampfte, aber doch einwandfreie Sprache zu gebrauchen. Sie kann dabei ruhig der gesprochenen Sprache angenähert sein. Denn wenn man die heutige Schreibsprache mit derjenigen vergangener Epochen vergleicht, kann man feststellen, daß eine Annäherung an die gesprochene Umgangssprache stattgefunden hat. Und diese Tendenz hält an! Das heißt, daß der Unterschied zwischen gesprochener und geschriebener Sprache nicht mehr so groß ist wie früher. Aber Vorsicht! Unterschiede bestehen trotzdem noch – das haben wir ja bereits im ersten Kapitel dargelegt. Da sich jedoch die geltenden Normen nun einmal ständig wandeln, ist es gar nicht selten, daß die Meinungen darüber, ob eine Äußerung sprachlich gut oder schlecht ist, auseinandergehen. Das bedeutet, daß die Grenzen zwischen „gut" und „schlecht" fließend sind. Das müssen wir in Kauf nehmen. Wäre es anders, würde unsere Sprache ein gut Teil ihrer Farbigkeit und Lebendigkeit einbüßen. Wir können deshalb nur Ratschläge geben, zu denen vielleicht dieser oder jener eine andere Meinung hat. Wir glauben jedoch, daß – wenn Sie unsere Ratschläge beim Formulieren und Schreiben beachten – gar nichts schiefgehen kann. Und wir wollen Ihnen damit auch Mut machen zum Schreiben!

Vom richtigen Wort zum richtigen Satz

Das Wörtchen „ich"

Manch einer mag sich davor scheuen, beim Schreiben das Wörtchen *ich* zu verwenden. Die Zeiten jedoch, in denen es zum guten Ton gehörte, das *ich* zu unterdrücken, sind zum Glück vorbei. Trotzdem gibt es noch immer Eltern, die der Lehrerin oder dem Lehrer schreiben:

```
Bitte zu entschuldigen, daß mein Sohn Peter
gestern den Unterricht versäumt hat.

Möchte Ihnen mitteilen, daß ...
```

Die Auslassung des Fürwortes *ich* ist nicht nur altmodisch, sondern sie wirkt heute schon fast grob. Sie erinnert an den bellenden Leutnantston des 19. Jahrhunderts: „Habe verstanden." – „Werde mal nachsehen gehen." Da wollen wir doch lieber das Wörtchen *ich* an seinem Platz belassen, selbst wenn es am Briefanfang steht:

```
Ich bitte zu entschuldigen, daß mein Sohn Peter
gestern den Unterricht versäumt hat. (Oder:
Entschuldigen Sie bitte, daß ...)
```

Unsere Großeltern und sogar noch unsere Eltern lernten in der Schule, daß man einen Brief nicht mit *ich* beginnen dürfe. Heute brauchen wir uns – zumindest bei Privatbriefen – nicht mehr den Kopf darüber zu zerbrechen, wie man am besten anfängt, ohne mit *ich* zu beginnen. Statt:

```
Lieber Herr Schmidt,
sehr habe ich mich über Ihren Brief gefreut ...
```

oder:

```
Lieber Karl,
herzlich danke ich Dir für Deinen Gruß aus
München ...
```

schreibt man heute:

```
Lieber Herr Schmidt,
ich habe mich sehr über Ihren Brief ...
```

oder:

```
Lieber Karl,
ich danke Dir herzlich für Deinen Gruß aus
München ...
```

Wozu auch Umwege machen? Der Brief ist eine persönliche Mitteilung von mir, und wenn ich dem Bekannten auf der Straße begegne, sage ich auch nicht: „Guten Tag, Herr Schmidt! Lange habe ich Sie nicht mehr gesehen", sondern: „Guten Tag, Herr Schmidt! Ich habe Sie ja lange nicht mehr gesehen." Es kommt einem gar nicht in den Sinn, lange über die Anfangsworte des Gesprächs nachzudenken. Und genauso spontan dürfen Briefe beginnen. Auch Lebensläufe dürfen mit *ich* eingeleitet werden:

```
Ich wurde am 5. Januar 1931 in Bernsdorf geboren.
```

Allerdings ziehen es die meisten vor, die Angabe der Zeit an den Anfang zu stetzen.

```
Am 5. Januar 1931 wurde ich in Bernsdorf geboren.
```

Die eine Einleitung ist so gut wie die andere. Die zweite unterscheidet sich von der ersten nur ein wenig in der Stilhaltung. Die erste Fassung erinnert an ein Gespräch, bei dem wir auf die Frage nach dem Geburtsort die Antwort geben: „Ich bin in X geboren", die zweite dagegen hat mehr vom Charakter einer Erzählung oder eines Berichts. Ein Roman oder eine Lebensbeschreibung könnte so anheben. Diese etwas zurückhaltende, gedämpftere oder distanziertere Form der Einleitung trifft man meist auch in (halb)amtlichen oder (halb)offiziellen Mitteilungen noch an. In solchen Fällen hat man noch heute vielfach Hemmungen, mit *ich* zu beginnen. Das hat sicher nichts mit Unterwürfigkeit zu tun. Wahrscheinlich hängt es damit zusammen, daß es als unschicklich gilt, „mit der Tür ins Haus zu fallen". Selbstverständlich ist es aber nicht verboten, auch solch ein Schreiben mit *ich* zu beginnen, wenn man sich im übrigen höflich und angemessen ausdrückt.

Höflich schreiben – wie sieht das aus?

Manche Schreiber, die besonders höflich sein wollen, begehen den Fehler, sich einer überhöhten Ausdrucksweise zu bedienen. Bei dem krampfhaften Bemühen um eine überhöhte Sprache verwenden sie Ausdrücke, die gespreizt oder veraltet sind, oder nennen eine einfache Sache nicht bei ihrem eigentlichen Namen. So etwas wirkt nicht höflich, sondern eher lächerlich.

Ganz allgemein läßt sich ja sagen, daß sich die Umgangsformen im gesellschaftlichen wie im sprachlichen Verkehr gegenüber früheren

Epochen gelockert haben. Steife Förmlichkeiten sind weitgehend aufgehoben und durch ungezwungenere Verhaltensweisen ersetzt worden. Die Tendenz geht dahin, bloß förmliche, d.h. nur auf die gesellschaftliche Stellung Rücksicht nehmende Ausdrucksweisen aufzugeben. Denn die Suche nach dem ungewöhnlichen Ausdruck für Gewöhnliches, Banales führt zwangsläufig auf Abwege. Die Tendenz, geschraubte Förmlichkeiten durch normalsprachliche Wendungen zu ersetzen, hat zweifellos zur allgemeinen Verbesserung des Stils beigetragen. Mit Sätzen wie:

```
Ihr Geschätztes vom ... in Händen haltend, er-
laube ich mir, dazu höflichst zu bemerken, daß
ich in einigen Punkten Ihren werten Vorschlägen
nicht zuzustimmen vermag.

Ich wäre Ihnen zu tiefstem Dank verbunden, wenn
Sie die Freundlichkeit hätten, mir das Buch bis
zum Monatsende zurückzuschicken.
```

macht man sich heute überall lächerlich. Die phrasenhafte Umständlichkeit solcher Sätze wird beinahe schon als beleidigend empfunden. Wieviel angenehmer lesen sich diese Sätze:

```
Ich danke Ihnen für Ihren Brief vom ... In eini-
gen Punkten kann ich Ihren Vorschlägen leider
nicht zustimmen.

Bitte schicken Sie mir das Buch bis zum Monats-
ende wieder zurück.
```

Ruhige, sachliche Formulierung ist die höflichste Art der Mitteilung. Dazu bedarf es im Grunde auch keiner „Vorreiter“. Mit dem Wort *Vorreiter* bezeichnet man Satzanfänge, die keine Aussage enthalten. Man findet diese Vorreiter meistens in Geschäftsbriefen:

```
Wir teilen Ihnen mit, daß ...

Hierdurch erlauben wir uns, Ihnen ...

Antwortlich Ihres Briefes vom 30.03.1987 nehmen
wir wie folgt Stellung.
```

Solche Einleitungen können Sie weglassen, denn sie sind unnötig; der Leser sieht ja, daß Sie ihm etwas mitteilen. Daß sie nicht nötig sind, heißt aber noch nicht, daß man sie weglassen m u ß. Vieles, was nicht unbedingt nötig ist, kann trotzdem einen guten Eindruck machen. Und: Nicht alle Einleitungen sind Vorreiter. Der Schreiber kann den Empfänger zum Beispiel auf etwas aufmerksam machen wollen:

> Beachten Sie bitte, daß ...
>
> Ihre besondere Aufmerksamkeit verdient, daß ...
>
> Wichtig für Sie: ...
>
> Dies ist für Sie sicher interessant: ...

In Privatbriefen kann ein Vorreiter auflockernd wirken:

> Ich will Dir eine kleine Geschichte erzählen: ...
>
> Du glaubst nicht, was ich vorige Woche erlebt habe. Im Reisebüro ...

Als Ausdruck höflicher Zurückhaltung verwendet man manchmal die Erweiterung der Satzaussage um *mögen* oder *dürfen.*

> Dazu darf ich mitteilen, daß wir die erste Lieferung bereits gestern abgesandt haben.
>
> Für Ihre weitere berufliche Zukunft möchte ich Ihnen alles Gute wünschen.

Ein strenger Logiker wird unwillkürlich fragen: „Wer hat denn die Erlaubnis erteilt?" Und: „Wenn er mir etwas wünschen möchte, warum tut er es nicht?". So ist es natürlich nicht gemeint. Bezeichnenderweise treten die Erweiterungen mit *mögen* und *dürfen* am häufigsten bei Zeitwörtern des Mitteilens oder Sichäußerns auf (*ich möchte/darf sagen, mitteilen, aussprechen, darauf hinweisen, gratulieren, wünschen* usw.), das heißt dort, wo der Schreiber sich selbst als Sprechenden in den Text einführt. Er hat offenbar das Gefühl, daß *Ich teile Ihnen mit* oder *Ich weise darauf hin* und ähnliche Wendungen zu direkt seien, daß er sich damit zur sehr in den Vordergrund schiebe. Gewiß sind *ich möchte* und *ich darf* in diesem Zusammenhang überflüssig, doch man sollte diese Erweiterungen nicht zu hart verurteilen, eben weil sie ein Bestandteil höflicher oder wenigstens höflich gemeinter Umgangsformen sind. Die Sprachlogik ist nicht der oberste Richter.

Ganz ähnlich steht es mit der Wendung *ich würde sagen,* über die sich manche Sprachpfleger und Sprachkritiker erregt haben. Hier soll *würde* nur höfliche Zurückhaltung zum Ausdruck bringen. Ob sie ehrlich gemeint ist oder nicht, spielt für die stilistische Beurteilung der Form zunächst keine Rolle.

Im Amtsdeutsch wird hin und wieder die Erweiterung durch *wollen* gebraucht:

```
Sie wollen sich am Mittwoch, dem 15.2., um
15 Uhr im Arbeitsgericht einfinden.

Die Unterlagen wollen Sie bitte baldmöglichst
abholen.
```

Diese Form wird aber heute vom größten Teil der Sprachgemeinschaft nicht mehr als Höflichkeitsform, sondern als eine Variante von *Sie haben sich einzufinden, Sie haben abzuholen* empfunden, also als Befehl, als ein ziemlich grober Befehl sogar.

Von Floskeln, Füll- und Papierwörtern

Was sind Floskeln im Brief? Alles das, was „man" so schreibt und alles, was „schon immer" so geschrieben wurde. Dazu zählen auch die üblichen Einleitungs- und Schlußsätze:

```
Sehr geehrter Herr Förster,
auf Ihr Schreiben vom 11.4.1987 Bezug nehmend,
teilen wir Ihnen mit, daß wir mit Ihren Vor-
schlägen einverstanden sind.
In Erwartung der erforderlichen Unterlagen
verbleiben wir mit freundlichen Grüßen
```

Das „Schreiben vom 11. 4. 1987" nehmen wir besser in die Betreffzeile, und den Vorreiter „teilen wir Ihnen mit" streichen wir ersatzlos. Auch der zweite Absatz enthält Floskeln: „in Erwartung" und „verbleiben wir". Die Anrede und die Grußformel sind eigentlich auch Floskeln, aber sie gehören zur allgemeinen Form eines Briefes; man kann sie kaum ändern und nur sehr selten ganz weglassen.

Jetzt lautet die Neufassung des Briefes:

```
Ihr Schreiben vom 11.04.1987

Sehr geehrter Herr Förster,

wir danken Ihnen für Ihren Brief. Mit Ihren Vor-
schlägen sind wir einverstanden.

Bitte schicken Sie uns die Unterlagen zu.

Mit freundlichen Grüßen
```

Ist Ihnen der Brief jetzt zu kurz? Wenn ja, müßten Sie sich fragen, warum. Sind längere Briefe höflicher als kurze? Wohl kaum, denn bei längeren Briefen muß unser Briefpartner mehr lesen, ohne mehr zu erfahren, und was er da liest, ist nicht so interessant, daß es ihm besonderes Vergnügen bereitet. Im Gespräch wäre man auch nicht so umständlich, sondern würde nur sagen: „Ihre Vorschläge sind gut. Jezt brauche ich nur noch die Unterlagen."

Auch andere Wörter sind nicht unbedingt nötig:

> Na, wie geht's Ihnen denn so? Ich hab' Sie ja doch lange nicht mehr gesehen.

Tagtäglich sprechen und hören wir solche Sätze. Gut und gerne könnte man hier verzichten auf: *na, denn, so, ja, doch.* Das Urteil über diese kleinen Einschiebsel fällt meist nicht sehr freundlich aus. Füllwörter und Flickwörter nennt man sie, denn die Mitteilung käme bequem auch ohne sie aus. Die Frage ist nur, ob es stets auf die „nackte" Nachricht ankommt.

Es haben sich daher auch Stimmen für diese Wörtchen erhoben. Danach sollten sie besser „Würzwörter" genannt werden. Sie geben der Rede Würze, indem sie der schalen Mitteilung – um im Bild zu bleiben – je nachdem eine Prise Ungeduld, Unsicherheit, Mitgefühl, Mißtrauen, entschiedene Zustimmung oder Ablehnung beimengen, und sie verraten uns, wie jemand innerlich zu einer Sache steht. In der Sprachwissenschaft spricht man daher von Modal- oder Abtönungspartikeln.

> Warum sagst du *denn* nichts?
> Wie lange soll ich *denn eigentlich* warten?!
> Ich bin *doch wohl* hier richtig?
> Es ist *nun mal* so.
> *Nun,* das ist es *ja eben gerade!*
> Ich bin *gerade noch mal* davongekommen.
> Du bist doch nicht *etwa* krank?
> Das kommt *ja überhaupt* nicht in Frage!
> Sie haben *doch wohl* nichts dagegen, daß ich das Fenster öffne?

Die Kunst besteht hier wie beim Kochen darin, mit Fingerspitzengefühl die richtige Menge der Würze zu treffen. Merken wir uns aber: Sobald die Gesprächsebene verlassen wird, gilt es, vorsichtig mit diesen Wörtern umzugehen. Lieber zwei weniger als eines zuviel! Am besten hebt man sie sich für jene Stellen auf, wo die innere Anteilnahme zutage tritt, wo es gilt zu nuancieren oder wo Vorsicht und Höflichkeit gebieten, unser Anliegen ein wenig einzukleiden.

Je sparsamer man mit den Würzwörtern umgeht, desto wirkungsvoller werden sie sein. (Wir gehen auf diese Wörter noch einmal in den Sprachtips unter dem Stichwort „Füll- oder Flickwörter" ein.)

Ein weiterer Schritt auf dem Weg zum besseren Stil: Papierwörter vermeiden! Papierwörter sind Wörter, die man schreibt, aber nur selten oder nie spricht. Sie machen Texte „bürokratisch" und können gegen lebendigere Wörter ausgetauscht werden. Zum Papierdeutsch gehören u. a.:

antwortlich
betreffs
Bezug nehmend
diesbezüglich
nebst
Außerachtlassung

Zuhilfenahme
verbleiben beinhalten
(= enthalten)
in Abzug fallen
in Wegfall kommen
baldmöglichst

Fremdwörter und fremde Wörter

Wir kommen nun zu einem Kapitel, das Sprachkritikern besonders am Herzen zu liegen scheint: dem Gebrauch von Fremdwörtern. Viele meinen, Fremdwörter seien ein Hindernis für die Verständlichkeit. Dabei kann man leicht feststellen, daß es mehr darauf ankommt, ob jemandem ein Wort vertraut oder unvertraut ist, als darauf, ob es heimischen oder fremden Ursprungs ist. Nehmen wir einmal Wörter wie *Flöte, Kumpel, kabeln, Gummi* oder *Lack.* Alle diese Wörter sind fremden Ursprungs. Und ganz gewiß kann man nicht auf Wörter wie *Person* oder *Familie* verzichten.

Man sollte also Fremdwörter nicht generell ablehnen. Fremdwörter können die Verständigung durchaus erleichtern, sie sind immer dann gut und nützlich, wenn man sich damit kürzer und deutlicher ausdrücken kann. Sie können aber auch leeres Getöse sein, je nachdem, wann und wo man sie anwendet, und das Verständnis unnötig erschweren.

Erweitern wir deshalb die Bedeutung des Begriffes „Fremdwort", indem wir „fremde Wörter" sagen. Damit kann man mehr anfangen: Fremde Wörter sind alle Wörter, die für den Empfänger „fremd" sind, und das können auch deutsche Wörter oder Abkürzungen sein.

Wir stellen Ihnen anheim, ggf. den Vertrag aufzulösen, und erklären unter Hintanstellung erheblicher Bedenken im vorhinein unser Einverständnis.

Kein einziges Fremdwort, und doch schwer verständlich. Es sind die für den Normalleser unbekannten Wörter „anheimstellen“, „ggf.“ (= gegebenenfalls), „Hintanstellung“ und „im vorhinein“. Nach der „Übersetzung“ ist die Sache klarer:

> Sie können den Vertrag auflösen. Obwohl wir erhebliche Bedenken haben, erklären wir Ihnen jetzt schon unser Einverständnis.

Es gilt wieder unsere oberste Stilregel: Bewußt für den Empfänger des Briefes schreiben! Kennt auch er die Wörter, mit denen wir jeden Tag umgehen, oder muß ich andere, allgemein gebräuchliche benutzen? Ganz besonders sollte man sich diese Frage bei Abkürzungen stellen. Testen Sie einmal Ihre Kenntnisse:

bzgl., dergl., u. E., u. U., wg.

Haben Sie alle gekannt? Dann sind Sie routiniert im Umgang mit Geschäftskorrespondenz. Gerade dann müssen Sie bei Ihren Briefen ganz besonders aufpassen, daß Sie das Verständnis mit Abkürzungen und fremden Wörtern nicht erschweren oder unmöglich machen.

Vom Wechseln oder Wiederholen des Ausdrucks

„Variatio delectat.“ Dieser lateinische Spruch bedeutet „Abwechslung erfreut“, und Lehrer legen ihn, bezogen auf die Sprache, ihren Schülern oft recht bedenkenlos ans Herz. Doch sie tun ihren Schülern keinen Gefallen damit, wenn sie nicht gleichzeitig davor warnen. Denn so einfach, wie es der Spruch vorgibt, ist es mit der Sprache leider nicht. Wiederholungen sind nämlich in der Sprache unausweichlich – denken Sie nur an Wörter wie *haben, sein, werden, und, der, die* usw., die gar nicht zu ersetzen sind. Deshalb ist ein allgemeines Verbot von Wiederholungen – auch von unmittelbar aufeinanderfolgenden Wiederholungen – unsinnig. Niemand sollte sich dadurch zu Sprachkapriolen zwingen lassen.

In fachlichen Texten hat die Forderung nach Abwechslung im Ausdruck schon manches Unheil angerichtet. Da hebt jemand mit klaren Worten an, die genau definiert sind, und läßt sich dann aus stilistischen Gründen dazu verleiten, im Ausdruck zu wechseln und andere Wörter dafür einzusetzen, die er womöglich an anderer Stelle der Arbeit in ganz speziellem Sinne gebraucht. Das Ergebnis ist, daß man nicht mehr weiß, welche Bedeutung ein Wort an einer bestimmten Stelle hat. Genauigkeit gehört aber zum fachlichen Sprachgebrauch. Daraus läßt sich nur der Schluß ziehen, daß Fachausdrücke, die eine festgelegte, genau umschriebene Bedeutung haben, nicht ohne weiteres durch andere Wörter ersetzt werden dürfen. Die Wiederholung von Fachwörtern ist nicht nur erlaubt, sondern sie ist notwendig.

Auf der Grenze zwischen „gut" und „schlecht" stehen Wiederholungen der folgenden Art: *Mein Freund, der der Frau in den Mantel half, ... Erscheinungen, auf die die Aufmerksamkeit gerichtet war, ... Wer Kinder hat, hat auch Sorgen.*

Sehr schön sind diese Wiederholungen nicht. Die Frage ist nur: Lassen sie sich vermeiden? Wenn dies ohne große Mühe möglich ist, sollten wir den Satz ändern. Hierzu ein Beispiel: In dem Satz *Wieviel geschichtlicher Kern in der Sache ist, ist nicht zu sagen* läßt sich das zweifache *ist* leicht umgehen. Man braucht nur an Stelle des ersten *ist* das Wort *steckt* einzusetzen, oder man ersetzt *ist nicht zu sagen* durch *läßt sich nicht sagen.*

In all den Fällen jedoch, in denen eine Wiederholung nicht so leicht zu umgehen ist, raten wir dazu, sie lieber stehenzulassen. Bevor wir uns abmühen und dann doch nur sprachliche Verrenkungen herauskommen, belassen wir es besser bei der Wiederholung.

Eine besondere Art der Wiederholung bilden die Formen, die man als Pleonasmen (= überflüssige Ausdrucksweise) oder Tautologien (= doppelte Ausdrucksweise) bezeichnet.

Tautologien sind z. B.:

einzig und allein
voll und ganz
nie und nimmer
stets und ständig

immer und ewig
Hilfe und Beistand
im großen und ganzen

Hier sind jeweils zwei bedeutungsähnliche Wörter zu einer „festen Formel" miteinander verbunden. Diese Art formelhafter Verdoppelungen sind fester Bestandteil der Sprache. Sie können eine Aussage nachdrücklicher, prägnanter machen. Sie sind also ein Stilmittel und nicht zu kritisieren.

Auch ohne auf vorgeprägte Formeln zurückzugreifen, kann man jederzeit Verdoppelungen vornehmen. So z. B. in dem Satz:

> Die Wissenschaftler hatten alles gründlich *erwogen und bedacht.*

Die Doppelaussage stellt eindringlich vor Augen, daß lange überlegt und diskutiert worden ist. Gewiß kann man auf die Wiederholung auch verzichten – vor allem in geschriebener Sprache, wo man eine Formulierung immer wieder nachlesen kann –, man kann sie aber auch – mit Bedacht – als Mittel der Steigerung verwenden. Mit bloßer Häufung sinnähnlicher Wörter ist es nicht getan. Dafür ein Beispiel:

> Wir werden Ihren Vorschlag dabei in Betracht ziehen und berücksichtigen.

Bei dieser sachlichen Mitteilung besteht gar kein Anlaß, etwas nachdrücklich hervorzuheben. Überdies enthalten *in Betracht ziehen* und *berücksichtigen* einen Widerspruch. *Wir werden Ihren Vorschlag in Betracht ziehen* heißt soviel wie: „Wir werden darüber nachdenken"; *Wir werden Ihren Vorschlag berücksichtigen* dagegen gibt zu verstehen, daß man auf den Vorschlag eingehen, ihn ganz oder teilweise aufgreifen wird.

Die beiden Ausdrücke sind keine Doppelung, sie ergänzen sich auch nicht. In Wahrheit ist hier zweierlei gesagt, das aber nicht recht zusammenpaßt.

Die zweite Gruppe bilden die Pleonasmen, und wir wollen darunter Ausdrücke verstehen, die einen überflüssigen Zusatz enthalten. Musterbeispiel für einen Pleonasmus ist der *weiße Schimmel.*

Fast alle Stillehren verurteilen einmütig diese „überflüssige" Erwähnung von Selbstverständlichem. Natürlich ist ein Schimmel immer weiß, ein Greis alt, ein Zwerg klein usw. Das ist richtig – aber mit Einschränkungen.

Denn ist es nicht eher so, daß das überflüssige Beiwort gerade deshalb hinzugefügt wird, weil das Merkmal, auf das es ankommt, in der Bedeutung des Hauptwortes eben nur mit enthalten, mit gedacht, aber nicht eigens genannt ist? Man kann diesen Hang zur Verdeutlichung besonders gut dort beobachten, wo der genaue Sinn eines Wortes nicht immer mit Sicherheit bekannt ist: nämlich beim Fremdwort. Daraus erklären sich viele pleonastische Wendungen wie:

> bisheriger Status quo (Status quo = bisheriger Stand, Zustand)
> vorläufig suspendieren (suspendieren = vorläufig, befristet befreien)
> heiße Thermalquellen (Thermalquellen = heiße Quellen)
> neu renovieren (renovieren = neu machen)
> aufoktroyieren (oktroyieren = auferlegen, aufzwingen)
> einsuggerieren (suggerieren = einflößen)
> hinzuaddieren (addieren = hinzufügen, -zählen)
> Einzelindividuen (Individuum = der einzelne)
> Zukunftsprognosen (Prognosen sind Voraussagen, also immer auf die Zukunft gerichtet; vielleicht wird *Prognosen* hier mit *Aussichten* verwechselt),
> Gesichtsmimik (Mimik = Mienenspiel, kann sich also nur auf das Gesicht beziehen).

Bei diesen Beispielen ist immer ein Teil im Grunde überflüssig, da der andere Teil ihn schon enthält. Noch etwas ist zu bedenken: Erweiterungen wie *der kleine Zwerg, die lautlose Stille, der tiefe Abgrund* werden meist bewußt gewählt. Sie dienen der Verstärkung, der nachdrücklichen Hervorhebung. Wieviel eindringlicher ist „Das habe ich *mit diesen meinen Augen* gesehen!" oder umgangssprachlich: „Das habe ich *mit meinen eigenen Augen* gesehen!" als: „Das habe ich *selbst* gesehen!"

Solche „überflüssigen" Ausdrucksweisen entstehen also nicht von ungefähr. Das heißt aber nicht, daß sie in jedem Falle auch zum guten Schreibstil gehörten. Man stößt des öfteren auf Pleonasmen, die nicht mit Bedacht – also um etwas z. B. besonders zu betonen – gewählt wurden, sondern die eher unbedacht „reingerutscht" sind.

Machen wir eine Probe! Was kann man ohne Bedenken streichen? Streichen Sie bitte alle Wörter, die in diesem Text überflüssig sind:

```
Ihre bisher gemachten Erfahrungen mit unserem
Hotel haben Ihnen gezeigt und vor Augen geführt,
daß wir uns immer und stets bemühen, unseren bei
uns weilenden Gästen einen besonderen Extraservice
zu bieten.
```

Der eine streicht mehr, der andere weniger, aber alle „Abspekkungskuren" werden auf eine Fassung hinauslaufen, die diesem Satz sehr nahe kommt:

```
Ihre Erfahrungen mit unserem Hotel haben Ihnen
gezeigt, daß wir uns immer bemühen, unseren
Gästen einen besonderen Service zu bieten.
```

Fassen wir zusammen: Dem einfachen Ausdruck ist stets der Vorzug zu geben, wenn nicht besondere Gründe für die Erweiterung ins Feld geführt werden können. Seien Sie immer auf der Hut vor der schleichenden Gefahr der Doppelung im Ausdruck! Prüfen Sie jede Stelle genau, die der überflüssigen Erweiterung verdächtig ist, und lassen Sie sie nur dann unverändert, wenn das einfache Wort tatsächlich nicht genügt! Wer diese Regel beherrscht, darf auch einmal gegen sie verstoßen – weil es in der Sprache nicht allein auf logische Richtigkeit ankommt. Ausdruckswille und Ausdruckskraft sind nicht minder wichtig. Überdeutliche Ausdrucksweise ist deshalb nicht in jedem Falle ein Fehler.

Die Forderung nach Abwechslung im Ausdruck – oder Ausdrucksvariation – hat auch ihre Berechtigung, und zwar dort, wo Wiederholung allein auf mangelhaftem Sprachvermögen beruht. Das einleuchtendste Beispiel für ungeschickte Wiederholung ist das kindlich-einfältige Festhalten an gleichen Fügungen:

> Und da gingen wir immer tiefer in den Wald. Und da war es ganz dunkel. Und da kamen wir an ein Haus ...

Solche Wiederholungen lassen sich vermeiden. Manchmal braucht man die fraglichen Wörter nur wegzustreichen, manchmal muß man sie durch andere ersetzen.

Eine Variation im Ausdruck ist möglich mit Hilfe sogenannter Synonyme. Das sind Wörter, die in ihrer Bedeutung gleich oder ähnlich sind, die man daher in bestimmten Texten – unter fast bestimmten Voraussetzungen – gegeneinander austauschen kann. Gruppen solcher „sinnverwandten" Wörter nennt man Wortfelder. Beispiele hierfür sind etwa:

> **Schreiben:** Brief, Schrieb (umgangssprachlich), Wisch (abwertend), Zuschrift, Zeilen, Epistel (ironisch).
>
> **schwierig:** schwer, diffizil, heikel, gefährlich, kitzlig (umgangssprachlich), kompliziert, subtil, problematisch, verwikkelt, langwierig, knifflig (umgangssprachlich), verzwickt (umgangssprachlich), vertrackt (umgangssprachlich), prekär, nicht leicht, nicht mühelos; beschwerlich, brisant.

(Sie finden solche Wortfelder durch eine Raute ◊ gekennzeichnet bei zahlreichen Wörtern im Wörterverzeichnis.)

Beachten muß man beim Austausch eines Wortes durch ein anderes, daß dabei die gegebene Stilebene nicht verlassen wird, d. h., daß man nicht ein Wort, das der gehobenen Sprache oder der Normalsprache angehört – aus Gründen der Variation – durch ein Wort der Umgangssprache und damit durch einen salopperen Ausdruck ersetzt.

Ein „Schreiben" könnte man also nicht ohne weiteres als „Wisch" bezeichnen, es sei denn, man hätte die Absicht, es auf diese Weise abzuqualifizieren.

Wir müssen uns also überlegen: Was ist das treffendste Wort – d. h. das Wort, das am besten wiedergibt, was wir ausdrücken wollen? Es hat keinen Sinn, in der Wortwahl nur aus stilistischen Gründen zu variieren und dabei zu übersehen, daß man sich immer mehr von der eigentlichen Bedeutung entfernt.

Zu viele Hauptwörter

Ein besonders im Amtsdeutsch gebräuchlicher Schreibstil ist der sogenannte Hauptwortstil. Damit Sie sofort sehen, worum es hier geht, ein Beispiel:

```
Auch wenn die Dauer Ihrer Arbeitslosigkeit über
diesen Termin hinaus gegeben sein sollte, kann
der Versicherungsvertrag durch Weiterzahlung der
Prämien durch Sie fortgesetzt werden.
```

Besser wäre dagegen:

```
Auch wenn Sie über diesen Termin hinaus arbeits-
los sein sollten, können Sie den Versicherungs-
vertrag fortsetzen, indem Sie die Prämien selbst
weiterzahlen.
```

„Arbeitslosigkeit gegeben", „Weiterzahlung der Prämien", das sind zwei Formulierungen, die man ohne Schwierigkeiten umwandeln kann. Dann wird der Stil lebendiger und frischer, eben weniger bürokratisch.

Unter Hauptwortstil versteht man also eine Ausdrucksweise, die durch Häufung von Hauptwörtern gekennzeichnet ist und stilistisch unschön wirkt. Charakteristisch für den Hauptwortstil ist auch der (übermäßige) Gebrauch schwerfälliger Bildungen wie *Inanspruchnahme, Hintansetzung, Nichtbefolgung.* Der Satz *Wegen Außerachtlassung aller Sicherheitsmaßnahmen und Nichtbefolgung der Betriebsvorschriften wurden bei der Tieferlegung der Rohre drei Arbeiter verletzt* kann besser etwa so lauten: *Drei Arbeiter wurden bei der Tieferlegung der Rohre verletzt, weil die Sicherheitsmaßnahmen außer acht gelassen und die Betriebsvorschriften nicht befolgt wurden.* Diese Ausdrucksweise ist lebendiger und auch leichter verständlich.

Zu den Erscheinungen des Hauptwortstils gehören auch die sogenannten Streckformen wie *zur Aufstellung bringen* (statt *aufstellen*) oder *in Wegfall kommen* (statt *wegfallen*). Bei diesen Streckformen handelt es sich in den meisten Fällen lediglich um unschöne Aufschwellungen, denen die einfachen Zeitwörter vorzuziehen sind, also *durchführen* statt *die Durchführung vornehmen, anrechnen* statt *in Anrechnung bringen, anwenden* statt *zur Anwendung kommen lassen, vorschlagen* statt *in Vorschlag bringen.*

Zu häufiger Gebrauch der Leideform

Was einen Brief gleichfalls „bürokratisch“ macht, ist die übertriebene Verwendung der Leideform (des Passivs). Passivsätze sind typisch für Geschäftsbriefe und amtliche Schreiben. Meist lassen sie sich ganz leicht vermeiden.

    Es wird von den Teilnehmern erwartet, daß ...

Besser:

    Wir erwarten von den Teilnehmern, daß ...

    Die Untersuchung der Schäden kann termingerecht durchgeführt werden.

Besser:

    Wir können die Schäden termingerecht untersuchen.

    Diese Unterlagen sind mitzubringen.

Besser:

    Bringen Sie bitte diese Unterlagen mit.

In manchen Fällen jedoch ist das Passiv angebracht, nämlich dann, wenn man den Satzbau variieren will und wenn es unwichtig ist, wer der Handelnde ist.

    Das Messegelände wird um 9 Uhr geöffnet.

Und nicht:

    Der Pförtner öffnet um 9 Uhr das Messegelände.

Unterteilen des Satzes

Manchmal haben wir Schwierigkeiten, einen Satz zu verstehen, weil er schlecht oder gar nicht gegliedert ist. (Bitte vergleichen Sie in den Sprachtips das Stichwort „Schachtelsätze, Treppensätze, überlange Sätze“.) Mit nur wenig Aufwand kann man oft Abhilfe schaffen, z. B. durch einen Punkt. Dies ist im Grunde die einfachste Möglichkeit, Satzgefüge aufzulösen, und doch wird sie oft nicht genutzt – sonst gäbe es nicht in so vielen Texten so lange Sätze. Ein Beispiel:

    Bei dieser Sachlage besteht kein Anspruch auf eine Entschädigungsleistung aus dem Unfallversicherungsvertrag, da nach § 3 Ziffer 4 der Allgemeinen Unfallversicherungsbedingungen Unfälle infolge von Bewußtseinsstörungen, auch soweit diese durch Trunkenheit verursacht wurden, ausgeschlossen sind.

Dafür besser:

> Bei dieser Sachlage besteht kein Anspruch auf eine Entschädigungsleistung aus dem Unfallversicherungsvertrag. Nach § 3 Ziffer 4 der Allgemeinen Unfallversicherungsbedingungen sind nämlich Unfälle infolge von Bewußtseinsstörungen, auch wenn diese durch Trunkenheit verursacht wurden, ausgeschlossen.

Der Satz kann noch weiter verbessert werden. Der Hinweis auf die Paragraphen ist sicher wichtig, aber er muß nicht am Satzanfang stehen. Der nächste Abschnitt zeigt, daß man mit Hilfe von Klammern hier weiterkommt:

> Bei dieser Sachlage besteht kein Anspruch auf eine Entschädigungsleistung aus dem Unfallversicherungsvertrag. Unfälle infolge von Bewußtseinsstörungen, auch wenn diese durch Trunkenheit verursacht wurden, sind nämlich ausgeschlossen (§ 3 Ziffer 4 der Allgemeinen Unfallversicherungsbedingungen).

Klammern sind angebracht, wenn Sie Ihrem Briefpartner Hinweise geben wollen, die in dem Satz eigentlich Nebensache sind. In der gesprochenen Sprache, einer Rede zum Beispiel, würde diese zusätzliche Information etwas leiser gesprochen.

Noch ein Beispiel:

> Unsere neuen Hubstapler sind gerade für Ihren Einsatzbereich interessant (Seite 2 im Prospekt).

Auch mit Gedankenstrichen kann man sehr gut Sätze gliedern. Versuchen wir das an unserem Beispiel:

> Bei dieser Sachlage besteht kein Anspruch auf eine Entschädigungsleistung aus dem Unfallversicherungsvertrag. Unfälle infolge von Bewußtseinsstörungen - auch wenn diese durch Trunkenheit verursacht wurden - sind nämlich ausgeschlossen. Vergleichen Sie dazu bitte § 3 Ziffer 4 der Allgemeinen Unfallversicherungsbedingungen.

Ihnen ist sicher sofort aufgefallen, daß jetzt die Klammern fehlen: Wir haben aus dem Hinweis auf den Paragraphen einen vollständigen Satz gemacht. Warum? Weil ein Satz durch zu viele Einschübe

(„Parenthesen“ genannt) unübersichtlich werden kann, und gerade das wollen wir ja vermeiden. Man nutzt die Gedankenstriche, um einen Zwischengedanken in den Satz einzuschalten. Vor und hinter einem solchen Einschub könnten auch Kommas stehen, aber durch die Gedankenstriche fällt der Einschub mehr auf.

Zwischen Punkt und Komma steht das Semikolon (der Strichpunkt). Der Punkt trennt stärker als das Semikolon; das Komma trennt schwächer als das Semikolon. Damit ist seine Bedeutung im Satz schon erfaßt: Wenn zwei Aussagen zusammengehören, aber doch aus bestimmten Gründen ein wenig getrennt werden sollen – zum Beispiel, damit jede ihr Gewicht behält –, dann wählt man das Semikolon:

```
Die Stellung der Werbeabteilung im Organisations-
plan ist in den einzelnen Unternehmen verschieden;
sie richtet sich nach den Anforderungen, die an
die Werbung gestellt werden.
```

Ein weiteres Mittel zur Gliederung ist der Doppelpunkt. Normalerweise steht der Doppelpunkt nach Ankündigungen: vor der wörtlichen Rede und vor Aufzählungen. Hier schafft er Klarheit und Übersichtlichkeit. Aber auch in anderen Sätzen kann er gute Dienste tun.

```
Wir weisen Sie darauf hin, daß ab 1. Juli die neue
Preisliste gilt.

Denken Sie bitte daran: Ab 1. Juli gilt unsere
neue Preisliste.

Durch die großen Schutzbleche wird das Spritz-
wasser abgehalten, und die Kleidung bleibt sauber.

Große Schutzbleche halten das Spritzwasser ab:
Verschmutzte Kleidung ist kein Thema mehr.
```

Reihenfolge und Wortstellung

Nicht nur was man schreibt, auch in welcher Reihenfolge man schreibt, kann entscheidend sein.

Aufmerksamkeit wecken: Mit einem kleinen Trick können Sie die Aufmerksamkeit Ihres Lesers wecken. Sagen Sie ihm einfach, daß jetzt etwas Wichtiges kommt:

```
Dies ist für Sie besonders wichtig: ...

Was heißt das in Ihrem Fall? ...

Und das bedeutet für Sie, daß ...

Wegen der Reifen: ...

Und dann noch eines: ...

Der Grund dafür ist einfach: ...
```

Sortieren: Was zusammengehört, soll beim Schreiben nicht auseinandergerissen werden. Das ist wichtig für das Verständnis eines Textes:

```
Bei einer Übernahme der Zahlung durch Sie ab
1. Januar nächsten Jahres wird die Vermögens-
bildungsversicherung unter Beibehaltung der Ver-
sicherungssumme sowie der Monatsprämie, allerdings
mit einer geringfügigen Reduzierung der Gewinn-
beteiligung, an unseren Normaltarif angepaßt.
```

Was gehört zusammen? Wir sortieren: Die Vermögensbildungsversicherung wird an den Normaltarif angepaßt, gleich bleiben die Versicherungssumme und die Monatsprämie, die Gewinnbeteiligung sinkt. Jetzt fragen wir uns, was nach vorn kommt, was in die Mitte und was nach hinten im Satz. Am besten steht am Anfang die Voraussetzung für alles, und das ist die Anpassung an den Normaltarif, dann kommt die Reduzierung der Gewinnbeteiligung, und die letzte Aussage, die dem Leser am besten im Gedächtnis bleibt, steht am Schluß.

Nebenbei sollten wir auch noch die „Übernahme der Zahlung durch Sie" ändern – es ist vermeidbarer Hauptwortstil:

```
Wenn Sie ab 1. Januar nächsten Jahres die Beiträge
selbst zahlen, wird die Vermögensbildungsversiche-
rung an den Normaltarif angepaßt. Dabei reduziert
sich geringfügig die Gewinnbeteiligung; die Ver-
sicherungssumme und die Monatsprämie bleiben gleich.
```

Betonung: Beim Sprechen kann man einzelne Wörter im Satz besonders betonen; dadurch merkt der Zuhörer, daß diese Teilaussage wichtig ist.

Auch im geschriebenen Satz ist eine Betonung möglich, aber nicht durch Lautstärke, sondern durch die Wortstellung: Je nachdem, wo ein Wort oder eine Wortgruppe im Satz steht, ist sie mehr oder weniger betont.

Der Anfang des Satzes ist die Stelle, die am aufmerksamsten gelesen wird. Vergleichen Sie bitte diese beiden Sätze:

> Wir haben Sie schon zweimal an die Rechnung erinnert.

> Schon zweimal haben wir Sie an die Rechnung erinnert.

Der zweite Satz wirkt drängender. Die wichtige Aussage *schon zweimal* soll auffallen und steht deshalb an erster Stelle im Satz.

Nicht nur der Satzanfang, auch das Satzende ist eine auffällige Position für unsere Aussagen:

> Wir haben Sie an die Rechnung schon zweimal erinnert.

Oder noch deutlicher mit der Rechnung am Anfang:

> An die Rechnung haben wir Sie schon zweimal erinnert.

„Man kann doch nicht an jedem Satz so lange herumbasteln. Die Zeit ist kostbar.“ Dieser Einwand ist berechtigt. Selbstverständlich kann man das nicht mit jedem Satz machen. Aber man muß wissen, was alles möglich ist und wie man den Leser geschickt auf die wichtigsten Aussagen hinweist.

Gezielte Ansprache: Es gibt noch eine Möglichkeit, die Wirkung Ihrer Sätze zu steigern: die gezielte Ansprache. Angenommen, ein Briefschreiber will den Empfänger um die rechtzeitige Zusendung von Formularen bitten:

1. Der Schreiber spricht von sich:

> Wir erwarten die Formulare bis zum 23.03.1987.

> Wir benötigen die Formulare spätestens am 23.03.1987.

> Wir können auf die Formulare nur bis zum 23.03.1987 warten.

2. Der Schreiber spricht den Empfänger an:

```
Bitte senden Sie die Formulare spätestens am
23.03.1987 ab.

Senden Sie uns die Formulare bitte bis zum
23.03.1987 zu.

Sorgen Sie bitte dafür, daß wir die Formulare
spätestens am 23.03.1987 vorliegen haben.
```

3. Der Schreiber spricht nur von der Sache:

```
Die Formulare müssen bis zum 20.03.1987 zurück-
geschickt werden.

Bis zum 23.03.1987 müssen uns die Formulare vor-
liegen.
```

Die beste Form ist die zweite: Der Leser wird direkt angesprochen und aufgefordert, tätig zu werden. Wenn es möglich ist, sollte man deshalb diese Form wählen.

Mit dem Satzbau hat sich jeder Schreiber immer wieder auseinanderzusetzen, auch wenn er über sehr viel Erfahrung verfügt. Entscheidend sind aber zwei Dinge: Er muß in der Lage sein zu erkennen, wann ein Satz oder Text verbessert werden sollte, und er muß die Mittel kennen, mit denen er das schnell und leicht erreicht.

Die richtige Anrede – kein Problem

Allgemeine Bemerkungen zur Anrede und zum Gruß

Das erste Wort der Anrede wird groß geschrieben. Nach der Anrede steht heute üblicherweise ein Komma, nicht mehr ein Ausrufezeichen.

Allgemein übliche Anreden sind:

Sehr geehrte Frau ... (Zuname)

Sehr geehrter Herr ... (Zuname)

Sehr geehrte Frau ... (Zuname),
sehr geehrter Herr ... (Zuname)

Hinweis: Das erste Wort der folgenden Zeile wird nach dem Komma klein, nach dem Ausrufezeichen immer groß geschrieben.

Ist der Brief nicht an eine bestimmte Person gerichtet, dann schreibt man *Sehr geehrte [Damen und] Herren.*

Über die Anrede „sehr geehrt..." hinaus gibt es noch eine Reihe von Anreden, die wir im folgenden anführen. Welche man wählt, hängt davon ab, wie man zu dem Empfänger steht:

Sehr geehrter, lieber Herr ... (Zuname)
Sehr geehrte, liebe Frau ... (Zuname)
Sehr verehrte Frau ... (Zuname)
Sehr verehrte, liebe Frau ... (Zuname)
Sehr verehrte gnädige Frau
Guten Tag
Guten Tag, Herr ... (Zuname)
Guten Tag, Frau ... (Zuname)
Hochzuverehrender Herr ... (Zuname)

Schwierigkeiten bereitet oft die Anschrift von Ehepaaren. Hier schreibt man üblicherweise:

Hans und Eva Berger

Herrn und Frau
Hans und Eva Berger

Familie
Hans und Eva Berger

Herrn Hans Berger
Frau Eva Berger

Herrn Hans und Frau Eva Berger

Eheleute Hans und Eva Berger

Manche empfinden es als Unhöflichkeit, den Mann vor der Frau zu nennen, und sie schreiben

Frau Eva und Herrn Hans Berger

Die übrigen Formen sind auch gebräuchlich, man muß sich allerdings darüber klar sein, daß sie die Frau zum „Anhängsel" des Mannes machen:

Herrn Hans Berger und Frau
Herrn Dr. Hans Gerster und [Frau] Gemahlin

Als Gruß verwendet man im Geschäftsbereich meist *Mit freundlichen Grüßen*. Üblich ist auch *Mit freundlichem Gruß* oder *Hochachtungsvoll*. Im Privatbereich hat man auch hier mehr Möglichkeiten:

Mit den besten Grüßen
Herzliche Grüße
Herzlichst
Alles Liebe
Bis bald
Es grüßt Dich/Euch/Sie

Zu beachten ist:

Unterschreiben mehrere Personen, dann kann man nicht eines der Fürwörter weglassen, also nicht: *Deine Oma und Opa, Dein Klaus und Rolf, Eure Renate und Peter, Ihre Eva Müller und Max Müller,* sondern:

Deine Oma und Dein Opa
Dein Klaus, Dein Rolf
Eure Renate und Euer Peter
Ihre Eva Müller und Ihr Max Müller (Wird hier jedoch der Familienname nur einmal genannt, bezieht sich *Ihre* auf beide Personen und ist korrekt: *Ihre Eva und Max Müller.*)

Nach diesen allgemeinen Vorbemerkungen wenden wir uns jetzt den speziellen Formen der Anrede zu.

Damit Sie die richtige Anrede im Zweifelsfall schnell finden, hier eine alphabetische Übersicht mit allen wichtigen Erklärungen und Hinweisen. Achten Sie bitte bei der Auswahl von Anrede und Gruß darauf, daß sie zusammenpassen: Zu einer gehobenen Anrede wie *Hochzuverehrender Herr Präsident* wählt man einen gehobenen Gruß wie *Mit großer Hochachtung*. Dabei ist jedoch zu bedenken, daß die allzu förmlichen Anreden und Grußformeln allmählich aus dem Gebrauch kommen und auf viele Menschen schon altertümlich wirken.

Adelstitel

Ist der Empfänger eines Briefes Träger eines Adelstitels, dann bereitet die Anrede häufig Kopfzerbrechen. Im Zweifel ist die Kombination von *Herr* oder *Frau* mit Titel und vollem Namen richtig. Dabei steht der Titel in der gesellschaftlich üblichen Form immer vor dem Vornamen. In der gesetzlich geregelten Schreibweise – sie ist für Behörden verbindlich – steht der Titel hinter dem Vornamen:

Gesellschaftliche Form: *Herrn Ritter Gustav von Wiesental*
Gesetzliche Form: *Herrn Gustav Ritter von Wiesental*

Bei dem sogenannten nichttitulierten Adel ist das Wort *von* Bestandteil des Namens. (Vergleichen Sie hierzu bitte auch in den Sprachtips das Stichwort „von".)

Anschrift: *Herrn Peter von Hausen*
Frau Rita von Märklenstadt
Herrn Graf Wolfgang von Niebelfels
Frau Gräfin Gudrun von Zels

Anrede: *Sehr geehrter Herr von Hausen*
Sehr geehrte Frau von Märklenstadt
Sehr geehrter Herr Graf Wolfgang von Niebelfels
Sehr geehrte Frau Gräfin Gudrun von Zels
Sehr geehrter Herr Dr. Graf Wolfgang von Niebelfels
Sehr geehrte Frau Dr. med. Gudrun von Zels

Ist der Empfänger ein Freiherr oder eine Freifrau, so schreibt man:

Anschrift: *Freiherr Knut von Helfenstein*
Freifrau Hetty von Stein

Anrede: *Sehr geehrter Herr von Helfenstein*
Sehr geehrte Frau von Stein
Oder man nimmt den Titel *Baron* – im süddeutschen Sprachraum ohne *von*
Sehr geehrter Baron Helfenstein
Sehr geehrte Baronin Stein

Akademische Grade

Professor

Anschrift: *Herrn Professor (Vorname, Zuname)*
Herrn Professor Dr. (Vorname, Zuname)
Frau Professor (Vorname, Zuname)
Frau Professor Dr. (Vorname, Zuname)

	Auch die weibliche Form ist möglich: *Frau Professorin (Vorname, Zuname)* *Frau Professorin Dr. (Vorname, Zuname)*
Anrede:	*Sehr geehrter Herr Professor* *Sehr geehrte Frau Professor* *Sehr geehrte Frau Professorin*

Im allgemeinen fügt man in der Briefanrede den Namen nicht hinzu.

Rektor einer Universität

Anschrift:	*Herrn Professor Dr. Ludger Rinklage* *Rektor der Goethe-Universität*
	Frau Professorin Dr. Tanja Semerowa *Rektorin der Philipps-Universität*
Anrede:	*Sehr geehrter Herr Rektor* *Sehr geehrte Frau Rektorin* *Euer Magnifizenz* *Euer Magnifika*

Magnifizenz ist die inzwischen seltener gebrauchte Anrede für den Rektor einer Universität. Die weibliche Form ist *Magnifika.*

Doktor

Den Doktortitel sollte man in Anschrift und Anrede nicht weglassen, es sei denn, man kennt den Empfänger gut oder weiß, daß er keinen Wert auf Förmlichkeiten legt.

Man kann den Doktortitel in vielen Studienfächern erwerben. Am bekanntesten und verbreitetsten ist der Doktor der Medizin (bzw. der Zahnmedizin). Umgangssprachlich wird die Anrede *Doktor* ohne Namen für den Arzt benutzt. Das sollte man im Brief jedoch vermeiden. Also nicht *Sehr geehrter Herr Doktor.* Zur Unterscheidung der verschiedenen Doktortitel schreibt man hinter *Dr.* eine weitere Abkürzung, zum Beispiel *rer. nat.* Welche Fachrichtung verbirgt sich dahinter?

Abkürzung	Bedeutung
Dr. agr.	Doktor der Landwirtschaft
Dr. rer. agr.	Doktor der Landwirtschaft und der Bodenkultur
Dr. E. h.	Ehrendoktor der Ingenieurwissenschaften
Dres.	Anrede für mehrere Doktoren
Dr. forest.	Doktor der Forstwissenschaften
Dr. h. c.	Ehrendoktor
Dr. h. c. mult.	mehrfacher Ehrendoktor

Dr.-Ing.	Doktoringenieur
Dr. jur.	Doktor der Rechte
Dr. jur. utr.	Doktor beider Rechte
Dr. med.	Doktor der Medizin
Dr. med. dent.	Doktor der Zahnmedizin
Dr. med. vet.	Doktor der Tiermedizin
Dr. mult.	mehrfacher Doktor
Dr. oec.	Doktor der Wirtschaftswissenschaften
Dr. rer. oec.	Doktor der Wirtschaftswissenschaften
Dr. oec. publ.	Doktor der Staatswissenschaft, der Volkswirtschaft
Dr. sc. pol.	Doktor der Sozialwissenschaft, der Staatswissenschaften, der Volkswirtschaft
Dr. rer. pol.	Doktor der Staatswissenschaften, der Volkswirtschaft
Dr. paed.	Doktor der Pädagogik
Dr. phil.	Doktor der Philosophie
Dr. phil. nat.	Doktor der Naturwissenschaft
Dr. rer. nat.	Doktor der Naturwissenschaften
Dr. sc. math.	Doktor der Mathematik (Schweiz)
Dr. rer. hort.	Doktor der Gartenbauwissenschaften
Dr. rer. mont.	Doktor der Bergbauwissenschaften
Dr. rer. techn.	Doktor der technischen Wissenschaften
Dr. sc. techn.	Doktor der technischen Wissenschaften
Dr. theol.	Doktor der Theologie
D.	[Ehren]doktor der ev. Theologie

Zu weiteren Einzelheiten vergleichen Sie bitte in den Sprachtips das Stichwort „Doktor“.

Ingenieur

Die Berufsbezeichnung *Ingenieur* ist gesetzlich geschützt. Der *Ing. grad.* ist abgeschafft. Dafür die heutige Form: *Dipl.-Ing. (FH).*

Anschrift: *Herrn Dipl.-Ing. Karl Meister*
Frau Dipl.-Ing. Elke Raddenhaus

Anrede: *Sehr geehrter Herr Meister*
Sehr geehrte Frau Raddenhaus

Bundesbahn, Bundespost, Bundeswehr, Polizei

Für die Anschrift und Anrede von Angehörigen dieser Einrichtungen gilt: Bei hohen Rängen setzt man die Amtsbezeichnung hinzu. Zu den hohen Rängen gehören Präsidenten, Oberdirektoren und Direktoren, höhere Offiziere. Bei allen anderen bleibt es dem persönlichen Empfinden und der Beziehung zwischen Absender und Empfänger überlassen.

Anschriften:

Herrn (Vorname, Zuname)
Präsident der ...

Herrn General (Vorname, Zuname)

Herrn (Vorname, Zuname)
Leitender Kriminaldirektor

Herrn Generalmajor
(Vorname, Zuname)

Anreden: *Sehr geehrter Herr Präsident*
Sehr geehrter Herr General (Zuname)
Sehr geehrter Herr Leitender Kriminaldirektor
Sehr geehrter Herr Generalmajor (Zuname)

Bundesregierung und Landesregierungen

Bundespräsident

Anschrift: *Herrn Bundespräsidenten der Bundesrepublik Deutschland (Vorname, Zuname)*
Kaiser-Friedrich-Straße 16
5300 Bonn

Anrede: *Sehr geehrter Herr Bundespräsident*
Hochverehrter Herr Bundespräsident

Einen weiblichen Bundespräsidenten würde man mit *Sehr geehrte Frau Bundespräsident* oder mit *Sehr geehrte Frau Bundespräsidentin* anreden.

Bundeskanzler

Anschrift: *Herrn Bundeskanzler der Bundesrepublik Deutschland*
(Vorname, Zuname)
Konrad-Adenauer-Allee 141
5300 Bonn

Anrede: *Sehr geehrter Herr Bundeskanzler*
Hochverehrter Herr Bundeskanzler

Anschriften:

Herrn (Vorname, Zuname)
Präsident des Bundesrates

Herrn (Vorname, Zuname)
Präsident des Deutschen Bundestages

Herrn (Vorname, Zuname)
Präsident des Ältestenrates

Frau (Vorname, Zuname)
Staatssekretärin im Bundeskanzleramt

Anreden: *Sehr geehrter Herr Bundesratspräsident*
Sehr geehrter Herr Bundestagspräsident
Sehr geehrter Herr Präsident des Ältestenrates
Sehr geehrte Frau Staatssekretärin

Bundesminister

Anschrift: Es ist zwischen der gebräuchlichen Amtsbezeichnung und der offiziellen Amtsbezeichnung zu unterscheiden. In der Anschrift sollte man die offizielle Bezeichnung verwenden.

Gebräuchliche Bezeichnung	Offizielle Bezeichnung
Arbeitsminister	Bundesminister für Arbeit und Sozialordnung
Außenminister	Bundesminister des Auswärtigen
Bauminister	Bundesminister für Raumordnung, Bauwesen und Städtebau
Bildungsminister	Bundesminister für Bildung und Wissenschaft
Familienminister	Bundesminister für Jugend, Familie, Frauen und Gesundheit
Finanzminister	Bundesminister der Finanzen
Forschungsminister	Bundesminister für Forschung und Technologie
Innenminister	Bundesminister des Innern
Justizminister	Bundesminister der Justiz
Kanzleramtsminister	Chef des Bundeskanzleramtes, Bundesminister (Vorname, Zuname)
Landwirtschaftsminister	Bundesminister für Ernährung, Landwirtschaft und Forsten
Postminister	Bundesminister für das Post- und Fernmeldewesen
Sonderminister	Bundesminister für besondere Aufgaben
Umweltminister	Bundesminister für Umwelt, Naturschutz und Reaktorsicherheit
Verkehrsminister	Bundesminister für Verkehr
Verteidigungsminister	Bundesminister der Verteidigung
Wirtschaftsminister	Bundesminister für Wirtschaft
–	Bundesminister für wirtschaftliche Zusammenarbeit
–	Bundesminister für innerdeutsche Beziehungen

Anrede: *Sehr geehrter Herr Bundesminister*
Sehr geehrter Herr Minister
Sehr geehrte Frau Bundesminister
Sehr geehrte Frau Bundesministerin
Sehr geehrte Frau Minister
Sehr geehrte Frau Ministerin

Ministerpräsident
Die Ministerpräsidenten der Länder und mit ihnen die Landesminister und Länderbehörden haben ihren Sitz in der jeweiligen Landeshauptstadt:

Baden-Württemberg	Stuttgart
Bayern	München
Bremen	Bremen
Hamburg	Hamburg
Hessen	Wiesbaden
Niedersachsen	Hannover
Nordrhein-Westfalen	Düsseldorf
Rheinland-Pfalz	Mainz
Schleswig-Holstein	Kiel
Saarland	Saarbrücken
Berlin	Berlin

In Berlin wird der Chef der Landesregierung *Regierender Bürgermeister* genannt, in Hamburg *Erster Bürgermeister,* in Bremen *Präsident des Senats,* in allen anderen Bundesländern *Ministerpräsident.*

Anschrift: *Herrn (Vorname, Zuname)*
Ministerpräsident des Landes ...

Herrn (Vorname, Zuname)
Regierender Bürgermeister der Stadt Berlin

Herrn (Vorname, Zuname)
Erster Bürgermeister der Freien und Hansestadt Hamburg

Herrn (Vorname, Zuname)
Präsident des Senats der Freien Hansestadt Bremen

Anrede: *Sehr geehrter* (oder *Hochverehrter*) *Herr Ministerpräsident*

Sehr geehrter (oder *Hochverehrter*) *Herr Bürgermeister* (in Berlin und Hamburg)

Sehr geehrter (oder *Hochverehrter*) *Herr Präsident* (in Bremen)

Einen weiblichen Regierungschef würde man mit *Sehr geehrte Frau Ministerpräsident (Bürgermeister, Präsident)* oder *Sehr geehrte Frau Ministerpräsidentin (Bürgermeisterin, Präsidentin)* anreden.

Die Minister eines Bundeslandes werden ebenfalls mit *Sehr geehrter Herr Minister* oder *Sehr geehrte Frau Ministerin* angeredet. Die Bezeichnung *Landesminister* gibt es nicht. In der Anschrift steht: *Herrn Minister* (Vorname und Zuname) und die jeweilige Bezeichnung des Ministeriums. Als Anrede schreibt man: *Sehr geehrter Herr Minister* oder *Sehr geehrte Frau Ministerin.* Der Titel der Minister in Berlin, Bremen und Hamburg ist *Senator.*

Diplomaten

Botschafter

Anschrift: *Herrn (Vorname, Zuname)*
Botschafter von .../der .../des ... (Land)

Frau (Vorname, Zuname)
Botschafterin von .../der .../des ... (Land)

Anrede: *Sehr geehrter Herr Botschafter*
Sehr geehrte Frau Botschafterin

Bei allen anderen wichtigen Angehörigen einer Botschaft verfährt man nach diesen Mustern, also zuerst Vorname und Name und danach die Amtsbezeichnung.

Die Vertreter von Monarchien haben zusätzlich die Bezeichnung *Königlich* oder *Kaiserlich.* Vertreter ausländischer Botschaften redet man mit *Exzellenz* an. Dieses Wort ist die Anrede für Botschafter, Konsuln und Gesandte anderer Länder in der Bundesrepublik, für die Gesandten (*Nuntien,* Einzahl *Nuntius*) und die hohen Prälaten der römisch-katholischen Kirche *(Primas, Erzbischof, Bischof, Weihbischof).* Mehr dazu unter „Kirche“.

Anschrift: *Seiner Exzellenz*
Herrn (Vorname, Zuname)
Botschafter von .../der .../des ... (Land)

Ihrer Exzellenz
Frau (Vorname, Zuname)
Botschafterin von .../der .../des ... (Land)

Funk und Fernsehen

Die Bezeichnungen für die höheren Positionen bei Funk und Fernsehen kann man in Anschrift und Anrede aufnehmen: Vorsitzender des Rundfunkrates, Vorsitzender des Verwaltungsrates, Intendant und Direktor – sie alle werden nach folgendem Muster geschrieben:

Anschrift: *Herrn (Vorname, Zuname)*
Programmdirektor des ... Rundfunks

Anrede: *Sehr geehrter Herr Programmdirektor*

Justiz

Bei allen Gerichtspräsidenten, allen hohen Richtern und Anwälten verwendet man die Amtsbezeichnung in Anschrift und Anrede, z. B.:

Anschrift: *Frau (Vorname, Zuname)*
Oberbundesanwältin

Herrn (Vorname, Zuname)
Oberstaatsanwalt

Anrede: *Sehr geehrte Frau Oberbundesanwältin*
Sehr geehrter Herr Oberstaatsanwalt

Anschrift: *Frau Rechtsanwältin (Vorname, Zuname)*
Herrn Rechtsanwalt (Vorname, Zuname)

Anrede: *Sehr geehrte Frau Rechtsanwältin*
Sehr geehrte Frau Rechtsanwältin (Zuname)
Sehr geehrter Herr Rechtsanwalt
Sehr geehrter Herr Rechtsanwalt (Zuname)

Kirchliche Ämter

Römisch-katholische Kirche

In der römisch-katholischen Kirche sind die herkömmlichen Titel und Anreden noch gebräuchlich. Dennoch wird ein Kardinal die einfache Anredeform *Sehr geehrter Herr Kardinal* ... sicher nicht übelnehmen – viele geistliche Würdenträger bitten sogar darum, die gehobenen Anreden nicht mehr zu benutzen.

Die offiziellen Anreden lauten:

Papst

Anschrift: *Seiner Heiligkeit*
Papst (Name)

Anrede: *Euer Heiligkeit*
Heiliger Vater

Kardinal

Anschrift: *Seiner Eminenz*
dem Hochwürdigsten Herrn
Vorname Kardinal Zuname

Anrede: *Euer Eminenz*

Erzbischof oder Bischof

Anschrift: *Seiner Exzellenz*
dem Hochwürdigsten Herrn Erzbischof/Bischof
(Vorname, Zuname)

Anrede: *Euer Exzellenz*

Das Wort *Exzellenz* ist vorgesehen für die Amtsträger *Prälat, Erzbischof, Bischof und Weihbischof.*

Prälat

Anschrift: *Seiner Gnaden*
dem Hochwürdigsten Herrn Prälaten
(Vorname, Zuname)

Anrede: *Hochwürdigster Herr Prälat*
Euer Gnaden

Domdechant, Domkapitular, Dompropst nach diesem Muster:

Anschrift: *Seiner Gnaden*
dem Hochwürdigsten Herrn Domdechanten
(Vorname, Zuname)

Anrede: *Hochwürdigster Herr Domdechant*
Sehr geehrter Herr Domdechant

Die Anrede *Euer Gnaden* ist vorgesehen für folgende Amtsbezeichnungen: Prälat, Monsignore, Protonotar, Präfekt, Administrator, Vikar, Offizial, Domkapitular, Domdechant, Dompropst, Abt, Erzabt, Koadjutor.

Kaplan

Anschrift: *Herrn Kaplan (Vorname, Zuname)*
Anrede: *Sehr geehrter Herr Kaplan*

Evangelische Kirche

Die Amtsbezeichnung wird in der Anschrift vor den Vornamen und Zunamen gesetzt. In der Anrede benutzt man vom Landesbischof bis zum Vikar die Amtsbezeichnung nach folgenden Mustern:

Bischof

Anschrift: *Herrn Bischof*
(Vorname, Zuname)

Anrede: *Sehr geehrter Herr Bischof*

Präses

Anschrift: *Herrn Präses*
(Vorname, Zuname)

Anrede: *Sehr geehrter Herr Präses*

Kreisverwaltung und Stadtverwaltung

Bei den höheren Rängen sollte man die Amtsbezeichnung hinzusetzen, also: Oberkreisdirektor, Kreisdirektor, Landrat, Oberbürgermeister, Bezirksbürgermeister, Oberstadtdirektor, Stadtdirektor, Gemeindedirektor. In der Anschrift kann man die Amtsbezeichnung vor oder auch hinter den Namen schreiben. Wir zeigen Ihnen die Schreibweise am Beispiel eines Landrates und einer Bürgermeisterin:

Anschrift: *Herrn (Vorname, Zuname)*
Landrat des Landkreises ...

Herrn Landrat (Vorname, Zuname)

Frau (Vorname, Zuname)
Bürgermeisterin der Stadt ...

Frau Bürgermeisterin (Vorname, Zuname)

Anrede: *Sehr geehrter Herr Landrat*
Sehr geehrte Frau Bürgermeisterin

Parteien

Anschrift: *Ortsverband/Kreisverband/Landesverband/Bundesvorstand der ... Partei*

Anrede: *Sehr geehrte Damen und Herren*

Anschrift: *Frau (Vorname, Zuname)*
Vorsitzende des Ortsvereins der ... Partei
Herrn (Vorname, Zuname)
Bundesvorsitzender der ... Partei

Anrede: *Sehr geehrte Frau (Zuname)*
Sehr geehrte Frau Vorsitzende
Sehr geehrter Herr (Zuname)
Sehr geehrter Herr Bundesvorsitzender

Schule und Schulverwaltung

Bei allen höheren Beamten der Schule und der Schulverwaltung sollte man die Amtsbezeichnung hinzusetzen. Dies geschieht bei der Anschrift in der Weise, daß zuerst die Amtsbezeichnung genannt wird und dann Vorname und Zuname. Einige Beispiele:

Anschrift: *Herrn Regierungsschuldirektor (Vorname, Zuname)*
Frau Schulamtsdirektorin (Vorname, Zuname)
Herrn Oberstudiendirektor (Vorname, Zuname)

Frau Studiendirektorin (Vorname, Zuname)
Herrn Realschuldirektor (Vorname, Zuname)
Frau Rektorin (Vorname, Zuname)

Aus Platzgründen sollte man Vorname und Zuname unter die Amtsbezeichnung setzen:

Herrn Regierungsschuldirektor
Hans-Günther Vonderstädt

Anrede: *Sehr geehrter Herr Regierungsschuldirektor*
Sehr geehrte Frau Schulamtsdirektorin
Sehr geehrter Herr Oberstudiendirektor
Sehr geehrte Frau Studiendirektorin
Sehr geehrter Herr Realschuldirektor
Sehr geehrte Frau Rektorin

Ob Sie bei Gymnasiallehrern, Realschullehrern, Handelslehrern und allen anderen Lehrern die Amtsbezeichnung hinzusetzen, können Sie frei entscheiden.

Der private Bereich

Allgemeine Bemerkungen

Mit dem Wort *privat* ist schon sehr viel über das Besondere dieser Briefe gesagt: *privat* heißt „persönlich“, „familiär“ oder auch „nicht offiziell, nicht geschäftlich, nicht amtlich“. Der Privatbrief ist also kein „offizieller“ Brief, und er ist auch kein Geschäftsbrief. Es gibt jedoch auch im Geschäftsleben Briefe, die fast schon Privatbriefe sind: Der Geburtstagsglückwunsch an einen verdienten Mitarbeiter zum Beispiel oder die Weihnachtskarte an einen guten Kunden. Man spricht in diesen Fällen von halbgeschäftlichen Briefen.

Die Grenze zwischen reinen Geschäftsbriefen auf der einen Seite und den halbgeschäftlichen und ganz privaten Briefen auf der anderen Seite kann man nicht genau festlegen, aber dennoch gibt es einen Unterschied. Beim Privatbrief haben wir die Möglichkeit, ganz individuell zu formulieren, anders als die anderen zu schreiben. Das gilt für alle Anlässe, ob Glückwunsch zum Geburtstag, zur Taufe oder zur Hochzeit, ob Beileidsbrief oder Einladung zu einem Fest. Eines gilt für beide Briefsorten in gleicher Weise: Sie verlangen die Sorgfalt des Schreibers.

Woran erkennt man einen guten Privatbrief? Sicher daran, daß der Schreiber seinen Brief persönlich formuliert hat. Persönlich heißt hier für den Schreiber typisch, unverwechselbar und nur für den Empfänger des Briefes bestimmt, also nicht austauschbar. Ein Privatbrief ist gegenüber dem Geschäftsbrief immer etwas Persönliches. Man kann sich ein Rezept denken, das einem hilft, einen brauchbaren Glückwunsch zu schreiben. Etwa so:

> Man nehme für einen guten Glückwunschbrief den Einleitungssatz *„Ich gratuliere Dir ganz herzlich zum Geburtstag“*, schreibe darunter *„An diesem Ehrentag hast Du sicher viele Freunde eingeladen oder feierst im Kreis Deiner Familie.“* Anschließend grüße man nochmals und wünsche eine gute Zukunft.

Aber wirklich persönlich und unverwechselbar für Schreiber und Leser ist dieser Brief noch nicht, denn „würzen“ muß jeder selbst. Die „Würze“ kann Humor sein oder sogar Ironie, ein typischer Sprachgebrauch, eigene Formulierungen, eben die Abweichung vom Üblichen. Für alle Gratulationen gilt die Faustregel: Je weniger Sie übliche Gratulationsfloskeln benutzen, desto origineller wird Ihr Brief. Es kommt nicht darauf an, wieviel Sie schreiben, sondern darauf, daß Ihre Wünsche ehrlich gemeint sind und von Herzen kommen.

Im folgenden finden Sie Briefmuster für die unterschiedlichsten Schreibanlässe, die Ihnen Anregungen geben sollen für Ihr eigenes Bemühen.

Briefe zu Geburt und Konfirmation

Liebe Susanne,
lieber Martin,

wir gratulieren Euch ganz herzlich zur Geburt Eurer Tochter!

Noch weiß sie nicht, daß sie in eine glückliche Familie geboren wurde, doch schon jetzt spürt sie die Fürsorge und die Liebe ihrer Eltern und Geschwister.

Wir wünschen Eurer Eva Glück und Gesundheit auf ihrem Lebensweg.
Herzliche Grüße

Eure

Liebe Christina, lieber Uwe,

wir freuen uns mit Euch über die Geburt Eurer Tochter. Herzlichen Glückwunsch!

Bestimmt habt Ihr Euch auf die Veränderungen, die in den nächsten Wochen bevorstehen, gut vorbereitet, damit es der kleinen Daniela an nichts fehlt. Doch seid sicher, es kommen noch genug Überraschungen! Mit Kindern erlebt man jeden Tag etwas Neues, und jeden Tag sind es Dinge, die in keinem Lehrbuch stehen.

Genießt die Zeit, in der Ihr mit Eurer Tochter auf „Entdeckungsreise" geht, und laßt uns ab und zu daran teilnehmen.

Alles Gute für Euch drei

Bernd und Ute

Liebe Monika,
lieber Hans,

ich weiß genau, wie sehr Ihr Euch einen Stammhalter gewünscht habt. Endlich könnt Ihr Euer Söhnchen Thomas in Eure Arme schließen und das Glück einer Familie genießen.

Ich hoffe, daß Du, liebe Monika, die Anstrengungen der Geburt schon bald vergessen haben wirst. Vielleicht darf ich bald einmal Euch und vor allem Euren Thomas sehen. Bitte teilt mir mit, wann Euch mein Besuch willkommen ist.

Mit den besten Wünschen für Euch und Euren Nachwuchs

Euer

Lieber Andreas,

nach Deiner Geburt konnte ich mit dem Antrag Deiner Eltern nicht so recht umgehen. Ich war ja selber gerade erst dem jugendlichen Alter entwachsen. Und dann sollte ich gleich Patentante werden. Aber als ich Dich besser kennenlernte, hat mir meine Aufgabe Spaß gemacht.

Heute sind wir Freunde. Daran wird sich auch nach Deiner Konfirmation nichts ändern. Wenn Du einmal Hilfe brauchst, kannst Du immer auf mich zählen.

Für Deinen weiteren Lebensweg wünsche ich Dir Glück und Erfolg. Mögen viele Deiner Träume in Erfüllung gehen.

Es grüßt Dich

Deine

Liebe Alexandra,

am Tag Deiner Konfirmation wünsche ich Dir, daß Dir der Glaube Dein ganzes Leben lang Halt geben möge. In der Gewißheit, Teil der großen kirchlichen Familie zu sein, kannst Du Deine Konfirmation in froher Stimmung feiern.

Ich wünsche Dir einen schönen, festlichen Tag mit Deinen Eltern und Freunden und bin mit den besten Grüßen

Deine

Briefe zu Verlobung und Vermählung, zur silbernen und goldenen Hochzeit

Liebe Helga,
lieber Karl,

mit großer Freude habe ich Eure Verlobungsanzeige in der Zeitung gelesen, und ich möchte nicht versäumen, Euch recht herzlich zu gratulieren.

Ich wünsche Euch alles erdenklich Gute für Euer junges Glück! Auf daß Eure gemeinsamen Wünsche in Erfüllung gehen!

Eure

Liebe Gisela,
lieber Hans,

wir gratulieren Euch ganz herzlich zu Eurer Verlobung. Wir freuen uns, daß Ihr diese Entscheidung füreinander getroffen habt.

Nun müßt Ihr nur noch die kurze Zeit bis zum Abschluß Eures Studiums gut hinter Euch bringen, dann könnt Ihr den gemeinsamen Lebensweg beginnen.

Wir wünschen Euch schon heute dazu alles erdenklich Gute.

Eure

Liebe Braut,
lieber Bräutigam,

wir möchten nicht versäumen, uns in die Schar der Gratulanten einzureihen, um Ihnen unsere herzlichen Glückwünsche auszusprechen.

Ihr Hochzeitstag wird sicher ein unvergeßlicher Tag in Ihrem von nun an gemeinsamen Leben sein. Möge er – und natürlich auch all die folgenden Tage, Monate, Jahre – besonders glücklich und harmonisch verlaufen.

Wenn wir auch an diesem wichtigen Tag nicht bei Ihnen sein können, so werden wir doch mit allen guten Wünschen an Sie denken.

Alles Liebe

Ihre

Sehr geehrtes Brautpaar,

ganz herzlich möchten wir Ihnen zu Ihrer Vermählung gratulieren. Wir wünschen Ihnen von Herzen alles Gute für Ihren gemeinsamen Lebensweg. Möge gegenseitiges Vertrauen, Achtung und Liebe Sie immer begleiten in guten und in schlechten Tagen.

Ihre

Lieber Walter,
liebe Maria,

zu Eurer Silberhochzeit wünschen wir Euch alles erdenklich Gute.

In 25 Jahren seid Ihr für uns eine verläßliche Eheinstitution geworden, und wir bewundern sehr, daß nichts Eure Verbundenheit trennen konnte.

Wir hoffen, mit Euch noch sehr lange freundschaftlich verbunden zu sein.

Mit den besten Wünschen für die kommenden 25 Jahre

Eure

Liebe Bettina,
lieber Günther,

während Ihr im siebten Himmel schwebt, sind wir, als uns Eure Heiratsanzeige erreichte, aus allen Wolken gefallen. Seit wieviel Jahren lebt Ihr schon zusammen? Seit fünf?

Mit Eurer Heirat haben wir bei einer so seriösen wilden Ehe nicht mehr gerechnet.

Daß Ihr einander vertraut und achtet, Geduld und Verständnis füreinander aufbringt – Euch dies zu wünschen ist überflüssig, denn Eure Liebe baut längst darauf.

Wir können Euch also nur wünschen, daß all Eure Wünsche in Erfüllung gehen.

Mit den herzlichsten Grüßen

Eure

Liebes Silberhochzeitspaar,

„Liebe ist das einzige, was wächst, indem wir es verschwenden." Was Ricarda Huch sagt, Ihr könnt es durch Eure 25jährige Ehe bestätigen.

Bleibt auch weiterhin das „verschwenderische Liebespaar", dem man kaum ansieht, daß es bereits eine so lange Lebensstrecke gemeinsam zurückgelegt hat.

Mit den besten Wünschen zur Silberhochzeit

Eure

Liebe Hannelore.
lieber Otto,

schon lange habt Ihr Euch auf dieses schöne Fest gefreut, und nun ist der Tag Eurer goldenen Hochzeit da. Sicher wird er genauso schön, wie Ihr ihn Euch vorgestellt habt: eine große, fröhliche Feier im Kreise der Familie und der Freunde.

Da werden mit all den vertrauten Gästen die Erinnerungen an alte Zeiten wieder aufleben. Aber wenn sich auch vieles geändert hat – Ihr seid noch genauso liebenswert wie damals.

Wir wünschen Euch von Herzen Glück und Gesundheit!

Mit den besten Grüßen

Eure

PS: Haben wir mit dem Wein Euren Geschmack getroffen?

Texte für Glückwunschkarten

Dem lieben Brautpaar und den Brauteltern senden wir unsere herzlichen Glückwünsche.

Sehr geehrte Frau Fender,
sehr geehrter Herr Fender,

die besten Wünsche zur Vermählung und alles Gute für Ihre Zukunft.

Liebes Brautpaar,

zu Ihrer Vermählung die besten Wünsche für eine glückliche gemeinsame Zukunft.

Glückwünsche zum Geburtstag

Herzlichen Glückwunsch zum Geburtstag!

Lieber Vater,

lange haben wir überlegt, was wir Dir zu Deinem Geburtstag schenken könnten. Freude soll es Dir machen, unser Geschenk, und es soll Dich immer an uns erinnern.

Da fiel uns ein, daß Du doch früher sehr gerne fotografiert hast. Wäre das nicht auch ein schönes Hobby für den Ruhestand?

Hoffentlich hast Du viel Freude an diesem Fotoapparat. Damit sich auch der zweite Teil unserer Voraussetzung für das Geschenk erfüllt – die Erinnerung –, stellen wir uns jetzt schnell in Positur und

wünschen Dir viel Glück und Gesundheit!

Deine

Lieber Martin,

zu Deinem 30. Geburtstag gratulieren wir Dir herzlich!

Wir haben für Dich ein Fotoalbum zusammengestellt und uns erlaubt, die Bilder zu kommentieren. Es sind kleine Erinnerungsausschnitte aus Deiner Kinderzeit. Vielleicht macht es Dir Freude, Deinen Blick einmal in Deine Kindheit zu lenken.

Wir wünschen Dir, daß die nächsten 30 Jahre genauso glücklich werden wie die vergangenen.

Es grüßen Dich

Deine

Sehr geehrter Herr Winter,

die Mitarbeiter Ihres Unternehmens gratulieren Ihnen herzlich zum 50. Geburtstag und danken Ihnen für die Einladung zum Betriebsfest!

Wir alle hoffen, daß Sie noch lange die Firma zu weiteren Erfolgen führen werden.

Hierzu alles Gute, Glück und Gesundheit!

Ihre

Liebe Mutter,

ich sende Dir die allerherzlichsten Glückwünsche zu Deinem Geburtstag! Auf Deine Feier freue ich mich schon sehr. Denn es macht mir immer wieder großen Spaß, Deinen Geburtstag mit Dir zu feiern, weil Du uns, Deine Familie, so liebevoll umsorgst. Wir fühlen uns alle immer sehr wohl bei Dir.

Doch nun kommt erst einmal mein Päckchen. Bevor Du es öffnest, möchte ich Dir noch sagen:

Ich habe Dich lieb!

Deine

„Alter schützt vor Torheit nicht!“

Lieber Franz,

ich hoffe, daß dieser Satz stimmt. Denn was wäre das Leben ohne eine kleine Unvernunft? Langeweile, nichts als Langeweile. Der Reiz des Lebens besteht doch gerade darin, die ausgetretenen Pfade hin und wieder zu verlassen, dem Alltagstrott zu entfliehen und ganz Neues zu erleben. Dazu ist man nie zu alt. Auch mit 60 darf es keinen Stillstand geben.

Verstehe das Zitat also nicht als Warnung. Im Gegenteil: Ich wünsche Dir zu Deinem 60. Geburtstag den Mut zu vielen, vielen Torheiten!

Herzlichst

Dein

Gratulationsbriefe zu besonderen Erfolgen

Besondere Erfolge eines Menschen, wie eine bestandene Prüfung, die Berufung in ein Amt, die Beförderung oder ein Jubiläum, verdienen unseren besonderen Glückwunsch.

Mehr als bei anderen Anlässen vielleicht sollte man diesen Glückwunsch in einem persönlichen Stil schreiben, denn der Anlaß ist tatsächlich außergewöhnlich. Der Geburtstag, Weihnachten und viele andere Ereignisse finden jedes Jahr statt, aber ein Dienstjubiläum zum Beispiel, das ist ein großer Tag für den Jubilar.

Nehmen Sie für Ihre Gratulation möglichst eine neutrale Karte oder einen Briefbogen (je nach Anlaß und Situation einen neutralen DIN-A4-Bogen, einen Privatbogen oder einen Geschäftsbriefbogen). Die Karte sollten Sie mit der Hand schreiben, auf einen Bogen können sie auch mit der Maschine schreiben – bedenken Sie jedoch, daß eine handschriftliche Gratulation persönlicher wirkt.

Und was schreibt man? Die beste Lösung: Man denkt sich etwas ganz Eigenes aus. Wem das schwerfällt, der kann sich natürlich auch an die üblichen Gratulationsmuster halten. Hier eine Auswahl solcher Gratulationssätze:

„Herzlichen Glückwunsch zum ...“

„Wir gratulieren von ganzem Herzen zum ...“

„Nehmen Sie an diesem großen Tag bitte auch unsere besten Wünsche für die Zukunft entgegen.“

„Auch wir reihen uns in die große Schar der Gratulanten ein: Gesundheit, Zufriedenheit und Freude im Familienkreis, das wünschen wir Ihnen.“

„Wir wünschen Ihnen an diesem Ehrentag vor allem Gesundheit und daß Ihnen weiter alle Anerkennung zuteil werde.“

Am besten macht man sich eine Art Checkliste zur Gratulation. Sie können dann sicher sein, daß Sie alles Wichtige im Brief untergebracht haben und daß die Reihenfolge stimmt.

Checkliste für die Gratulation zu besonderen Erfolgen:

Wer gratuliert?

Sie allein, Sie im Namen einer oder mehrerer Personen oder mehrere Personen, die auch alle unterschreiben?

In welchem Stil soll gratuliert werden?

In welcher Beziehung steht man zum Empfänger der Glückwünsche? Wie wichtig ist ihm selbst das Ereignis? Was nicht passieren sollte: Sie als Gratulant finden die Ehrung nebensächlich und schreiben darüber in witziger Form, für den anderen aber ist es ein großer Tag, auf den er lange gewartet hat.

Wer ist der Empfänger?

Auch die Antwort auf diese Frage beeinflußt den Stil, in dem man schreibt: Guten Freunden schreibt man selbstverständlich lockerer als dem Chef. Darf es bei dem einen humorvoll, vielleicht sogar ein bißchen frech sein, so ist bei dem anderen eine gehobene Sprache durchaus angemessen.

Worauf ist der Empfänger besonders stolz?

Beantworten Sie sich diese Frage möglichst genau, und Ihre Gratulation wird sich von den meisten anderen unterscheiden, in denen nur steht: *„Wir gratulieren Ihnen ganz herzlich zum 25jährigen Bestehen Ihres Unternehmens."* Man kann zum Beispiel jemandem, der 25 Jahre in der Lehrlingsausbildung war, zu *„25 Jahren Menschenführung"* gratulieren, einem Autohaus zu *„25 Jahren Kundendienst und Freundlichkeit"*.

Wollen Sie dem Empfänger für etwas danken?

Beispiele: für gute Geschäftsbeziehungen, für persönlichen Einsatz, für die verantwortliche Ausübung einer Vertrauenstätigkeit, für Beständigkeit oder unermüdliche Leistung.

Was wünschen Sie für die Zukunft?

Sie sollten dem Empfänger nicht nur Glück wünschen, sondern Gesundheit, weiteren Erfolg, mehr Ruhe als bisher, weitere Anerkennung und Ehrung, eine gute berufliche Zukunft oder vieles andere.

Wollen Sie die Glückwünsche mit einem Geschenk verbinden?

Wenn ja, so stellt sich die Frage, ob Sie das Geschenk im Glückwunschschreiben erwähnen wollen und wie. Dafür gibt es verschiedene Möglichkeiten:

„Haben wir mit dem Geschenk Ihren Geschmack getroffen?"

„Die Idee mit der Kaffeemaschine stammt übrigens von Ihrer Frau."

„Hoffentlich gefällt Ihnen der Bildband! Sie sind doch noch ein Frankreichfreund?"

„Die Vase kann die erste einer Sammlung sein, so wie Ihre bestandene Prüfung der erste von vielen, sicher noch vor Ihnen liegenden Erfolgen ist."

Wahl in den Ausschuß

Robert Haas
Hauptstraße 9
8214 Bernau

11. Oktober 1986

Frau
Sabine Grund
Försterweg 11

8214 Bernau

Sehr geehrte Frau Grund,

der Ausschuß für Wirtschaftsförderung hat eine gute Wahl getroffen, indem er Ihnen mit einer deutlichen Mehrheit den Vorsitz übertragen hat. Ihre von allen geschätzte Sachkenntnis wird nun unserer Gemeinde zugute kommen.

Die wirtschaftlichen Schwierigkeiten, mit denen unsere Gemeinde seit Jahren kämpft, lassen sich nur mit qualifizierten Fachleuten beheben. Durch Ihre Wahl ist der erste Schritt getan. Die Bürgerinnen und Bürger sowie die heimischen Unternehmen werden mit großen Erwartungen auf Ihre Arbeit blicken.

Ich bewundere den Mut, mit dem Sie sich der drängenden Probleme unserer Stadt annehmen. Wir hoffen auf Ihren Erfolg!

Mit den besten Glückwünschen zur Wahl

Ihr

Wahl zum Vereinsvorsitzenden: Bürgerverein

Familie Clemens Günther
Parkstraße 33
5509 Gusenburg

9. März 1987

Herrn
Karsten Weber
Julius-Ritter-Straße 4

5509 Gusenburg

Lieber Herr Weber,

wir gratulieren Ihnen von Herzen. Daß Sie den Vorsitz des Bürgervereins übernehmen, freut uns ganz besonders.

Wir haben Sie kennengelernt als einen Menschen, der sich stets für die Anliegen seiner Nachbarn einsetzt. Überdies haben Sie unseren Versammlungen wesentliche Impulse gegeben, denen wir die Verbesserung der Lebens- und Wohnqualität in unserem Stadtteil verdanken.

Verfolgen Sie bitte auch weiter unsere gemeinsamen Ziele. Unsere Gemeinde braucht einen beherzten Fürsprecher, damit wir das Erreichte bewahren oder sogar ausbauen können.

Sie genießen unser volles Vertrauen für die kommenden Aufgaben!

Mit besten Grüßen

Ihre

Wahl zum Vereinsvorsitzenden: Sportverein

Otto Klein
Schloßstraße 4
8261 Mehring

27. Februar 1987

Herrn
Theodor Berghaus
Schöne Aussicht 32

8261 Mehring

Und dabei fing alles so unscheinbar an, als Sie,

sehr geehrter Herr Berghaus,

vor rund 30 Jahren Mitglied des Sportvereins Mehring 09 wurden. Fußball wollten Sie spielen - nur zum reinen Vergnügen.

Bald aber erkannten Ihre Sportfreunde, daß Sie nicht nur ein guter Linksaußen waren, sondern auch ein Organisationstalent, und Sie erhielten Ihr erstes Amt.

Der Sport wurde allmählich zu einer unaufhaltsamen Massenbewegung. Sie haben für Mehring 09 beizeiten die Voraussetzungen geschaffen, damit der Sportverein über ein ausreichendes Angebot für die zahlreichen neuen Mitglieder verfügt.

Heute übernehmen Sie den Vorsitz von Mehring 09.

Ich wünsche Ihnen Glück und Erfolg bei der Durchführung Ihrer gemeinnützigen Aufgaben!

Mit freundlichen Grüßen

Ihr

100 Jahre Sportverein

Walter Sämmer
Mönchrather Straße 13

8150 Holzkirchen

12. Juni 1987

TSV Holzmühle
Am Sportplatz 1

8150 Holzkirchen

Liebe Sportfreunde,

ein bedeutender Traditionsverein unserer Stadt feiert in den kommenden Wochen sein 100jähriges Bestehen: der TSV Holzkirchen. Was aber ist ein Verein ohne seine Mitglieder? Nur mit Ihrer Hilfe konnte ein so umfangreiches Sportprogramm aufgestellt, konnten ausgebildete Trainer engagiert und moderne Geräte angeschafft werden.

Das Jubiläum des Sportvereins ist ein willkommener Anlaß, jedes einzelne Mitglied zu würdigen.

Ich spreche also Ihnen, den 241 Sportbegeisterten, meine Anerkennung aus. Ihrer Einsatzbereitschaft verdankt die Stadt Holzkirchen eine wesentliche Bereicherung ihres Freizeitangebotes.

Für die Jubiläumsveranstaltungen wünsche ich Ihnen ein gutes Gelingen und hoffe, daß Ihnen auch in Zukunft der Sport viel Freude machen wird!

Ihr

25 Jahre Vereinsmitgliedschaft

Julius Töpfer
Gutshof 16
6484 Birstein 1

3. Dezember 1986

Herrn
Michael Sender
Rather Straße 24

6484 Birstein 1

Lieber Chorfreund,

vor 25 Jahren hast Du zum ersten Mal unsere Chorprobe besucht. Seitdem gehörst Du in unsere Reihen als vortrefflicher Sänger und als guter Freund.

Heute bilden wir eine enge Chorgemeinschaft, die für jeden von uns mehr ist als ein bloßes Hobby. Wir leisten unseren Beitrag zur Pflege der Kultur. Darum nehmen wir unsere Aufgabe ernst, ohne jedoch den Spaß dabei zu verlieren.

Daß wir ein solches Selbstverständnis entwickeln konnten, verdanken wir vor allem Deinem Enthusiasmus. Du hast Dich ständig um ein anspruchsvolleres Repertoire bemüht. Unser Erfolg hat Dir recht gegeben!

Deiner 25jährigen Chorarbeit gilt mein besonderer Dank. Sei auch im nächsten Vierteljahrhundert vivacissimo!

Mit besten Wünschen

Beförderung zum Filialleiter

Richard Schreiner
Rosenholz 8
8131 Bernried

17. Januar 1987

Herrn
Wolfgang Pfeiffer
Marktstraße 88

8131 Bernried

Lieber Wolfgang,

Du hast Dein berufliches Ziel erreicht. Dein Unternehmen vertraut Dir die Leitung der Bernrieder Filiale an. So hat sich der unermüdliche Einsatz gelohnt.

Ich bin sicher, Du wirst die Sache gut machen. Denn Du verstehst Dein Geschäft. Ein weiterer Pluspunkt: Du kannst Menschen motivieren. Allein Deine Begeisterung für die Arbeit wirkt auf andere ansteckend.

Es würde mich nicht wundern, wenn Du in ein paar Jahren Dein berufliches Ziel nach oben hin korrigieren müßtest.

Doch greifen wir der Entwicklung nicht vor. Zunächst wünsche ich Dir für die nächsten Aufgaben viel Erfolg und das nötige Glück, das man als Entscheidungsträger immer braucht.

Einen Ratschlag habe ich auch parat: Arbeite nicht allzuviel. Das Leben bietet neben einem 12-Stunden-Arbeitstag auch noch weitere angenehme Beschäftigungen.

Mit den besten Grüßen

Dein

Beförderung zum Abteilungsleiter

Dr. Harald Boetcher
Am Marktplatz 29
7861 Tegernau

3. Oktober 1986

Herrn
Dipl.-Ing. Hans Jansen
Brunnenstraße 48

7861 Tegernau

Leistung zahlt sich aus!

Sehr geehrter Herr Jansen,

Sie haben es durch Ihre eigene Karriere erfahren. Ihre Einsatzbereitschaft und Ihr fachliches Können haben Sie stets in immer verantwortungsvollere Positionen geführt.

Heute, am Tag Ihrer Beförderung zum Leiter der Entwicklungsabteilung, darf ich Ihnen große Erfolgsaussichten versprechen, denn auf Sie warten wichtige Aufgaben, die in die kommenden Jahrzehnte hineinreichen. Daß Sie den hohen Anforderungen gerecht werden, die das Unternehmen an Sie stellt, davon bin ich überzeugt.

Meine besten Glückwünsche begleiten Sie in den neuen Wirkungsbereich!

Ihr

Beförderung zur Einkaufsleiterin

Ernst Probst
Schüllerstraße 45
4290 Bocholt

20. September 1987

Frau
Angelika Frey
Kaufland AG
Südstraße 134

4230 Wesel

Sehr geehrte Frau Frey,

wie ich von Herrn Wildenbeck erfahren habe, sind Sie Einkaufsleiterin für den Bezirk Nordrhein geworden. Ich gratuliere Ihnen zu diesem verdienten Erfolg.

Ihre Unternehmensleitung hat eine glückliche Wahl getroffen. Schließlich konnten Sie unschätzbare Erfahrungen in Ihren früheren Positionen sammeln, die Ihnen und Ihrer Firma nun zugute kommen.

Ich wünsche Ihnen, daß Sie die Ziele, die Sie sich für Ihre neuen Aufgaben gesteckt haben, mühelos erreichen.

Mit freundlichen Grüßen

Ihr

25 Jahre Betriebszugehörigkeit

Feitel AG
Sturmstraße 87
8939 Türkheim

5. August 1987

Herrn
Florian Erftegger
Maximusplatz 37

8939 Türkheim

Sehr geehrter Herr Erftegger,

für die 25jährige Betriebszugehörigkeit danken wir Ihnen herzlich. In all der Zeit waren Sie für die Feitel AG ein zuverlässiger Mitarbeiter.

Sowohl die Geschäftsführung wie auch die Kollegen loben Ihre vorzüglichen Leistungen. Jeder weiß, was in Ihrer Abteilung erarbeitet wird, ist von höchster Qualität. Nicht ohne Grund fällt Ihr Name sofort, wenn wieder einmal einige Sonderanfertigungen verlangt werden. Und dann kann man den Fachmann sehen, wie er in seiner Arbeit aufgeht.

Das, sehr geehrter Herr Erftegger, möchten wir noch viele Jahre erleben. Ihre Mitarbeit ist uns sehr wichtig!

Mit den besten Glückwünschen zum Jubiläum

Ihr

25 Jahre Betriebszugehörigkeit

Dehmer KG
Industriestraße 255
7611 Mühlenbach

30. März 1987

Herrn
Ferdinand Walter
Luisenstraße 22

7611 Mühlenbach

Zum Jubiläum die herzlichsten Glückwünsche!

Sehr geehrter Herr Walter,

seit nunmehr 25 Jahren arbeiten Sie in unserem Unternehmen an verantwortlicher Stelle. Durch überragende Einsatzbereitschaft konnten Sie auf die Entwicklung der Dehmer KG Einfluß nehmen. Was aus unserer gemeinsamen Leistung entstanden ist während dieses Vierteljahrhunderts, darauf dürfen wir zu Recht stolz sein.

Viele wesentliche Erneuerungen beruhen auf Ihrem Ideenreichtum und Ihrer Weitsicht. So war die Dehmer KG den wechselnden Anforderungen des Marktes stets gewachsen.

Für das konstruktive Engagement sind wir Ihnen sehr dankbar, und Sie in unserer Mitte zu wissen ist uns eine große Freude.

Auf eine weiterhin erfolgreiche Zusammenarbeit!

Mit besten Wünschen

Ihr

Firmenjubiläum: 25 Jahre

Helmut Obermann
Auf der Lichtung 4
6619 Wedern

12. Januar 1987

Herrn
Willy Sauer
Industriestraße 188

6619 Wedern

Herzlichen Glückwunsch zum fünfundzwanzigjährigen Geschäftsjubiläum!

Sehr geehrter Herr Sauer,

was Sie und Ihre Mitarbeiter in einem Vierteljahrhundert geschaffen haben, das verdient unsere Hochachtung. Die Sauer-Werke zählen zu den führenden Unternehmen in unserer Stadt.

Unternehmerischer Einfallsreichtum und die Leistungsbereitschaft der Belegschaft waren die Garanten für eine Entwicklung, deren ansehnliches Ergebnis wir heute mit Ihnen feiern dürfen.

Ich wünsche Ihnen, daß der Erfolg Ihnen auch in Zukunft treu bleibt.

Mit freundlichen Grüßen

Ihr

Firmenjubiläum: 25 Jahre

Georg Meinert
Adlerstraße 61
6601 Kleinbittersdorf 1

21. Juli 1987

Herrn
Joseph Anger
Anger-Werke
Mühlstraße 7

6601 Kleinbittersdorf 1

Sehr geehrter Herr Anger,

25 Jahre Anger-Werke in Kleinbittersdorf, das verbindet eine Gemeinde mit einem Unternehmen. Aus einer räumlichen Beziehung wird eine Partnerschaft. Beide wissen, was Sie einander wert sind.

Doch zu loben ist an dieser Stelle nicht die Kommune, sondern Ihr Werk. Ich ergänze: Ihr Lebenswerk.

Begonnen haben Sie mit Ihrem Unternehmen in einer Schmiede - klein und unscheinbar. Mittlerweile arbeiten rund 800 Menschen in einem stattlichen Betrieb.

800 Mitbürgerinnen und Mitbürgern garantieren Sie einen sicheren Arbeitsplatz und darüber hinaus soziale Leistungen, die vorbildlich sind. Dafür gebührt Ihnen Dank.

Ich wünsche Ihnen auch für die Zukunft Erfolg, Glück und Gesundheit!

Ihr

Schulabschluß

Erich Mäuler
Sternstraße 74
6718 Grünstadt

5. Juni 1987

Herrn
Klaus Schmidt
Klosterstraße 4

6719 Ramsen

Lieber Klaus,

ich freue mich mit Dir über Deinen guten Schulabschluß und hoffe, daß er sich als Eintrittskarte in das Berufsleben für Dich erweist.

Wie ich von Deinem Vater erfahren habe, möchtest Du eine Lehre als Bankkaufmann beginnen. Du hast eine gute Wahl getroffen. Ob die Volkswirtschaft rote oder schwarze Zahlen schreibt, Bankkaufleute wird es wohl immer geben.

Für Deine Bewerbungsgespräche drücke ich Dir ganz fest die Daumen.

Alles Gute

Dein

Meisterprüfung

Konrad Mitsch
Industriestraße 198
8951 Friesenried

18. August 1987

Herrn
Frank Steiger
Wiesenstraße 8

8951 Friesenried

Sehr geehrter Herr Steiger,

nach bestandener Meisterprüfung werden neue und größere Aufgaben auf Sie zukommen. Wir sind sehr froh, daß Sie diese übernehmen wollen.

Unser Unternehmen ist auf tatkräftige Mitarbeiter wie Sie angewiesen, wenn wir unsere Marktstellung auch in Zukunft behaupten wollen. Nur durch gemeinsame Anstrengungen können wir unsere Ziele erreichen.

Sie kennen unser Unternehmen nun seit acht Jahren. Während dieser Zeit haben wir Ihre Zuverlässigkeit und Sorgfalt schätzengelernt. Wir sind sicher, auch für Ihren neuen Arbeitsbereich werden Sie sich mit dem gleichen Engagement einsetzen wie bisher.

Wir gratulieren Ihnen von Herzen zur bestandenen Meisterprüfung und wünschen Ihnen für die künftigen Aufgaben Glück und Erfolg!

Mit freundlichen Grüßen

Briefe zum Eintritt in den Ruhestand

Johannes Offermann
Intell GmbH
Bahnhofstraße 27
6731 Frankenstein

29. Juni 1987

Herrn
Herbert Steuber
Grabenstraße 81

6731 Frankenstein

Sie werden uns fehlen!

Sehr geehrter Herr Steuber,

als Verkaufsleiter haben Sie ein gutes Jahrzehnt unsere Produkte mit Geschick auf dem Markt plaziert. Ihre Erfolge lassen sich in Bilanzen nachlesen.

Daß wir sehr gerne mit Ihnen gearbeitet haben, liegt freilich nicht allein an den erfreulichen Umsätzen. Ihre Integrität, die stets von Mitarbeitern und Kunden gleichermaßen gelobt wurde, machte Sie zu einem verläßlichen Partner.

Wir danken Ihnen für die Arbeit, die Sie in den Dienst der Intell GmbH gestellt haben, und wünschen Ihnen für den Ruhestand alles erdenklich Gute!

Mit freundlichen Grüßen

Sebastian Groß
Meyer-Werke AG
Säumergasse 22
6791 Herschberg

8. Februar 1987

Herrn
Anton Langer
Mittelstraße 61

6791 Herschberg

Sehr geehrter Herr Langer,

wir bedauern sehr, daß Sie in den Ruhestand gehen. Wir hätten Sie, Ihr Wissen und Ihre Erfahrung noch viele Jahre brauchen können.

Sie haben während Ihrer Tätigkeit einen erheblichen Beitrag zum Gedeihen unserer Firma geleistet. Ihre mitreißende Energie und außerordentliche Gestaltungskraft werden uns sehr fehlen.

Wir schulden Ihnen Dank!

Mit den besten Wünschen für die Zukunft

Ihr

Stephan Fischer
Helenenplatz 19
8022 Grünwald

15. August 1987

Herrn
Friedrich Reusch
Tannenbusch 13

8022 Grünwald

Sehr geehrter Herr Reusch,

ein langes und erfolgreiches Arbeitsleben liegt hinter Ihnen. Nun können Sie endlich den wohlverdienten Ruhestand genießen.

Die Zeit steht wieder zu Ihrer Verfügung. Kein Terminkalender, der Ihren Tag zerteilt. Keine Pflichten, wenn Sie sie nicht wollen.

Am Anfang wird es für Sie ungewohnt sein, doch schon nach kurzer Zeit werden Sie die vielfältigen Möglichkeiten nutzen, die der Ruhestand bietet.

Ich wünsche Ihnen Glück, Gesundheit und vor allem viele gute Ideen für die Gestaltung Ihrer Freizeit.

Mit freundlichen Grüßen

Ihr

Briefe zu Weihnachten und zum Jahreswechsel

Weihnachten und Neujahr, das ist die große Zeit des Briefe- und Kartenschreibens. Fast jeder verschickt Grüße, und fast jeder bekommt sie:

> *„Herzliche Grüße zum Weihnachtsfest und alles Gute für das neue Jahr!"*
>
> *„Ein frohes Weihnachtsfest und ein gutes neues Jahr wünschen Ihnen ..."*
>
> *„Frohe Weihnachten und einen guten Rutsch!"*
>
> *„Ein besinnliches Weihnachtsfest im Kreise der Familie und einen schönen Ausklang des Jahres 1987 wünschen ..."*

Das große Angebot an Weihnachtskarten aller Art verführt dazu, sich hierbei nur noch wenig Gedanken zu machen. Allenfalls setzt man einige Worte unter den vorgedruckten Gruß.

Was könnte man schreiben? Versuchen Sie es doch mit der folgenden kleinen Stichwortliste:

Weihnachten
Christfest, Friede
Besinnung, Muße, Hast, Alltag
Liebe, Geschenke, Freude
Tradition - Geschäft

Jahreswechsel
Vorsätze, Ziele
Zukunft - Vergangenheit
Rückschau auf das vergangene Jahr
Gesundheit, Glück, Ruhe, Erfolg wünschen

Mit diesen Stichworten - es fallen Ihnen sicher noch viel mehr ein - kann man schon sehr gut arbeiten: Man sucht sich die für den Empfänger passendsten Worte aus, bringt sie in eine sinnvolle Reihenfolge und formuliert die Sätze. Auf den folgenden Seiten finden Sie dazu einige Beispiele.

Ein fröhliches Weihnachtsfest und ein glückliches neues Jahr,

liebe Veronika,
lieber Georg,

das wünschen wir Euch und Euren Kindern von ganzem Herzen!

Schade, daß wir uns vor den Festtagen nicht treffen konnten. Aber Euch wird es nicht anderes ergangen sein als uns: Damit die lieben Kleinen genügend Überraschungen unter dem Tannenbaum vorfinden, verbringt man seine Freizeit in Spielwarengeschäften und jagt Stofftieren hinterher.

Somit wären wir auch schon bei dem ersten Vorsatz für 1987: Wir sollten uns gleich für den Januar verabreden. Wie wär's mit dem zweiten Wochenende? Einverstanden?

Wir freuen uns auf Eure Zusage!

Eure

Liebe Familie Fonderstadt,

Sie haben sich entschlossen, in diesem Jahr Weihnachten nicht zu Hause zu verbringen. Es ist schade, daß wir Ihnen deshalb nicht persönlich unsere Glückwünsche aussprechen können.

Ein besinnliches Weihnachtsfest ohne Hektik und Trubel und zum neuen Jahr Glück und Gesundheit wünschen Ihnen

Ihre

Sehr geehrter Herr Meyer,

unsere Geschäftsbeziehungen sind in diesem Jahr sehr erfolgreich gewesen. Wir können stolz sein auf das, was wir gemeinsam geleistet haben.

Die Zeichen stehen gut, so daß wir unsere Erfolge im neuen Jahr fortsetzen können, wenn uns die gleiche Anstrengung gelingt wie bisher.

Ich wünsche Ihnen und Ihrer Familie für 1987 Glück und eine stabile Gesundheit.

Mit den besten Grüßen

Ihr

Liebe Ilse,
lieber Stephan,

Euch und Euren Kindern wünsche ich von Herzen ein glückliches neues Jahr!

Ich drücke ganz fest die Daumen, daß Eure Wünsche und Hoffnungen 1987 in Erfüllung gehen.

Eure

Liebe Johanna,
lieber Walter,

meine besten Wünsche begleiten Euch in das neue Jahr.

Möge es für Euch ebenso erfolgreich werden wie das vergangene.

Ganz besonders wünsche ich Eurer Tochter fürs Abitur viel Erfolg. Grüßt das „Kind" von mir mit einem dicken Kuß.

Alles erdenklich Gute wünscht Euch

Eure

Einladungen

„Übrigens, kommt ihr am Samstag auch? Ich habe Geburtstag." Die mündliche Einladung ist schnell ausgesprochen, sie macht keine Mühe, und man muß nicht lange über die richtige Formulierung nachdenken.

Bei allen Vorteilen hat sie aber auch Nachteile. Man kann sich die Worte nicht immer so gut überlegen wie bei der schriftlichen Einladung, und das kann peinlich werden: „Ihr könnt auch kommen, wenn Ihr wollt." So ein Satz ist schnell gesagt, doch hinterher bereut man ihn, denn wer so eingeladen wird, könnte sich auch beleidigt fühlen. Er hört aus den freundlich gemeinten Worten etwas ganz anderes heraus: „Ihr stört nicht besonders, aber wenn Ihr nicht kommt, ist es auch nicht schlimm."

Bei der schriftlichen Einladung kann man in Ruhe über die Gästeliste nachdenken.

Auf viele Menschen wirkt die mündliche Einladung weniger höflich als die schriftliche – nicht zuletzt deshalb, weil sie sich von der mündlichen Einladung überfahren fühlen: Sie können nicht überlegt reagieren, sondern müssen sofort zusagen oder absagen.

Gründe genug also, sich über Form und Inhalt der Einladung einige Gedanken zu machen.

Sie können die verschiedensten vorgedruckten Einladungskarten kaufen. Es gibt witzige und ernste, bunte und seriöse, aufwendige und schlichte – welche Sie wählen, hängt von der Feier oder dem Fest ab, zu dem Sie einladen, und natürlich von Ihrem persönlichen Geschmack.

Bedenken Sie bitte bei der Auswahl, daß bei Ihrem (zukünftigen) Gast der erste Eindruck entscheidet. Von der Art Ihrer Einladung schließt er auf die Art der Feier und stellt sich darauf ein – mit dem Geschenk, mit der Kleidung und mit seiner Stimmung. Peinlich wird es, wenn er wegen des lockeren Tones der Einladung mit einem lockeren Abend rechnet und dann als einziger in Freizeitkleidung erscheint.

Tun Sie Ihrem Gast den Gefallen, und informieren Sie ihn möglichst genau. Das muß nicht mit Worten geschehen; auch aus dem Ton der Einladung, aus dem Stil der Karte erfährt er eine Menge. Vergleichen Sie bitte diese beiden Einladungen:

Sehr verehrte Frau Asmus,
sehr geehrter Herr Asmus,

wir geben uns die Ehre, Sie beide zur Verlobungsfeier unserer Tochter mit Herrn Klaus Richterbach einzuladen.

Die Feier findet am Samstag, dem 20. März 1987, in unserem Hause statt.

Henriette und Lothar Bergengrün

Sehr geehrte Frau Asmus,
sehr geehrter Herr Asmus,

fünfzig Jahre und kein bißchen weise! Feiern Sie mit mir den 50. Geburtstag? Ich würde mich sehr freuen.

Am 20. März um 19 Uhr geht's bei uns im Partykeller mächtig los.

Heinz Jörgensen

Bevor Sie die Einladung schreiben, sollten Sie sich einige Fragen stellen:

Wann findet die Feier statt (Wochentag, Datum, Uhrzeit)?

Findet die Feier draußen oder drinnen statt (in welchem Raum des Hauses, im Restaurant)?

Wie will ich den Kreis der Gäste zusammensetzen?

Wie stehe ich zum Empfänger meiner Einladung?

Kann ich im Umgangston einladen – vielleicht sogar humorvoll –, oder wähle ich eine etwas gehobenere Sprache?

Möchte ich, daß die Eingeladenen antworten, ob sie kommen oder nicht? (Angabe der Telefonnummer oder der Hinweis *u.A.w.g.* – um Antwort wird gebeten.)

Ist eine besondere Kleidung erwünscht? Dann setzen Sie zu *u.A.w.g.* einen Hinweis: *dunkler Anzug* oder *Smoking*. Es ist üblich, die Kleidung des Herrn anzugeben, Sie können selbstverständlich auch die Dame ansprechen und zum Beispiel *Abendkleid* schreiben.

Sollen die Eingeladenen ihre Zusage oder Absage schriftlich oder mündlich erteilen? Mit der Angabe Ihrer Telefonnummer können Sie ohne Worte signalisieren: Rufen Sie uns bitte an!

Ulla und Bernd Niederwald
bitten zur Party

Samstag, 20. März 1987, 19 Uhr
u. A. w. g.

ACHTUNG!

Am Samstag, dem 20. März, veranstalten wir einen Bayernabend im Partykeller. Auch Preußen sind nicht unerwünscht. Es gibt Faßbier, Weißwürste und zünftige Musik. Die gute Laune kommt mit Euch.

Jens und Cordelia Besan

Sehr geehrte Frau Gustav,
sehr geehrter Herr Gustav,

am Donnerstag, dem 4. Mai 1987, heiratet unsere Tochter. Sie haben die Vermählungskarte sicher bereits erhalten. Wir als Brauteltern möchten Sie ganz persönlich zur Feier einladen, denn Sie haben viele Jahre als Freunde des Hauses den Lebensweg unserer Tochter begleitet. Bitte machen Sie uns die Freude, und nehmen Sie auch an ihrer Hochzeit teil.

Ursula und Dieter Zimmermann

Zu unserer silbernen Hochzeit am 28. April,

liebe Frau Schmidt,

laden wir Sie herzlich ein. Gerade Ihre Anwesenheit ist uns besonders wichtig.

Über viele Jahre haben Sie unseren Lebensweg begleitet, nahmen Anteil an unserem Leid und unserem Glück. Mit Ihnen durften wir eine Nachbarschaft erleben, die wir sehr genossen haben.

Wäre es nicht schön, wenn wir Sie an unserem Festtag begrüßen könnten? Wir hoffen auf Ihre Zusage.

Mit freundlichen Grüßen

Ihre

Kurt Sommer
Breitestraße 96
3450 Holzminden

30. Juli 1987

Herrn
Erich Voss
Hauptstraße 16

3450 Holzminden

E I N L A D U N G

Sehr geehrter Herr Voss,

seit 100 Jahren besteht der Männergesangverein "Harmonia Holzminden". In dieser Zeit hat unser Chor eine - wie wir meinen - beachtliche künstlerische Entwicklung erfahren.

Doch unsere Erfolge verdanken wir vor allem der begeisterten Zustimmung unseres Publikums. Seinen hohen Ansprüchen fühlen wir uns immer verpflichtet. Darum wird auch unsere Jubiläumsveranstaltung zu einer Feier der Musikliebhaber.

Unser Chorfest wäre nicht vollkommen ohne Ihre Teilnahme. Seien Sie unser Ehrengast.

Wir freuen uns darauf, Sie am 22. September 1987 um 18 Uhr im Bürgerhaus empfangen zu dürfen.

Mit freundlichen Grüßen

Ihr

Alsfelder Bote
Herrn Jürgen Filbel
Hauptstraße 50

6320 Alsfeld

12.03.1987

Sehr geehrter Herr Filbel,

am Sonntag, dem 14.04.1987, um 20.00 Uhr findet in der Aula des Alsfelder Gymnasiums eine Podiumsdiskussion über das Thema

"Umweltschutz - eine Modeerscheinung?"

statt, zu der wir Sie herzlich einladen.

Zur Diskussion dieses aktuellen Themas haben wir eine Reihe angesehener Fachleute gewinnen können:

Prof. Herbert Spatner, Biologe an der Universität Erlangen

Dr. Gerda Dahlen-Weber, Chemikerin im Testlabor Melcher

Horst Gebedahn, Redakteur beim Westdeutschen Rundfunk

Helga Holz, Sprecherin von Greenpeace

Helmut Sager, Mitglied des Bundestags

Zur Gesprächsleitung hat sich Dieter Kajahn, Leiter der Volkshochschule, bereit erklärt.

Mit freundlichen Grüßen

Danksagungen

Liebe Rita, lieber Hans,

habt ganz herzlichen Dank für Eure liebe Karte. Über die Einladung haben wir uns sehr gefreut und sagen Euch deshalb gern: „Ja, wir kommen!“

Die Brommers

Sehr geehrte Frau Heiner, sehr geehrter Herr Heiner,

vielen Dank für die Einladung.

Es ist sehr schön, daß Sie uns zum Kreis Ihrer Freunde zählen. Wir freuen uns schon sehr auf den sicher anregenden und unterhaltsamen Abend bei Ihnen.

Mit den besten Grüßen

Lotte und Franz Dernbach

Liebe Frau Tafel,
lieber Herr Tafel,

für Ihre freundliche Einladung danken wir Ihnen und nehmen sie gerne an. Beim letzten Mal hat es uns so gut gefallen, daß wir noch heute gerne an den Abend zurückdenken.

Nochmals herzlichen Dank und auf bald!

Erika und Jörg Schmidt

Liebe Freunde,
liebe Verwandte,

wir danken Euch herzlich für all die großzügigen Geschenke, die herrlichen Blumen und die guten Wünsche, die Ihr uns an unserem Hochzeitstag habt zukommen lassen.

Ihr habt uns einen wunderschönen Tag bereitet!

Mit den besten Grüßen

Eure

Sehr geehrte Frau Schuster,
sehr geehrter Herr Schuster,

wir haben uns sehr gefreut, daß wir Sie bei unserem Fest als Ehrengäste begrüßen durften. Sie haben unsere Jubiläumsveranstaltung durch Ihre Anwesenheit sehr bereichert. Dafür möchten wir Ihnen herzlich danken.

Wir hoffen, daß Ihnen der Abend in unserem Kreis in guter Erinnerung bleiben wird.

Mit freundlichen Grüßen

Ihr

Liebe Iris,
lieber Wolfgang,

wir möchten Euch noch einmal für die Einladung zu Eurer Feier danken.

Wir haben uns bei Euch sehr wohl gefühlt. Wieder einmal die alten Freunde zu treffen, das hat uns richtig Spaß gemacht. Wir sollten wirklich nicht mehr so lange bis zu einem Wiedersehen warten. Können wir nicht öfter zusammenkommen, was haltet Ihr davon?

Hoffentlich bis bald!

Eure

Lieber Ernst,

wir sind Dir sehr dankbar für die große Hilfe, die Du uns beim Polterabend warst.

Ohne Dich hätten wir den Abend wohl kaum so gut überstanden. Und dabei hätte keiner von uns gedacht, daß Du Dich so gut bewähren würdest als flinker Küchenbursche, als zünftiger Bierzapfer, als spritziger Unterhalter und charmanter Tänzer. Alle Achtung!

Sollten wir noch einmal poltern ... Aber lassen wir das. Versprechen wir Dir lieber schon heute unsere Hilfe, wenn Du die Ehe schließen wirst.

Mit bestem Dank

Deine

Dank für Beileid

Lieber Herr Schwander,

Sie haben sehr trostreiche Worte zum Tode unseres lieben Bruders und Schwagers gefunden. Dafür danken wir Ihnen.

Wir freuen uns, daß wir Menschen kennen, die mit uns fühlen und empfinden. Dies hilft uns über den schmerzlichen Verlust ein wenig leichter hinweg.

Mit herzlichen Grüßen

Ihre

Liebe Verwandte,
liebe Freunde,

mit dem Tod meines Mannes ist eine schlimme Zeit für mich angebrochen. Ich habe noch nicht genügend Abstand gewonnen von diesem Schicksalsschlag, um Euch angemessen für Euren Beistand danken zu können.

Bitte habt etwas Geduld mit mir. Bis dahin:

Danke schön! Herzlichen Dank für all Eure Hilfe!

Eure

Absagen

Die schlichteste Absage auf eine Einladung ist diese: Schreiben Sie einfach, daß Sie nicht kommen können. Ohne große Umschweife und frei heraus. Die Gründe können Sie je nach Situation und Anlaß mehr oder weniger ausführlich hinzufügen.

So kann man die Absage auf eine Einladung aufbauen:

1. Danken Sie für die Einladung, und setzen Sie noch einen freundlichen Satz hinzu. Zum Beispiel so:

> *„Liebe Elke, lieber Peter,*
>
> *über Eure Einladung haben wir uns sehr gefreut. Ein Gartenfest mit der ganzen Clique ist wirklich eine tolle Idee."*

2. Leiten Sie zur Absage über:

> *„Wir würden sehr gerne kommen, denn beim Grillen und Schwofen sind wir immer gerne dabei."*

3. Sagen Sie, daß Sie nicht kommen können – ohne Floskeln und ohne Umschweife:

> *„Aber Ihr wißt, daß Isabel am Sonntag zur Kommunion geht, da muß alles für die große Feier vorbereitet werden, und die Eltern müssen einen klaren Kopf haben. Was hättet Ihr von Gästen, die nur Selterswasser trinken und um zehn Uhr nach Hause fahren ..."*

4. Im letzten Teil des Briefes (oder der Karte) können Sie wiederholen, wie leid es Ihnen tut, nicht kommen zu können. Oder schreiben

Sie, daß Sie gerne beim nächsten Fest wieder dabei wären – aber nur, wenn Sie das wirklich möchten.

> „*Wir bedauern sehr, nicht kommen zu können, aber bei der nächsten Fete sind wir bestimmt wieder dabei!*“

5. Am Schluß kann man den Gastgebern nochmals danken und allen eine schöne Feier wünschen:

> „*Habt nochmals vielen Dank für die Einladung. Wir wünschen Euch allen einen tollen Abend. In Gedanken werden wir bei Euch sein.*
>
> *Bis bald, Laura und Bernd*“

Und hier nun einige vollständige Beispiele:

Liebe Helga,
lieber Klaus,

an Eurer Verlobungsfeier kann ich zu meinem großen Bedauern nicht teilnehmen.

Wenn Ihr mit den Freunden feiert, liege ich am Stand von Mallorca, und uns trennen Hunderte von Kilometern. Das wird mich allerdings nicht davon abhalten, ein Fläschchen zu öffnen und in der Ferne auf Euer Wohl zu trinken.

Ich wünsche Euch schon jetzt eine schöne Feier mit zahlreichen Gästen und nützlichen Geschenken. Meines übrigens werde ich Euch nach meinem Urlaub vorbeibringen. Ein willkommener Anlaß, Eure Wohnung zu begutachten.

Bis dahin: Viel Glück!

Euer

Sehr geehrter Herr Müller,
sehr geehrte Frau Müller,

ich freue mich mit Ihnen darüber, daß Ihr Haus termingerecht fertig wurde. Das ist tatsächlich ein willkommener Anlaß für eine gemütliche Einweihungsfeier.

Sehr gerne hätte ich daran teilgenommen und wäre mit größtem Vergnügen Ihrer Hausführung gefolgt, aber leider bin ich am 3. April auf Geschäftsreise. Ich hoffe jedoch, daß ich mir Ihre eigenen vier Wände nach meiner Rückkehr einmal anschauen darf.

Möge Ihnen das Glück in Ihrem neuen Zuhause so treu bleiben wie bisher.

Mit herzlichen Grüßen

Ihr

Entschuldigungen

Fehler kann jeder machen. Und jeder kann auch einmal in eine ihm peinliche Situation hineingeraten. Wichtig ist nur, daß man in einem solchen Fall für seinen Fehler einsteht. Dies ist der erste Bestandteil des Entschuldigungsbriefes: Nicht um den heißen Brei herumreden, sondern klar sagen, was geschehen ist. Zeigen Sie, daß Sie den Vorfall ernst nehmen – Scherze sind nicht angebracht. Falls etwas beschädigt wurde, sollten Sie die Wiedergutmachung des Schadens anbieten.

Anschließend kann man um Entschuldigung bitten. Dafür gibt es viele Formen:

„Entschuldigen Sie bitte das Versehen."
„Wir bitten Sie ganz herzlich um Entschuldigung."
„Können Sie den Fehler verzeihen?"
„Wir hoffen in dieser Sache auf Ihr Nachsehen."
„Bitte sehen Sie über die Ungeschicklichkeit hinweg."
„Nun bleibt uns nur, Sie um Verzeihung zu bitten."

Im letzten Teil des Entschuldigungsbriefes strecken Sie die Hand zur Versöhnung aus: Man kann sich zum Kaffee treffen, man kann zu einem gemeinsamen Spieleabend einladen oder einen Strauß Blumen schicken. In vielen Fällen genügt aber auch der Brief selbst.

Sehr geehrte Frau Schöbel,

es tut mir sehr leid, daß unser Sohn Tommy beim Ballspielen eine Scheibe Ihres Wohnzimmerfensters eingeworfen hat.

Selbstverständlich kommen wir für den Schaden auf. Schicken Sie uns bitte nach der Reparatur die Rechnung, oder bringen Sie sie – wenn Sie mögen – vorbei. Dann könnten wir bei Kaffee und Kuchen ein wenig plaudern. Aber nicht nur über unsere Sprößlinge!

Mit freundlichen Grüßen

Ihre

Sehr geehrte Frau George,
sehr geehrter Herr George,

herzlichen Dank für Ihre Einladung und den gelungenen Abend. Für unseren vorzeitigen Aufbruch hatten Sie doch gewiß Verständnis.

Noch heute ist es uns peinlich, wenn wir an das Malheur denken, das uns auf Ihrer Party passiert ist. Bitte verzeihen Sie uns das Mißgeschick.

Wir hoffen, daß wir Ihnen das wunderschöne Fest damit nicht verdorben haben. Nehmen Sie diesen Blumenstrauß als Dank für Ihre Nachsicht.

Mit freundlichen Grüßen

Liebe Sabine,
lieber Jörg,

leider haben wir uns bei unserem letzten Treffen im Streit getrennt. Wir bedauern das!

Wir waren wohl beide zu engagiert und haben dabei zu wenig Rücksicht auf die Gefühle der anderen genommen. Vergessen wir den Streit, vergessen wir, was dazu geführt hat.

Zur Versöhnungsfeier laden wir Euch für den kommenden Sonntag um 18 Uhr herzlich ein. Kommt Ihr?

Mit friedlichen Grüßen

Kondolenzbriefe

Ihr Beileid auszusprechen bereitet vielen Menschen Schwierigkeiten. Es ist jedoch gar nicht so schwierig. Wer wirklich mit dem anderen leidet, wer traurig ist über den Tod eines lieben Menschen, sollte das in seinem Brief schreiben. Er sollte nicht zu den üblichen „Beileidsfloskeln" greifen, die abgegriffen sind und das gerade nicht leisten, was wir von ihnen erwarten: dem Trauernden unser Mitgefühl zu übermitteln. Jeder kennt die üblichen Formulierungen wie *tiefes Beileid aussprechen, tief betroffen, zutiefst betroffen, mit tiefem Schmerz, aufrichtiges Beileid übermitteln, in tiefer Betroffenheit, in tiefer Trauer.* Lassen Sie bei diesen Floskeln – wenn Sie sie denn verwenden – besonders die Adjektive weg, haben Sie Mut zum einfachen Wort, schreiben Sie nicht: *Wir sind zutiefst betroffen,* sondern *Wir sind traurig.* Das ist nicht floskelhaft und deshalb glaubwürdiger.

Liebe Frau Haberer,

über den Tod Ihres Mannes sind wir sehr traurig. Wir haben mit ihm einen wirklichen Freund verloren, der – wenn auch nur über den nachbarlichen Gartenzaun hinweg – an unserem Leben immer freundlich Anteil nahm und uns nicht selten Trost und Rat spendete. Wir werden ihn sehr vermissen.

Nun möchten wir ein wenig Dank abtragen und Ihnen unsere Hilfe anbieten, wann immer Sie ihrer bedürfen.

In herzlichem Gedenken

Ihre

Nichts an diesem Brief ist floskelhaft. Man merkt ihm an, daß der Schreiber wirklich mit der Witwe fühlt und sie trösten will. Manchmal ist es allerdings sinnvoll, die üblichen Formulierungen zu verwenden, etwa beim Tod von Persönlichkeiten des öffentlichen Lebens oder bei Todesfällen, die einen zwar nicht sehr betreffen, bei denen man aber doch einige Zeilen schreiben möchte. Für diese Fälle hier einige Beispiele, die sich auch als Text für Beileidskarten eignen:

Sehr geehrte Frau Aichstädter,

gestern haben wir vom Tod Ihres Gatten erfahren. Wir waren sehr betroffen und fühlen uns in Ihrer Trauer mit Ihnen verbunden.

Wir hoffen, daß Sie in Ihrer großen Familie die teilnehmende Unterstützung erfahren, die Ihnen hilft, über den schmerzlichen Verlust hinwegzukommen.

Mit stillem Gruß

Sehr geehrter Herr Vandenboom,

zum Tode Ihrer Mutter sprechen wir Ihnen unsere herzliche Teilnahme aus. Wir fühlen mit Ihnen.

Wir werden Ihre Mutter stets als einen gütigen Menschen in Erinnerung behalten und ihr ein ehrendes Andenken bewahren.

Mit herzlichen Grüßen

Sehr geehrte Frau Gerber,

der Tod Ihres Mannes erfüllt uns mit Trauer.

Unsere Zeilen können Ihnen sicher kaum ein Trost sein in dem Schmerz, den Sie durch den Verlust erlitten haben, aber sie sollen Ihnen zeigen, daß wir in diesen Tagen in Gedanken bei Ihnen sind.

Wenn wir Ihnen in irgendeiner Weise beistehen können, rufen Sie uns an. Wir sind dann für Sie da.

Ihre

Diese Bestandteile kann der Kondolenzbrief enthalten:

Teilen Sie zunächst mit, daß Sie vom Tod des Verstorbenen erfahren haben und wie Sie die Nachricht aufgenommen haben.

Hier einige Beispiele:

> *„Gestern haben wir die Todesanzeige gelesen. Wir sind bestürzt."*
>
> *„Nun ist Ihre Frau von dem langen Leiden erlöst, wir haben es gestern in der Zeitung gelesen."*
>
> *„Der Tod Ihres Mannes hat uns sehr betroffen gemacht."*
>
> *„Gestern haben wir erfahren, daß Ihr Vater gestorben ist. Die Nachricht hat uns sehr traurig gemacht."*

Dann sprechen Sie Ihr Beileid aus:

> *„Zu dem schweren Verlust sprechen wir Ihnen und Ihrer Familie unsere Teilnahme aus."*
>
> *„Auch im Namen meiner Frau spreche ich Ihnen unser herzliches Beileid aus."*
>
> *„Wir fühlen mit Ihnen."*
>
> *„Wir teilen Ihre Trauer."*
>
> *„Wir bekunden Ihnen zu dem schmerzlichen Verlust unser tiefes Mitgefühl."*
>
> *„Wenn wir auch Ihr Leid nicht lindern können, so sollen Sie doch wissen, daß wir mit Ihnen fühlen."*

Sagen Sie danach etwas über den Verstorbenen:

> *„Er war immer ein vorbildlicher Kollege und ein verläßlicher Ratgeber in allen fachlichen Fragen."*
>
> *„Wir haben sie wegen ihrer feinen und stillen Art sehr gemocht."*
>
> *„Er war immer da, wenn jemand Hilfe brauchte. Er war zuverlässig und stets guter Dinge."*
>
> *„Unnachahmlich war sein Talent, unaufdringlich für andere dazusein und sich selbst dabei nicht aufzugeben."*

Der Verstorbene wird nicht vergessen. Auf diese Aussage verzichtet fast kein Kondolenzbrief:

> *„Wir werden Ihrem Mann ein ehrendes Andenken bewahren."*
>
> *„Wir werden diesen einzigartigen Menschen nicht vergessen."*
>
> *„Dies ist gewiß: Ihr Mann wird in seinem Werk und im Andenken seiner Freunde weiterleben."*

Gegen Ende des Briefes können Sie Trostworte aussprechen oder auch Ihre Hilfe anbieten:

> *„Wir sind sicher, daß Sie die schwere Zeit mit innerer Kraft und mit dem Beistand Ihrer Familie bestehen werden."*
>
> *„Wenn Sie in dieser schweren Zeit Hilfe brauchen, rufen Sie uns bitte an."*
>
> *„Selbstverständlich stehe ich Ihnen gerne mit Rat und Tat zur Seite."*
>
> *„Mir bleibt in dieser Stunde nichts, als Ihnen meine Hilfe und meinen Beistand anzubieten. Rufen Sie mich, und ich bin an Ihrer Seite."*

Der Gruß unter dem Beileidsbrief:

„Mit stillem Gruß“

„Mit herzlicher Anteilnahme“

„Wir trauern mit Ihnen
Ihre ...“

„In tiefer Betroffenheit
Ihr ...“

Sehr geehrte Frau Stränger,

am 15. Mai 1959 wurde Ihr Mann Mitglied in unserem Sportverein. Damals wußte noch niemand, welche Bedeutung sein Eintritt für die Sportförderung in Berkatal haben sollte.

Friedrich Gerhard Stränger war zunächst allen ein Unbekannter. Nach kurzer Zeit jedoch faszinierte er die Kameraden durch sein außergewöhnliches Engagement.

Das Ansehen, das unser Verein heute genießt, verbindet sich aufs engste mit seinem Namen. Wir werden dafür sorgen, daß das einzigartige Vermächtnis Ihres Mannes bewahrt wird.

Wir trauern um einen Freund.

Ihr

Liebe Frau Vonderstädt,

über den Tod Ihres Mannes sind wir sehr erschüttert. Wir haben einen Freund verloren, der sich stets eingesetzt hat für das Wohl unseres Unternehmens. Gerade in schwierigen Zeiten hat er uns allen Mut gemacht. Und mehr: Er hat uns durch seinen unbeugsamen Willen und seine nimmermüde Tatkraft einen Weg gezeigt, die Schwierigkeiten zu meistern.

Nun müssen wir ohne ihn weiterleben, ohne seine Klugheit und sein Wissen, ohne seine Ratschläge und seine Hilfe – vor allem aber ohne seine Menschlichkeit.

Wir sind Ihrem Mann sehr dankbar. Wir werden sein Lebenswerk immer in Erinnerung bewahren und versuchen, es in seinem Sinne fortzuführen.

Mit aufrichtiger Teilnahme

Ihr

Lieber Wolfram,

erschüttert lasen wir die Nachricht und können den Tod des lieben Menschen nicht fassen. Da gibt es kein Begreifen. Da gibt es nur den unsäglichen Schmerz, den man nicht unterdrücken kann, und die Ohnmacht vor dem Ende.

Elke wird auch uns fehlen. Wir haben ihr sanftes Wesen stets geliebt.

Lieber Wolfram, Deine Frau hat unser aller Leben reicher gemacht. In unserer Erinnerung wird sie weiterleben.

Deine

Das Testament

Dieses Thema ist sicher nicht angenehm, aber sehr wichtig. Wer in seinem Leben Besitz erarbeitet hat, macht sich meist Gedanken darüber, was nach seinem Tode damit geschehen soll. Ein Testament ist dann notwendig, wenn das Erbe nicht oder nicht nur nach der gesetzlichen Erbfolge verteilt werden soll. Vom Inhalt des Testamentes abgesehen, sind bei der Form einige wichtige Punkte zu berücksichtigen:

Schreiben Sie über das Testament entweder *„Testament"* oder *„Mein Letzter Wille"*.

Das Testament – sofern Sie es nicht mit Hilfe eines Notars errichten – müssen Sie eigenhändig schreiben. Testamente, die mit der Schreibmaschine oder auf andere Weise mechanisch hergestellt worden sind, sind ungültig. Ebenso sind Testamente von Personen unter 16 Jahren und von Entmündigten ungültig.

Sie müssen das Testament eigenhändig unterschreiben. Die Unterschrift muß am Ende des Textes stehen. Bei einem mehrseitigen Testament sollten die Seiten numeriert sein. Falls Sie später etwas ändern oder ergänzen, sollten Sie auch diese Stellen unterschreiben, um jedem späteren Zweifel oder Streit vorzubeugen.

Auch ein Brieftestament ist gültig: *„Lieber Erwin, Du hast Dich immer um mich gekümmert, als ich krank war. Deshalb sollst Du meine Briefmarkensammlung erben.* (Unterschrift)"

Setzen Sie auf das Testament auch Datum und Ort. Es könnte ja sein, daß Sie es nachträglich ändern oder widerrufen wollen. Dann müssen Sie zum Beispiel eindeutig sagen können: *„Ich widerrufe mein Testament vom 23. Juni 1959."*

Minderjährige und Personen, die nicht schreiben können, erstellen ihr Testament beim Notar.

Beispiele für ein Testament:

Mein Letzter Wille

Ich, Joseph Marland, geboren am 30. 12. 1923, gebe für den Fall meines Todes hiermit meinen Letzten Willen bekannt.

Meine Frau soll das Haus und den Garten an der Senkenstraße erhalten mit allem, was dazugehört.

Die Hälfte meines Sparguthabens vermache ich meiner Tochter Rita, die andere Hälfte meinem Sohn Peter. Er erhält außerdem mein Auto und das Motorrad. Rita bekommt alle Bücher und meine Briefmarkensammlung.

Einmal im Jahr soll meine Frau 200 DM an UNICEF spenden. Diese Summe soll sich jährlich um den Prozentsatz erhöhen, um den die Lebenshaltungskosten gestiegen sind.

Ich will, und das schreibe ich in vollem Bewußtsein, daß alles genauso ausgeführt wird, wie ich in diesem Testament verfügt habe.

Mannheim, den 20. 4. 1983

(Unterschrift mit Vorname und Zuname)

Testament

Folgendes ist nach meinem Tod auszuführen:

1. *Ich möchte im Familiengrab auf dem Nordfriedhof beigesetzt werden.*
2. *Mein Sohn Peter soll die Grabpflege übernehmen. Er kann auch eine Gärtnerei beauftragen.*
3. *Ich setze meine Frau Gerda zur alleinigen Erbin ein.*
4. *Für den Fall, daß sie vor mir stirbt, tritt an ihre Stelle mein Sohn Peter.*
5. *Peter erhält von meiner Frau das Auto.*

Mannheim, den 6. 5. 1987
(Unterschrift mit Vorname und Zuname)

Anzeigen

Zu fast allen Anlässen im Leben eines Menschen werden Anzeigen verschickt bzw. in die Zeitung gesetzt: von der Geburt bis zum Tod, vom Autoverkauf bis zur Wohnungssuche. Zu den wichtigsten dieser Anlässe finden Sie auf den folgenden Seiten Hinweise und Tips.

Glückwünsche

In Anzeigen wird mit Abstand am häufigsten zum Geburtstag gratuliert. Aber auch zu den Feiertagen (Ostern, Pfingsten, Weihnachten und Neujahr) sind gute Wünsche per Anzeige sehr beliebt. Oft sind die Texte dieser Anzeigen gereimt oder auf andere Art sehr persönlich und humorvoll gestaltet.

Grundsätzlich kann man sagen: Es gibt keine Regeln für die Glückwunschanzeigen, alles ist erlaubt, wenn nur andere in ihrem Empfinden nicht gestört oder gar verletzt werden. Offenbar beliebt, aber nicht besonders originell sind Reime wie die folgenden:

Kaum zu glauben, aber wahr,
unsere Rita wird heut' 40 Jahr'.

Es gratuliert „Die Clique"

Jeden Tag mit neuem Schwung,
der Gert wird 60 Jahre jung!

Die besten Glückwünsche vom Kegelklub **„Brett"**

Geburtsanzeigen

In der Geburtsanzeige – ob als Karte oder als Anzeige in der Zeitung – zeigen die glücklichen Eltern ihre Freude. Dafür gibt es vielerlei Formen. Denken Sie bei allem Einfallsreichtum aber daran, daß die Anzeige auch einige wichtige Angaben enthalten sollte:

- den oder die Namen des neuen Erdenbürgers (Mehrere Vornamen werden dabei nicht durch Komma voneinander getrennt.)

- den Namen der Eltern (Vor- und Zuname)
- den Aufenthaltsort der Mutter, falls sie Besuch haben möchte, sonst die Wohnungsanschrift
- eventuell die Namen der Geschwister
- eventuell auch die Angabe von Größe und Gewicht des Neugeborenen

> Wir freuen uns über die Geburt unserer Tochter
>
> **Daniela-Isabel**
>
> Klaas und Margit Randerbach
> Oberhausen, 10.5.1987

> **SIE IST DA!**
>
> **Anna Franziska Simone**
>
> Mit stolzen 59 Zentimetern und zarten 4100 Gramm
> Margit und Klaas Randerbach
> Oberhausen, 10.5.1987

Sie können auch einfach alle Angaben untereinander auflisten:

> **EIN TOLLER STECKBRIEF:**
>
> Name: Larissa
> Eltern: Peter und Anne Kramer
> Datum: 31.7.1987
> Gewicht: 3390 Gramm
> Größe: 54 Zentimeter
> Besonderes Kennzeichen: viel Hunger

Oder die glücklichen Großeltern teilen das freudige Ereignis mit:

> Unser zweites Enkelkind ist da!
>
> **Peter**
> **5. Mai 1987**
>
> Hanna und Ralf Wenkendorf

Verlobungsanzeigen und Hochzeitsanzeigen

Üblich für die Verlobungsanzeige sind Formulierungen wie diese:

> Wir haben uns verlobt.
>
> **Ines Dreiber und Klaus Klein**
>
> Heidelberg, den 7. Januar 1987

> Wir freuen uns, die Verlobung unserer Kinder
> Luise und Walter bekanntgeben zu können.
>
> **Karla und Fritz Berger** — **Henriette und Sigmar von Erlenbach**
>
> Walldorf, den 24. Dezember 1986

Bei Hochzeitsanzeigen sollte man sich genau überlegen, welche Adresse man angibt: die private oder die sogenannte Tagesadresse, also zum Beispiel den Namen und die Anschrift des Restaurants, in dem gefeiert wird.

> *Hurra, wir heiraten!*
>
> *Monika Klesper* — *Detlef Landmann*
>
> *30. Juni 1987*
> *Bernau, Akazienweg 23*

Schreibt man den Namen der Braut auf die linke Seite oder auf die rechte? Dafür gibt es keine Vorschrift, aber es empfiehlt sich, die Braut zuerst zu nennen. Da man von links nach rechts liest, sollte also der Brautname auf die linke Seite der Anzeige oder Karte gesetzt werden.

Als glückliche Brauteltern freuen wir uns,
die Vermählung unserer Tochter

Heike Pfanderpost

mit Herrn Dr. med. Hans Flachner
bekanntgeben zu dürfen.

Die Hochzeit findet am 12. Oktober 1986 um 10.00 Uhr
in der St.-Johannes-Kirche statt.

Hermine und Hanskarl Pfanderpost
Langendorf, den 10. Oktober 1986

Immobilienanzeigen

Ob Sie eine Wohnung suchen oder ein Ladenlokal, ob Sie ein Haus verkaufen wollen oder eine Mietwohnung anbieten, orientieren Sie sich mit der Anzeige an dem, was die Profis machen: Meist ist bei Kleinanzeigen das erste Wort in Fettschrift (die Buchstaben sind ein wenig dicker) gedruckt. Auf dieses erste Wort kommt es an, denn Sie wollen ja, daß Ihre Anzeige mehr ins Auge springt als die anderen. Bitte vergleichen Sie selbst diese beiden Anzeigen:

Nachmieter gesucht: DG-Wohnung, 4 Zi. und 2 Bäder, Balk., Einbauk. vorhanden. KM ca. DM 950,–. Tel. 0 12 34/98 76 54

Dachwohnung: sehr komfortabel, 4 Zi., 2 Bäder, Balkon und Einbauküche für nur DM 950,– Tel. 0 12 34/90 76 54

Die wichtigen Dinge sollte man möglichst nicht abkürzen: Bäder, Balkon, Einbauküche. Das Wort „vorhanden" zum Beispiel kostet nur unnötig Geld und bringt keine zusätzliche Information. Ob die Angabe „KM" für Kaltmiete sinnvoll ist, sollte man sich gut überlegen. Möglicherweise verwirrt sie den Leser nur, besonders im Zusammenhang mit „ca. DM 950,–". Kann über den Mietpreis etwa noch verhandelt werden? Das ist nicht üblich und weckt unter Umständen Mißtrauen. Ergebnis: Die zweite Anzeige ist etwas kürzer und damit auch billiger. Trotzdem ist sie wirkungsvoller.

Verkaufsanzeigen

Die wichtigste Forderung für die erfolgreiche Verkaufsanzeige ist: Sie muß informativ und präzise sein. Dies erreichen Sie am besten, indem Sie den Text nach der W-Methode aufsetzen:

Was? Was soll verkauft werden? (Genaue Bezeichnung des Gegenstandes.)

Wie? In welchem Zustand ist der Gegenstand? Wie sieht der Gegenstand aus, wie groß, schwer, wertvoll ist er?

Wieviel? Wieviel soll der Gegenstand kosten? (Genauen Betrag nennen oder „Verhandlungsbasis“, „Angebote erbeten“.)

Warum? Warum verkauft man den Gegenstand? Ein zusätzliches Wort kann großen Kaufanreiz bieten. Zum Beispiel „Notverkauf“, „Schnäppchen“, „Traumbett“.

Wie? Wie kann der Interessent den Verkäufer erreichen? (Telefonisch, mit Brief oder unter Chiffre.)

Wann? Wann ist der Verkäufer zu erreichen? (Tag, Uhrzeit.)

Beispiele für Anzeigen, die nach dieser Methode aufgebaut sind:

Bücherregal, weiß, 2 m x 3 m, wie neu, 200.- DM, Tel. 0 12 34/98 76, Samstag ab 15 Uhr

Notverkauf: Mercedes-Oldtimer 219, Bj. 58, TÜV 9/1989, 11.500,- DM, Tel. 0 12 34/56 78, nur Sonntag

Super Wohnlandschaft, 8 Teile, dunkelbraune Velourselemente, nur DM 400.-, Tel. 0 12 34/ 98 76, abends

Rosenthal „Kurfürstendamm“, neuwert. Kaffeeservice, für 6 Personen, mit Kuchenteller und Konfektschale. Angebote unter Chiffre 043872

Todesanzeigen

In Trauerfällen möchte man sich nicht mit der Gestaltung der Todesanzeige beschäftigen, denn es gibt meistens viel Wichtigeres zu tun. Deshalb erledigen oft die Bestattungsunternehmen diese Aufgabe. Hier sehen Sie eine Todesanzeige, wie sie heute in Form und Inhalt üblich ist:

Theo Gerber

*5. April 1912 †23. August 1987

Gott der Herr nahm heute nach schwerer Krankheit unseren lieben Großvater zu sich.

In stiller Trauer:
Ingeborg und Hans Gerber
Ingo, Ilona, Iris

Hagen, Hansaring 123

Die Beerdigung findet am 26. August um 9.40 Uhr auf dem Nordfriedhof statt.

Ich hab' den Berg erstiegen,
der euch noch Mühe macht,
drum weinet nicht, ihr Lieben,
ich hab' mein Werk vollbracht.

Margarethe Winkler

*25.5.1909 †26.9.1987

Wir werden ihr immer dankbar sein.

Helga und Peter Winkler
im Namen aller Verwandten

Die Beerdigung hat auf Wunsch unserer Verstorbenen in aller Stille stattgefunden.

Es war der Wunsch der Verstorbenen, daß wir statt zugedachter Blumen- und Kranzspenden um eine Spende an die Kinderkrebshilfe, Konto 100 bei der Deutschen Bank in Bonn bitten.

Unser geliebter Sohn, Bruder, Neffe, Vetter und Freund

Fritz Schrama

*30. November 1938

ist am 12. Juli gestorben. Wir trauern sehr um ihn.

Paul und Gerda Schrama
Familie Gautier
Familie Westhoek

Die Beisetzung findet am 25. Juli um 9 Uhr auf dem Südfriedhof statt.

Wir bitten, von Beileidsbekundungen am Grab abzusehen.

Am 25. September verstarb unser Verkaufsleiter

Dr. Herbert Geller

im Alter von 58 Jahren.

Wir können die Nachricht von seinem Tod nicht fassen. Dr. Herbert Geller hat sich während der über 20 Jahre, die er in unserem Hause tätig war, in hohem Maße um das Unternehmen verdient gemacht. Für die Mitarbeiter war er immer ein Vorbild, seine Menschlichkeit und sein Verantwortungsbewußtsein machten ihn zu einem geschätzten Kollegen. Sein Tod ist für uns ein großer Verlust.

Wir denken an den Verstorbenen in Verehrung und Dankbarkeit.

Geschäftsführung und Belegschaft
der Bernd Schlosser GmbH

Weitere Formulierungen für Todesanzeigen:

Nach langer, schwerer Krankheit, die er mit großer Geduld ertragen hat, wurde mein lieber Mann heute von seinem Leiden erlöst.

Wir nehmen in Liebe und Dankbarkeit Abschied von unserer lieben Großmutter, Mutter und Schwester.

Wir nehmen für immer Abschied von einem lieben Menschen. Unsere Mutter wurde, für uns alle unerwartet, aus unserer Mitte gerissen.

Am 1. Mai entschlief, für uns alle unerwartet, unser lieber Vater und Onkel.

Am 10. November starb unsere Oma im Alter von 84 Jahren nach einem erfüllten Leben.

In Trauer nehmen wir Abschied von unserem lieben Vater und Großvater.

Ein Leben voller Güte und Liebe ging zu Ende. Nach Gottes heiligem Willen entschlief heute unser lieber Bruder und Onkel.

„Wir bleiben nicht ewig unter den Sternen, und unser Erdenleben ist nur eine ganz kleine Strecke auf der Bahn unserer Existenz." (Matthias Claudius)

„Fürchte dich nicht, denn ich habe dich erlöst; ich habe dich bei deinem Namen gerufen; du bist mein." (Jes. 43,1)

So kann man die Dankanzeige im Trauerfall formulieren:

Für die liebevollen Beweise herzlicher Anteilnahme
durch Worte, Blumen und Kranzspenden
beim Heimgang unseres lieben Großvaters

August Lage

sprechen wir allen unseren tiefempfundenen Dank aus.

Rita und Werner Schöller
Denkendorf, 9. November 1986

Allen, die uns beim Tod unserer lieben Verstorbenen

Martha Reifers

über den ersten Schmerz hinweggeholfen haben,
danken wir ganz herzlich.

Familie Petersen

Denkendorf, im November 1986

Herzlich danke ich allen,
die meinen lieben Mann auf seinem letzten Weg
begleitet und ihn
durch Kränze und Blumen geehrt haben.

Charlotte Fender und Kinder

Kleinenberg, im September 1987

Briefwechsel zwischen Mieter und Vermieter

Erhöhung der Nebenkosten

Der Brief, in dem der Vermieter dem Mieter mitteilt, daß die Nebenkosten erhöht werden, muß bestimmte Voraussetzungen erfüllen. Es genügt nicht, wenn der Vermieter nur mitteilt: *„Vom 01. 10. 1987 ab beträgt die Miete wegen der gestiegenen Nebenkosten 750 DM“.*

Nach dem Gesetz zur Regelung der Miethöhe muß die Erhöhung der Nebenkosten erläutert werden, und die Gründe sind anzugeben. Schreiben Sie deshalb exakt in den Brief, welche Nebenkosten erhöht worden sind und um wieviel. Außerdem ist der genaue Erhöhungsbetrag auszuweisen.

Ernst Kunstmann
Westerstraße 46
6900 Heidelberg

09.09.1986

Eheleute Gisela und
Hans Messerschmidt
Westerstraße 120

6900 Heidelberg

Mietvertrag vom 01.01.1983
Nebenkostenerhöhung

Sehr geehrte Frau Messerschmidt,
sehr geehrter Herr Messerschmidt,

am 01.01.1987 erhöht die Stadt Heidelberg die Gebühren für die Abfallbeseitigung.

Gebühren für Abfallbeseitigung bisher	28,90 DM
Neue Gebühr	32,00 DM

Je Tonne beträgt die Erhöhung demnach 3,10 DM pro Jahr.

Da Sie ab 01.01.1987 zwei Tonnen haben werden, erhöhen sich für Sie die Nebenkosten wie folgt:

3,10 DM : 12 Monate	0,26 DM
Für die zusätzliche Tonne 32,00 DM : 12 Monate	2,67 DM

	2,93 DM

In Absprache mit Ihnen wird die Heizkostenvorauszahlung von bisher 80,00 DM auf 100,00 DM erhöht. Daraus ergibt sich eine monatliche Erhöhung der Nebenkosten von bisher 156,30 DM auf nun 179,23 DM. Der ab 01.01.1987 zu überweisende Betrag errechnet sich wie folgt:

Mietzins	620,00 DM
Neue Nebenkosten	179,23 DM

	799,23 DM

Bitte überweisen Sie diesen neuen monatlichen Gesamtbetrag ab 01.01.1987. Vielen Dank.

Mit freundlichen Grüßen

Erhöhung der Miete

Rechtlich kann der Vermieter die Miete nicht einseitig erhöhen, er braucht dazu das Einverständnis des Mieters. Deshalb bezeichnet der Jurist den Brief, in dem der Vermieter die Erhöhung der Miete mitteilt, als Mieterhöhungsverlangen.

Wichtige Hinweise zum Mieterhöhungsverlangen:

- Die Mieterhöhung muß grundsätzlich schriftlich verlangt werden.
- Der Brief muß vom Vermieter - bei mehreren Vermietern von allen - oder einem Bevollmächtigten unterschrieben sein. Für den Fall, daß ein Bevollmächtigter unterschreibt, muß aus dem Text eindeutig hervorgehen, wer ihn geschrieben hat und daß er in Vollmacht des Vermieters aufgesetzt ist. Es empfiehlt sich, eine Vollmacht beizulegen, da sonst der Mieter das Mieterhöhungsverlangen zurückweisen kann.
- Man kann den Brief als Einschreiben schicken, allerdings gilt die Bescheinigung der Bundespost nicht als Zugangsbestätigung. Sicherer ist die Zustellung durch einen Boten, der den Brief persönlich übergibt oder in den Briefkasten des Mieters legt.
- Im Mieterhöhungsverlangen muß der Betrag der neuen Miethöhe genannt werden.
- Seit der letzten Mieterhöhung oder seit Vertragsabschluß muß ein Jahr vergangen sein.
- Das Mieterhöhungsverlangen muß an alle im Mietvertrag genannten Personen geschickt werden. Ausnahme: Im Mietvertrag ist einer der Mieter als Bevollmächtigter ausgewiesen.
- Der Vermieter muß sein Verlangen begründen und dem Mieter die Nachprüfung ermöglichen. Dazu hat er verschiedene Möglichkeiten:

  Er kann es mit dem Mietspiegel begründen.
  Er kann sich auf ein Sachverständigengutachten beziehen.
  Er kann Vergleichsobjekte nennen.
  Er kann sich auf Auskünfte der Gemeindeverwaltung stützen.
  Er kann amtliche Wohngeldstatistiken heranziehen.

Die sichersten Begründungen sind die ersten drei. Wegen der rechtlichen Kompliziertheit können die Begründungen hier nicht weiter erläutert werden.

Hans-Gert Rasem
Chlodwigplatz 89
8070 Ingolstadt

Eheleute
Susanne und Peter Renz
Hansastraße 35

8070 Ingolstadt

30.01.1987

Sehr geehrte Frau Renz,
sehr geehrter Herr Renz,

seit dem 01.04.1978 beträgt die Nettomiete Ihrer Wohnung 620,00 DM. Bei 80 Quadtratmetern entspricht dies einem Quadratmeterpreis von 7,75 DM.

Nach dem neuen Mietspiegel der Stadt Ingolstadt beträgt der Quadratmeterpreis für Neubauwohnungen mit gehobener Ausstattung in guter Wohnlage zwischen 7,80 DM und 9,20 DM.

Da somit die Nettomiete für Ihre Wohnung nicht mehr dem ortsüblichen Mietniveau entspricht, bitte ich Sie, der Erhöhung des Nettomietzinses auf 720,00 DM (das entspricht 9,00 DM je Quadratmeter) zuzustimmen.

Die neue Miete wäre erstmals am 01.04.1987 fällig.

Mit freundlichen Grüßen

Anlage
Kopie des Mietspiegels von Ingolstadt

Lieselotte Wallmann
Am Deichtor 34
8771 Hafenlohr

2. Oktober 1986

Eheleute Diepgen
Sandweg 9

8771 Hafenlohr

Ihr Brief vom 29. September 1986

Sehr geehrte Frau Diepgen,
sehr geehrter Herr Diepgen,

ich habe zwar Verständnis für Ihren Wunsch, die Miete zu erhöhen, aber ich kann diese Erhöhung nicht akzeptieren. Lassen Sie mich kurz die Gründe für meine Ablehnung erläutern:

1. Ich wohne erst seit 8 Monaten in der Wohnung. Der Gesetzgeber bestimmt jedoch, daß die Miete innerhalb eines Jahres nicht erhöht werden darf ("Stillhaltejahr").

2. Sie haben keinen Grund angegeben, warum Sie die höhere Miete verlangen. Dies ist jedoch Pflicht.

Sicher sehen Sie ein, daß ich unter diesen Umständen Ihr Verlangen zurückweisen muß.

Mit freundlichen Grüßen

Kündigung

Beide Vertragspartner, Vermieter und Mieter, können den Mietvertrag kündigen. Die Kündigung muß in der Regel schriftlich erklärt werden, wobei eine Reihe Besonderheiten zu berücksichtigen sind.

Aus dem Brief muß die Kündigungsabsicht des Vertragspartners eindeutig hervorgehen. *Ich kann mit Ihnen nicht mehr unter einem Dach wohnen,* dieser Satz ist keine unmißverständliche Kündigung. Hier eine Auswahl möglicher Kündigungssätze für Mieter und für Vermieter:

„*Ich kündige den Mietvertrag vom 01. 09. 1985.*"

„*Kündigung des Mietvertrages vom 01. 09. 1985*" (als Text der Betreffzeile.)

„*Hiermit spreche ich die Kündigung des Mietvertrages vom 01. 09. 1985 aus.*"

„*Mit diesem Schreiben teile ich Ihnen die Kündigung des Mietvertrages vom 01. 09. 1985 mit.*"

Der Mieter wird durch das Mieterschutzgesetz besonders geschützt. Dadurch soll verhindert werden, daß der Vermieter ohne berechtigtes Interesse den Vertrag kündigt. Der Vermieter sollte deshalb seine Kündigung begründen, denn im Streitfall kann er sich nur auf die im Kündigungsschreiben genannten Gründe berufen. Allenfalls kann er Gründe nachschieben, die nach der Kündigung eingetreten sind. Er sollte seine Kündigungsgründe so deutlich wie möglich nennen und sich nicht mit allgemeinen Äußerungen begnügen. Beispiel:

Nicht: „*Ich kündige den Mietvertrag wegen Eigenbedarfs.*"

Sondern z. B.: „*Im Mai erwarten wir unser drittes Kind und benötigen deshalb zwei Kinderzimmer. Außerdem wird auf Grund meiner beruflichen Veränderung ein Arbeitszimmer innerhalb der Wohnung dringend erforderlich.*"

Der Vermieter sollte am Ende seines Kündigungsschreibens – oder auch in einem gesonderten Brief – den Mieter darauf hinweisen, daß er der Kündigung innerhalb einer Frist von 2 Monaten widersprechen kann. In diesem Hinweis muß stehen: 1. daß der Mieter Widerspruch erheben kann, 2. daß er dies schriftlich tun muß und 3. bis zu welchem Termin der Widerspruch beim Vermieter eingegangen sein muß. Beispiel:

„*Beachten Sie, daß Sie gegen diese Kündigung schriftlich Widerspruch erheben können. Ihr Widerspruch muß spätestens 2 Monate vor Ablauf der Kündigungsfrist bei mir eingehen.*"

Die Kündigung muß unterschrieben sein. Achten Sie darauf, daß alle im Mietvertrag genannten Vertragspartner im Brief stehen: die einen als Empfänger, die anderen als Absender (mit Unterschrift). Wird die Kündigung nicht vom Mieter oder Vermieter selbst, sondern von einem Bevollmächtigten ausgesprochen, dann legt man zur Sicherheit eine schriftliche Vollmacht bei.

Ruth und Erwin Kopalski
Randstraße 9
6800 Mannheim

Herrn
Karl Branter
Pestalozzistraße 45

7500 Karlsruhe

29.05.1987

Sehr geehrter Herr Branter,

am 01.09.1987 werde ich eine neue Arbeitsstelle in Karlsruhe antreten. Da die Fahrtstrecke von Mannheim nach Karlsruhe über 55 Kilometer beträgt, benötigen wir eine Wohnung am Ort.

Außerdem wohnt unsere Tochter seit zwei Monaten nicht mehr bei uns, so daß für uns jetzt eine kleinere Wohnung ausreicht.

Deshalb kündige ich den Mietvertrag vom 01.01.1972 zum 31.08.1987 wegen Eigenbedarfs. Gegen diese Kündigung können Sie schriftlich bis zum 30.06.1987 Widerspruch erheben.

Bitte haben Sie Verständnis für unsere Situation.

Mit freundlichen Grüßen

Erwin Metzger
Zoostraße 88
6203 Hochheim

Herrn
Joseph Franzen
Ötzweg 90

6203 Hochheim

29.09.1987

Sehr geehrter Herr Franzen,

wie ich Ihnen bereits am Telefon sagte, bin ich nach Köln versetzt worden.

Aus diesem Grund kündige ich den Mietvertrag vom 02.01.1981 fristgemäß zum 31.03.1988.

Mit freundlichen Grüßen

Minderung des Mietzinses

Tritt in einer Wohnung ein Mangel auf, so macht üblicherweise der Mieter seinen Vermieter darauf aufmerksam. Im Normalfall veranlaßt dieser dann die Behebung des Mangels. Tut er dies nicht, so ist der Mieter gezwungen, weitere Schritte zu unternehmen.

Renate Oberstedt 28.02.1987
Stromstraße 29
2432 Beschendorf

Herrn
Martin Weber
Am Schloß 4

2432 Beschendorf

Sehr geehrter Herr Weber,

seit dem 26.02.1987 ist in meiner Wohnung die Wohnzimmerdecke feucht. An einigen Stellen sammelt sich das Wasser und tropft zu Boden.

Vermutlich kommt das Wasser durch eine undichte Stelle im Dach und gelangt dann vom Dachboden in meine Wohnung. Ich bitte Sie, möglichst rasch für die Behebung des Schadens zu sorgen.

Mit freundlichen Grüßen

Hinweis:

Wenn Herr Weber auf diesen Brief nicht reagiert und die Decke im Wohnzimmer weiter feucht bleibt, kann Frau Oberstedt den Mietzins für die Dauer des Schadens mindern:

Renate Oberstedt 21.03.1987
Stromstraße 29
2432 Beschendorf

Herrn
Martin Weber
Am Schloß 4

2432 Beschendorf

Mein Brief vom 28.02.1987
Nasse Stelle an der Wohnzimmerdecke

Sehr geehrter Herr Weber,

am 28.02.1987 habe ich Sie über die nasse Stelle an der Wohnzimmerdecke informiert und Sie gebeten, für die Beseitigung des Schadens zu sorgen.

Bisher ist das Dach nicht repariert worden, und es tropft weiter Wasser von der Decke - inzwischen an 4 Stellen. Vorsorglich mache ich Sie darauf aufmerksam, daß ich erstmals am 01.04.1987 den Mietzins um 20% kürzen werde, weil durch den Schaden das Wohnzimmer unbenutzbar geworden ist.

Selbstverständlich hebe ich diese Kürzung sofort nach der Reparatur auf.

Mit freundlichen Grüßen

Fristlose Kündigung

Der Mieter kann in bestimmten Fällen auch fristlos kündigen. Zum Beispiel, wenn der Vermieter schuldhaft den Vertrag verletzt und dem Mieter nicht zugemutet werden kann, weiter in der Wohnung zu wohnen, oder wenn für den Mieter Gefahr für seine Gesundheit besteht.

Renate Oberstedt 21.04.1987
Stromstraße 29
2432 Beschendorf

Herrn
Martin Weber
Am Schloß 4

2432 Beschendorf

Sehr geehrter Herr Weber,

nachdem Sie mich nun dreimal vertröstet haben und sich an der Situation in meiner Wohnung nichts geändert hat - es ist im Gegenteil so, daß die Feuchtigkeit inzwischen die ganze Wohnung unbewohnbar gemacht hat -, sehe ich mich gezwungen, den Mietvertrag fristlos zu kündigen.

(Renate Oberstedt)

Die Bewerbung

Je schwieriger die Situation auf dem Arbeitsmarkt wird, um so wichtiger ist die gut formulierte und ansprechend gestaltete Bewerbung. Was heißt gut formuliert und ansprechend gestaltet? Auf den folgenden Seiten finden Sie Antwort auf Ihre Fragen zur Bewerbung.

Bewerbungsbrief

Der Bewerbungsbrief schafft den ersten Kontakt zu einem möglichen Arbeitgeber. Man kann die Bedeutung, die dieser Brief für die ganze Bewerbung hat, mit einem Werbebrief vergleichen. Beide haben die gleiche Aufgabe: Sie müssen die Aufmerksamkeit des Lesers wecken, müssen ihn interessieren und schließlich zu einer Antwort bewegen. Unterschiede gibt es jedoch in der Ausdrucksweise, denn der Werbebrief darf sich gewagtere Formulierungen erlauben als der Bewerbungsbrief. Hier würden zu flotte Sätze den Leser eher skeptisch machen.

Form und Inhalt des Bewerbungsbriefes müssen zusammenpassen. Der Gesamteindruck ist bestimmend für das erste Urteil über Ihre Bewerbung. Man wird unmittelbar von der Aufmachung Ihrer Unterlagen auf Sie und Ihre Arbeitsweise schließen. Deshalb sollte man auf den Brief, die Gestaltung und Zusammenstellung der ganzen Bewerbung großen Wert legen.

Checkliste für Ihren Bewerbungsbrief

Papier:	Persönlicher Briefbogen oder weißes Schreibmaschinenpapier.
Format:	DIN A4.
Anschrift:	Genaue Postanschrift des Empfängers; steht in der Anzeige ein Name, dann übernehmen Sie ihn in die Anschrift und in die Anrede.
Datum:	Überlegen Sie sich genau, welches Datum Sie in Ihren Bewerbungsbrief einsetzen: Müssen Sie noch Kopien machen? Sind noch Unterlagen zu besorgen? Dafür gehen schnell zwei Tage um, und wenn die Bewerbung beim Empfänger eintrifft, liegt das Datum schon 4 bis 5 Tage zurück. Setzen Sie nicht das Erscheinungsdatum der Anzeige in Ihren Brief. Besser ist es, etwa 3 bis 5 Tage später zu datieren (Anzeige Samstag – Bewerbung Dienstag).

Anrede: Möglichst persönlich: Steht in der Anzeige ein Name, dann kommt er in die Anrede. In allen anderen Fällen heißt die Anrede: *Sehr geehrte Damen und Herren, ...*

Einleitung: Der Standardsatz ist *Hiermit bewerbe ich mich auf Ihre Anzeige vom 13. 05. 1987 in der Frankfurter Allgemeinen Zeitung*. Man muß sich darüber klar sein, daß man sich mit diesem Satz nicht aus der Menge der Bewerber heraushebt. Andererseits kann es in Einzelfällen sinnvoll sein, sich ganz neutral auszudrücken. Dann paßt dieser Satz. In allen anderen Fällen jedoch sollte man anders anfangen: Stellen Sie Ihr Interesse für das Unternehmen oder für die Anzeige an den Anfang. Daß Sie sich bewerben, sieht der Empfänger selbst.

Inhalt: Wenn der Bewerbungsbrief fertig ist, prüfen Sie, ob er alle Angaben, die in der Stellenanzeige verlangt werden, enthält. Die Frage nach dem Gehaltswunsch sollte ohne Umschweife beantwortet werden. Wie Sie den Inhalt ihres Briefes aufbereiten, bleibt ganz Ihnen überlassen. Sie können mit Tabellen arbeiten, Zwischenüberschriften verwenden oder alles in Briefform aufsetzen. Tip: Probieren Sie verschiedene Formen aus. Nur dann können Sie vergleichen und sich für die beste entscheiden.

Unterschrift: Selbstverständlich gibt es für die Unterschrift keine Regeln, denn sie ist Ausdruck Ihrer Persönlichkeit und Ihres Geschmacks. Man sollte aber bedenken, daß eine Unterschrift mit großen Schnörkeln nicht jedem imponiert. Eine lesbare und doch prägnante Unterschrift macht meistens den besseren Eindruck.

Hanne Wester
Karlstraße 30
7531 Keltern
(0998) 987654

Lettern und Ganter KG
Am Feuerwehrhaus 9

7531 Keltern

Keltern, 11.02.1987

Bewerbung als Sekretärin

Sehr geehrte Damen und Herren,

Ihre Anzeige in der Kelternpost vom Samstag habe ich mit Interesse gelesen. Die ausgeschriebene Stelle hat mich sehr angesprochen - deshalb bewerbe ich mich hiermit bei Ihnen.

Seit sieben Jahren bin ich als Sekretärin und Sachbearbeiterin im Großhandel tätig und möchte mich jetzt beruflich verbessern. Die Stationen meines Ausbildungs- und Berufsweges waren sehr vielfältig und deshalb kann ich heute sagen, daß ich ein großes Wissen sowohl im kaufmännischen Bereich als auch in allen Sekretariatsarbeiten habe.

Davon möchte ich Sie gern in einem persönlichen Gespräch überzeugen. Über Ihre Einladung würde ich mich freuen.

Mit freundlichen Grüßen

Anlagen
Zeugnisse
Lebenslauf

Vera Konen
Burgstraße 14
6520 Worms
(06241) 34567

Worms, 12. Mai 1987

Allvogel AG
Peterstraße 15

6520 Worms

Bewerbung als Sekretärin

Sehr geehrte Damen und Herren,

ich habe Ihre Anzeige in der Rhein-Zeitung vom 10. Mai 1987 gelesen und möchte mich um die von Ihnen ausgeschriebene Stelle bewerben. Ich arbeite seit drei Jahren als Stenokontoristin im Sanitärhandel und würde mich gern beruflich verbessern. In Stenographie und Maschinenschreiben bin ich perfekt, auch mit allen Sekretariatsarbeiten bin ich vertraut. Außerdem verfüge ich über kaufmännische Kenntnisse.

Mein derzeitiges Gehalt beträgt 2850 DM. Als frühester Eintrittstermin käme der 1. Juli 1987 in Betracht. Ich wäre Ihnen sehr dankbar, wenn Sie mir Gelegenheit zu einem persönlichen Gespräch geben würden.

Mit freundlichen Grüßen

Anlagen
1 Lebenslauf
1 Lichtbild
3 Zeugniskopien

Bewerbungsunterlagen

Die Wirkung der gesamten Bewerbungsunterlagen ist entscheidend. Urteilen Sie bitte selbst, welche Bewerbung Sie lieber lesen würden: Der eine Bewerber schickt mehrere Blätter, mit einer Büroklammer zusammengehalten und einmal gefaltet in einem Umschlag, der andere hat die Unterlagen in einen Kunststoffschnellhefter eingeheftet, durch dessen Klarsichtdeckel man den Bewerbungsbrief lesen kann.

Legen Sie die Unterlagen in dieser Reihenfolge zusammen:

1. Bewerbungsbrief
2. Lebenslauf
3. Zeugnisse: das wichtigste Zeugnis zuoberst
4. weitere Unterlagen, zum Beispiel zusätzliche Abschlüsse, Befähigungsnachweise, Nachweise über die Teilnahme an Weiterbildungsveranstaltungen, Referenzen, Arbeitsproben

Prüfen Sie, ob Sie auch alle Unterlagen beigelegt haben, die das Unternehmen in seiner Anzeige verlangt.

Foto

Das Foto klebt oder heftet man am besten in die rechte obere Ecke des Bewerbungsbriefs oder des Lebenslaufs. Schreiben Sie Ihren Namen und Ihre Anschrift auf die Rückseite für den Fall, daß es sich vom Papier löst.

Handschriftenprobe

In manchen Anzeigen wird vom Bewerber eine Handschriftenprobe verlangt. Sie haben dafür die Wahl zwischen zwei Möglichkeiten: Entweder Sie schreiben den ganzen Bewerbungsbrief mit der Hand, oder Sie schreiben handschriftlich eine Kurzfassung des Lebenslaufes. Diese zweite Möglichkeit ist die bessere, weil der Bewerbungsbrief meistens länger ist und auf jeden Fall lesbar sein soll.

Schreiben Sie unverkrampft, verstellen Sie Ihre Schrift nicht, denn das würde ein Schriftsachverständiger sofort merken. Teilen Sie sich die Schreibfläche vorher in Gedanken auf, und ordnen Sie den Text so an, daß er harmonisch – mit gleichmäßigen Rändern und gleichem Zeilenabstand – auf dem Blatt steht.

Zeugnisse

Legen Sie immer nur Kopien oder Abschriften der Zeugnisse bei, niemals die Originale. Leider gibt es Unternehmen, die die Unterlagen erst nach langer Zeit zurückschicken, schlimmstenfalls gar nicht. Die Originale nehmen Sie zum Vorstellungsgespräch mit. Wählen Sie die Zeugnisse entsprechend dem Stellenanbieter genau aus. Dies gilt besonders für zusätzliche Fähigkeiten und Weiterbildungsmaßnahmen. Auch wenn Ihnen dies oder jenes unwichtig erscheint, es kann bei der Bewerberauswahl entscheidend sein. So ist zum Beispiel bei einem Fernkurs vielleicht nicht wichtig, welchen Abschluß Sie nebenbei gemacht haben, sondern daß Sie Initiative gezeigt haben, den Wunsch hatten, mehr zu lernen, und vor allem, daß Sie durchhalten können. Das sind Eigenschaften, die Ihnen die berühmte Nasenlänge Vorsprung verschaffen können.

Lebenslauf

Sie können einen tabellarischen Lebenslauf oder einen ausführlichen Lebenslauf schreiben. Der tabellarische Lebenslauf ist übersichtlicher und enthält weniger Text. Der ausführliche ist sinnvoll, wenn man nur wenige Daten und Tätigkeiten aufzuweisen hat (Anfangsstelle, Aushilfsstelle, Praktikantenstelle, Lehrstelle).

Schwachpunkte im Lebenslauf sollten Sie möglichst nicht verschleiern, sondern offen ansprechen und ins Positive wenden. (Das Wiederholen einer Klasse könnte beispielsweise seinen Sinn gehabt haben, wenn man danach den richtigen Weg gefunden hat.)

Auf den folgenden Seiten finden Sie jeweils ein Beispiel für einen tabellarischen und einen ausführlichen Lebenslauf.

Lebenslauf

Gert Seibelt
Schillerweg 43
5000 Köln

geboren am 30.06.1950 in Köln, ledig

Ausbildung

1956 - 1960	Grundschule Köln
1960 - 1966	Realschule in Köln
1971 - 1974	Abendgymnasium in Düsseldorf mit Abschluß Abitur
1966 - 1969	Lehre als Industriekaufmann bei der Schmidt OHG in Düsseldorf

Berufspraxis

01.08.1969 bis 31.12.1975	Sachbearbeiter Rechnungslegung, Schmidt OHG in Düsseldorf
01.01.1976 bis 30.09.1980	Gruppenleiter in der Personalabteilung bei Schnodt und Zimmermann in Köln
Seit 01.10.1980	Leiter der Personalabteilung bei Schnodt und Zimmermann

Köln, 2. Juni 1987

Gert Seibelt

Lebenslauf

Name:	Gert Seibelt
Wohnort:	Schillerweg 43 5000 Köln
Geburtsdatum:	30.06.1950
Geburtsort:	Köln
Eltern:	Hans-Gert Seibelt, Ingenieur, gestorben 1967 Christa Seibelt, geborene Ott, Kauffrau
Familienstand:	ledig

Schulausbildung

Grundschule:	1956 bis 1960 in Köln
Realschule:	1960 bis 1966 in Köln
Abendgymnasium:	1971 bis 1974 in Düsseldorf (Abitur)

Berufsausbildung

Lehre als Industriekaufmann:	September 1966 bis Juli 1969 (Schmidt OHG)

Berufspraxis

Sachbearbeiter Rechnungslegung Schmidt OHG in Düsseldorf:	01.08.1969 bis 31.12.1975
Gruppenleiter in der Abteilung Auftragsbearbeitung bei Schnodt und Zimmermann in Köln:	01.01.1976 bis 30.09.1980
Leiter der Personalabteilung bei Schnodt und Zimmermann:	seit 01.10.1980

Köln, 2. Juni 1987 Gert Seibelt

Gert Seibelt
Schillerweg 43
5000 Köln

Lebenslauf

Am 30. Juni 1950 wurde ich in Köln geboren. Meine Mutter ist Christa Seibelt, Kauffrau. Mein Vater, Hans-Gert Seibelt, war Ingenieur; er starb 1967. Ich bin unverheiratet.

Von 1956 bis 1960 besuchte ich die Grundschule in Köln, wechselte 1960 auf die Realschule in Köln, die ich 1966 mit der mittleren Reife abschloß.

Meine Eltern zogen 1966 nach Düsseldorf um, und ich begann dort die Ausbildung zum Industriekaufmann bei der Firma Schmidt OHG. Am 5. Juli 1969 schloß ich diese Ausbildung mit der Prüfung vor der IHK ab. Die Firma übernahm mich anschließend als Sachbearbeiter in die Abteilung Rechnungslegung. Ab 1971 besuchte ich das Abendgymnasium in Düsseldorf und bestand die Abiturprüfung im Mai 1974.

1976 zog ich zurück in meine Heimatstadt Köln und bekam eine Stelle als Gruppenleiter in der Personalabteilung bei Schmidt und Zimmermann. Die Unternehmensleitung bot mir 1980 die Leitung der Personalabteilung an.

Köln, den 2. Juni 1987

Gert Seibelt

Bewerbung auf gut Glück

Man kann sich auch unaufgefordert bewerben. Eine solche Bewerbung hat den Vorteil, daß man keine oder nur wenige Mitbewerber hat. Nachteil: Sie müssen mehr Bewerbungen verschicken, weil die Chance, daß ein Unternehmen gerade in diesem Augenblick einen Mitarbeiter mit genau Ihren Qualifikationen sucht, nicht sehr groß ist.

Dennoch zeigt die Erfahrung, daß man mit etwas Geduld durchaus Erfolg haben kann. Eine solche Bewerbung sollte nicht zu umfangreich sein. Meistens genügt als erster Kontakt ein Bewerbungsbrief und ein tabellarischer Lebenslauf. Die ausführlichen Unterlagen wird man bei Interesse anfordern.

Achten Sie darauf, daß der Brief individuell wirkt. Das erreicht man entweder durch geschickte Formulierungen, die auf jedes Unternehmen passen, oder durch wirklich individuelle Einleitungen. Der sachliche Teil des Briefes kann dann immer wieder übernommen werden. Schreiben Sie, warum Sie sich gerade bei diesem Unternehmen bewerben.

Niels Harlesdorf
Bergerstraße 56
8047 Karlsfeld
(09 92) 12 34 56

12.6.1987

Karlsfelder Sparkasse
Niehausstraße 77 - 79

8047 Karlsfeld

Bewerbung

Sehr geehrte Damen und Herren,

mit diesem Brief bewerbe ich mich um eine Aushilfstätigkeit in Ihrem Hause.

Zur Zeit stehe ich in der Abiturprüfung, die am 29. Juni 1987 abgeschlossen sein wird. Die Zeit vor der Einberufung zur Bundeswehr möchte ich sinnvoll nutzen und bereits ein wenig die Berufswelt und speziell das Geldgeschäft kennenlernen. Nach der Bundeswehrzeit möchte ich Betriebswirtschaft studieren.

Darf ich Sie zu einem Vorstellungsgespräch aufsuchen? Über Ihre Einladung würde ich mich sehr freuen.

Mit freundlichen Grüßen

Andreas Weber
Werderplatz 5
6500 Mainz
(06131) 79242

Mainz, 15. Aug. 1987

Spedition Intertram
Postfach 44228

6500 Mainz

Bewerbung als Auszubildender

Sehr geehrte Damen und Herren,

durch Zufall habe ich erfahren, daß die Spedition Intertram noch Auszubildende für den Beruf des Speditionskaufmanns einstellt. Da mich dieser Beruf sehr interessiert, möchte ich mich bei Ihnen um einen Ausbildungsplatz bewerben. Ich arbeite zur Zeit als Verkäufer in einem großen Kaufhaus, bin aber mit dieser Tätigkeit nicht zufrieden.

Ich würde mich sehr freuen, wenn ich mich bei Ihnen persönlich vorstellen dürfte. Meinen Lebenslauf, ein Lichtbild und Zeugniskopien füge ich diesem Schreiben bei.

Mit freundlichen Grüßen

Anlagen

Nachfaßbrief

Nachfaßbriefe sind empfehlenswert, wenn das Unternehmen bereits seit einiger Zeit die Bewerbungsunterlagen hat und nichts von sich hören läßt. Es wäre möglich, daß Sie mit Ihrer Bewerbung in die engere Wahl gekommen sind und daß ein Anstoß, ein zusätzliches Argument die Entscheidung zu ihren Gunsten beeinflussen könnte. Beispiel für einen Nachfaßbrief:

Hans Schulz
Kirchplatz 24
2251 Oldersbek
Tel. 12 34 56

Gebrüder Waldschütz GmbH 14.04.1987
Urbanstraße 45 - 47

2251 Oldersbek

Ihre Stellenanzeige in der
Oldersbeker Rundschau am 10.03.1987

Sehr geehrte Damen und Herren,

auf Ihre ansprechende Anzeige haben Sie sicher sehr viele Bewerbungen bekommen. Da ich davon überzeugt bin, daß die ausgeschriebene Stelle genau meinen Fähigkeiten entspricht, möchte ich Sie mit diesem Brief noch auf einen wichtigen Teil meiner Ausbildung aufmerksam machen, den ich in der Bewerbung nicht erwähnt habe:

Neben der Berufsausbildung zum Elektrotechniker habe ich mich in Abendkursen zum Büromaschinentechniker schulen lassen. Ich könnte mir denken, daß diese Kenntnisse in modern eingerichteten Büros wie Ihren von großem Nutzen wären. Eine Kopie der Ausbildungbescheinigung habe ich beigelegt.

Ich würde mich freuen, wenn diese zusätzliche Information Ihre Entscheidung zu meinen Gunsten beeinflußte und Sie mich zu einem Vorstellungsgespräch einladen würden.

Mit freundlichen Grüßen

Der öffentliche Bereich

Allgemeine Bemerkungen

Die meisten Behörden schreiben heute kundenfreundlicher und verständlicher als noch vor wenigen Jahren. Sie signalisieren damit größere Kundennähe und bemühen sich um verbesserte Dienstleistung. Nicht zuletzt im eigenen Interesse, denn wer verständlich schreibt, muß weniger Fragen beantworten und bekommt schneller die gewünschte Antwort. Viele Behörden haben bereits erkannt: Verständlich schreiben macht vielleicht etwas mehr Mühe, spart auf lange Sicht aber viel Zeit.

Dennoch scheuen sich sogar sprachgewandte Menschen, einen Brief an eine Behörde zu schreiben. Warum? Weil sie glauben, sich an dem überkommenen Amtsdeutsch orientieren zu müssen, das die Behörden gerade abzuschaffen versuchen.

Anschrift

Bei Schreiben an eine Behörde sollte in der Anschrift die Dienststelle genannt werden. Man schreibt die Anschrift heute vereinfacht in folgender Weise:

Stadtverwaltung Höhenkirchen
Einwohnermeldeamt
Hauptstraße 3

8011 Höhenkirchen

Nicht mehr üblich ist:

An die Stadtverwaltung in Höhenkirchen
– Einwohnermeldeamt –
Hauptstraße 3

8011 Höhenkirchen

Faustregel: Je genauer die Anschrift ist, desto schneller kann der Brief an die richtige Stelle weitergeleitet werden.

Betreff

Nach den *Regeln für das Maschinenschreiben* (DIN 5008) wird das Wort *Betreff* nicht mehr geschrieben und die Betreffzeilen werden nicht mehr unterstrichen. Dennoch sieht man noch häufig Behördenbriefe, in denen das nicht berücksichtigt ist. Nun stellt sich die

Frage: Richtet man sich nach den Gepflogenheiten der Behörde oder nach der DIN-Norm 5008? Empfängerfreundlich schreiben heißt zwar, sich auf den Empfänger einzustellen, es heißt aber nicht, daß man unnötige und aufwendige Schreibweisen übernehmen muß. Also verzichten wir auf „Bezug“ oder „Betreff“ und auf das Unterstreichen.

In der Betreffzeile sollte ein eindeutiger Hinweis auf den Inhalt unseres Briefes stehen. Beispiele:

Einspruch gegen Ihre Entscheidung über ...
Beschwerde über ...
Anmeldung von ...
Bitte um Auskunft
Antrag auf ...

Die richtige Bezeichnung ist hilfreich, aber nicht unbedingt erforderlich. Ihr Brief wird auf jeden Fall bearbeitet, auch wenn Sie *Auftrag* statt *Antrag* schreiben. Wichtig ist nur, daß man klar erkennen kann, was Sie wollen. Sollte für Ihren Antrag ein besonderes Formular erforderlich sein, wird die Behörde es Ihnen zusenden.

Aktenzeichen/Geschäftszeichen usw.

Man sollte im eigenen Interesse das Aktenzeichen immer angeben: Der Brief kommt so am schnellsten auf den richtigen Schreibtisch. Der beste Platz für das Aktenzeichen ist in der Betreffzeile. Beispiel:

Geschäftszeichen: Vw 22-2 B 728-34
Ihr Schreiben vom 30. 7. 1987

Sehr geehrte Damen und Herren

Anrede

Die übliche Anrede in Briefen ist:

Sehr geehrte Frau ...
Sehr geehrter Herr ...
Sehr geehrte Damen und Herren

Diese Anreden sollte man auch in Briefen an Behörden verwenden – selbst dann oder besser gerade dann, wenn die Behörde selbst auf eine Anrede verzichtet hat. Wenn Sie den Namen des Empfängers wissen und es sich um eine Angelegenheit handelt, die nur er bearbeiten kann, schreiben Sie ihn in die Anschrift und in die Anrede. Das ist höflich und schafft guten persönlichen Kontakt. (Allerdings hat die Sache einen kleinen Haken: Wenn der Empfänger abwesend ist, kann es passieren, daß Ihr Brief bis zu seiner Rückkehr ungeöffnet und damit unbearbeitet bleibt.)

Selbstverständlich können Sie in der Anrede die Amtsbezeichnung vor den Namen des Empfängers schreiben, aber sogar einige Bundesbehörden sehen inzwischen davon ab. Nur bei höheren Rängen - etwa vom *Direktor* an - schreibt man *Sehr geehrter Herr Amtsdirektor Schneider.* In der Anschrift ist die Amtsbezeichnung bei allen Dienstrângen gebräuchlich:

Herrn Amtsrat Dahl

Vielfach wird heute bei Frauen in Behörden die weibliche Entsprechung des Titels gewählt:

Frau Oberschulrätin Hansen

Vergleichen Sie hierzu auch den Artikel „Weibliche Titel- und Berufsbezeichnungen“ in den Sprachtips.

Gruß

Hier ist es wie bei der Anrede: Bei den meisten Briefen können Sie den üblichen Gruß wählen:

Mit freundlichen Grüßen
Mit freundlichem Gruß

In Ausnahmefällen, wenn Sie das Gefühl haben, ein freundlicher Gruß sei nicht angebracht, bleibt als Ausweichmöglichkeit: *Hochachtungsvoll.*

Anlage

Der Anlagevermerk steht mit etwas Abstand unter dem Gruß. Wenn man genauer spezifizieren will, führt man die einzelnen Posten einzeln auf:

Anlagen
3 Formulare
1 Lichtbild

Dabei ist es nicht nötig, einen Doppelpunkt nach *Anlagen* zu setzen oder dieses Wort zu unterstreichen.

Sprache

Schreiben Sie an Behörden in einer sachlichen Sprache ohne Floskeln: nicht im veralteten „Kanzleideutsch“ und auch nicht unterwürfig.

Ohne Floskeln und Schnörkel zu schreiben läßt sich leichter verwirklichen als die Forderung nach Sachlichkeit. Sie haben sich vielleicht über das Verhalten eines Beamten geärgert und wollen sich bei seinem Vorgesetzten beschweren. Da ist es schwer, sich zurückzuhalten und seinen Ärger sachlich und sogar höflich vorzutragen, aber erfolgreicher ist in jedem Fall der zurückhaltendere Brief. Wie im persönlichen Umgang mit Menschen, so ist es auch im Schriftverkehr: Beschimpfungen fördern nur den Widerstand des anderen.

Briefe an Bahn und Post

Sosehr sich Bahn und Post um einen reibungslosen Service für ihre Kunden bemühen, kann es doch hin und wieder zu Pannen kommen. Für die meisten Fälle halten die Ämter und Bahnhöfe Formulare bereit, die der Kunde nur noch auszufüllen braucht. Das erleichtert beiden Seiten die Mühe: Der Kunde muß nicht umständlich einen Brief aufsetzen, und die Beamten sehen sofort, was der Kunde möchte, und haben alle zur Bearbeitung erforderlichen Informationen.

Selbstverständlich können Sie die Anträge und Aufträge auch frei formulieren. Auf den folgenden Seiten finden Sie Muster für die häufigsten Fälle. Achten Sie bei Ihren Briefen auf genaue Postanschrift und exakte Angaben (Datum, Bearbeitungsnummern, Telefonnummern oder Beträge). Wenn möglich sollten Sie in der Betreffzeile das genaue Fachwort für Ihr Anliegen nennen: Nicht „Suche nach einem Brief“, sondern „Nachforschungsauftrag“, das beschleunigt die Bearbeitung.

Für individuelle Reklamationen oder Beschwerden gibt es keine Formulare oder Vordrucke – hier muß man selbst zu Stift oder Schreibmaschine greifen. Ein Tip: Schreiben Sie nicht im ersten, verständlichen Zorn, denn mit diesem Brief würden sie Ihrem Herzen zwar Luft machen, aber viel weniger bewirken als mit einem Brief in ruhigem, sachlichem Ton. Beschreiben Sie klar, was vorgefallen ist, und teilen Sie dem Empfänger mit, was Sie erwarten: Ihre Beschwerde oder Reklamation muß ein Ziel haben.

Reklamationen

Sie haben entdeckt, daß die Bundespost einen Fehler gemacht hat, oder sind der Meinung, ein Postler habe sich falsch verhalten. In beiden Fällen empfiehlt es sich, die Reklamation oder Beschwerde schriftlich vorzubringen. Dann haben Sie einen Beleg in der Hand, und die Post muß auf jeden Fall auf Ihren Brief reagieren.

Schildern Sie im ersten Teil Ihres Briefes genau den Sachverhalt, und fügen Sie dann Ihre Wünsche oder Forderungen an. Unter Umständen können Sie noch mitteilen, was Sie tun werden, wenn der reklamierte Mangel nicht innerhalb einer bestimmten Frist abgestellt wird.

Auf den folgenden Seiten finden Sie zwei Musterbriefe für häufiger vorkommende Fälle. Im ersten Brief wird eine zu hohe Telefonrechnung reklamiert, der zweite Brief enthält eine Beschwerde über das Verhalten eines Postbeamten. Wenn Ihnen der Betrag auf der Telefonrechnung zu hoch erscheint, begründen Sie dies – am besten mit einem Hinweis auf die Rechnungen der Vormonate oder des Vergleichsmonats im Vorjahr. Noch besser ist es, wenn Sie mit Hilfe eines Gebührenzählers die tatsächlichen Einheiten den berechneten Gebühren gegenüberstellen können.

Ulla Jakobsen 20.10.1986
Lagerstraße 77

2096 Toppenstedt

Fernmeldeamt Toppenstedt
Buchungsstelle für Fernmeldegebühren
Hauptallee 10 - 14

2096 Toppenstedt

Fernmelderechnung Oktober 1986 vom 17.10.1986
Fernmeldekontonummer 923000091827

Sehr geehrte Damen und Herren,

vermutlich hat sich in die Oktoberrechnung ein Fehler eingeschlichen. Sie haben 1456 Gebühreneinheiten berechnet. Das sind 987 Einheiten mehr als im Vormonat und sogar 1190 Einheiten mehr als im Oktober des Vorjahres.

Durchschnittlich haben wir etwa 500 Einheiten im Monat. Bitte prüfen Sie die Rechnung, und überweisen Sie den irrtümlich abgebuchten Betrag auf unser Konto zurück.

Vielen Dank.

Mit freundlichen Grüßen

Hinweis:

Die Telefonrechnung muß zunächst bezahlt werden, unabhängig davon, ob Sie mit Ihrer Reklamation Recht bekommen oder nicht. Denn wenn die Rechnung nicht bezahlt wird, treten automatisch die Verzugsfolgen ein: Die Post berechnet eine Verspätungsgebühr, bei Einzugsermächtigungen können Ihnen die Gebühren für die Rücklastschrift berechnet werden, und die Post kann Ihren Telefonanschluß sperren, wofür ebenfalls Gebühren fällig werden.

Detlev Siedler
Luegstraße 89
7321 Gammelshausen

Hauptpostamt Gammelshausen 13.12.1986
Beschwerdestelle
Funkstraße 130

7321 Gammelshausen

Sehr geehrte Damen und Herren,

von Ihren Angestellten und Beamten im Postamt 2 bin ich bisher immer gut bedient worden. Um so mehr hat mich das Verhalten von Frau Meurer am letzten Dienstag geärgert.

Am 2.12.1986 um 11.45, also kurz vor der Mittagspause, habe ich zwei Päckchen aufgegeben. Auf dem Heimweg fiel mir ein, daß ich die Anschriftenaufkleber verwechselt hatte, ein Fehler, der böse Folgen gehabt hätte. Als ich wieder beim Postamt ankam, war es bereits nach 12 Uhr, und die Eingangstür war geschlossen. Durch Klopfen machte ich mich bemerkbar, aber Frau Meurer, die sich im Schalterraum aufhielt, machte keine Anstalten, die Tür noch einmal zu öffnen. Ich rief schließlich durch die geschlossene Tür, daß ich nur die beiden Päckchen zurückhaben wollte. Frau Meurer rief zurück: "Da können Sie lange klopfen!"

Ich mußte bis 15 Uhr warten und dann zur Hauptpost fahren, um meine Päckchen abzuholen. Ein Zeit- und Geldverlust, den man leicht hätte vermeiden können.

Die Bundespost ist ein modernes Dienstleistungsunternehmen, das seine Kunden mit ausgereifter Technik bedient - sollte da nicht auch der Umgang mit den Kunden entsprechend sein? Weisen Sie bitte Ihre Mitarbeiter darauf hin, daß es Situationen geben kann, in denen für das Image der Post ein Entgegenkommen wichtiger ist als die genaue Einhaltung der Mittagspause.

Mit freundlichen Grüßen

Verlust oder Beschädigung eines Gepäckstücks

Die Bundesbahn haftet für jedes aufgegebene Gepäckstück, das bei einer Bahnreise verlorengeht oder beschädigt wird. Sie müssen den Verlust oder die Beschädigung sofort bei Entgegennahme der Gepäckstücke melden. Wenn Sie den Schaden nicht sofort feststellen, können Sie ihn auch noch innerhalb einer Woche melden (bei Reisen über die Ländergrenzen hinaus innerhalb von drei Tagen).

Ein Gepäckstück, das nicht innerhalb einer Woche nach der Verlustmeldung wiedergefunden wird, gilt als verloren.

Geben Sie – wenn Sie kein Bahnformular verwenden – Zeit und Datum an, wann Sie den Schaden oder den Verlust festgestellt haben, die Zugnummer und Anfang und Ende der Reise.

Manfred Kühn
Engelbertstraße 11
6800 Mannheim

Hauptbahnhof Mannheim
Gepäckbeförderung

6800 Mannheim

29.04.1987

Beschädigtes Gepäckstück

Sehr geehrte Damen und Herren,

bei meiner letzten Reise wurde ein Koffer so beschädigt, daß er unbrauchbar geworden ist.

Leider konnte ich den Schaden bei der Übergabe nicht sofort feststellen, weil sich der Riß an der Seite befindet. Vermutlich ist er durch einen scharfen Gegenstand verursacht worden.

Der Koffer ist aus Leder und hat vor 2 Jahren 289,00 DM gekostet. Eine Rechnungskopie und eine Kopie des Gepäckscheins habe ich diesem Brief beigelegt.

Die Reise fand statt am 26.4.1987 mit dem Zug E 3149 von Mannheim nach Kaiserslautern, Abfahrtszeit 16.19 Uhr.

Ich bitte, den entstandenen Schaden zu ersetzen.

Mit freundlichen Grüßen

Anlagen
Rechnungskopie
Gepäckschein

Liselotte Philander
Marktplatz 56
4600 Dortmund

Hauptbahnhof Dortmund 05.05.1987
Fundbüro

4600 Dortmund

Verlust eines Gepäckstückes

Sehr geehrte Damen und Herren,

bei meiner Reise am 30. April 1987 habe ich in einem Abteil 2. Klasse im vorderen Zugteil einen kleinen Koffer vergessen.

Reisebeginn: 8.26 Uhr in Dortmund
Reiseende: 13.14 Uhr in Mannheim

Der Koffer ist aus dunkelbraunem Kunstleder und hat zwei Riemen mit Schnallen. Er enthält Bücher und Fotokopien.

Falls er bei Ihnen abgegeben wurde, teilen Sie mir bitte mit, wo ich ihn abholen kann. Die darin befindlichen Unterlagen sind für meine Arbeit sehr wichtig.

Vielen Dank.

Mit freundlichen Grüßen

Briefe an das Finanzamt

Bevor man an das Finanzamt schreibt, sollte man sich darüber klar sein, welchen Zweck man mit dem Brief verfolgt. Es wird zwischen folgenden Briefgruppen unterschieden:

Anträge
Einsprüche
Mitteilungen
Erklärungen
Beschwerden
Rechtsbehelfe
Fragen

Die Verwendung der genauen Begriffe ist zweckmäßig, jedoch keine Vorschrift. Eine Beschwerde wird auch dann als Beschwerde behandelt, wenn sie aus Versehen mit einem anderen Wort überschrieben ist. Wichtig ist nur, daß aus dem Brief klar hervorgeht, was der Schreiber will.

Achten Sie darauf, daß die Anschrift des Finanzamtes stimmt. Bei falscher oder unvollständiger Anschrift kann es passieren, daß Ihr Brief mit Verzögerung befördert wird. Wenn bestimmte Fristen einzuhalten sind, kann das zu erheblichen Nachteilen führen.

Die Steuernummer sollten Sie auf jeden Fall angeben, damit Ihr Brief zügig an die richtige Stelle weitergeleitet wird.

Die übliche Anrede ist – wie im übrigen Schriftverkehr auch – *Sehr geehrte Frau ...* oder *Sehr geehrter Herr ...* Wenn Sie den Namen des Empfängers nicht wissen, schreiben Sie *Sehr geehrte Damen und Herren.*

Was sollte der Brief an das Finanzamt enthalten?

Datum

Postalische Anschrift des Finanzamtes,
wenn möglich mit Bezeichnung der
Dienststelle:
Betriebsprüfung,
Rechtsbehelfstelle
Lohnsteuerstelle

Im Betreff die (vollständige!) Steuernummer oder
Listennummer und die Kurzbezeichnung der Angelegenheit

Anrede: entweder Name des Sachbearbeiters oder
Sehr geehrte Damen und Herren,

Sachliche Beschreibung der Angelegenheit:
klare Formulierung des Antrags, des Einspruches, der
Mitteilung, der Erklärung, der Beschwerde, des Rechtsbehelfs
oder der Frage

Begründung

Eventuell Beweismittel aufführen

Gruß

Anlagenvermerk

Finanzamt Hohenstadt
Einkommenssteuerstelle
Frau Martander
Kirchstraße 20 - 22

7341 Hohenstadt

30.07.1987

Steuernummer 26057/0345
Umstellung des Wirtschaftsjahres

Sehr geehrte Frau Martander,

bisher entspricht das Wirtschaftsjahr unserer Firma dem Kalenderjahr.

Dies bereitet jedoch stets große Probleme, denn die Arbeitsabläufe in unserer Branche sind stark vom Saisongeschäft geprägt: In den letzten Wochen des Jahres erzielen wir mehr als ein Drittel des Jahresumsatzes. Es kommt in dieser Zeit bei uns regelmäßig zu personellen Engpässen.

Ich bitte Sie, der Verlegung des Geschäftsjahres zuzustimmen. Als neuen Stichtag schlage ich den 01.10. vor. Vielen Dank für Ihr Verständnis.

Mit freundlichen Grüßen

Finanzamt Gerolstein
Einkommenssteuerstelle
Janusallee 14 - 16

5530 Gerolstein

30.04.1987

Steuernummer 29021/00372
Einkommensteuererklärung 1986

Sehr geehrte Damen und Herren,

da ich seit längerer Zeit krank bin, sehe ich mich nicht in der Lage, den Termin für die Abgabe der Einkommenssteuererklärung einzuhalten. Das Attest des behandelnden Arztes habe ich diesem Schreiben beigelegt.

Ich bitte um Verlängerung der Abgabefrist.

Mit freundlichen Grüßen

Anlage
Attest Dr. Mühlenhaupt

Briefe an die Polizei

Gisela Konderrat
Am Hermannshof 9
7057 Winnenden

03.10.1986

Polizeidienststelle
Münsterstraße 20

7057 Winnenden

Sehr geehrte Damen und Herren,

durch die derzeit besondere Situation in der Straße Am Hermannshof (Kabelarbeiten der Deutschen Bundespost) kommt es vor unserem Grundstück zu erheblichen Parkproblemen.

Die Bewohner der Häuser, vor denen sich die Baustelle befindet, sind gezwungen, ihre Fahrzeuge an anderer Stelle zu parken. Dadurch wird die Einfahrt zum hinteren Teil meines Grundstückes immer wieder von parkenden Fahrzeugen verstellt.

Da ich diese Einfahrt benutzen muß, um Ware aus dem Lager zu holen, bitte ich Sie, für eine zusätzliche deutliche Beschilderung zu sorgen. Nach Auskunft der Bundespost werden die Bauarbeiten in etwa 4 Wochen abgeschlossen sein.

Vielen Dank für Ihr Verständnis und für Ihre Hilfe.

Mit freundlichen Grüßen

Richard Diederichs 20.04.1987
Laubenweg 63
7590 Achern

Polizeidienststelle
Kernerstraße

7590 Achern

Sehr geehrte Damen und Herren,

bevor ich mit meiner Bitte an Sie herantrete, möchte ich Ihnen versichern, daß ich kein Querulant bin und viel Verständnis für die Interessen anderer Menschen und besonders der Jugend habe.

Ein sehr beliebtes Hobby ist das Motorradfahren. Dagegen ist nichts zu sagen, solange nicht - wie in unserem Fall - eine einzige Straße, zudem noch eine Sackgasse, zum Treffpunkt aller Motorradfahrer der Stadt wird.

Jeden Abend findet zwischen 19.00 und 21.00 Uhr das tägliche Motorradtreffen statt. Damit verbunden ist eine erhebliche Lärmbelästigung durch die an- und abfahrenden Maschinen und durch die Probeläufe im Stand. Zudem neigen Motorradfahrer dazu, unablässig am Gasgriff zu drehen, auch dann, wenn es nicht erforderlich ist.

Meine Bitte an Sie, sehr geehrte Damen und Herren: Sorgen Sie bitte durch eine eindeutige Beschilderung dafür, daß unsere Straße wieder zur ruhigen Wohnstraße wird. Bis es soweit ist, wären wir sehr dankbar, wenn Sie durch Ihre zeitweilige Anwesenheit den Motorradfahrern zeigen würden, daß ihr Treffen nicht ganz unbemerkt bleibt.

Vielen Dank und freundliche Grüße

Hans-Dieter Schaller
Erikaweg 15
5428 Nastätten

29.09.1987

Polizeidienststelle
Hansaring 78

5428 Nastätten

Neubau an der Gartenstraße, Ecke Erikaweg

Sehr geehrte Damen und Herren,

seit einiger Zeit befindet sich neben dem Baugelände an der Gartenstraße ein Schutthaufen, der Bauschutt, aber auch Hausmüll enthält.

Ich habe wiederholt den Bauherrn schriftlich und telefonisch aufgefordert, den Schutt abtransportieren zu lassen. Dies ist jedoch bisher nicht geschehen. Gestern habe ich beobachtet, daß ein Unbekannter Kanister aus dem Kofferraum seines Wagens entlud und auf den Schutthaufen warf. Die Kanister sind ohne Beschriftung und enthalten teilweise noch Reste einer übelriechenden Flüssigkeit.

Bitte wirken Sie auf den Bauherrn ein, daß endlich der Schutt beseitigt wird, der ja zudem auch eine Gefahr für spielende Kinder ist.

Mit freundlichen Grüßen

Briefe an die Schule

In den meisten Fällen setzt man sich mit Lehrern und mit der Schulleitung mündlich auseinander. An Elternabenden und in den Sprechstunden können alle Probleme besprochen werden. Manchmal jedoch ist ein Brief nicht zu umgehen.

Bitte um Befreiung von einem Unterrichtsfach

Schüler können aus gesundheitlichen Gründen vom Sportunterricht befreit werden. Bei minderjährigen Schülern stellen die Eltern den Antrag, volljährige Schüler können die Befreiung selbst beantragen. Eine ärztliche Begutachtung muß dem Antrag beigefügt werden.

Auch vom Religionsunterricht können die Schüler auf Antrag befreit werden. Hier können Schüler zwischen dem 12. und 14. Lebensjahr mit Zustimmung der Eltern, vom 14. Lebensjahr an (in Bayern, Rheinland-Pfalz und im Saarland vom 18. Lebensjahr an) ohne Zustimmung der Eltern die Befreiung schriftlich beantragen. Die Teilnahme an einem Ersatzunterricht kann vorgeschrieben werden.

Werner Koch
Blisterstraße 63
8959 Schwangau

02.07.1987

Herrn Direktor Meislen
Robert-Bosch-Gymnasium

8959 Schwangau

Sehr geehrter Herr Direktor Meislen,

unsere Tochter Sabine hat sich entschieden, vom nächsten Schuljahr an nicht mehr am Religionsunterricht teilzunehmen.

Da sie mit 13 Jahren noch nicht religionsmündig ist, beantrage ich ihre Befreiung vom Religionsunterricht. Für den Fall, daß der Ersatzunterricht gewählt werden kann, würde Sabine gern am Ethikunterricht teilnehmen.

Vielen Dank.

Mit freundlichen Grüßen

Werner Koch 02.07.19..
Blisterstraße 63
8959 Schwangau

Herrn Direktor Meislen
Robert-Bosch-Gymnasium

8959 Schwangau

Sehr geehrter Herr Direktor Meislen,

gestern hat sich unser Sohn Dieter beim Fußballspielen einen Bänderriß zugezogen. Er wird deshalb nach Ansicht des Arztes voraussichtlich in den nächsten 6 Wochen nicht am Sportunterricht und auch nicht an Wandertagen teilnehmen können.

Das Attest von Dr. Westner habe ich beigelegt.
Vielen Dank für Ihr Verständnis.

Mit freundlichen Grüßen

Entschuldigungsschreiben

Wenn ein Kind wegen Krankheit oder aus anderen Gründen nicht am Unterricht teilnehmen kann, müssen die Eltern die Schule innerhalb von zwei Unterrichtstagen benachrichtigen. Volljährige Schüler können sich selbst entschuldigen.

Paul Krackenberg 12.09.1986
Hindenburgdamm 60
5541 Welschenbach

Städtisches Gymnasium
Herrn Studienrat
Lars Wenden
Adlerstraße 66 - 70

5541 Welschenbach

Sehr geehrter Herr Wenden,

unsere Tochter Elke liegt mit einer fiebrigen Erkältung zu Bett. Der Arzt sagte, wir sollten sie frühestens in der nächsten Woche wieder zur Schule schicken.

Bitte entschuldigen Sie ihr Fehlen. Vielen Dank.

Mit freundlichen Grüßen

Günther Pauli
Heidelberger Straße 10
6940 Weinheim

10.03.1987

Geschwister-Scholl-Gymnasium
Frau Studienrätin
Hanne Meyer
Am Stadtpark 25

6940 Weinheim

Sehr geehrte Frau Meyer,

mein Sohn Thomas ist gestern früh mit dem Fahrrad schwer gestürzt und mußte sich in ärztliche Behandlung begeben. Er konnte deshalb nicht am Unterricht teilnehmen.

Ich hoffe, daß sich sein Zustand in den nächsten Tagen so weit bessert, daß er wieder zur Schule gehen kann.

Mit freundlichen Grüßen

Bitte um Beurlaubung

Nach den Länderbestimmungen sind kurzfristige Beurlaubungen vom Unterricht und von anderen Schulveranstaltungen erlaubt. Man unterscheidet zwischen Gründen, bei denen die Schule beurlauben muß, und anderen, bei denen sie beurlauben kann. Anspruch auf Beurlaubung besteht z. B. zur Teilnahme an Gottesdiensten – allerdings nicht jederzeit, sondern nur zu religiösen Feiern und an Feiertagen.

In folgenden Fällen kann die Schule entscheiden, ob sie den Schüler beurlaubt oder nicht: Sport- oder Musikunterricht außerhalb der Schule, Schüleraustausch, besondere familiäre Gründe, Berufspraktikum oder im dualen System die Teilnahme an Prüfungen oder betrieblichen Veranstaltungen.

Wenn es um eine eintägige Beurlaubung geht, schreiben Sie den Brief an den Klassenlehrer Ihres Kindes, geht es um längere Beurlaubungen, schreiben Sie an den Schulleiter. Vergessen Sie nicht, den Grund für Ihre Bitte anzugeben.

Robert Lahr
Kantstraße 4
4791 Herbram

09.09.19..

Hauptschule Lessingstraße
Frau Ingeborg Graven
Lessingstraße 45

4791 Herbram

Sehr geehrte Frau Graven,

am 20. September feiern meine Frau und ich im großen Familienkreis die silberne Hochzeit. Die Feier wird in Bad Oeynhausen stattfinden und bereits um 10 Uhr morgens beginnen.

Deshalb bitte ich Sie, unseren Sohn Matthias für den 20. September vom Unterricht zu beurlauben. Wir sorgen dafür, daß Matthias den versäumten Unterrichtsstoff nachholt.

Vielen Dank für Ihr Verständnis.

Mit freundlichen Grüßen

Bitte um Besprechungstermin

Eltern haben gegenüber der Schule ein Informationsrecht. Dadurch will der Gesetzgeber erreichen, daß Eltern und Schule in ihrer gemeinsamen Erziehungsaufgabe sinnvoll zusammenarbeiten.

Persönliche Angelegenheiten müssen individuell mit den betroffenen Eltern und Schülern besprochen werden. Dazu gehören Informationen über die Lernentwicklung eines Schülers, über sein Verhalten gegenüber den Mitschülern und über die Bewertung seiner Leistungen. Eltern brauchen sich nicht mit den üblichen Schulzeugnissen oder einem „blauen Brief" als Vorwarnung zufriedenzugeben. Sie haben ein Recht auf persönliche Auskunft und Beratung.

Bitten Sie den Lehrer frühzeitig um einen Besprechungstermin. Entweder schlagen Sie ihm einen Termin vor, oder bitten Sie ihn um einen Termin. Teilen Sie schon im Brief mit, um welche Themen es in der Besprechung gehen soll, dann kann sich der Lehrer darauf vorbereiten.

Hanna Meilcher
Ingolfweg 55
5531 Mehren

10.03.1987

Wilhelm-Leuschner-Realschule
Herrn Fritz Lenoir
Schulstraße 10

5531 Mehren

Sehr geehrter Herr Lenoir,

die schulische Entwicklung unserer Tochter Jutta macht uns Sorgen, denn in den letzten 3 Monaten haben ihre Leistungen in allen Fächern sehr nachgelassen.

Wir möchten uns mit Ihnen beraten, damit wir Jutta sinnvoll helfen können, und bitten Sie um einen Besprechungstermin in den nächsten Tagen. Am besten würde es uns werktags nach 18 Uhr passen.

Vielen Dank für Ihre Mühe.

Mit freundlichen Grüßen

Der geschäftliche Bereich

Allgemeine Bemerkungen

Ähnlich wie bei den Behörden ist man heute auch im geschäftlichen Bereich darum bemüht, klar und kundenfreundlich - d. h. weniger steif und floskelhaft - zu schreiben. Ein Brief läßt immer Rückschlüsse auf den Schreiber zu. Um also einen guten Eindruck zu machen, ist es wichtig, sich inhaltlich und sprachlich einwandfrei auszudrücken und in der Wortwahl zeitgemäß zu sein. Mängel in der Rechtschreibung und in der grammatikalischen Korrektheit könnten z. B. einen potentiellen Kunden negativ beeinflussen.

Was die Formalien und die Gestaltung eines Geschäftsbriefes angeht, so gilt hier eine strengere Normierung als im privaten oder öffentlichen Bereich. Genaue Angaben hierzu finden Sie in der DIN-Norm 5008 - Regeln für das Maschinenschreiben.

Voranfrage

Wenn die Anfrage für den Interessenten sehr aufwendig ist oder wenn die Ausarbeitung des Angebots sehr viel Arbeit macht, versendet man zunächst eine Voranfrage an verschiedene Anbieter. Damit wird geklärt, welche Anbieter bereit sind, ein Angebot auszuarbeiten.

Was sollte die Voranfrage enthalten?

Anschrift

Datum

Anrede

Mitteilen, wodurch man auf den Anbieter aufmerksam geworden ist

Vorstellung des eigenen Unternehmens

Art und Umfang des bevorstehenden Auftrags

Art der Ware oder Dienstleistung

Terminplan: Angebotsabgabe, Liefertermin

Frage, ob der Anbieter zur Angebotsabgabe bereit ist

Termin, bis zu dem die Antwort vorliegen muß

Gruß

Briefkopf

MORAG CORPORATION 28.05.1987
Gartenstraße 4

2241 Schlichting

Voranfrage

Sehr geehrte Damen und Herren,

in unserem Schreibdienst steht eine tiefgreifende Umstellung bevor. Wir beabsichtigen, an 12 Arbeitsplätzen die bisher benutzten elektronischen Schreibmaschinen gegen PCs auszutauschen. Für dieses Projekt suchen wir leistungsfähige Anbieter, die einschlägige Erfahrungen haben und gute Referenzen vorweisen können.

Unsere Erwartungen: Alle Arbeitsplätze sollen im Netzwerk verbunden sein, die Textverarbeitung muß in jeder Hinsicht - Erlernbarkeit, Komfort, Schnelligkeit - hohen Anforderungen genügen. Die Bildschirme müssen die Texte schwarz auf weiß darstellen, aber auch hardwareseitig umschaltbar sein. Als Druckstation kommt nur ein Laserdrucker in Frage. Nadeldrucker und Tintenstrahldrucker kommen auch in Near-letter-quality nicht in Betracht.

Die Schulung unserer Mitarbeiter sollte der Lieferant ebenfalls übernehmen. Auch dazu erbitten wir ein Angebot.

Wenn Sie bereit sind, uns in diesem Rahmen ein Angebot zu erstellen, antworten Sie bitte bis zum 10.06.1987.

Für Fragen steht Ihnen Frau Weber, Telefondurchwahl 125, zur Verfügung.

Mit freundlichen Grüßen

Antwort auf Voranfrage

Mit der Voranfrage klärt der Interessent, welche Anbieter für die Anforderung eines ausführlichen Angebotes in Frage kommen. Damit er sich ein klares Bild von Ihrer Leistungsfähigkeit machen kann, sollten Sie alle Fragen möglichst präzise beantworten. Die Antwort auf eine Voranfrage ist Information und Selbstdarstellung zugleich. Gleichgültig, ob die Information positiv oder negativ ist – für einige Worte über das eigene Unternehmen, die Angebotspalette oder die Leistungsfähigkeit ist immer Platz.

Wichtig: Lassen Sie nichts Positives aus, auch wenn Sie den Eindruck haben, es sei nebensächlich, denn der Interessent bekommt viele Antworten auf seine Voranfrage und kann in den meisten Fällen nur auf der Grundlage dieser Briefe entscheiden.

In der folgenden Übersicht sind beide Fälle berücksichtigt: die Zusage und die Absage. Seien Sie in jedem Fall darauf bedacht, Ihre Leistungsbereitschaft und Ihr Interesse an der Zusammenarbeit zu bekunden. Wenn Sie in der Absage nur schreiben: „Wir können zur Zeit keine weiteren Aufträge annehmen“, dann ist die Aussicht auf eine zweite Voranfrage sehr gering. Bedauern Sie ausdrücklich, daß es in diesem Fall nicht zu einem Auftrag kommen kann, und erklären Sie ihre Bereitschaft für die Zukunft.

Was sollte die Antwort auf eine Voranfrage enthalten?

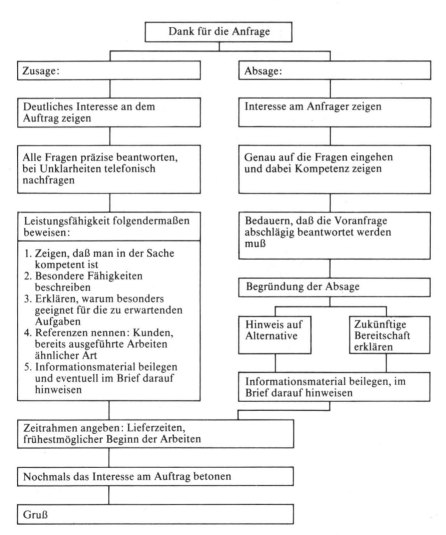

Anschrift

Datum

In der Betreffzeile die Bezeichnung aus der Anfrage wiederholen

Anrede, wenn möglich mit dem Namen dessen, der die Antworten auswertet

Dank für die Anfrage

Zusage:

Deutliches Interesse an dem Auftrag zeigen

Alle Fragen präzise beantworten, bei Unklarheiten telefonisch nachfragen

Leistungsfähigkeit folgendermaßen beweisen:

1. Zeigen, daß man in der Sache kompetent ist
2. Besondere Fähigkeiten beschreiben
3. Erklären, warum besonders geeignet für die zu erwartenden Aufgaben
4. Referenzen nennen: Kunden, bereits ausgeführte Arbeiten ähnlicher Art
5. Informationsmaterial beilegen und eventuell im Brief darauf hinweisen

Absage:

Interesse am Anfrager zeigen

Genau auf die Fragen eingehen und dabei Kompetenz zeigen

Bedauern, daß die Voranfrage abschlägig beantwortet werden muß

Begründung der Absage

Hinweis auf Alternative

Zukünftige Bereitschaft erklären

Informationsmaterial beilegen, im Brief darauf hinweisen

Zeitrahmen angeben: Lieferzeiten, frühestmöglicher Beginn der Arbeiten

Nochmals das Interesse am Auftrag betonen

Gruß

Briefkopf

Ratofex-Werke
Frau Galaer
Postfach 130

8974 Oberstaufen

20.08.1987

Ihre Voranfrage vom 12.08.19..

Sehr geehrte Frau Galaer,

herzlichen Dank, daß Sie uns Ihre Voranfrage geschickt haben. Wir sind gerne bereit, Ihre Fragen zu beantworten, und hoffen, daß Sie unsere Leistungsfähigkeit überzeugt:

Glücklicherweise haben wir in den nächsten zwei Monaten genügend Kapazitäten frei. Deshalb können wir Ihnen schon jetzt die zuverlässige und schnelle Ausführung Ihres Auftrages - auch in der voraussichtlichen Größenordnung - zusichern.

Unser Unternehmen nimmt, obwohl es erst seit 1979 besteht, bereits eine führende Stellung in der Branche ein: Die Kunden schätzen uns wegen unserer Zuverlässigkeit und Innovationskraft. Wesentliche Neuerungen auf dem Sektor hatten ihren Anfang in unserer Entwicklungsabteilung.

Aufträge in einem Umfang, wie Sie ihn ankündigten, haben wir im vergangenen Jahr mehrfach und stets zur vollen Zufriedenheit unserer Kunden ausgeführt. Durch unsere neue Fertigungshalle ist eine noch effektivere und kostengünstigere Fertigung möglich. Ein Vorteil, der uneingeschränkt unseren Großkunden zugute kommt. Eine Referenzenliste haben wir Ihnen beigelegt.

Senden Sie uns bitte Ihre ausführliche Anfrage, wir erstellen Ihnen umgehend das Angebot. Vielen Dank.

Mit freundlichen Grüßen

Briefkopf

Hermann Weier & Co.
Herrn Ludger Schulz
Erasmustraße 34 - 36

4459 Wielen

21.06.1987

Ihre Voranfrage vom 15.06.1987

Sehr geehrter Herr Schulz,

bevor wir ausführlich auf Ihre Voranfrage eingehen, danken wir Ihnen ganz herzlich für Ihr Interesse. Wir sind gerne bereit, für Sie zu arbeiten.

Seit 6 Jahren stellen wir Verbundsicherheitsglas her. Die Qualität unseres Glases übertrifft sogar die Anforderungen der DIN 52 290 für die Widerstandskraft gegen Durchwurf, Durchbruch und Durchschuß. Zudem ist es schallschützend und durch den Wärmeschutz energiesparend.

Wir ferigen das Glas in jeder gewünschten Größe bis 4 x 4 Meter. Auf dem Bausektor haben wir uns mit rationellen, kostengünstigen und pfiffigen Lösungen für die Altbausanierung im privaten und gewerblichen Bereich einen Namen gemacht. Einige Fotos von ausgeführten Aufträgen der letzten Monate liegen diesem Brief bei. Sie sehen daran, daß gerade die individuellen Arbeiten unsere Spezialität sind.

Selbstverständlich können Sie die Sicherheitsgläser mit einer Alarmanlage verbinden: Drahteinlagen oder eingebrannte Schleifen, je nach Ihren Wünschen und den Gegebenheiten der Anlage, lösen den Alarm aus.

Bitte senden Sie uns Ihre detaillierte Anfrage - wir erstellen Ihnen umgehend ein interessantes Angebot.

Mit freundlichen Grüßen

Briefkopf

Klackler Werke KG
Herrn Bernd Schieferdecker
Humpertallee 300 - 310

31.01.1987

8756 Kahl am Main

Ihre Voranfrage vom 22.01.1987

Sehr geehrter Herr Schieferdecker,

vielen Dank für Ihre Voranfrage. Die Ausweitung der Geschäftsbeziehungen mit Ihnen ist uns sehr wichtig. Wir hätten Ihnen auch sehr gerne ein Angebot über 1 000 m^2 Kunstrasen erstellt, aber wir arbeiten mit unserem bisherigen Lieferanten nicht mehr zusammen, weil die Güte des Materials nicht mehr unseren Vorstellungen entspricht.

Sie sind von uns gute Qualität gewohnt, und aus diesem Grund könnten wir es nicht verantworten, Sie mit einem weniger strapazierfähigen Produkt zu beliefern. Wir stehen jedoch bereits in Verhandlung mit einem anderen Anbieter.

Sobald die Materialprüfung und die Preisgespräche abgeschlossen sind - Termin ist voraussichtlich Frühjahr 1987 - und die Ergebnisse positiv sind, stehen wir Ihnen für Aufträge gerne zur Verfügung.

Exklusiv erhalten Sie mit diesem Brief unseren neuen Prospekt. Sie sehen selbst: Zähigkeit und Geduld bei der Lieferantenauswahl zahlen sich aus, die Leistung und der Preis unserer Angebote können sich sehen lassen.

Vielleicht hören wir schon bald von Ihnen?

Mit freundlichen Grüßen

Anfrage

Anfragen versendet man, um Angebote zu erhalten und auf dieser Grundlage aus einer großen Zahl von Anbietern einige geeignete auszuwählen. Zu unterscheiden ist zwischen allgemeinen Anfragen und bestimmten Anfragen.

Mit der allgemeinen Anfrage verschafft man sich einen ersten Überblick über die Waren oder Leistungen des Anbieters: Man bittet um Prospekte, Kataloge oder Vertreterbesuch.

Was sollte die allgemeine Anfrage enthalten?

Anschrift	Datum

In der Betreffzeile steht *Anfrage*

Anrede
Mitteilen, wie man auf diesen Anbieter aufmerksam geworden ist
Bitte um Katalog/Prospekte/Informationsmaterial, Preisliste, Preisstaffel, Verkaufs- und Lieferbedingungen
Hinweis auf längerfristige Zusammenarbeit
Dank im voraus
Gruß

Mit der bestimmten Anfrage informiert man sich über eine bestimmte Ware oder Dienstleistung. Um möglichst genaue und somit vergleichbare Angebote zu erhalten, muß man die Anfrage präzise formulieren.

Was sollte eine bestimmte Anfrage enthalten?

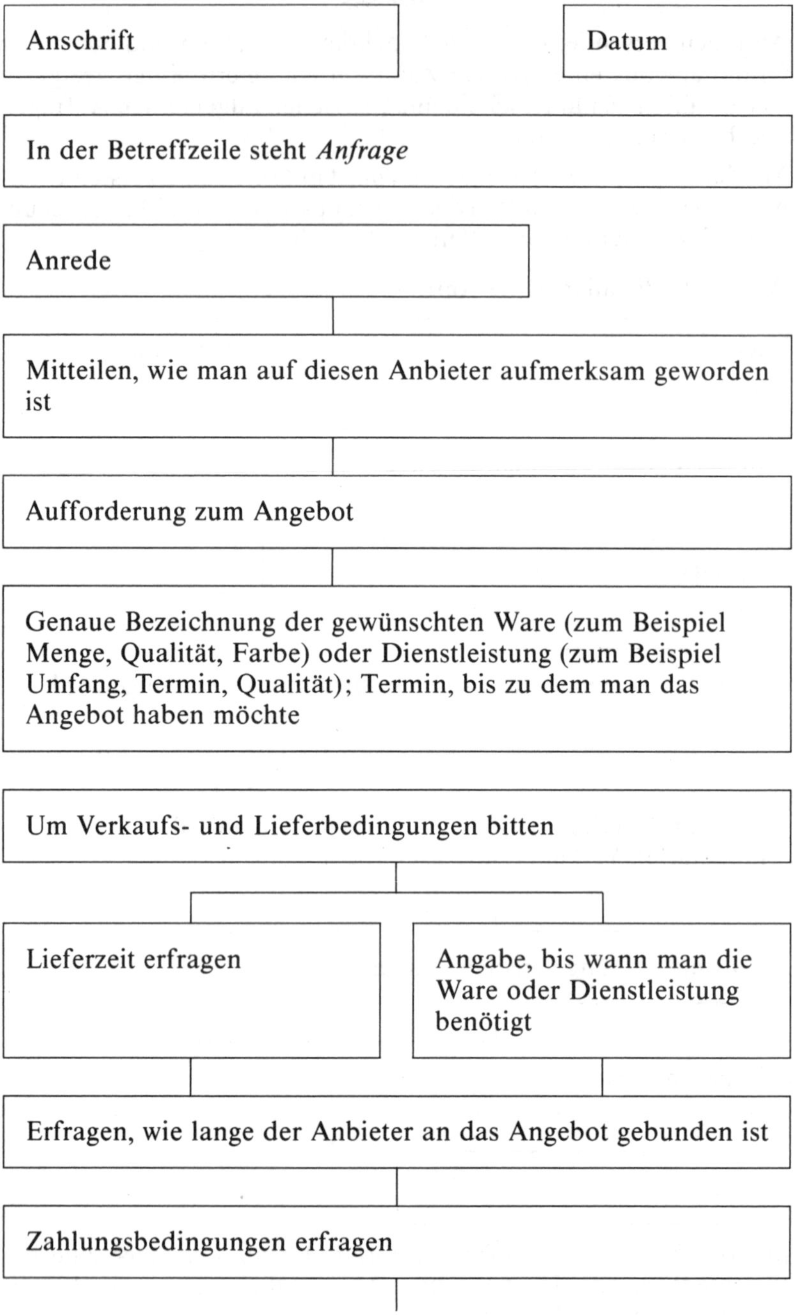

Anschrift

Datum

In der Betreffzeile steht *Anfrage*

Anrede

Mitteilen, wie man auf diesen Anbieter aufmerksam geworden ist

Aufforderung zum Angebot

Genaue Bezeichnung der gewünschten Ware (zum Beispiel Menge, Qualität, Farbe) oder Dienstleistung (zum Beispiel Umfang, Termin, Qualität); Termin, bis zu dem man das Angebot haben möchte

Um Verkaufs- und Lieferbedingungen bitten

Lieferzeit erfragen

Angabe, bis wann man die Ware oder Dienstleistung benötigt

Erfragen, wie lange der Anbieter an das Angebot gebunden ist

Zahlungsbedingungen erfragen

Hinweis auf längerfristige Zusammenarbeit

Dank im voraus

Gruß

Diese Punkte können Sie zusätzlich in die Anfrage aufnehmen:

- Preise von Verbrauchsmaterial und Ersatzteilen erbitten
- Frage nach Verpackungsart und -kosten
- Frage nach der Wartung
- Hinweis auf künftigen Bedarf
- Referenzen und weitere Informationen über den Anbieter erbitten

Briefkopf

WINCO WERKZEUGE GmbH 11.10.1986
Uhlandstraße 170

8531 Lenkersheim

Anfrage Werkzeugkästen

Sehr geehrte Damen und Herren,

durch Ihre Anzeige im "Werkmarkt", Ausgabe 9/12, sind wir auf Ihr Unternehmen aufmerksam geworden.

Im Zuge der Erweiterung unserer Abteilung "Werkzeuge" werden wir im nächsten Jahr komplette Werkzeugkästen und Leerkästen ins Programm aufnehmen. Bitte schicken Sie uns den Katalog und die Preisliste Ihres Sortiments einschließlich Verkaufs- und Lieferbedingungen.

Mit freundlichen Grüßen

Briefkopf

Hansen Data
Computer Service
Karolingerstraße 49

5060 Bergisch Gladbach 1

20.07.1987

Anfrage

Sehr geehrte Damen und Herren,

durch Ihre Anzeige in der "Bergischen Zeitung" haben wir erfahren, daß Sie Computer vertreiben. Da wir beabsichtigen, unser Schreibbüro um einen Personalcomputer zu erweitern, bitten wir Sie um ein Angebot.

Der Rechner sollte vollständig IBM-AT-kompatibel sein - es kommt nur ein Markengerät in Frage.

Ausstattung: komplett lauffähig mit 1 Floppy 360 k, 1 Festplatte 20 Mega, je 1 Centronics- und RS-Port, Tastatur mit Zahlen- und Cursorblock.

Geben Sie uns bitte Ihre genaue Lieferzeit, die Gewährleistung und Ihre Zahlungsbedingungen an. Wichtig ist für uns zu erfahren, wie lange Sie sich an das Angebot gebunden halten.

Bitte senden Sie Ihr Angebot - mit Verkaufs- und Lieferbedingungen - bis zum 01.08.1987.

Vielen Dank im voraus.

Mit freundlichen Grüßen

Angebot

Ein Angebot kann unaufgefordert an einen (möglichen) Kunden geschickt werden, es kann aber auch auf Anfrage erstellt werden. Deshalb unterscheidet man zwischen nicht angeforderten und angeforderten Angeboten.

Es gibt keine Vorschriften, in welcher Form das Angebot erstellt werden muß, aber es ist sinnvoll, sich nach einem inhaltlichen Konzept zu richten, damit man nichts Wichtiges vergißt: Das Angebot auf Anfrage soll genau auf die Fragen des Kunden eingehen, das Angebot ohne Aufforderung muß so genau und umfassend sein, daß der Kunde nicht weitere Informationen einholen muß.

Was soll das Angebot enthalten?

Datum und (bei größerem Geschäftsumfang) Nummer des Angebotes (ist nur bei größerem Geschäftsumfang erforderlich)

Anrede

Einleitung
Bei angeforderten Angeboten der Dank für das Interesse des Kunden, bei nicht angeforderten Angeboten ein interessanter Einleitungssatz, der zum Weiterlesen reizt. Mehr dazu finden Sie unter „Der Werbebrief".

Detaillierte Angaben über Art, Beschaffenheit, Güte, Menge und Preis der Ware oder Dienstleistung
Wichtig: Der Zusatz „inkl. MWSt." bei Preisangaben wird von einigen Gerichten als irreführende Werbung mit Selbstverständlichkeiten angesehen.

Befristung des Angebotes
Gibt der Anbieter sein Angebot in Form eines Briefes ab, so gelten als Zeitraum der Annahme üblicherweise 7 Tage, bei einem fernschriftlichen Angebot kann er die Annahme innerhalb von 24 Stunden erwarten. Das Angebot kann auch zeitlich begrenzt werden.

Einschränkung des Angebotes
Ein Angebot ohne Einschränkung bindet den Anbieter voll. Einschränken kann er es mit den Worten *„unverbindlich"*, *„freibleibend"* oder *„ohne Obligo"*. Eine andere Möglichkeit ist die ausdrückliche Einschränkung einzelner Angebotsteile.

Transportmittel angeben, Erfüllungsort angeben (zum Beispiel *frei Haus, frei Station, ab Werk*)

Zahlungsbedingungen
Zeitraum nach Lieferung, nach Rechnungserhalt, Teilbeträge, Rabatte.

Verkaufs- und Lieferbedingungen
Hinweis auf die umseitigen/beiliegenden Bedingungen.

Anlagen
Auf besonders wichtige Teile in der Anlage hinweisen: Prospekt, Seitenangabe.

Briefkopf

AUTOHAUS BERMERING
Herrn Gert Bermering
Rathausplatz 33a

6619 Rathen

11.12.1986

Ihre Anfrage vom 05.12.1986

Sehr geehrter Herr Bermering,

vielen Dank für Ihre Anfrage. Sie haben recht: Als Hersteller hochwertiger Trennwände, Stellwände und Verkaufsregale sind wir auf die Einrichtung von Präsentationsräumen spezialisiert. Für Ihr Umbauvorhaben eignet sich vortrefflich unsere Systemwand DEMOTEKEL.

DEMOTEKEL ist auf Grund eines ausgetüftelten Rastersystems äußerst variabel: Ob als reine Trennwand oder mit integrierten Regal- und Schrankelementen - immer paßt sich das System genau Ihren Wünschen an. Wir haben dieses Angebot exakt nach den Zeichnungen erstellt. Sie sehen daran, daß die Umsetzung auch komplizierter Pläne kein Problem ist.

Auf der Grundlage unserer beiliegenden Verkaufs- und Lieferbedingungen bieten wir Ihnen freibleibend zur Lieferung ab 01.01.1987 an:

- 2 -

5,74 x 3,50 m Trennwand, schalldämmend, lackierfertige Oberfläche, einschließlich Stützen und Kabelrohren gemäß Elektroplan, ohne Montage 7 200,00 DM

2 Regalwände je 2,50 x 3,50 m, lackierfertige Oberfläche, je Regal 5 Böden und 2 Prospektböden gemäß Zeichnung, ohne Montage 8 900,00 DM

Die Preise enthalten keine Mehrwertsteuer.

Dieses Angebot ist gültig bis zum 31.12.1986.

Lieferung frei Haus innerhalb von 14 Tagen nach Auftragseingang. Zahlung innerhalb von 20 Tagen nach Lieferung ohne Abzug.

Wir freuen uns, wenn Ihnen unser Angebot zusagt, und sichern Ihnen schon jetzt zuverlässige und pünktliche Ausführung zu.

Mit freundlichen Grüßen

Anlage
2 Prospekte

Briefkopf

Le Fromage
Herrn Julien Lefèvre
Marktstraße 4

5531 Densborn

20.11.1986

Ladeneinrichtung und Lagersysteme

Sehr geehrter Herr Lefèvre,

wie telefonisch angekündigt, erhalten Sie heute unser Angebot.

Wir bieten Ihnen an:

2 Verkaufstheken "Visa", je 3 m lang mit Glasvitrine und Kühlung gemäß unserem Prospekt	8 200,00 DM
4 Lagerregale Typ 230, 5 x 2,30 m mit je 7 Einlegeböden	4 200,00 DM
	------------
	12 400,00 DM

ohne Mehrwertsteuer, inklusive Fracht. Dieses Angebot gilt bis zum 15.12.1986.

Wir liefern wie gewünscht in der 2. Kalenderwoche 1987.

Zahlung innerhalb von 14 Tagen: 2% Skonto, innerhalb von 30 Tagen ohne Abzug.

Im übrigen gelten unsere Verkaufs- und Lieferbedingungen, die wir diesem Angebot beifügen.

Mit freundlichen Grüßen

Bestellung

Bestellungen dürfen nicht mißverständlich sein. Nur so kann man späteren Meinungsverschiedenheiten vorbeugen.

Was sollte die Bestellung enthalten?

Genaue Angabe, worauf sich die Bestellung bezieht (Angebot vom ..., Anzeige in ..., Vertreterbesuch)

Anrede
Dank für Angebot oder Informationsmaterial

Bestellsatz: „Wir bestellen ...“
Genaue Warenbezeichnung (Bestellnummer, Name des Produktes, Artikelnummer, Größe, Gewicht, Farbe, Qualität)
Genaue Angabe von Menge, Packungseinheiten, Verpackung
Angabe des Preises
Angaben zur Lieferzeit (Termine, Abruf, Teillieferung) Wenn sich die Bestellung auf ein Angebot bezieht und der Besteller die Verkaufs- und Lieferbedingungen des Verkäufers ohne Änderung akzeptiert, dann genügt die Angabe von Menge und Preis.
Gruß

Briefkopf

```
Inge Hansweiler                              12.04.1987
Computerservice
Bismarckstraße 33

4831 Langenberg




Sehr geehrte Frau Hansweiler,

herzlichen Dank für Ihr Angebot vom 08.04.1987. Auf
dieser Grundlage bestellen wir

1 Personalcomputer VV-AT 10 einschließlich
- 40 MB Festplatte mit Controller
- 1 serielle, 2 parallele Schnittstellen
- 2 Diskettenstationen 360 K
- Multifunktionstastatur
- 14-Zoll-Monitor, bernstein
- Grafikkarte VV+
- VV-Boss-Systemsoftware                        5 300,00 DM

Software dazu:

"Schreibstern" Textverarbeitungs-
programm                                          398,00 DM

"Dateistern" Datenverwaltungspro-
gramm                                             398,00 DM
                                               ------------
                                                6 096,00 DM

Alle Preise ohne Mehrwertsteuer.

Mit freundlichen Grüßen
```

Kaufvertrag

Was muß ein Kaufvertrag enthalten?

Je genauer ein Kaufvertrag formuliert wird, desto sicherer ist man vor unangenehmen Überraschungen. Genau – das heißt vor allem vollständig: Alle wesentlichen Bestandteile müssen im Kaufvertrag enthalten sein. Die folgende Übersicht erleichtert Ihnen den Aufbau des Vertrages:

- Name und Anschrift des Verkäufers und des Käufers
- Das Wort „Kaufvertrag" am Anfang des Textes
- Gegenstand des Vertrages
- Beschaffenheit des Vertragsgegenstandes (zum Beispiel „wie besichtigt und probegefahren")
- Anzahl der verkauften Gegenstände
- Preis (Einzelpreis, Gesamtpreis, gesetzliche Mehrwertsteuer)
- Rabatt
- Verpackungskosten
- Lieferbedingungen
- Liefertermin
- Zahlungsbedingungen (wann, welche Skonti)
- Garantie
- Eigentumsvorbehalt
- Erfüllungsort
- Gerichtsstand
- Datum des Vertragsabschlusses

Kaufvertrag

Käufer:

Herbert Schnatenberg, Grabenstraße 12, 6540 Bergenhausen

Verkäufer:

Viktor Vandenboom GmbH, Münsterstraße 45, 6540 Bergenhausen

Kaufgegenstand und Preis

1 Personalcomputer, Bezeichnung VV-AT 10, mit Multifunktionstastatur, 1 externes 1,2-Megabyte-Diskettenlaufwerk, 12-Zoll-Monitor und Druckerkabel, einschließlich "Schreibtop"-Textverarbeitungsprogramm und Verpackung zum Preis von 5 600,00 DM (fünftausendsechshundert). In diesem Betrag sind 687,00 DM Mehrwertsteuer enthalten.

Lieferbedingungen und Liefertermin

Der Käufer erhält die Ware frei Haus am 19.08.1987.

Zahlungsbedingungen

Zahlung 30 Tage nach Rechnungserhalt ohne Abzug oder Zahlung 14 Tage nach Rechnungserhalt abzüglich 2% Skonto vom Gesamtrechnungswert (inkl. MWSt.). Die Ware bleibt bis zur vollständigen Bezahlung Eigentum des Verkäufers.

Gewährleistung

Der Verkäufer garantiert die mängelfreie Qualität der Ware und übernimmt die Gewährleistung für 6 Monate ab Rechnungsdatum. Bei Mängeln ist die Ware in Originalverpackung mit Kopie der Rechnung einzusenden. Eine Mängelbeschreibung ist beizulegen.

Erfüllungsort und Gefahrenübergang sind die Räume des Käufers, der Gerichtsstand ist für beide Teile Bergenhausen.

Ort: Bergenhausen Datum: 02.08.1987	Ort: Bergenhausen Datum: 02.08.1987
(Unterschrift des Verkäufers)	(Unterschrift des Käufers)

Zwischenbescheid

Ein Zwischenbescheid ist immer dann sinnvoll, wenn abzusehen ist, daß die Bearbeitung eines Vorganges längere Zeit in Anspruch nehmen wird, und man den Geschäftspartner nicht so lange warten lassen will. Ein Zwischenbescheid ist nicht unbedingt erforderlich, aber es ist eine Frage der Höflichkeit und der Pflege der guten Geschäftsbeziehungen, einen solchen Zwischenbescheid zu versenden.
Neben der Kontaktpflege haben Zwischenbescheide eine vorbeugende Funktion: Man vermeidet Kundenanfragen über den Stand der Angelegenheit und damit auch die meist aufwendigere Beantwortung dieser Anfragen.

Man versendet einen Zwischenbescheid auf

- Anfragen
- Voranfragen
- Angebote
- Bestellungen
- Reklamationen
- Bewerbungen

Was sollte der Zwischenbescheid enthalten?

- Angabe, worauf sich der Zwischenbescheid bezieht
- Dank für Anfrage/Bestellung/Bewerbung/Hinweise
- Grund für die längere Bearbeitungszeit, zum Beispiel große Nachfrage, genaue Prüfung, Fristen einhalten, Urlaubszeit
- Bitte um Verständnis
- Schnelle Bearbeitung zusichern oder Termin nennen, bis zu dem der Empfänger die Antwort erhält

Briefkopf

Herrn
Herbert Schulz
Kirchhofstraße 60

5441 Höchstberg

30.06.1987

Ihre Anfrage vom 25.06.1987

Sehr geehrter Herr Schulz,

vielen Dank für Ihr Interesse an unseren Tauchfiltern. Auf der Gartenfachmesse hat sich gezeigt, daß die Nachfrage nach unserem neuen Modell 600 sehr groß ist.

Da wir Ihre Anfragen so ausführlich wie möglich beantworten wollen, brauchen wir noch einige Tage Zeit. Bitte haben Sie dafür Verständnis - wir geben Ihnen so schnell wie möglich alle Informationen. Vielen Dank.

Mit freundlichen Grüßen

Briefkopf

Günther Rademacher GmbH
Herrn Paulsmühlen
Postfach 24 24

7715 Bräunlingen

23.09.1986

Sehr geehrter Herr Paulsmühlen,

vielen Dank für die schnelle Ausarbeitung des Angebotes.

Die Frist zur Abgabe der Angebote haben wir bis zum 30.09.1986 gesetzt. Deshalb können wir die Leistungen aller Anbieter erst nach Ablauf dieses Termins vergleichen.

Bitte haben Sie Verständnis dafür, daß wir Ihnen frühestens Mitte Oktober über das Ergebnis Bescheid geben können. Vielen Dank.

Mit freundlichen Grüßen

Annahme von Bestellungen

In folgenden Fällen empfiehlt es sich besonders, auf eine Bestellung eine Bestellungsannahme – auch Auftragsbestätigung genannt – zu versenden:

1. Man hat es mit einem neuen Kunden zu tun, dem man besonders für seine Bestellung danken möchte.
2. Die Bearbeitung des Auftrages dauert länger.
3. Der Kunde wünscht die Lieferung erst nach Ablauf einer längeren Frist.
4. Der Kunde hat ausdrücklich um eine Auftragsbestätigung gebeten.
5. Der Kunde hat seine Bestellung nicht schriftlich übermittelt, sondern zum Beispiel telefonisch.
6. Bei freibleibenden Angeboten wird die Bestellung erst durch die Bestellungsannahme verbindlich.

Was muß die Bestellungsannahme enthalten?

Anschrift	Datum

In der Betreffzeile steht das Datum der Bestellung

Anrede

Dank für die Bestellung

Ausführung der Bestellung zusichern

Bezeichnung (Name, Artikelnummer) der bestellten Ware, Preise, Mengen, Größen nennen

Liefertermin[e] nennen

Mitteilung, auf welcher Grundlage die Lieferung erfolgt

Auf weitere Zusammenarbeit hinweisen

Gruß

Briefkopf

Herrn
Sankenfeld
Eichenweg 34

5561 Bettenfeld

19.12.1986

Ihre Bestellung vom 05.12.1986
Polstergarnitur Flandern

Sehr geehrter Herr Sankenfeld,

herzlichen Dank für Ihre Bestellung. Wir haben bereits alles Erforderliche veranlaßt und können Ihnen heute den Auftrag bestätigen:

1 Polstergarnitur Flandern
- 2 Sessel mit Armlehnen links und rechts, auf Rollen
- 1 Sofa zweisitzig, 140 cm breit
- 1 Sofa dreisitzig, 170 cm breit

Bezugsstoff aller Teile: "Flora" beige 13,
Mischgewebe 50 % Baumwolle, 50 % Acryl

Preis komplett inkl. 14 % MWSt.: 2 698,00 DM

Der volle Rechnungsbetrag ohne Abzug wird fällig 14 Tage nach Eingang der Rechnung bei Ihnen. Die Ware bleibt bis zur vollständigen Bezahlung unser Eigentum.

Die Garnitur wird in der 3. Kalenderwoche 1987 geliefert. Den genauen Liefertermin geben wir Ihnen rechtzeitig bekannt.

Die Lieferung einschließlich Aufstellung in Ihrer Wohnung erfolgt für Sie kostenfrei. Sorgen Sie bitte am Anliefertag für freien Durchgang in der Wohnung und ausreichenden Platz am Aufstellungsort.

Mit freundlichen Grüßen

Briefkopf

Herrn
Peter Rabin
Hummelsterstraße 4

7831 Rheinhausen

20.05.1987

Ihre Bestellung vom 12.05.1987

Sehr geehrter Herr Rabin,

vielen Dank für Ihre Bestellung der Sortiereinrichtung.

Autosorter PG 539-20, 20 Sortierstationen, anschlußfertig für Kopierer PG 539:	928,00 DM
14 % MWSt.:	129,92 DM
	-----------
	1 057,92 DM

Schon in der nächsten Woche werden wir das Gerät an Sie liefern. Termin ist voraussichtlich der 25.05.1987 vormittags. Die Lieferung erfolgt frei Haus.

Zum Lieferumfang gehört der funktionsfähige Anschluß des Sorters, eine Bedienungsanleitung und die Einweisung in die Bedienung durch unseren Techniker. Im übrigen gelten die beigefügten Verkaufs- und Lieferbedingungen.

Wir arbeiten sehr gern für Sie und freuen uns auf weitere Aufträge.

Mit freundlichen Grüßen

Anlage

Ablehnung von Bestellungen

Hin und wieder kommt es vor, daß eine Bestellung nicht ausgeführt werden kann, zum Beispiel wenn ohne vorheriges Angebot bestellt worden ist, wenn das Angebot unverbindlich war oder wenn die Bindungsfrist des Angebotes abgelaufen ist. Wichtig: Bestellungen, die auf ein verbindliches, persönliches Angebot hin vorgenommen wurden, dürfen nicht abgelehnt werden.

Was sollte die Bestellungsablehnung enthalten?

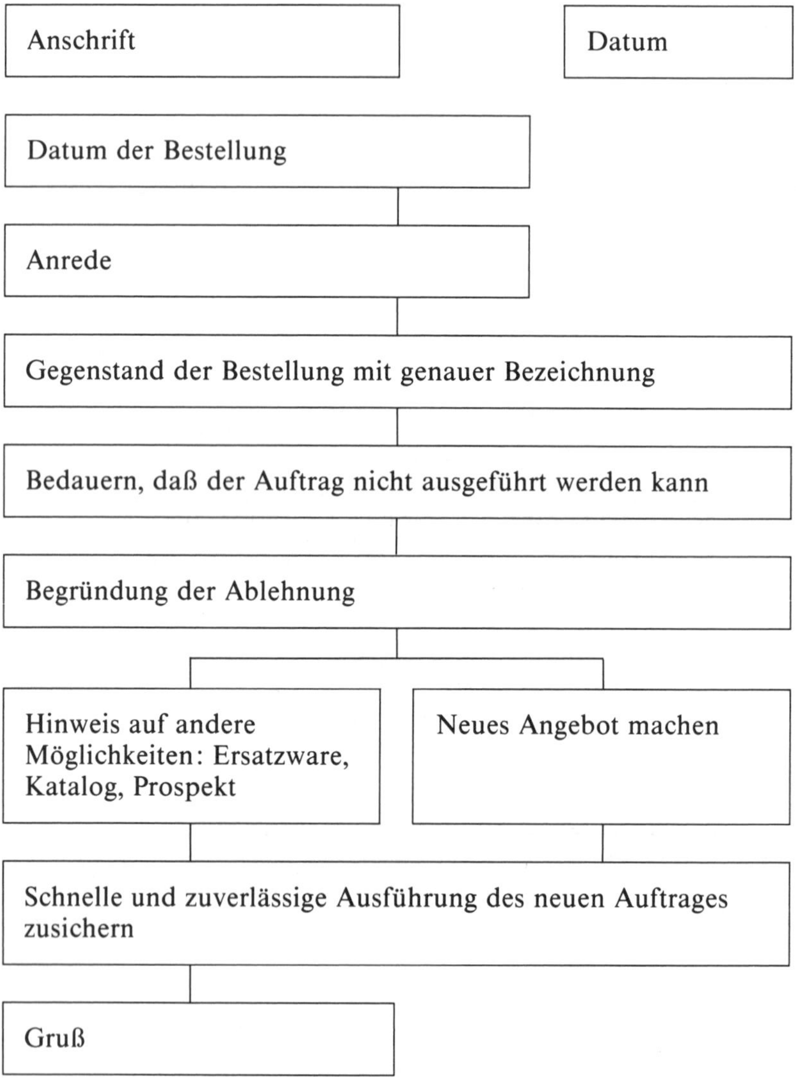

Anschrift

Datum

Datum der Bestellung

Anrede

Gegenstand der Bestellung mit genauer Bezeichnung

Bedauern, daß der Auftrag nicht ausgeführt werden kann

Begründung der Ablehnung

Hinweis auf andere Möglichkeiten: Ersatzware, Katalog, Prospekt

Neues Angebot machen

Schnelle und zuverlässige Ausführung des neuen Auftrages zusichern

Gruß

Briefkopf

Eisenwaren Giesen & Co.
Herrn Paul Kaiser
Hohestraße 56

5608 Radevormwald

19.06.1987

Ihr Auftrag vom 14.06.1987

Sehr geehrter Herr Kaiser,

Ihre Bestellung über 200 Bohrkopfsortimente können wir leider zu diesen Bedingungen nicht ausführen. Unser Angebot vom 02.06.1987 sieht 10 % Rabatt bei Abnahme von 250 Sortimenten vor. 200 Sortimente mit 15 % Rabatt läßt unser enger Kalkulationsrahmen nicht zu.

Wir haben inzwischen alle Möglichkeiten geprüft und sind zu dem Ergebnis gekommen, daß wir Ihnen 250 Sortimente mit 15 % Rabatt anbieten können. Alle anderen Konditionen bleiben davon unberührt. Sind Sie mit diesem Vorschlag einverstanden?

Selbstverständlich erhalten Sie die Bohrsätze prompt und zuverlässig. Wir freuen uns auf Ihren Auftrag.

Mit freundlichen Grüßen

Briefkopf

Frau
Ilka von Verkoien
Heiligenstraße 80

6500 Mainz

17.10.1986

Ihre Bestellung vom 10.10.1986

Sehr geehrte Frau von Verkoien,

sehr gern hätten wir Ihren Auftrag ausgeführt, aber leider sind wir an unser Angebot vom 01.10.1986 gebunden. Deshalb ist es zur Zeit nicht möglich, von den angebotenen Konditionen abzuweichen.

Alternativ zu den Ledertaschen "Berlina" und "Munic" haben wir günstigere Spaltledertaschen in gleicher Topoptik, jedoch ohne Umhängegurt. Diese Taschen können wir Ihnen zu 38,00 DM das Stück anbieten. Bei einer Abnahme von 10 Taschen geben wir Ihnen 10 % Rabatt.

Sehen Sie sich bei dieser Gelegenheit bitte im beiliegenden Prospekt die Seiten 4 und 5 an: Die Taschen "Colonia" und "Brigitte" sind zur Zeit die "Renner" - und der Preis stimmt!

Wir freuen uns auf Ihre Bestellung.

Mit freundlichen Grüßen

Anlage
1 Prospekt

Widerruf von Bestellungen

Bestellungen kann man noch in letzter Minute widerrufen. Voraussetzung für die Wirksamkeit eines Widerrufes ist allerdings, daß er vor oder gleichzeitig mit der Bestellung beim Lieferer eintrifft.
Für den Widerruf bieten sich Eilzustellung, Telegramm, Telex oder Teletex an. Auch der telefonische Widerruf ist möglich, in diesem Fall sollte man aber auf jeden Fall einen schriftlichen Widerruf nachsenden. Empfehlenswert ist es, sich den Namen des Gesprächspartners geben zu lassen und sich im schriftlichen Widerruf auf diesen zu beziehen.
Was muß der Widerruf einer Bestellung enthalten?

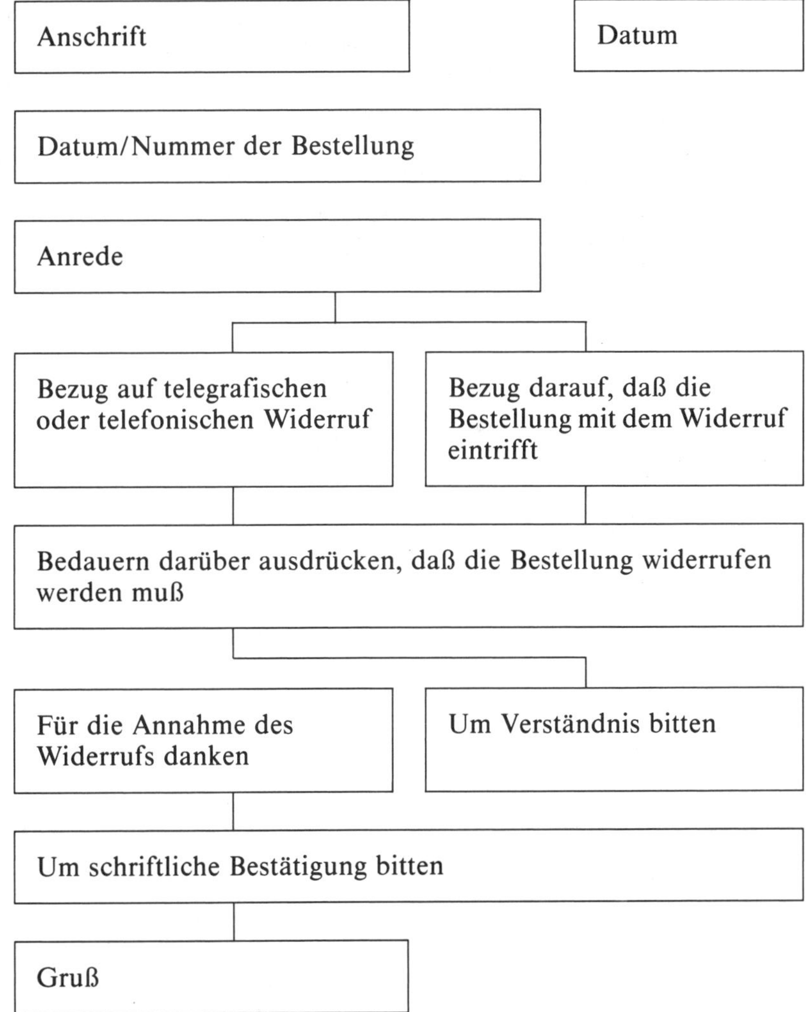

Briefkopf

Knappgen OHG
Brehmstraße 67

8131 Pentenried

23.04.1987

Unsere Bestellung vom 22.04.1987

Sehr geehrte Damen und Herren,

ich bedauere sehr, daß ich den Auftrag Nr. 4/12 widerrufen muß und Ihnen dadurch Umstände mache.

Eben habe ich Ihren Mitarbeiter, Herrn Reußer, telefonisch über die Sachlage informiert und von ihm die Zusage erhalten, daß die Bestellung aufgehoben wird. Ihr Entgegenkommen ist sehr großzügig, ich danke Ihnen dafür recht herzlich.

Ich hoffe, daß dieser Widerruf der einzige in unseren Geschäftsbeziehungen bleibt. Bitte bestätigen Sie mir die Aufhebung noch schriftlich. Vielen Dank.

Mit freundlichen Grüßen

Briefkopf

Knappgen OHG
Brehmstraße 67

8131 Pentenried

23.04.1987

Unsere Bestellung vom 22.04.1987

Sehr geehrte Damen und Herren,

mit gleicher Post trifft heute bei Ihnen eine Bestellung von mir ein:

Pos. 1: 2 Pakete Adreßaufkleber Nr. 34/a zu je 38,40 DM
Pos. 2: 3 Kartons Fensterumschläge DIN lang zu je 25,80 DM

Mit diesem Schreiben widerrufe ich die Bestellung. Heute morgen habe ich erfahren, daß mein Kunde überraschend unbekannt verzogen ist, und ich sehe keine Möglichkeit, die Ware anderweitig zu verkaufen.

Bitte haben Sie Verständnis für die besondere Situation. Schon jetzt vielen Dank für Ihre schriftliche Bestätigung.

Mit freundlichen Grüßen

Versandanzeige

Mit der Versandanzeige bestätigt der Lieferer, daß er die Ware an den Kunden abgesandt hat oder daß sie zu einem bestimmten Zeitpunkt abgesandt wird. Dies ist üblich

- bei Sendungen in größeren Mengen
- bei Sendungen, die in mehreren Teilen verschickt werden
- wenn mit der Sendung nur ein Teil der gesamten bestellten Ware verschickt wird
- wenn ein spezieller Versandweg mitgeteilt werden soll
- wenn der Kunde ausdrücklich darum gebeten hat
- wenn nicht alle bestellten Waren lieferbar sind und einige nachgeschickt werden müssen

In der Versandanzeige steht:

Anschrift	Datum

In der Betreffzeile das Datum der Bestellung des Kunden
Anrede
Genaue Warenbezeichnung mit Artikelnummer
Anzahl und Bezeichnung der Teile, die zum genannten Termin geliefert werden
Termin der Lieferung
Versandweg

Eventuell Angaben zur Versicherung der Ware

Rechnung: getrennt oder mit der Lieferung

Gruß

Briefkopf

HANSA MÖBELCENTER
Westring 90

2945 Sande

20.12.1986

Ihre Bestellung vom 03.12.1986

Sehr geehrte Damen und Herren,

nochmals herzlichen Dank für Ihren Auftrag.

Wie vereinbart haben wir heute die bestellten Polstergarnituren an Sie abgeschickt:

3 Garnituren "Rotunda", Stoff "Gran Sasso",
bestehend aus je einem Sofa 1,45 m,
einem Sofa 2,00 m und zwei Sesselelementen

Die Garnituren werden durch die Spedition Hammerla, Hausmannallee 2, 2211 Beringstedt, transportiert und am 29.12.1986 bei Ihnen eintreffen. Die mit gleichem Auftrag bestellten 4 Eßtische "Hanseat" mit je 6 Stühlen werden am 12.01.1987 an Sie abgehen.

Mit freundlichen Grüßen

Briefkopf

Frau
Sigrid Lühr
Hankenhof 75

8961 Haldenwang

02.06.1987

Ihre Bestellung vom 28.05.1087

Sehr geehrte Frau Lühr,

vielen Dank für Ihren Auftrag.

Die bestellten 4 Bücherregale werden am 20.06.1987, vormittags bei Ihnen eintreffen. Es handelt sich um 2 Kartons zu je 27 kg. Die Lieferung erfolgt durch unseren Spediteur. Er ist beauftragt, die Kartons bis hinter die erste verschließbare Tür Ihres Hauses zu bringen.

Die Montage und Aufstellung der Regale ist im Kaufpreis nicht enthalten.

Mit freundlichen Grüßen

Lieferverzug

Ein Lieferverzug liegt dann vor, wenn der Lieferer einen Liefertermin nicht einhält. Wichtig ist, daß dieser Liefertermin eindeutig zu bestimmen ist. Ist er nicht eindeutig bestimmt, so tritt der Verzug ein, wenn der Kunde schriftlich oder mündlich mahnt. Die schriftliche Form empfiehlt sich wegen der Beweiskraft.
In der Mahnung setzt der Kunde eine Nachfrist. Diese Frist kann je nach Warenart und Branche unterschiedlich lang sein. Zu berücksichtigen ist die vorher vereinbarte Lieferzeit: War sie kurz, kann auch die Nachfrist kurz bemessen werden. Weiter sollten die Postlaufzeit der Mahnung und der Transportweg der Ware in die Frist einbezogen werden.

Was sollte der Hinweis auf den Lieferverzug enthalten?

Anschrift

Datum

Datum der Bestellung, Nummer der Bestellung
Genaue Bezeichnung der bestellten Waren, Artikelnummer
Datum der Auftragsbestätigung

Anrede

Vereinbarter Liefertermin

Mitteilung, daß die Ware bisher nicht eingetroffen ist

Hinweis auf die Folgen, die der Lieferverzug für den Kunden hat

Angemessene Nachfrist setzen

Konsequenzen, falls innerhalb der Nachfrist nicht geliefert wird:

1. Möglichkeit:
Nach Ablauf der Nachfrist vom Kaufvertrag zurücktreten

2. Möglichkeit:
Auf Lieferung bestehen und Schadenersatz wegen verspäteter Lieferung verlangen

Gruß

Briefkopf

Gebr. Schneider GmbH
Zeppelinallee 70 - 72

6741 Gräfenhausen

20.10.1986

Unsere Bestellung vom 01.10.1986
Auftragsbestätigung zum 05.10.1986

Sehr geehrter Herr Schneider,

seit dem 05.10.1986 warten wir auf Ihre Lieferung der bestellten PVC-Rohre Nr. 234/A.

Unsere Lagerbestände sind aufgebraucht, so daß auch wir in Lieferverzug geraten. Bitte schicken Sie uns die Ware bis zum 30.10.1986. Wenn Sie diesen Termin nicht einhalten, treten wir von unserem Auftrag zurück.

Mit freundlichen Grüßen

Briefkopf

Gert Humpert & Söhne
Vandergrafstraße 32

6500 Mainz

24.08.1986

Unsere Bestellung von 10 Nachrüstkatalysatoren A/34
Datum der Bestellung: 02.08.1986
Ihre Auftragsbestätigung vom 10.08.1986

Sehr geehrte Damen und Herren,

in Ihrer Auftragsbestätigung haben Sie als Liefertermin den 20.08.1986 angegeben. Inzwischen ist dieser Termin um vier Tage überschritten, und die Katalysatoren sind noch nicht eingetroffen.

Der Lieferverzug bringt uns in ernstliche Schwierigkeiten mit unseren Kunden. Einige haben bereits angekündigt, die Katalysatoren bei einer anderen Firma zu kaufen und einbauen zu lassen.

Wir setzen Ihnen eine Nachfrist bis zum 05.09.1986. Sollten die Katalysatoren bis dahin nicht eintreffen, dann werden wir von Ihnen für den entgangenen Gewinn Schadenersatz verlangen.

Sicher liegt Ihnen genauso wie uns daran, daß unsere Geschäftsbeziehungen durch die Angelegenheit nicht unnötig belastet werden.

Mit freundlichen Grüßen

Briefkopf

Felix Sindermann GmbH
Herrn Toni Paulsen
Rebenweg 4

7056 Weinstadt

25.04.1987

Unsere Bestellung vom 19.03.1987
5 Kartons 1984er Michelstaler Spätlese

Sehr geehrter Herr Paulsen,

am 23.03.1987 haben Sie unseren Auftrag schriftlich bestätigt und die Lieferung der 5 Kartons Spätlese für den 05.04.1987 zugesagt.

Wir haben bis zum 10.04.1987 gewartet und Ihnen dann schriftlich am 11.04.1987 eine Nachfrist zur Lieferung bis zum 20.04.1987 gesetzt.

Wegen Ihres Lieferverzuges sind uns erhebliche Nachteile entstanden: Für den Wein liegen uns Bestellungen vor, die wir nicht erfüllen können. Einige Kunden sind bereits abgewandert, andere lassen sich kaum noch vertrösten.

Wir treten von unserer Bestellung zurück und werden jetzt unseren Bedarf an Spätleseweinen bei einem anderen Lieferanten decken.

Wir fänden es bedauerlich, wenn unsere langjährige Zusammenarbeit mit dieser Angelegenheit enden würde.

Mit freundlichen Grüßen

Reklamation

Reklamationen, im Geschäftsleben und im Gesetz als Mängelrügen bezeichnet, werden dann nötig, wenn einer der Geschäftspartner mit einer Leistung oder Lieferung des anderen nicht einverstanden ist.
Der Mangel kann schriftlich oder mündlich mitgeteilt werden. Die schriftliche Form empfiehlt sich jedoch wegen der Beweiskraft: Kommt es später zum Rechtsstreit, so hat man aussagefähige Unterlagen zur Hand.

Was sollte eine Reklamation enthalten?

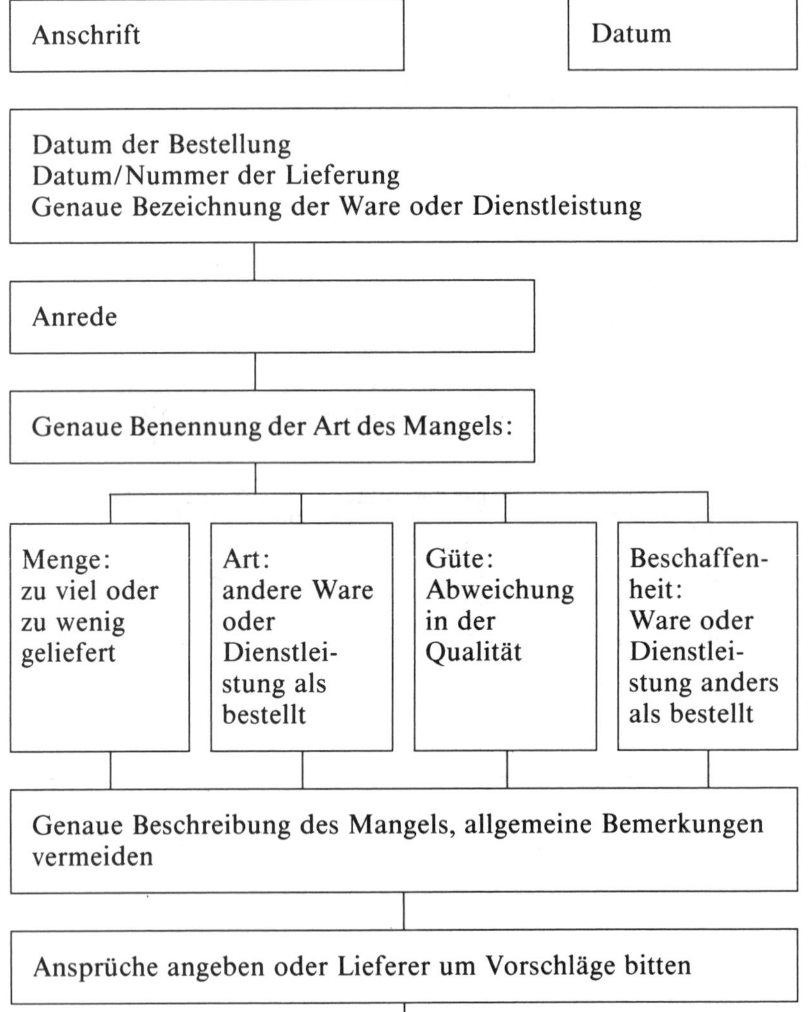

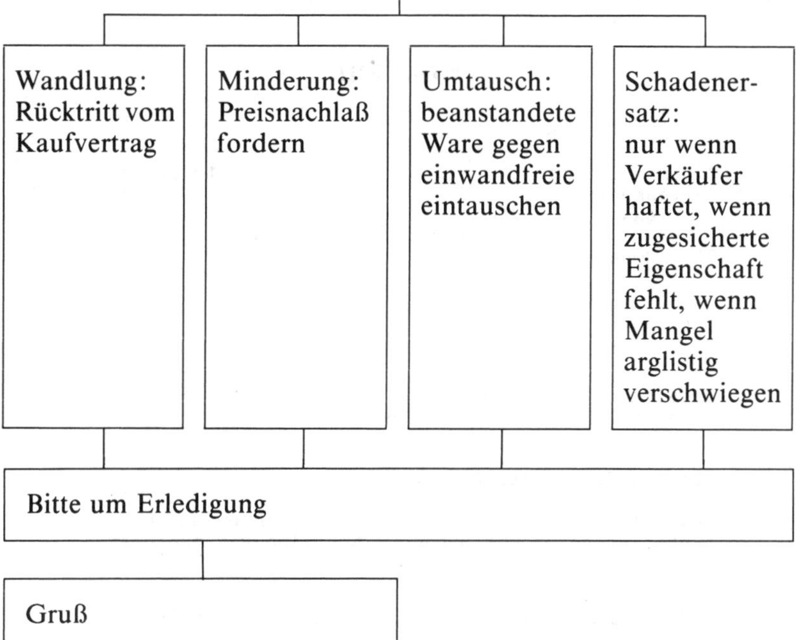
Wandlung:
Rücktritt vom
Kaufvertrag
Minderung:
Preisnachlaß
fordern
Umtausch:
beanstandete
Ware gegen
einwandfreie
eintauschen
Schadener-
satz:
nur wenn
Verkäufer
haftet, wenn
zugesicherte
Eigenschaft
fehlt, wenn
Mangel
arglistig
verschwiegen
Bitte um Erledigung
Gruß

Briefkopf

Johannes Wöhner
Gartencenter
Dahlienweg 90 - 94

7091 Rosenberg

10.02.1987

Unsere Bestellung vom 18.01.1987
Ihre Lieferung vom 08.02.1987

Sehr geehrter Herr Wöhner,

seit vielen Jahren bestellen wir in Ihrem Gartencenter Pflanzen und Zubehör. Nun sind wir zum ersten Mal nicht zufrieden:

Unsere Reklamation betrifft zwei Positionen aus Ihrer letzten Lieferung. Im einen Fall haben Sie nicht die gewünschte Menge geliefert, im anderen Fall ist die Ware nicht einwandfrei.

Statt der bestellten 20 Rosenstöcke "Graf Baudeck", Katalognummer 130/3, erhielten wir nur 16 Stück. Im Lieferschein sind 16 Stück eingetragen. Die Rechnung dagegen lautet über 20 Stück.

Die 4 Umtöpfe für Blumenkübel, Katalognummer 420/1, Farbe 12, sind offenbar beim Transport oder beim Verpacken beschädigt worden. Drei sind an mehreren Stellen gesprungen, am vierten sind Ecken abgebrochen.

Unser Vorschlag: Sie liefern uns 4 unbeschädigte Umtöpfe 420/1, Farbe 12 und die fehlenden 4 Rosenstöcke. Ihr Fahrer kann bei der Gelegenheit die beschädigten Umtöpfe mitnehmen.

Bitte teilen Sie uns möglichst schnell mit, wann wir mit der Ware rechnen können. Vielen Dank.

Mit freundlichen Grüßen

Briefkopf

WENCO Werkzeugfabrik
Holsteinstraße 45 a

2131 Bülstedt

29.08.1986

Unsere Bestellung vom 14.08.1986
Lieferscheinnummer 12 45-7

Sehr geehrte Damen und Herren,

mit einem Teil Ihrer Lieferung vom 26.08.1986 sind wir nicht zufrieden. Wir hatten unter Position 3 zwei Werkzeugkästen Typ "Elektrostar" bestellt. Der Inhalt beider Kästen ist falsch zusammengestellt, und außerdem sind die Scharniere der Kästen nicht voll funktionsfähig.

Inhalt: Der Inhalt der beiden Kästen entspricht dem Typ "Autostar". Wenn Sie uns preislich entgegenkommen, sind wir bereit, diese Kästen zu behalten und das fehlende Werkzeug aus eigenem Bestand zu ergänzen.

Beschädigungen: Die Scharniere am Klappmechanismus der Kästen sind verbogen, an zwei Stellen des einen Kastens fehlen die Verbindungsnieten. Bitte liefern Sie uns für die Kästen möglichst bald Ersatz. Die defekten Kästen stehen zu Ihrer Verfügung.

Mit freundlichen Grüßen

Briefkopf

COMPUDAT 03.10.1986
Ernst Kilander
Poststraße 12

7550 Rastatt

Unsere Bestellung vom 23.09.1986
Ihre Lieferung vom 02.10.1986

Sehr geehrte Damen und Herren,

sofort nach Erhalt der 10 bestellten Diskettenkästen 34-2 haben wir die Ware geprüft. Das Ergebnis: An 8 Kästen sind an der Oberfläche Farbstreifen zu sehen, die nur durch intensives Reinigen zu beseitigen sind.

Wir sind bereit, diese Kästen zu behalten, wenn Sie uns einen entsprechenden Preisnachlaß einräumen.

1,20 DM Abzug je Kasten halten wir für angemessen. Wenn Sie damit einverstanden sind, senden Sie uns bitte eine neue Rechnung über 134,60 DM inkl. Mehrwertsteuer.

Mit freundlichen Grüßen

Antwort auf Reklamation

Auf eine Reklamation kann auf dreierlei Weise eingegangen werden:

1. Die Reklamation wird als berechtigt angesehen. Die Forderung des Kunden wird erfüllt: Wandlung, Minderung, Ersatzlieferung oder Schadenersatz.
2. Die Reklamation wird als teilweise berechtigt angesehen. Man macht einen Gegenvorschlag zur Bereinigung der Angelegenheit.
3. Die Reklamation wird als nicht berechtigt angesehen. Sie wird entweder zurückgewiesen oder aber aus anderen Gründen - zum Beispiel wegen übergeordneter geschäftlicher oder persönlicher Interessen - anerkannt.

Bedenken Sie bei Ihrer Antwort: Wie wird der Kunde reagieren? Wird er zustimmen oder widersprechen, und was kann ich dann tun? Wenn Sie die Kundenreaktionen vorher durchdenken, sparen Sie sich später weiteren Schriftwechsel und manchen Ärger.

Was muß die Antwort auf eine Reklamation enthalten?

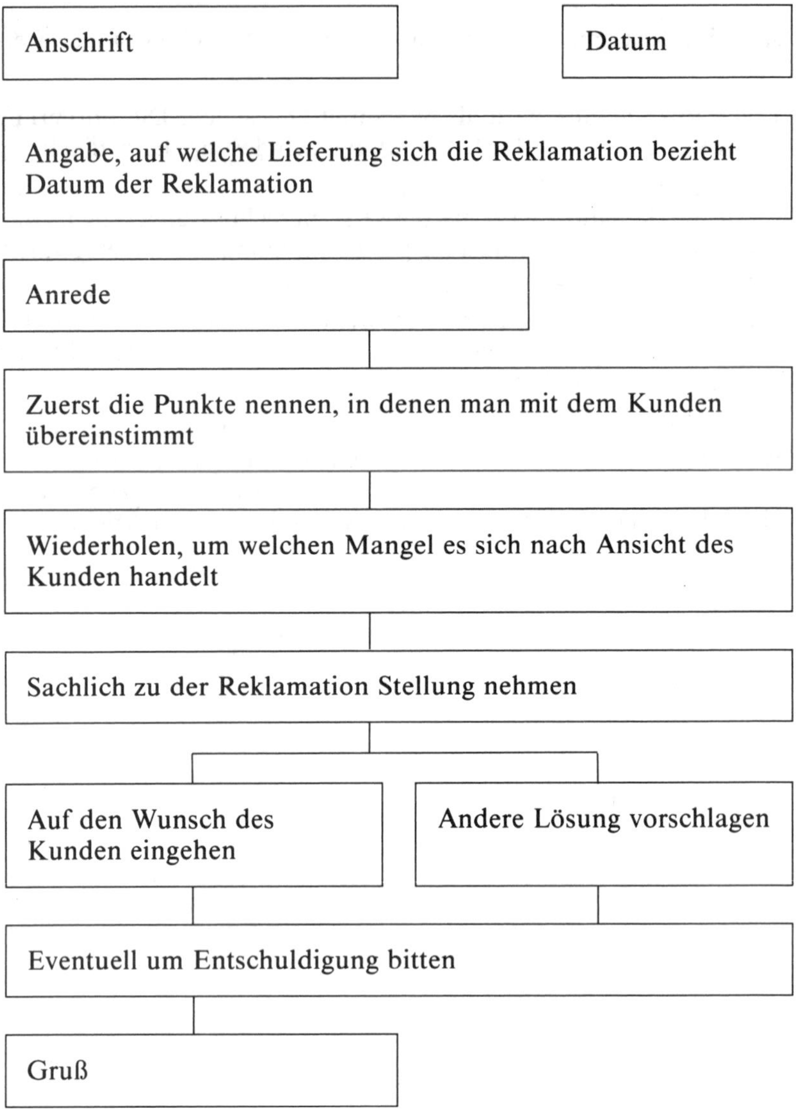

Anschrift

Datum

Angabe, auf welche Lieferung sich die Reklamation bezieht
Datum der Reklamation

Anrede

Zuerst die Punkte nennen, in denen man mit dem Kunden übereinstimmt

Wiederholen, um welchen Mangel es sich nach Ansicht des Kunden handelt

Sachlich zu der Reklamation Stellung nehmen

Auf den Wunsch des Kunden eingehen

Andere Lösung vorschlagen

Eventuell um Entschuldigung bitten

Gruß

Zehn Punkte, die Ihre Antwort auf eine Reklamation überzeugender machen:

1. Sachliche Äußerungen: Zeigen Sie dem Kunden, daß Sie seine Reklamation ernst nehmen. Wiederholen Sie den Inhalt der Reklamation mit Ihren Worten. Gehen Sie nicht auf unsachliche Vorwürfe ein. Wenn sich das nicht vermeiden läßt, dann wiederholen Sie diese Vorwürfe wenigstens nicht.
2. Signalisieren Sie Verständnis für die Situation des Kunden. Ironie und Spott sind nicht angebracht.
3. Betonen Sie, daß es sich um einen Einzelfall handelt. Erinnern Sie an die guten Geschäftsbeziehungen oder an Ihre Marktposition. Oft steht am Anfang einer Reklamation: „Ich war bisher immer sehr zufrieden mit Ihren Produkten." Dieses Lob sollte man aufgreifen – damit hat man einen positiven Briefanfang und schafft Gemeinsamkeit.
4. Hat der Kunde eine ganze Reihe von Reklamationen, dann ist es nicht immer sinnvoll, auf alle Punkte nacheinander einzugehen. Setzen Sie die Punkte, in denen Sie mit dem Kunden übereinstimmen, an den Anfang Ihres Briefes.
5. Eröffnen Sie dem Kunden die Möglichkeit, ohne Gesichtsverlust seine Meinung zu ändern. Es geht nicht darum, daß er sagt: „Ja, ich bin im Unrecht und die anderen im Recht", sondern: „Im Grunde stimmt es, was ich gesagt habe, aber unter diesem Aspekt habe ich die Sache noch nicht gesehen."
6. Vermeiden Sie deutliche Belehrungen dieser Art: „Sie sollten wissen, daß ...", „Sogar Ihnen dürfte bekannt sein, daß ...", „Ist Ihnen, als langjährigem Bezieher der ... tatsächlich unbekannt, daß ...?"
7. Sprechen Sie die Sprache des Kunden. Man kann mit Fachwissen argumentieren, ohne den Kunden zu überfordern. Er soll nicht das Gefühl haben, fachlich hoffnungslos unterlegen zu sein.
8. Versuchen Sie, ein falsches Verhalten des Kunden – zum Beispiel fehlerhafte Behandlung der Ware – allgemein zu erklären. Man kann Vorwürfe auch indirekt ausdrücken.
9. Bedenken Sie schon beim Schreiben die Reaktion des Kunden: Wie wird er diesen Brief aufnehmen, was wird er tun? Fragen Sie sich: „Wie würde ich auf diesen Brief reagieren?"
10. Prüfen Sie, was Ihnen in diesem Fall wichtiger ist: Recht haben oder den Kunden behalten?

Briefkopf

Elektrofachgeschäft
Gabel & Schnee
Schulstraße 40 - 42

3139 Fließau

12.11.1986

Ihr Schreiben vom 08.11.1986

Sehr geehrter Herr Schnee,

haben Sie herzlichen Dank für Ihre offenen Worte.

Aus unseren langjährigen Geschäftsbeziehungen wissen Sie, daß zufriedene Kunden für uns mehr zählen als schnelle Umsätze. Deshalb ist es für uns wichtig zu erfahren, wenn einmal etwas nicht so gelaufen ist, wie es sollte.

Inzwischen konnten wir den Sachverhalt prüfen und haben festgestellt, daß irrtümlich Ware, die an den Hersteller zurückgehen sollte, wieder an das Lager gelangt ist. Die defekten Schalter hätten auf keinen Fall an Kunden verschickt werden dürfen. Wir bedauern das Versehen sehr.

Selbstverständlich nehmen wir die Schalter zurück, und Sie erhalten umgehend 25 einwandfreie Schalter zum Nettopreis von 2,80 DM/Stück. Sind Sie damit einverstanden? Dann geben Sie uns bitte kurz Bescheid. Vielen Dank.

Mit freundlichen Grüßen

Briefkopf

Frau
Lisa Kranzer
Am Rathausplatz 23

6551 Breitenheim

28.09.1986

Malerarbeiten in Ihrer Wohnung
Ihr Brief vom 25.09.1986

Sehr geehrte Frau Kranzer,

es tut mir leid, daß die Arbeiten in Ihrem Wohnzimmer nicht zu Ihrer Zufriedenheit ausgefallen sind.

In Rücksprache mit Herrn Geiser, der die Arbeiten ausgeführt hat, stellte sich heraus, daß der Lack für die Türen irrtümlich einen anderen Farbton hat und außerdem nicht seidenmatt, sondern hochglänzend ist. Wie der Fehler entstanden ist, läßt sich nicht mehr feststellen.

Wir werden in der nächsten Woche zu Ihnen kommen und die Türen neu lackieren. Wegen des genauen Termins rufe ich Sie Anfang der Woche an.

Der Lösungsmittelgeruch der Heizkörper ist leider nicht zu vermeiden. Ich empfehle Ihnen, die Heizung kurze Zeit - etwa 2 Stunden - voll aufzudrehen und die Fenster zu öffnen. Dann trocknet der Lack ganz durch, und der Geruch verschwindet.

Mit freundlichen Grüßen

Briefkopf

Frau
Lore Schauland
Lagerstraße 23

4050 Mönchengladbach

30.04.1987

Ihr Auftrag vom 28.03.1987 über
drei Tischtücher, Art.-Nr. 44
Ihr Schreiben vom 15.04.1987

Sehr geehrte Frau Schauland,

die angekündigte Rücksendung haben wir am 23.04.1987 erhalten. Vielen Dank.

Inzwischen haben wir die Tischtücher geprüft und festgestellt, daß sie stellenweise Verfärbungen aufweisen.

Die Verantwortung für diese Verfärbungen müssen wir allerdings zurückweisen. Wir haben festgestellt, daß die Tischtücher bereits gewaschen worden sind, und haben allen Grund anzunehmen, daß die Verfärbungen bei der Wäsche entstanden sind - mutmaßlich durch ausfärbende Stoffe, die mit in die Maschine gelangt waren.

Sie verstehen, daß wir die Ware unter diesen Umständen nicht zurücknehmen können. Noch heute senden wir Ihnen die Tischtücher zurück. Das Porto übernehmen wir.

Mit freundlichen Grüßen

Briefkopf

Herrn
Alfons Sandenfeld
Im Loch 3

3101 Höfer

25.08.1986

Ihre Bestellung: 20 Kalender "Mistral"
Unsere Lieferung vom 15.08.1986
Ihr Schreiben vom 20.08.1986

Sehr geehrter Herr Sandenfeld,

Ihre Verärgerung über die Qualität unserer Kalender verstehen wir gut: Sie haben hochwertige Farbdrucke erwartet und waren bereit, dafür einen höheren Preis zu zahlen. Als Sie dann die Kalender mit den Fehldrucken erhielten, waren Sie zu Recht enttäuscht.

Bitte glauben Sie uns, daß es nicht unsere Absicht ist, gute Kunden durch schlechte Qualität zu verlieren. Die Drucke, die Sie erhalten haben, sind irrtümlich ausgeliefert worden. Selbstverständlich erhalten Sie umgehend 20 einwandfreie Kalender.

Entschuldigen Sie bitte das Versehen.

Mit freundlichen Grüßen

Mahnung

Zunächst erinnert man neutral an die Zahlung des Betrages. Dies ist die Zahlungserinnerung; sie kann auch einfach eine Kopie der Rechnung sein. Reagiert der Kunde nicht, so folgen die Mahnungen: Je nach Langmut des Lieferers und der Wichtigkeit des Kunden wird unterschiedlich oft gemahnt. Manche Firmen schreiben 8 bis 10 Mahnbriefe, bevor sie die Angelegenheit einem Anwalt übergeben. Die folgenden Vorschläge für den Aufbau von Mahnungen sind allgemein gehalten. Auch für den Ton in Mahnungen gibt es keine generellen Regeln. Er hängt sehr von der Beziehung zwischen den Geschäftspartnern ab.

Was sollte die Zahlungserinnerung enthalten?

Bezeichnung der gelieferten Ware oder der Dienstleistung

Anrede
Dank für Bestellung oder Kauf
Freundliche Erinnerung mit Datum der Rechnung
Gruß

Was sollte die 1. Mahnung enthalten?

Bezeichnung der gelieferten Ware oder der Dienstleistung

Anrede

Dank für Bestellung oder für Kauf

Datum der Zahlungserinnerung, Datum der Rechnung, Fälligkeitstermin

Freundliche, aber bestimmte Aufforderung zur Zahlung (die Bestimmtheit der Formulierungen sollte noch steigerungsfähig sein)

Termin, bis zu dem das Geld eintreffen oder dem Konto gutgeschrieben sein soll

Gruß

Was sollten die weiteren Mahnungen enthalten?

Bezeichnung der gelieferten Ware oder der Dienstleistung

Anrede

Datum der letzten Mahnung oder Daten aller Mahnungen
Datum der Rechnung, Fälligkeitstermin

Bestimmte und zugleich sachliche Aufforderung zur Zahlung

Hinweis auf Beantragung des Mahnbescheides, auf den Gerichtsweg oder auf die Rechtsabteilung

Termin, bis zu dem das Geld eintreffen oder dem Konto gutgeschrieben sein soll

Gruß

Vermeiden Sie moralisierende Vorwürfe. Sagen Sie klipp und klar, was passiert, wenn der Kunde nicht zahlt. Dann können Sie auch auf Formulierungen verzichten wie: „Wir sehen uns gezwungen ...“ oder „... zwingen Sie uns, gerichtliche Schritte einzuleiten.“

Briefkopf

Frau
Petra Schliefen
Merkurallee 75

3211 Banteln

28.03.1987

Unsere Lieferung vom 29.12.1986
Elektronische Schreibmaschine "Marianne"

Sehr geehrte Frau Schliefen,

die Schreibmaschine haben Sie von uns pünktlich erhalten. Seit 3 Monaten tut sie ihren Dienst. In diesen drei Monaten mußten wir Sie bereits viermal an die Begleichung der Rechnung erinnern.

Sie werden verstehen, daß unsere Geduld einmal am Ende ist. Sollte der Betrag von 798,00 DM inkl. MWSt. nicht bis zum 24.04.1987 bei uns eintreffen, werden wir den Rechtsweg gehen.

Mit freundlichen Grüßen

Briefkopf

Klaus Kaiser OHG
Hamurabiring 35

8431 Sengenthal

12.06.1987

"Manche Dinge erledigen sich von selbst, wenn man sie einfach liegenläßt."

Sehr geehrter Herr Kaiser,

diese alte Büroweisheit trifft sicher oft zu. Rechnungen allerdings erledigen sich nie von selbst.

Unsere Rechnung vom 29.03.1987 liegt schon sehr lange bei Ihnen, und sie hat sich noch nicht erledigt. Im Gegenteil: Inzwischen sind Mahngebühren hinzugekommen, Zinsen und Porto angefallen. Von den Unannehmlichkeiten, die noch bevorstehen, ganz zu schweigen.

Die einzige Lösung ist diese: Sorgen Sie dafür, daß der Betrag von 187,62 DM bis zum

10.07.1987

auf unserem Konto eingeht. Nur so können Sie vermeiden, daß wir den Rechtsweg einschlagen.

Mit freundlichen Grüßen

Bestätigung des Zahlungseingangs

Die Bestätigung von Zahlungseingängen ist in besonderen Fällen erforderlich - zum Beispiel, wenn der Kunde ausdrücklich darum bittet oder wenn wegen gleichlautender Beträge Mißverständnisse entstehen könnten.

Was sollte die Zahlungsbestätigung enthalten?

- Betrag, der gezahlt wurde
- Datum der Zahlung und Rechnungsnummer
- Zahlungsart (zum Beispiel Überweisung oder Scheck)
- Anlaß für die Zahlung (Kaufvertrag, Aufforderung)
- Bestätigung, daß der Betrag vollständig gezahlt wurde

Briefkopf

Herrn Labode
Mercatorstraße 129

4450 Lingen

15.03.1987

Kaufvertrag vom 15.02.1987
Rechnung vom 04.03.1987

Sehr geehrter Herr Labode,

Sie hatten im Telefongspräch am 10.03.1987 um eine Zahlungsbestätigung gebeten. Diesem Wunsch kommen wir selbstverständlich gerne nach:

Mit Überweisung vom 04.03.1987 erhielten wir 2 340,00 DM. Dieser Betrag enthält 287,37 DM Mehrwertsteuer.

Vielen Dank für Ihren Auftrag und auf weitere gute Zusammenarbeit.

Mit freundlichen Grüßen

Briefkopf

Geschwister Sager KG
Industriestraße 34

7967 Bad Waldsee

04.06.1987

Ihr Schreiben vom 20.05.1987
Zeichen: R./kj

Sehr geehrte Damen und Herren,

durch Ihre Überweisung von 230,00 DM am 18.05.1987 haben Sie unsere Forderung vollständig beglichen.

Dafür danken wir Ihnen.

Mit freundlichen Grüßen

Briefe an Bewerber

Absagen an Bewerber

Es ist sicher nicht angenehm, einem Bewerber, der sich viel Mühe mit der Zusammenstellung seiner Unterlagen gemacht hat, eine Absage zu erteilen. Viele Unternehmen drücken sich um diese unangenehme Aufgabe. Sie anworten entweder gar nicht oder schicken allen Bewerbern das gleiche fotokopierte Schreiben.

Meist steht darin der Standardsatz: *„Wir bedauern, Ihnen heute absagen zu müssen, und wünschen Ihnen für den weiteren Lebensweg alles Gute."* Kein Trost, kein Verständnis, kein bißchen Ermunterung.

Sicher wäre es zuviel Aufwand, 200 oder mehr Bewerbern individuelle Absagen zu schicken. Einen Ausweg bieten die Speicherschreibmaschinen und Computer. Man formuliert einige Absagebriefe mit verschiedenen Informationen und setzt alle individuellen Daten nachträglich ein. Hier einige Beispiele für den Inhalt dieser Briefe:

Variante 1

- Dank für die ausführliche/übersichtliche/ansprechende Bewerbung
- Hinweis auf die vielen Bewerbungen, die auf die Stellenanzeige eingegangen sind
- Grund für die lange Bearbeitungszeit: Auswahl war wegen der gleichen Qualifikation der Bewerber schwierig
- Der Bewerber war zwar in die engere Wahl gekommen, aber die Wahl fiel schließlich auf einen anderen
- Unterlagen mit diesem Brief zurück
- Ermutigung: Sicher bei der nächsten Bewerbung Erfolg

Variante 2

- Dank für die ausführliche/übersichtliche/ansprechende Bewerbung
- Ein anderer Bewerber mit gleicher Qualifikation hat mehr Erfahrung in dem zur Disposition stehenden Arbeitsbereich
- Bitte um Verständnis, daß dies bei der Auswahl entscheidend war
- Unterlagen mit diesem Brief zurück
- Erfolg wünschen für die nächste Bewerbung

Variante 3
- Dank für die ausführliche/übersichtliche/ansprechende Bewerbung
- Qualifikation voll gegeben
- Gehaltsvorstellungen des Bewerbers gehen über den Etat für diese Stelle hinaus
- Bestimmt mit einer Bewerbung in einem größeren Unternehmen erfolgreich

Variante 4
- Dank für die ausführliche/übersichtliche/ansprechende Bewerbung
- Mehrere Bewerber mit hoher Qualifikation, einer davon verfügt über einschlägige Erfahrung
- Hätten Sie gerne kennengelernt, aber die Stelle kann leider nur einmal besetzt werden
- Um Verständnis bitten
- Erfolg wünschen

Briefkopf

Herrn
Klaus Mensfeld
Im Tal 50

8221 Bergen

25.08.1986

Ihre Bewerbung vom 01.08.1986

Sehr geehrter Herr Mensfeld,

vielen Dank für Ihre ausführliche und ansprechende Bewerbung.

Sie wissen, daß sich auf attraktive Stellenangebote viele Bewerber melden. So war es auch bei unserer Anzeige. Hinzu kam die hohe Qualifikation fast aller Bewerber, was die Auswahl sehr schwierig und langwierig machte.

Ihre Bewerbung ist in die engere Wahl gekommen, aber nach gründlicher Prüfung und sorgfältigem Vergleich aller Unterlagen haben wir uns nun für einen anderen Bewerber entschieden.

Ihre Unterlagen erhalten Sie mit diesem Brief zurück. Wir danken Ihnen für Ihr Interesse an unserem Unternehmen. Wir sind davon überzeugt, daß Sie sehr bald eine Stelle finden, in der Sie Ihre Fähigkeiten voll entfalten können.

Mit freundlichen Grüßen

Briefkopf

Frau
Rita Gernot
Bergstraße 40

3012 Langenhagen

20.09.1986

Ihre Bewerbung vom 03.09.1986

Sehr geehrte Frau Gernot,

Ihre übersichtlichen Bewerbungsunterlagen haben uns sehr angesprochen. Vielen Dank.

Sie sind damit unter vielen Mitbewerberinnen in die engste Wahl gekommen. Dennoch haben wir uns letztlich für eine andere Bewerberin entschieden, die zwar nicht höher qualifiziert ist als Sie, aber für die ganz speziellen Aufgaben in unserem Unternehmen die größere Erfahrung mitbringt.

Sehen Sie bitte in unserer Absage keine Abwertung Ihrer Fähigkeiten. Wir sind sicher, daß Sie schon sehr bald eine gute Stelle finden werden.

Mit freundlichen Grüßen

Briefkopf

Herrn
Günter Denkern
Hellweg 28

8071 Denkendorf

25.10.1986

Ihre Bewerbung als Operator

Sehr geehrter Herr Denkern,

vielen Dank für Ihre ansprechende Bewerbung.

Ihre Qualifikation und Berufserfahrung hat uns so überzeugt, daß Sie als einer der aussichtsreichsten Bewerber in die engere Wahl gekommen sind.

Daß wir dennoch einem Mitbewerber den Vorzug gegeben haben, liegt am Gehaltsgefüge unseres Unternehmens: Ihre Einkommensvorstellungen überschreiten deutlich den für diese Stelle vorgesehenen Etat. Der Abstand zu unseren Möglichkeiten ist so groß, daß wir auch in einem Gespräch mit Ihnen keine Einigung gefunden hätten.

Haben Sie deshalb bitte Verständnis für unsere Entscheidung. Gewiß werden Sie in einem größeren Unternehmen sehr bald eine Stelle finden, in der Sie auch Ihre finanziellen Vorstellungen realisieren können.

Mit freundlichen Grüßen

Einladungen an Bewerber

Die Aufgabe, Einladungen an Bewerber zu schreiben, ist natürlich leichter und angenehmer als das Formulieren von Absagen.

Was sollte der Einladungsbrief an den Bewerber enthalten?

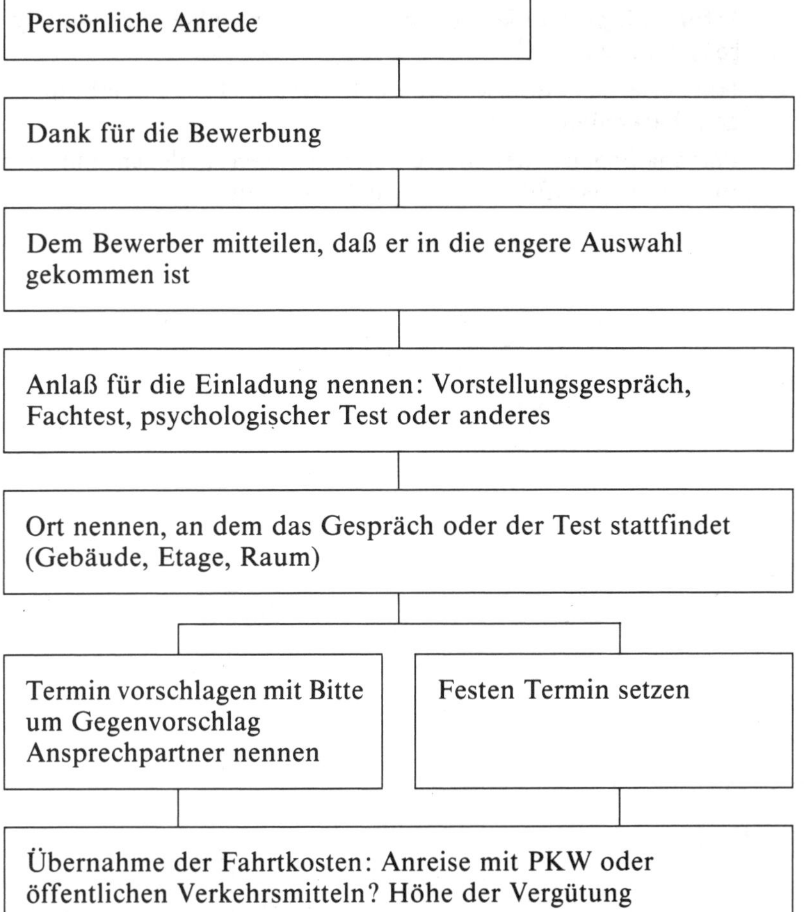

In der Betreffzeile den Bezug auf die Bewerbung, Datum der Bewerbung
Bezug auf den Schriftwechsel, zum Beispiel auf den Zwischenbescheid, den der Bewerber bereits erhalten hat
Persönliche Anrede
Dank für die Bewerbung
Dem Bewerber mitteilen, daß er in die engere Auswahl gekommen ist
Anlaß für die Einladung nennen: Vorstellungsgespräch, Fachtest, psychologischer Test oder anderes
Ort nennen, an dem das Gespräch oder der Test stattfindet (Gebäude, Etage, Raum)
Termin vorschlagen mit Bitte um Gegenvorschlag Ansprechpartner nennen
Festen Termin setzen
Übernahme der Fahrtkosten: Anreise mit PKW oder öffentlichen Verkehrsmitteln? Höhe der Vergütung

Übernahme der Unterbringungskosten: Hotel selbst reservieren oder durch das Unternehmen reservieren lassen? Höhe der Vergütung

Gute Anreise wünschen

Gruß

Unter Umständen zusätzlich:

Informationsmaterial (Unternehmen, Produkte, Marktanalysen) beilegen

Hinweise zur Anreise (eventuell Anfahrtskizze), Verbindungen, Parkmöglichkeit

Personalbogen oder Bewerberfragebogen beilegen mit der Bitte, ihn auszufüllen und zurückzusenden

Briefkopf

Frau
Sabine Ofenkoede
Karlstraße 67

2300 Ottendorf

30.04.1987

Ihre Bewerbung vom 12.04.1987 um die Stelle
als Promotioner

Sehr geehrte Frau Ofenkoede,

herzlichen Dank für Ihre ausführliche Bewerbung. Ihre Zeugnisse und Unterlagen haben einen so guten Eindruck gemacht, daß wir Sie unter vielen Mitbewerbern für ein Vorstellungsgespräch ausgewählt haben.

In diesem Gespräch, bei dem auch ein Mitglied der Geschäftsleitung anwesend sein wird, möchten wir Sie gerne mit unserem Unternehmen bekannt machen und mit Ihnen über Ihre Bewerbung sprechen.

Als Termin schlagen wir den 15.05.1987, 10.30 Uhr vor. Wenn Ihnen dieser Tag nicht zusagt, vereinbaren Sie bitte mit Frau Gerda Schneider möglichst schnell telefonisch einen anderen Termin.

Es ist wegen der langen Anfahrt sicher besser, wenn Sie am Vortag anreisen. Frau Schneider wird Ihnen gerne in einem Hotel ein Zimmer reservieren. Selbstverständlich sind Sie unser Gast - für die Erstattung der Reisekosten senden Sie uns bitte später das beiliegende Formblatt zu.

Wir freuen uns auf Ihren Besuch und wünschen Ihnen eine angenehme Anreise.

Mit freundlichen Grüßen

Anlage
Formblatt Reisekostenabrechnung

Briefkopf

Herrn
Ralf Felden
Henkenheide 45

6541 Wahlbach

20.02.1987

Ihre Bewerbung vom 10.02.1987 als Verkaufsrepräsentant

Sehr geehrter Herr Felden,

wir danken Ihnen für Ihre Bewerbung. Ihre Qualifikation entspricht genau unseren Erwartungen. Deshalb sind Sie unter sehr vielen Bewerbern in die engere Wahl gekommen.

Damit wir in der nun bevorstehenden Endrunde alle Bewerber möglichst objektiv beurteilen können, laden wir Sie zu einem Test und zu einem individuellen Bewerbungsgespräch ein. Kommen Sie bitte am 15.03.1987 in unsere Hauptverwaltung:

Hansahaus Gertrudisstraße 10 7842 Kandern

Der Test beginnt um 10.15 Uhr in Raum 103 in der 3. Etage. Bitte bringen Sie alle wichtigen Unterlagen, die Zeugnisoriginale und Ihren Personalausweis mit.

Die Reisekosten erstatten wir Ihnen entsprechend den Kosten für öffentliche Verkehrsmittel. Für den Fall, daß Sie bereits am Vorabend kommen möchten, werden wir im Hotel Stern, Felsenstraße 30 ein Zimmer reservieren. Rufen Sie bitte deswegen in den nächsten Tagen Frau Klee unter der Durchwahl 143 an.

Wenn Sie mit dem Pkw anreisen, steht Ihnen der Parkplatz an der Felsenstraße zur Verfügung. Von dort sind es nur 5 Minuten zur Hauptverwaltung.

Wir freuen uns auf Ihren Besuch und wünschen Ihnen schon jetzt viel Erfolg.

Mit freundlichen Grüßen

Das Zeugnis

Zeugnisarten

Der Arbeitgeber ist gesetzlich verpflichtet, Zeugnisse auszustellen.

Es gibt – je nach Anlaß und Bedarf – verschiedene Zeugnisarten:

Einfaches Zeugnis:

Angaben zur Person (Vorname, Name, Geburtsdatum und Geburtsort, Wohnort)

Art der Beschäftigung

Dauer der Beschäftigung

Das einfache Zeugnis enthält keine Beurteilung

Qualifiziertes Zeugnis:

Angaben zur Person (Vorname, Name, Geburtsdatum und Geburtsort, Wohnort)

Art der Beschäftigung

Dauer der Beschäftigung

Leistungs- und Verhaltensbeurteilung

Beurteilung des Fachwissens

Beurteilung der Arbeitsbereitschaft, Bereitschaft zur Weiterbildung

Beurteilung der Kooperation

Wünsche für die Zukunft oder anderer Schlußsatz

Anspruch auf ein Zeugnis hat, wer ein Arbeitsverhältnis beendet. In vielen Fällen wird das Zeugnis jedoch auf Verlangen des Arbeitnehmers vorzeitig ausgehändigt, damit er sich um eine neue Stelle bewerben kann, oder er erhält ein Zwischenzeugnis.

Abstufung der Beurteilung

Sinnvoll, wenn auch nicht einfallsreich ist die Abstufung mit Schulnoten: *sehr gut – gut – befriedigend/zufriedenstellend – ausreichend.* Für diese Wörter lassen sich andere, sprechendere ohne große Mühe mit Hilfe eines Synonymenwörterbuchs finden. Zum Beispiel für *sehr gut: hervorragend, vortrefflich, außerordentlich, überdurchschnittlich, vorzüglich, vorbildlich, beispielhaft.*

Wer diese Bewertungen noch abstufen möchte, ergänzt sie durch Ausdrücke wie: *stets, immer, ohne Ausnahme, jederzeit, meistens, in der Regel, häufig, fast immer, sehr, besonders, gleichmäßig.*

Wahrheit und Wohlwollen

Das Zeugnis muß wahr sein – das Zeugnis muß wohlwollend sein. In der Erfüllung dieser beiden Forderungen liegt oft ein Konflikt: Wie kann man *wahrheitsgemäß* über ein Fehlverhalten Zeugnis ablegen und sich dabei *wohlwollend* ausdrücken? Die beste Lösung des Problems ist die, daß man neben den positiven Aussagen die negativen Bemerkungen nicht ausspart. Man kann durchaus sagen, daß ein Mitarbeiter auf einem Arbeitsgebiet Schwierigkeiten hat, auf anderen aber dafür besondere Leistungen bringt.

Immer wieder hört und liest man davon, daß die Arbeitgeber sich mit versteckten Formulierungen – einer Art Geheimsprache – über die Leistungen eines Arbeitnehmers verständigen. Tatsächlich gibt es Tabellen mit Zeugniskodierungen, aber weil sie inzwischen sehr bekannt sind, werden sie immer seltener angewendet. Man sollte es als Arbeitgeber vermeiden, diese Kodierungen zu verwenden.

Hier ein Beispiel für ein unterdurchschnittliches Zeugnis:

ZEUGNIS

Herr Felix Fischer, geboren am 14. August 1950, Wohnort 8721 Geldersheim, Langestraße 98, war vom 1. Juni 1979 bis zum 30. September 1986 als Bezirksleiter im Vertriebsaußendienst unserer Filialdirektion Bad Neustadt beschäftigt.

Herr Fischer war in dieser Zeit damit beauftragt, für den regelmäßigen Zugang einwandfreier, bestandsfähiger Versicherungsverträge in allen Versicherungssparten zu sorgen.

Außerdem gehörte es zu seinem Aufgabenbereich, eine Organisation nebenberuflicher Versicherungsvermittler aufzubauen und zu betreuen.

Herr Fischer hat diese Aufgaben erfüllt.

Sein Verhalten gegenüber Vorgesetzten, Kollegen und auch Kunden war zuvorkommend und einwandfrei.

Das Vertragsverhältnis wurde zum 30.09.1986 aufgehoben.

Wir wünschen Herrn Fischer für die Zukunft alles Gute.

Karlstadt, den 30.09.1986

Kommentar zu diesem Zeugnis:

Woraus läßt sich ablesen, daß dieses Zeugnis unterdurchschnittliche Leistungen dokumentiert? Dazu darf man nicht einzelne Formulierungen isoliert bewerten, sondern muß das Zeugnis als Ganzes sehen. Als erstes fällt auf, daß es sehr kurz ist und nur die allernötigsten Angaben enthält: Im ersten Absatz stehen die Daten und der Wohnort, in den beiden nächsten Absätzen in knappen Worten zwei Tätigkeitsbereiche. Sicher hätte man hier mehr berichten können.

Im 4. Absatz folgt in der denkbar kürzesten Form die Bemerkung, daß Herr Fischer diese Aufgaben erfüllt hat – nicht wie und nicht mit welchem Erfolg. Das läßt darauf schließen, daß Herr Fischer so gut wie keine Verträge abgeschlossen hat.

Der nächste Absatz bestätigt diese Vermutung: Zunächst war Herr Fischer zu Vorgesetzten und Kollegen zuvorkommend und hat sich ihnen gegenüber einwandfrei verhalten. Dann, erst an dritter Stelle, folgen die Kunden.

Das Vertragsverhältnis wurde aufgehoben: Dahinter kann sich alles verbergen. Wer hat den Vertrag wohl beendet – Herr Fischer oder die Versicherung?

Der Schlußsatz läßt ebenfalls auf mangelhafte Leistungen schließen: Bei dieser Versicherung konnte Herr Fischer nicht überzeugen, und deshalb wünscht man ihm für die Zukunft (nicht für die nächste Stelle oder für die berufliche Zukunft!) alles Gute. Herr Fischer wird es brauchen.

Im Gegensatz dazu stehen die beiden folgenden Zeugnisse:

Briefkopf

ZEUGNIS

Frau Hannelore Winkler, geboren am 19.04.1956 in Marlen, war vom 01.01.1981 bis 31.03.1986 in unserem Unternehmen tätig.

Nach einer Intensivschulung von 6 Wochen konnten wir Frau Winkler als Repräsentantin im Außendienst einsetzen. Hier zeigte sie schon nach sehr kurzer Zeit ein außerordentliches Talent, auf Menschen zuzugehen und unsere Produkte überzeugend und erfolgreich zu präsentieren.

Ihre große Sachkenntnis machte sie zu einer kompetenten Ansprechpartnerin für Kunden und Kollegen. Schon nach einem Jahr, am 10.01.1982, übertrugen wir Frau Winkler die Leitung des Bezirks Offenburg. Hier zeigte sie sich in der Führung der rund 20 Mitarbeiter genauso erfolgreich wie in der Erfüllung der Umsatzziele und der Gewinnung neuer Kunden: Frau Winkler hat bei der notwendigen Umstrukturierung im Bezirk Offenburg hervorragende organisatorische Fähigkeiten bewiesen.

Frau Winkler verläßt uns auf eigenen Wunsch. Wir bedauern diesen Entschluß sehr. Für den weiteren Berufsweg wünschen wir ihr viel Erfolg.

Freiburg, 02.04.1986

Briefkopf

ZEUGNIS

Empfänger:	Herr Peter Klesper, geb. am 20.04.1942 in Bad Wurzach
Wohnort:	7954 Bad Wurzach
Eintritt in das Unternehmen:	01.04.1975
Tätigkeiten:	01.04.1975 - 31.12.1978 Lagertätigkeiten 02.01.1979 - 30.06.1982 Gruppenleiter in der Packerei 01.07.1982 - 31.09.1986 Stellvertretender Abteilungsleiter Fahrdienst
Fachwissen:	Gute Fachkenntnisse im Bereich Lagerhaltung, Versand und Fahrdienst-Organisation
Lernbereitschaft:	Stets bereit, sein Wissen zu erweitern Steht Neuerungen und Verbesserungen aufgeschlossen gegenüber Großes Interesse und große Lernbereitschaft in technischen Dingen
Leistungen:	Überdurchschnittlich, sehr motiviert
Qualität der Arbeit:	Gewissenhaft und gründlich, dabei schnell und termingerecht
Verhalten:	Zu Vorgesetzten entgegenkommend und umgänglich Zu Kollegen höflich bis kameradschaftlich, wegen seiner ruhigen Art sehr beliebt

Herr Klesper hat das Arbeitsverhältnis gekündigt, weil er in einem anderen Unternehmen bessere Verdienstmöglichkeiten sieht. Wir haben dafür Verständnis, bedauern aber seinen Entschluß.

Bad Wurzach, den 30.09.1986

Das Protokoll

Zweck eines Protokolls

1. Das Protokoll sichert Informationen: Besprechungsergebnisse werden festgehalten.
2. Das Protokoll informiert: Nichtteilnehmer können sich über die Ergebnisse informieren und den Verhandlungsverlauf nachvollziehen.
3. Das Protokoll entlastet das Gedächtnis und schafft Klarheit: Teilnehmer können später bei Differenzen oder ungenauer Erinnerung den Verhandlungsverlauf nachlesen.
4. Das Protokoll gibt Anweisungen: Es hält genau fest, wer was bis wann zu tun hat.
5. Das Protokoll hilft kontrollieren: Es kann ohne Mühe geprüft werden, ob die Anweisungen eingehalten worden sind.
6. Das Protokoll beweist: Alle Beschlüsse, in bestimmten Protokollarten auch alle Äußerungen der Teilnehmer sind nachweisbar festgehalten.

Anforderungen an das Protokoll

Das Protokoll muß bestimmten Anforderungen genügen:

- Es muß vollständig und unmißverständlich sein.
- Inhalt und Sprache sollen neutral sein.
- Es muß verständlich sein.
- Es muß übersichtlich und gut gegliedert sein.
- Der Textumfang muß der Besprechung angemessen sein.

Protokollarten

Die Anforderungen an ein Protokoll sind demnach sehr unterschiedlich. Einmal sind nur die Beschlüsse wichtig, ein anderes Mal der ganze Gesprächsverlauf und ein drittes Mal jede, auch die kleinste Bemerkung eines Teilnehmers. Deshalb haben sich im Laufe der Zeit verschiedene Protokollarten herausgebildet. Hier eine Übersicht über die Anforderungen der verschiedenen Protokollarten:

Anforderung	Protokollart
Man braucht später nur die Ergebnisse der Besprechung: Anweisungen, Aufgaben und Beschlüsse.	Ergebnisprotokoll: Protokollkopf, Tagesordnungspunkte, Beschlüsse.
Es soll später nachzulesen sein, wie die Beschlüsse im wesentlichen zustande gekommen sind.	Stichwortprotokoll: Protokollkopf, Tagesordnungspunkte, Namen der wichtigsten Redner, Redebeiträge in Stichworten.
Der ganze Verlauf der Besprechung mit den Beschlüssen soll festgehalten werden.	Verlaufsprotokoll: Protokollkopf, Tagesordnungspunkte, alle Redebeiträge mit Namen der Redner wiedergeben.
Alle Redebeiträge und alle Bemerkungen sollen im vollen Wortlaut festgehalten werden.	Wörtliches Protokoll: Protokollkopf, Tagesordnungspunkte, jedes Wort wird protokolliert.
Das Protokoll ist nicht sehr wichtig. Während der Besprechung ist kein offizieller Protokollant anwesend, alle Teilnehmer wollen sich voll auf die Besprechung konzentrieren. Keine Beweiskraft erforderlich.	Gedächtnisprotokoll Protokollkopf, Tagesordnungspunkte, die wichtigsten Beschlüsse in Stichworten.

Protokollkopf

Allen Protokollarten gemeinsam ist der informative und übersichtliche Protokollkopf. Hier stehen die wichtigen Angaben über Ort und Zeit der Besprechung, Thema, Teilnehmer und einiges mehr. Im einzelnen:

Checkliste für den Protokollkopf:
Was?
Besprechungsthema oder
Hauptgesprächspunkt
Wer?
Bezeichnung der Gruppe oder
Bezeichnung der Versammlung
Teilnehmerliste: anwesend – nicht anwesend
Verteiler (Wer bekommt ein Exemplar des Protokolls?)
Name des Protokollanten
Wann?
Datum
Uhrzeit (von – bis)
Wo?
Ort
Gebäude
Raum

Nicht so:

16.10.1986	Teilnehmer
Protokollant:	Gert Brauchten

Protokoll der
Abteilungsleiterbesprechung

Betr.: monatliche Abteilungsleiterbesprechung
am 16.10.1986
Besprechungszimmer

Teilnehmer: Herr Hansen
Frau Betterfeld
Frau Klarendorf
Herr Barkowitz

---

1. Fragen und Einwendungen zum letzten Protokoll

2. Allgemeine Informationen

Sondern so:

Protokoll der Abteilungsleiterbesprechung

Datum	16.10.1986
Ort	Besprechungszimmer
Teilnehmer	Herr Hansen
	Frau Betterfeld
	Frau Klarendorf
	Herr Barkowitz
Verteiler	Teilnehmer
Protokollant	Gert Brauchten
TOP 1	Fragen und Einwendungen zum letzten Protokoll
TOP 2	Allgemeine Informationen

(Unterschrift)	(Unterschrift)
Protokollant	Besprechungsleiter
16.10.1986	

Anmerkung: Das Datum der Erstellung des Protokolls kann an das Ende gesetzt werden.

Sprache des Protokolls

Das Protokoll wird in der Gegenwartsform geschrieben:

Nicht:	Sondern:
Frau Gilles sagte, die Mitarbeiter hätten keine Pausen gehabt	*Frau Gilles sagt, die Mitarbeiter hätten keine Pausen gehabt.*

Die Gegenwartsform unterstreicht die Korrektheit des Protokolls: Es wird mitgeschrieben, während die Teilnehmer sprechen.

Im Protokoll wird die Möglichkeitsform (der Konjunktiv) verwendet: In Protokollen gibt der Schreiber nur wieder, was in der Besprechung gesagt worden ist. Deshalb muß die Sprache neutral sein. Es darf keine Unklarheit darüber entstehen, wessen Meinung hier wiedergegeben wird. Dies ist der Grund, warum im Protokoll nicht die Wirklichkeitsform (der Indikativ), sondern die Möglichkeitsform verwendet wird.

Ein Beispiel: In der Besprechung hat ein Teilnehmer gesagt: „Der Zustand des Fuhrparks ist unbeschreiblich. Die meisten Mitarbeiter im Fahrdienst lassen ihre Autos verkommen!"

Bei der Verwendung der Wirklichkeitsform stünde dann im Protokoll: *Herr Schneider sagt, daß der Zustand des Fuhrparks unbeschreiblich ist. Die meisten Mitarbeiter im Fahrdienst lassen ihre Autos verkommen.*

Frage: Ist das nur die Meinung von Herrn Schneider oder schließt sich der Protokollant dieser Meinung an? Oder stimmt es sogar, was Herr Schneider den Mitarbeitern vorwirft? Diese Unsicherheit muß unbedingt vermieden werden. Deshalb schreibt man in der Möglichkeitsform:

Herr Schneider sagt, der Zustand des Fuhrparks sei unbeschreiblich. Die Mitarbeiter des Fahrdienstes ließen ihre Autos verkommen.

Es gibt die 1. Möglichkeitsform (Konjunktiv I) und die 2. Möglichkeitsform (Konjunktiv II). Zur Erinnerung:

Wirklichkeitsform	1. Möglichkeitsform	2. Möglichkeitsform
ich schreibe	*ich schreibe*	*ich schriebe*
du schreibst	*du schreibest*	*du schriebest*
wir sagen	*wir sagen*	*wir sagten*

Wichtig: Diese beiden Möglichkeitsformen sind keine verschiedenen Zeitformen. Gleichgültig, ob in der Besprechung etwas in der Gegenwart oder in der Vergangenheit gesagt wurde – man nimmt zunächst immer die 1. Möglichkeitsform. Nur dann, wenn diese von der Wirklichkeitsform nicht zu unterscheiden ist, weicht man auf die 2. Möglichkeitsform aus. Beispiel:

> *Frau Schröder sagte, die Mitarbeiter haben sich bereits mehrfach beschwert.*

Hier kann man nicht unterscheiden, ob *haben* Möglichkeitsform ist oder nicht. Jetzt nimmt man zur Sicherheit die 2. Möglichkeitsform:

> *Frau Schneider sagt, die Mitarbeiter hätten sich bereits mehrfach beschwert.*

Und wenn man auch mit der 2. Möglichkeitsform nicht mehr zurechtkommt, weil sie mit der Wirklichkeitsform identisch ist, dann darf man sich mit *würde* helfen:

Im übrigen hielten sich die Mitarbeiter in der Kantine auf. Deutlicher ist es mit *würde:*
Im übrigen würden sich die Mitarbeiter in der Kantine aufhalten.
Wenn Ihnen eine Möglichkeitsform zu altertümlich erscheint, dann dürfen Sie ebenfalls auf die Umschreibung mit *würde* ausweichen. – Vergleichen Sie hierzu bitte auch in den „Sprachtips" das Stichwort „Möglichkeitsform".

Ergebnisprotokoll:

Besprechung der Planungsgruppe "Korrespondenz"

Thema	Rationalisierung der Antworten an Stellenbewerber
Datum	08.01.1987
Ort	Kleiner Besprechungsraum
Teilnehmer	Frau Barkowitz Frau Weiß Herr Schulz
Verteiler	Teilnehmer
Protokollant	Frau Weiß
Datum des Protokolls	10.01.1987

Beschluß: Frau Barkowitz trifft bis zur nächsten Besprechung am 19.01.1987 eine Vorauswahl von Briefen, die sich zur Speicherung als Formbriefe eignen. Herr Schulz prüft, ob die Briefe an Bewerber, die in der engsten Wahl sind, mit Textbausteinen erstellt werden können.

Verlaufsprotokoll:

Besprechung der Planungsgruppe "Korrespondenz"

Thema	Rationalisierung der Antworten an Stellenbewerber
Datum	08.01.1987
Ort	Kleiner Besprechungsraum
Teilnehmer	Frau Barkowitz Frau Weiß Herr Schulz
Verteiler	Teilnehmer
Protokollant	Frau Weiß
Datum des Protokolls	10.01.1987

Frau Barkowitz weist darauf hin, daß die ersten Bewerbungen bereits am 23.02.1987 einträfen und daß in der Besprechung ein Beschluß zustande kommen müsse.

Frau Weiß gibt einen Überblick über die Korrespondenz mit Bewerbern bei der letzten Ausschreibung:

Gesamtzahl der Bewerber:	342
Weitere Unterlagen wurden angefordert:	124
Zwischenbescheide:	342
Absagen:	302
Einladungen zum Test:	40
Absagen:	30
Einladungen zum Vorstellungsgespräch:	10
Einstellungen:	4
Absagen:	6

	858

Herr Schulz stellt fest, daß der größte Teil dieser Briefe, die Zwischenbescheide und die ersten Absagen, standardisiert seien. Zu klären sei, was mit den anderen Brieftexten gemacht werde.

Frau Barkowitz ist der Meinung, man könne auch in der Phase der Vorauswahl Standardtexte versenden. Dies beträfe alle Einladungen zum Test und die anschließenden Absagen. Nur in der Endphase solle individuell formuliert werden.

Herr Schulz faßt zusammen, daß damit weitere 80 individuelle Briefe gespart würden.

Beschluß: Frau Barkowitz trifft bis zur nächsten Besprechung am 19.01.1987 eine Vorauswahl von Briefen, die sich zur Speicherung als Formbriefe eignen. Herr Schulz prüft, ob die Briefe an die Bewerber, die in der engsten Wahl sind, mit Textbausteinen erstellt werden können.

Wörtliches Protokoll:

Besprechung über die Rationalisierung der Antworten an Stellenbewerber

Teilnehmer: Frau Ilse Barkowitz, Personalchefin
Frau Renate Weiß, Schreibdienstleiterin
Herr Hilmar Schulz, Korrespondenzbeauftragter

Barkowitz: Schön, daß wir den Termin heute doch einhalten konnten. Sie wissen sicher schon, daß bereits in zwei Wochen die Stellenanzeigen in den Zeitungen erscheinen. Wir rechnen mit dem Eingang der ersten Bewerbungen am Mittwoch, dem 23.02.1987. Wenn wir heute nicht zu einem Beschluß kommen, wie wir die Beantwortung rationalisieren können, ist es zu spät.

Weiß: Ich habe das einmal ausgerechnet: Bei der vorigen Stellenausschreibung im Oktober hatten wir 342 Bewerbungen. Von 124 Bewerbern mußten wir weitere Unterlagen anfordern. Zusätzlich erhielten alle einen Zwischenbescheid. Nach der Vorauswahl wurden 40 Bewerber zum Einstellungstest eingeladen, 302 erhielten eine Absage. 10 Bewerber wurden zum Vorstellungsgespräch eingeladen, 30 erhielten eine Absage. 4 Bewerber wurden eingestellt, 6 erhielten eine Absage. Insgesamt waren das 858 Briefe.

Schulz: Inhaltlich haben wir also zu unterscheiden: Zwischenbescheide, Absagen, Einladungen zum Test, weitere Absagen, Einladungen zum Gespräch, weitere Absagen und die Zusage.

Weiß: Und die Anforderung weiterer Unterlagen.

Schulz: Richtig, die auch noch. Sind zusammen 8 verschiedene Schreibanlässe. Den Löwenanteil dabei haben die Zwischenbescheide und die ersten Absagen. Diese

Texte sind ja bereits gespeichert und werden an alle Bewerber verschickt. Nun geht es um die Frage: Was machen wir mit den anderen Brieftexten?

Barkowitz: Im Mittelbereich, damit meine ich die Phase der Vorauswahl, könnten wir ebenfalls Standardtexte verschicken: Alle Einladungen zum Test und die anschließenden Absagen lassen sich ohne weiteres standardisieren. Erst in der Endphase sollten alle Briefe individuell formuliert werden.

Schulz: Damit hätten wir zusätzlich 80 individuelle Briefe gespart.

Barkowitz: Ich werde bis zur nächsten Besprechung am Montag geeignete Muster für diese Briefe heraussuchen, von denen wir dann die besten auswählen. Herr Schulz, könnten Sie sich überlegen, ob sich die Briefe der Endphase vielleicht doch mit Textbausteinen erstellen lassen? Ich fürchte nämlich, daß wir bald noch mehr Bewerbungen bekommen, und dann wird auch diese letzte Gruppe größer. Damit steigt das Briefaufkommen ebenfalls.

Schulz: Das ist ein sehr guter Vorschlag. Ich werde mich darum kümmern. Sind alle damit einverstanden?

Barkowitz: Ja.

Weiß: Ich auch.

Der Werbebrief

Die folgenden Hinweise zum Werbebrief können keinen Fachmann und kein Lehrbuch ersetzen. Sie helfen Ihnen jedoch bei der ersten Konzeption eines Werbebriefes und geben Tips, wie man Fehler vermeidet.

Anrede

Wenn man den Namen des Empfängers kennt, muß er in der Anrede stehen. Die Anrede *Sehr geehrter Kunde* oder *Sehr geehrte Damen und Herren* sollte die Ausnahme sein.

Aufbau

Der bekannteste Vorschlag für den Aufbau eines Werbebriefes heißt AIDA. Jeder Buchstabe steht für einen Begriff:

A – ATTENTION (Aufmerksamkeit)
I – INTEREST (Interesse)
D – DESIRE OF POSSESSION (Besitzwunsch)
A – ACTION (Aktion)

Im ersten Teil (A) des Briefes soll die Aufmerksamkeit des Lesers geweckt werden. Das kann zum Beispiel mit einer interessanten Briefüberschrift oder mit einem geschickten Briefanfang geschehen.

Im zweiten Teil (I) spricht man das Interesse des Lesers an: Wofür interessiert er sich, was erwartet er von meinem Brief? Wer hier nur von sich redet, wird kaum das Interesse des Lesers wecken.

Im dritten Teil (D) versucht der AIDA-Werbebrief, den Wunsch des Lesers zu wecken, die angebotene Ware zu besitzen, sich Informationsmaterial kommen zu lassen oder die angebotene Dienstleistung in Anspruch zu nehmen. An dieser Stelle weisen AIDA-Briefe auf die Einfachheit hin, mit der man in den Besitz gelangt, sie sprechen von der Aktualität des Angebotes und davon, warum es gerade jetzt wichtig ist zu handeln.

Im vierten Teil schließlich (A) muß der Leser etwas tun: Er muß die Bestellkarte zurückschicken, einen Coupon abschneiden und einsenden, ein kleines Rätsel lösen, anrufen oder vieles andere.

Alle Briefe, die den Empfänger auffordern, etwas Bestimmtes zu tun – Rubbeln, Kleben, Ausschneiden, Aufklappen, Umschlagen, Falten, Eintragen, Lochen, Abreißen, Riechen – nennt man RIC-

Briefe. RIC steht für *Readership involvement commitment:* den Leser beschäftigen, in eine Tätigkeit verwickeln.

Betreffzeilen

Es gibt ein paar Tips, wie etwas im Betreff stehen soll: Die „Anmacherzeile" kann ein Wortspiel sein, ein Spruch, ein erster Hinweis (kein komplettes Angebot!) auf den Inhalt des Briefes. Der Text sollte nicht zu lang sein: 1 bis 2 kurze Zeilen genügen.

Datum

Das Datum macht den Brief persönlicher und aktueller. Besser als *Im September 1987* ist *14. 09. 1987* oder *14. September 1987.*

Fettschrift

Hervorhebungsart aus dem Buchdruck. Sie ist mit Einführung der elektronischen Schreibmaschinen auch in Briefen üblich geworden. Die Fettschrift entsteht durch leicht versetzten zweiten Anschlag eines Buchstabens; die Schrift wirkt kräftiger. Nahe verwandt ist die *Schattenschrift,* bei der der zweite Anschlag deutlich erkennbar neben dem ersten liegt. Die Fettschrift wird in Werbebriefen zur Hervorhebung einzelner Textteile verwendet.

Fragen

Der Leser eines Werbebriefes hat Fragen. Alle Aussagen, die im Werbebrief stehen, müssen Antworten auf diese Fragen des Lesers sein:

> Wer schreibt mir? Kann ich das brauchen? Habe ich von dem, was man mir anbietet, einen Nutzen?

Die Entscheidung über Lesen oder Nichtlesen trifft der Briefempfänger blitzschnell, wobei er sich die Fragen nicht so deutlich stellt wie oben angegeben. Aber die Antworten beurteilt er sehr klar. Das wichtigste also für den Werbebrief ist: Prüfen Sie, ob die Fragen des Lesers beantwortet sind und ob seine Interessen angesprochen werden.

Postskriptum

Postskriptum (abgekürzt *PS*) heißt *das Nachgeschriebene.* (PS schreibt man ohne Abkürzungspunkte!) Früher verwendete man ein PS, wenn man etwas Wichtiges im Brief vergessen hatte.

Das PS hat einen hohen Aufmerksamkeitswert: Oft ist es der einzige Text in einem Werbebrief, der überhaupt gelesen wird. Deshalb nutzt man das PS, um hier die wichtigsten Vorteile des Angebotes zu nennen: Hinweis auf den Preis, auf ein Glücksspiel, auf die Einfachheit des Angebotes. Gegenüber der normalen Schreibweise wird der PS-Text fast immer eingerückt geschrieben:

PS: Senden Sie uns noch heute die Bestellkarte zurück. Sie erhalten dann sofort unseren Katalog.

Sie/wir

Der Leser des Briefes ist wichtiger als der Schreiber. Deshalb ist es ganz selbstverständlich, daß man weniger von sich selbst als vom Empfänger spricht. Das heißt: Im Brief steht öfter *Sie* als *wir* oder *ich:*

Nicht:	Sondern:
Wir schicken Ihnen ...	*Sie erhalten ...*
Wir weisen darauf hin ...	*Wichtig für Sie: ...*
Wir haben ...	*Sie bekommen ...*
Wir sind ...	*Nutzen Sie ...*

Stil

Für den Stil im Werbebrief gibt es keine generellen Regeln. Vermeiden Sie jedoch die typische Werbesprache. Nennen Sie in kurzen klaren Sätzen die Vorteile Ihres Angebots für den Kunden, heben Sie hervor, wie problemlos einfach es ist, Ihr Angebot zu nutzen. Vermeiden Sie den Konjunktiv (Möglichkeitsform) und das Futur (Zukunft), wenn Sie von den Vorteilen sprechen:

Nicht:	Sondern:
Mit dieser Maschine könnten Sie Zeit sparen.	*Mit dieser Maschine sparen Sie Zeit.*
Der Alpha 2 wird Ihnen die Arbeit erleichtern.	*Der Alpha 2 erleichtert Ihnen die Arbeit.*

Unterschrift

Die Unterschrift ist sehr wichtig für den persönlichen Kontakt. Ein unterschriebener Brief ist ein persönlicher Brief. Die Unterschrift sollte möglichst lesbar sein; ein Schnörkel, den man nicht entziffern kann, weckt Mißtrauen. Und Mißtrauen beim Leser zu wecken ist das Schlimmste, was bei einem Werbebrief passieren kann.

Unterstreichen

Die bekannteste Möglichkeit, Textteile hervorzuheben. Unterstrichene Textteile – ob ganzer Satz, einzelne Wörter oder Zahlen – fallen ins Auge. Die unterstrichenen Teile sollten für den Leser möglichst positiv sein: Arbeitserleichterung, Vermeiden von Nachteilen, niedriger Preis, Anerkennung und vieles mehr wirkt positiv. Ein unterstrichener Textteil sollte allein genug Aussagekraft haben; der Leser soll hier auf einen Blick alles erfahren, ohne den Rest im Satz oder Absatz lesen zu müssen.

Wortlänge

Grundsätzlich sind kurze Wörter leichter zu lesen als lange. Deshalb ist es sinnvoll, in Werbebriefen kurze Wörter zu verwenden. Selbstverständlich gibt es Ausnahmen: Fremdwörter oder unbekannte Wörter zum Beispiel. So ist *Larynx* schwerer zu lesen als seine deutsche Übersetzung *Kehlkopf*. Wichtig: Zwischen vielen kurzen Wörtern fällt ein längeres Wort auf, der Leser widmet ihm größere Aufmerksamkeit.

Briefkopf

Schneider OHG
Poststraße 12

8071 Gaden

13.03.1987

Jetzt mit mehr Kraft für SIE,

sehr geehrte Damen und Herren,

mit einem vergrößerten und verbesserten Außendienst! Damit Ihnen ein noch größeres Angebot und die Möglichkeit zu noch informativeren Beratungsgesprächen offensteht. Und damit wir mehr Zeit für Ihre Fragen und Wünsche haben.

Ihr neuer Ansprechpartner ist Herr Lutz Klöckner. Er möchte sich in den nächsten Tagen vorstellen und Ihnen bei dieser Gelegenheit exklusiv noch vor der Hannovermesse unsere neuen Energiesparradiatoren zeigen.

Wir wünschen Ihnen mit Herrn Klöckner eine erfolgreiche Saison 1987!

Mit freundlichen Grüßen

PS: Den Messesonderprospekt erhalten Sie heute schon zur Vorinformation. Herr Klöckner wird Sie dann in den nächsten Tagen wegen eines Termins anrufen.

Briefkopf

Gebrüder Hillmann 30.10.1986
Osttangente 143

5561 Gransdorf

Alle zahlen immer mehr Geld für ihre Büroräume.
Steigen Sie jetzt aus der Preisspirale aus,

sehr geehrte Damen und Herren,

und steigen Sie ein in das moderne und rationelle Gemeinschaftsbüro am Hahnenwall. Hier erfahren Sie, welche Vorteile ein gut funktionierendes Gemeinschaftsbüro hat.

Sie sind immer auf Draht:

mit den modernsten Telekommunikationsanlagen - Telefonzentrale, Telex, Telefax, Teletex.

Sie sind voll da:

Das Gemeinschaftsbüro ist immer besetzt, auch wenn Sie gerade besetzt sind: durch die Telefonzentrale und unseren Empfangs- und Informationsdienst.

Sie sind immer im Bilde:

In den vorbildlich gestalteten Empfangs- und Büroräumen läßt sich vortrefflich denken, arbeiten und Besuch empfangen.

Sie wollen sich das mal ansehen? Jederzeit, wann immer Sie wollen. Aber bitte auf eigene Gefahr, denn es könnte sein, daß Sie nicht gerne in Ihr altes Büro zurückfahren.

Mit freundlichen Grüßen

PS: Im Gemeinschaftsbüro sind Sie in einer echten Bürogemeinschaft. Wir verstehen uns.

Pressemeldung und Presseinformation

Die Mitteilungen eines Unternehmens - oder einer Einzelperson - an die Presse sind ein Teil der Öffentlichkeitsarbeit. Seit einigen Jahrzehnten kennt man in Deutschland den Begriff *Public Relations* - Beziehungen zur Öffentlichkeit. Man versteht darunter das Bemühen, in der Öffentlichkeit Vertrauen und Verständnis aufzubauen und zu erhalten.

Man unterscheidet zwischen Pressemeldung und Presseinformation: Die Pressemeldung ist eine kurze Mitteilung, die Presseinformation eine ausführlichere Mitteilung über ein bestimmtes aktuelles Ereignis.

Beispiel für eine Pressemeldung: *Am 28. 03. 1987 feiert der alleinige Inhaber der Kasibold-Werke seinen 65. Geburtstag. Aus diesem Anlaß findet am Samstag, dem 02. 04. 1987, auf dem Werksgelände ein Tag der offenen Tür statt.*

Beispiel für eine Presseinformation: *Schon für Herbst 1987 planen die Kasibold-Werke den Baubeginn der zweiten Fertigungshalle an der Weststraße. In der neuen Halle werden nach Schätzung der Unternehmensleitung 70 neue Arbeitsplätze geschaffen. Bauleitung und -ausführung liegen in den Händen des Langendorfer Unternehmens Schlieper & Söhne. Die Kasibold-Werke ...*

Tips für das Verfassen von Pressemeldung und Presseinformation:

Aufbau

Am leichtesten gelingt der Aufbau, wenn man sich an den klassischen *sechs W* orientiert:

Wer?
Wo?
Wann?
Was?
Wie?
Warum?

Beantworten Sie diese Fragen möglichst am Anfang Ihrer Meldung, denn bei wenig Platz kann es passieren, daß Ihr Text am Ende gekürzt wird, und dann fehlt möglicherweise eine wichtige Information.

Überschrift

Mit oder ohne Überschrift? Auf diese Frage gibt es keine eindeutige Antwort, denn es kann sein, daß sich ein Redakteur durch die fertige Überschrift bevormundet fühlt. Vermeiden Sie allzu reißerische und zu lange (3 bis 5 Wörter sollten genügen) Überschriften. Auch Wortspiele und Gags in der Überschrift sind nicht die Sache jeder Zeitung oder Zeitschrift.

Begleitschreiben

Ein Begleitschreiben macht einen guten Eindruck, wirkt persönlich und bietet die Möglichkeit, Hintergrundinformationen zu geben. Begleitschreiben stehen auf Firmen- oder Vereinsbogen, sind persönlich an den zuständigen Redakteur adressiert. Den Namen entnehmen Sie dem Impressum der Zeitung oder Zeitschrift. Geben Sie eine Adresse, Namen und Telefonnummer an, unter der der Redakteur weitere Informationen abrufen kann.

Form

Schreiben Sie den Text auf ein neutrales DIN-A4-Blatt, beschriften Sie es in der Breite nur zu etwa zwei Dritteln, lassen Sie zwischen den Zeilen größere Abstände (mindestens 1,5zeilig beschriften), damit Änderungen angebracht werden können.

Umfang

Je knapper und präziser ein Text ist, desto eher wird er unverändert abgedruckt. Mehr als 1 500 bis 1 800 Anschläge (25 bis 30 Zeilen mit 60 Anschlägen) sollte er nur in Ausnahmefällen haben.

Verzichten Sie auf jede Art der typographischen Hervorhebung, schreiben Sie also ohne Unterstreichung, Fettschrift oder was Ihre Maschine sonst noch alles kann, denn all dies wird im Regelfall nicht in die Zeitung oder Zeitschrift übernommen.

Halten Sie das Anschreiben frei von werblichen Formulierungen.

Im Text des Anschreibens kann man auf den Namen des Unternehmens verzichten – er steht bereits im Briefkopf.

Fotos

Ein gutes Foto spricht schneller an als ein guter Text: Die Information wird sofort aufgenommen, die Neugierde des Betrachters geweckt, und er liest den Text mit größerer Aufmerksamkeit. Text und Bild ergänzen und unterstützen sich. Reichen Sie Schwarzweißfotos in Hochglanz ein, Format 13 × 18 cm oder 18 × 24 cm.

Beispiel für eine ausführliche Presseinformation:

Vier Alsfelder Firmen stellten erfolgreich auf der Hannovermesse aus.

Die Hannovermesse ist einer der größten Besuchermagneten unter den bundesdeutschen Messen. Wie in den vergangenen Jahren zeigten auch diesmal die Anbieter der Bereiche Büro, Information und Telekommunikation ihre Leistungsfähigkeit auf der separaten Ausstellung „CeBit". Unter den über 1400 Ausstellern aus aller Welt sind allein vier aus Alsfeld.

Ein langjähriger Computerspezialist ist die Firma HEGACOM: Auf ihrem 200 Quadratmeter großen Stand in frischem Blau zeigten die Hardwareleute aus dem Alsfelder Industriegebiet ihre Neuentwicklungen und die seit Jahren bewährten Anlagen.

Großes Interesse fanden die Komplettlösungen für den Bürokommunikationsbereich für Rechtsanwälte, Steuerberater und Ärzte. Inhaber Heinz Wander: „Die CeBit ist richtungweisend. Wer dort die Nase vorn hat, kann ohne Sorgen in die Zukunft sehen." Zusammen mit seinen 22 Mitarbeitern sorgt Wander dafür, daß bei HEGACOM die Richtung stimmt.

Ebenfalls in der Kommunikation tätig ist die Firma Telefon-Schrader. „Flagge zeigen", berichtet Inhaber Ludger Schrader, „ist für ein kleines Unternehmen wie uns die wichtigste Aufgabe auf einer solchen Riesenveranstaltung. Man muß dasein, auch wenn in Alsfeld zur Messezeit nur eine Notbesatzung zurückbleibt."

Alsfeld, Neuenhofer Straße 40 – dies ist der Sitz der Firma Taisoka, ebenfalls erfolgreicher Aussteller auf der CeBit. Taisoka hat sich auf Drucker, Tastaturen und Monitore spezialisiert, die sogenannte Computerperipherie. Das japanische Unternehmen hat in Alsfeld sogar sein Auslieferungslager für die ganze Bundesrepublik. Das wichtigste Ziel auf der CeBit haben die Japaner nach Aussage des Geschäftsführers Saihoka Mazomuto erreicht: Kontaktaufnahme mit namhaften Computerherstellern.

Gleich zwei große Ereignisse gab es in der CeBit-Woche für das Alsfelder Unternehmen FGR zu feiern: das 10jährige Bestehen als Entwicklungsgesellschaft für die Software computerunterstützter Konstruktion und gleichzeitig die erstmalige Teilnahme an der Messe. Hauptinteressenten am FGR-Stand: Konstrukteure der Elektrobranche in Mittelstand und Industrie. Mit immerhin 30 Millionen Mark Umsatz konnten die rührigen Inhaber Janneau Tesch und Kurt Mertens das letzte Geschäftsjahr abschließen.

Große, aber durchaus realistische Erwartungen also bei allen vier Ausstellern. Allen gemeinsam ist, was Janneau Tesch selbstbewußt so formuliert: „Wir machen uns nichts vor – wir wollen es anderen vormachen!“

Hinweise für das Maschinenschreiben

Die folgenden Hinweise beschränken sich auf die in der Praxis am häufigsten auftretenden Probleme.

1. Abkürzungen: Nach Abkürzungen folgt ein Leerschritt:

```
Sie können das Programm auf UKW empfangen.
```

Das gilt auch für mehrere aufeinanderfolgende Wörter, die jeweils mit einem Punkt abgekürzt sind:

```
Hüte, Schirme, Taschen u. a. m.
```

2. Anführungszeichen: Anführungszeichen setzt man ohne Leerschritt vor und nach den eingeschlossenen Textabschnitten, Wörtern u. a.:

```
Plötzlich rief er: "Achtung!"
```

Dasselbe gilt für halbe Anführungszeichen:

```
"Man nennt das einen 'Doppelaxel'", erklärte sie
ihm.
```

3. Anrede und Gruß in Briefen: Anrede und Gruß werden vom übrigen Brieftext durch jeweils eine Leerzeile abgesetzt:

```
Sehr geehrter Herr Schmidt,

gestern erhielten wir Ihre Nachricht vom...
Wir würden uns freuen, Sie bald hier begrüßen
zu können.

Mit freundlichen Grüßen

Kraftwerk AG
```

4. Anschrift: Anschriften auf Postsendungen werden durch Leerzeilen gegliedert. Man unterteilt hierbei wie folgt:

[Art der Sendung];

[Firmen]name; Postfach oder Straße und Hausnummer [Wohnungsnummer];

Postleitzahl, Bestimmungsort [Zustellpostamt]

Die Postleitzahl wird vierstellig geschrieben und nicht ausgerückt, der Bestimmungsort nicht unterstrichen. (In der Schweiz wird jedoch die Unterstreichung des Bestimmungsortes von der Postverwaltung empfohlen.) Die Länderkennzeichen A-, CH-, D- usw. sollen beim Schriftverkehr innerhalb des jeweiligen Landes nicht verwendet werden. Bei Postsendungen ins Ausland empfiehlt die Deutsche Bundespost, Bestimmungsort (und Bestimmungsland) in Großbuchstaben zu schreiben.

```
Einschreiben                 Warensendung

Bibliographisches Institut   Vereinigte Farbwerke GmbH
Dudenstraße 6                Ringstraße 11

6800 Mannheim                A-5010 SALZBURG


Herrn                        Frau
Helmut Schildmann            Wilhelmine Baeren
Jenaer Straße 18             Münsterplatz 8

DDR-5300 Weimar              CH-3000 BERN
```

Am Zeilenende stehen keine Satzzeichen; eine Ausnahme bilden Abkürzungspunkte sowie die zu Kennwörtern o. ä. gehörenden Anführungs-, Ausrufe- oder Fragezeichen.

```
Herrn Major a. D.            Reisebüro
Dr. Kurt Meier               Brugger und Marek
Postfach 90 10 98            Kennwort "Ferienlotterie"
                             Postfach 70 96 14
6000 Frankfurt 90
                             A-1121 WIEN
```

5. Auslassungspunkte: Um eine Auslassung in einem Text zu kennzeichnen, schreibt man drei Punkte. Vor und nach den Auslassungspunkten ist jeweils ein Leerschritt anzuschlagen, wenn sie für ein selbständiges Wort oder mehrere Wörter stehen. Bei Auslassung eines Wortteils werden sie unmittelbar an den Rest des Wortes angeschlossen:

```
Sie glaubten in Sicherheit zu sein, doch plötz-
lich ...
Mit Para... beginnt das gesuchte Wort.
```

Am Satzende wird kein zusätzlicher Schlußpunkt gesetzt. Satzzeichen werden ohne Leerschritt angeschlossen:

```
Bitte wiederholen Sie den Abschnitt nach "Wir
möchten uns erlauben ..."
```

6. Bindestrich: Als Ergänzungsbindestrich steht der Mittestrich unmittelbar vor oder nach dem zu ergänzenden Wortteil.

```
Büro- und Reiseschreibmaschinen; Eisengewinnung
und -verarbeitung
```

Bei der Kopplung oder Aneinanderreihung gibt es zwischen den verbundenen Wörtern oder Schriftzeichen und dem Mittestrich ebenfalls keine Leerschritte:

```
Hals-Nasen-Ohren-Arzt; St.-Martins-Kirche; C-Dur-
Tonleiter; Berlin-Schöneberg; Hawaii-Insel; UKW-
Sender
```

7. Datum: Das nur in Zahlen angegebene Datum wird ohne Leerschritte durch Punkte gegliedert. Tag und Monat sollten jeweils zweistellig angegeben werden. Die Reihenfolge im deutschsprachigen Raum ist: Tag, Monat, Jahr:

```
09.08.1978

09.08.78
```

Schreibt man den Monatsnamen in Buchstaben, so schlägt man zwischen den Angaben je einen Leerschritt an:

```
9. August 1978

9. Aug. 78
```

8. Fehlende Zeichen: Auf der Schreibmaschinentastatur fehlende Zeichen können in einigen Fällen durch Kombinationen anderer Zeichen ersetzt werden: Die Umlaute ä, ö, ü kann man als ae, oe, ue schreiben. Das ß kann durch ss wiedergegeben werden.

```
südlich - suedlich

SÜDLICH - SUEDLICH

mäßig - maessig

Schlößchen - Schloesschen

Fußsohle - Fusssohle
```

Die Ziffern 0 und 1 können durch das große O und das kleine l ersetzt werden.

```
110 - llO
```

Die Prozent- und Promillezeichen können durch das kleine o und den Schrägstrich ersetzt werden.

```
o/o, o/oo
```

9. Gedankenstrich: Vor und nach dem Gedankenstrich ist ein Leerschritt anzuschlagen:

```
Es wurde - das sei nebenbei erwähnt - unmäßig ge-
gessen und getrunken.
```

Ein dem Gedankenstrich folgendes Satzzeichen wird jedoch ohne Leerschritt angehängt:

```
Wir wissen - und zwar schon lange -, weshalb er nichts
von sich hören läßt.
```

Der Gedankenstrich kann das Wort *bis* ersetzen:

```
10.00 - 12.30 Uhr
```

Der Gedankenstrich wird bei Streckenangaben verwendet:

```
Zugverbindung Köln - Bremen
```

10. Rechenzeichen: Alle Rechenzeichen stehen durch einen Leerschritt getrennt von den Ziffern:

$$6 + 8 = 14$$
$$17 - 5 = 12$$
$$2 \cdot 4 = 8$$
$$3 \times 5 = 15$$
$$40 : 5 = 8$$

11. Beträge: Dezimale Teilungen werden mit einem Komma gekennzeichnet:

```
99,80 DM; 0,08 DM
```

Bei runden Beträgen und bei ungefähren Beträgen können das Komma und die Stellen dahinter entfallen:

```
30 000 DM; etwa 5 DM
```

12. Uhrzeit: Die Anzahl der Minuten und Sekunden ist mit je zwei Ziffern anzugeben:

```
13.30 Uhr; 16.15.45 Uhr
```

13. Hausnummern: Hausnummern stehen mit einem Leerschritt Abstand hinter der Straßenangabe:

```
Talstraße 3 - 5; Talstraße 3/5
```

14. Gradzeichen: Als Gradzeichen verwendet man das hochgestellte kleine o. Bei Winkelgraden wird es unmittelbar an die Zahl angehängt:

ein Winkel von 30°

Bei Temperaturgraden ist (vor allem in fachsprachlichem Text) nach der Zahl ein Leerschritt anzuschlagen; das Gradzeichen steht dann unmittelbar vor der Temperatureinheit:

eine Temperatur von 30 ^{o}C; Nachttemperaturen um -3 ^{o}C

15. Hochgestellte Zahlen: Hochzahlen und Fußnotenziffern werden ohne Leerschritt angeschlossen:

eine Entfernung von 10^{8} Lichtjahren; ein Gewicht von 10^{-6} Gramm. Nach einer sehr zuverlässigen Quelle[4] hat es diesen Mann nie gegeben.

16. Klammern: Klammern schreibt man ohne Leerschritt vor und nach den Textabschnitten, Wörtern, Wortteilen oder Zeichen, die von ihnen eingeschlossen werden:

Das neue Serum (es wurde erst vor kurzem entwickelt) hat sich sehr gut bewährt. Der Grundbetrag (12 DM) wird angerechnet. Lehrer(in) für Deutsch gesucht.

17. Paragraphzeichen: Das Paragraphzeichen wird nur in Verbindung mit darauffolgenden Zahlen gebraucht. Es ist durch einen Leerschritt von der zugehörigen Zahl getrennt:

§ 21 STVO; § 7 Abs. 1 Satz 4; § 7 (1) 4; die §§ 112 bis 114

18. Prozentzeichen: Das Prozentzeichen ist durch einen Leerschritt von der zugehörigen Zahl zu trennen:

Bei Barzahlung 3 1/2 % Rabatt.

Der Leerschritt entfällt bei Ableitungen oder Zusammensetzungen:

eine 10%ige Erhöhung; eine 5%-Anleihe

19. Punkt, Komma, Semikolon, Doppelpunkt, Frage- und Ausrufezeichen: Die Satzzeichen Punkt, Komma, Semikolon, Doppelpunkt, Fragezeichen und Ausrufezeichen werden ohne Leerschritt an das vorangehende Wort oder Schriftzeichen angehängt. Das nächste Wort folgt nach einem Leerschritt:

Wir haben noch Zeit. Gestern, heute und morgen. Es muß heißen: Hippologie. Wie muß es heißen? Hör doch zu! Am Mittwoch reise ich ab; mein Vertreter kommt nicht vor Freitag.

20. Schrägstrich: Vor und nach dem Schrägstrich wird im allgemeinen kein Leerschritt angeschlagen. Der Schrägstrich kann als Bruchstrich verwendet werden; er steht außerdem bei Diktat- und Aktenzeichen sowie bei zusammengefaßten Jahreszahlen:

2/3, 3 1/4 % Zinsen; Aktenzeichen c/XII/14; Ihr Zeichen: Dr/Ls; Wintersemester 1987/88.

21. Silbentrennung: Zur Silbentrennung wird der Mittestrich ohne Leerschritt an die Silbe angehängt:

```
Vergiß-
meinnicht
```

22. Unterführungen: Unterführungszeichen stehen jeweils unter dem ersten Buchstaben des zu unterführenden Wortes:

```
Duden, Band 2, Stilwörterbuch
"      "    5, Fremdwörterbuch
"      "    7, Herkunftswörterbuch
```

Zahlen dürfen nicht unterführt werden:

```
1 Hängeschrank mit Befestigung
1 Regalteil    "    "
1 "            ohne Rückwand
1 "            "    Zwischenboden
```

Ein übergeordnetes Stichwort, das in Aufstellungen wiederholt wird, kann durch den Mittestrich ersetzt werden. Er steht unter dem ersten Buchstaben des Stichwortes:

```
Nachschlagewerke; deutsche und fremdsprachige
Wörterbücher
-; naturwissenschaftliche und technische
Fachbücher
-; allgemeine Enzyklopädien
-; Atlanten
```

Sprachtips

Sprachtips

(Viele Sprachtips und Formulierungshilfen finden sich auch im Wörterverzeichnis)

A

ab: **1. Beugung nach *ab:*** Bei einer Ortsangabe steht nach *ab* nur der Wemfall: *ab unserem Werk; ab allen deutschen Flughäfen.* Bei einer Zeitangabe oder Mengenangabe kann nach *ab* auch der Wenfall stehen: *ab erstem Mai* oder: *ab ersten Mai; ab Mittwoch, dem 3. April* oder: *ab Mittwoch, den 3. April; ab 50 Exemplaren* oder: *ab 50 Exemplare; ab 12 Jahren* oder: *ab 12 Jahre.* Steht bei einer solchen Zeit- oder Mengenangabe ein Geschlechtswort (Artikel) oder ein Fürwort, dann ist nur der Wemfall richtig: *ab dem 15. Mai; ab meinem 18. Geburtstag.*
2. ab/von – an: Das Verhältniswort (die Präposition) *ab* wird besonders in der Kaufmanns- und Verwaltungssprache gebraucht: *ab Hannover; ab 50 Kisten; ab 1. September.* Daher haftet ihm auch etwas Kaufmanns- oder Amtssprachliches an; manchmal wirkt es auch umgangssprachlich. Stilistisch neutral ist *von – an: von Hannover an; von 50 Kisten an; vom 1. September an.*

aber: Vor dem Bindewort (der Konjunktion) *aber* steht immer ein Komma, gleichgültig ob es Sätze oder nur Satzteile miteinander verknüpft: *Es war gut, aber teuer. Ich habe davon gehört, aber ich glaube es nicht.*

abgenommen: Das Mittelwort der Vergangenheit (2. Partizip) *abgenommen* darf nicht als Beifügung gebraucht werden. Man kann also nicht sagen: *die abgenommenen Zuschauerzahlen; die abgenommenen Vorräte* u. ä. Richtig wäre dagegen: *die geringer gewordenen Zuschauerzahlen; die zusammengeschmolzenen Vorräte.*

Abgeordnete, der und die: Man beugt das Wort in folgender Weise: *der Abgeordnete, ein Abgeordneter, zwei Abgeordnete, die Abgeordneten, einige Abgeordnete, alle Abgeordneten, solche Abgeordnete* und *solche Abgeordneten, beide Abgeordneten* und seltener auch *beide Abgeordnete, genanntem Abgeordneten, die Versorgung ausscheidender Abgeordneter.*
Als Beisatz (Apposition): *mir (dir, ihm) als Abgeordneten* und: *mir (dir, ihm) als Abgeordnetem; ihr als Abgeordneten* und: *ihr als Abgeordneter.*

In Verbindung mit *Herr* oder *Frau* heißt es: *Ich habe mit Herrn Abgeordneten Meyer gesprochen. Ich habe mit Frau Abgeordneten Meyer* oder: *mit Frau Abgeordneter Meyer gesprochen.*
Ohne *Herr* oder *Frau* muß es heißen: *Ich habe mit Abgeordnetem Schmidt gesprochen. Ich habe mit Abgeordneter Schmidt gesprochen.*

abgesehen davon: Nach *abgesehen davon* oder *davon abgesehen* steht kein Komma: *Abgesehen davon gab es keine Störungen. Davon abgesehen gab es keine Störungen.* Folgt aber ein *daß,* dann steht vor diesem immer ein Komma: *Abgesehen davon, daß uns einmal das Benzin ausging, verlief alles gut. Davon abgesehen, daß ...*

abhalten: Weil das Zeitwort *abhalten* schon verneinenden Sinn hat (= nicht tun lassen), darf ein von ihm abhängender Satz nicht zusätzlich verneint werden. Also nicht: *Sie hielt ihn davon ab, nicht noch mehr zu trinken.* Richtig heißt es: *Sie hielt ihn davon ab, noch mehr zu trinken.*

abheften: Nach *abheften in* steht gewöhnlich der Wemfall (Frage: wo?): *ein Schriftstück im Ordner abheften.*

Abhilfe: An das Hauptwort *Abhilfe* (das zu dem Zeitwort *abhelfen* gehört) kann die Sache, der abgeholfen werden soll, nicht im Wesfall angeschlossen werden. Also nicht korrekt: *die Abhilfe eines Mangels, eines Fehlers, eines Übelstandes* o. ä. Man muß ausweichen auf eine andere Formulierung, etwa: *einem Mangel, einem Fehler, einem Übelstand abhelfen* oder: *die Beseitigung eines Mangels, eines Fehlers, eines Übelstandes.*

Abkürzungen: **1. Abkürzungen mit Punkt:** Der Punkt steht im allgemeinen nach Abkürzungen, die nur geschrieben, nicht aber gesprochen werden, z. B.: *betr.* (für: *betreffend, betreffs*), *Dr.* (für: *Doktor*), *Ggs.* (für: *Gegensatz*), *i.A.* (für: *im Auftrag*), *Frankfurt a. M.* (für: *Frankfurt am Main*), *a. G.* (für: *als Gast*), *ü. d. M.* (für: *über dem Meeresspiegel*), *usw.* (für: *und so weiter*), *z. T.* (für: *zum Teil*), *Ztr.* (für: *Zentner*). Das gilt auch für die Abkürzungen der Zahlwörter: *Tsd.* (für: *Tausend*), *Mio.* (für: *Million*) und *Mrd.* (für: *Milliarde*), ferner für fremdsprachige Abkürzungen in deutschem Text: *Ich werde mit Mr.* (für: *Mister*) *Smith darüber sprechen.* Ausnahmen: Der Punkt steht auch nach einigen Abkürzungen, die heute – vor allem in der Alltagssprache – gewöhnlich nicht mehr im vollen Wortlaut gesprochen werden, z. B.: *a. D.* (für: *außer Dienst*), *i. V.* (für: *in Vertretung*), *ppa.* (für: *per procura*), *h. c.* (für: *honoris causa*). **2. Abkürzungen ohne**

Punkt: Der Punkt steht im allgemeinen nicht nach Abkürzungen, die als solche auch gesprochen werden: *BGB, AG, UdSSR, Kripo, Akku, UNO.* Abkürzungen für Maß- und Gewichtseinheiten, chemische Grundstoffe, Himmelsrichtungen und die meisten Münzbezeichnungen sind Symbole oder Zeichen und werden - bis auf herkömmliche Einheiten wie *Pfd.* (= Pfund) und *Ztr.* (= Zentner) - ohne Punkt geschrieben: *m, km, kg, l.* Ohne Punkt stehen auch die Zeichen für die Himmelsrichtungen, für die chemischen Elemente und für die meisten Münzbezeichnungen: *SW* (= Südwesten), *Cl* (= Chlor), *DM* (= Deutsche Mark) usw. Alle diese Abkürzungen bleiben stets unverändert: *5 m, über 10000 DM, die Eigenschaften des Cl.* Schwankungsfälle: Bei ausländischen Maß- und Münzbezeichnungen wird im Deutschen gewöhnlich die landesübliche Form der Abkürzung gebraucht: *ft.* (= Foot), *ya.* (= Yard), *L.* (= Lira), *Fr.* und *sFr.* (= Schweizer Franken). Doch kommen z. B. im Bankwesen auch andere Schreibungen vor: *Lit* (= italienische Lira), *sfr* (= Schweizer Franken). Ein Sonderfall ist die Abkürzung *Co.* (= Compagnie/Kompanie), die heute im allgemeinen nur [ko:] ausgesprochen wird. Sie kommt fast ausschließlich in Firmennamen vor und kann je nach der Schreibung des Firmennamens mit oder ohne Punkt stehen. **3. Beugung von Abkürzungen, die nur geschrieben werden:** Bei diesen Abkürzungen wird die Beugungsendung im Schriftbild oft nicht wiedergegeben: *am 2. Dezember lfd. J.* (= laufenden Jahres); *gegen Ende d. M.* (= dieses Monats). Wird die Beugungsendung jedoch gesetzt, gilt folgendes: Endet eine Abkürzung mit dem letzten Buchstaben der Vollform, wird die Endung unmittelbar angehängt: *Hrn.* (= Herrn), *Bde.* (= Bände); sonst steht sie nach dem Abkürzungspunkt: *mehrere Jh.e* (= Jahrhunderte), *B.s* (= Bismarcks) *Reden.* Die Mehrzahl wird gelegentlich durch Buchstabenverdopplung ausgedrückt: *Mss.* (= Manuskripte), *Jgg.* (= Jahrgänge), *ff.* (= folgende). **4. Beugung von Abkürzungen, die als solche auch gesprochen werden:** Grundsätzlich ist es auch bei diesen Abkürzungen (*Pkw, BGB* usw.) nicht nötig, die Beugungsendung im Schriftbild wiederzugeben: *des Pkw* (seltener: *des Pkws*), *des BGB* (seltener: *des BGBs*). In der Mehrzahl erscheint allerdings häufiger die Endung *-s;* und zwar auch bei solchen Abkürzungen, deren Vollform in der Mehrzahl nicht so ausgeht: *die Pkws* (neben: *die Pkw;* nicht: *PKWen*), *die MGs* (neben: *die MG;* nicht: *die MGe*), *die AGs* (nicht: *AGen*), *die THs* (nicht: *THen*). Bei weiblichen Abkürzungen sollte in der Mehrzahl immer dann ein *-s* angefügt werden, wenn eine Verwechslung mit der Einzahl möglich ist: *die*

GmbHs; nicht gut, da mit der Einzahl übereinstimmend: *die GmbH.* Abkürzungen, die auf Zischlaute enden, bleiben stets unverändert: *50 PS.*

Abneigung: Nach *Abneigung* wird mit dem Verhältniswort *gegen* angeschlossen: Es heißt also richtig: *eine Abneigung gegen einen Menschen* (nicht: *vor einem Menschen*) *haben.*

abraten: Weil das Zeitwort *abraten* schon verneinenden Sinn hat (= jemandem nicht zu etwas raten), darf ein von ihm abhängender Satz nicht zusätzlich verneint werden. Also nicht: *Sie riet ihm davon ab, nicht mit dieser Fluglinie zu fliegen.* Richtig heißt es: *Sie riet ihm davon ab, mit dieser Fluglinie zu fliegen.*

abstellen: Nach *abstellen auf/in/unter* steht gewöhnlich der Wemfall (Frage: wo?): *das Gepäck auf dem Bahnsteig abstellen; das Auto in der Garage, unter einem Vordach abstellen.*

abtrocknen: Es kann sowohl *Nach dem Regen ist es* als auch *hat es rasch wieder abgetrocknet* heißen.

abzüglich: Nach *abzüglich* steht üblicherweise der Wesfall: *abzüglich des gewährten Rabatts, abzüglich der genannten Getränke.* Steht aber das von *abzüglich* abhängende Hauptwort allein, also ohne ein Begleitwort, dann bleibt es in der Einzahl im allgemeinen ungebeugt: *abzüglich Rabatt.* In der Mehrzahl aber weicht man bei alleinstehenden Hauptwörtern auf den Wemfall aus: *abzüglich Getränken.*

acht: Wenn die Wendung *sich in acht nehmen* in Verbindung mit *vor* gebraucht wird, hat sie die Bedeutung „sich vor etwas hüten“. Sie hat damit verneinenden Sinn, und ein von ihr abhängender Satz darf dann nicht auch noch verneint werden. Also nicht korrekt: *Er nahm sich davor in acht, nicht zu schnell zu fahren.* Sondern richtig nur: *Er nahm sich davor in acht, zu schnell zu fahren.* Hat die Wendung *sich in acht nehmen* (ohne *vor*) jedoch die Bedeutung „aufpassen, auf etwas achten“, dann ist die Verneinung des von ihr abhängenden Satzes korrekt: *Nimm dich in acht, daß du dich nicht erkältest! Er nahm sich in acht, daß er keinen Fehler machte.*

AG: Tritt die Abkürzung *AG* in Firmennamen auf, dann ist sie Bestandteil des Namens und wird nicht durch Komma abgetrennt: *Badenwerk AG, Vereinigte Stahlwerke AG.* Steht bei einem solchen Firmennamen ein Geschlechtswort (Artikel), dann richtet sich dieses nicht nach dem Namensbestandteil *AG*. Es heißt also z. B.: *das Badenwerk AG* (nicht: *die Badenwerk AG*).

alle: **1. Rechtschreibung:** Das Wort *alle* wird immer und in allen seinen Formen klein geschrieben. **2. Beugung von *alle:* a)** Steht *alle* vor einem Hauptwort, dem nicht *der, die, das* beigefügt ist, lauten die Formen im Werfall: *aller Schmerz, alle Freude, alles Gefühl; alle Schmerzen, Freuden, Gefühle.* Im Wesfall lauten die heute üblichen Formen: *allen Schmerzes, aller Freude, allen Gefühls.* Bei Hinzutreten eines Eigenschaftswortes sind zwei Formen korrekt: *trotz allen* oder *alles bösen Schmerzes; trotz allen* oder *alles guten Gefühls.* Wird das Hauptwort auf ein Eigenschaftswort zurückgeführt, ist dagegen nur eine Form korrekt: *der Urheber alles Bösen.* In der Mehrzahl ist wiederum nur eine Form üblich: *der Urheber aller (bösen) Schmerzen, Freuden, Gefühle.* Im Wemfall lauten die Formen: *bei allem Schmerz, aller Freude, allem Gefühl; bei allen Schmerzen, Freuden, Gefühlen.* Im Wenfall heißt es: *für allen Schmerz, alle Freude, alles Gefühl; für alle Schmerzen, Freuden, Gefühle.* **b)** Nach Fürwörtern wird *alle* folgendermaßen gebeugt: *das alles, dieses alles; die alle, diese alle; ihr alle, euer aller Wohl, unser aller Wohl; was alles; welche alle.* Im Wemfall jedoch treten Fälle auf, in denen zwei Formen üblich sind: *dem allem* oder häufiger: *dem allen; diesem allem* oder *diesem allen.* **3. Beugung nach *alle:* a)** Die Beugung des folgenden Wortes bereitet oftmals Schwierigkeiten, zumal wenn es sich bei diesem Wort um ein Hauptwort handelt, das auf ein Mittelwort (Partizip) oder Eigenschaftswort zurückzuführen ist wie z. B. *der Anwesende* (auf *anwesend*), *der Verwandte* (auf *verwandt*), *der Abgeordnete* (auf *abgeordnet*), *das Fremde* (auf *fremd*) usw. In den einzelnen Fällen lauten die Formen in der Einzahl folgendermaßen: Werfall: *alles Schöne, Störende;* Wesfall: *die Beseitigung alles Schönen, Störenden;* Wemfall: *bei allem Schönen, Störenden;* Wenfall: *für alles Schöne, Störende.* In der Mehrzahl kommen dagegen für die einzelnen Fälle - außer dem Wemfall - zwei Formen vor, wobei die zweiten Formen allerdings selten sind. Werfall: *alle Abgeordneten*/(selten:) *Abgeordnete;* Wesfall: *die Pässe aller Abgeordneten*/(selten:) *Abgeordneter;* Wemfall: *mit allen Abgeordneten;* Wenfall: *für alle Abgeordneten*/(selten:) *Abgeordnete.* **b)** Probleme bereiten auch die Formen des nach *alle* folgenden Eigenschaftswortes oder Mittelwortes, das sich auf ein sich anschließendes Hauptwort bezieht. Auch hier gibt es neben den üblichen Formen solche, die selten sind *(aller übertriebener Aufwand; die Beteiligung aller interessierter Kreise).* Die üblichen Formen lauten in der Einzahl: Werfall: *aller übertriebene*

Aufwand; Wesfall: *die Vermeidung alles übertriebenen Aufwandes;* Wemfall: *mit allem übertriebenen Aufwand;* Wenfall: *für allen übertriebenen Aufwand.* In der Mehrzahl: Werfall: *alle engen Freunde;* Wesfall: *die Beteiligung aller engen Freunde;* Wemfall: *mit allen engen Freunden;* Wenfall: *für alle engen Freunde.* Tritt zu diesen Formen noch ein Fürwort (z. B.: *alle seine engen Freunde; für alle diese engen Freunde*), erhält es die gleiche Endung wie *alle.* **4. all oder alle:** Vor einem Hauptwort, das mit Geschlechtswort *(der, die, das)* oder Fürwort (*mein, dein* usw.) steht, kann sowohl *all* als auch *alle* stehen: *all* oder *alle meine Hoffnungen; das Kreischen all* oder *aller ihrer Fans; all* oder *alle die Leute.* In einigen Fällen ist die Form *all* die üblichere: *mit all seinem Fleiß; bei all dem Ärger; all dieser Arbeit war er überdrüssig.* **5. alles, was:** Ein mit dem Wort *alles* angekündigter Nebensatz wird mit *was* (nicht mit *das*) eingeleitet: *Sie glaubte alles, was er ihr erzählte.*

als: Vor dem Bindewort (der Konjunktion) *als* steht ein Komma, wenn es einen Nebensatz einleitet oder wenn es vor der erweiterten Grundform eines Zeitworts (dem erweiterten Infinitiv) steht: *Er kam erst, als die anderen schon gegangen waren. Es dauerte länger, als man erwartet hatte. Er war noch zu klein, als daß er es hätte wissen können. Er tut, als ob er nichts von der Sache wüßte. Es ist besser zu gehen, als noch länger zu warten. Hans ist größer, als Andreas im gleichen Alter war.* Kein Komma vor *als* steht in den folgenden Fällen: *Hans ist größer als Andreas. Das ist mehr als genug. Hier hilft nichts als geduldiges Warten.* Mit oder ohne Komma kann ein Beisatz (eine Apposition) mit *als* stehen: *Herr Müller als Vertreter der Firma sprach über die Geschäftsentwicklung. Herr Müller, als Vertreter der Firma, sprach über die Geschäftsentwicklung.*

als oder **wie:** Nach der ersten Steigerungsstufe (dem Komparativ) eines Eigenschaftswortes steht immer *als,* nicht *wie.* Richtig heißt es: *Er ist größer als du. Die Schwierigkeiten waren größer, als wir angenommen hatten.* Nicht korrekt ist: *Er ist größer wie du. Die Schwierigkeiten waren größer, wie wir angenommen hatten.*
Auch nach den folgenden Wörtern steht *als: anders, niemand, keiner, nichts, umgekehrt, entgegengesetzt: Es kam anders als erwartet. Niemand als er kann mir helfen. Das verursacht nichts als Unruhe. Es war umgekehrt, als wir erwartet hatten.*

als daß: Vor *als daß* steht immer ein Komma: *Das Wetter war zu schlecht, als daß man hätte länger spazierengehen können.*

Als letzter Gruß/ Als letzten Gruß: Beide Formulierungen sind richtig. Beschriftungen auf Kranzschleifen sind als verkürzte Sätze aufzufassen. Die vollständigen Sätze könnten also etwa lauten: *Wir bringen diesen Kranz als letzten Gruß* (= Wenfall) oder: *Dieser Kranz ist als letzter Gruß gedacht* (= Werfall).

also: Vor *also* steht ein Komma, wenn es einen Nachtrag einleitet: *Das ist ein veraltetes, also ungebräuchliches Wort. Er hat alle Kinder, also auch die frechen, gern gehabt. Sie antwortete, also schien sie interessiert zu sein.* Auch das bekräftigend aus dem Satz herausgehobene *also* wird durch ein Komma abgetrennt: *Also, es bleibt dabei! Also, bis morgen!*

alters: Es heißt entweder *seit alters* oder *von alters her.* Man schreibt also: *Seit alters findet dieses Fest Ende September statt.* Oder aber: *Von alters her findet dieses Fest Ende September statt.* (Nicht korrekt ist dagegen die Vermischung *seit alters her.*)

am Arbeiten (Feiern, Essen o. ä.) sein: Diese Form gehört der landschaftlichen Umgangssprache an. Hochsprachlich heißt es *beim (beim Arbeiten, Feiern, Essen sein)* oder *im (im Weggehen, Abklingen sein).*

am Montag (Dienstag, Mittwoch usw.), dem/den: Beide Formen sind korrekt. Man kann sagen *Die Konferenz findet am Montag, dem 1. März 1986, statt* oder: *Die Konferenz findet am Montag, den 1. März 1986 statt.* Zu beachten ist aber, daß im ersten Beispielsatz *dem 1. März 1986* ein Beisatz (eine Apposition) ist, der in Kommas eingeschlossen werden muß. Im zweiten Beispielsatz dagegen ist *den 1. März 1986* eine Aufzählung im Wenfall, nach der kein Komma steht. Wird der Satz noch um die Angabe der Uhrzeit erweitert, wird diese jedoch in beiden Fällen durch Komma abgetrennt: *Die Konferenz findet am Montag, dem* oder *den 1. März 1986, um 11 Uhr statt.* Kein Komma steht hinter der Uhrzeitangabe.

Amtmännin/Amtfrau/ Frau Amtmann: Die weibliche Entsprechung zu *Amtmann* lautet entweder *Amtmännin* oder *Amtfrau.* In der Anrede ist *Frau Amtmann* üblich.

an oder **zu:** Der Gebrauch von *an* oder *zu* in Verbindung mit den Namen von Festen ist landschaftlich verschieden. Während man besonders in Süddeutschland *an Ostern, an Pfingsten, an Weihnachten* usw. sagt, ist in Norddeutschland *zu* gebräuchlich: *zu Ostern, zu Pfingsten, zu Weihnachten* usw. Beide Ausdrucksweisen sind korrekt.

an die: Wenn *an die* soviel bedeutet wie „etwa, ungefähr", hat es keinen Einfluß auf die Beugung des folgenden

Hauptworts. Dies kann man erkennen, wenn man *an die* zur Probe wegläßt: *Ich bin fünf Bekannten begegnet,* deshalb: *Ich bin an die fünf Bekannten begegnet. Sie half 50 Kindern,* deshalb: *Sie half an die 50 Kindern. Gemeinden von 10 000 Einwohnern,* deshalb: *Gemeinden von an die 10 000 Einwohnern. Er bereiste 50 Städte,* deshalb: *Er bereiste an die 50 Städte.*

an einem Tag wie jedem anderen/wie jeder andere: Beide Formen sind korrekt. Man setzt entweder den fraglichen Ausdruck in unmittelbare Beziehung zu *Tag,* also: *an einem Tag wie jedem anderen.* Beide Glieder stehen dann im Wemfall. Oder man sieht *wie jeder andere* als die Verkürzung eines Nebensatzes an, der vollständig etwa lauten würde: *wie es jeder andere Tag ist.*

an was oder **woran:** Vor allem in der gesprochenen Sprache wird heute *woran* häufig durch *an was* ersetzt: *An was denkst du? Ich frage mich, an was du denkst.* Die Verbindung *an was* ist jedoch umgangssprachlich gefärbt; stilistisch besser ist *woran: Woran denkst du? Ich frage mich, woran du denkst.*

anbauen: Nach *anbauen an* steht im allgemeinen der Wenfall (Frage: wohin?): *eine Veranda an das Haus anbauen.* Die Verbindung mit dem Wemfall (Frage: wo?) ist auch möglich, sie kommt aber nicht so häufig vor: *eine Veranda an dem Haus anbauen.*

anbei: Ein Hauptwort in Verbindung mit dem im geschäftlichen Briefwechsel häufiger gebrauchten *anbei* kann im Werfall stehen: *Anbei gewünschter Verrechnungsscheck* oder im Wenfall: *Anbei gewünschten Verrechnungsscheck.* Das zuletzt genannte Beispiel könnte vollständiger auch lauten: *Anbei übersenden wir Ihnen den gewünschten Verrechnungsscheck.*

anbringen: Nach *anbringen an* steht überwiegend der Wemfall (Frage: wo?): *Er brachte das Bücherbrett an der Wand an.* Die Verbindung mit dem Wenfall (Frage: wohin?) ist auch möglich: *Er brachte das Bücherbrett an die Wand an.*

andere: **1. Rechtschreibung:** Das Wort *andere* wird immer und in allen seinen Formen klein geschrieben: *der andere, eine andere, alles andere, nichts anderes, kein anderer, zum einen – zum andern.* **2. Beugung nach *andere:*** Ein auf *andere* folgendes Eigenschaftswort oder Mittelwort (Partizip) wird (auch wenn es als Hauptwort gebraucht wird) in gleicher Weise gebeugt wie *andere* selbst: *anderes gedrucktes Material, bei anderer seelischer Verfassung, eine Menge anderer wertvoller Gegenstände; ein anderer*

Abgeordneter, die anderen Beamten, die Forderungen anderer Betroffener. Eine Abweichung gibt es im Wemfall, wenn es beispielsweise für *aus anderem wertvollem Material* oder *mit anderem Neuem* häufig auch heißt: *aus anderem wertvollen Material* oder *mit anderem Neuen.* **3. jemand anders/jemand anderer:** In Verbindung mit den Wörtern *jemand, niemand* und *wer* wird üblicherweise die Form *anders* gebraucht: *es war jemand anders; wer anders, mit wem anders; sie kennt hier niemand anders.* Daneben tritt besonders im Süddeutschen und im Österreichischen auch die Form *anderer* mit den entsprechenden Beugungsformen auf: *jemand anderer, mit jemand anderem, ich meine wen anderen, ich kenne hier niemand anderen.* **4. Vergleich:** Bei einem Vergleich steht nach *andere* das Wort *als* (nicht: *wie*): *Er war alles andere als schön. Es war ganz anders als beim ersten Mal.*

anderes als: Wenn die Angabe nach *anderes als* in der Mehrzahl steht, dann kann das zugehörige Zeitwort in der Einzahl oder in der Mehrzahl stehen, die Mehrzahl wird im allgemeinen bevorzugt: *Anderes als leere Kartons fand sich nicht,* häufiger: *fanden sich nicht in dem Verschlag.*

anempfehlen: Die Formen von Gegenwart und Vergangenheit dieses Zeitwortes sind: *empfiehlt an/empfahl an* und ebenso: *anempfiehlt/anempfahl. Man empfiehlt (empfahl) uns dieses Hotel an.* Oder: *Man anempfiehlt (anempfahl) uns dieses Hotel.*

anerkennen: Die Formen von Gegenwart und Vergangenheit dieses Zeitworts sind: *erkennt an/erkannte an.* Seltener, aber auch richtig sind die nicht getrennten Formen: *anerkennt/anerkannte: Er erkennt (erkannte) die Forderungen der Gläubiger an.* Seltener: *Er anerkennt (anerkannte) die Forderungen der Gläubiger.*

anfällig: Das Wort *anfällig* wird meist mit *für,* seltener mit *gegen* verbunden: *Er ist anfällig für Erkältungen,* seltener auch: *Er ist anfällig gegen Erkältungen.* Beide Anschlüsse sind korrekt.

Anfang/anfangs: Bei dem Hauptwort *Anfang* kann ein Monatsname, eine Jahreszahl oder eine Zeitangabe wie *Jahr, Monat, Woche* stehen: *Anfang Februar, Anfang 1980, Anfang des Jahres.* Das Umstandswort (Adverb) *anfangs* dagegen steht ohne weitere zeitliche Angabe: *Anfangs war alles noch in Ordnung.* Nicht korrekt ist die Verbindung von *anfangs* mit einer Zeitangabe, wie sie bisweilen in der Umgangssprache vorkommt (etwa: *Anfangs des Jahres besucht Sie unser Vertreter.*)

anfangen: **1. Wortstellung:** Bei der Bildung von Sätzen mit dem Zeitwort *anfangen* ergeben sich oft Schwierigkeiten bei der Wortstellung. Richtig gebildet sind beispielsweise die Sätze: *Danach fing sie an, bitterlich zu weinen* und: *Danach fing sie bitterlich zu weinen an.* Nicht richtig hingegen wäre: *Danach fing sie bitterlich an zu weinen.* Nicht richtig ist die Stellung auch im folgenden Beispiel: *Man wird uns entdecken, wenn der Hund an zu bellen fängt.* Richtig ist: *... wenn der Hund zu bellen anfängt* oder: *... wenn der Hund anfängt zu bellen.* **2. haben oder sein:** Hochsprachlich korrekt ist nur: *Ich habe bei ihm angefangen.* Nicht richtig hingegen ist die in manchen Landschaften gebräuchliche Form: *Ich bin bei ihm angefangen.* **3. Komma:** Wenn das Zeitwort *anfangen* mit der erweiterten Grundform (dem erweiterten Infinitiv) eines anderen Zeitwortes verbunden ist, dann kann man ein Komma setzen oder es weglassen: *Er fing an die Steine zu sortieren* (hier ist *anfangen* Hilfszeitwort) oder: *Er fing an, die Steine zu sortieren.* Tritt aber zu *anfangen* eine nähere Bestimmung, dann muß das Komma stehen: *Er fing sofort an, die Steine zu sortieren.*

anfragen: Das Zeitwort *anfragen* steht mit dem Verhältniswort (der Präposition) *bei,* wenn die befragte Person genannt wird. Richtig muß es also heißen: *Sie fragte telefonisch bei ihm wegen der Bücher an.* (Nicht: *Sie fragte ihn telefonisch wegen der Bücher an.*)

Anführungszeichen („Gänsefüßchen"): **1. Formen:** Die Anführungszeichen haben in Hand- oder Maschinenschrift die Formen „ " oder " ", als halbe Anführungszeichen ‚ ' oder ' '. Halbe Anführungszeichen stehen innerhalb eines Textes, der bereits in Anführungszeichen steht: „Meine Damen, Sie sehen nun das Modell ‚Abendwolke'." **2. Gebrauch: a)** Anführungszeichen stehen bei der wörtlichen Rede, bei wörtlich wiedergegebenen Gedanken und Textstellen (= Zitaten): *„Es ist unbegreiflich", sagte er zu mir. „So – das war also Paris", dachte sie. „Der Mensch", so heißt es auf S. 47, „ist ein Gemeinschaftswesen."* **b)** Anführungszeichen dienen der Hervorhebung einzelner Wörter, Namen, Fügungen, Titel von Büchern, Zeitungen, Fernsehsendungen usw.: *Das Wort „Schiffahrt" wird mit zwei „f" geschrieben. Mit seinem Motto „Abwarten und Tee trinken" kommt er hier nicht weit. Um wieviel Uhr kommt heute der Film „Manche mögen's heiß" im Fernsehen? Der Umfang des Magazins „Der Spiegel" hat zugenommen.* (Aber: *der Umfang des „Spiegels".*) Man braucht aber keine Anführungszeichen zu setzen, wenn durch den Textzusammenhang die Bedeutung klar ist *(das Hotel Bahamas, das Segelschiff Gorch Fock, der Film Casablanca)* oder wenn die hervorzuhebenden Teile bereits auf andere Weise kenntlich gemacht sind: das Wort *Lebensstandard.* Hast du *Vom Winde verweht* gesehen? Eine besondere Art der Hervorhebung liegt z. B. vor in: *Der „treue" Freund verriet sie als erster. Auf der Landwirtschaftsschau gab es allerhand „Schweinereien" zu sehen.* Die Anführungszeichen verdeutlichen hier ein Wortspiel, machen eine als Ironie gedachte Ausdrucksweise deutlich. **3. Zusammentreffen von Anführungszeichen und anderen Zeichen: a)** Anführungszeichen und Punkt: Der Punkt steht vor dem schließenden Anführungszeichen, wenn er zur wörtlichen Rede bzw. zum Zitat gehört: *Er erwiderte: „Das muß jeder selbst entscheiden."* Der Punkt steht hinter dem schließenden Anführungszeichen, wenn er nicht zu der Anführung gehört: *Nach Konrad Adenauer herrscht in der Bundesrepublik „ein Abgrund von Landesverrat". Ich lese gerade „Es muß nicht immer Kaviar sein". Wir fuhren mit dem Luxusdampfer „Bremen".* **b)** Anführungszeichen und Komma: Das Komma steht hinter dem schließenden Anführungszeichen: *„Wir lassen uns nicht entmutigen", so betonte der Minister. „Es ist möglich", sagte er, „daß wir noch heute abreisen." Als er mich fragte: „Weshalb darf ich das nicht?", war ich sehr verlegen.* Es steht aber kein Komma, wenn die wörtliche Rede mit einem Ausrufezeichen oder Fragezeichen schließt: *„Du bist ein Schuft!" rief sie. „Kommst du mit?" fragte er.* **c)** Anführungszeichen und Ausrufe- oder Fragezeichen: Das Ausrufezeichen (bzw. Fragezeichen) steht vor dem schließenden Anführungszeichen, wenn es zur Anführung gehört. *„Komm mir nicht wieder unter die Augen!" rief sie. „Wer kommt denn nun alles?" fragte sie.* Das Ausrufe- bzw. Fragezeichen steht hinter dem schließenden Anführungszeichen, wenn es nicht zur Anführung gehört: *Sing doch nicht immer nur „Hänschen klein"! Kennst du auch „Asterix und Cleopatra"?*

Angebot: Das Wort hat mehrere Bedeutungen, an die jeweils mit anderen Verhältniswörtern (Präpositionen) angeschlossen wird. In der Bedeutung „angebotene Warenmenge" wird es mit *von* oder *an* verbunden: *Das Angebot von Gemüse* oder *an Gemüse war gering.* In der Bedeutung „Auswahl, Sortiment" steht es mit dem Verhältniswort *in: Das Angebot in Elektrogeräten ist sehr groß.* Hat es die Bedeutung „Offerte, Kaufangebot", dann kann es mit *über* oder *für* verbunden werden: *Wir bitten Sie um Ihr Angebot über die Lieferung von ...* oder *für die Lieferung von ...* Im Sinne von „Anerbieten, Preisvorschlag" schließlich kann *Angebot* die Verhältniswörter *auf,* seltener auch *für* nach sich haben: *Er hat ein günstiges Angebot auf das Haus* oder auch *für das Haus erhalten.*

Angehörige, der und die: Man beugt das Wort in folgender Weise: *der Angehörige, ein Angehöriger, zwei Angehörige, die Angehörigen, einige Angehörige, alle Angehörigen, solche Angehörige* und *solche Angehörigen, beide Angehörigen* und seltener auch *beide Angehörige; genanntem Angehörigen, die Teilnahme ehemaliger Angehöriger.*
Als Beisatz (Apposition): *mir (dir, ihm) als Angehörigen* und *mir (dir, ihm) als Angehörigem; ihr als Angehörigen* und *ihr als Angehöriger.*

Angeklagte, der und die: **1. Beugung:** Man beugt das Wort in folgender Weise: *der Angeklagte, ein Angeklagter, zwei Angeklagte, die Angeklagten, einige Angeklagte, alle Angeklagten, solche Angeklagte* und *solche Angeklagten, beide Angeklagten* und seltener auch *beide Angeklagte; genanntem Angeklagten, die Verurteilung jugendlicher Angeklagter.* Als Beisatz (Apposition): *mir (dir, ihm) als Angeklagten* und *mir (dir, ihm) als Angeklagtem; ihr als Angeklagten* und *ihr als Angeklagter.* **2. Komma:** Man kann sowohl schreiben: *Das hat der Angeklagte A. Schmidt gesagt* als auch: *Das hat der Angeklagte, A. Schmidt, gesagt.* Im zweiten Fall wird der Name als nachgetragener Beisatz aufgefaßt, der durch Komma abgetrennt wird.

angenehm enttäuscht: Diese meist scherzhaft gemeinte Fügung (an Stelle von *angenehm überrascht*), bei der der negative Sinn von *enttäuscht* bewußt außer acht gelassen wird, soll ausdrükken, daß das Ausbleiben einer bereits einkalkulierten Enttäuschung als sehr angenehm, erfreulich empfunden wird. Diese scherzhafte Fügung ist umgangssprachlich.

angenommen: Nach *angenommen* steht immer ein Komma: *Können wir, angenommen, er kommt, die Angelegenheit gleich klären? Angenommen, daß morgen schönes Wetter ist, wohin wollen wir fahren?*

Angestellte, der und die: Das Wort wird in folgender Weise gebeugt: *der Angestellte, ein Angestellter, zwei Angestellte, die Angestellten, einige Angestellte, alle Angestellten, solche Angestellte* und *solche Angestellten, beide Angestellten* und seltener auch *beide Angestellte; besagtem Angestellten, die Aufgabe leitender Angestellter.*
Als Beisatz (Apposition): *mir (dir, ihm) als Angestellten* und *mir (dir, ihm) als Angestelltem; ihr als Angestellten* und *ihr als Angestellter.*

Angriff: Nach dem Wort *Angriff* im Sinne von „das Angreifen, Beginnen eines Kampfes“ kann in vielen Fällen mit *auf* oder mit *gegen* angeschlossen werden: *Sie flogen Angriffe auf* oder *gegen Nachschubwege.* In bestimmten Zusammenhängen wird jedoch die eine oder die andere Möglichkeit bevorzugt: *Der Angriff auf* (selten auch: *gegen) die feindlichen Stellungen brach zusammen.* Oder: *Der Gegner trug einen Angriff gegen* (selten auch: *auf*) *die Befestigungen am Kanal vor.* Wird *Angriff* in der Bedeutung „heftige Kritik, Anfeindung“ gebraucht, dann ist nur *gegen* üblich: *Das sind massive Angriffe gegen das Fernsehen.* Oder: *Sie richteten Angriffe gegen die Opposition.*

anheften: Nach *anheften an* kann sowohl der Wenfall stehen (Frage: wohin?) als auch der Wemfall (Frage: wo?): *Sie wollte eine Schleife an das Kleid* oder *an dem Kleid anheften. Er hat einen Zettel an die Tür* oder *an der Tür angeheftet.*

anklagen, sich: Bei *sich anklagen als* steht das dem *als* folgende Hauptwort gewöhnlich im Werfall: *Er klagte sich als der eigentliche Schuldige an.* Der Wenfall *(Er klagte sich als den eigentlichen Schuldigen an)* kommt seltener vor, ist aber auch richtig.

ankleben: Nach *ankleben an* kann sowohl der Wenfall stehen (Frage: wohin?) als auch der Wemfall (Frage: wo?): *Er klebte einen Zettel an die Tür* oder *an der Tür an.*

ankommen: In Sätzen wie *Es kommt ganz auf das Wetter an. Auf dich allein kommt es jetzt an* o. ä. wird sehr häufig fälschlich *darauf* oder *drauf* hinzugefügt. (Nicht richtig also: *Es kommt ganz auf das Wetter darauf an* oder: *Auf dich allein kommt es jetzt drauf an.*)

Anlage: **1. als Anlage/in der Anlage:** Diese im geschäftlichen Briefwechsel häufig verwendeten Formulierungen sind beide möglich: *Als Anlage übersende ich Ihnen* oder *In der Anlage übersende ich Ihnen zwei Gutachten.* **2. Anlage 1 und 2 enthält/enthalten alles Wichtige:** Bei Formulierungen dieser Art kann das Zeitwort in der Einzahl oder in der Mehrzahl stehen, beides ist richtig. Entsprechend also auch: *Anlage 1 bis 3* (oder *Anlage 1 bis Anlage 3*) *enthält* oder *enthalten alles Wichtige.* Dagegen aber: *Die Anlagen 1 und 2 enthalten alles Wichtige.* In diesem Fall ist nur die Mehrzahl möglich.

anläßlich: Das besonders in der Amts- und Verwaltungssprache verwendete Verhältniswort (die Präposition) *anläßlich* wird mit dem Wesfall verbunden: *anläßlich seines Besuches, anläßlich des Jahrestages, anläßlich ihres Jubiläums.* Andere Möglichkeiten, die als stilistisch besser gelten, sind *bei, zu* und *aus Anlaß,* die je nach Zusammenhang an die Stelle von *anläßlich* treten können: *Er* *sprach bei seinem Besuch auch mit dem Oppositionsführer. Zum Jahrestag der Befreiung waren alle Gebäude beflaggt. Aus Anlaß ihres Jubiläums erhielt sie ein Geschenk.* Nicht korrekt ist eine Vermischung zweier Möglichkeiten: *die uns anläßlich zu unserer Hochzeit übermittelten Glückwünsche.* Richtig ist nur: *anläßlich unserer Hochzeit* oder besser noch: *zu unserer Hochzeit.*

anlegen: Nach *anlegen an* steht im allgemeinen der Wemfall (Frage: wo?): *Das Boot legte am Ufer an.* Die Verbindung mit dem Wenfall (Frage: wohin?) ist auch möglich, sie kommt aber nicht so häufig vor: *Das Boot legte ans Ufer an.* Nach *anlegen in* im Sinne von „investieren" kann nur der Wemfall stehen: *Er legte sein Geld in Wertpapieren* (nicht: *Wertpapiere*) *an.*

anleimen: Nach *anleimen an* kann sowohl der Wenfall stehen (Frage: wohin?) als auch der Wemfall (Frage: wo?): *Er leimte das abgebrochene Stück an den Lampenschirm* oder auch *an dem Lampenschirm wieder an.*

anliegend: Die im geschäftlichen Briefwechsel häufig gebrauchte Formel *Anliegend übersenden wir Ihnen ...* wird oft als mißverständlich empfunden. Man weicht daher besser auf die eindeutigeren Formulierungen *als Anlage, in der Anlage* oder *anbei* aus.

anlöten: Nach *anlöten an* kann sowohl der Wemfall (Frage: wo?) als auch der Wenfall (Frage: wohin?) stehen: *Er lötete den Draht an der Fassung* oder *an die Fassung an.*

anmontieren: Nach *anmontieren an* kann sowohl der Wemfall (Frage: wo?) als auch der Wenfall (Frage: wohin?) stehen: *Er wollte eine Halterung an der Wand* oder *an die Wand anmontieren.*

anrufen: Richtig ist nur die Verbindung mit dem Wenfall: *Ich rufe dich später an.* Die Verbindung mit dem Wemfall *(Ich rufe dir später an)* gehört der landschaftlichen Umgangssprache an und gilt in der Hochsprache als nicht korrekt.

anscheinend/ scheinbar: Auf den Bedeutungsunterschied zwischen den beiden Wörtern wird in der Umgangssprache oft nicht geachtet und *scheinbar* fälschlich im Sinne von *anscheinend* gebraucht. Das Eigenschaftswort *scheinbar* sagt aus, daß etwas nur dem äußeren Eindruck nach, nicht aber in Wirklichkeit so ist, wie es sich darstellt: *Die Zeit stand scheinbar still. Der Widerspruch ist nur scheinbar.* Mit *anscheinend* hingegen wird die Vermutung ausgedrückt, daß etwas so ist, wie es erscheint: *Er ist anscheinend* *krank. Anscheinend ist niemand im Haus.* Will man eine Vermutung zum Ausdruck bringen, dann ist der Gebrauch von *scheinbar* nicht korrekt: *Du hast mich scheinbar* (statt richtig: *anscheinend*) *vergessen. In diesem Gehege sind scheinbar* (statt richtig: *anscheinend*) *Mufflons.*

anschließen: Nach *anschließen an* in der Bedeutung „anbringen, verbinden" steht der Wenfall (Frage: wohin?), seltener auch der Wemfall (Frage: wo?): *den Schlauch an die Wasserleitung,* seltener *an der Wasserleitung anschließen.* In manchen Fällen ist nur der Wenfall üblich: *Das Haus wurde an die Fernheizung angeschlossen.*

anschweißen: Nach *anschweißen an* kann sowohl der Wemfall (Frage: wo?) als auch der Wenfall (Frage: wohin?) stehen: *Wir müssen einen Flansch an dem Rohr* oder *an das Rohr anschweißen.*

ansehen, sich: Bei *sich ansehen als* steht das dem *als* folgende Hauptwort gewöhnlich im Werfall: *Er sieht sich als guter Kollege an.* Der Wenfall *(Er sieht sich als guten Kollegen an)* ist weniger gebräuchlich, gilt jedoch auch als richtig.

Ansehen: Nach Ausdrucksweisen wie *das Ansehen des Kunsterziehers, des Unternehmers; das Ansehen von Kunsterzieher Müller, von Direktor Meyer* steht gelegentlich eine Ergänzung mit *als: das Ansehen des Kunsterziehers als Lehrer; das Ansehen von Kunsterzieher Müller als Lehrer.* Dabei ist folgendes zu beachten:

Das Ansehen des Kunsterziehers als ...: Folgt nach *als* eine Ergänzung mit *der, die, das, ein, eine* usw., wird diese üblicherweise in den gleichen Fall gesetzt wie das Wort, auf das sie sich bezieht (hier: *des Kunsterziehers;* Wesfall): *Das schadet dem Ansehen des Kunsterziehers als des beliebtesten Lehrers der Schule.* Folgt jedoch die Ergänzung nach *als* ohne *der, die* usw., ist es heute üblich, den Werfall zu verwenden: *Das schadet dem Ansehen des Kunsterziehers als beliebtester Lehrer der Schule.* Das gleiche gilt für Beispiele mit Fürwort: *Das ist er seinem Ansehen als beliebtester Lehrer schuldig.*

Das Ansehen von Kunsterzieher Müller als ...: In solchen Sätzen wird die auf *als* folgende Ergänzung üblicherweise auf *von* bezogen und deshalb in den Wemfall (Frage: von wem?) gesetzt: *das Ansehen von Kunsterzieher Müller als dem beliebtesten Lehrer/als beliebtestem Lehrer der Schule.* Es ist jedoch auch möglich, die Ergänzung in den Werfall zu setzen: *das Ansehen von Kunsterzieher Müller als beliebtester Lehrer der Schule. Das schadet dem Ansehen von Direktor Meyer als erfolgreicher Unternehmer.*

anstatt: **1. Beugung:** Das Wort *anstatt* kann entweder Verhältniswort (Präposition) oder Bindewort (Konjunktion) sein. Als Verhältniswort bedeutet es soviel wie „an Stelle" und hat nach sich den Wesfall: *Anstatt des Geldes gab sie ihm ihren Schmuck. Anstatt eines Binders trug er eine Fliege.* Eine Ausnahme wird jedoch bei den Hauptwörtern gemacht, die im Wesfall genauso aussehen wie im Werfall *([die] Worte – [der] Worte).* Statt des Wesfalles wird dann der Wemfall verwendet: *Anstatt Worten will ich Taten sehen. Anstatt* kann jedoch auch als Bindewort verwendet werden. Es hat dann die Bedeutung „und nicht". In dieser Bedeutung hat *anstatt* keinen Einfluß auf das folgende Wort und seine Beugung: *Er half ihr anstatt ihrem Begleiter* (= und nicht ihrem Begleiter). *Man zeichnete sie anstatt ihn* (= und nicht ihn) *aus.* In manchen Sätzen kann man *anstatt* sowohl als Verhältniswort wie auch als Bindewort verwenden. Deshalb sind im folgenden Beispielsatz beide Formen korrekt: *Er traf den Pfahl anstatt der Konservendose* (= an Stelle der Konservendose). *Er traf den Pfahl anstatt die Konservendose* (= und nicht die Konservendose). **2. Komma:** Ein mit *anstatt daß* eingeleiteter Satz wird immer durch Komma abgetrennt: *Sie lobte ihn, anstatt daß sie ihn tadelte. Anstatt daß der Minister kam, erschien nur sein Staatssekretär.* Auch eine Fügung mit *anstatt zu* wird durch Komma abgetrennt: *Er spielte, anstatt zu arbeiten. Anstatt sich zu beeilen, bummelte sie.*

Antrag: Das Hauptwort *Antrag* wird mit dem Verhältniswort (der Präposition) *auf* verbunden (nicht mit *um* oder *nach*): *Er stellte einen Antrag auf Fahrpreisermäßigung.*

antwortlich: Dieses veraltete Wort der Amts- und Kaufmannssprache steht, falls man es verwenden will, mit dem Wesfall: *Antwortlich Ihres Schreibens ...* Stilistisch besser ist: *Auf Ihr Schreiben ...*

anvertrauen: Die Formen von Gegenwart und Vergangenheit dieses Zeitworts sind: *vertraut an/vertraute an.* Seltener, aber auch richtig sind die nicht getrennten Formen: *anvertraut/anvertraute: Er vertraut (vertraute) uns seine Sachen an.* Seltener: *Er anvertraut (anvertraute) uns seine Sachen.*

Anwesende, der und die: Man beugt das Wort in folgender Weise: *der Anwesende, ein Anwesender, zwei Anwesende, die Anwesenden, einige Anwesende, alle Anwesenden, solche Anwesende* und *solche Anwesenden, beide Anwesenden* und seltener auch *beide Anwesende; besagtem Anwesenden, die Mehrheit stimmberechtigter Anwesender.*

Als Beisatz (Apposition): *mir (dir, ihm) als Anwesenden* und: *mir (dir, ihm) als Anwesendem; ihr als Anwesenden* und: *ihr als Anwesender.*
In der Anrede: *Verehrte Anwesende!* (nicht: *Anwesenden*), aber: *Meine verehrten Anwesenden!*

Anzahl: **1. Eine Anzahl Tippfehler fand/fanden sich in dem Schreiben:** Im allgemeinen wird das Zeitwort auf *Anzahl* bezogen und in die Einzahl gesetzt: *Eine Anzahl Tippfehler fand sich in dem Schreiben. Bei dem Einbruch wurde eine Anzahl kostbarer Gemälde gestohlen. Eine Anzahl Studenten demonstrierte vor dem Gebäude.* Gelegentlich wird das Zeitwort aber nicht auf *Anzahl,* sondern auf das Gezählte bezogen und in die Mehrzahl gesetzt (d. h., man konstruiert nach dem Sinn): *Eine Anzahl Tippfehler fanden sich in dem Schreiben. Bei dem Einbruch wurden eine Anzahl kostbarer Gemälde gestohlen. Eine Anzahl Studenten demonstrierten vor dem Gebäude.* Beide Möglichkeiten sind korrekt. **2. eine Anzahl hübscher/hübsche Sachen:** Üblicherweise steht nach *Anzahl* die folgende Angabe im Wesfall: *eine Anzahl hübscher Sachen; für eine Anzahl Abgeordneter; mit einer Anzahl Schafe, kleiner Kinder.* Es ist jedoch auch möglich, die dem Mengenbegriff *Anzahl* folgende Angabe in den gleichen Fall zu setzen wie *Anzahl: eine Anzahl hübsche Sachen; für eine Anzahl Abgeordnete; mit einer Anzahl Schafen, kleinen Kindern.* Beide Möglichkeiten sind korrekt.

Anzahl oder **Zahl:** Die alte Unterscheidung, daß *Zahl* die Gesamtzahl, die Gesamtmenge ausdrückt, *Anzahl* dagegen einen Teil davon, ist auch im heutigen Sprachgebrauch noch nicht verlorengegangen: *Eine größere Anzahl Mitglieder ist ausgetreten. Die Zahl der verbliebenen Mitglieder beträgt 3497.* Der Unterschied sollte überall da beachtet werden, wo es auf eine präzise Aussage ankommt.

Architekt: In der Regel erhält das Hauptwort *Architekt* – außer im Werfall – die Endung *-en: der Architekt, des Architekten* (nicht: *des Architekts*), *dem Architekten* (nicht: *dem Architekt*), den Architekten (nicht: *den Architekt*), Mehrzahl: *die Architekten.* In der Anschrift ist auch die ungebeugte Form *Architekt* zulässig: *[An] Herrn Architekt Meyer* neben *[An] Herrn Architekten Meyer.*

Art: **1. eine Art Salats/Salat/von Salat:** Die der Fügung *eine Art ...* sich anschließende Ergänzung kann folgendermaßen aussehen: *eine Art Salats, eine Art Salat, eine Art von Salat.* Alle drei Formen sind richtig. Die erste Form allerdings klingt sehr gehoben und wird ganz selten verwendet. Steht bei dem Hauptwort (hier: *Salat*) eine

Beifügung, heißt es: *eine Art italienischen Salats, eine Art italienischer Salat, eine Art von italienischem Salat.* Im Wemfall: *Der Wirt kam mit einer Art italienischen Salats, mit einer Art italienischem Salat, mit einer Art von italienischem Salat.* Ist die Ergänzung jedoch nicht (wie *der Salat*) männlich oder sächlich, sondern weiblich (z. B. *die Glasur*), lauten die Formen: *eine Art Glasur, eine Art von Glasur.* Mit Beifügung: *eine Art blauer Glasur, eine Art von blauer Glasur.* Im Wemfall: *mit einer Art blauer Glasur, mit einer Art von blauer Glasur.* Neben *mit einer Art blauer Glasur* ist auch *mit einer Art blauen Glasur* korrekt. **2. Diese Art Übungen ist/sind zu absolvieren:** Im allgemeinen wird das Zeitwort auf *Art* bezogen und in die Einzahl gesetzt: *Diese Art Übungen ist zu absolvieren. Welche Art Übungen wird absolviert?* Gelegentlich wird das Zeitwort aber nicht auf *Art,* sondern auf das Gezählte bezogen und in die Mehrzahl gesetzt (d. h., man konstruiert nach dem Sinn): *Diese Art Übungen sind zu absolvieren. Welche Art Übungen werden absolviert?* Beide Möglichkeiten sind korrekt.

auch wenn:

Ein mit *auch wenn* eingeleiteter Satz wird immer durch Komma abgetrennt: *Er freut sich über jede Nachricht, auch wenn du ihm nur eine Karte schreibst. Auch wenn sie hervorragende Zeugnisse gehabt hätte, hätte sie die Stelle nicht bekommen.* Bildet jedoch *auch wenn* keine Einheit, sondern bezieht sich *auch* auf ein Wort des Hauptsatzes und ist besonders betont, steht das Komma zwischen *auch* und *wenn: Er freut sich auch, wenn du ihm nur eine Karte schreibst.*

auf:

1. Rechtschreibung: Richtig ist *auf und ab gehen,* aber: *auf- und absteigen.* Die unterschiedliche Schreibweise hat folgenden Grund: Im ersten Beispiel ist *auf und ab* ein zusammengehörendes Wortpaar in der Bedeutung „ohne bestimmtes Ziel“. Im zweiten Beispiel handelt es sich um zwei unabhängige Zusammensetzungen, nämlich *aufsteigen* und *absteigen.* Beim ersten Wort ersetzt nun der Bindestrich *-steigen: auf-* (= aufsteigen). Die Zusammensetzung *absteigen* schließt sich an. **2. auf oder in:** Bei Inselnamen steht *auf: auf Sylt, auf der Mainau, auf Capri.* Ist dieser Name jedoch auch Ländername (z. B. bei Jamaika), ist *auf* und *in* richtig: *auf Jamaika* oder *in Jamaika.*

auf was oder **worauf:**

Vor allem in der gesprochenen Sprache wird heute *worauf* häufig durch *auf was* ersetzt: *Auf was stützt sich Ihre Annahme? Ich weiß nicht, auf was sich Ihre Annahme stützt.* Die Verbindung *auf was* ist jedoch umgangssprachlich. Stilistisch besser ist *worauf: Worauf stützt sich Ihre Annahme? Ich weiß nicht, worauf sich Ihre Annahme stützt.*

auffallend oder **auffällig:** Das Eigenschaftswort *auffällig* wird meist dann verwendet, wenn etwas Ungünstiges, Unerfreuliches, Negatives ausgedrückt werden soll. *Sie trug auffällige* (d. h. kräftige, grelle) *Farben. Er benimmt sich auffällig* (d. h. merkwürdig).
Dagegen wird *auffallend* meist mit Günstigem, Erfreulichem, Positivem verbunden: *eine Frau von auffallender Schönheit; ein auffallend intelligentes Kind.* Man sagt aber auch: *auffallend häßlich sein.*

aufführen, sich: Bei *sich aufführen wie* oder *als* steht das folgende Hauptwort heute im Werfall, nicht mehr im Wenfall. Richtig ist also: *Er führte sich wie ein Narr auf. Er führt sich als großer Herr auf.*

auf Grund/durch/wegen: Diese Wörter werden oft falsch angewendet oder verwechselt. Will man das richtige Wort wählen, so muß man die inhaltlichen Unterschiede beachten. Die Fügung *auf Grund* gibt den Ausgangspunkt oder die Grundlage für ein bestimmtes Handeln an: *Auf Grund bestimmter Aussagen wurde er verhaftet. Sie wurde auf Grund meines Vorschlags beauftragt.* Dagegen nennt *durch* das Mittel oder Werkzeug: *Durch den Blitzschlag wurde das Haus zerstört* (nicht: *Auf Grund des Blitzschlags ...*). *Wir haben durch die Zeitung von dem Unglück erfahren.* Jedoch nicht: *Durch den Kälteeinbruch wurden die Arbeiten verschoben.* Sondern: *Wegen des Kälteeinbruchs wurden die Arbeiten verschoben.* Denn hier wird nicht nach dem Mittel, sondern nach der Ursache gefragt, und *wegen* drückt diese Ursache aus: *Wegen Umbaus ist das Geschäft geschlossen. Sie fehlte wegen Krankheit.*

aufhängen: Die Formen von *aufhängen* lauten: *hängte auf, hat aufgehängt.* Es muß also heißen: *Ich hängte* (nicht: *hing*) *die Wäsche auf. Ich habe die Wäsche aufgehängt* (nicht: *aufgehangen*).

Aufnahmeprüfung: Bei Formulierungen wie *die Aufnahmeprüfung in die Schauspielschule* wird fälschlicherweise *in die Schauspielschule* von *-prüfung* abhängig gemacht statt von *Aufnahme.* Richtig muß es heißen: *die Prüfung zur Aufnahme in die Schauspielschule.*

aufnehmen: Nach *jemanden* oder *etwas aufnehmen in/unter/auf ...* kann sowohl der Wenfall (Frage: wohin?) als auch der Wemfall (Frage: wo?) stehen; der Wenfall ist häufiger:

Ich werde das Gedicht in meine (seltener: *in meiner*) *Sammlung aufnehmen. In die Frachtbriefe* (seltener: *In den Frachtbriefen*) *ist folgender Vermerk aufzunehmen.* Häufig ist jedoch nur einer der beiden Fälle möglich. Während der Wenfall im allgemeinen eine sehr enge Verbindung ausdrückt, bezeichnet der Wemfall eine weniger enge Bindung. Man vergleiche: *Ich nahm den jungen Mann als Schwiegersohn in meine Familie auf.* Aber: *Ich nahm ihn als Feriengast in meiner Familie auf.* In beiden Beispielen sind die Fälle nicht austauschbar. Beispiele für den Wenfall: *jemanden in die eigenen Reihen, in einen Chor, unter die Heiligen, in den Schoß der Familie aufnehmen; Angaben in ein Adreßbuch, in eine Liste, in einen Text, in ein Stenogramm, in die Ladepapiere aufnehmen; ein Theaterstück in das Repertoire aufnehmen; etwas in seinen Plan aufnehmen; etwas auf [ein Ton]band aufnehmen.* Beispiele für den Wemfall: *in keinem Krankenhaus aufgenommen werden; einen Flüchtling in der Wohnung, im Haus aufnehmen; Tote in einem Gemeinschaftsgrab aufnehmen. Ich werde zu so später Stunde in keinem Hotel mehr aufgenommen.*

Aufprall; aufprallen: Nach *Aufprall auf* ist sowohl der Wemfall (Frage: wo?) als auch der Wenfall (Frage: wohin?) richtig. Der Wemfall kommt allerdings seltener vor: *Die Maschine explodierte beim Aufprall auf das Wasser,* seltener: *auf dem Wasser. Der Mann war beim Aufprall auf das Pflaster,* seltener: *auf dem Pflaster sofort tot.*
Für *aufprallen auf* gilt das gleiche: *Das Flugzeug prallte auf das Wasser,* seltener: *auf dem Wasser auf und zerschellte.*

aufschlagen: **1. hat aufgeschlagen oder ist aufgeschlagen:** In der Bedeutung „sich erhöhen" wird das Zeitwort *aufschlagen* meist mit *haben,* seltener mit *sein* verbunden. Es heißt also: *Die Preise haben aufgeschlagen* oder seltener: *sind aufgeschlagen.* Beides ist korrekt. **2. auf dem oder auf das Pflaster aufschlagen:** Nach *aufschlagen auf* in der Bedeutung „heftig auftreffen" kann der Wemfall (Frage: wo?) und ebenso der Wenfall (Frage: wohin?) stehen. Es kann also heißen: *Er ist bei dem Sturz auf der Bordkante aufgeschlagen.* Oder: *Er ist bei dem Sturz auf die Bordkante aufgeschlagen.*

aufspielen, sich: Bei *sich aufspielen als* steht das dem *als* folgende Hauptwort heute im Werfall, nicht im Wenfall. Richtig ist also nur: *Er spielte sich als großer Held auf.* Nicht: *Er spielte sich als großen Helden auf.*

aufstützen: Nach *aufstützen auf* steht heute gewöhnlich der Wenfall (Frage: wohin?), selten der Wemfall (Frage: wo?): *Sie hatte die Ellenbogen auf den Tisch aufgestützt.* Oder seltener: *Sie hatte die Ellenbogen auf dem Tisch aufgestützt.* Beides ist korrekt.

auftragen: Nach *auftragen auf* steht gewöhnlich der Wenfall (Frage: wohin?), seltener der Wemfall (Frage: wo?). *Man trägt die Farbe auf den nassen Untergrund auf.* Oder seltener: *Man trägt die Farbe auf dem nassen Untergrund auf.* Beides ist korrekt.

aus oder **von:** Länder- und Städtenamen stehen mit dem Verhältniswort (der Präposition) *aus,* wenn mit ihnen der Lebensbereich oder der Geburtsort eines Menschen angegeben wird: *Ich komme aus Berlin, die Familie stammt aus Ostpreußen, er ist aus Schwaben.* Das Verhältniswort *von* an Stelle von *aus* gilt hier als nicht hochsprachlich. Nennt man jedoch eine Stadt oder ein Land als Ausgangspunkt einer Reise o. ä., dann kann der Orts- oder Ländername sowohl mit *aus* wie mit *von* verbunden werden: *Die Maschine kommt aus Stuttgart. Wir kommen gerade von Stuttgart.*

aus aller Herren Länder oder **Ländern:** Die heute gebräuchliche Form lautet: *aus aller Herren Länder.*

aus was oder **woraus:** Vor allem in der gesprochenen Sprache wird heute *woraus* häufig durch *aus was* ersetzt: *Aus was schließt du das? Aus was wird dieser Kuchen hergestellt?* Die Verbindung *aus was* ist jedoch umgangssprachlich. Stilistisch besser ist *woraus: Woraus schließt du das? Woraus wird dieser Kuchen hergestellt?*

Ausbildungsplatz: Will man diese Bezeichnung z. B. in einem Bewerbungsschreiben verwenden, dann kann man auf verschiedene Weise formulieren: *Ich suche einen Ausbildungsplatz* (oder *eine Lehrstelle*) *zur Erlernung des Friseurhandwerks, ... einen Ausbildungsplatz* (oder *eine Lehrstelle*) *für den Beruf des Friseurs, ... einen Ausbildungsplatz* (oder *eine Lehrstelle*) *für Friseure.*

ausbleiben: Wird das Zeitwort *ausbleiben* verneint gebraucht *(Es konnte nicht ausbleiben, daß ..., es blieb nicht aus, daß ...),* dann darf der ihm folgende Nebensatz nicht noch zusätzlich verneint werden. Nicht korrekt ist darum: *Es konnte nicht ausbleiben, daß er sich nicht erkältete.* Richtig ist: *Es konnte nicht ausbleiben, daß er sich erkältete.*

ausbreiten: Nach *ausbreiten auf* steht der Wemfall (Frage: wo?): *Sie breitete die Decke auf dem Tisch aus.* Nach *sich ausbreiten über* kann sowohl der Wemfall (Frage: wo?) als auch der Wenfall (Frage: wohin?) stehen: *Nebel breitete sich über dem Land aus.* Auch: *Nebel breitete sich über das Land aus.*

ausführen oder **durchführen:** Die beiden Zeitwörter sind in ihrer Bedeutung zwar ähnlich, doch nicht gleich. Sie sind in den meisten Fällen nicht gegeneinander austauschbar. Das Zeitwort *ausführen* bedeutet „etwas (nach Plan, nach einer Weisung) in die Tat umsetzen, realisieren, verwirklichen". Man kann beispielsweise *Reparaturen, bestimmte Arbeiten, einen Befehl, eine Bestellung, einen Auftrag ausführen.* Das Zeitwort *durchführen* bedeutet ebenfalls „etwas in die Tat umsetzen". Aber gegenüber *ausführen,* mit dem nur die Tatsache der Verwirklichung von etwas angesprochen wird, betont *durchführen* mehr den Vorgang, den Ablauf, das Organisatorische der erforderlichen Aktivität, mit der etwas realisiert wird oder werden soll. Man kann beispielsweise *Wahlen, eine Volkszählung, eine Werbeaktion, eine Messung durchführen.* In den aufgezählten Beispielen lassen sich beide Wörter nicht gegeneinander austauschen.

ausgenommen: Das *ausgenommen* vorangehende Hauptwort oder Fürwort (Pronomen) steht meist im Wenfall: *Das Museum ist täglich geöffnet, den Dienstag ausgenommen.* Es steht im Werfall, wenn das Wort, auf das es sich bezieht, ebenfalls im Werfall steht: *Alle waren gekommen, ihr Bruder ausgenommen.* (Das Bezugswort ist hier *alle.*) Folgt ein Hauptwort oder Fürwort auf *ausgenommen,* so hängt seine Beugung von dem Zeitwort des Satzes ab: *Seinen Freunden hatte er nichts davon gesagt, ausgenommen einem einzigen.* (Das Zeitwort *sagen* hat den Wemfall bei sich: *jemandem etwas sagen.* Nach *ausgenommen* steht darum hier der Wemfall: *einem einzigen.*) *Er hatte alle Teilnehmer begrüßt, ausgenommen einen, der zu spät gekommen war.* (Das Zeitwort *begrüßen* hat den Wenfall bei sich. Nach *ausgenommen* steht darum hier der Wenfall: *ausgenommen einen.*)

ausklingen: In der Bedeutung „aufhören zu klingen" können die zusammengesetzten Vergangenheitsformen von *ausklingen* mit *haben* oder mit *sein* gebildet werden: *Die Glokken hatten ausgeklungen* oder: *Die Glocken waren ausgeklungen.* In der übertragenen Bedeutung „in bestimmter Weise ausgehen, enden" hingegen ist die Bildung dieser Vergangenheitsformen nur mit *sein* möglich. *Die Feier war harmonisch ausgeklungen.*

Auslassungszeichen (Apostroph):

Das Auslassungszeichen deutet an, daß Laute, die gewöhnlich zu sprechen oder zu schreiben sind, ausgelassen werden: *Mir geht's* (= es) *gut. Sie hat 'ne* (= eine) *Menge erlebt. Ich find' das schön. Ich lass' es bleiben. Hätt' ich ihn doch gewarnt. Lieb'; Gebirg'; Näh'* usw.; *ein'ge Leute, wen'ge Stunden, ew'ger Bund.* Es steht jedoch kein Auslassungszeichen: bei den mit *r-* anfangenden Kürzungen *ran, rauf, raus* usw.; bei allgemein üblichen Verschmelzungen *ans, aufs, durchs, fürs, beim, zum* usw.; bei den üblichen Befehlsformen *geh!, trink!, bleib!* usw.; bei ungebeugt verwendeten Eigenschaftswörtern und Fürwörtern (Pronomen), z. B. *groß Geschrei, solch Glück, manch schöne Stunde;* bei verkürzten Formen von Eigenschaftswörtern und Umstandswörtern (Adverbien) wie *blöd, bös, gern, heut* usw.; bei Wörtern, bei denen ein unbetontes *-e-* im Wortinnern ausgefallen ist, z. B.: *ich wechsle, ich lindre; wir sehn, stehn; Reglung, Englein; wacklig, wäßrig; finstre Gestalten, edle Menschen, trocknes Laub.* Es steht kein Auslassungszeichen bei Jahreszahlen, z. B.: *Ende 86, Mai 62* usw. oder bei Abkürzungen: *des Jh.s, die Lkws, die Pkws.* Auch für das ausgelassene *-i-* der Endung *-isch* bei Eigennamen wird kein Auslassungszeichen eingesetzt: *Grimmsche Märchen, Bismarcksche Politik, Mozartsche Oper.* Falsch ist das Auslassungszeichen vor *-s* bei Namen im Wesfall; hier wird nichts ausgelassen. Deshalb richtig: *Hamburgs Hafen, Peters Bierbar, Edwards Hochzeit, de Gaulles Politik, Meyers Lexikon.* Endet ein Name jedoch auf *-s, -ss, -ß, -tz, -z, -x,* dann steht zur Kennzeichnung des Wesfalls das Auslassungszeichen: *Aristoteles' Schriften, Grass' Romane, Bordeaux' Umgebung.*

Ausrufezeichen:

1. Das Ausrufezeichen nach Aufforderungs- und Wunschsätzen: Ein Ausrufezeichen steht nach Sätzen und Satzstücken, die einen Wunsch, eine Aufforderung, einen Befehl oder ein Verbot ausdrücken: *Komm sofort zurück! Nehmen Sie doch bitte Platz! Wäre ich doch schon fertig! Rauchen verboten! Ruhe! Guten Appetit! Vorsicht, bissiger Hund!* Ein Ausrufezeichen steht nicht, wenn Aufforderungssätze ohne besonderen Nachdruck gesprochen werden: *Geben Sie mir bitte das Buch.* **2. Das Ausrufezeichen nach Ausrufen und Ausrufesätzen:** Ein Ausrufezeichen steht nach Ausrufen, die die Form eines vollständigen oder eines verkürzten Satzes (auch eines Fragesatzes) haben oder nur aus einem Wort bestehen: *Das ist ja großartig! So ein Unsinn! Was erlauben Sie sich! Kein Kommentar! Gesperrt!* **3. Das Ausrufezeichen nach Grußformeln:** Grußformeln sind stark verkürzte Sätze, nach ihnen steht ein Ausrufezeichen: *Guten Tag! Frohe Feiertage! Auf Wiedersehen!* **4. Das Ausrufezeichen nach Aus-**

rufewörtern und Ausrufelauten: Nach Ausrufewörtern und Ausrufelauten steht ein Ausrufezeichen: *Ach! Oh! Au! Hallo! Pfui! Pst!* Stehen mehrere Ausrufewörter nebeneinander, die nicht besonders betont werden, dann steht zwischen ihnen ein Komma. Das Ausrufezeichen steht erst nach dem letzten Ausrufewort: *Nein, nein, nein! Doch, doch!* **5. Das Ausrufezeichen nach der Briefanrede:** Nach der Anrede in Briefen kann ein Ausrufezeichen stehen. (Der Brieftext wird danach groß begonnen.) An Stelle des Ausrufezeichens steht heute jedoch häufiger ein Komma. (Der Brieftext wird dann nicht groß begonnen.)
Sehr geehrter Herr Schmidt!
Gestern erhielt ich Ihr Schreiben ...
Sehr geehrter Herr Schmidt,
gestern erhielt ich Ihr Schreiben.
6. Ausrufezeichen und Fragezeichen: Stellt eine Frage zugleich einen Ausruf dar, dann kann hinter das Fragezeichen noch ein Ausrufezeichen gesetzt werden: *Warum denn nicht?!*

ausschließlich: **1. Falsche Steigerung:** Das Eigenschaftswort *ausschließlich* (= alleinig) kann nicht gesteigert werden. Nicht korrekt ist also: *das ausschließlichste Recht, die ausschließlichste Verwendung.* **2. Beugung nach** *ausschließlich:* Das Verhältniswort (die Präposition) *ausschließlich* (= ohne) wird mit dem Wesfall verbunden, wenn vor dem auf *ausschließlich* folgenden Hauptwort noch ein weiteres Wort steht. Es heißt also: *die Kosten ausschließlich des genannten Betrages, die Miete ausschließlich der Heizungskosten.* Steht das auf *ausschließlich* folgende Wort in der Einzahl allein, dann hat es keine Beugungsendung. Es heißt dann: *der Preis ausschließlich Porto.* Steht das auf *ausschließlich* folgende Wort in der Mehrzahl allein, dann muß es im Wemfall stehen. Es heißt dann: *der Preis ausschließlich Getränken.*

außer: **1. Verhältniswort oder Bindewort:** Man kann *außer* in der Bedeutung „ausgenommen" als Verhältniswort (Präposition) oder als Bindewort (Konjunktion) auffassen. Sieht man es als Verhältniswort an, dann steht danach der Wemfall: *Er besaß nichts mehr außer einem Koffer mit Kleidern. Niemand konnte es wissen außer mir.* Sieht man es dagegen als Bindewort an, dann steht danach immer derjenige Fall, den das Bezugswort *(einen Koffer; ich)* hat. Es kann also auch heißen: *Er besaß nichts mehr außer einen Koffer mit Kleidern. Niemand konnte es wissen außer ich.* **2. Ich geriet außer mir/außer mich:** In der Fügung *außer sich geraten* kann das Fürwort (Pronomen) im Wemfall oder im Wenfall stehen: *Ich geriet* *außer mir vor Freude.* Oder: *Ich geriet außer mich vor Freude.* Beides ist korrekt.

austeilen: Nach *austeilen unter* steht gewöhnlich der Wenfall: *Sie teilten Lebensmittel unter die Flüchtlinge aus.* Der Wemfall ist auch möglich, wird aber selten verwendet: *Sie teilten Lebensmittel unter den Flüchtlingen aus.*

ausweisen, sich: Bei *sich ausweisen als* steht das dem *als* folgende Hauptwort gewöhnlich im Werfall: *Er wies sich als tüchtiger Fachmann aus. Er wies sich als Angestellter der Firma X aus.* Der Wenfall *(Er wies sich als tüchtigen Fachmann/ als Angestellten der Firma X aus)* ist auch richtig, kommt aber selten vor.

auszeichnen, sich: Bei *sich auszeichnen als* steht das dem *als* folgende Hauptwort heute im Werfall: *Er zeichnete sich als umsichtiger Mitarbeiter aus.* Der Wenfall *(Er zeichnete sich als umsichtigen Mitarbeiter aus)* ist veraltet.

Automat: Außer im Werfall hat das Hauptwort *Automat* immer die Endung *-en: der Automat, des Automaten* (nicht: *des Automats*), *dem Automaten* (nicht: *dem Automat*), *den Automaten* (nicht: *den Automat*), Mehrzahl: *die Automaten.* Es heißt also z. B.: *Er holte sich Zigaretten am Automaten. Sie mußten den Automaten reparieren.*

Autor: Das Hauptwort *Autor* wird in folgender Weise gebeugt: *der Autor, des Autors* (nicht: *des Autoren*), *dem Autor* (nicht: *dem Autoren*), *den Autor* (nicht: *den Autoren*). In der Mehrzahl hat das Wort immer die Endung *-en.*

B

Bad: Die von Ortsnamen mit *Bad* (z. B. *Bad Hersfeld*) gebildeten Formen auf *-er* werden ohne Bindestrich geschrieben: *Bad Hersfelder Festspiele; Bad Emser Straße.* Dagegen wird bei Benennungen wie *Bad-Ems-Straße* mit Bindestrichen durchgekoppelt.

bald: **1. Steigerung:** Das Umstandswort (Adverb) *bald* kann gesteigert werden. Die Formen sind unregelmäßig und lauten: *bald – eher – am ehesten.* **2. Komma:** Bei *bald ... bald ...* (das Satzteile oder Sätze verbindet) steht vor dem zweiten *bald* (und auch vor jedem weiteren) immer ein

Komma: *Bald ist er hier, bald dort. Bald lachte das Kind, bald weinte es, bald schrie es erbärmlich.*

baldmöglichst: Das aus der Fügung *so bald wie möglich* zusammengezogene Wort wird hauptsächlich in der Amtssprache verwendet. Stilistisch besser ist *möglichst bald: Antworten Sie möglichst bald.*

Bank: Zusammengesetzte Wörter wie *Blutbank, Organbank* oder auch *Datenbank* (die Aufbewahrungsstellen für bestimmte auf Abruf verfügbare Dinge bezeichnen) schließen sich bei der Bildung der Mehrzahl an *Bank* im Sinne von „Geldinstitut" (also *Banken*) an, nicht an *Bank* im Sinne von „Sitzgelegenheit" *(Bänke).* Also: *Blutbanken, Organbanken, Datenbanken.*

bausparen: Das Zeitwort *bausparen* kommt meist nur in der Grundform (im Infinitiv) vor *(Wir wollen bausparen)* oder als Hauptwort *(Wir haben uns zum Bausparen entschlossen).* Andere Formen sind selten, sie kommen gelegentlich z. B. in der Sprache der Werbung vor: *Wer bauspart, ist klug. Drum bauspare auch du!*

bayerisch oder **bayrisch:** Das Eigenschaftswort zu *Bayern* lautet *bayerisch* oder *bayrisch.* Die Form mit *-e-* kommt häufiger vor. In offiziellen Namen wird sie allein verwendet: *der Bayerische Wald; Bayerisch Eisenstein.*

Beamte, der: Man beugt das Wort in folgender Weise: *der Beamte, ein Beamter, zwei Beamte, die Beamten, einige Beamte, alle Beamten, solche Beamte* und *solche Beamten, beide Beamten* und seltener auch *beide Beamte; genanntem Beamten, die Versorgung ausscheidender Beamter.*
Als Beisatz (Apposition): *mir (dir, ihm) als Beamten* und: *mir (dir, ihm) als Beamtem.*

Beantwortung: Die im amtlichen und kaufmännischen Bereich am Briefanfang häufig verwendete Formulierung *in Beantwortung Ihres Schreibens* ist stilistisch unschön und meist auch überflüssig, denn der Bezug ist ja bei solchen Schreiben in der Regel bereits angegeben. Will man doch noch einen Bezug formulieren, dann besser in der Form: *Auf Ihr Schreiben ...* oder: *Zu Ihrem Schreiben vom ... teilen wir Ihnen mit ...*

Bedarf: Es heißt richtig *Bedarf an* (nicht: *für*) *etwas: Der Bedarf an Arbeitskräften ist gestiegen. Wir haben keinen Bedarf an Getränken.* In der Kaufmannssprache wird auch mit *in* angeschlossen: *Bedarf in Kohlen, in Schmiermitteln haben.*

bedeuten: Steht das auf *bedeuten* folgende Hauptwort mit einem Geschlechtswort (Artikel), kann es nur im Wenfall stehen: *Dieser Roman bedeutete für ihn den ersten* (nicht: *der erste*) *Erfolg. Das bedeutet einen* (nicht: *ein*) *Eingriff in meine Rechte.* In Sätzen ohne *der, die, das, ein, eine* kommt auch der Werfall vor (der Wenfall ist jedoch üblicher): *Mord bedeutet elektrischer* (Wenfall: *elektrischen*) *Stuhl. Abitur bedeutet nicht reiner* (Wenfall: *reinen*) *Zeitverlust.* Verwendet man den Werfall, drückt *bedeuten* im Sinne von „soviel sein wie" eine Gleichsetzung aus.

bedeutend oder **bedeutsam:** Das Wort *bedeutend* drückt aus, daß jemand oder etwas bemerkenswert, hervorragend ist: *Er ist ein bedeutender Wissenschaftler. Dies war ein bedeutendes Ereignis.* Das Wort *bedeutsam* drückt dagegen aus, daß etwas wichtig, von großer Tragweite ist. Es wird in der Regel nicht auf Personen bezogen: *Das ist eine bedeutsame Entdeckung. Die Rede des Präsidenten war für uns alle bedeutsam.*

Bedeutung: Nach Ausdrucksweisen wie *die Bedeutung des Lehrers, des Kunstmäzens; die Bedeutung von Lehrer Müller, von Dr. Meyer* steht gelegentlich eine Ergänzung mit *als: die Bedeutung des Lehrers als Erzieher; die Bedeutung von Lehrer Müller als Erzieher.* Dabei ist folgendes zu beachten:

Die Bedeutung des Lehrers als ...: Folgt nach *als* eine Ergänzung mit *der, die, das, ein, eine* usw., wird diese in den gleichen Fall gesetzt wie das Wort, auf das sie sich bezieht (hier: *des Lehrers;* Wesfall): *Er erkannte die Bedeutung des Lehrers als eines einflußreichen Erziehers seiner Kinder. Sie unterschätzte die Bedeutung der Krebsvorsorge als einer sozialen Maßnahme.* Folgt jedoch die Ergänzung nach *als* ohne *der, die* usw., ist es üblich, den Werfall zu verwenden: *Er erkannte die Bedeutung des Lehrers als einflußreicher Erzieher seiner Kinder. Sie unterschätzte die Bedeutung der Krebsvorsorge als soziale Maßnahme.* Auch richtig, allerdings seltener ist hier der Wesfall: *Er erkannte die Bedeutung des Lehrers als einflußreichen Erziehers seiner Kinder. Sie unterschätzt die Bedeutung der Krebsvorsorge als sozialer Maßnahme.* Mit Fürwort (Pronomen) ist Werfall üblich: *Er erkannte seine Bedeutung als einflußreicher Lehrer der Kinder. Sie unterschätzte ihre Bedeutung als soziale Maßnahme.*

Die Bedeutung von Lehrer Müller als ...: In solchen Sätzen wird die auf *als* folgende Ergänzung üblicherweise auf *von* bezogen und deshalb in den Wemfall (Frage: von wem?) gesetzt: *die Bedeutung von Lehrer Müller als einem einflußreichen/als einflußreichem Erzieher der Kinder.* Es ist jedoch auch möglich, die Ergänzung in den

Werfall zu setzen: *die Bedeutung von Lehrer Müller als einflußreicher Erzieher der Kinder. Die Bedeutung von Dr. Meyer als großer Kunstmäzen wurde besonders gewürdigt.*

bedienen, sich:

1. sich jemandes, einer Sache bedienen: In Sätzen wie *Er bediente sich seines Bruders als Dolmetscher* oder *Er bediente sich der Wiese als Flugplatz* steht das Hauptwort, das dem *als* folgt, nur dann im Werfall *(Dolmetscher; Flugplatz),* wenn es keine Beifügung bei sich hat. Erhält es jedoch einen Zusatz (in Form von *der, die, das, ein, eine* oder in Form eines Eigenschaftswortes), steht der ganze Ausdruck im Wesfall: *Er bediente sich seines Bruders als geschickten Dolmetschers. Er bediente sich der Wiese als eines Flugplatzes.* **2. sich bedienen lassen:** Bei *sich bedienen lassen wie* steht das dem *wie* folgende Hauptwort gewöhnlich im Werfall: *Er läßt sich bedienen wie ein Fürst* (nicht: *wie einen Fürsten*).

Bedienstete, der und die:

Man beugt das Wort in folgender Weise: *der Bedienstete, ein Bediensteter, zwei Bedienstete, die Bediensteten, einige Bedienstete, alle Bediensteten, solche Bedienstete* und *solche Bediensteten, beide Bediensteten* und seltener auch *beide Bedienstete; tüchtigem Bediensteten, die Einstellung verheirateter Bediensteter.*

Als Beisatz (Apposition): *mir (dir, ihm) als Bediensteten* und: *mir (dir, ihm) als Bediensteten, ihr als Bediensteten* und: *ihr als Bediensteter.*

befallen:

Das Mittelwort der Vergangenheit (2. Partizip) von *befallen* (es lautet ebenfalls *befallen*) kann nur unter bestimmten Voraussetzungen als Beifügung eines Hauptwortes verwendet werden. Richtig ist: *Die [von der Seuche] befallenen Schweine wurden geschlachtet.* Falsch dagegen ist: *die das Kind befallene Krankheit.* Das erste Beispiel ist richtig, denn man kann auflösen: *die befallenen Schweine = Schweine, die befallen worden sind.* Wendet man dieses Schema im zweiten Beispiel an *(die befallene Krankheit = Krankheit, die befallen worden ist),* wird der inhaltliche Fehler deutlich. Der Bezug ist hier nicht korrekt. Statt *die das Kind befallene Krankheit* heißt es: *die Krankheit, die das Kind befallen hat.*

befassen:

Neben *sich mit etwas befassen* kommt heute auch *jemanden oder etwas mit etwas befassen* vor: *Er befaßte die Gerichte mit Anklagen. Ein junger Beamter wurde mit dieser Aufgabe befaßt.* Diese Verwendungsweise ist amtssprachlich.

befestigen:

Nach *befestigen an* und *befestigen auf* steht heute der Wemfall (Frage: wo?): *Sie befestigte die Girlande an der*

Wand. Die Ski müssen sorgfältig auf dem Gepäckträger befestigt werden.

befindlich: Das Eigenschaftswort *befindlich* gehört zwar zu *sich befinden,* es darf aber nicht mit *sich* verbunden werden: *der in der Auslage befindliche Schmuck* oder (stilistisch weniger schön): *der sich in der Auslage befindende Schmuck.* Nicht richtig ist die Vermischung: *der sich in der Auslage befindliche Schmuck.*

beginnen: **1. Gebrauch des Mittelworts:** Das Mittelwort der Vergangenheit (2. Partizip) von *beginnen* (es lautet *begonnen*) kann nur unter bestimmten Voraussetzungen als Beifügung eines Hauptwortes verwendet werden. Richtig ist: *Sie hat die begonnene Arbeit fortgesetzt.* Falsch dagegen ist: *Der im April begonnene Konjunkturaufschwung hat sich nicht fortgesetzt.* Das erste Beispiel ist richtig, denn man kann auflösen: *die begonnene Arbeit = Arbeit, die begonnen worden ist.* Wendet man dieses Schema im zweiten Beispiel an *(der begonnene Konjunkturaufschwung = der Konjunkturaufschwung, der begonnen worden ist),* wird der Fehler deutlich: Der *Konjunkturaufschwung* ist nämlich nicht begonnen worden, sondern er hat begonnen. Deshalb kann es nur heißen: *Der Konjunkturaufschwung, der im April begonnen hat, hat sich nicht fortgesetzt.* Richtig ist auch: *Der im April beginnende Konjunkturaufschwung hat sich nicht fortgesetzt.*
2. Komma: Wenn das Zeitwort *beginnen* mit der erweiterten Grundform (dem erweiterten Infinitiv) eines anderen Zeitwortes verbunden ist, dann kann man ein Komma setzen oder es weglassen: *Er begann ein Loch zu bohren* (hier ist *beginnen* Hilfszeitwort) oder: *Er begann, ein Loch zu bohren.* Tritt aber zu *beginnen* eine nähere Bestimmung, dann muß das Komma stehen: *Er begann sofort, ein Loch zu bohren.*

behängen: Die Formen lauten: *behängte, hat behängt.* Es heißt also richtig: *Sie behängte* (nicht: *behing*) *den Christbaum mit Schmuck. Sie hat den Christbaum mit Schmuck behängt* (nicht: *behangen*).

beharren: Nach *beharren auf* steht der Wemfall. Es muß also heißen: *Ich beharre auf meinem* (nicht: *auf meinen*) *Anspruch.*

beheizen oder **heizen:** Die Verwendung von *beheizen* statt *heizen* ist dann üblich, wenn angegeben wird, womit oder auf welche Art geheizt wird, oder wenn ausgedrückt werden soll, daß etwas mit Wärmeenergie versorgt wird. Es gehört also vor allem der technischen und der Verwaltungssprache an: *Der Kessel kann mit Öl oder Kohle beheizt werden. Die Stadtwerke beheizen über 5 000 Wohnungen. Es waren 13 Räume zu beheizen. Man beheizte das Haus durch Fernheizung.* Sonst ist *heizen* gebräuchlich: *Der Vater heizt den Ofen. Der Saal war schlecht geheizt.* Ohne Ergänzung kann überhaupt nur *heizen* stehen: *Wir heizen* (nicht: *beheizen*) *elektrisch. Bei uns wird ab 15. September geheizt.*

behindern/hindern/verhindern: Beim Gebrauch dieser Wörter treten gelegentlich Schwierigkeiten auf. Das Zeitwort *behindern* bedeutet „hemmen; störend aufhalten"; es drückt aus, daß etwas erschwert wird, aber nicht, daß es unmöglich gemacht wird: *Der Betrunkene behinderte den Verkehr. Die Spielerinnen behinderten sich gegenseitig.* Das Wort *verhindern* bedeutet dagegen „bewirken, daß etwas nicht geschieht oder getan wird". Wer etwas verhindert, macht es unmöglich: *Sie verhinderte ein Unglück. Der Torwart verhinderte einen Rückstand.* Das einfache *hindern* schließlich kann sowohl im Sinne von „behindern" als auch im Sinne von „verhindern" eingesetzt werden: *Der Verband hinderte sie sehr bei der Hausarbeit. Der Nebel hinderte ihn, schneller zu fahren.* In Verbindung mit *an* hat *hindern* immer die Bedeutung „verhindern": *Der Lärm hinderte mich am Einschlafen. Niemand kann mich daran hindern abzureisen.*

behindert: Die eigenschaftswörtlichen Formen, die eine körperliche oder geistige Behinderung als einen medizinischen Tatbestand ausdrücken, werden unterschiedlich geschrieben. Man schreibt immer getrennt: *geistig behindert, körperlich behindert.* Man schreibt immer zusammen *körperbehindert, schwerbehindert, mehrfachbehindert.* In Verbindung mit *nicht* sind beide Schreibungen möglich, wenn sie als Beifügung vor einem Hauptwort stehen: *ein nicht behindertes Kind* oder *ein nichtbehindertes Kind.* In einem Satz wie *Diese Kinder sind nicht behindert* ist nur die Getrenntschreibung richtig.

bei: **1. Wemfall:** Nach *bei* steht der Wemfall: *Bei dir fühle ich mich wohl. Sie beschwerte sich bei der Geschäftsführerin.* Hochsprachlich nicht korrekt sind landschaftlich gebräuchliche Formen (mit dem Wenfall) wie: *Die Fliegen gehen bei die Wurst. Heute gehen wir bei Oma.* Statt *bei* muß hier *an* beziehungsweise *zu* verwendet werden: *Die Fliegen gehen an die Wurst. Heute gehen wir zu Oma.*
2. bei was oder wobei: Vor allem in der gesprochenen Sprache wird heute *wobei* häufig durch *bei was* ersetzt: *Bei was hast du dich verletzt? Ich weiß nicht, bei was er sich verletzt hat.* Die Verbindung *bei was* ist jedoch um-

gangssprachlich gefärbt; stilistisch besser ist *wobei: Wobei hast du dich verletzt? Ich weiß nicht, wobei er sich verletzt hat.*

beide: **1. Rechtschreibung:** Das Wort *beide* wird immer und in allen seinen Formen klein geschrieben: *Einer von den beiden war es. Es kamen beide.* **2. Beugung von *beide*:** In Verbindung mit persönlichen Fürwörtern (Personalpronomen) wird *beide* folgendermaßen gebeugt: *Sie beide kamen. Das ist unser (euer, ihrer) beider Eigentum. Sie helfen uns (euch, ihnen) beiden. Er kennt uns (euch, sie) beide.* Bei *wir* und *ihr* sind im Werfall zwei Formen üblich. So gibt es neben *wir beide* auch die seltenere, aber ebenfalls korrekte Form *wir beiden.* Nach *ihr* heißt es meist, zumal wenn es als Anrede herausgehoben ist, *ihr beiden: Ihr beiden, seid ihr wieder versöhnt? Seid ihr beiden*/(aber auch:) *ihr beide wieder versöhnt?* Steht *beide* zwischen *wir (ihr)* und einem Hauptwort, wird es wie ein gewöhnliches Eigenschaftswort gebeugt: *wir beiden Anfänger, ihr beiden Diebe.* In Verbindung mit Fürwörtern (Pronomen) anderer Art wird *beide* folgendermaßen gebeugt: *Dies[es] beides/alles beides gefällt mir. Alle beide kamen.* Jedoch: *Diese (jene) beiden kamen. Man bedarf aller beider.* Jedoch: *Man bedarf dieser (jener) beiden. Sie hilft allen (diesen, jenen) beiden. Er kennt alle (diese, jene) beiden.* **3. Beugung nach *beide*:** Folgt nach *beide* vor dem sich anschließenden Hauptwort noch ein beigefügtes Eigenschaftswort, so wird dieses Eigenschaftswort folgendermaßen gebeugt: *beide großen Parteien; die Mitglieder beider großen Parteien; mit beiden großen Parteien; für beide großen Parteien.* Die Formen *beide große Parteien* und *die Mitglieder beider großer Parteien* sind ebenfalls korrekt, allerdings seltener. Genauso wie diese Eigenschaftswörter werden Hauptwörter gebeugt, die wie *der Abgeordnete* (auf *abgeordnet*), *der Gefangene* (auf *gefangen*), *der Anwesende* (auf *anwesend*) auf ein Mittelwort (Partizip) zurückgehen oder wie *der Fremde* (auf *fremd*), *der Kranke* (auf *krank*) auf ein Eigenschaftswort: *beide Abgeordneten, Fremden* usw.; selten: *beide Abgeordnete, Fremde* usw. **4. a) beide oder die beiden:** Sowohl *beide* als auch *die beiden* bezieht sich auf zwei schon bekannte oder genannte Wesen oder Dinge. Die Form *beide* ist im Satz besonders betont und drückt aus, daß die Aussage die zwei Wesen oder Dinge in gleicher Weise betrifft: *Beide Brüder* (= nicht nur einer) *sind gefaßt worden.* Die Form *die beiden* ist weniger betont: *Die beiden Brüder sind gefaßt worden* (= sie sind nicht mehr frei). **b) die zwei beiden:** Da *zwei* und *beide* gleichbedeutend sind, sind Fügungen wie *die zwei beiden* und *wir zwei beide* (oder *wir zwei beiden*) nicht hochsprachlich. Sie werden manchmal verstärkend oder scherzhaft in der nord- und mitteldeutschen Umgangssprache gebraucht. **5. beide oder beides:** Statt *beide* kann in bestimmten Fällen auch *beides* verwendet werden, wenn es allein steht und sich auf Dinge und nicht auf Personen bezieht: *Das Werk und die Aufführung, beides gab den Kritikern Rätsel auf* neben: *... beide gaben den Kritikern Rätsel auf.* **6. die beiden ersten oder die ersten beiden:** Die Fügung *die beiden ersten* bezieht sich jeweils auf das erste Glied zweier verschiedener Größen: *Die beiden ersten der zwei Vorläufe liefen exakt die gleiche Zeit.* Im Gegensatz dazu bezieht sich *die ersten beiden* auf das erste und das zweite Glied einer einzigen Größe: *Die ersten beiden jedes Vorlaufs kommen weiter.*

beige: Diese Farbbezeichnung wird in korrektem Deutsch nicht gebeugt, d. h., sie bleibt unverändert: *ein beige Kostüm, in einem beige Kleid.* Wer diese Form umgehen will, kann ausweichen auf die Zusammensetzung mit *-farben: ein beigefarbenes Kostüm, in einem beigefarbenen Kleid.*

Beisatz (Apposition): Unter einem Beisatz versteht man ein Hauptwort oder eine Wortgruppe im gleichen Fall wie das Hauptwort, dem es erklärend beigefügt ist. Der Beisatz wird meist nachgestellt und in Kommas eingeschlossen: *Dr. Schmidt, der Direktor der Stadtwerke; Peter, der Verlobte meiner Schwester; Klaus, dem besten Schüler, wurde ein Buchpreis überreicht. Die Veranstaltung findet am Mittwoch, dem 29. Mai, statt. Der Tod dieses Gelehrten, des Begründers der Strahlenheilkunde, ist ein großer Verlust für die Wissenschaft. Wir erhielten eine Nachricht von Herrn Schulze, einem bekannten Journalisten.*

Es gibt aber auch Fälle, in denen der Beisatz im Werfall steht, obwohl das Bezugswort im Wesfall steht: *das Wirken dieses Mannes, Vorkämpfer* (selten: *Vorkämpfers*) *für die Rassengleichheit; der Tod dieses Gelehrten, Begründer* (selten: *Begründers*) *der Strahlenheilkunde.*

Falsch hingegen ist es, den Beisatz in den Wemfall zu setzen, obwohl das Bezugswort in einem anderen Fall steht. Richtig muß es heißen: *Der Preis für Brot, das* (nicht: *dem*) *Grundnahrungsmittel der Bevölkerung, ist gestiegen. Dies läßt sich am besten am Beispiel Brasiliens, des größten Landes* (nicht: *dem größten Land*) *Südamerikas, zeigen.*

Beisätze können auch mit *als* oder *wie* angeschlossen werden: *Unternehmungen wie einen Ausflug oder eine Wanderung schätzt er nicht besonders. Ihm als dem Leiter dieser Schule war so etwas noch nicht begegnet. Für Sie als leitenden Angestellten kommt das nicht in Betracht.*

Steht das Bezugswort im Werfall, Wemfall oder Wenfall, dann müssen diese Beisätze im Fall übereinstimmen, also: *mir als Verantwortlichem* (nicht: *als Verantwortlicher*).
Nur bei einem Bezugswort im Wesfall kann der Beisatz unter bestimmten Umständen auch im Werfall stehen: *Die Bedeutung des Passes als wichtige* (auch: *wichtiger*) *Handelsstraße hat sich abgeschwächt.* Aber nur: *die Würdigung Georges als eines großen Schauspielers. Das schadete dem Ansehen des Kunsterziehers als des beliebtesten Lehrers der Schule.*

beißen: Werden nach *beißen* die betroffene Person und der betroffene Körperteil genannt, dann kann die Person im Wemfall oder auch im Wenfall stehen: *Der Hund hat ihr ins Bein gebissen.* Oder: *Der Hund hat sie ins Bein gebissen.* Der Wemfall *(ihr)* gilt als üblicher. Nach *beißen* in der Bedeutung „brennen, ätzen" heißt es: *Der Rauch beißt in den* oder *in die Augen. Der Rauch biß mir,* selten: *mich in die Augen.*

bekannt wegen/für/durch: Nach *bekannt* kann mit den Verhältniswörtern *wegen, für* oder *durch* angeschlossen werden: *Das Restaurant ist wegen seiner guten Küche bekannt. Sie ist für ihre Freigebigkeit bekannt. Er ist durch seine Auftritte im Fernsehen bekannt geworden.* Zu beachten ist, daß *durch* nur dann stehen darf, wenn ein Vorgang, nicht wenn ein Zustand angesprochen ist. Nicht möglich: *Das Restaurant ist durch seine gute Küche bekannt.*

Bekannte, der und die: Man beugt das Wort in folgender Weise: *der Bekannte, ein Bekannter, zwei Bekannte, die Bekannten, einige Bekannte, alle Bekannten, solche Bekannte* und *solche Bekannten, beide Bekannte* und seltener auch *beide Bekannten; erwähntem Bekannten, der Besuch alter Bekannter.*
Als Beisatz (Apposition): *mir (dir, ihm) als Bekannten* und: *mir (dir, ihm) als Bekanntem; ihr als Bekannten* und: *ihr als Bekannter.*

beleuchten oder **erleuchten:** Das Zeitwort *beleuchten* wird gelegentlich mit *erleuchten* verwechselt, etwa: *Die Fenster des Hauses waren noch beleuchtet* (statt richtig: ... *erleuchtet*). Das Zeitwort *beleuchten* bedeutet „[von außen] Licht auf etwas werfen" *(Die Bühne wird mit Scheinwerfern beleuchtet)* oder „etwas mit Licht versehen" *(ein Fahrzeug beleuchten).* Dagegen ist *erleuchten* zu verwenden, wenn man sagen will, daß etwas innen oder von innen mit Licht erfüllt wird: *Der Saal war festlich erleuchtet.* Im Unterschied zu *beleuchten* kann bei *erleuchten* nicht der Mensch, sondern nur die Lichtquelle als Verursacher genannt werden: Falsch ist: *Der Mann erleuchtete das Zimmer.* Richtig ist: *Viele Kerzen erleuchteten das Zimmer.*

bereits schon: Die beiden Wörter *bereits* und *schon* bedeuten das gleiche. Man kann darum nicht beide nebeneinanderstellen. Es genügt zu sagen: *Ich bin schon fertig* oder: *Ich bin bereits fertig.* Nicht: *Ich bin bereits schon fertig.*

bergsteigen: Von dem Zeitwort *bergsteigen* werden im allgemeinen nur die Grundform (der Infinitiv) und das Mittelwort der Vergangenheit (das 2. Partizip) gebraucht: *Sie wollen im Urlaub bergsteigen. Ich bin* oder *ich habe in meiner Jugend berggestiegen.* Vereinzelt kommen auch andere Formen vor: *Wer bergsteigt, muß über bestimmte Kenntnisse verfügen.*

berichten über oder **berichten von:** Der Unterschied in der Bedeutung der beiden Verhältniswörter (Präpositionen) ist nur gering. Man kann sagen, daß *über jemanden, über etwas berichten* einen umfassenden, eingehenden Bericht meint, während *von jemandem, von etwas berichten* sich mehr auf Einzelheiten bezieht.

berühmt wegen/für/durch: Nach *berühmt* kann mit den Verhältniswörtern (Präpositionen) *wegen, für* oder *durch* angeschlossen werden: *Das Restaurant ist wegen seiner guten Küche berühmt. Er war für seine Schlagfertigkeit berühmt. Sie ist durch ihre Moderationen im Fernsehen berühmt geworden.* Zu beachten ist, daß *durch* nur dann stehen darf, wenn ein Vorgang, nicht wenn ein Zustand angesprochen wird. Nicht möglich: *Das Restaurant ist durch seine gute Küche berühmt.*

besagt: Das besonders in der Amtssprache gebräuchliche Wort *besagt* wird wie ein gewöhnliches Eigenschaftswort behandelt. Folgt auf *besagt* ein weiteres Eigenschaftswort, dann erhalten beide Wörter die gleichen Endungen, z. B.: *die besagten neuen Bücher; die Umschläge besagter neuer* (nicht: *neuen*) *Bücher; besagtes neues* (nicht: *neue*) *Buch; besagtem neuem* (aus lautlichen Gründen auch noch: *neuen*) *Buch.*

Beschuldigte, der und die: **1. Beugung:** Man beugt das Wort in folgender Weise: *der Beschuldigte, ein Beschuldigter, zwei Beschuldigte, die Beschuldigten, einige Beschuldigte, alle Beschuldigten, solche Beschuldigte* und *solche Beschuldigten, beide Beschuldigten* und seltener auch *beide Beschuldigte; genanntem Beschuldigten, die Anwälte besagter Beschuldigter.* Als Beisatz (Apposition): *mir (dir, ihm) als Beschuldigten* und *mir (dir, ihm) als Beschuldigtem; ihr als Beschuldigten* und *ihr als Beschuldigter.* **2. Komma:** Man kann sowohl schreiben: *Das hat der Beschuldigte Fritz Müller gesagt* als auch: *Das hat der Beschuldigte, Fritz Müller, gesagt.* Im zweiten Fall wird der Name als nachgetragener Beisatz aufgefaßt, der durch Komma abgetrennt wird.

beschweren, sich: Im Unterschied zu dem Hauptwort *die Beschwerde* schreibt man die Beugungsformen des Zeitwortes *sich beschweren* mit *-t: er beschwert sich, ihr beschwert euch, er hat sich beschwert, er beschwerte sich.*

besitzen: **1. Gebrauch des Mittelworts:** Das Mittelwort der Vergangenheit (2. Partizip) von *besitzen* (es lautet *besessen*) kann nicht als Beifügung eines Hauptwortes verwendet werden. Also nicht: *Er verkaufte das zwanzig Jahre besessene Haus,* sondern: *Er verkaufte das Haus, das er zwanzig Jahre lang besessen hatte.* **2. besitzen oder haben:** Das Zeitwort *besitzen* bezieht sich auf alles, was man als materiellen oder geistigen Besitz erwerben und zu eigen haben kann und worüber man mehr oder minder frei verfügen kann. Dazu gehören auch Eigenschaften meist positiver, aber auch negativer Art, sofern sie nur fest mit dem betreffenden Menschen verbunden sind und ihn für die Dauer oder wenigstens für eine gewisse Zeit charakterisieren: *viele Bücher, ein Auto, die Mittel besitzen, Talent, Phantasie, jemandes Vertrauen, die Frechheit besitzen.* Das Zeitwort *haben* stellt zunächst nur ein Vorhandensein fest und sagt über den Besitz als solchen nichts aus: *Er hat Geld bei sich* (= dabei), aber: *Er besitzt viel Geld* (= er ist reich). Es tritt überall dort auf, wo die Vorstellung eines Besitzes (gleich welcher Art) nicht zutreffend ist. So sagt man nicht: *Er besitzt einen guten Posten,* sondern: *Er hat einen guten Posten.* Nicht: *Er besitzt eine nette Frau,* sondern: *Er hat eine nette Frau.* Nicht korrekt ist es, *besitzen* statt *haben* zu verwenden, wenn die Vorstellung des Besitzes offensichtlich sinnwidrig erscheint oder wo nur ein zufälliges oder einmaliges Vorhandensein ausgedrückt werden soll, das nicht wesensmäßig zur Person oder Sache gehört. Man kann also nicht sagen: *Er besaß Schulden. Er besitzt blaue Augen. Er besitzt Feinde.*

besonders: Vor *besonders* steht ein Komma, wenn es einen Zusatz einleitet. *Äpfel und Nüsse, besonders aber Feigen ißt er gern.* Der Zusatz *besonders aber Feigen* ist ein Aufzählungsglied. Als Zusatz kann jedoch auch eine nähere Erläuterung zum Vorangehenden stehen: *Alkohol, besonders aber Rotwein, verträgt er nicht.* Hier ist der Zusatz *besonders aber Rotwein* kein Aufzählungsglied, sondern eine nähere Bestimmung von *Alkohol.* Diese Bestimmung ist ein Einschub, der durch Kommas vom übrigen Satz abgetrennt wird. (Ausnahme: *Ausländische, besonders aber holländische und belgische Firmen traten als Bewerber auf.* Man setzt kein schließendes Komma, um den Zusammenhang der Fügung nicht zu stören.) Tritt zu diesem *besonders* noch ein *wenn* (*als, weil* o. ä.), dann steht zwischen *besonders wenn* im allgemeinen kein Komma: *Er geht gern spazieren, besonders wenn die Sonne scheint.* In Ausnahmefällen kann jedoch auch hier ein Komma stehen, und zwar dann, wenn *besonders* nachdrücklich hervorgehoben wird: *Ganz besonders, wenn plötzlich Nebel aufkommt, kann diese Strecke gefährlich werden.*

Bestätigung: Nach Formulierungen wie *die Bestätigung des Fraktionsführers; die Bestätigung von Fraktionsführer Müller* steht gelegentlich eine Ergänzung mit *als: die Bestätigung des Fraktionsführers als Präsident; die Bestätigung von Fraktionsführer Müller als Präsident.* Dabei ist folgendes zu beachten:

Die Bestätigung des Fraktionsführers als ...: Folgt nach *als* eine Ergänzung mit *der, die, das, ein, eine* usw., wird diese üblicherweise in den gleichen Fall gesetzt wie das Wort, auf das sie sich bezieht (hier: *des Fraktionsführers;* Wesfall): *Er konnte die Bestätigung des Fraktionsführers als des neuen Präsidenten nicht verhindern.* Folgt jedoch die Ergänzung nach *als* ohne *der, die* usw., ist es heute üblich, den Werfall zu verwenden: *Er konnte die Bestätigung des Fraktionsführers als neuer Präsident nicht verhindern.* Das gleiche gilt für Beispiele mit Fürwort (Pronomen): *Er konnte dessen Bestätigung als neuer Präsident nicht verhindern.*

Die Bestätigung von Fraktionsführer Müller als ...: In solchen Sätzen wird die auf *als* folgende Ergänzung üblicherweise auf *von* bezogen und deshalb in den Wemfall (Frage: von wem?) gesetzt: *die Bestätigung von Fraktionsführer Müller als dem neuen Präsidenten/als neuem Präsidenten.* Es ist jedoch auch möglich, die Ergänzung in den Werfall zu setzen: *die Bestätigung von Fraktionsführer Müller als neuer Präsident.*

bestbezahlt: Da das Eigenschaftswort *bestbezahlt* bereits eine höchste Steigerungsstufe *(best...)* enthält, kann es nicht noch einmal gesteigert werden: *der bestbezahlte* (nicht: *bestbezahlteste*) *Job.*

bestehen: Das Mittelwort der Vergangenheit (2. Partizip) von *bestehen* (es lautet *bestanden*) kann nur unter bestimmten Voraussetzungen als Beifügung eines Hauptwortes verwendet werden. **1. die bestandene Prüfung:** Richtig ist: *Wir feierten die bestandene Prüfung.* Falsch dagegen ist: *der bestandene Prüfling* oder *der 50 Jahre bestandene Verein.* Das erste Beispiel ist richtig, denn man kann auflösen: *die bestandene Prüfung = die Prüfung, die bestanden worden ist.* Wendet man dieses Schema bei den anderen beiden Beispielen an *(der bestandene Prüfling = der Prüfling, der bestanden worden ist; der 50 Jahre bestandene Verein = der Verein, der 50 Jahre bestanden worden ist),* wird der Fehler deutlich. Hier kann es nur heißen: *der Prüfling, der bestanden hat; der Verein, der 50 Jahre lang bestanden hat.* **2. der bestandene Platz:** Richtig sind auch Formen wie *der mit Bäumen bestandene Platz; das mit Schilf bestandene Ufer.* Hier gehört *bestanden* zu einer nicht mehr gebräuchlichen Verwendungsweise von *bestehen.*

Bestellung: Das Wort *Bestellung* wird mit *auf, über, von,* seltener mit *für* verbunden. *Für* kann nicht verwendet werden, wenn vor dem Bestellten eine Zahlenangabe steht: *Wir bestätigen Ihre Bestellung von 5 000 Exemplaren. Wir haben eine Bestellung auf* oder *über 3 000 Liter Heizöl erhalten* (nicht: *für 3 000 Liter*). Aber ohne Zahlenangabe: *Es sind viele Bestellungen für Bücher eingegangen.*

bestmöglich: Da das Eigenschaftswort *bestmöglich* bereits eine höchste Steigerungsstufe *(best...)* enthält, kann es nicht noch einmal gesteigert werden: *die bestmögliche* (nicht: *bestmöglichste*) *Methode.*

Bestrafung: Nach Formulierungen wie *die Bestrafung des Generals; die Bestrafung von General Gomez* steht gelegentlich eine Ergänzung mit *als: die Bestrafung des Generals als Drahtzieher der Verschwörung; die Bestrafung von General Gomez als Verschwörer.* Dabei ist folgendes zu beachten: *Die Bestrafung des Generals als ...:* Folgt nach *als* eine Ergänzung mit *der, die, das, ein, eine* usw., wird diese üblicherweise in den gleichen Fall gesetzt wie das Wort, auf das sie sich bezieht (hier: *des Generals;* Wesfall): *Er forderte die Bestrafung des Generals als des eigentlichen Drahtziehers der Verschwörung.* Folgt jedoch die Ergänzung nach *als* ohne *der, die* usw., ist es heute üblich, den Werfall zu verwenden: *Er forderte die Bestrafung des Generals als eigentlicher Drahtzieher der Verschwörung.* Das gleiche gilt für Beispiele mit Fürwort (Pronomen): *Er forderte dessen Bestrafung als eigentlicher Drahtzieher der Verschwörung.*

Die Bestrafung von General Gomez als ...: In solchen Sätzen wird die auf *als* folgende Ergänzung üblicherweise auf *von* bezogen und deshalb in den Wemfall (Frage:

von wem?) gesetzt: *die Bestrafung von General Gomez als dem eigentlichen/als eigentlichem Drahtzieher der Verschwörung.* Es ist jedoch manchmal auch möglich, die Ergänzung in den Werfall zu setzen: *die Bestrafung von General Gomez als eigentlicher Drahtzieher der Verschwörung.*

bestreiten: Weil das Zeitwort *bestreiten* schon verneinenden Sinn hat (= etwas für nicht zutreffend erklären), wird ein von ihm abhängender Satz nicht verneint. Nicht korrekt ist darum: *Sie bestritt immer wieder, diese Äußerung nicht getan zu haben.* Richtig ist: *Sie bestritt immer wieder, diese Äußerung getan zu haben.*

Beteiligte, der und die: Man beugt das Wort in folgender Weise: *der Beteiligte, ein Beteiligter, zwei Beteiligte, die Beteiligten, einige Beteiligte, alle Beteiligten, solche Beteiligte* und *solche Beteiligten, beide Beteiligten* und seltener auch *beide Beteiligte; genanntem Beteiligten, die Vernehmung besagter Beteiligter.*
Als Beisatz (Apposition): *mir (dir, ihm) als Beteiligten* und: *mir (dir, ihm) als Beteiligtem; ihr als Beteiligten* und: *ihr als Beteiligter.*

betrachten, sich: Bei *sich betrachten als* steht das dem *als* folgende Hauptwort gewöhnlich im Werfall: *Ich betrachte mich als dein Kamerad.* Der Wenfall *(Ich betrachte mich als deinen Kameraden)* kommt seltener vor, ist aber auch richtig.

Betrag: Es heißt richtig *ein Betrag von* (nicht: *über) 200,– DM.* Wohl aber kann man sagen *ein Scheck über 200,– DM.*

betreffend: Das von *betreffend* abhängende Wort steht im Wenfall. Dieses Wort kann *betreffend* vorangestellt sein, es kann aber auch nachfolgen: *Unser letztes Schreiben den Vertragsbruch betreffend* ... oder: *Unser letztes Schreiben betreffend den Vertragsbruch* ... Diese Fügungen mit *betreffend* brauchen nicht durch Kommas abgetrennt zu werden. Man kann jedoch auch Kommas setzen: *Unser letztes Schreiben, den Vertragsbruch betreffend, ist* ... und: *Unser letztes Schreiben, betreffend den Vertragsbruch, ist* ... Vor allem bei größerem Umfang ist man eher geneigt, Kommas zu setzen.

betreffs: Dieses Wort der Amts- und Kaufmannssprache steht, falls man es verwenden will, mit dem Wesfall: *Betreffs Ihrer Forderung* ... Stilistisch besser ist: *Was Ihre Forderung [an]betrifft,* ... oder: *Wegen Ihrer Forderung* ...

betroffen: Wenn *betroffen* zu der heute nicht mehr üblichen Verwendungsweise von *betreffen* im Sinne von „widerfahren, heimsuchen" gehört, kann es nur unter bestimmten Voraussetzungen als Beifügung eines Hauptwortes verwendet werden. Richtig ist: *In den vom Erdbeben betroffenen Gebieten droht Seuchengefahr.* Falsch dagegen ist: *das die Familie betroffene Unglück.* Das erste Beispiel ist richtig, denn man kann auflösen: *die betroffenen Gebiete = die Gebiete, die betroffen worden sind.* Wendet man dieses Schema im zweiten Beispiel an *(das betroffene Unglück = das Unglück, das betroffen worden ist),* wird der inhaltliche Fehler deutlich. Der Bezug ist hier nicht korrekt. Statt *das die Familie betroffene Unglück* kann es nur heißen: *das Unglück, das die Familie betroffen hat.*

Betroffene, der und die: Man beugt das Wort in folgender Weise: *der Betroffene, ein Betroffener, zwei Betroffene, die Betroffenen, einige Betroffene, alle Betroffenen, solche Betroffene* und *solche Betroffenen, beide Betroffenen* und seltener auch *beide Betroffene; besagtem Betroffenen, die Einsprüche enttäuschter Betroffener.*
Als Beisatz (Apposition): *mir (dir, ihm) als Betroffenen* und: *mir (dir, ihm) als Betroffenem, ihr als Betroffenen* und: *ihr als Betroffener.*

Bevollmächtigte, der und die: Man beugt das Wort in folgender Weise: *der Bevollmächtigte, ein Bevollmächtigter, zwei Bevollmächtigte, die Bevollmächtigten, einige Bevollmächtigte, alle Bevollmächtigten, solche Bevollmächtigte* und *solche Bevollmächtigten, beide Bevollmächtigten* und seltener auch *beide Bevollmächtigte; besagtem Bevollmächtigten, die Maßnahmen erfahrener Bevollmächtigter.*
Als Beisatz (Apposition): *mir (dir, ihm) als Bevollmächtigten* und: *mir (dir, ihm) als Bevollmächtigtem; ihr als Bevollmächtigten* und: *ihr als Bevollmächtigter.*

bevor: **1. Verneinung:** Das Bindewort (die Konjunktion) *bevor* leitet einen Nebensatz ein. Dieser Nebensatz kann dem Hauptsatz vorangehen, er kann ihm aber auch folgen. Ist der vorangehende Hauptsatz verneint, kann in dem mit *bevor* eingeleiteten Nebensatz keine Verneinung stehen. Verneinungen werden ausgedrückt durch Wörter wie *nicht, kein, nie* usw. Also heißt es korrekt: *Ich treffe keine Entscheidung, bevor ich mit ihm gesprochen habe.* Nicht: *..., bevor ich nicht mit ihm gesprochen habe.* Steht jedoch der Nebensatz vor dem Hauptsatz (und bringt er außer der zeitlichen Aussage auch eine Bedingung zum Ausdruck), wird die Verneinung gesetzt: *Bevor du nicht unterschrieben hast, lasse ich dich nicht fort.* **2. Komma:** Ein mit *bevor* eingeleiteter Nebensatz wird immer durch

Komma vom Hauptsatz getrennt. Schwierigkeiten können jedoch auftreten, wenn zu *bevor* eine weitere Bestimmung hinzutritt. Diese bildet mit *bevor* im allgemeinen eine Einheit, die nicht durch Komma getrennt wird: *Sie rief mich an, schon bevor du kamst. Denn bevor er schreiben konnte, mußte er sich erst Papier suchen.* Zu unterscheiden sind jedoch die beiden folgenden Sätze: *Drei Wochen bevor der Sohn zurückkehrte, starb die Mutter. Ein ganzes Jahr, bevor ich die Rente bekam, habe ich von meinen Ersparnissen gelebt.* Im ersten Satz gehört die Zeitangabe *drei Wochen* nicht zum Hauptsatz (nicht: *Die Mutter starb drei Wochen, bevor ...),* sondern zum Nebensatz *(Die Mutter starb, drei Wochen bevor der Sohn ...).* Hier bilden Zeitangabe und *bevor* eine Einheit, die nicht durch ein Komma getrennt wird. Im zweiten Satz dagegen gehört die Zeitangabe *ein ganzes Jahr* zum Hauptsatz *(Ein ganzes Jahr habe ich von meinen Ersparnissen gelebt),* der Nebensatz lautet allein *bevor ich die Rente bekam.* Dieser Nebensatz ist in den Hauptsatz eingeschoben und muß durch Kommas abgetrennt werden.

bewahren: Weil das Zeitwort *bewahren* schon verneinenden Sinn hat (= nicht zulassen), darf ein von ihm abhängender Satz nicht zusätzlich verneint werden. Nicht korrekt ist darum: *Sie bewahrte ihn davor, keinen falschen Schritt zu tun.* Richtig ist: *Sie bewahrte ihn davor, einen falschen Schritt zu tun.*

bewähren, sich: Bei *sich bewähren als* steht das dem *als* folgende Hauptwort heute im Werfall: *Er hat sich als treuer Gefährte bewährt.* Der Wenfall *(Er hat sich als treuen Gefährten bewährt)* ist veraltet.

bezeichnen, sich: Nach *sich bezeichnen* kann nur *als,* nicht *für* stehen: *Sie bezeichnete sich als* (nicht: *für) unzuständig.* Bei *sich bezeichnen als* steht das dem *als* folgende Hauptwort gewöhnlich im Werfall: *Er bezeichnete sich als Präsident aller Bürger.* Der Wenfall *(Er bezeichnete sich als Präsidenten aller Bürger)* kommt seltener vor, ist aber auch richtig.

beziehungsweise: Für *beziehungsweise* (auch für die Abkürzung *bzw.*) gelten die gleichen Kommaregeln wie für *oder,* vergleiche die dort gemachten Angaben.

bezüglich: Das besonders in der Amtssprache gebräuchliche Wort *bezüglich* kann meist durch *wegen, in, über, nach, von* usw. ersetzt werden. Falls man es verwenden will, steht es in der Regel mit dem Wesfall: *Ihre Anfrage bezüglich* *der Bücher. Bezüglich dieser Angelegenheit können wir nichts sagen.* In der Mehrzahl weicht man jedoch auf den Wemfall aus, wenn der Wesfall nicht eindeutig erkennbar ist (sondern mit dem Werfall und dem Wenfall übereinstimmt): *bezüglich Geschäften* (nicht: *Geschäfte*), *bezüglich fünf Büchern* (nicht: *Bücher*).

Bindestrich: **1. Bindestrich zur Ergänzung:** Der Bindestrich steht als Ergänzungsbindestrich bei zusammengesetzten Wörtern, wenn ein gemeinsamer Bestandteil nur einmal genannt wird: *Feld- und Gartenfrüchte, Hin- und Rückfahrt, ab- und zunehmen, ein- bis zweimal.* Beachte: *rad- und Auto fahren,* aber: *Auto und radfahren; maß- und Disziplin halten,* aber: *Disziplin und maßhalten.* Vermeiden sollte man dagegen Formen wie *Bekannt- und Freundschaften, Klar- und Wahrheit.* Der Bindestrich ersetzt hier keine Wörter, sondern nur Silben. **2. Bindestrich zur Verdeutlichung:** Im allgemeinen werden zusammengesetzte Wörter nicht mit Bindestrich geschrieben: *Fahrkartenschalter, Ichsucht, Diplomingenieur, Fußballbundestrainer.* Ein Bindestrich steht jedoch in folgenden Ausnahmefällen: bei Zusammensetzungen aus mehr als drei Wortgliedern, wenn sie unübersichtlich sind: *Stadtverwaltungs-Oberinspektorin, Haftpflicht-Versicherungsgesellschaft, Gemeindegrundsteuer-Veranlagung;* bei Zusammensetzungen aus zwei Hauptwörtern, wenn durch die Zusammenfügung drei gleiche Selbstlaute aufeinandertreffen: *Tee-Ernte, Kaffee-Ersatz, Tee-Ei;* bei den Zusammensetzungen *Aha-Erlebnis, Ich-Roman, Ist-Bestand, Kann-Bestimmung, daß-Satz;* bei Zusammensetzungen, bei denen der Autor Wortteile besonders hervorheben will: *ver-rückt, be-greifen;* bei Zusammensetzungen mit einzelnen Buchstaben, Abkürzungen und Zeichen: *A-Dur, O-Beine, x-beliebig, km-Zahl, Tbc-krank, Bestell-Nr., Reg.-Rat, 5%-Klausel, 3:2-Sieg* (aber: *8fach, 5%ig, 80er Jahre, 18jährig, 8tonner, 32eck*); bei Zusammensetzungen aus zwei Eigenschaftswörtern, wenn jedes seine Eigenbedeutung bewahrt: *schaurig-schön, heiter-verspielt, deutsch-amerikanisch, griechisch-orthodox.* **3. Bindestrich bei Namen:** Im allgemeinen wird eine Zusammensetzung, die aus einem Namen und einem einfachen Wort besteht, ohne Bindestrich geschrieben: *Dieselmotor, Litfaßsäule, Goethehaus, Koreakrieg, Nildelta* usw. Man kann jedoch auch, um den Namen hervorzuheben, einen Bindestrich setzen: *Schiller-Museum, Lessing-Gymnasium, Jalta-Abkommen.* Man sollte dann einen Bindestrich setzen, wenn das Wort, das mit dem Namen zusammengefügt wird, selbst aus zwei oder mehr Teilen besteht und die ganze Fügung unübersichtlich ist: *Beethoven-Festhalle,*

Mozart-Konzertsaal, Bodensee-Interessengemeinschaft. **4. mehrere Bindestriche:** In den folgenden Fügungen müssen zwei oder mehr Bindestriche gesetzt werden. Diese Fügungen bestehen nämlich zum einen aus einem Grundwort (das Grundwort ist das letzte Wort einer Zusammensetzung, es braucht kein Hauptwort zu sein, es kann z. B. auch ein Eigenschaftswort sein). Zum anderen gehen dem Grundwort mehrere Wörter (oder auch Buchstaben, Abkürzungen, Zeichen) voran: *September-Oktober-Heft, Rhein-Main-Halle, Goethe-Schiller-Denkmal, Do-it-yourself-Bewegung, Mitte-links-Regierung, Frage-und-Antwort-Spiel, Hals-Nasen-Ohren-Arzt, Ad-hoc-Bildung, Sankt-Josefs-Kirche, DIN-A4-Blatt, A-Dur-Tonleiter, K.-o.-Schlag, Blitz-K.-o., Vitamin-C-haltig, Max-Planck-Gesellschaft, Johannes-Gutenberg-Universität, Goethe-und-Schiller-Gedenkstunde, Sankt-(St.-)Marien-Kirche, Dortmund-Ems-Kanal, Rhein-Main-Flughafen, Rio-de-la-Plata-Bucht, Sankt-(St.-)Gotthard-Gruppe, König-Christian-IX.-Land, 2-kg-Dose, 40-PS-Motor, 1.-Klasse-Kabine, Formel-1-Rennwagen, 400-m-Lauf, 4 × 100-m-Staffel, 5-km-Gehen, ¾-Liter-Flasche, das In-den-April-Schicken, das Auf-die-lange-Bank-Schieben, das Ins-Blaue-Fahren, das Für-sich-haben-Wollen.*

bis: **1. Zeichen:** Statt *bis* auszuschreiben, wird häufig das *bis*-Zeichen (ein Strich: –) verwendet: *Er hat 4–5mal angerufen. Sprechstunde 8–10, 15–17 Uhr.* Das *bis*-Zeichen ist jedoch n i c h t zulässig, wenn *bis* in Verbindung mit *von* die Erstreckung eines Z e i t r a u m e s bezeichnet: *Sprechstunde von 8 bis 10 Uhr* (n i c h t: *von 8–10 Uhr*). Ausschreiben muß man auch, wenn der *bis*-Strich an das Ende oder an den Anfang einer Zeile zu stehen käme. **2. Orts- und Zeitangaben:** Keine Schwierigkeiten bereiten Ortsangaben wie *bis Berlin, bis hierher* oder Zeitbestimmungen wie *bis heute, bis Sonntag* usw. Es gibt jedoch auch andere Angaben meist umfangreicherer Art, die in einen bestimmten Fall zu setzen sind. Gewöhnlich stehen diese Angaben im Wenfall: *bis kommenden Sonntag, bis nächste Woche, bis dritten April; bis Dienstag, den dritten April; vom 1. (ersten) bis 15. (fünfzehnten) April.* Manchmal wird jedoch der Wemfall vorgezogen *(bis 1960, dem Jahr seines Todes),* besonders bei Ortsnamen: *Wir fahren bis Mannheim, dem Zentrum der Kurpfalz.* **3. von 1 000 bis 5 000 Einwohnern:** Keinerlei Einfluß übt *bis* auf die Wahl des Falles aus in Beispielen wie: *Gemeinden von 1 000 bis 5 000 Einwohnern; in zwei bis drei Stunden; mit 20 bis 30 Stäben.* Der Wemfall ist hier abhängig von *von, in, mit.* Auch in Beispielen wie *Dichter des 17. bis 19. Jahrhunderts; Artikel 22, erster bis dritter Absatz* ist *bis* ohne Einfluß auf die Beugung der nachfolgenden

Wörter. **4. bis zu:** Nach der Verbindung *bis zu* und einer Zahlenangabe steht das folgende Hauptwort gewöhnlich im Wemfall, der von *zu* abhängig ist: *Die Kurse dauern bis zu einem Jahr. Dies gilt für Gemeinden bis zu 10000 Einwohnern. Jugendlichen bis zu 18 Jahren ist der Zutritt verboten. Darauf steht Gefängnis bis zu zehn Jahren.* Wird das *zu* weggelassen – was besonders in der gesprochenen Sprache häufig vorkommt –, steht nach *bis* der Wenfall: *Kinder bis 12 Jahre zahlen die Hälfte.* Es kommen jedoch auch Sätze vor, in denen *bis zu* keinen Einfluß auf die Beugung des folgenden Wortes ausübt; der Fall wird dann allein vom Zeitwort bestimmt: *Der Vorstand kann bis zu 8 Mitglieder umfassen.* Daß *bis zu* hier keinen Einfluß hat, erkennt man daran, daß man es ohne weiteres weglassen könnte; der Satz bliebe trotzdem vollständig erhalten: *Der Vorstand kann 8 Mitglieder umfassen.* Weitere Beispiele: *Wir können nur (bis zu) zehn Schülern Prämien geben. (Bis zu) sechs Kinder schlafen in einem Zimmer.* **5. bis [einschließlich] 19. Juli:** Bei Zeitangaben ist es heute allgemein üblich, *bis* einschließend zu verstehen: *Urlaub bis [zum] 19. Juli* (der 19. Juli ist der letzte Urlaubstag). *Die Ausstellung ist noch bis Oktober geöffnet* (im Oktober ist sie noch geöffnet). Man kann hier mit einem zusätzlichen *einschließlich* den Sachverhalt verdeutlichen: *Urlaub bis einschließlich 19. Juli.* **6. Verneinung:** Das Wort *bis* kann die Aufgabe haben, einen Nebensatz einzuleiten: *Warte nicht, bis ich komme.* Neben der zeitlichen Aussage kann der mit *bis* eingeleitete Nebensatz nach einem verneinten Hauptsatz jedoch auch eine Bedingung zum Ausdruck bringen. Nur in diesem Fall ist es zulässig, aber nicht notwendig, auch den *bis*-Satz zu verneinen: *Du darfst nicht gehen, bis [nicht] die Arbeit gemacht ist.* Steht in dem vorangehenden Hauptsatz ein Wort in der zweiten Steigerungsstufe, das außerdem verneint ist, dann tritt bei der Einleitung des Nebensatzes noch *als* vor *bis*: *Das Kind hörte nicht eher zu weinen auf, als bis es vor Müdigkeit einschlief.*

bitte:

1. Komma: Das Wort *bitte,* das am Anfang, in der Mitte oder auch am Ende eines Satzes stehen kann, wird durch ein Komma abgetrennt oder in Kommas eingeschlossen, wenn man ihm Nachdruck verleihen möchte: *Bitte, kommen Sie einmal herüber. Legen Sie, bitte, einige Entwürfe vor. Unterschreiben Sie, bitte!* Gebraucht man *bitte* aber eher formelhaft, dann steht es ohne Komma: *Bitte kommen Sie einmal herüber. Legen Sie bitte einige Entwürfe vor. Unterschreiben Sie bitte!* Beide Möglichkeiten sind also richtig. **2. Bitte Tür schließen:** In Sätzen dieser Art, in denen *bitte* formelhaft in Verbindung mit der Grundform (dem Infinitiv) eines Zeitworts gebraucht wird, steht kein *zu.* (Also nicht: *Bitte Tür zu schließen.* Dagegen aber: *Ich bitte Sie, die Tür zu schließen.*) Weitere Beispiele für die richtige Form ohne *zu: Bitte Rückseite beachten. Bitte nicht rauchen. Beim Verlassen der Kabine bitte die Tür offenlassen.*

bitten:

1. Komma: Wenn das Zeitwort *bitten* mit der erweiterten Grundform (dem erweiterten Infinitiv) eines anderen Zeitwortes verbunden ist (z. B. *zu schließen*), dann kann man ein Komma setzen oder es weglassen: *Er bittet die Türen zu schließen* (hier ist *bitten* Hilfszeitwort) oder: *Er bittet, die Türen zu schließen.* Tritt aber zu *bitten* eine nähere Bestimmung, eine Ergänzung, dann muß das Komma stehen: *Er bittet darum, die Türen zu schließen. Er bittet sie, die Türen zu schließen.* **2. Alle werden gebeten, pünktlich zu erscheinen:** In einem solchen Satz darf *werden* nicht durch *sind* ersetzt werden (also nicht: *Alle sind gebeten* ...).

Blatt:

1. Blatt oder Blätter: Wird *Blatt* als Mengenangabe, besonders in Verbindung mit Zahlen, gebraucht, so bleibt es in der Mehrzahl ungebeugt, d. h. unverändert: *100 Blatt Papier.* Sonst lautet die Mehrzahl *die Blätter.* **2. Beugung nach *Blatt:*** Nach *Blatt* als Mengenangabe steht das, was als Menge angegeben wird (z. B. *Papier*), meist im selben Fall wie die Mengenangabe *Blatt* selbst: *100 Blatt [holzfreies] Papier, mit 100 Blatt holzfreiem Papier, für 100 Blatt holzfreies Papier.* Gelegentlich in gehobener Ausdrucksweise auch mit dem Wesfall: *100 Blatt holzfreien Papiers, mit 100 Blatt holzfreien Papiers.* Dieser Wesfall klingt jedoch gespreizt und ist nach der Mengenangabe *Blatt* ungebräuchlich. Steht die Mengenangabe *Blatt* selbst im Wesfall, so heißt es: *der Preis eines Blattes Papier* oder *der Preis eines Blatt Papiers,* aber (mit einem beigefügten Eigenschaftswort) nur: *der Preis eines Blattes holzfreien Papiers.*

blaurot oder **blau-rot:**

Farbbezeichnungen dieser Art schreibt man mit Bindestrich, wenn damit angegeben werden soll, daß zwei Farben unvermischt nebeneinanderstehen: *ein blau-roter Stoff* ist ein Stoff in den Farben Blau und Rot. Man schreibt sie zusammen, wenn angegeben werden soll, daß beide Farben vermischt vorkommen, also zusammen einen bestimmten Farbton ergeben: *ein blauroter Stoff* ist ein Stoff, dessen rote Farbe ins Blaue spielt. Man schreibt aber auch zusammen, wenn es (wie besonders in der Wappenkunde) unmißverständlich ist, daß zwei Farben nebeneinanderstehen: *eine blaurote Fahne* ist eine Fahne in den Farben Blau und Rot.

boxen: Werden in Verbindung mit dem Zeitwort *boxen* Person und Körperteil genannt, auf die sich *boxen* bezieht, dann kann die Person im Wemfall oder auch im Wenfall stehen: *Er hat seinem Gegner in den Magen geboxt.* Oder: *Er hat seinen Gegner in den Magen geboxt.* Der Wemfall *(seinem Gegner)* gilt als üblicher.

brauchen: **1. Du brauchst nicht zu kommen:** In Sätzen dieser Art wird das *zu* häufig weggelassen: *Du brauchst nicht kommen.* Man verhält sich dabei, als hätte man statt *brauchen* Wörter wie *müssen, sollen, können* oder *dürfen* verwendet, die in entsprechenden Fällen ohne *zu* stehen: *Du mußt nicht kommen, sollst nicht kommen, kannst nicht kommen, darfst nicht kommen.* Im Gegensatz zu der gesprochenen Alltagssprache, wo die Verwendung von *brauchen* ohne *zu* sehr verbreitet ist (und in gewisser Weise auch als gerechtfertigt erscheint), wird in der geschriebenen Sprache *brauchen* meist immer noch mit *zu* verwendet. Also: *Du brauchst nicht zu kommen. Er braucht erst morgen anzufangen.* **2. brauchen oder gebraucht:** Das Mittelwort der Vergangenheit (2. Partizip) von *brauchen* heißt *gebraucht: Sie haben das Geld nicht gebraucht. Ich habe dazu zwei Stunden gebraucht.* Steht aber vor *brauchen* noch ein weiteres Zeitwort in der Grundform (im Infinitiv), so steht nicht *gebraucht,* sondern *brauchen.* Es stehen dann beide Zeitwörter in der Grundform, also nicht: *Das hätte er nicht zu tun gebraucht,* sondern richtig nur: *Das hätte er nicht zu tun brauchen.* **3. ich brauchte, du brauchtest, er brauchte:** Die Möglichkeitsform (der Konjunktiv) von *brauchen* in Sätzen wie *Er tat, als ob er sie nicht brauchte* hat keinen Umlaut (also nicht: *ich bräuchte, du bräuchtest* usw., wie es besonders in Süddeutschland oft heißt).

brennen: Bei dem Zeitwort *brennen* im Sinne von „schmerzen" steht bei Verwendungsweisen wie *die Augen, die Füße brennen* die betroffene Person im Wemfall (nicht im Wenfall). Es heißt also: *Die Füße brennen mir* (nicht: *mich*). *Ihm* (nicht: *ihn*) *brannten die Augen.*

Auch bei Verwendungsweisen wie *der Pfeffer, die scharfe Soße brennt,* bei der gewöhnlich Person und Körperteil genannt werden, auf die sich *brennen* bezieht, steht die Person im Wemfall: *Der Pfeffer brannte ihm entsetzlich in den Augen. Die scharfe Soße brannte mir wie Feuer im Hals.*

Bruchzahlen: **1. ein Viertel des Weges/ein viertel Zentner:** Groß schreibt man, wenn die Bruchzahl als Hauptwort gebraucht wird: *ein Drittel, drei Fünftel, ein Zwanzigstel, drei Hundertstel, ein Achtel des Betrages, ein Viertel des*

Weges, drei Tausendstel von dieser Summe usw. Klein schreibt man, wenn die Bruchzahl vor Maß- und Gewichtsbezeichnungen als Beifügung gebraucht wird: *ein viertel Zentner Mehl, ein achtel Kilo, drei tausendstel Sekunden* usw. **2. drei achtel Liter/drei Achtelliter:** Zusammen schreibt man, wenn Bruchzahlen mit allgemein gebräuchlichen festen Maßbezeichnungen verbunden sind: *ein Viertelpfund, drei Achtelliter, eine Viertelstunde, drei Zehntelsekunden* usw. Die Getrenntschreibung bleibt aber immer möglich, wenn man einzelne Bruchteile zählen will: *drei achtel Liter; zwei viertel Zentner.*

Bund: Nach *Bund* als Mengenbezeichnung (z. B. *drei Bund*) steht das, was als Menge angegeben wird (z. B. *Stroh, Radieschen*), meist im selben Fall wie die Mengenbezeichnung *Bund* selbst: *drei Bund [trockenes] Stroh, mit drei Bund trockenem Stroh.* Gelegentlich in gehobener Ausdrucksweise auch mit dem Wesfall: *drei Bund trockenen Strohs, mit drei Bund trockenen Strohs.* Nur wenn das als Menge Angegebene in der Mehrzahl steht, wird häufiger auch der Wesfall gebraucht, also: *drei Bund frische Radieschen* neben: *drei Bund frischer Radieschen.* Steht die Mengenbezeichnung *Bund* selbst im Wesfall, so heißt es: *das Gewicht eines Bundes Stroh* oder *das Gewicht eines Bund Strohs,* aber (mit einem hinzugefügten Eigenschaftswort) nur: *das Gewicht eines Bundes trockenen Strohs.*

Bündel: Für *Bündel* als Mengenbezeichnung und für das, was als Menge nach *Bündel* steht, gelten die bei *Bund* gemachten Angaben.

C

Chemie: Die Wörter *Chemie, chemisch, Chemiker, Chemikalien* usw. werden nicht (wie in manchen Landschaften üblich) mit „k" gesprochen, sondern mit dem sogenannten Ich-Laut (dem Laut, wie er in dem Wort *ich* gesprochen wird).

chic/schick: In den ungebeugten Formen sind beide Schreibungen möglich: *Der Mantel ist sehr chic* oder *ist sehr schick.* In den gebeugten Formen *(ein schicker Mantel, die Farbe* *eines schicken Kleides)* ist jedoch die Schreibung *chic* nicht möglich (denn das *-c-* in *chicer* oder *chices* müßte wie „z" gesprochen werden).

China: Die Wörter *China, chinesisch, Chinese* usw. werden nicht (wie in manchen Landschaften üblich) mit „k" gesprochen, sondern mit dem sogenannten Ich-Laut (dem Laut, wie er in dem Wort *ich* gesprochen wird).

Club oder **Klub:** Die eingedeutschte Schreibung *Klub* ist heute üblich. Die Schreibung *Club* ist aber nicht falsch. Sie hat sich besonders in Vereinsnamen erhalten (da sie zur Zeit der Vereinsgründung üblich war). Auch in Barnamen ist diese Schreibung üblich.

creme: Diese Farbbezeichnung wird in korrektem Deutsch nicht gebeugt, also: *ein creme Kostüm, mit einem creme Hut.* Wer diese Form nicht verwenden will, kann ausweichen auf die Zusammensetzung mit *-farben: ein cremefarbenes Kostüm, mit einem cremefarbenen Hut.*

D

da: **1. Komma:** Ein mit *da* eingeleiteter Nebensatz muß immer durch Komma abgetrennt werden: *Er konnte nicht laufen, da er sich verletzt hatte. Jetzt, da er alles verloren hat, kümmert sich niemand um ihn. Da er schon älter war, wollte ihn niemand einstellen.* Kein Komma steht unmittelbar vor *da,* wenn es Teil einer Fügung ist, die als Einheit empfunden wird: *Er konnte nicht laufen, besonders da er sich verletzt hatte. Aber da er alles verloren hat, kümmert sich niemand um ihn.* **2. Abtrennung von *da* bei zusammengesetzten Wörtern wie *dabei, dafür, davon* usw.:** Besonders in der norddeutschen Umgangssprache kommt diese Trennung häufig vor. Sie ist hochsprachlich nicht korrekt. Es muß also heißen: *Dabei habe ich mir nichts gedacht* (nicht: *Da habe ich mir nichts bei gedacht*). *Dafür kann ich nichts* (nicht: *Da kann ich nichts für*). *Davon habe ich noch nichts gehört* (nicht: *Da habe ich noch nichts von gehört*). *Dagegen habe ich nichts* (nicht: *Da habe ich nichts gegen*). **3. da oder weil:** Die beiden Wörter stimmen in ihrer Bedeutung weitgehend überein. Ein feiner Unterschied im Gebrauch jedoch ergibt sich aus der unterschiedlichen Aussagekräftigkeit. Man gebraucht eher *da,* wenn in dem begründenden

Nebensatz, den es einleitet, etwas weniger Wichtiges, etwas bereits Bekanntes steht (dieser Nebensatz steht dann meist auch vor dem Hauptsatz): *Da heute ja Freitag ist, können wir früher nach Hause gehen. Da du ohnehin zur Post gehst, kannst du auch meinen Brief einwerfen.* Wenn in dem begründenden Nebensatz etwas verhältnismäßig Wichtiges, etwas Neues steht, dann verwendet man überwiegend *weil* (der Nebensatz steht dann meist nach dem Hauptsatz): *Mein Sohn konnte gestern nicht am Unterricht teilnehmen, weil er eine Magenverstimmung hatte.* Wenn im Hauptsatz durch Wörter wie *deswegen, deshalb, darum, besonders* o. ä. verstärkt auf die Gewichtigkeit des Grundes hingewiesen wird, dann steht nur *weil: Wir können deshalb früher nach Hause gehen, weil heute Freitag ist.*

dank: Das Verhältniswort (die Präposition) *dank* kann den Wemfall oder den Wesfall nach sich haben: *dank seinem Fleiß* oder *dank seines Fleißes.* In der Mehrzahl steht jedoch überwiegend der Wesfall: *dank raffinerter Verfahren; dank der Fortschritte moderner Hygiene.*

danke schön oder **Dankeschön:** Man schreibt die Dankesformel getrennt in Sätzen wie: *Du mußt danke schön sagen. Ich möchte ihr nur danke schön sagen. Er sagte: „Danke schön!“* Groß und zusammen schreibt man, wenn die Formel zu einem Hauptwort geworden ist in Fällen wie: *Er sagte ein herzliches Dankeschön. Richte an deinen Bruder ein Dankeschön für seine Hilfe aus.*

dann oder **denn:** Besonders in der norddeutschen Umgangssprache wird in Sätzen wie: *Na, dann geht es eben nicht* oder: *Dann bis morgen* häufig statt *dann* fälschlicherweise *denn* gesetzt. (Nicht richtig also: *Na, denn geht es eben nicht. Denn bis morgen.)*

darüber hinaus: Die Fügung *darüber hinaus* wird immer getrennt geschrieben: *Sie haben darüber hinaus noch manches erlebt.* Diese Getrenntschreibung gilt auch, wenn *hinaus* mit einem Zeitwort zusammengeschrieben wird: *Er ist noch darüber hinausgegangen. Alles, was darüber hinausführt. Er wird längst darüber hinaussein.*

darunter: Ein mit *darunter* gebildeter Satz kann lauten: *Dies geschah in vielen Ländern, darunter der Bundesrepublik* (Wemfall) oder *darunter die Bundesrepublik* (Werfall). Welchen Fall man wählt, hängt nicht von *darunter* ab, sondern davon, ob und wie man den Satz im stillen ergänzt. Wiederholt man nach *darunter* im stillen ein *in,* dann lautet der Satz: *Dies geschah in vielen Ländern, dar-*

unter [in] der Bundesrepublik. Ergänzt man aber nach *darunter* etwa *befindet sich,* dann heißt es: *Dies geschah in vielen Ländern, darunter [befindet sich] die Bundesrepublik.* Beide Satzbildungen sind korrekt. Ähnlich ist es in folgenden Fällen: *Er suchte mehrere Läden auf, darunter einen Antiquitätenladen* oder *darunter [war auch] ein Antiquitätenladen. Mehreren Schülern, darunter zwei Zehnjährigen* oder *darunter [befanden sich auch] zwei Zehnjährige, wurden Buchpreise verliehen.*

das oder **daß:** Die beiden Wörter *das* und *daß* werden häufig verwechselt, obwohl sie so unterschiedliche Funktionen haben, also ganz unterschiedliche Aufgaben in einem Satz erfüllen. Wer unsicher ist bei der Schreibung, der sollte sich eine ganz einfache Regel merken: Läßt sich für das Wort auch *dieses* oder *welches* einsetzen, dann handelt es sich um das nur mit „s" zu schreibende *das.* Ergibt diese Einsetzprobe keinen Sinn, so muß es sich um das mit „ß" zu schreibende *daß* handeln. Auf diese Weise läßt sich beispielsweise eindeutig feststellen, daß in Sätzen wie *Was glaubst du, daß sie gesagt hat? Was ratet ihr, daß ich tun soll?* nur *daß* richtig sein kann. Ähnlich verhält es sich bei der Redensart: *Was du nicht willst, daß(!) man dir tu', das* (= dieses) *füg auch keinem andern zu.*

das oder **was:** Es heißt richtig: *Das Boot, das* (nicht: *was*) *gekentert ist. Das Kleine, das* (nicht: *was*) *ich im Arm hielt. Das Hoheitsvolle, das* (nicht: *was*) *von ihrer Gestalt ausging.* Dagegen aber heißt es: *All das Schöne, was* (nicht: *das*) *wir gesehen haben. Es ist das Tollste, was* (nicht: *das*) *ich je erlebt habe. Es gibt vieles, was* (nicht: *das*) *mich interessiert.* Man gebraucht also *das,* wenn es sich auf eine bestimmte Person oder Sache, auf etwas einzelnes bezieht, hingegen gebraucht man *was,* wenn es sich auf eine Gesamtheit, auf etwas Allgemeines, Unbestimmtes bezieht.

das gleiche/dasselbe: Siehe der gleiche/derselbe.

das heißt (d. h.): Vor *das heißt* steht immer ein Komma: *Es war nur ein schwacher, d. h. untauglicher Versuch. Wir werden den Vorfall nicht weitermelden, d. h. keine Strafanzeige erstatten.* Unmittelbar nach *das heißt* kann ein zweites Komma stehen, aber nur dann, wenn ein ganzer Satz folgt: *Am frühen Abend, d. h., sobald die Büros geschlossen haben, ist der Verkehr am stärksten. Wir werden den Fall nicht weitermelden, d. h., wir haben kein Interesse an einer Strafanzeige.* Das zweite Komma steht auch, wenn an Stelle des ganzen Satzes nach *das heißt* die erweiterte

Grundform (der erweiterte Infinitiv) eines Zeitwortes mit *zu* steht: *Er versuchte den Ball zu passen, d. h., ihn seinem Nebenmann zuzuspielen.*

dasjenige, was: Ein mit dem hinweisenden Wort *dasjenige* angekündigter Nebensatz wird mit *was* eingeleitet (nicht mit *das*): *Dasjenige, was sie am liebsten tun, ist ihnen verboten.*

daß: Ein mit *daß* eingeleiteter Nebensatz muß immer durch Komma abgetrennt werden: *Die Hauptsache ist, daß du kommst. Die Nachricht, daß er zugestimmt hat, kam schon gestern. Daß du so schnell kommst, hätte ich nicht gedacht.*

Kein Komma steht unmittelbar vor *daß,* wenn es Teil einer Fügung ist, die als Einheit empfunden wird: *Ich habe alles gesehen, auch daß er das Geld eingesteckt hat. Du sagst mir nichts Neues, denn daß er zugestimmt hat, wußte ich schon gestern.* Ähnlich ist es bei Fügungen wie *als daß, ohne daß, so daß.* Vergleiche dazu auch diese Stichwörter.

dasselbe: Siehe derselbe (dieselbe, dasselbe).

Datum: **1. die reine Datumsangabe:** Die reine Datumsangabe kann folgende Form haben:

04. 08. 1986
04. 08. 86
4. August 1986
4. Aug. 86

2. Datumsangabe in Briefen in Verbindung mit dem Ortsnamen:

Berlin, den 4. August 1986
Berlin, den 04. 08. 1986
Berlin, 4. August 86
Berlin, 04. 08. 1986
Berlin, am 04. 08. 86
Berlin, im August 1986

Grammatisch falsch ist der Anschluß *Berlin, dem ...* Handelt es sich um eine gewöhnliche Datumsangabe, d. h., soll der betreffende Tag nur als gewöhnlicher Kalendertag genannt werden, dann wird im allgemeinen die Zeitangabe mit *den* oder die bloße Zeitangabe gewählt. Soll dagegen der betreffende Tag als ein bedeutsamer, aus dem zeitlichen Ablauf herausgehobener Tag genannt werden, dann wird die Zeitangabe mit *am* bevorzugt. Datumsangaben mit *am* verleihen einem Tag gewissermaßen etwas Bedeutsames und finden sich daher häufig in Urkunden, Dokumenten, feierlichen Anzeigen und dgl. **3. Das Datum in Verbindung mit dem Wochentag:** Werden Monat und Wochentag genannt, dann ist die Zeichensetzung unterschiedlich: *Er kommt Montag, den 4. Juli, an.* Oder: *Er kommt Montag, den 4. Juli an.* Steht vor dem Wochentag ein *am,* dann kann es heißen: *Er kommt am Montag, den 4. Juli an.* (Nur hinter dem Wochentag steht ein Komma.) Richtig ist auch die Form: *Er kommt am Montag, dem 4. Juli, an.* (Hier steht hinter dem Wochentag und hinter dem Monatsnamen ein Komma.) **4. Das Datum in Verbindung mit dem Wochentag, einer Zeitangabe und einer Ortsangabe:** *Die Versammlung findet am Montag, dem 4. Juli, 11 Uhr im Gemeindehaus statt.* Folgt auf das Datum noch die Angabe einer Uhrzeit, dann steht vor dieser Angabe ein Komma. Nach der Angabe der Uhrzeit steht kein weiteres Komma.

davon, daß: Bei der Verbindung *davon, daß* steht nach *davon* immer ein Komma: *Das hast du nun davon, daß du so lange weggeblieben bist. Davon, daß du schreist, wird es auch nicht besser.*

dein: Das besitzanzeigende Fürwort (Possessivpronomen) *dein* wird üblicherweise klein geschrieben: *dein Buch, deine Geige; ein Streit über mein und dein.* Groß schreibt man es aber, wenn es bei der Anrede gebraucht wird und dabei eine Person unmittelbar angesprochen wird wie in Briefen, aber auch in Wahlaufrufen, Erlassen, Grabinschriften, Widmungen, Mitteilungen eines Lehrers unter Klassenarbeiten, auf Fragebogen, in schriftlichen Prüfungsaufgaben usw.: Brief: *Vielen Dank für Deine Nachricht.* Bemerkung des Lehrers unter einem Aufsatz: *Du hast auf Deine Arbeit viel Mühe verwendet.* Fragebogen: *Was sind Deine Berufswünsche?* Wenn diese unmittelbare Ansprache jedoch fehlt, etwa in Prospekten, Lehrbüchern, Protokollen, in der schriftlichen Wiedergabe von Reden, Dialogen u.ä., dann wird *dein* auch hier klein geschrieben.

Groß schreibt man *dein* (entsprechend auch *deinig*), wenn es zum Hauptwort geworden ist in Fällen wie: *das Deine* (= das dir Gehörende), *die Deinen* oder *Deinigen* (= deine Angehörigen) oder auch: *das Dein und das Mein.* Jedoch schreibt man es klein, wenn es sich auf ein Hauptwort bezieht: *Wessen Bücher sind das? Sind es die deinen?*

deinerseits, deinesgleichen, deinethalben, deinetwegen, deinetwillen: Für die Großschreibung dieser Wörter in der Anrede gelten die bei *dein* gemachten Angaben.

deines Vaters Haus/ deinem Vater sein Haus Für Formulierungen wie *deines Vaters Haus* oder *das Haus deines Vaters* sagt man in salopper Umgangssprache oft auch *deinem Vater sein Haus.* Diese Ausdrucksweise ist nicht korrekt.

deinetwegen oder **wegen dir:** In der Umgangssprache wird statt *deinetwegen* häufig *wegen dir* gebraucht: *Das habe ich nur wegen dir getan.* Hochsprachlich korrekt ist: *Das habe ich nur deinetwegen getan.*

dem oder **den:** Man kann sowohl sagen *Die Konferenz findet am Montag, dem 1. März 1986, statt* als auch: *Die Konferenz findet am Montag, den 1. März 1986 statt.* Zu beachten ist aber, daß im ersten Beispielsatz das Satzglied *dem 1. März 1986* ein Beisatz (eine Apposition) ist, der in Kommas eingeschlossen werden muß. Im zweiten Beispielsatz dagegen ist *den 1. März 1986* Glied einer Aufzählung im Wenfall, nach dem kein Komma steht. Wird der Satz noch um eine Angabe der Uhrzeit erweitert, wird diese jedoch in beiden Fällen durch Komma abgetrennt: *Die Konferenz findet am Montag, dem* oder *den 1. März 1986, um 11 Uhr statt.* Kein Komma steht hinter der Uhrzeitangabe.

der oder **er:** Es gilt als umgangssprachlich, gelegentlich auch als unhöflich, wenn man in bestimmten Zusammenhängen in bezug auf eine männliche Person *der* gebraucht und nicht *er,* wie es korrekt wäre. Richtig also: *Das muß er doch selber wissen.* Nicht: *Das muß der doch selber wissen.* Richtig: *Mein Vater ist sehr altmodisch, mit ihm kann ich nicht darüber sprechen.* Nicht: *... mit dem kann ich nicht darüber sprechen.*

derartig: Ein auf *derartig* folgendes Eigenschaftswort oder Mittelwort (Partizip) wird (auch wenn es als Hauptwort gebraucht wird) in gleicher Weise gebeugt wie *derartig* selbst: *derartiges gedrucktes Material, bei derartiger seelischer Verfassung, mit derartigem frechem Betragen* (die Form *mit derartigem frechen Betragen* ist heute nicht mehr üblich), *derartige schlimme Fehler, die Vermeidung derartiger persönlicher Beschuldigungen; ein derartiger Abgeordneter, derartige Kranke, die Meinung derartiger Betroffener.*
Oft steht *derartig* auch unverändert vor einem Eigenschaftswort: *mit einem derartig frechen Betragen.*

der gleiche/ derselbe: Mit *derselbe (dieselbe, dasselbe)* wird ebenso wie mit *der gleiche (die gleiche, das gleiche)* eine Gleichheit, eine Übereinstimmung gekennzeichnet. In vielen Fällen kann diese Gleichheit deshalb auch unterschiedslos

durch *derselbe (dieselbe, dasselbe)* oder durch *der gleiche (die gleiche, das gleiche)* ausgedrückt werden: *Sie tranken alle nacheinander aus demselben* oder *aus dem gleichen Glas. Sie wurden von demselben* oder *dem gleichen Arzt behandelt.* Hierbei handelt es sich um die Feststellung der Gleichheit oder Übereinstimmung bei einem Einzelgegenstand, einer Einzelperson. Aber auch in Fällen, in denen nur die Gleichheit der Art von etwas angesprochen wird, können *derselbe (dieselbe, dasselbe)* und *der gleiche (die gleiche, das gleiche)* austauschbar sein: *Ich möchte denselben* oder *den gleichen Wein wie der Herr dort drüben. Er hat denselben* oder *den gleichen Vornamen wie sein Vater. Sie trafen sich heute um dieselbe* oder *die gleiche Uhrzeit wie gestern.*
Gelegentlich können aber auch Mißverständnisse entstehen. In solchen Fällen kommt es darauf an, den Unterschied, der zwischen *derselbe (dieselbe, dasselbe)* und *der gleiche (die gleiche, das gleiche)* besteht, zu beachten. Man sollte dann *derselbe (dieselbe, dasselbe)* nur verwenden, wenn es um die Gleichheit, Übereinstimmung im Hinblick auf nur eine Person oder Sache geht: *Die beiden Monteure der Firma fahren denselben Wagen* bedeutet, daß beide den einen Firmenwagen benutzen. *Die beiden Monteure der Firma fahren den gleichen Wagen* sagt aus, daß beide einen Wagen desselben Fabrikats benutzen. Im allgemeinen ergibt sich aus dem Zusammenhang, wie die Aussage gemeint ist.

deren:

1. Beugung nach *deren*: Ein auf *deren* folgendes Eigenschaftswort oder Mittelwort (Partizip) wird (auch wenn es als Hauptwort gebraucht wird) in folgender Weise gebeugt: *Ich sprach mit Maria und deren nettem* (nicht: *netten*) *Mann. Das ist nur für Mitglieder und deren Angehörige* (nicht: *Angehörigen*). *Mit Ausnahme unserer Mitarbeiter und deren Angehöriger* (nicht: *Angehörigen*) ...
2. Falsch gebildete Form *derem*: Eine Form, die *derem* lautet, gibt es nicht. Man kann *deren* nicht in den Wemfall setzen, wie es manchmal gemacht wird. Es heißt also richtig nur: *Sie sprach mit Maria und deren* (nicht: *derem*) *Mann. In bezug auf die Wirtschaft, in deren* (nicht: *derem*) *Rahmen* ... **3. deren oder derer:** Die Formen *deren* und *derer* werden nicht selten verwechselt. Bei Rückweisung heißt es immer *deren: Die Frau, deren* (nicht: *derer*) *er sich annahm. Die Taten, deren* (nicht: *derer*) *sie sich rühmen. Die Beweise, auf Grund deren* (nicht: *derer*) *er verurteilt wurde. Punkte, an Hand deren* (nicht: *derer*) *er sich orientierte.* Die Form *derer* kommt nur als Hinweis auf etwas Folgendes und nur noch als Form der Mehrzahl vor: *Sie erinnerte sich derer* (nicht: *deren*), *die ihr früher so nahegestanden hatten.*

derselbe (dieselbe, dasselbe): **1. An Stelle von *er (sie, es)*:** Es ist stilistisch unschön (und auch inhaltlich nicht erforderlich), *derselbe* an Stelle des persönlichen Fürworts (Personalpronomens) zu gebrauchen, also etwa: *Nachdem die Äpfel geerntet worden waren, wurden dieselben auf Horden gelagert.* Dafür besser: *... wurden sie auf Horden gelagert.* **2. an Stelle von *sein (ihr)*:** Ebenso unschön ist es, *derselbe* an Stelle von *sein* zu gebrauchen: *Das höchste Bauwerk in der Gegend ist ein alter Turm. Die Höhe desselben ist etwa 100 Meter.* Dafür besser: *... Seine Höhe ist etwa 100 Meter.*

dessen: **1. Beugung nach *dessen*:** Ein auf *dessen* folgendes Eigenschaftswort oder Mittelwort (Partizip) wird (auch wenn es als Hauptwort gebraucht wird) in folgender Weise gebeugt: *Ich sprach mit Hans und dessen nettem* (nicht: *netten*) *Freund. Vor dem Denkmal und dessen breitem* (nicht: *breiten*) *Sockel ... Für den Kranken und dessen Angehörige* (nicht: *Angehörigen*) *... Mit Ausnahme des Kranken und dessen Angehöriger* (nicht: *Angehörigen*)... **2. Falsch gebildete Form *dessem*:** Eine Form, die *dessem* lautet, gibt es nicht. Man kann *dessen* nicht in den Wemfall setzen, wie es manchmal gemacht wird. Es heißt also richtig nur: *Sie sprach mit Hans und dessen* (nicht: *dessem*) *Freund. Im Hinblick auf den Wirtschaftsplan, in dessen* (nicht: *dessem*) *Rahmen ...*

die oder **sie:** Es gilt als umgangssprachlich, gelegentlich auch als unhöflich, wenn man in bestimmten Zusammenhängen in bezug auf eine weibliche Person *die* gebraucht und nicht *sie*, wie es korrekt wäre. Richtig also: *Das muß sie doch selber wissen.* Nicht: *Das muß die doch selber wissen.* Richtig: *Meine Mutter ist sehr altmodisch, mit ihr kann ich nicht darüber sprechen.* Nicht: *... mit der kann ich nicht darüber sprechen.*

die gleiche/dieselbe: Siehe der gleiche/derselbe.

Dienstag abend oder **Dienstagabend:** In der Fügung *Dienstag abend* ist der Wochentag *(Dienstag)* der Hauptbegriff, in der Zusammensetzung *Dienstagabend* dagegen die Tageszeitangabe *Abend.* In vielen Sätzen ist jedoch nicht zu entscheiden, ob *Dienstag* oder ob *Abend* der wichtigere Begriff ist. In diesen Sätzen sind beide Schreibweisen möglich und korrekt: *Am nächsten Dienstag abend* oder *Dienstagabend treffen wir uns.* Wenn dagegen eindeutig *Abend* im Vordergrund steht (z. B. bei der Mehrzahl *die Dienstagabende*), wird nur die Zusammensetzung verwendet: *Meine Dienstagabende sind alle belegt. Ich verbrachte einen überaus schönen Dienstagabend.* Man kann für *Dienstag* selbstverständlich alle anderen Wochentage einsetzen. Ebenso wie *Abend* wird auch *Morgen, Mittag* und *Nacht* behandelt: *Ich hatte Dienstag nacht* oder *Dienstagnacht einen Autounfall.* Aber nur: *Was geschah in der Dienstagnacht?* Bei den Tageszeitangaben *Vormittag* und *Nachmittag* ist eher die getrennte Schreibweise (z. B. *Dienstag vormittag*) üblich, die Zusammenschreibung ist aber nicht falsch. Das nachgetragene *früh* kann dagegen nur getrennt geschrieben werden: *[am] Dienstag früh.* Auch getrennt geschrieben werden Formen wie *Dienstag abends, morgens, nachmittags* usw.

Dienstag abends oder **dienstags abends:** Beide Schreibweisen sind korrekt und bedeuten „an jedem wiederkehrenden Dienstag zur Abendzeit". Ebenso wie *Dienstag* werden alle anderen Wochentage behandelt; statt *abends* kann es auch *morgens, nachmittags* usw. heißen.

dieselbe: Siehe derselbe (dieselbe, dasselbe).

dieser, diese, dieses: **1. Anfang dieses Jahres:** Es heißt richtig: *Anfang dieses* (nicht: *diesen*) *Jahres; am 10. dieses Monats; ein Gerät dieses Typs.* **2. Überbringer dieses:** Diese Formulierung gehört der älteren Amtssprache an. Besser ist: *der Überbringer dieses Schreibens.* **3. dies/dieses:** Anstatt *dieses* wird häufig auch das ungebeugte *dies* in gleicher Bedeutung gebraucht, vor allem wenn es alleinstehend verwendet wird: *Dies ist richtig. Dies alberne Geschwätz widert mich an.* **4. mit diesem seinem Buch:** Folgt auf *dieser* ein besitzanzeigendes Fürwort (*mein, dein, sein* usw.), erhält es die gleiche Endung wie *dieser: mit diesem seinem Buch, von diesem deinem Freund, von dieser seiner Schöpfung.* Andere Endungen haben jedoch Eigenschaftswörter, die zusätzlich hinzugefügt werden: *von dieser seiner neuesten Schöpfung; von diesem deinem engen Freund; mit diesem seinem besten Buch.*

Diplomat: In der Regel erhält das Hauptwort *Diplomat* – außer im Werfall – die Endung *-en: der Diplomat, des Diplomaten* (nicht: *des Diplomats*), *dem Diplomaten* (nicht: *dem Diplomat*), *den Diplomaten* (nicht: *den Diplomat*), Mehrzahl: *die Diplomaten.*

Dirigent: In der Regel erhält das Hauptwort *Dirigent* – außer im Werfall – die Endung *-en: der Dirigent, des Dirigenten* (nicht: *des Dirigents*), *dem Dirigenten* (nicht: *dem Dirigent*), *den Dirigenten* (nicht: *den Dirigent*), Mehrzahl: *die Dirigenten.*

DM: Die Abkürzung für Deutsche Mark in Verbindung mit Zahlen ist *DM: 250 DM.* Die Währungseinheit ist im allgemeinen nach dem Betrag zu schreiben, weil sie auch erst nach der Zahl gesprochen wird. Man schreibt also in fortlaufenden Texten, Geschäftsbriefen usw. *3,45 DM* o. ä. In Aufstellungen und im Zahlungsverkehr kann das Währungszeichen aus Gründen der besseren Übersicht auch vorangestellt werden: *DM 250; DM 3,45.* Ohne Zahlenangabe wird statt *DM* in der Presse, vor allem in der Wirtschaftspresse, auch *D-Mark* verwendet.

doch: Vor *doch* steht ein Komma, wenn es Zusätze einleitet: *Er probierte es oft, doch vergebens.* Es steht auch ein Komma, wenn *doch* Sätze einleitet: *Sie versprach, mir zu helfen, doch sie kam nicht.* Hier kann jedoch auch ein Strichpunkt oder ein Punkt gesetzt werden.

Doktor: **1. Anrede und Anschrift:** Gewöhnlich wird der Doktortitel abgekürzt. Er muß aber ausgeschrieben werden, wenn der Name weggelassen wird: *Sehr geehrter Herr Doktor!* Diese Form ist allerdings seltener, üblicher ist die abgekürzte Form in Verbindung mit dem Familiennamen: *Sehr geehrter Herr Dr. Schulz!* In der Anschrift wird der Doktortitel immer mit dem Namen verbunden, d. h., man schreibt in die erste Zeile *Herrn* bzw. *Frau,* in die nächste Zeile *Dr.* und den Namen. Ist eine Person Inhaber mehrerer Doktortitel, dann führt man diese ohne Komma hintereinander auf: *Frau Dr. phil. Dr. med. Helga Schulz.* Bei mehr als drei Titeln kann man sich mit *Dr. mult.* (= doctor multiplex „mehrfacher Doktor") helfen. **2. Beugung:** Steht das Wort *Doktor* (oder die Abkürzung *Dr.*) in Verbindung mit einem Familiennamen, dann bleibt es – im Gegensatz zum Namen – ungebeugt, d. h., es wird nicht verändert: *der Bericht [Herrn] Doktor Schulzes; die Praxis Dr. Müllers; die Villa des Doktor Meier.*

Donnerstag abend oder **Donnerstagabend:** Siehe Dienstag abend oder Dienstagabend.

Doppelpunkt: **1. Der Doppelpunkt bei der direkten Rede:** Der Doppelpunkt steht vor der direkten Rede, wenn diese vorher angekündigt ist: *Der Präsident sagte: „Ich werde meinem Land treu dienen." Der Vater verkündete: „Morgen machen wir einen Ausflug."* Der Doppelpunkt steht auch dann, wenn der ankündigende Satz nach der direkten Rede weitergeführt wird: *Er fragte mich: „Weshalb darf ich das nicht?" und begann zu schimpfen.* (Die wörtliche Rede wird nach dem Doppelpunkt immer mit großem Anfangsbuchstaben begonnen.) **2. Der Doppelpunkt bei Aufzählungen:** Der Doppelpunkt steht vor angekündigten Aufzählungen. Das erste Wort wird nur dann groß geschrieben, wenn es ein Hauptwort ist: *Sie hat schon mehrere Länder besucht: Frankreich, Spanien, Polen, Ungarn. Die üblichen Leistungsnoten in der Schule lauten: sehr gut, gut, befriedigend, ausreichend, mangelhaft, ungenügend. Folgende Teile werden nachgeliefert: gebogene Rohre, Muffen, Schlauchklemmen und Dichtungen.* Der Doppelpunkt steht nicht, wenn einer Aufzählung Wörter wie *nämlich, d. h., d. i., z. B.* vorausgehen. In diesen Fällen steht ein Komma: *Der Teilnehmerkreis setzt sich aus verschiedenen Gruppen zusammen, nämlich Arbeitern, Angestellten und Unternehmern. Wir werden Ihnen alle durch die Dienstreise entstehenden Kosten, d.h. Fahrgeld, Auslagen für Übernachtung und Essen, ersetzen.* **3. Der Doppelpunkt bei Sätzen, Satzstücken, Einzelwörtern:** Der Doppelpunkt steht vor vollständigen Sätzen, Satzstücken oder einzelnen Wörtern, die ausdrücklich angekündigt sind. Dabei wird das erste Wort eines vollständigen Satzes in der Regel, das Einzelwort bzw. das erste Wort des Satzstücks jedoch nur dann groß geschrieben, wenn es ein Hauptwort ist: *Das Sprichwort lautet: Der Apfel fällt nicht weit vom Stamm. Rechnen: sehr gut. Nächste TÜV-Untersuchung: 30. 9. 1989.* Auch nach den Angaben in Firmenbriefköpfen wie *Ihr Zeichen, Ihre Nachricht vom, Unser Zeichen, Tag, Datum, Betreff/Betr., Bankkonto, Telefon* u.a. steht, wenn die folgende Mitteilung in der gleichen Zeile gebracht wird, ein Doppelpunkt. Dasselbe gilt für Hinweise auf Vordrucken und Formularen wie *Erfüllungsort: ...; Lieferadresse: ...; Der Direktor: ...; Der Erziehungsberechtigte: ...* **4. Der Doppelpunkt bei Zusammenfassungen und Folgerungen:** Der Doppelpunkt steht vor Zusammenfassungen und Folgerungen. Das erste Wort wird nur dann groß geschrieben, wenn es ein Hauptwort ist: *Haus und Hof, Geld und Gut: alles ist verloren. Du arbeitest bis spät in die Nacht, rauchst eine Zigarette nach der anderen, gehst kaum an die frische Luft: du machst dich kaputt!* **5. Doppelpunkt und Ziffernschreibung:** In der Mathematik wird der Doppelpunkt bei Teilungsaufgaben verwendet: *16:4 = 4; 1:2 = 0,5.* Bei der Angabe von Sport- und Wahlergebnissen, kartographischen Angaben u. a. drückt der Doppelpunkt ein (Zahlen)verhältnis aus: *Hamburger SV–Bayern München 2:2. Ein klarer 5:1-Sieg. Der deutsche Tennismeister schlug den Spanier in drei Sätzen 6:2, 6:3, 7:5. Die Erfolgsaussichten stehen 50:50. Die Wahlprognosen zeigen ein Verhältnis von 60:40 für die Kandidatin der konservativen Partei. Die Karte ist im Maßstab 1:5 000 000 angelegt.* Schließlich wird der Doppelpunkt als Gliederungszeichen zwischen Stunden, Minuten und Sekunden bei genauen Zeitangaben verwendet (Sekunden und Zehntelsekunden werden durch ein Komma getrennt): *Die Zeit des Siegers im Marathonlauf beträgt 2:35:30,2 Stunden* (= 2 Stunden, 35 Minuten, 30,2 Sekunden). *Mit 8:41,7 Minuten* (= 8 Minuten, 41,7 Sekunden) *stellte sie einen neuen Rekord auf.* (An Stelle des Doppelpunktes wird hier gelegentlich auch nur ein Punkt gesetzt: *13.58 Minuten; 4.25.30,9 Stunden;* aber nicht: *4:25.30,9 Stunden.*)

doppelt oder **zweifach:** Die beiden Wörter werden heute meist in folgender Weise unterschieden: Das Wort *zweifach* bezeichnet zweierlei Verschiedenes: *Er hat ein zweifaches Verbrechen* (z. B. Mord und Raub) *begangen.* Dagegen meint *doppelt* zweimal dasselbe: *Er muß die doppelte Summe zahlen. Der Koffer hat einen doppelten Boden.*

Dozent: In der Regel erhält das Hauptwort *Dozent* – außer im Werfall – die Endung *-en: der Dozent, des Dozenten* (nicht: *des Dozents*), *dem Dozenten* (nicht: *dem Dozent*), *den Dozenten* (nicht: *den Dozent*), Mehrzahl: *die Dozenten.* In der Anschrift ist jedoch auch die ungebeugte Form *Dozent* zulässig: *[An] Herrn Dozent Meyer* neben *[An] Herrn Dozenten Meyer.*

dreiviertel: **1. Rechtschreibung:** In der Regel wird das Wort *dreiviertel* als Einheit empfunden und zusammengeschrieben: *eine dreiviertel Stunde* (oder: *eine Dreiviertelstunde*), *ein dreiviertel Liter* (oder: *ein Dreiviertelliter*), *in Dreiviertel der Länge.* Getrennt schreibt man dann, wenn eindeutig *viertel* (oder: *Viertel*) gezählt wird: *in drei viertel Stunden* (oder: *in drei Viertelstunden* = dreimal einer Viertelstunde), *ein viertel Liter und drei viertel Liter* (oder: *ein Viertelliter und drei Viertelliter*). Auch bei Uhrzeitangaben wird getrennt geschrieben: *Es ist drei Viertel Zwölf.* Wenn der Sachverhalt nicht eindeutig ist, sind beide Schreibweisen korrekt: *dreiviertel der Bevölkerung* oder *drei Viertel der Bevölkerung.* **2. dreiviertel bzw. drei Viertel der Einwohner sind katholisch:** Folgt auf die Bruchzahl ein Hauptwort im Wesfall (*der Einwohner, der Bevölkerung, des Weges* usw.), steht das Zeitwort gewöhnlich in der Mehrzahl: *Abgestimmt haben dreiviertel* bzw. *drei Viertel der Bevölkerung. Dreiviertel* bzw. *Drei Viertel der Bauern sind unzufrieden. In diesem Monat werden dreiviertel* bzw. *drei Viertel der Autobahn fertig. Dreiviertel* bzw. *Drei Viertel aller Mitglieder erschienen.*

Drittel: **1. Beugung:** Steht *Drittel* im Wemfall der Mehrzahl, dann verwendet man heute meist die gebeugte Form

Dritteln: mit zwei Dritteln der Summe; zu zwei Dritteln fertig sein. Korrekt ist aber auch die ungebeugte Form *Drittel: mit zwei Drittel der Summe; zu zwei Drittel fertig sein.* **2. Ein Drittel der Schüler ist/sind krank:** Folgt der Angabe *ein Drittel* ein Hauptwort in der Einzahl, dann steht auch das Zeitwort in der Einzahl: *Ein Drittel der Klasse ist krank.* Folgt auf *ein Drittel* ein Hauptwort in der Mehrzahl, dann steht das Zeitwort üblicherweise in der Einzahl, es kann jedoch auch in der Mehrzahl stehen: *Ein Drittel der Schüler ist krank,* seltener: *Ein Drittel der Schüler sind krank.* Wenn allerdings die Bruchzahl in der Mehrzahl steht *(zwei Drittel),* dann verwendet man beim Zeitwort ebenfalls die Mehrzahl, und zwar unabhängig davon, ob das der Bruchzahl folgende Hauptwort in der Mehrzahl oder in der Einzahl steht: *Zwei Drittel der Klasse/der Schüler sind krank.*

drohen: Die Kommasetzung bei dem Zeitwort *drohen* hängt davon ab, welche Bedeutung es hat. Bedeutet *drohen* „eine Drohung aussprechen", muß ein Komma stehen, wenn eine erweiterte Grundform (ein erweiterter Infinitiv) folgt: *Der Kranke drohte, sich ein Leid anzutun.* Kein Komma steht dagegen, wenn *drohen* die Bedeutung „in Gefahr sein, im Begriff stehen" hat: *Der Kranke drohte bei dem Anfall zu ersticken.*

drücken: **1. etwas drückt jemandem/jemanden auf die Schulter:** Werden im Zusammenhang mit dem Zeitwort *drücken* sowohl eine Person als auch ein Körperteil genannt, auf die sich *drücken* bezieht, dann kann die Person im Wemfall oder auch im Wenfall stehen. Der Wemfall ist jedoch üblicher: *Die Kiste drückte ihm auf die Schulter.* Seltener: *Die Kiste drückte ihn auf der Schulter.* **2. vor oder *von:*** Im Sinne von „etwas nicht mitmachen, nicht tun wollen" ist sowohl *vor* wie *von* richtig: *Er drückt sich gern vor der Arbeit* oder *von der Arbeit.*

du: Das persönliche Fürwort *du* (und auch *deiner, dir, dich*) wird groß geschrieben, wenn es in der Anrede gebraucht und dabei eine Person unmittelbar angesprochen wird. Dies ist der Fall in Briefen, Wahlaufrufen, Erlassen, Grabinschriften, Widmungen, Mitteilungen eines Lehrers unter Klassenarbeiten, auf Fragebögen, in schriftlichen Prüfungsaufgaben usw.
Brief: *Wie geht es Dir? Ich harre Deiner.* Bemerkungen des Lehrers unter einem Aufsatz: *Mir scheint, Du hast Dir wirklich Mühe gegeben.* Fragebogen: *Womit beschäftigst Du Dich am liebsten?* Wenn diese unmittelbare Ansprache jedoch fehlt – etwa in Prospekten, Lehrbüchern,

Protokollen, in der schriftlichen Wiedergabe von Reden, Dialogen usw. –, dann wird *du (deiner, dir, dich)* klein geschrieben.

du oder **dich:** In dem Satz *Wenn ich du wäre, ...* ist nur *du* (nicht: *dich*) korrekt.

du oder wir: *Du oder wir haben* (nicht: *hast*) *das getan.*

du und er: *Du und er* (= ihr) *habt euch gefreut.* Nicht: *Du und er haben sich gefreut.*

du und ich: *Du und ich* (= wir) *haben uns* (nicht: *sich*) *sehr gefreut.*

du und sie: *Du und sie* (= ihr) *habt euch gefreut.* Nicht: *Du und sie haben sich gefreut.*

du und wir: *Du und wir haben uns* (nicht: *sich*) *sehr gefreut.*

durch was oder **wodurch:** Vor allem in der gesprochenen Sprache wird heute *wodurch* häufig durch *durch was* ersetzt: *Durch was ist sie berühmt geworden? Weißt du, durch was sie berühmt geworden ist?* Die Verbindung *durch was* ist jedoch umgangssprachlich gefärbt; stilistisch besser ist *wodurch: Wodurch ist sie berühmt geworden? Weißt du, wodurch sie berühmt geworden ist?*

dürfen: **1. dürfen oder gedurft:** Das Mittelwort der Vergangenheit (2. Partizip) von *dürfen* heißt *gedurft: Er hat es nicht gedurft.* Steht aber vor dem Zeitwort *dürfen* noch ein zweites Zeitwort, und zwar in der Grundform (im Infinitiv), dann steht nicht *gedurft,* sondern *dürfen: Sie hat mitkommen dürfen.* **2. doppelte Ausdrucksweise:** Man sollte vermeiden, *dürfen* zusammen mit anderen Wörtern, die eine Erlaubnis ausdrücken, zu gebrauchen. Man sage also nicht: *Ich bitte um die Erlaubnis, das tun zu dürfen.* Sondern: *... die Erlaubnis, das zu tun.*

Dutzend: **1. Rechtschreibung:** Das Wort *Dutzend* wird immer groß geschrieben. **2. Beugung von *Dutzend*:** Hat *Dutzend* die Bedeutung „12 Stück“, bleibt es in der Mehrzahl ungebeugt, d. h., es verändert sich nicht: *mit zwei Dutzend frischen Eiern.* Bezeichnet es dagegen eine unbestimmte Menge, wird es gebeugt, d. h. verändert: *Dutzende von Fehlern; die Einsprüche Dutzender von Besuchern; zu Dutzenden.* Eine Ausnahme ist, wenn ein beigefügtes Wort durch seine gebeugte Form bereits die Mehrzahl und den entsprechenden Fall anzeigt; dann bleibt *Dutzend* wiederum ungebeugt: *einige Dutzend Fehler.* **3. Beugung nach *Dutzend*:** Nach *Dutzend* steht das Gezählte im glei-

chen Fall wie *Dutzend: ein/zwei Dutzend frische Eier, der Preis eines Dutzends/zweier Dutzend frischer Eier, mit einem/zwei Dutzend frischen Eiern, für ein/zwei Dutzend frische Eier*. Steht *Dutzend* im Wemfall *(mit einem Dutzend ...)*, wird das Gezählte häufig auch in den Wesfall oder auch in den Werfall gesetzt: *mit zwei Dutzend frischer Eier* oder: *mit zwei Dutzend frische Eier*. Bei der Bedeutung „unbestimmte Menge" wird das Gezählte heute meist mit *von* angeschlossen: *Dutzende von kleinen Fahnen*. Ohne das Verhältniswort *von* wird das Gezählte meist ebenfalls in den gleichen Fall gesetzt wie *Dutzende: mit Dutzenden kleinen Fahnen*. Richtig, wenn auch seltener ist der Wesfall: *mit Dutzenden kleiner Fahnen*.
4. Ein Dutzend Eier kostet/kosten: Im allgemeinen wird das Zeitwort auf *Dutzend* bezogen und in die Einzahl gesetzt. *Ein Dutzend Eier kostet 3,96 DM, war zerbrochen, wird verschenkt, ist abzuholen*. Gelegentlich wird das Zeitwort aber nicht auf *Dutzend*, sondern auf das Gezählte bezogen und in die Mehrzahl gesetzt (d. h., man konstruiert nach dem Sinn): *Ein Dutzend Eier kosten 3,96 DM, waren zerbrochen, werden verschenkt, sind abzuholen*. Beide Möglichkeiten sind korrekt. Steht *Dutzend* aber in der Mehrzahl (*zwei Dutzend, drei Dutzend* usw.), muß auch das Zeitwort in der Mehrzahl stehen: *5 Dutzend Eier kosten 19,80 DM*.

E

eben oder **ebent:** In landschaftlichem, bes. in berlinischem Sprachgebrauch wird an das Umstandswort *eben* (als Ausdruck der Bestätigung oder Verstärkung) häufig ein *t* angehängt: *Ebent nicht! Das braucht er ebent. Weil das ebent nicht geht*. In der Hochsprache gilt diese Form als nicht korrekt.

ebensolch: Ein auf *ebensolch* folgendes Eigenschaftswort oder Mittelwort (Partizip) wird (auch wenn es als Hauptwort gebraucht wird) im allgemeinen in gleicher Weise gebeugt wie *ebensolch* selbst, d. h., es erhält die gleichen Endungen: *mit ebensolchem verbogenem Fahrrad, nach ebensolcher exakter Zeitnahme, zu ebensolchem Schönem; ebensolche Beamte; ebensolche schöne Dinge*.

ehe: **1. Verneinung:** Das Bindewort (die Konjunktion) *ehe* leitet einen Nebensatz ein. Dieser Nebensatz kann dem

Hauptsatz vorangehen, er kann ihm aber auch folgen. Ist ein vorangehender Hauptsatz verneint, kann in dem mit *ehe* eingeleiteten Nebensatz keine Verneinung stehen. Verneinungen werden ausgedrückt durch Wörter wie *nicht, kein, nie* usw. Also heißt es korrekt: *Man darf die Wagentür nie öffnen, ehe man sich umgesehen hat.* Nicht: ... *ehe man sich nicht umgesehen hat.* Steht jedoch der Nebensatz vor dem Hauptsatz (und bringt er außer der zeitlichen Aussage auch eine Bedingung zum Ausdruck), wird die Verneinung gesetzt: *Ehe ihr nicht still seid, kann ich euch das Märchen nicht vorlesen.*
2. Komma: Ein mit *ehe* eingeleiteter Nebensatz wird immer durch Komma vom Hauptsatz getrennt. Schwierigkeiten können jedoch auftreten, wenn zu *ehe* eine weitere Bestimmung hinzutritt. Diese bildet mit *ehe* im allgemeinen eine Einheit, die nicht durch Komma getrennt wird: *Er überschaute alle Möglichkeiten des Spiels, noch ehe der Gegner einen Zug tat. Mein Zug fuhr ab, eine halbe Stunde ehe der ihre kam.* Die Zeitangabe *eine halbe Stunde* gehört hier nicht zum Hauptsatz, sondern zum Nebensatz, sie bildet mit *ehe* eine Einheit.

Eigenschaft: In der Fügung *in seiner Eigenschaft als* steht nach *als* immer der Werfall: *Ich sprach mit ihm in seiner Eigenschaft als Vorsitzender* (nicht: *als Vorsitzendem*).

Eigenschaftswort: **Beugung (Deklination) des Eigenschaftswortes:** Man unterscheidet die starke, schwache und gemischte Beugung des Eigenschaftswortes. Die drei Beugungsarten sind gekennzeichnet durch unterschiedliche Endungen, die in den einzelnen Fällen an das Eigenschaftswort angehängt werden. Dabei unterscheiden sich zusätzlich die Endungen in der Einzahl je nachdem, ob es sich um eine männliche, weibliche oder sächliche Form handelt.
Im Unterschied zum Hauptwort kann jedes Eigenschaftswort, das als Beifügung verwendet wird, nach Bedarf stark oder schwach oder gemischt gebeugt werden. Wenn ein Geschlechtswort (Artikel) oder ein stark gebeugtes Fürwort (Pronomen) deutlich macht, in welchem Fall das Hauptwort steht, dann wird das Eigenschaftswort schwach gebeugt: *der junge Mann, des jungen Mannes; mit diesem kleinen Kind.* Steht aber das Eigenschaftswort allein oder hat das vorangehende Begleitwort keine starke Endung, so wird das Eigenschaftswort stark gebeugt: *lieber Freund; ein junger Mann; unser kleines Kätzchen.* Steht vor dem Eigenschaftswort *ein, kein* oder ein besitzanzeigendes Fürwort *(mein, dein, sein),* dann wird es gemischt gebeugt: *ein schnelles Auto, kein guter Schüler, seine neue Freundin.* Stehen bei einem Hauptwort zwei oder mehrere Eigenschaftswörter, dann

werden sie im allgemeinen in gleicher Weise gebeugt: *ein breiter, tiefer Graben; mit dunklem bayrischem Bier; nach langem, schwerem Leiden.* Die frühere Regel, nach der das zweite Eigenschaftswort im Wemfall der Einzahl schwach gebeugt werden müsse *(mit dunklem bayrischen Bier),* gilt nicht mehr.

Die starke Beugung:

		männlich	weiblich	sächlich
Einzahl	Werfall	weich-er Stoff	warm-e Speise	hart-es Metall
	Wesfall	(statt) weich-en Stoff[e]s	(statt) warm-er Speise	(statt) hart-en Metalls
	Wemfall	(aus) weich-em Stoff	(mit) warm-er Speise	(aus) hart-em Metall
	Wenfall	(für) weich-en Stoff	(für) warm-e Speise	(für) hart-es Metall
Mehrzahl	Werfall	weich-e Stoffe	warm-e Speisen	hart-e Metalle
	Wesfall	(statt) weich-er Stoffe	(statt) warm-er Speisen	(statt) hart-er Metalle
	Wemfall	(aus) weich-en Stoffen	(mit) warm-en Speisen	(aus) hart-en Metallen
	Wenfall	(für) weich-e Stoffe	(für) warm-e Speisen	(für) hart-e Metalle

Die schwache Beugung:

		männlich	weiblich	sächlich
Einzahl	Werfall	der schnell-e Wagen	die schnell-e Läuferin	das schnell-e Auto
	Wesfall	des schnell-en Wagens	der schnell-en Läuferin	des schnell-en Autos
	Wemfall	dem schnell-en Wagen	der schnell-en Läuferin	dem schnell-en Auto
	Wenfall	den schnell-en Wagen	die schnell-e Läuferin	das schnell-e Auto
Mehrzahl	Werfall Wesfall Wemfall Wenfall	die der den die schnell-en Wagen	schnell-en Läuferinnen	schnell-en Autos

Die gemischte Beugung:

		männlich	weiblich	sächlich
Einzahl	Werfall	kein schnell-er Wagen	keine schnell-e Läuferin	kein schnell-es Auto
	Wesfall	keines schnell-en Wagens	keiner schnell-en Läuferin	keines schnell-en Autos
	Wemfall	keinem schnell-en Wagen	keiner schnell-en Läuferin	keinem schnell-en Auto
	Wenfall	keinen schnell-en Wagen	keine schnell-e Läuferin	kein schnell-es Auto
Mehrzahl	Werfall Wesfall Wemfall Wenfall	keine keiner keinen keine schnell-en Wagen	schnell-en Läuferinnen	schnell-en Autos

ein:

1. der Besuch eines unserer Vertreter: Der Wesfall von *ein* heißt *eines,* wenn es sich auf ein männliches (oder sächliches) Hauptwort bezieht: *der Besuch eines unserer Vertreter* (nicht: *einer unserer Vertreter*); *die Rückkehr eines meiner Mitarbeiter* (nicht: *einer meiner Mitarbeiter*); *durch den Ausfall des Abteilungsleiters sowie eines von drei Sachbearbeitern. Ein neuer Bestseller steht auf dem Programm eines der erfolgreichsten Verleger der Welt.* Es heißt aber *einer,* wenn es sich auf ein weibliches Hauptwort bezieht: *der Besuch einer unserer Vertreterinnen; die Rückkehr einer meiner Mitarbeiterinnen* usw. **2. durch den Ausfall des Abteilungsleiters sowie**

eines von drei Sachbearbeitern: Fälschlicherweise wird hier öfter statt der Fortführung des Wesfalls *(sowie eines)* der Wemfall *(sowie einem)* verwendet. Dies ist nicht korrekt. **3. einer der schönsten Filme, die ...:** Wird ein einzelner oder ein einzelnes in dieser Weise aus einer Gesamtheit herausgehoben, dann steht im nachfolgenden Nebensatz das Fürwort (Pronomen) in der Mehrzahl, nicht in der Einzahl: *Es ist einer der schönsten Filme, die ich gesehen habe* (nicht: *..., den ich gesehen habe*). *Er ist einer der ersten Menschen, die im Weltraum waren* (nicht: *..., der im Weltraum war*). *Frankfurt ist eine der wenigen Großstädte, in denen es eine solche Einrichtung gibt* (nicht: *..., in der es eine solche Einrichtung gibt*).

einander oder **gegenseitig:** Es kann entweder heißen *Sie schaden einander* oder *Sie schaden sich gegenseitig* (aber nicht: *Sie schaden einander gegenseitig*).

einbauen: Nach *einbauen in* steht überwiegend der Wenfall (Frage: wohin?): *Er baute einen Schrank in die Wand ein.* Die Verbindung mit dem Wemfall (Frage: wo?) ist auch möglich, sie kommt aber seltener vor: *Ein Schrank ist in der Wand eingebaut.*

einbegriffen: **1. der/den Attentäter einbegriffen:** Das Wort *einbegriffen* (auch *inbegriffen*) steht nach dem Wort, das die Person oder Sache, die eingeschlossen werden soll, bezeichnet. Dieses Wort steht im Werfall (z. B. *der Attentäter*), wenn es an ein Wort anschließt, das ebenfalls im Werfall steht: *Alle Menschen, der Attentäter einbegriffen, kamen ums Leben.* In allen übrigen Fällen wird *einbegriffen* mit dem Wenfall verbunden: *Er nahm sich der Verletzten an, den Attentäter einbegriffen. Er mißtraute der Mannschaft, den späteren Attentäter einbegriffen. Er kannte alle, den Attentäter einbegriffen.* **2. einbegriffen in:** Nach *einbegriffen in* ist sowohl der Wemfall als auch der Wenfall korrekt: *Alle Extras sind in diesem Preis* oder *in diesen Preis einbegriffen.* Häufiger ist der Wemfall: *Bedienung ist im Preis einbegriffen.*

einbrechen: Nach *einbrechen in* kann sowohl der Wenfall (Frage: wohin?) als auch der Wemfall (Frage: wo?) stehen: *Sie wollen in die Bank* oder *in der Bank einbrechen.* Zu beachten ist, daß beim Wenfall die Vergangenheitsformen mit *sein (Er ist in die Fabrik eingebrochen. Sie waren in das Zimmer eingebrochen)* gebildet werden. Beim Wemfall jedoch kann nur *haben* verwendet werden: *Diebe haben in dem Appartement eingebrochen. Ein paar Jugendliche hatten in der Firma eingebrochen.*

eindeutig oder **unzweideutig:** Bei der Verwendung der beiden Eigenschaftswörter ist folgender Bedeutungsunterschied zu beachten: Das Wort *eindeutig* bedeutet „völlig klar, unmißverständlich". Es drückt aus, daß keine andere Deutung möglich ist: *Die Sachlage war eindeutig. Wir erhielten eine eindeutige Anordnung.* Hier steht *eindeutig* im Gegensatz zu „unklar, mißverständlich". Dagegen steht *unzweideutig* im Gegensatz zu „zweideutig"; es setzt die Möglichkeit einer anderen Deutung voraus, verneint sie aber ausdrücklich: *Gib mir bitte eine unzweideutige Antwort. Das war endlich eine unzweideutige Stellungnahme.*

einem oder **einen:** Da das unbestimmte Fürwort (Indefinitpronomen) *man* nicht gebeugt werden kann, wird es im Wemfall durch *einem,* im Wenfall durch *einen* ersetzt: *Je älter man ist, um so rätselhafter ist einem das Leben. Das kann einen doch ärgern!* Nicht korrekt ist, im Wenfall statt *einen* die Form *einem* zu verwenden. Es heißt also: *Das kann einen* (nicht: *einem*) *doch ärgern!*

einer oder **man:** Vergleiche die bei *man* gemachten Angaben.

einerseits – andererseits: Die Entsprechung von *einerseits* ist *andererseits* (auch korrekt: *andrerseits, anderseits*), aber nicht: *im anderen Fall.* Das Wort *einerseits* kann allerdings auch fehlen. Zwischen *einerseits – andererseits* steht immer ein Komma, gleichgültig ob nur Satzglieder oder ob vollständige Sätze miteinander verbunden werden: *Er war [einerseits] sehr fleißig, andererseits auch verspielt. Sie wollte sich einerseits nicht binden, hatte aber andererseits großes Interesse an einem schnellen Abschluß der Verhandlungen.* Vollständige Sätze können auch durch einen Punkt getrennt werden: *Einerseits wollte sie sich nicht binden. Andererseits aber hatte sie großes Interesse an ...*

einesteils – andernteils: Für die Zeichensetzung gelten die bei *einerseits – andererseits* gemachten Angaben.

einführen: Nach *einführen in* kann sowohl der Wenfall (Frage: wohin?) als auch der Wemfall (Frage: wo?) stehen. Hat man die Vorstellung, daß etwas oder jemand irgendwohin gebracht oder mitgebracht wird, dann gebraucht man den Wenfall: *Waren, Rohstoffe in ein Land einführen; jemanden in eine Gesellschaft einführen, in ein neues Amt einführen. Der Arzt führt eine Sonde in den Magen ein.* Wird aber der Ort hervorgehoben, wo etwas oder jemand eingeführt wird, wo etwas Neues üblich wird, so steht nach *einführen in* der Wemfall: *In diesem Land wurde eine neue Währung eingeführt. Du hast dich im Klub sehr geschickt eingeführt.*

eingeschlossen: Nach *eingeschlossen in* ist sowohl der Wemfall als auch der Wenfall korrekt: *Alle Extras sind in diesem Preis* oder *in diesen Preis eingeschlossen.* Häufiger ist der Wemfall.

einheften: Nach *einheften in* oder *zwischen* kann sowohl der Wenfall (Frage: wohin?) als auch der Wemfall (Frage: wo?) stehen: *Sie heftete die Akte in den Ordner* oder *in dem Ordner ein.*

einhundert oder **hundert:** Soweit es nicht auf besondere Genauigkeit ankommt, läßt man bei der Wiedergabe der Zahlen von 100 bis 199 das *ein-* gewöhnlich weg: *183 = hundertdreiundachtzig.* Steht aber eine größere Einheit davor, muß *ein-* mitgesprochen und mitgeschrieben werden: *3 183 = dreitausendeinhundertdreiundachtzig.* Entsprechendes gilt für *eintausend* und *tausend.*

einige: Das auf *einige* folgende Eigenschaftswort erhält in der Mehrzahl gewöhnlich die gleichen Endungen wie das Wort *einige* selbst: *einige gute Menschen, einiger guter Menschen* (gelegentlich auch: *einiger guten Menschen*), *einigen guten Menschen.* Die Beugung in der Einzahl dagegen ist uneinheitlich: Werfall: *einiger poetischer Geist, einiges poetische Verständnis* und seltener: *einiges poetisches Verständnis; einige poetische Begabung.* Wesfall: *einigen poetischen Geistes/Verständnisses; das Vorhandensein einiger poetischer Begabung.* Wemfall: *bei einigem poetischen Geist/Verständnis; bei einiger poetischer Begabung.* Wenfall: *für einigen poetischen Geist; für einiges poetische Verständnis* und seltener: *für einiges poetisches Verständnis; für einige poetische Begabung.* Folgt auf *einige* ein Hauptwort, das auf ein Eigenschaftswort oder Mittelwort (Partizip) zurückgeht, wird es wie ein beigefügtes Eigenschaftswort gebeugt: *einiges Neue* (gelegentlich: *einiges Neues*), *mit einigem Neuen, einige Angestellte, die Entlassung einiger Angestellter* (gelegentlich auch noch: *einiger Angestellten*).

einiges, was: Ein mit dem Wort *einiges* angekündigter Nebensatz wird mit *was* eingeleitet (nicht mit *das*): *Sie hat einiges, was ich unbedingt kaufen möchte.*

einkehren: Nach *einkehren in* steht überwiegend der Wemfall (Frage: wo?): *Wir kehrten im „Roten Ochsen" ein.* Die Verbindung mit dem Wenfall (Frage: wohin?) ist auch möglich: *Wir kehrten in den „Roten Ochsen" ein.*

einliefern: Nach *einliefern in* steht der Wenfall (Frage: wohin?): *Der Verletzte wurde ins Krankenhaus eingeliefert. Man lieferte ihn ins Gefängnis ein.*

einordnen: Nach *einordnen in* oder *hinter* u.ä. kann sowohl der Wenfall (Frage: wohin?) als auch der Wemfall (Frage: wo?) stehen: *Sie hat die Bücher in einen Schrank* oder *in einem Schrank eingeordnet. Die Kopie bitte hinter die Seite 10* oder *hinter der Seite 10 einordnen.*

einschließlich: **1. Beugung nach *einschließlich*:** Nach *einschließlich* steht der Wesfall, wenn das von *einschließlich* abhängende Hauptwort ein Begleitwort aufweist: *die Aufwendungen einschließlich aller Reparaturen; einschließlich des Portos; einschließlich täglicher Spesen.* Das gilt auch, wenn Orts- oder Ländernamen folgen: *die Bundesrepublik einschließlich Berlins; Europa einschließlich Englands.* Steht das abhängige Hauptwort jedoch ohne Begleitwort, bleibt es in der Einzahl im allgemeinen ungebeugt, d.h. unverändert: *einschließlich Porto; einschließlich Helga; einschließlich Auf- und Abladen. Das Buch hat 700 Seiten, einschließlich Vorwort.* In der Mehrzahl weicht man dagegen auf den Wemfall aus: *einschließlich Tischen und Stühlen; einschließlich Gläsern.* Die Verbindung von *einschließlich* mit einem persönlichen Fürwort (z.B. *einschließlich deiner*) kann man vermeiden; z.B.: *Alle meine Freunde, du eingeschlossen, waren verreist.* Oder: *Alle meine Freunde, auch du, waren verreist.* **2. einschließlich oder zuzüglich:** Die zwei Wörter stehen sich insofern nahe, als beide etwas anschließen, was nicht als selbstverständliches Zubehör empfunden wird. Deshalb sind Sätze denkbar, in denen beide Wörter gegeneinander ausgetauscht werden können, ohne daß sich der Sinn des Satzes ändert: *Er beansprucht den Ersatz seiner Aufwendungen, einschließlich* oder *zuzüglich der Fahrtkosten.* Ein Beispiel wie *eine Summe von 10 Mark zuzüglich Portokosten* zeigt aber, daß bei bestimmten, festgelegten Beträgen und Leistungen die beiden Wörter nicht austauschbar sind. Denn bei *zuzüglich* muß noch ein Betrag hinzugerechnet werden, während er bei *einschließlich* bereits enthalten ist.

einstecken: Richtig ist: *Ich habe kein Geld eingesteckt.* Die Form *Ich habe kein Geld einstecken* kommt gelegentlich in der gesprochenen Umgangssprache vor.

einstellen: Nach *einstellen in* kann sowohl der Wenfall (Frage: wohin?) als auch der Wemfall (Frage: wo?) stehen: *Wir müssen die Bücher in dieses* oder *in diesem Regal einstellen. Wir stellen Sie ab 1. September 1986 in unserem* (seltener: *in unseren*) *Betrieb ein.*

eintragen: Nach *eintragen in* steht überwiegend der Wenfall (Frage: wohin?): *Die Hypothek wurde in das Grundbuch ein-*

getragen. Die Verbindung mit dem Wemfall (Frage: wo?) ist seltener: *Die Hypothek wurde in dem Grundbuch eingetragen.*

einwandern: Nach *einwandern in* vor einem Ländernamen mit Geschlechtswort (Artikel) steht im allgemeinen der Wenfall (Frage: wohin?): *Sie sind in die Schweiz, in den Sudan eingewandert.* Die Verbindung mit dem Wemfall (Frage: wo?) ist selten: *Sie sind in der Schweiz, im Sudan eingewandert.* Steht ein Ländername mit Geschlechtswort und einer Beifügung, so kann man zwischen beiden Möglichkeiten wählen, je nachdem, ob man mehr den Ort (Frage: wo?) oder mehr die Richtung (Frage: wohin?) hervorheben will: *Sie sind im südlichen Kanada* oder *in das südliche Kanada eingewandert.*

einzelne: Ein auf *einzelne* folgendes Eigenschaftswort oder Mittelwort (Partizip) erhält (auch wenn es als Hauptwort gebraucht wird) die gleichen Endungen wie *einzelne* selbst: *einzelnes gedrucktes Material, bei einzelnem geglücktem Versuch, einzelne mittlere Betriebe; die Anstrengungen einzelner mittlerer Betriebe; einzelnes Gutes, die einzelnen Abgeordneten, die Forderungen einzelner Abgeordneter.*

einzige: Um besonders zu betonen, daß etwas wirklich nur einmal und nicht mehrfach vorhanden ist, wird häufig fälschlicherweise die Form *einzigste* (als Steigerung von *einzige*) gebraucht. Das Wort *einzige* kann aber nicht gesteigert werden. Falsch also: *die einzigste Möglichkeit;* oder: *das einzigste, was du tun kannst ...* Richtig nur: *die einzige Möglichkeit;* oder: *das einzige, was du tun kannst ...*

Elefant: Außer im Werfall erhält das Hauptwort *Elefant* in der Regel die Endung *-en: der Elefant, des Elefanten* (nicht: *des Elefants*), *dem Elefanten* (nicht: *dem Elefant*), *den Elefanten* (nicht: *den Elefant*), Mehrzahl: *die Elefanten.*

empfehlen: Bei *sich empfehlen als* steht das dem *als* folgende Hauptwort gewöhnlich im Werfall: *Er empfahl sich als geeigneter Mann, ... als der geeignete Mann.* Der Wenfall *(Er empfahl sich als geeigneten Mann, ... als den geeigneten Mann)* kommt seltener vor, ist aber auch richtig.

Endesunterzeichneter: Dieses umständliche amtssprachliche Wort sollte man vermeiden. Sofern eine entsprechende Angabe überhaupt nötig ist, genügt das einfachere Wort *Unterzeichneter* (oder besser noch *Unterzeichner*).

enteisen oder **enteisenen:** Die beiden Wörter dürfen nicht miteinander verwechselt werden. Das Zeitwort *enteisen* bedeutet „von Eis befreien": *eine enteiste Windschutzscheibe.* Dagegen bedeutet *enteisenen* „vom Eisengehalt befreien": *enteisentes Mineralwasser.*

Entgelt: Das Hauptwort *Entgelt* hat weder etwas mit *Ende* noch mit *Geld* zu tun, es hängt vielmehr mit dem Wort *entgelten* (= vergüten, entschädigen) zusammen und wird daher wie dieses zweimal mit *t* geschrieben.

enthalten, sich: Wenn *sich enthalten* in der verneinten Verbindung *sich nicht enthalten können* gebraucht wird, darf die davon abhängende Aussage nicht auch noch verneint werden. Also nicht korrekt: *Sie konnte sich nicht enthalten, nicht darüber zu spotten.* Sondern richtig nur: *Sie konnte sich nicht enthalten, darüber zu spotten.*

entladen, sich: **1. sich entladen über:** Nach *sich entladen über* im Sinne von „heftig zum Ausbruch kommen" steht der Wemfall (Frage: wo?): *Das Gewitter entlud sich über dem See.* Wird *sich entladen über* in übertragenem Sinn, z. B. in bezug auf eine Gemütsbewegung gebraucht, dann steht meist der Wenfall (Frage: wohin?): *Sein Zorn entlud sich über die Kinder.* Die Verbindung mit dem Wemfall ist hier auch möglich, aber seltener: *Sein Zorn entlud sich über den Kindern.* **2. sich entladen auf:** Nach *sich entladen auf* steht immer der Wenfall: *Sein Zorn entlud sich auf die Kinder.* **3. sich entladen in:** Nach *sich entladen in* steht immer der Wemfall: *Die Begeisterung der Zuschauer entlud sich in stürmischem Beifall.*

sich entscheiden oder **sich entschließen:** Es heißt zwar richtig: *sich entschließen zu etwas,* aber *sich entscheiden für etwas.* Fälschlicherweise wird *sich entscheiden* bisweilen mit *zu* statt mit *für* verbunden. Also richtig nur: *Ich entscheide mich für diese* (nicht: *zu dieser*) *Möglichkeit.*

Sich entscheiden kann auf Personen, Sachen und Handlungen bezogen werden: *Er entschied sich für diesen Kandidaten, für dieses Buch, für sofortigen Aufbruch.* Dagegen kann *sich entschließen* nicht auf Personen und Sachen, sondern nur auf Handlungen bezogen werden. Also nicht richtig: *Er entschloß sich zu diesem Kandidaten, zu diesem Buch.* Aber: *Er entschloß sich zu sofortigem Aufbruch.* Oder auch: *Er entschloß sich zum Studium, zur Scheidung.*

entschuldigen: Die häufig gebrauchte Entschuldigungsformel *Entschuldigen Sie vielmals* ist im Grunde unsinnig. Man kann zwar jemanden vielmals bitten, etwas zu entschuldigen, aber man kann nicht von ihm verlangen, daß er etwas vielmals (also mehr als nur einmal) entschuldigt. Also richtig: *Ich bitte vielmals um Entschuldigung.*

entweder – oder: **1. Entweder er oder sie hat schuld:** In solchen mit *entweder – oder* gebildeten Sätzen steht das Zeitwort in der Einzahl, nicht in der Mehrzahl. (Also nicht richtig: *Entweder er oder sie haben schuld.*) In der Person richtet sich das Zeitwort dabei nach der ihm zunächst stehenden Person des Satzgegenstandes. Also: *Entweder er oder ich gebe* (nicht: *gibt*) *klein bei. Entweder gehst du oder wir zuerst* (nicht: *gehen du oder wir zuerst*). **2. Komma:** Wenn *entweder – oder* ganze Sätze verbindet, dann steht ein Komma vor *oder: Entweder schläft er schon, oder er ist ausgegangen. Sie liest entweder ein Buch, oder sie hört Musik, oder sie träumt.* Kein Komma steht dagegen, wenn *entweder – oder* nur Satzteile verbindet: *Er sagt jetzt entweder ja oder nein. Sie liest entweder ein Buch oder hört Musik oder träumt.*

er oder ich: *Er oder ich habe* (nicht: *hat* oder *haben*) *das getan.*

er und du: *Er und du habt euch* (nicht: *haben sich*) *gefreut.*

er und ich: *Er und ich haben uns* (nicht: *haben sich*) *gefreut.*

er und ihr: *Er und ihr habt euch* (nicht: *haben sich*) *gefreut.*

er und wir: *Er und wir haben uns* (nicht: *haben sich*) *gefreut.*

Erachten: Die beiden Fügungen *meines Erachtens* und *meinem Erachten nach* (oder *nach meinem Erachten*) werden fälschlicherweise oft miteinander vermischt zu *meines Erachtens nach.* Richtig also nur: *Meines Erachtens hatte er Angst. Meinem Erachten nach hatte er Angst.* (Oder: *Nach meinem Erachten hatte er Angst.*) Aber nicht korrekt: *Meines Erachtens nach hatte er Angst.*

erinnern: In der Hochsprache heißt es: *Ich erinnere mich an diesen Vorfall* (in gehobener Sprache auch: *Ich erinnere mich dieses Vorfalls*). Die Verwendung von *erinnern* mit dem Wenfall *(Ich erinnere diesen Vorfall)* gehört der Umgangssprache an und kommt besonders in Norddeutschland vor. Hochsprachlich also: *Erinnerst du dich daran?* (oder in gehobener Sprache: *Erinnerst du dich dessen?*), aber nicht: *Erinnerst du das?*

erkennen: Bei *sich zu erkennen geben als* steht das dem *als* folgende Hauptwort gewöhnlich im Werfall: *Er gab sich als Deutscher zu erkennen.* Der Wenfall *(Er gab sich als Deut-*

schen zu erkennen) ist zwar nicht falsch, aber er ist veraltet und wird heute kaum noch gebraucht.

erklären, sich: Bei *sich erklären als* steht das dem *als* folgende Hauptwort gewöhnlich im Werfall: *Er erklärte sich als der eigentliche Schuldige.* Der Wenfall *(Er erklärte sich als den eigentlichen Schuldigen)* kommt seltener vor, ist aber auch richtig.

Ermessen: Richtig ist nur die Fügung *nach meinem Ermessen.* Nicht möglich dagegen ist die Formulierung *meines Ermessens* oder gar *meines Ermessens nach.*

ersterer – letzterer: Das Wortpaar *ersterer (erstere, ersteres) – letzterer (letztere, letzteres)* entspricht inhaltlich und im Gebrauch dem Wortpaar *dieser (diese, dieses) – jener (jene, jenes).* Es kann also nur auf zwei Personen oder Sachen bezogen werden: *Sie besaß ein Haus in der Stadt und eins auf dem Land. Ersteres* (= jenes) *hatte sie gekauft, letzteres* (= dieses) *war ihr durch Erbschaft zugefallen.* Aber nicht: *Sie besaß ein Haus in der Stadt, eins auf dem Land und eins an der See. Ersteres hatte sie gekauft, letzteres ...*
Ebenso ist es nicht richtig, *letzterer* einfach im Sinne von *dieser* zu verwenden: *Die Akten waren in einem Schrank eingeschlossen; letzterer* (richtig: *dieser*) *stand in einem kleinen dunklen Raum.*

erstklassig: Da *erstklassig* bereits einen höchsten Grad ausdrückt, kann es nicht gesteigert werden. Also nicht: *erstklassigste,* sondern nur: *erstklassige Ausführung.*

erweisen, sich: **1. sich erweisen als:** Bei *sich erweisen als* steht das dem *als* folgende Hauptwort heute nur noch im Werfall: *Er erwies sich als hilfsbereiter Kollege.* **2. Gebrauch des Mittelworts:** Das Mittelwort der Vergangenheit (2. Partizip) von *sich erweisen* (es lautet *erwiesen*) kann nicht als Beifügung eines Hauptwortes verwendet werden. Also nicht: *die sich als dringend erwiesene Maßnahme,* sondern: *die Maßnahme, die sich als dringend erwiesen hat.*

Erwerb oder **Erwerbung:** Die beiden Wörter haben sich in der Bedeutung z. T. differenziert. So kann man für „Tätigkeit, durch die man seinen Lebensunterhalt verdient" nur *Erwerb* sagen: *Er geht keinem geregelten Erwerb nach.* Auch im Sinne von „Lohn, Verdienst" ist nur *Erwerb* möglich. *Er kann von seinem Erwerb kaum leben.* Dagegen ist die Verwendung von *Erwerb* in der Bedeutung „erworbenes Stück" veraltet. Es heißt heute: *Er zeigte ihm seine neuen Erwerbungen* (nicht: *Erwerbe*). Austauschbar sind die beiden

Wörter im Sinne von „das Erwerben, Sichaneignen, Kaufen“: *der Erwerb* oder *die Erwerbung eines Grundstücks; der Erwerb* oder *die Erwerbung von Fertigkeiten.*

es:

Nach Verhältniswörtern (Präpositionen wie *auf, über, durch, neben* usw.) sollte nicht *es* stehen. Besser ist, statt dessen *darauf, darüber, dadurch, daneben* usw. zu verwenden: *Das Unglück ist jetzt passiert. Ich habe schon lange darauf* (nicht: *auf es*) *gewartet.* Es können jedoch Sätze vorkommen, in denen man die Konstruktion Verhältniswort + *es* nicht auf diese Weise umgehen kann – z. B., wenn *es* eine Person vertritt oder bei *es* in Verbindung mit *ohne.* Hier sollte man versuchen, die unschöne Konstruktion auf andere Weise zu umgehen: *Ein Kind saß auf der Bank; ein Mann setzte sich neben das Kind* (statt: *neben es*). *Sie wartete immer noch auf das Mädchen; sie wollte nicht ohne die Kleine* oder *ohne das Kind* (statt: *ohne es*) *gehen.*

Es gibt nichts Besseres als ein/einen Krimi:

Beide Formen sind korrekt. Man setzt entweder den fraglichen Ausdruck in unmittelbare Beziehung zu *nichts Besseres.* Dann heißt es: *Es gibt nichts Besseres als einen Krimi.* Beide Glieder stehen dann im Wenfall. Oder man sieht *als ein Krimi* als die Verkürzung eines Nebensatzes an, der vollständig etwa lauten würde: *als ein Krimi ist.*

Es ist/sind zwei Jahre her:

Beide Formen sind korrekt. Häufiger ist heute: *Es ist zwei Jahre her, daß er geschrieben hat.*

Es werden acht Stunden dazu benötigt:

Dies ist die korrekte Form. Nicht korrekt ist: *Es wird acht Stunden dazu benötigt.*

Eßlöffel:

Das Hauptwort *Eßlöffel* kann als Maßbezeichnung verwendet werden: *fünf Eßlöffel Schlagsahne.* Auch in dieser Verwendung wird es gebeugt, d. h. verändert: *mit fünf Eßlöffeln Schlagsahne.*

Etikett oder **Etikette:**

Die weibliche Form *die Etikette* ist die ältere; sie ist seit dem 17./18. Jh. bezeugt. Die sächliche Form *das Etikett* erscheint erst im 19. Jh., und zwar ausschließlich in der Bedeutung „aufgeklebtes Schildchen, Zettel mit [Preis]aufschrift“. Seitdem wurden beide Formen in dieser Bedeutung gebraucht. Heute besteht jedoch die starke Tendenz, die weibliche Form nur noch in der Bedeutung „Gesamtheit guter gesellschaftlicher Umgangsformen“ zu verwenden. Die sächliche Form *das Etikett* hat drei Mehrzahlformen: *die Etikette, die Etiketten* und *die Etiketts.*

etliche: In der Mehrzahl erhält das auf *etliche* folgende Wort in der Regel die gleichen Endungen wie *etliche* selbst: *etliche erfolgreiche Abschlüsse, mit etlichen Verletzten.* Im Wesfall gibt es zwei Formen: *die Behebung etlicher kleiner Mängel* oder selten: *... etlicher kleinen Mängel.* Auch in der Einzahl gilt meist gleiche Beugung: *etlicher politischer Zündstoff.*

etwas, was: Ein mit dem hinweisenden Wort *etwas* angekündigter Nebensatz wird in der Regel mit *was* eingeleitet: *Er tat etwas, was man ihm nicht zugetraut hatte.* Gelegentlich wird auch *das* gesetzt: *Ich habe etwas von ihr gehört, das ich einfach nicht glauben kann.*

euer: **1. Rechtschreibung:** Das besitzanzeigende Fürwort *euer* wird üblicherweise klein geschrieben: *Achtet auf eure Fahrräder! Wann beendet ihr endlich euren Streit?* Groß schreibt man es aber, wenn es bei der Anrede gebraucht wird wie in Briefen, feierlichen Aufrufen, Erlassen, Grabinschriften, Widmungen o. ä. Brief: *Mit herzlichen Grüßen Eure Inge.* Aufruf: *Denkt an Eure Zukunft!* Groß schreibt man *euer* auch in Titeln: *Euer Hochwürden, Euer (Ew.) Exzellenz.* Wenn diese unmittelbare Ansprache jedoch fehlt, etwa in Prospekten, Lehrbüchern, Protokollen, in der schriftlichen Wiedergabe von Reden, Dialogen u. ä., dann wird *euer* klein geschrieben. Groß schreibt man *euer* (entsprechend auch *eurig*), wenn es zum Hauptwort geworden ist in Fällen wie: *Ihr müßt das Eure* oder *das Eurige tun. Grüßt die Euern/Euren* oder *die Eurigen* (= eure Angehörigen)! Jedoch schreibt man klein, wenn es sich auf ein Hauptwort bezieht: *Wessen Bücher sind das? Sind es die euren?* **2. Beugung:** Nach *euer* erhält das folgende Eigenschaftswort oder Mittelwort (Partizip) in der Regel die gleichen Endungen wie *euer* selbst: *euer netter* (nicht: *nette*) *Brief; für euren von mir selbst abgeschickten Bericht.*

euretwegen oder **wegen euch:** In gutem Deutsch sagt man *euretwegen: Das habe ich nur euretwegen getan.* In der Umgangssprache wird statt *euretwegen* häufig *wegen euch* gebraucht: *Das habe ich nur wegen euch getan.*

F

f oder **ph:** Die eindeutschende *f-/F-*Schreibung bei häufig gebrauchten Fremdwörtern mit *ph/Ph* bleibt im wesentlichen auf die Gruppen *Telefon* (*telefonisch, telefonieren* usw.), *Telegraf* (*telegrafisch, telegrafieren* usw.) und *Fotografie* (*fotografisch, fotografieren* usw.) beschränkt.

Fabrikant: In der Regel erhält das Hauptwort *Fabrikant* – außer im Werfall – die Endung *-en: der Fabrikant, des Fabrikanten* (nicht: *des Fabrikants*), *dem Fabrikanten* (nicht: *dem Fabrikant*), *den Fabrikanten* (nicht: *den Fabrikant*), Mehrzahl: *die Fabrikanten.*

falls: Nebensätze, die mit *falls* eingeleitet werden und unvollständig sind (z. B. *falls möglich* für vollständig: *falls es möglich ist*), brauchen nicht durch Komma abgetrennt zu werden. Also: *Ich werde falls nötig selbst kommen.* Oder: *Ich werde, falls nötig, selbst kommen.*

farbig oder **farblich:** Das Eigenschaftswort *farblich* wird im Sinne von „die Farbe betreffend" gebraucht: *Die Dekorationen müssen farblich aufeinander abgestimmt werden. Die Sachen passen farblich nicht zusammen.* Dagegen wird *farbig* sowohl im Sinne von „bunt" als auch im Sinne von „Farbe aufweisend, nicht schwarzweiß" gebraucht: *farbige Abbildungen, farbige Flecke; ein farbiger Einband.* An den zuletzt genannten Wortgebrauch schließt sich die Verwendung von *-farbig* in Zusammensetzungen an: *orangefarbig, cremefarbig* usw. Für Zusammensetzungen wird heute aber im allgemeinen *-farben* gewählt: *orangefarben, beigefarben, fliederfarben, türkisfarben* usw.

Faß: **1. Faß oder Fässer:** Als Maßbezeichnung bleibt *Faß* in der Mehrzahl häufig ungebeugt, d. h. unverändert: *3 Faß Bier* oder *3 Fässer Bier.* **2. Beugung nach *Faß*:** Nach *Faß* als Maßangabe steht in der Regel das, was gemessen wird, im selben Fall wie die Maßangabe *Faß* selbst. Dabei kann das Gemessene entweder Einzahl (z. B. *ein Faß Wein*) oder Mehrzahl (z. B. *ein Faß Heringe*) sein. Das Gemessene in der Einzahl: *ein Faß Wein* (nicht: *Wein[e]s*), *ein Faß französischer Wein; der Preis eines Fasses Wein* oder *eines Faß Wein[e]s,* aber: *der Preis eines Fasses französischen Wein[e]s; mit einem Faß französischem Wein; für ein Faß französischen Wein.* Gelegentlich in gehobener Ausdrucksweise auch mit dem Wesfall: *ein Faß französischen Wein[e]s; mit einem Faß französischen Wein[e]s.* Das Gemessene in der Mehrzahl: *ein Faß grüne Heringe,* selten: *grüner Heringe; der Preis eines Fasses grüner Heringe; mit einem Faß grüner Heringe* oder *grüne Heringe,* selten: *grünen Heringen; für ein Faß grüne Heringe,* selten: *grüner Heringe.*

fassen: Es heißt richtig: *Ich fasse mir* (nicht: *mich*) *an den Kopf.*

Feindschaft: Richtig heißt es *Feindschaft gegen* (nicht: *für* oder *zu*): *Ihre Feindschaft gegen ihn rührte wohl daher, daß ...*

fingerbreit oder **einen Finger breit** oder **einen Fingerbreit:**

Alle drei Schreibweisen sind möglich. Zusammen und klein schreibt man, wenn es sich um ein Eigenschaftswort handelt: *Das ist ein fingerbreiter Saum. Der Saum ist fingerbreit. Die Tür steht fingerbreit offen.* Getrennt schreibt man, wenn *breit* näher bestimmt wird durch *Finger,* dem wiederum ein Zahlwort, ein Geschlechtswort (Artikel) o.ä. vorangestellt ist: *Der Saum ist zwei Finger breit. Das ist ein einen Finger breiter Saum. Die Tür stand kaum einen Finger breit offen.* Zusammen und groß schreibt man, wenn man Fingerbreit als Maßangabe versteht: *Die Tür stand einen Fingerbreit offen. Es ist nur zwei Fingerbreit, keinen Fingerbreit entfernt.*

Flasche:

Nach *Flasche* als Maßbezeichnung steht in der Regel das, was gemessen wird, im selben Fall wie die Maßangabe *Flasche* selbst: *eine Flasche Wein, eine Flasche spanischer Wein; der Preis einer Flasche spanischen Wein[e]s; mit einer Flasche spanischem Wein; für eine Flasche spanischen Wein.* Korrekt, aber gehoben ist die Ausdrucksweise: *eine Flasche spanischen Wein[e]s; mit einer Flasche spanischen Wein[e]s.*

folgend:

1. Rechtschreibung: Klein schreibt man *folgend* (auch in Verbindung mit *der, die, das* usw.), wenn dafür ein Fürwort (Pronomen) gesetzt werden kann: *Wir möchten Ihnen folgendes* (= dieses) *mitteilen. Alle folgenden* (= weiteren) *werden nicht mehr abgefertigt. Mit folgendem* (= hiermit) *teilen wir Ihnen mit, daß ...; alles folgende* (= alles andere); *aus/in/mit/nach/von/zu folgendem* (= diesem); *in folgendem/im folgenden* (= weiter unten). Groß schreibt man, wenn für *folgend* ein Hauptwort einzusetzen ist (in den Fällen, in denen man nicht entscheiden kann, ob *folgend* durch ein Fürwort oder durch ein Hauptwort zu ersetzen ist, ist sowohl die Groß- als auch die Kleinschreibung korrekt): *Die Folgenden* (= die Hinterhergehenden) *wichen zurück. Wir konnten das Folgende* (= das spätere Geschehen) *nicht voraussehen; alles Folgende* (= alle späteren Ausführungen), *aus/in/mit/nach/von/zu dem Folgenden, im/vom/zum Folgenden* (= den folgenden Ausführungen).
2. Beugung nach *folgend:* Nach *folgend* wird ein Eigenschaftswort oder ein Mittelwort (Partizip) – auch wenn es zum Hauptwort geworden ist wie *Angestellte, Abgeordnete* usw. – meist auf diese Weise gebeugt: (in der Einzahl:) Werfall: *folgender wichtige Gedanke, folgendes wichtige Prinzip, folgende wichtige Erfahrung;* Wesfall: *die Ablehnung folgenden wichtigen Gedankens/Prinzips, folgender wichtiger Erfahrung;* Wemfall: *bei folgendem wichtigen Gedanken/Prinzip, folgender wichtiger Erfahrung;* Wenfall: *für folgenden wichtigen Gedanken, folgen-*

des wichtige Prinzip, folgende wichtige Erfahrung. In der Mehrzahl erhält das Eigenschaftswort nach *folgend* überwiegend die gleichen Endungen wie *folgend* selbst: *folgende wichtige Ereignisse, wegen folgender wichtiger Ereignisse, bei folgenden wichtigen Ereignissen, für folgende wichtige Ereignisse.* Es kommen jedoch auch andere Formen vor: *folgende wichtigen Ereignisse, wegen folgender Abgeordneten, wegen folgender wichtigen Ereignisse.*

Forderung an/gegen/nach: Das, was man fordert, wird mit *nach* angeschlossen: *die Forderung nach Selbstbestimmung* (nicht: *die Forderung der Selbstbestimmung*). Die Person oder die Institution, an die die Forderung gerichtet ist, wird gewöhnlich mit *an* angeschlossen: *Forderungen an die Gläubiger, an die Atommächte, ans Leben.* Im juristischen Sprachgebrauch wird statt *an* auch *gegen* verwendet, wodurch eine Rechtsbeziehung deutlicher ausgedrückt werden soll und das Ziel, die Richtung auf eine andere Partei stärker betont wird: *Forderungen gegen die Gläubiger.*

Forschung: An das Hauptwort *Forschung,* das zu dem Zeitwort *forschen* gebildet ist, kann das, wonach geforscht werden soll, nicht im Wesfall angeschlossen werden. Also nicht korrekt: *die Forschung der Wahrheit.* Möglich ist in diesem Fall nur ein Anschluß mit *nach: die Forschung nach der Wahrheit.*

fragen: Die Formen des regelmäßigen Verbs lauten *fragen, fragte, gefragt.* Die aus dem Niederdeutschen stammende Form *frug,* die im 19. Jahrhundert vorübergehend auch in der Literatur häufiger auftrat, wird heute nur noch selten – vor allem landschaftlich – gebraucht. Dasselbe gilt für die Formen *frägst* und *frägt:* Auch sie sind hochsprachlich nicht korrekt.

Frau: **1. Frau + Name:** In der Verbindung *Frau* + Name wird im Wesfall der Name gebeugt (d. h., er erhält die Endung *-s*): *Frau Meyers Tochter, Frau Müllers Schreiben* usw. Nicht gebeugt wird er, wenn ein Geschlechtswort (Artikel) vorangestellt ist: *die Tochter der Frau Meyer, das Schreiben einer gewissen Frau Müller* usw. Auch bei dem vor allem in der Amtssprache gebräuchlichen Verhältniswort *seitens* bleibt der Name in der Regel ungebeugt: *Seitens Frau Meyer wurden keine Bedenken erhoben.* **2. Frau Minister oder Frau Ministerin; Frau Rechtsanwalt oder Frau Rechtsanwältin usw.:** Bei Titeln und Berufsbezeichnungen sind in der Anrede teils die männlichen Bezeichnungen üblich (z. B. *Frau Professor, Frau Doktor*), teils werden männliche und weibliche Bezeichnungen nebeneinander gebraucht (z. B. *Frau Minister/ Frau Ministerin, Frau Staatssekretär/Frau Staatssekretärin, Frau Rechtsanwalt/Frau Rechtsanwältin*), teils sind nur die weiblichen Entsprechungen gebräuchlich (z. B. *Frau Kammersängerin*).

Frau, Gattin, Gemahlin: Für die richtige Verwendung der Ausdrücke *Frau, Gattin, Gemahlin* oder *Frau Gemahlin* gelten die bei *Mann, Gatte, Gemahl* gemachten Angaben in entsprechender Weise.

Fräulein: **1. Gebrauch:** Bei der Anrede für eine erwachsene weibliche Person setzt sich heute *Frau* gegenüber *Fräulein* unabhängig vom Familienstand immer stärker durch. Wer im Zweifel ist, welche Anredeform er gebrauchen soll, sollte eher *Frau* verwenden. Jedoch werden weibliche Jugendliche, die sich in der Ausbildung befinden, gewöhnlich noch mit *Fräulein* angeredet. **2. Abkürzung:** In Briefanschriften gilt die Abkürzung *Frl.* als unhöflich, hier sollte man also ausschreiben. **3. Beugung:** In Verbindung mit *Tochter, Schwester, Braut* bleibt *Fräulein* ungebeugt, d. h., es wird nicht verändert: *die Adresse Ihres Fräulein Tochter; die Benachrichtigung Ihres Fräulein Braut.* Tritt *Fräulein* in Verbindung mit einem Namen auf, bleibt es ebenfalls ungebeugt; allerdings wird der Name gebeugt: *Fräulein Müllers Abschlußzeugnis.* Bei vorangehendem Fürwort (Pronomen) oder Geschlechtswort (Artikel) wird weder *Fräulein* noch der Name gebeugt: *die Anschuldigung jenes Fräulein Müller; das Schreiben des Fräulein Meyer.* Auch bei dem vor allem in der Amtssprache gebräuchlichen Verhältniswort *seitens* bleibt *Fräulein* und in der Regel auch der Name ungebeugt: *Seitens Fräulein Müller wurden keine Bedenken erhoben.* **4. Geschlecht:** Da *Fräulein* ein sächliches Hauptwort ist, werden dementsprechend auch bei den Fürwörtern und Eigenschaftswörtern die sächlichen Formen verwendet: *Das bei uns beschäftigte Fräulein Müller hat seine* (nicht: *ihre*) *Aufgaben mit Bravour erledigt. Sehr geehrtes* (nicht: *geehrte*) *Fräulein Müller. Ihr Fräulein Braut, das* (nicht: *die*) *ich gestern getroffen habe ...* Nur bei größerem Abstand zwischen *Fräulein* und dazugehörigem Fürwort wird entsprechend dem natürlichen Geschlecht die weibliche Form des Fürwortes *(sie, ihr)* gewählt: *Das bei allen beliebte Fräulein Müller wird jetzt vier Wochen lang in unserer Abteilung mitarbeiten. Nach Ablauf dieser Zeit wird sie erst einmal ihren Urlaub nehmen.* Auch wenn kein Geschlechtswort vor *Fräulein* steht, setzt sich die weibliche Form des Fürwortes durch: *Fräulein Müller erledigte ihre* (nicht: *seine*) *Aufgabe mit Bravour. Haben Sie Fräulein Meyer gesehen? – Ja, sie und ihren Bruder.*

Freitag abend oder **Freitagabend:** Siehe Dienstag abend oder Dienstagabend.

fremdsprachig oder **fremdsprachlich:** Das Eigenschaftswort *fremdsprachig* bedeutet „sich in einer fremden Sprache bewegend": *fremdsprachiger Unterricht; fremdsprachige Bevölkerungsteile, Literatur, Wörterbücher.* Das Eigenschaftswort *fremdsprachlich* bedeutet „eine fremde Sprache betreffend": *Der muttersprachliche Unterricht findet im Raum 106 statt, der fremdsprachliche im Sprachlabor.* Außerdem wird *fremdsprachlich* im Sinne von „zu einer fremden Sprache gehörend, daraus stammend" gebraucht: *fremdsprachliche Wörter und Wendungen im Deutschen; Bewahrung der fremdsprachlichen Schreibung eines Wortes.*

froh: In korrektem Deutsch heißt es: *Sie ist frohen* (nicht: *frohes*) *Mutes, frohen Sinnes; froh sein über* (nicht: *um*) *etwas.*

fühlen: **1. sich fühlen als:** Bei *sich fühlen als* (oder *wie*) steht das dem *als* (oder *wie*) folgende Hauptwort heute im Werfall: *Er fühlt sich als Held. Sie fühlte sich wie ein Fisch im Wasser.* **2. fühlen oder gefühlt:** Nach der Grundform (dem Infinitiv) eines anderen Zeitwortes können heute sowohl *fühlen* als auch *gefühlt* verwendet werden: *Er hat sein Ende kommen fühlen* oder *kommen gefühlt.*

Fülle: Im allgemeinen wird das Zeitwort auf *Fülle* bezogen und in die Einzahl gesetzt: *Eine Fülle von Modellen ist zu besichtigen, wurde angeboten, befand sich noch im Lager.* Gelegentlich wird das Zeitwort aber nicht auf *Fülle,* sondern auf das Gezählte bezogen und in die Mehrzahl gesetzt (d. h., man konstruiert nach dem Sinn): *Eine Fülle von Modellen sind zu besichtigen, wurden angeboten, befanden sich noch im Lager.* Beide Möglichkeiten sind korrekt.

Füll- oder Flickwörter: Zu einem stilistisch einwandfreien Satz gehört es auch, daß er nicht durch sogenannte Füll- oder Flickwörter aufgebläht ist. Als solche Füll- oder Flickwörter treten besonders Wörter auf, deren eigentliche Funktion darin besteht, eine Aussage zu nuancieren. Sie sind besonders kennzeichnend für die gesprochene Sprache, in der sie zumeist sinnvoll angewendet sind. Der Sprechende kann mit ihrer Hilfe einem Gedanken eine bestimmte Färbung geben, besondere Betonung auf etwas legen oder auch eine bestimmte Gefühlsbeteiligung in der Rede erkennbar werden lassen. In geschriebenen Texten wirken solche Wörter häufig störend. Sie bekommen, besonders wenn sie gehäuft verwendet werden, den Charakter von

bloßen Füllseln. Wörter und ganze Fügungen, die häufig in dieser Weise verwendet werden, sind zum Beispiel die folgenden: *aber, also, an sich, an und für sich, auch, bekanntlich, doch, durchaus, eben, einfach, einmal, etwa, förmlich, freilich, gewissermaßen, gleichsam, in der Tat, irgendwie, mehr oder weniger, nämlich, nun, praktisch, quasi, unzweifelhaft, voll und ganz, wohl, zweifellos.*
Man sollte diese Wörter also jedenfalls darum auch vermeiden.
Ohne Füllwörter lautete dieser letzte Satz: *Man sollte diese Wörter darum vermeiden.*

Fünftel: **1. Beugung:** Steht *Fünftel* im Wemfall der Mehrzahl, verwendet man heute meist die gebeugte Form *Fünfteln: mit zwei Fünfteln der Summe; zu vier Fünfteln fertig sein.* Korrekt ist aber auch die ungebeugte Form *Fünftel: mit zwei Fünftel der Summe; zu vier Fünftel fertig sein.* **2. Ein Fünftel der Schüler ist/sind krank:** Folgt der Angabe *ein Fünftel* ein Hauptwort in der Einzahl, steht auch das Zeitwort in der Einzahl: *Ein Fünftel der Klasse ist krank.* Folgt auf *ein Fünftel* ein Hauptwort in der Mehrzahl, steht das Zeitwort üblicherweise in der Einzahl, es kann jedoch auch in der Mehrzahl stehen: *Ein Fünftel der Schüler ist krank,* seltener: *Ein Fünftel der Schüler sind krank.* Wenn allerdings die Bruchzahl in der Mehrzahl steht *(zwei, drei, vier Fünftel),* verwendet man beim Zeitwort ebenfalls die Mehrzahl, und zwar unabhängig davon, ob das der Bruchzahl folgende Hauptwort in der Mehrzahl oder in der Einzahl steht: *Drei Fünftel der Klasse/der Schüler sind krank.*

Funktionsverbgefüge: Vergleiche den Artikel „Hauptwortstil“.

für oder **gegen:** Die Verwendung von *für* in Beispielen wie *ein Mittel für den Husten* gehört heute der Umgangssprache an. In gutem Deutsch verwendet man *gegen: Ich brauche ein Mittel gegen den Husten.*

für was oder **wofür:** Vor allem in der gesprochenen Sprache wird heute *wofür* häufig durch *für was* ersetzt: *Für was hast du dich entschieden? Ich weiß nicht, für was er sich entschieden hat.* Die Verbindung *für was* ist jedoch umgangssprachlich gefärbt; stilistisch besser ist *wofür: Wofür hast du dich entschieden? Ich weiß nicht, wofür er sich entschieden hat.*

Für 25 Jahre treue Mitarbeit/treuer Mitarbeit: Beide Formulierungen sind korrekt. Die zweite Form *(... treuer Mitarbeit)* klingt gehobener als die erste.

fürchten: Wenn das Zeitwort *fürchten* mit der erweiterten Grundform (dem erweiterten Infinitiv) eines anderen Zeitwortes verbunden ist (z. B. *zu verlieren*), dann kann man ein Komma setzen oder es weglassen: *Er fürchtete den Arbeitsplatz zu verlieren* (hier ist *fürchten* Hilfszeitwort). Oder: *Er fürchtete, den Arbeitsplatz zu verlieren.* Tritt aber zu *fürchten* eine nähere Bestimmung, dann muß das Komma stehen: *Er fürchtete sehr, den Arbeitsplatz zu verlieren.*

G

gäbe oder **gebe:** Beide Formen sind Möglichkeitsformen (Konjunktive). Die Form *gebe* steht vor allem in der indirekten Rede: *Sie sagte, es gebe keine andere Möglichkeit. Sie fragte, was es zu essen gebe.* Auch *gäbe* kann in der indirekten Rede auftreten, z. B., wenn die Form *gebe* nicht eindeutig als Möglichkeitsform erkennbar ist: *Er sagte, sie gäben* (für nicht eindeutiges *geben*) *ein Fest.* Oder auch, wenn der Sprecher das, was er berichtet, für zweifelhaft hält: *Sie sagte zwar, es gäbe keine andere Möglichkeit [, aber ich glaube es nicht].* Sonst steht *gäbe* vor allem in Bedingungssätzen: *Wenn es eine andere Möglichkeit gäbe, wäre ich sofort bereit. Gäben meine Eltern mir das Geld, könnte ich verreisen.*

ganz: **1. als Ganzes:** Um etwas in seiner Gesamtheit, um die natürliche Einheit einer Sache auszudrücken, verwendet man heute das hauptwörtliche *das Ganze.* Es heißt also: *die Schule als Ganzes* (nicht: *die Schule als ganze,* unvollständig für: *... als ganze Schule*). Hierbei richtet sich *das Ganze* in der Beugung nach seinem Bezugswort, so daß es z. B. im Wemfall heißen muß: *von der Schule als Ganzem* (nicht: *als Ganzes*). **2. die ganzen/alle Kinder:** In der gesprochenen Sprache wird nicht selten *ganze* an Stelle von *alle* verwendet (*die ganzen Kinder, Bewohner, Fußgänger* usw.). Korrekt ist: *alle Kinder, Bewohner, Fußgänger* usw.

gären: Es heißt richtig: *Der Wein ist* oder *hat bereits gegoren.*

geben: Bei *sich geben als* steht das dem *als* folgende Hauptwort heute im Werfall: *Er gab sich als Experte für Barockmusik.*

geboren: **1. Komma:** Der dem Familiennamen einer Ehefrau mit der Abkürzung *geb.* hinzugefügte Geburtsname (Mädchenname) wird heute gewöhnlich als Bestandteil des Namens aufgefaßt und ohne Komma angeschlossen. Er kann aber auch als nachgestellter Beisatz (Apposition) behandelt und mit Komma abgetrennt werden: *Frau Martha Schneider geb. Kühn wurde als Zeugin vernommen.* Oder: *Frau Martha Schneider, geb. Kühn, wurde als* ... Das gleiche gilt für Männer, die den Familiennamen ihrer Frau angenommen haben. Auf gleiche Weise werden die mit *verh.* (= verheiratet[e]), *verw.* (= verwitwet[e]), *gesch.* (= geschieden[e]) angeschlossenen Zusätze behandelt. Zwei oder mehrere nachgestellte Namen werden immer mit Komma abgetrennt: *Frau Martha Schneider, geb. Kühn, verw. Schulz, wurde als Zeugin vernommen.* **2. ich bin/wurde geboren:** Beide Formen sind möglich: In (detaillierten) Lebensläufen wird gewöhnlich *ich wurde geboren* verwendet, weil damit außer der Angabe des Ortes auch noch andere Angaben gemacht werden können. *Am 1. Juni 1950 wurde ich als zweites Kind der Eheleute ... in Berlin geboren.* Dagegen kann man bei *ich bin geboren* nur den Ort angeben, also: *Ich bin in Berlin geboren,* aber nicht: *Ich bin am 1. Juni 1950 in Berlin geboren.* Oder: *Ich bin als zweites Kind der Eheleute ... geboren.* **3. geboren oder gebürtig:** Es heißt: *geboren in München,* aber *gebürtig aus München,* wobei *gebürtig* die Bedeutung „stammend aus" hat. Beachte: Wer in München lebt und auch dort geboren ist, ist im Unterschied zu dem in München lebenden, aber dort nicht geborenen Münchner ein geborener Münchner. Wer in München geboren ist, aber nicht mehr dort lebt, ist ein gebürtiger Münchner.

gebrauchen oder **brauchen:** In korrektem Deutsch hat *gebrauchen* ausschließlich die Bedeutung „verwenden, benutzen": *einen Hammer gebrauchen; ein gebrauchtes Auto.* Auch das Wort *brauchen* kann in dieser Bedeutung verwendet werden: *seine Ellenbogen, seinen Verstand brauchen.* Das Zeitwort *brauchen* kann aber auch „nötig haben" bedeuten. Diese Bedeutung hat *gebrauchen* nicht. Es kann also nur heißen: *Ich brauche* (nicht: *gebrauche*) *noch etwas Geld zum Ankauf des Grundstückes. Ich brauche* (nicht: *gebrauche*) *einen neuen Wintermantel.* In Verbindung mit *können* lassen sich beide Wörter unterschiedslos verwenden: *Das kann ich gut gebrauchen* oder *brauchen.*

Geburtstag: Das Wort *Geburtstag* bedeutet (abgesehen von der gelegentlichen Verwendung in der Verwaltungssprache) nicht „Tag der Geburt", sondern „Gedenktag der Geburt". Seinen ersten Geburtstag feiert man also, wenn man ein Jahr alt wird. Der Tag, an dem jemand 50 Jahre alt wird, ist dessen 50. Geburtstag.

gedenken: Wenn das Zeitwort *gedenken* mit der erweiterten Grundform (dem erweiterten Infinitiv) eines anderen Zeitwortes verbunden ist (z. B. *zu eröffnen*), dann kann man ein Komma setzen oder es weglassen: *Sie gedachte ein Wollgeschäft zu eröffnen* (hier ist *gedenken* Hilfszeitwort). Oder: *Sie gedachte, ein Wollgeschäft zu eröffnen.* Tritt aber zu *gedenken* eine nähere Bestimmung, dann muß das Komma stehen: *Nach langem Zögern gedachte sie, ein Wollgeschäft zu eröffnen.*

Gefreite, der: Man beugt das Wort in folgender Weise: *der Gefreite, ein Gefreiter, zwei Gefreite, die Gefreiten, einige Gefreite, alle Gefreiten, solche Gefreite* und *solche Gefreiten, beide Gefreiten* und seltener auch *beide Gefreite; besagtem Gefreiten, die Beförderung erfahrener Gefreiter.*
Als Beisatz (Apposition): *mir (dir, ihm) als Gefreiten* und *mir (dir, ihm) als Gefreitem.* In Verbindung mit Namen: *Ich habe mit Gefreitem/dem Gefreiten Schmidt gesprochen. Der Sonderurlaub des Gefreiten Schmidt.*

gegen was oder **wogegen:** Vor allem in der gesprochenen Sprache wird heute *wogegen* häufig durch *gegen was* ersetzt: *Gegen was wendest du dich? Ich weiß nicht, gegen was du dich wendest.* Die Verbindung *gegen was* ist jedoch umgangssprachlich gefärbt; stilistisch besser ist *wogegen: Wogegen wendest du dich? Ich weiß nicht, wogegen du dich wendest.*

gehabt: Die drei Vergangenheitsformen des Zeitwortes *haben* lauten: *ich hatte; ich habe gehabt; ich hatte gehabt,* so z. B.: *Ich hatte Kopfschmerzen; ich habe Kopfschmerzen gehabt; ich hatte Kopfschmerzen gehabt.*
In der gesprochenen Sprache wird aber *gehabt* auch in Verbindung mit anderen Zeitwörtern gebraucht: *Ich habe gegessen gehabt. Ich hatte geschlafen gehabt.* Diese Verwendung ist n i c h t korrekt. Statt dessen muß es heißen: *Ich hatte gegessen.* Dagegen drückt ein Satz wie *Als er eingetreten war, hatte ich gegessen gehabt* aus, daß zu einem Geschehen, das sich bereits in der Vorvergangenheit abspielt *(war eingetreten),* ein zweites Geschehen hinzutritt, das zeitlich noch davorliegt. Hier ist die Form *hatte ... gehabt* zwar zulässig, doch läßt sie sich oft durch Zeitbestimmungen wie *bereits, vorher, bis dahin, bis zuletzt* umgehen: *Als er eingetreten war, hatte ich bereits gegessen.*

Gehalt: *Gehalt* in der Bedeutung „Arbeitsentgelt, Besoldung“ ist ein sächliches Hauptwort: *das Gehalt,* Mehrzahl: *die Gehälter.* In der Bedeutung „Inhalt, Wert“ ist *Gehalt* ein männliches Hauptwort: *der Gehalt,* Mehrzahl: *die Gehalte.*

geherrscht: Das Mittelwort der Vergangenheit (2. Partizip) von *herrschen* (es lautet *geherrscht*) kann nicht als Beifügung eines Hauptwortes verwendet werden. Also nicht: *die geherrschte Seuche,* sondern: *die Seuche, die geherrscht hat.*

gehören: Es kann entweder heißen *Das Buch gehört mir* oder: *Das Buch ist mein* (aber nicht die Vermischung: *Das Buch gehört mein* oder *Das Buch ist mir*).

gehörend oder **gehörig:** In korrektem Deutsch sind diese beiden Wörter nicht austauschbar. Das Wort *gehörend* ist das Mittelwort der Gegenwart (1. Partizip) zu *gehören: die mir gehörenden* (nicht: *gehörigen*) *Bücher; die in den Schrank gehörende* (nicht: *gehörige*) *Wäsche.* Dagegen ist *gehörig* ein Eigenschaftswort und bedeutet entweder „gebührend" *(jemandem den gehörigen Respekt erweisen)* oder „beträchtlich" *(eine gehörige Portion Sahne).*

Geistliche, der: Man beugt das Wort in folgender Weise: *der Geistliche, ein Geistlicher, zwei Geistliche, die Geistlichen, einige Geistliche, alle Geistlichen, solche Geistliche* und *solche Geistlichen, beide Geistlichen* und seltener auch *beide Geistliche; besagtem Geistlichen, die Verhaftung katholischer Geistlicher.*

Als Beisatz (Apposition): *mir (dir, ihm) als Geistlichen* und *mir (dir, ihm) als Geistlichem.*

gelangen: Die Konstruktion *gelangen + zu* + Hauptwort wird zur Umschreibung der Leideform (des Passivs) verwendet: *Die Lebensmittel gelangten zur Verteilung* (= wurden verteilt). *Die Beschlüsse gelangten zur Ausführung* (= wurden ausgeführt). *Das Geld soll in den nächsten Tagen zur Auszahlung gelangen* (= ausgezahlt werden). Diese Fügungen kommen hauptsächlich im Amts- und Geschäftsdeutsch und in der Zeitungssprache vor. Sie haben dort ihre Berechtigung, wo sie der besonderen Verstärkung einer Aussage dienen. Lediglich als Ersatz für die Leideform sind sie stilistisch unschön: *Dieser Punkt ist noch nicht zur Erörterung gelangt.* Besser: *Dieser Punkt wurde noch nicht erörtert.*

gelbgrün oder **gelb-grün:** Farbbezeichnungen dieser Art schreibt man mit Bindestrich, wenn damit angegeben werden soll, daß zwei Farben unvermischt nebeneinanderstehen: *ein gelb-grüner Dreß* ist ein Dreß in den Farben Gelb und Grün. Man schreibt sie zusammen, wenn angegeben werden soll, daß beide Farben vermischt vorkommen, also zusammen einen bestimmten Farbton ergeben: *ein gelbgrüner Dreß* ist ein Dreß, dessen grüne Farbe ins Gelbe spielt. Man schreibt aber auch zusammen, wenn es (wie besonders in der Wappenkunde) unmißverständlich ist, daß die Farben nebeneinanderstehen: *eine gelbgrünrote Fahne* ist eine Fahne in den Farben Gelb, Grün und Rot.

Geliebte, der und die: Man beugt das Wort in folgender Weise: *der Geliebte, ein Geliebter, zwei Geliebte, die Geliebten, einige Geliebte, alle Geliebten, solche Geliebte* und *solche Geliebten, beide Geliebten* und seltener auch *beide Geliebte; treulosem Geliebten; die Bilder treuloser Geliebter.*
Als Beisatz (Apposition): *mir (dir, ihm) als Geliebten* und: *mir (dir, ihm) als Geliebtem; ihr als Geliebten* und: *ihr als Geliebter.*

genannt: Ein auf *genannt* folgendes Eigenschaftswort erhält die gleichen Endungen wie *genannt* selbst: *die genannten neuen Bücher; genanntes neues Buch; mit genannter weiblicher Person; bei genanntem älterem* (hier auch noch: *älteren*) *Kollegen.*

gesalzen oder **gesalzt:** In der Bedeutung „mit Salz versehen" sind beide Formen korrekt. Die Form *gesalzt* ist allerdings selten: *Die Suppe ist stark gesalzen* oder selten: *gesalzt. Gesalzenes* oder selten: *gesalztes Fleisch.* In der Bedeutung „sehr hoch; grob" ist nur *gesalzen* möglich: *eine gesalzene Ohrfeige. Die Preise waren gesalzen.*

Gesandte, der: Man beugt das Wort in folgender Weise: *der Gesandte, ein Gesandter, zwei Gesandte, die Gesandten, einige Gesandte, alle Gesandten, solche Gesandte* und *solche Gesandten, beide Gesandten* und seltener auch *beide Gesandte; besagtem Gesandten, die Entführung deutscher Gesandter.*
Als Beisatz (Apposition): *mir (dir, ihm) als Gesandten* und: *mir (dir, ihm) als Gesandtem.*

Geschädigte, der und die: Man beugt das Wort in folgender Weise: *der Geschädigte, ein Geschädigter, zwei Geschädigte, die Geschädigten, einige Geschädigte, alle Geschädigten, solche Geschädigte* und *solche Geschädigten, beide Geschädigten* und seltener auch *beide Geschädigte; besagtem Geschädigten; die Forderung besagter Geschädigter.*
Als Beisatz (Apposition): *mir (dir, ihm) als Geschädigten* und: *mir (dir, ihm) als Geschädigtem; ihr als Geschädigten* und: *ihr als Geschädigter.*

geschäftig oder **geschäftlich:** Das Eigenschaftswort *geschäftig* bedeutet „unentwegt tätig": *geschäftiges Treiben; geschäftig hin und her laufen.* Dagegen wird *geschäftlich* im Sinne von „das Geschäft betreffend, dienstlich" gebraucht: *geschäftlich unterwegs sein. Sie hat geschäftlich hier zu tun.*

gesinnt oder **gesonnen:** Die beiden Wörter dürfen nicht verwechselt werden. Das Eigenschaftswort *gesinnt* bedeutet „von einer bestimmten Gesinnung“: *Er ist mir treu gesinnt* (nicht: *treu gesonnen*). *Er ist gut gesinnt. Ein gleichgesinnter, andersgesinnter, übelgesinnter Mensch.* Demgegenüber bedeutet *gesonnen* „willens, gewillt“ und wird nur in Verbindung mit *sein* gebraucht: *Ich bin nicht gesonnen, das zu tun.*

gespalten oder **gespaltet:** Bei *spalten* in der konkreten Bedeutung „in zwei oder mehrere Teile zerteilen“ kann das Mittelwort der Vergangenheit (2. Partizip) *gespalten* oder *gespaltet* lauten. Beide Formen sind korrekt, die Form *gespaltet* wird allerdings seltener gebraucht: *Der Blitz hat den Baum gespalten,* auch: *gespaltet. Ein gespaltener,* selten auch: *gespalteter Fels.* Bei *spalten* in der übertragenen Bedeutung „bewirken, daß etwas seine Einheit verliert“ ist das Mittelwort der Vergangenheit nur in der Form *gespalten* üblich: *eine gespaltene Partei einen. Der Bürgerkrieg hat das Land in zwei feindliche Lager gespalten.*

gestern: Die Zeitbestimmung *gestern* wird bei der Darstellung eines Vorgangs in der Vergangenheit gelegentlich so gebraucht, daß ein falscher Zeitbezug entsteht. Richtig ist: *Sie kamen zu dem Lager, das die Expedition am Vortage* oder *am Tage vorher* (nicht: *gestern*) *verlassen hatte.*

getagt: Das Mittelwort der Vergangenheit (2. Partizip) von *tagen* (es lautet *getagt*) kann nicht als Beifügung eines Hauptwortes verwendet werden. Also nicht: *die im April getagte Versammlung,* sondern: *die Versammlung, die im April getagt hat.*

getrauen, sich: Folgt auf *sich getrauen* ein zweites Zeitwort, und zwar in der Grundform (im Infinitiv), sind sowohl Wenfall *(ich getraue mich)* als auch Wemfall *(ich getraue mir)* korrekt: *Ich getraue mich* oder *mir, das große Auto zu fahren.* Häufiger ist heute der Wenfall. Hängt aber von *sich getrauen* kein Zeitwort, sondern ein Hauptwort oder ein Fürwort (Pronomen) ab, ist nur der Wemfall richtig: *Ich getraue mir* (nicht: *mich*) *diesen Schritt nicht. Hast du dir das getraut?*

Gewähr leisten oder **gewährleisten:** Beide Formen werden heute im allgemeinen ohne Unterschied in der Bedeutung gebraucht. Ein Unterschied besteht allerdings in der Konstruktion. Bei *Gewähr leisten* wird mit *für* angeschlossen: *Ich leiste Gewähr für Ihre Sicherheit. Man leistet Gewähr dafür, daß ...* Demgegenüber steht *gewährleisten* ohne *für: Ich gewährleiste Ihre Sicherheit. Man gewährleistet, daß ...*

gewesen: Die drei Vergangenheitsformen des Zeitwortes *sein* lauten: *ich war; ich bin gewesen; ich war gewesen,* so z. B.: *Ich war krank; ich bin krank gewesen; ich war krank gewesen.*
In der gesprochenen Sprache wird aber *gewesen* auch in Verbindung mit Zeitwörtern gebraucht: *Ich bin eingeschlafen gewesen. Ich war eingeschlafen gewesen.* Diese Verwendung ist nicht korrekt. Statt dessen muß es heißen: *Ich war eingeschlafen.* Dagegen drückt ein Satz wie *Als es geklingelt hatte, war ich eingeschlafen gewesen* aus, daß zu einem Geschehen, das sich bereits in der Vorvergangenheit abspielt *(hatte geklingelt),* ein zweites Geschehen hinzutritt, das zeitlich noch davorliegt. Hier ist die Form *war ... gewesen* zwar zulässig, doch läßt sie sich oft durch Zeitbestimmungen wie *bereits, vorher, bis dahin, bis zuletzt* umgehen: *Als es geklingelt hatte, war ich schon längst eingeschlafen.*

gewisse: Ein auf *gewisse* folgendes Eigenschaftswort oder Mittelwort (Partizip) erhält (auch wenn es zum Hauptwort geworden ist) die gleichen Endungen wie *gewisse* selbst: *gewisse notwendige Einrichtungen, die Wünsche gewisser Kranker, bei gewissen national gesinnten Kreisen.*

gewohnt oder **gewöhnt:** Man muß unterscheiden zwischen den Fügungen: *etwas gewohnt sein* und *an etwas gewöhnt sein.* Die Fügung *etwas gewohnt sein* bedeutet „eine bestimmte Gewohnheit haben“: *Ich bin gewohnt, früh aufzustehen.* Die Fügung *an etwas gewöhnt sein* hat die Bedeutung „mit etwas Bestimmtem durch Gewöhnung vertraut sein“: *Ich bin an das frühe Aufstehen gewöhnt. Ich bin daran gewöhnt, daß er immer zu spät kommt.*

Glas: **1. Glas oder Gläser:** Als Maßbezeichnung bleibt *Glas* in der Mehrzahl meist ungebeugt, d. h. unverändert: *Zwei Glas Sekt bitte!* Aber auch noch: *Zwei Gläser Sekt bitte!*
2. Beugung nach *Glas*: Nach *Glas* als Maßangabe steht in der Regel das, was gemessen wird, im selben Fall wie die Maßangabe *Glas* selbst: *ein Glas Bier, ein Glas bayrisches Bier; der Preis eines Glases Bier* oder *eines Glas Bier[e]s,* aber: *der Preis eines Glases bayrischen Bier[e]s; mit einem Glas bayrischem Bier; für ein Glas bayrisches Bier.* Gelegentlich in gehobener Ausdrucksweise auch mit dem Wesfall: *ein Glas bayrischen Bier[e]s; mit einem Glas bayrischen Bier[e]s.*

glauben: Wenn das Zeitwort *glauben* mit der erweiterten Grundform (dem erweiterten Infinitiv) eines anderen Zeitwortes verbunden ist (z. B. *zu kennen*), dann kann man ein Komma setzen oder es weglassen: *Ich glaube den Mann* *zu kennen* (hier ist *glauben* Hilfszeitwort). Oder: *Ich glaube, den Mann zu kennen.* Tritt aber zu *glauben* eine nähere Bestimmung, dann muß das Komma stehen: *Ich glaube fast, den Mann zu kennen.*

gleichzeitig oder **zugleich:**

Das Eigenschaftswort *gleichzeitig* bedeutet eigentlich nur „zur gleichen Zeit" (*Sie redeten gleichzeitig*), während *zugleich* darüber hinaus – ohne zeitliche Komponente – „in gleicher Weise, ebenso, auch noch" bedeutet: *Diesen Teller können Sie zugleich als Untersatz verwenden.* Im heutigen Sprachgebrauch wird aber auch *gleichzeitig* öfter in dieser nichtzeitlichen Bedeutung verwendet: *Das Rauchertischchen ist gleichzeitig ein Schachspiel.* Stilistisch besser ist jedoch: *Das Rauchertischchen ist zugleich ein Schachspiel.*

GmbH:

1. Beugung: Grundsätzlich ist es nicht notwendig, die Abkürzung *GmbH* mit Beugungsendungen zu versehen. Es empfiehlt sich aber, ein *-s* in der Mehrzahl anzufügen, wenn eine Verwechslung mit der Einzahl möglich ist: *das Stammkapital der GmbH* (Einzahl) und *das Stammkapital der GmbHs* (Mehrzahl). **2. *GmbH* in Firmennamen:** Tritt *GmbH* in Firmennamen auf, dann ist die Abkürzung Bestandteil des Namens und wird nicht durch ein Komma abgetrennt. Zahl und Geschlecht des Firmennamens richten sich nicht nach *GmbH: das deutsche Reiseunternehmen GmbH; mit den Vereinigten Stahlwerken GmbH.*

Gramm:

1. Mehrzahl: In Verbindung mit Zahlwörtern bleibt *Gramm* in der Mehrzahl ungebeugt, d. h. unverändert: *Zwei Gramm dieses Pulvers genügen. Der Brief wiegt 20 Gramm.* **2. Beugung nach *Gramm*:** Nach *Gramm* steht in der Regel das, was gewogen wird, im selben Fall wie *Gramm* selbst. Dabei kann das Gewogene entweder Einzahl (z. B. *zehn Gramm Heroin*) oder aber Mehrzahl (z. B. *zehn Gramm Kristalle*) sein. Das Gewogene in der Einzahl: *ein Gramm reines Heroin; der Preis eines Gramms Heroin* oder *eines Gramm Heroins,* aber: *der Preis eines Gramms reinen Heroins; mit einem Gramm reinem Heroin; für ein Gramm reines Heroin/mild gewürzten Tabak.* Gelegentlich in gehobener Ausdrucksweise auch mit dem Wesfall: *ein Gramm reinen Heroins.* Das Gewogene in der Mehrzahl: *zehn Gramm pulverisierte Kristalle,* selten: *pulverisierter Kristalle; der Verlust eines Gramms pulverisierter Kristalle; mit zehn Gramm pulverisierter Kristalle* oder *pulverisierte Kristalle,* selten: *pulverisierten Kristallen; für zehn Gramm pulverisierte Kristalle,* selten: *pulverisierter Kristalle.* **3. 100 Gramm Speck kostet/kosten ...:** Üblicherweise wird das Zeitwort hier in die

Mehrzahl gesetzt (die Einzahl wäre jedoch nicht falsch): *100 Gramm Speck kosten 1,95 DM, werden in Würfel geschnitten, sind zuwenig.* Steht *Gramm* in der Mehrzahl ohne Angabe des Gewogenen, ist das Zeitwort nur in der Mehrzahl korrekt, Einzahl ist hier nicht möglich: *100 Gramm sind* (nicht: *ist*) *zuwenig.*

Groll: Die Person, gegen die sich der Groll richtet, wird mit *gegen* oder mit *auf* angeschlossen; dies hängt vom jeweiligen Zeitwort ab: *Groll auf jemanden haben; Groll gegen jemanden hegen.* Üblich ist auch *über: der Groll über die Schüler.*
Die Sache, gegen die sich der Groll richtet, wird mit *über* angeschlossen: *sein Groll über ihre Vergeßlichkeit.*

größtmöglich: Da das Eigenschaftswort *größtmöglich* bereits eine höchste Steigerungsstufe *(größt...)* enthält, kann es nicht noch einmal gesteigert werden: *in größtmöglicher* (nicht: *größtmöglichster*) *Eile.*

grünblau oder **grün-blau:** Farbbezeichnungen dieser Art schreibt man mit Bindestrich, wenn damit angegeben werden soll, daß zwei Farben unvermischt nebeneinander stehen: *eine grün-blaue Krawatte* ist eine Krawatte in den Farben Grün und Blau. Man schreibt sie zusammen, wenn angegeben werden soll, daß beide Farben vermischt vorkommen, also zusammen einen bestimmten Farbton ergeben: *eine grünblaue Krawatte* ist eine Krawatte, deren blaue Farbe ins Grüne spielt. Man schreibt aber auch zusammen, wenn es (wie besonders in der Wappenkunde) unmißverständlich ist, daß die Farben nebeneinanderstehen: *eine grünblaurote Fahne* ist ein Fahne in den Farben Grün, Blau und Rot.

grundsätzlich: Das Eigenschaftswort *grundsätzlich* wird in zwei Bedeutungen verwendet: 1. Bedeutung: „einem Grundsatz entsprechend, ihn betreffend; ohne Ausnahme“: *Es ist grundsätzlich* (= ohne Ausnahme) *verboten, auf dem Schulhof zu rauchen.* 2. Bedeutung: „im großen und ganzen, meist, eigentlich, im allgemeinen“ (oft in Verbindung mit einschränkendem *aber*): *Ich habe grundsätzlich [zwar] nichts dagegen, möchte aber darauf hinweisen, daß ... Ich bin grundsätzlich auch dafür, will aber nicht verschweigen, daß Schwierigkeiten zu überwinden sind. Dagegen ist grundsätzlich nichts zu sagen, wenn die anderen einverstanden sind.* Eine Rolle spielt im übrigen auch die Betonung des Wortes: *Ich habe grundsätzlich nichts dagegen* kann heißen „Ich habe im großen und ganzen nichts dagegen, gewisse Vorbehalte sind jedoch nicht ausgeschlossen“ (Betonung: *grundsätzlich*). Es kann aber auch bedeuten „Ich habe prinzipiell, aus Grundsatz nichts dagegen, z. B. um mir keinen Ärger zu machen" (Betonung: *grundsätzlich*).

Gruppe: **1. Eine Gruppe Kinder stand/standen dort:** Im allgemeinen wird das Zeitwort auf *Gruppe* bezogen und in die Einzahl gesetzt: *Eine Gruppe Kinder stand dort, wurde empfangen, ist abgereist, hat sich abgesetzt.* Gelegentlich wird das Zeitwort aber nicht auf *Gruppe,* sondern auf das Gezählte bezogen und in die Mehrzahl gesetzt (d. h., man konstruiert nach dem Sinn). *Eine Gruppe Kinder standen dort, wurden empfangen, sind abgereist, haben sich abgesetzt.* Beide Möglichkeiten sind korrekt. **2. eine Gruppe netter/nette Leute:** Üblicherweise steht nach *Gruppe* die folgende Angabe im Wesfall: *eine Gruppe netter Leute; für eine Gruppe Abgeordneter; mit einer Gruppe Studenten, kleiner Kinder.* Es ist jedoch auch möglich, die dem Mengenbegriff *Gruppe* folgende Angabe in den gleichen Fall zu setzen wie *Gruppe.* Dies kommt jedoch selten vor: *eine Gruppe nette Leute; für eine Gruppe Abgeordnete; bei einer Gruppe jungen Studenten, kleinen Kindern.* Beide Möglichkeiten sind korrekt.

gut: **1. gut für/gegen:** Die Verwendung von *für (Das Mittel ist gut für den Husten)* gehört heute der Umgangssprache an. In gutem Deutsch verwendet man *gegen: Das Mittel ist gut gegen den Husten.* **2. Seien Sie so gut:** Diese Höflichkeitsformel ist korrekt. Nicht korrekt ist: *Sind Sie so gut und ...*

gutschreiben: Nach *gutschreiben auf* kann sowohl der Wenfall (Frage wohin?) als auch der Wemfall (Frage: wo?) stehen. Der Wemfall ist seltener: *Wir werden den Betrag auf Ihr,* seltener: *auf Ihrem Konto gutschreiben.*

H

habe oder **hätte:** Beide Formen sind Möglichkeitsformen (Konjunktive). Die Form *habe* steht vor allem in der indirekten Rede: *Sie sagte, sie habe wenig Zeit. Sie fragte, ob er schon gegessen habe.* Auch *hätte* kann in der indirekten Rede stehen. Einmal, wenn *habe* nicht eindeutig als Möglichkeitsform erkennbar ist, d. h., wenn es in dem jeweiligen Satz mit der Wirklichkeitsform (dem Indikativ) übereinstimmt: *Ich sagte, ich hätte* (für nicht eindeutiges *ha-*

be) ihn nicht gesehen. Zum anderen steht *hätte* statt *habe,* wenn der Sprecher ausdrücken will, daß ihm das, was er berichtet, nicht glaubhaft erscheint: *Sie sagte, sie hätte wenig Zeit.* Sonst steht *hätte* vor allem in Bedingungssätzen: *Wenn ich das gewußt hätte, wäre ich früher gekommen. Hätte er das gesehen, wäre er sicher wütend geworden.*

halbjährig oder **halbjährlich:** Das Eigenschaftswort *halbjährig* bedeutet entweder „ein halbes Jahr alt" oder „ein halbes Jahr dauernd". Eine *halbjährige Kündigung* ist also eine Kündigungsfrist, die auf ein halbes Jahr festgesetzt ist. *Halbjährlich* bedeutet dagegen „alle halbe Jahre wiederkehrend, stattfindend". Demnach besagt *halbjährliche Kündigung,* daß sich die Möglichkeit der Kündigung jedes halbe Jahr ergibt.

Hälfte: **1. Bedeutung:** Obwohl *Hälfte,* rein logisch betrachtet, nur den halben Teil (50%) eines Ganzen bezeichnen kann, wird es im heutigen Sprachgebrauch auch als Bezeichnung für den nicht genau halben Teil eines Ganzen verwendet, also im Sinne von „Teil, Stück" (wenn es sich um zwei Teile, zwei Stücke handelt): *die größere, kleinere Hälfte; zwei ungefähr gleiche Hälften* usw. **2. Die Hälfte der Bücher lag/lagen auf dem Boden:** Im allgemeinen wird das Zeitwort auf *Hälfte* bezogen und in die Einzahl gesetzt: *Die Hälfte der Bücher lag auf dem Boden, wurde verkauft, ist zerfleddert.* Gelegentlich wird das Zeitwort aber nicht auf *Hälfte,* sondern auf das Gezählte bezogen und in die Mehrzahl gesetzt (d.h., man konstruiert nach dem Sinn): *Die Hälfte der Bücher lagen auf dem Boden, wurden verkauft, sind zerfleddert.* Beide Möglichkeiten sind korrekt.

Hand: **1. zu Händen von oder des:** Heute schreibt man meist *zu Händen von Herrn* oder *Frau X.* Der Wesfall *(zu Händen des Herrn* oder *der Frau X)* wird als gespreizt empfunden. Möglich ist auch die Verbindung mit dem bloßen Wemfall (ohne *von*): *zu Händen Herrn* oder *Frau X.* **2. an die oder an der Hand nehmen:** Beide Formen sind korrekt. Der Unterschied liegt in folgendem: Verwendet man den Wenfall *(jemanden an die Hand nehmen),* ist die Hand des Sprechers, der handelnden Person gemeint. Verwendet man den Wemfall *(jemanden an der Hand nehmen),* ist die Hand der anderen Person gemeint.

handbreit/ eine Hand breit/ eine Handbreit: Alle drei Schreibweisen sind möglich. Zusammen und klein schreibt man, wenn es sich um ein Eigenschaftswort handelt: *ein handbreiter Spalt. Die Tür steht hand-*

breit offen. Getrennt schreibt man, wenn *breit* näher bestimmt wird durch *Hand,* dem wiederum ein Zahlwort, ein Geschlechtswort (Artikel) o. ä. vorangestellt ist: *ein eine Hand breiter Spalt. Der Saum ist zwei Hand breit. Die Tür stand kaum eine Hand breit offen.* Zusammen und groß schreibt man, wenn man *Handbreit* als Maßangabe versteht: *Die Tür stand nur eine Handbreit offen. Es ist keine Handbreit, nur zwei Handbreit entfernt.*

Handel, handeln: Nach dem Hauptwort *Handel* wird ebenso wie nach dem Zeitwort *handeln* gewöhnlich mit dem Verhältniswort (der Präposition) *mit* angeschlossen: *der Handel mit Textilien; handeln mit Textilien.* In der Kaufmannssprache wird auch das Verhältniswort *in* verwendet: *der Handel in Textilien; handeln in Textilien.*

hängen: Die Vergangenheitsformen des regelmäßigen Zeitwortes *hängen* (= *hängte, gehängt*) und des unregelmäßigen Zeitwortes (= *hing, gehangen*) dürfen nicht miteinander verwechselt werden. Hat *hängen* eine Ergänzung im Wenfall bei sich, gelten die regelmäßigen Formen: *Er hängte seinen Anzug auf einen Bügel. Du hattest deinen Mantel in den Schrank gehängt.* Steht *hängen* jedoch ohne eine Ergänzung im Wenfall, dann sind die unregelmäßigen Formen anzuwenden: *Ein Bild hat über der Couch gehangen. Schmutz hing an seinen Schuhen. Im Zimmer hing noch der Zigarettenrauch vom Vortage.*

hauen: Werden in Verbindung mit dem Zeitwort *hauen* Person und Körperteil genannt, auf die sich *hauen* bezieht, dann steht die Person in der Regel im Wemfall: *Sie haute dem kleinen Kerl auf die Schulter.* Der Wenfall ist auch korrekt, aber selten: *Sie haute den kleinen Kerl auf die Schulter.*

Haufen: **1. Ein Haufen Kartoffeln lag/lagen dort:** Im allgemeinen wird das Zeitwort auf *Haufen* bezogen und in die Einzahl gesetzt: *Ein Haufen Kartoffeln lag dort, wurde weggeworfen, ist verfault* usw. Gelegentlich wird das Zeitwort aber nicht auf *Haufen,* sondern auf das Gezählte bezogen und in die Mehrzahl gesetzt (d. h., man konstruiert nach dem Sinn): *Ein Haufen Kartoffeln lagen dort, wurden weggeworfen, sind verfault.* Beide Möglichkeiten sind korrekt. **2. ein Haufen neugieriger/neugierige Nachbarn:** Üblicherweise steht nach *Haufen* die folgende Angabe im Wesfall: *ein Haufen neugieriger Nachbarn; gegen einen Haufen Jugendlicher; mit einem Haufen Kinder, randalierender Halbstarker.* Es ist jedoch auch möglich, die dem Mengenbegriff *Haufen* folgende Angabe in den gleichen Fall zu setzen wie *Haufen: ein Haufen neugierige Nachbarn; gegen einen Haufen johlende Jugendliche; mit einem Haufen randalierenden Halbstarken.* Beide Möglichkeiten sind korrekt.

Hauptwortstil (Nominalstil): Unter Hauptwortstil versteht man eine Ausdrucksweise, bei der übermäßig viele Hauptwörter verwendet werden. Diese übermäßige Häufung macht den Stil unlebendig und den Inhalt des Satzes abstrakt und schwer verständlich. So lautet z. B. der Satz *Zur Wiederholung der Aufführung dieses Stückes ist von unserer Seite keine Veranlassung gegeben* in gutem Deutsch einfacher und lebendiger etwa so: *Wir sehen uns nicht veranlaßt, das Stück noch einmal aufzuführen.* Stilistisch unschön ist ebenso der übermäßige Gebrauch schwerfälliger Bildungen wie z. B. *Inanspruchnahme, Nichtbefolgung, Hintansetzung.* Der Satz *Wegen Außerachtlassung aller Sicherheitsmaßnahmen und Nichtbefolgung der Betriebsvorschriften wurden bei der Tieferlegung der Rohre drei Arbeiter verletzt* kann besser etwa so lauten: *Drei Arbeiter wurden verletzt, als sie Rohre tiefer legten. Sie hatten die Sicherheitsmaßnahmen außer acht gelassen und die Betriebsvorschriften nicht befolgt.* Nicht zu empfehlen ist auch der Gebrauch mehrerer Hauptwörter auf *-ung* in einem Satz: *Die Beobachtung und Erforschung der wirtschaftlichen Entwicklung sind Voraussetzungen für die Schaffung eines Hilfsprogramms.* Diese *ung*-Bildungen lassen sich umgehen, wenn man statt dessen auf das zugrundeliegende Zeitwort zurückgeht: *Das Beobachten und Erforschen der wirtschaftlichen Entwicklung ist die Voraussetzung dafür, daß ein Hilfsprogramm geschaffen wird.* Zu den Erscheinungen des Hauptwortstils gehören die sogenannten Streckformen (Funktionsverbgefüge). Sie werden besonders mit Hilfe der Zeitwörter *bringen, erfolgen, gelangen, kommen* u. a. gebildet. Beispiele hierfür sind:

in Anrechnung bringen	statt	*anrechnen*
in Vorschlag bringen	statt	*vorschlagen*
zur Ausführung gelangen	statt	*ausgeführt werden*
zur Verteilung gelangen	statt	*verteilt werden*
in Wegfall kommen	statt	*wegfallen*
zum Versand kommen	statt	*versendet werden*

Formen dieser Art sollte man wegen ihrer Umständlichkeit und Steifheit vermeiden. Stilistisch besser sind in den meisten Fällen die einfachen Zeitwörter.

Heer: **1. Ein Heer von Polizisten stand/standen bereit:** Im allgemeinen wird das Zeitwort auf *Heer* bezogen und in die Einzahl gesetzt: *Ein Heer von Polizisten stand bereit, war* *aufgeboten, hat den Transport überwacht.* Gelegentlich wird das Zeitwort aber nicht auf *Heer,* sondern auf das Gezählte bezogen und in die Mehrzahl gesetzt (d. h., man konstruiert nach dem Sinn): *Ein Heer von Polizisten standen bereit, waren aufgeboten, haben den Transport überwacht.* Beide Möglichkeiten sind korrekt. **2. ein Heer grünlicher/grünliche Fliegen:** Üblicherweise steht nach *Heer* die folgende Angabe im Wesfall: *ein Heer grünlicher Fliegen; für ein Heer Bediensteter; mit einem Heer fähnchenschwingender Kinder.* Es ist jedoch auch möglich, die dem Mengenbegriff *Heer* folgende Angabe in den gleichen Fall zu setzen wie *Heer: ein Heer grünliche Fliegen; für ein Heer Bedienstete; mit einem Heer fähnchenschwingenden Kindern.* Beide Möglichkeiten sind korrekt.

heißen:

1. geheißen oder gehießen: Die Form *gehießen* gehört der landschaftlichen Umgangssprache an. In korrektem Deutsch verwendet man *geheißen: Man hat ihn das geheißen. Früher hatte sie Meyer geheißen.* **2. geheißen oder heißen:** Nach der Grundform (dem Infinitiv) eines anderen Zeitwortes wird heute überwiegend *heißen* verwendet: *Sie hat mich kommen heißen.* Korrekt, wenn auch seltener ist *geheißen: Sie hat mich kommen geheißen.* **3. Er hieß ihn einen anständigen Menschen/ein anständiger Mensch werden:** Beide Formen sind korrekt. Üblicher ist *... ein anständiger Mensch werden.* Die Form *... einen anständigen Menschen werden* veraltet allmählich.

Held:

In der Regel erhält das Hauptwort *Held* – außer im Werfall – die Endung *-en: der Held, des Helden* (nicht: *des Helds*), dem Helden (nicht: *dem Held*), *den Helden,* (nicht: *den Held*), Mehrzahl: *die Helden.*

helfen:

1. helfen oder geholfen: Steht vor dem Zeitwort *helfen* ein anderes Zeitwort, und zwar in der Grundform (im Infinitiv), dann können sowohl *helfen* als auch *geholfen* verwendet werden: *Ich habe ihm waschen helfen* oder *waschen geholfen.* **2. Gebrauch des Mittelworts:** Das Mittelwort der Vergangenheit (2. Partizip) von *helfen* (es lautet *geholfen*) darf nicht in passivischem Sinn verwendet werden. Also nicht: *Von den Umstehenden geholfen, konnte er flüchten.* **3. etwas tun oder zu tun helfen:** Ein Zeitwort, das ohne irgendeinen Zusatz auf *helfen* folgt, wird ohne *zu* angeschlossen: *Sie hilft ihm aufräumen.* Tritt zu diesem Zeitwort eine Ergänzung, dann kann *zu* stehen, es muß aber nicht stehen: *Sie hilft ihm die Spielsachen aufräumen.* Oder: *Sie hilft ihm, die Spielsachen aufzuräumen.* Treten mehrere Glieder zu dem Zeitwort, dann steht im allgemeinen *zu: Sie hilft ihm, die in der* *ganzen Wohnung verstreuten Spielsachen und Kleidungsstücke aufzuräumen.* **4. Komma:** Wenn *helfen* mit der erweiterten Grundform (dem Infinitiv) eines anderen Zeitwortes (mit *zu*) verbunden ist (z. B. *aufzuräumen*), dann kann man ein Komma setzen oder es weglassen: *Sie hilft die Spielsachen aufzuräumen* (hier ist *aufräumen* Hilfszeitwort) oder: *Sie hilft, die Spielsachen aufzuräumen.* Tritt aber zu *helfen* eine Ergänzung, dann muß das Komma stehen: *Sie hilft mir, die Spielsachen aufzuräumen.*

Herr: **1. Beugung von *Herr:*** In der Einzahl lauten die Formen: *der Herr, des Herrn, dem Herrn, den Herrn* (nicht: *Herren*), Mehrzahl: *die Herren, der Herren, den Herren, die Herren* (nicht: *Herrn*). **2. Beugung nach *Herr:*** *Herr* wird vor Namen und Titeln immer gebeugt: *Ich werde Herrn Müller anrufen. An Herrn Erwin Meyer.* **a)** *Herr* + Name: Der Name erhält im Wesfall die Endung *-s: Herrn Müllers Besuch, Herrn Meyers Geburtstag.* Steht jedoch vor Herr noch *des, eines* oder ein Fürwort (Pronomen), dann bleibt der Name unverändert: *der Besuch des Herrn Müller, eines gewissen Herrn Müller; der Geburtstag jenes Herrn Meyer.* Steht statt des Namens eine Verwandtschaftsbezeichnung, wird diese jedoch gebeugt: *der Besuch Ihres Herrn Sohnes* (nicht: *Sohn*), *zum Tode Ihres Herrn Vaters* (nicht: *Vater*). **b)** *Herr* + Titel + Name: Der Name, jedoch nicht der Titel erhält im Wesfall die Endung *-s: Herrn Professor Müllers Besuch, Herrn Regierungsrat Meyers Geburtstag.* Steht jedoch vor *Herr* noch *des, eines* oder ein Fürwort, erhält meist der Titel eine Beugungsendung, der Name jedoch nicht: *die Rede des Herrn Ministers Müller; die Ausführungen eines gewissen Herrn Rechtsanwaltes Dr. Meyer* (*Doktor* bleibt ungebeugt!). Als Beisatz (Apposition) jedoch: *die Rede des Herrn Präsidenten, Professor Müller* oder *Müllers.*

herrschen: Das Mittelwort der Vergangenheit (2. Partizip) von *herrschen* (es lautet *geherrscht*) kann nicht als Beifügung eines Hauptwortes verwendet werden. Also nicht: *die geherrschte Seuche,* sondern: *die Seuche, die geherrscht hat.*

herum oder **umher:** Eine scharfe Unterscheidung zwischen *herum* und *umher* ist nicht immer möglich; *herum* bedeutet „rundherum, im Kreise, ringsum“: *Um das Lager herum stellten sie Posten auf. Ich lief um den Baum herum.* Dagegen bedeutet *umher* „kreuz und quer, dahin und dorthin, nach dieser und jener Richtung“: *Sie irrten im Walde umher. Er lief ein bißchen in dem Städtchen umher.* Oft wird an dieser Unterscheidung nicht festgehalten und *herum* statt *umher* gebraucht: *Sie tollte auf der Wiese herum. Er* *fuchtelte vor meinem Gesicht herum.* Wenn es sich um eine erfolglose oder unnütze, aber anhaltende Beschäftigung handelt, wird heute nur noch *herum* gebraucht: *Er fingerte an der jungen Frau herum. Sie kramte in ihrer Tasche herum.*

heute: Die Zeitbestimmung *heute* wird bei der Darstellung eines Vorgangs in der Vergangenheit gelegentlich so gebraucht, daß ein falscher Zeitbezug entsteht. Richtig ist: *Die Bergsteiger brachen in aller Frühe auf, um an diesem Tag* (nicht: *heute*) *den Gipfel zu bezwingen.*

hindern: Weil das Zeitwort *hindern* schon verneinenden Sinn hat (= nicht tun lassen), wird ein von ihm abhängender Satz nicht verneint. Nicht korrekt ist darum: *Ich hindere ihn daran, nicht noch mehr zu trinken.* Richtig ist: *Ich hindere ihn daran, noch mehr zu trinken.*

hinsichtlich: Das Verhältniswort (die Präposition) *hinsichtlich* wird üblicherweise mit dem Wesfall verbunden: *hinsichtlich seines Briefes, hinsichtlich des Angebotes, der Preise.* Nur in der Mehrzahl weicht man bei alleinstehenden Hauptwörtern auf den Wemfall aus: *hinsichtlich Angeboten und Preisen.*

hinstellen: **1. sich hinstellen als:** Bei *sich hinstellen als* steht das dem *als* folgende Hauptwort gewöhnlich im Werfall: *Wer stellt sich schon gern als kleiner Beamter hin?* Der Wenfall *(Wer stellt sich schon gern als kleinen Beamten hin?)* kommt seltener vor, ist aber auch richtig. **2. hinstellen vor:** Bei *hinstellen vor* und *sich hinstellen vor* steht in der Regel der Wenfall (Frage: vor wen oder was?): *Ich stellte die Schüssel vor sie hin. Der Polizist stellt sich vor mich hin.*

höchstens: Man kann sagen: *Das trifft in höchstens drei Fällen zu* oder: *Das trifft höchstens in drei Fällen zu.* Im ersten Satz liegt die Betonung stärker auf der Anzahl *(höchstens drei),* die hier mehr hervorgehoben wird als im zweiten Satz. Beide Sätze sind korrekt.

höchstens nur: Die Verwendung von *höchstens nur* ist nicht korrekt. Da mit den Wörtern *höchstens* und *nur* – trotz inhaltlicher Berührungen – Unterschiedliches ausgedrückt wird, ist jeweils nur eines von beiden richtig in einem Satz: Je nachdem, was man zum Ausdruck bringen will, kann es also heißen: *Es waren höchstens* (= keinesfalls mehr als) *10 Leute gekommen.* Oder: *Es waren nur* (= bedauerlicherweise nicht mehr als) *10 Leute gekommen.* Aber nicht: *Es waren höchstens nur 10 Leute gekommen.* Auch in einem Zusammenhang, in dem die beiden Wörter sich inhaltlich stärker gleichen oder dieselbe Bedeutung haben, darf nur eines von beiden gebraucht werden: *Ich habe genau hingesehen, es waren nur zwölf.* Oder: ... *es waren höchstens zwölf.* Aber nicht: ... *es waren höchstens nur zwölf.*

höchstmöglich: Da das Eigenschaftswort *höchstmöglich* bereits eine höchste Steigerungsstufe *(höchst...)* enthält, kann es nicht noch einmal gesteigert werden: *die höchstmögliche* (nicht: *höchstmöglichste*) *Punktzahl.*

hoffen: Wenn das Zeitwort *hoffen* mit der erweiterten Grundform (dem erweiterten Infinitiv) eines anderen Zeitwortes verbunden ist (z. B. *zu sehen*), dann kann man ein Komma setzen, man kann es aber auch weglassen: *Wir hoffen die Kinder am Montag zu sehen* (*hoffen* gilt hier als Hilfszeitwort). Oder: *Wir hoffen, die Kinder am Montag zu sehen.* Tritt aber zu *hoffen* eine nähere Bestimmung, dann muß das Komma stehen: *Wir hoffen sehr, die Kinder am Montag zu sehen.*

Horde: **1. Eine Horde Kinder lief/liefen durch die Straßen:** Im allgemeinen wird das Zeitwort auf *Horde* bezogen und in die Einzahl gesetzt: *Eine Horde Kinder lief durch die Straßen. Eine Horde Halbstarker demolierte das Gebäude.* Gelegentlich wird das Zeitwort aber nicht auf *Horde,* sondern auf das Gezählte bezogen und in die Mehrzahl gesetzt (d. h., man konstruiert nach dem Sinn): *Eine Horde Kinder liefen durch die Straßen. Eine Horde Halbstarker demolierten das Gebäude.* Beide Möglichkeiten sind korrekt. **2. eine Horde Halbstarker/Halbstarke:** Üblicherweise steht nach *Horde* die folgende Angabe im Wesfall: *eine Horde Halbstarker; eine Horde lärmender Kinder.* Es ist jedoch auch möglich, die nach *Horde* stehende Angabe in den gleichen Fall zu setzen, den *Horde* selbst aufweist, also: *eine Horde Halbstarke; eine Horde lärmende Kinder; mit einer Horde lärmenden Kindern.* Beide Möglichkeiten sind korrekt.

hören: Steht vor *hören* die Grundform (der Infinitiv) eines anderen Zeitwortes dann kann sowohl die Form *hören* als auch die Form *gehört* verwendet werden: *Ich habe sie nicht kommen hören* oder *kommen gehört.*

hundert[und]einte oder **hundert[und]erste:** In der Hochsprache heißt es: *hunderterste* oder *hundertunderste.* Die Formen *hunderteinte* und *hundertundeinte* gelten als landschaftlich.

hüten, sich: Weil das Zeitwort *sich (vor etwas) hüten* in der Bedeutung „etwas vermeiden, etwas mit Bedacht nicht tun“

schon verneinenden Sinn hat, darf ein von ihm abhängender Satz nicht zusätzlich verneint werden. Nicht korrekt ist darum: *Sie hütete sich (davor), nicht zu schnell zu fahren.* Oder: *Sie hütete sich (davor), daß sie nicht zu schnell fuhr.* Richtig ist: *Sie hütete sich (davor), zu schnell zu fahren.* Oder: *Sie hütete sich (davor), daß sie zu schnell fuhr.* Hat *sich hüten* jedoch die Bedeutung „auf etwas achten, sich vorsehen, aufpassen", dann wird ein von ihm abhängender Satz verneint: *Hüte dich, daß du keinen Fehler machst. Hüte dich, daß man dich nicht übervorteilt.*

I

i. A. oder **I. A.**: Die Abkürzung für *im Auftrag* wird mit kleinem *i* geschrieben, wenn sie der Bezeichnung einer Behörde, Firma u. dgl. folgt:

Der Oberbürgermeister
i. A. Meyer

Sie wird mit großem *I* geschrieben, wenn sie nach einem abgeschlossenen Text (allein vor einer Unterschrift) steht:

Ihre Unterlagen erhalten Sie mit
gleicher Post zurück.
I. A. Meyer

ich, der ich mich oder **ich, der sich ...**: Beide Formen sind möglich und grammatisch richtig: *Ich, der ich mich immer um ein gutes Verhältnis bemüht habe ...* Oder: *Ich, der sich immer um ein gutes Verhältnis bemüht hat ... Ich, die ich mich immer um ein gutes Verhältnis bemüht habe ...* Oder: *Ich, die sich immer um ein gutes Verhältnis bemüht hat ...*

ich würde sagen, ich möchte sagen: Diese besonders in Diskussionen o. ä. (also in der gesprochenen Sprache) gebrauchten Floskeln mögen unter inhaltlichem Aspekt entbehrlich und in stilistischer Hinsicht blaß sein. Da sie eine Äußerung entgegenkommender und weniger selbstsicher erscheinen lassen, sind sie jedoch nicht immer überflüssig.

ich oder du: *Ich oder du mußt das machen.* Nicht: *Ich oder du muß das machen.* Ebenso nicht: *Ich oder du müssen das machen.*

ich oder er: *Ich oder er wird daran teilnehmen.* Nicht: *Ich oder er werde daran teilnehmen.* Ebenso nicht: *Ich oder er werden daran teilnehmen.*

ich und du: *Ich und du haben uns sehr gefreut.* Oder: *Ich und du, wir haben uns sehr gefreut.* Nicht: *Ich und du haben sich sehr gefreut.*

ich und er: *Ich und er haben uns sehr gefreut.* Oder: *Ich und er, wir haben uns sehr gefreut.* Nicht: *Ich und er haben sich sehr gefreut.*

ich und ihr: *Ich und ihr haben uns sehr gefreut.* Oder: *Ich und ihr, wir haben uns sehr gefreut.* Nicht: *Ich und ihr haben sich sehr gefreut.* Ebenso nicht: *Ich und ihr habt euch sehr gefreut.*

ich und sie: *Ich und sie haben uns sehr gefreut.* Oder: *Ich und sie, wir haben uns sehr gefreut.* Nicht: *Ich und sie haben sich sehr gefreut.*

ideal oder **ideell:** Die beiden Wörter dürfen nicht verwechselt werden. Das Eigenschaftswort *ideal* bedeutet „vollkommen, musterhaft": *ein idealer Partner, ideale Voraussetzungen, die ideale Waschmaschine. Diese Waschmaschine ist ideal.* Das Eigenschaftswort *ideell* bedeutet dagegen „auf einer Idee beruhend, geistig": *ideelle Ziele, Bedürfnisse, die ideelle Grundlegung eines Systems. Es geht hier um ideelle, nicht um materielle Werte.*

ihr oder **Ihr:** **1. Anredefürwort:** Das Anredefürwort *ihr* (= 2. Person Mehrzahl), mit dem eine Gruppe von Personen angeredet wird, schreibt man groß in Briefen, feierlichen Aufrufen, Wahlaufrufen, Widmungen, auf Fragebogen u. ä.: Brief: *Ihr Lieben! Wann besucht Ihr uns einmal?* Fragebogen: *Wohin möchtet Ihr am liebsten reisen?* Es wird klein geschrieben in der Wiedergabe von Reden oder Dialogen, von wörtlicher Rede (z. B. in Lehrbüchern, Protokollen, Prospekten u. ä.): *So übt ihr mit diesem Buch. Mit diesem neuen Kugelschreiber werdet ihr gut schreiben können!* **2. Besitzanzeigendes Fürwort:** Das besitzanzeigende Fürwort (Possessivpronomen) *ihr,* das man üblicherweise klein schreibt, wird immer (nicht nur in Briefen!) groß geschrieben, wenn es sich auf das Anredefürwort *Sie* bezieht: *Würden Sie mir bitte Ihren Namen sagen? Ich habe Sie mit Ihrem Hund spazierengehen sehen.*

ihr oder sie: *Ihr oder sie haben das getan.* Nicht: *Ihr oder sie habt das getan.*

ihr und er: *Ihr und er habt das getan.* Oder: *Ihr und er, ihr habt das getan.* Nicht: *Ihr und er haben das getan.*

ihr und ich: *Ihr und ich haben uns sehr gefreut.* Oder: *Ihr und ich, wir haben uns sehr gefreut.* Nicht: *Ihr und ich haben sich sehr gefreut.*

ihr und sie: *Ihr und sie habt euch gefreut.* Oder: *Ihr und sie, ihr habt euch gefreut.* Nicht: *Ihr und sie haben sich gefreut.*

ihre: Steht vor *ihre* ein *der, die* oder *das,* so schreibt man es klein, wenn es sich auf ein vorangehendes Hauptwort bezieht: *Das ist nicht mein Problem, sondern das ihre* (= ihr Problem). Groß schreibt man, wenn *ihre* als Hauptwort verwendet wird: *Grüßen Sie die Ihren* (= ihre Angehörigen). *Sie hat das Ihre* (= ihren Teil) *getan. Sie hatten das Ihre* (= ihre Habe) *in Sicherheit gebracht. Ich bin ganz der Ihre* (= ihr Freund).

ihrerseits, ihresgleichen, ihrethalben, ihretwegen, ihretwillen: Beziehen sich diese Wörter auf eine mit *Sie* anzuredende Person, dann werden sie groß geschrieben: *Sie Ihrerseits dürften das nicht tun. Wir teilen Ihnen mit, daß wir die Bücher Ihrethalben nicht verkauft haben. Für Ihresgleichen müßte das eine Kleinigkeit sein.*

Ihretwegen oder **wegen Ihnen:** In der Umgangssprache wird *Ihretwegen* häufig durch *wegen Ihnen* ersetzt. *Ich habe das nur wegen Ihnen getan.* In gutem Deutsch heißt es jedoch: *Ich habe das nur Ihretwegen getan.*

ihrige: Für die Schreibung von *ihrige* gelten die bei *ihre* gemachten Angaben.

Illustrierte, die: Man beugt das Wort in folgender Weise: *die Illustrierte, eine Illustrierte, zwei Illustrierte* oder *zwei Illustrierten; die Aufmachung verschiedener Illustrierten* oder auch *verschiedener Illustrierter; mit aufgeschlagener Illustrierten* oder auch: *Illustrierter; einige Illustrierte, alle Illustrierten, solche Illustrierte* oder auch *solche Illustrierten, beide Illustrierten* und seltener auch *beide Illustrierte.*
Als Beisatz (Apposition): *Sie hat diesem Blatt als einziger Illustrierten* (seltener auch: *als einziger Illustrierter*) *den Vorabdruck gestattet.*

im Falle, daß/im Falle daß/im Falle: Bei diesen Wortverbindungen kann die Kommasetzung unterschiedlich sein: *Ich komme nur, im Falle daß ich eingeladen werde.* Oder: *Ich komme nur im Falle, daß ich eingeladen werde.* Bei der Form ohne *daß* steht das Komma vor *im Falle: Ich komme nur, im Falle ich eingeladen werde.*

in: **1. in Blau usw.:** Eine Farbbezeichnung in Verbindung mit *in* wird groß geschrieben: *in Blau, in Grün,* ebenso: *in Hell, in Matt.* **2. in 1986:** Diese Form *in* + Jahreszahl ist aus dem Englischen übernommen. Im Deutschen steht die Jahreszahl ohne vorangehendes *in* oder aber in der Fügung *im Jahre* + Jahreszahl. *Wir wollen 1986* (oder: *im Jahre 1986*) *dieses Ziel erreichen.*

in oder **im:** Man kann sowohl sagen: *Die Firma ist seit 1830 in Familienbesitz* als auch: *... im Familienbesitz.* Ebenso: *Sie ist in Urlaub.* Oder: *Sie ist im Urlaub.* In diesen Beispielen wird zwischen *in* und *im* kaum noch ein Unterschied empfunden, so daß beide Formen unterschiedslos gebraucht werden können.

in oder **nach:** Bei der Verwendung dieser Verhältniswörter (Präpositionen) in Verbindung mit Ortsangaben und Ländernamen zur Angabe der Richtung (auf die Frage: wohin?) müssen Unterschiede beachtet werden. Das Verhältniswort *in* steht bei Hauptwörtern und Ländernamen, die ein Geschlechtswort (den Artikel *der, die* oder *das*) bei sich haben: *in den Wald, ins Stadion gehen, in die Stadt fahren, in die Schweiz reisen, in die USA fliegen.* Vor Orts- und Ländernamen, die kein Geschlechtswort bei sich haben, steht *nach: nach Berlin, nach Frankreich fahren.*

in Bälde: Statt dieser stilistisch unschönen Fügung sollte man das einfache *bald* verwenden: *Er wird bald* (nicht: *in Bälde*) *hier sein.*

in der Annahme (Erwartung, Hoffnung o. ä.), daß ...: In Fügungen dieser Art steht vor *daß* immer ein Komma: *In der Annahme, daß du am Wochenende kommst, habe ich ein Zimmer bestellt. Ich habe in der Erwartung, daß du am Wochenende kommst, ein Zimmer bestellt.*

in einem Fall wie diesem/wie dieser: Beide Formulierungen sind korrekt. Entweder man bezieht das Wort *dieser* unmittelbar auf das Wort *Fall,* und beide stehen im Wemfall: *in einem Fall wie diesem.* Oder man sieht *wie dieser* als Verkürzung eines Nebensatzes an, der vollständig etwa lauten würde: *wie dieser es ist.*

in etwa: Die Fügung *in etwa* im Sinne von „ungefähr" kann nicht (wie *ungefähr* selbst) bei Zahlenangaben stehen. Also nicht: *Das Gespräch dauerte in etwa drei Stunden. Sie waren in etwa 40 km vom nächsten Ort entfernt.* In diesen Fällen ist nur *ungefähr* oder ein einfaches *etwa* möglich. Dagegen ist die Fügung *in etwa* in Verbindung mit entsprechenden Zeitwörtern richtig. Sie hat die Bedeutung „ungefähr, mehr oder weniger, in gewisser Hinsicht" und drückt stärker als *ungefähr* oder *etwa* eine Einschränkung, einen Vorbehalt aus: *Die Angaben der Zeugen stimmten in etwa überein. Das ist in etwa das, was ich auch sagen wollte.*

in Gänze, zur Gänze: Die beiden Fügungen sind stilistisch unschön. Sie lassen sich in den meisten Fällen durch einfaches *ganz* oder *gänzlich* ersetzen.

in was oder **worin/worein:** Vor allem in der gesprochenen Sprache werden heute *worin* und *worein* häufig durch *in was* ersetzt: *In was besteht der Unterschied? Ich frage mich, in was du den Wein aufbewahren, in was du den Wein füllen willst.* Die Verbindung *in was* ist jedoch umgangssprachlich; stilistisch besser sind *worin* und *worein: Worin besteht der Unterschied? Ich frage mich, worin du den Wein aufbewahren, worein du den Wein füllen willst.*

indem: **1. Komma:** Mit *indem* wird ein Nebensatz eingeleitet, der immer durch Komma abgetrennt wird: *Indem er sprach, öffnete sich die Tür. Er trat zurück, indem er erblaßte. Er ordnete, indem er das sagte, die Blumen.* **2. indem/dadurch, daß/weil:** Man kann *indem* im Sinne von „dadurch, daß" gebrauchen (man darf dabei nur nicht den Fehler machen, wie es in der Umgangssprache öfter geschieht, *indem, daß* zu sagen). Richtig ist also: *Man ehrte die Autorin, indem man sie in die Akademie aufnahm.* Dagegen kann man *indem* nicht für *weil* einsetzen: *Weil* (nicht: *indem*) *er eine Magenverstimmung hatte, konnte er nicht teilnehmen.*

inklusive: An Stelle von *einschließlich* wird im geschäftlichen Bereich häufig *inklusive* gebraucht, und wie nach *einschließlich* steht auch nach *inklusive* normalerweise der Wesfall: *inklusive aller Versandkosten, inklusive des Portos, inklusive der erwähnten Gläser.* Steht aber das abhängige Hauptwort allein, also ohne ein Begleitwort, dann bleibt es in der Einzahl im allgemeinen ungebeugt: *inklusive Porto, inklusive Behälter.* In der Mehrzahl aber weicht man bei alleinstehenden Hauptwörtern auf den Wemfall aus: *inklusive Gläsern, inklusive Behältern.*

insofern: **1. insofern – als:** Richtig ist nur *insofern – als* und nicht, wie es besonders in der gesprochenen Sprache häufig heißt, *insofern – daß* oder *insofern – weil: Er hatte insofern einen richtigen Instinkt bewiesen, als* (nicht: *daß*) *er schon zwei Tage vorher darauf hinwies. Er hat insofern unklug gehandelt, als* (nicht: *weil*) *er zu voreilig war.* **2. Komma:** Zwischen *insofern* und *als* steht ein Komma, wenn *insofern* besonders betont werden soll: *Er hatte einen richtigen Instinkt bewiesen, insofern, als er* *schon zwei Tage vorher darauf hinwies.* Das Komma steht nicht, wenn *insofern* und *als* als Einheit empfunden werden: *Er hat unklug gehandelt, insofern als er zu voreilig war.* Wenn *als* ganz wegfällt, was auch möglich ist, leitet *insofern* den Nebensatz ein, der durch Komma abgetrennt wird: *Er hat unklug gehandelt, insofern er zu voreilig war.*

insoweit: Für *insoweit – als* und für die Kommasetzung gelten die bei *insofern* gemachten Angaben.

Intendant: Außer im Werfall erhält das Hauptwort *Intendant* in der Regel die Endung *-en: der Intendant, des Intendanten* (nicht: *des Intendants*), *dem Intendanten* (nicht: *dem Intendant*), *den Intendanten* (nicht: *den Intendant*), Mehrzahl: *die Intendanten.* In der Anschrift ist jedoch auch die ungebeugte Form *Intendant* zulässig: *[An] Herrn Intendant Meyer* neben: *[An] Herrn Intendanten Meyer.*

Interesse: Es heißt richtig: *Interesse an* oder *Interesse für* (nicht: *Interesse nach* oder *Interesse auf*). Also: *Bei Interesse an diesen Artikeln fordern Sie bitte Prospekte an.* Oder: *Bei Interesse für diese Artikel ...* (aber nicht: *Bei Interesse nach diesen Artikeln ...* oder: *Bei Interesse auf diese Artikel ...*).

investieren: Nach *investieren in* kann sowohl der Wenfall als auch der Wemfall stehen. Wenfall: *Er hat sein Geld in das Unternehmen investiert.* Hier bedeutet *investieren* „sein Geld in das Unternehmen hineinstecken". Mit Wemfall: *Er hat sein Geld in dem Unternehmen investiert.* In diesem Fall hat *investieren* die Bedeutung „sein Geld in dem Unternehmen anlegen". In der übertragenen Bedeutung „etwas auf jemanden oder auf etwas verwenden" wird *investieren in* nur mit dem Wenfall verbunden: *Er hat sein ganzes Gefühl in diese* (nicht: *dieser*) *Beziehung investiert. In die* (nicht: *der*) *Karriere investierte er seine ganze Kraft.*

irgendwelcher (irgendwelche, irgendwelches): Ein auf *irgendwelcher (irgendwelche, irgendwelches)* folgendes Eigenschaftswort oder Mittelwort (Partizip) kann (auch wenn es als Hauptwort gebraucht wird) auf zweierlei Weise gebeugt werden: *irgendwelcher alter* oder *alte Plunder, irgendwelches dummes* oder *dumme Zeug, mit irgendwelchem altem* oder *alten Plunder, von irgendwelcher tierischer* oder *tierischen Herkunft, irgendwelche kluge* oder *klugen Leute, die Meinung irgendwelcher kluger* oder *klugen Leute; irgendwelches Gutes* oder *Gute, irgendwelche Abgeordnete* oder *Abgeordneten, die Meinung irgendwelcher Angestellter* oder *Angestellten.*

Israeli, Israelit: Die beiden Bezeichnungen dürfen nicht miteinander verwechselt werden. Das Wort *der Israeli* (Wesfall: *des Israeli* oder *des Israelis,* Mehrzahl: *die Israelis*) bezeichnet den männlichen Angehörigen des heutigen Staates Israel. Die entsprechende weibliche Form lautet *die Israeli* (Wesfall: *der Israeli,* Mehrzahl: *die Israeli* oder *die Israelis*) und das dazugehörende Eigenschaftswort *israelisch.*

Demgegenüber bezeichnet der *Israelit* den Angehörigen des Volkes Israel im Alten Testament (weibliche Form: *die Israelitin*), und das Eigenschaftswort *israelitisch* hat die Bedeutung „die Israeliten, ihre Religion und Geschichte betreffend, jüdisch".

i.V. oder **I.V.:** Diese Abkürzung für „in Vertretung" oder „in Vollmacht" wird mit kleinem *i* geschrieben, wenn sie der Bezeichnung einer Behörde, Firma u. dgl. folgt:

Mit freundlichen Grüßen
Karl Meyer GmbH
i.V. Schneider

Der Oberbürgermeister
i.V. Schneider

Sie wird mit großem *I* geschrieben, wenn sie nach einem abgeschlossenen Text (allein vor einer Unterschrift) steht:

Herr Müller wird Sie
nach seiner Rückkehr sofort anrufen.
I.V. Schneider

J

je: **1. Beugung nach *je*:** Nach dem Verhältniswort (der Präposition) *je* steht der Wenfall: *je beschäftigten Arbeiter, je berufstätige Frau, je angefangenen Monat.* Gelegentlich wird *je* auch wie ein Umstandswort (Adverb) gebraucht und hat dann keinen Einfluß auf die Beugung anderer Wörter: *je beschäftigter Arbeiter, je angefangener Monat, je Student.* **2. Komma bei *je – desto, je – um so* und *je–je:*** Zwischen den mit *je* und *desto,* mit *je* und *um so* oder mit *je* und *je* verbundenen Sätzen oder Satzteilen steht immer ein Komma: *Je länger er sie kennt, desto mehr schätzt er sie. Er wird um so bescheidener, je älter er wird.* Bei Sätzen dieser Art wird *je – je* nur noch selten gebraucht. Geläufig ist es nur noch in kurzen Verbindungen: *je länger, je lieber. Wir sind je länger, je mehr von seiner Ehrlichkeit überzeugt.* **3. je ein:** Bei Sätzen mit der Verbindung *je ein* darf das Zeitwort nur in der Einzahl stehen: *Je ein Exemplar wurde* (nicht: *wurden*) *an die Buchhandlungen geschickt.*

je nachdem: Bei den Wortverbindungen *je nachdem, ob* und *je nachdem, wie* kann die Kommasetzung unterschiedlich sein. Entweder: *Wir entscheiden uns je nachdem, ob er kommt oder nicht.* Oder: *Wir entscheiden uns, je nachdem ob er kommt oder nicht.* Entweder: *Das geschieht je nachdem, wie du willst.* Oder: *Das geschieht, je nachdem wie du willst.* Wenn bei Sätzen dieser Art *ob* oder *wie* ganz wegfällt, dann leitet *je nachdem* den Nebensatz ein, der durch Komma abgetrennt wird: *Du kannst Bier oder Wein trinken, je nachdem du willst.*

jeder, jede, jedes: **1. jedes Monats/jeden Monats:** Beide Formen des Wesfalls (in der Einzahl bei männlichen und sächlichen Hauptwörtern) sind korrekt: *am 10. jedes* oder *jeden Monats, bar jedes* oder *jeden Einflusses, jedes* oder *jeden Tieres.* Steht aber vor *jeder* das unbestimmte Geschlechtswort (der unbestimmte Artikel) *ein,* dann heißt es nur *jeden: am 10. eines jeden Monats.* Folgt hingegen auf *jeder* noch ein Eigenschaftswort, dann darf es nur *jedes* heißen: *am 10. jedes neuen Monats.* **2. Beugung nach *jeder, jede, jedes:*** Ein auf *jeder, jede, jedes* folgendes Eigenschaftswort oder Mittelwort (Partizip) hat (auch wenn es als Hauptwort gebraucht wird) in allen Fällen, außer im Werfall, die Endung *-n* oder *-en: jeder weitere Versuch, die Rinde jedes alten Baumes, bei jedem schönen Buch; jeder Angestellte, ein jedes Seiende, die Meinung jedes Betroffenen, bei jedem Abgeordneten.* **3. jeder, der:** Ein auf *jeder* bezogener Nebensatz wird nicht mit *wer,* sondern mit *der* eingeleitet: *Jeder, der* (nicht: *wer*) *hierherkommt ...* Entsprechend auch: *Jedes Messer, das* (nicht: *was*) *sie in die Hand nimmt ...* **4. Jedes Haus und jeder Baum war/waren ihm vertraut:** Bei Sätzen dieser Art steht das Zeitwort meist in der Einzahl: *Jeder Junge und jedes Mädchen bekommt einen Luftballon.* Die Mehrzahl ist jedoch auch möglich, wird aber seltener gebraucht: *Jeder Junge und jedes Mädchen bekommen einen Luftballon.*

jeher: Es heißt richtig *von jeher* oder *seit je.* Eine Vermischung der beiden Fügungen ist nicht zulässig. Also nicht: *seit jeher.* Korrekt ist nur: *Das haben wir von jeher so gemacht.* Oder: *Das haben wir seit je so gemacht.*

jemand: **1. Beugung:** Der Wesfall von *jemand* lautet *jemandes* oder *jemands.* Der Wemfall und der Wenfall können ungebeugt sein: *jemand* oder gebeugt, Wemfall: *jemandem,* Wenfall: *jemanden: Es war nichts, was jemand* oder *jemandem etwas bedeuten könnte.* (Nicht korrekt wäre: *Es war nichts, was jemanden etwas bedeuten könnte.*) Im Wenfall wird die ungebeugte Form oft vorgezogen: *Haben Sie jemand* (seltener: *jemanden*) *getroffen?* **2. jemand anders, jemand Fremdes:** In Fügungen wie diesen, also *jemand* in Verbindung mit *anders* oder mit einem als Hauptwort gebrauchten Eigenschaftswort, bleibt *jemand* meist ungebeugt: *Sie sprach von jemand* (selten: *jemandem*) *anders. Sie sprach mit jemand* (selten: *jemandem*) *Fremdes.* Die Fügungen können als Ganzes in allen Fällen unverändert stehen: *von jemand anders, an jemand anders, von jemand Fremdes, an jemand Fremdes.* Das als Hauptwort gebrauchte Eigenschaftswort wird in solchen Fällen jedoch häufiger gebeugt: *mit jemand Fremdem, an jemand Fremden.*
Vergleiche auch die bei *andere* (3. jemand anders/jemand anderer) gemachten Angaben.

jener, jene, jenes: **1. Beugung von *jener, jene, jenes:*** Das Fürwort (Pronomen) *jener, jene, jenes* wird immer stark gebeugt, d. h., es hat dieselben Endungen wie die Beugungsformen von *der, die, das: an jenem Tag* (wie: *an dem Tag*), *die Mutter jenes Kindes* (wie: *des Kindes*), *wegen jener Frau* (wie: *wegen der Frau*). Es heißt demnach: *Ich erinnere mich jenes Tages* (nicht: *jenen Tages*). *Die Form jenes Tisches* (nicht: *jenen Tisches*). **2. Beugung nach *jener, jene, jenes:*** Das auf *jener* usw. folgende Eigenschaftswort wird immer schwach gebeugt, d. h., es hat in der Regel die Endung *-en: jenes alten Hutes, jenem alten* (nicht: *altem*) *Hut, von jenem schönen Buch, jenes hübsche Kleid, wegen jenes hübschen Kleides, jene hübschen Kleider.*

Jubiläum: Im Grunde ist es falsch, von einem z. B. *vierzigjährigen Jubiläum* zu sprechen, weil damit eigentlich ausgedrückt wird, das Jubiläum sei vierzig Jahre alt. Diese Fügung hat sich jedoch so sehr eingebürgert, daß sie nicht mehr als falsch empfunden wird. Besser ist es aber, statt dessen zu sagen: *das Jubiläum der vierzigjährigen Zugehörigkeit, des fünfundzwanzigjährigen Bestehens* u. ä.

jucken: Bei dem Zeitwort *jucken* (= einen Juckreiz verursachen) steht bei der Verwendungsweise *es juckt* die betroffene Person im Wenfall: *Es juckt mich [am Arm].* Wird an Stelle von *es* ein Körperteil genannt, so kann die betroffene Person im Wemfall oder im Wenfall stehen: *Die Hand juckt mir* oder *mich.* Beide Formen sind korrekt.

Das gilt auch für den übertragenen Gebrauch: *Es juckt mir* oder *mich in den Fingern, dir eine Ohrfeige zu geben. Sie* oder *ihr juckt das Fell* (= sie wird übermütig). Wird aber in solchen Fällen nur die Person genannt, dann muß sie im Wenfall stehen: *Ihn juckt nur das Geld. Was juckt mich das?*

Jugendliche bis zu 18 Jahren/bis 18 Jahre: Nach der Verbindung *bis zu* und einer Zahlenangabe steht das folgende Hauptwort gewöhnlich im Wemfall, der von *zu* abhängig ist: *Jugendlichen bis zu 18 Jahren ist der Zutritt verboten.* Wird das *zu* weggelassen – was besonders in der gesprochenen Sprache häufig vorkommt –, steht nach *bis* der Wenfall: *Jugendliche bis 18 Jahre.*

Juli: Die Form *Julei* kann verdeutlichend beim Sprechen gebraucht werden, um einer Hörverwechslung zwischen *Juli* und *Juni* vorzubeugen. In geschriebenem Text ist sie sinnlos.

Juni: Die Form *Juno* kann verdeutlichend beim Sprechen gebraucht werden, um einer Hörverwechslung zwischen *Juni* und *Juli* vorzubeugen. In geschriebenem Text ist sie sinnlos.

K

Kaiser: Folgt auf *Kaiser* noch ein Name, dann bereitet besonders die Beugung im Wesfall Schwierigkeiten. Richtig ist: *der Sieg Kaiser Karls des Großen.* Der Titel *Kaiser* ist hier ungebeugt, der Name in seiner Gesamtheit wird dagegen gebeugt.
Steht *Kaiser* jedoch mit Geschlechtswort (Artikel) oder Fürwort, heißt es: *der Sieg des Kaisers Karl des Großen.* Der Titel *Kaiser* wird hier gebeugt, *Karl* bleibt unverändert, die Beifügung *der Große* wird wiederum gebeugt *(des Großen).*

Kamerad: Das Hauptwort *Kamerad* erhält – außer im Werfall – die Endung *-en: der Kamerad, des Kameraden* (nicht: *des Kamerads*), *dem Kameraden* (nicht: *dem Kamerad*), *den Kameraden* (nicht: *den Kamerad*), Mehrzahl: *die Kameraden.*

Kanne: Nach *Kanne* als Maßbezeichnung steht in der Regel das, was gemessen wird, im selben Fall wie die Maßangabe

Kanne selbst: *eine Kanne Kaffee, eine Kanne duftender Kaffee; der letzte Rest einer Kanne duftenden Kaffees; mit einer Kanne duftendem Kaffee, für eine Kanne duftenden Kaffee.* Gelegentlich in gehobener Ausdrucksweise auch mit dem Wesfall: *eine Kanne duftenden Kaffees, mit einer Kanne duftenden Kaffees.*

Karton: **1. Karton oder Kartons:** Als Maßbezeichnung bleibt *Karton* in der Mehrzahl häufig ungebeugt, d.h. unverändert: *3 Karton Seife* oder *3 Kartons Seife.* **2. Beugung nach *Karton*:** Nach *Karton* als Maßangabe steht in der Regel das, was gemessen wird, im selben Fall wie die Maßangabe *Karton* selbst: *ein Karton Wein, ein Karton badischer Wein; der Preis eines Kartons Wein* oder *eines Karton Wein[e]s,* aber: *der Preis eines Kartons badischen Wein[e]s; mit einem Karton badischem Wein; für einen Karton badischen Wein.* Gelegentlich in gehobener Ausdrucksweise auch mit dem Wesfall: *ein Karton badischen Wein[e]s; mit einem Karton badischen Wein[e]s.*

kassieren: Im Sinne von „Geld einziehen, einnehmen“ steht *kassieren* mit dem Wenfall. Dabei kann es sich jedoch nur um Dinge, Sachen, nicht um Personen handeln: *Beträge, Miete o.ä. kassieren.* Die Verbindung *jemanden kassieren* für *jemanden abkassieren* ist umgangssprachlich und sollte deshalb in korrektem Deutsch besser vermieden werden.

Kasten: Nach *Kasten* als Maßbezeichnung steht in der Regel das, was gemessen wird, im selben Fall wie die Maßangabe *Kasten* selbst: *ein Kasten Bier, ein Kasten bayrisches Bier; der Preis eines Kastens Bier* oder *eines Kasten Bier[e]s,* aber: *der Preis eines Kastens bayrischen Bier[e]s; mit einem Kasten bayrischem Bier; für einen Kasten bayrisches Bier.* Gelegentlich in gehobener Ausdrucksweise auch mit dem Wesfall: *ein Kasten bayrischen Bier[e]s; mit einem Kasten bayrischen Bier[e]s.*

kaufen: Die Formen *du käufst, er käuft* sind nicht hochsprachlich. Richtig ist: *du kaufst, er kauft.*

Kauffrau/Kaufmann: Die weibliche Entsprechung zu *Kaufmann* lautet offiziell *Kauffrau.* Die männliche Bezeichnung *Kaufmann* für eine Frau ist jedoch auch noch zu hören, besonders in Äußerungen wie: *Sie lernt Kaufmann. Sie will Kaufmann werden.*

kaum daß/kaum, daß: Die Fügung *kaum daß* leitet einen untergeordneten Nebensatz ein, der durch Komma abzutrennen ist. Wird sie als eine Einheit empfunden, dann steht kein Komma zwischen *kaum* und *daß: Kaum daß er hier war, begann schon der Tumult.* Wenn das Wort *kaum* betont ist, kann es durch Komma abgetrennt werden. Dies ist aber nicht zwingend: *Ich habe alle Namen vergessen, kaum daß ich mich noch an die Landschaft erinnere* oder: *Ich habe alle Namen vergessen, kaum, daß ich mich ...* Von Sätzen mit der Fügung *kaum daß* zu unterscheiden sind Beispiele, in denen *daß* einen Nebensatz einleitet und *kaum* zum Hauptsatz gehört: *Ich glaube kaum, daß sie noch kommt* (zur Probe: *Ich kann es kaum glauben, daß sie noch kommt*).

kein: **1. Beugung:** Nach einer gebeugten Form von *kein* (z. B. *keine, keines* usw.) erhält das folgende Eigenschaftswort (auch wenn es zum Hauptwort geworden ist) in der Regel die Endung *-en* bzw. *-n: keines bösen Gedankens fähig, mit keiner guten Absicht, keine schönen Bilder, bei keinem Bekannten, Fremden, Verliebten.* **2. keiner, der:** Richtig heißt es: *Da war keiner, der* (nicht: *welcher*) *ihm half. Es gab keine, die* (nicht: *welche*) *in Betracht kam.* **3. kein + als:** Als Vergleichswort nach *kein* steht *als*, nicht *wie: Es kommt kein Haus in Betracht als dieses.* **4. in keiner Weise:** Dies ist die hochsprachlich korrekte Form. Das in der Umgangssprache gelegentlich scherzhaft gebrauchte *in keinster Weise* ist nicht korrekt, da *kein* nicht gesteigert werden darf.

Kenntnis: Es muß heißen *Kenntnisse in* (nicht: *über* oder *für*): *Sie hat gute Kenntnisse in diesem Fach. Kenntnisse in Statistik werden vorausgesetzt.*

Kilogramm: **1. Beugung nach *Kilogramm*:** Nach *Kilogramm* steht in der Regel das, was gewogen wird, im selben Fall wie *Kilogramm* selbst: *5 kg neue Kartoffeln* (selten: *neuer Kartoffeln*); *der Preis eines Kilogramms neuer Kartoffeln;* aber: *bei 5 kg neuer Kartoffeln* oder *neue Kartoffeln,* selten: *neuen Kartoffeln; für 5 kg neue Kartoffeln* (selten: *neuer Kartoffeln*). **2. 1 kg Äpfel kostet/kosten ...:** Folgt der Angabe *1 kg* (die Mengenangabe ist hier Einzahl) ein Hauptwort ebenfalls in der Einzahl, steht auch das Zeitwort in der Einzahl: *1 kg Fleisch kostet 8,98 DM.* Folgt auf *1 kg* ein Hauptwort in der Mehrzahl, steht das Zeitwort üblicherweise in der Einzahl, es kann jedoch auch in der Mehrzahl stehen: *1 kg Äpfel kostet 3 Mark,* seltener: *1 kg Äpfel kosten 3 Mark.* Wenn allerdings die Mengenangabe selbst in der Mehrzahl steht (*2 kg, 3 kg* usw.), verwendet man auch beim Zeitwort die Mehrzahl, wenn das, was als Menge angegeben wird, ebenfalls in der Mehrzahl steht: *2 kg Äpfel kosten 6 Mark.* Steht dagegen das, was als Menge angegeben wird, in der Einzahl

(3 kg Fleisch), richtet sich das Zeitwort im allgemeinen nach der Mengenangabe *(3 kg)* und steht deswegen meist in der Mehrzahl: *3 kg Fleisch kosten,* (selten:) *kostet 26,94 DM.*

Kilometer: **1. Geschlecht:** Im Unterschied zu *der* und *das Meter* heißt es bei *Kilometer* in der Regel nur *der Kilometer.* **2. Beugung:** Ist *Kilometer* Mehrzahl *(2, 3, 4* usw. *Kilometer),* heißt es im Wemfall: *ein Stau von 10 Kilometern.* Folgt aber auf die Längenangabe noch die Angabe des Gemessenen, wird überwiegend die ungebeugte Form *Kilometer* verwendet: *ein Stau von 10 Kilometer Länge.* Unabhängig davon, ob das Gemessene angegeben ist oder nicht, steht bei vorangestelltem Geschlechtswort (Artikel) die gebeugte Form *Kilometern* (im Wemfall): *Nach den 10 Kilometern [Stau] ging es wieder zügig weiter.*

Kinder bis zu 12 Jahren/bis 12 Jahre: Nach der Verbindung *bis zu* und einer Zahlenangabe steht das folgende Hauptwort gewöhnlich im Wemfall, der von *zu* abhängig ist: *Kinder bis zu 12 Jahren zahlen die Hälfte.* Wird das *zu* weggelassen – was besonders in der gesprochenen Sprache häufig vorkommt –, steht nach *bis* der Wenfall: *Kinder bis 12 Jahre.*

Kiste: Nach *Kiste* als Maßbezeichnung steht in der Regel das, was gemessen wird, im selben Fall wie die Maßangabe *Kiste* selbst. Dabei kann das Gemessene entweder Einzahl (z. B. *eine Kiste Wein*) oder Mehrzahl (z. B. *eine Kiste Zigarren*) sein. Das Gemessene in der Einzahl: *eine Kiste Wein, eine Kiste italienischer Wein; der Preis einer Kiste italienischen Wein[e]s; mit einer Kiste italienischem Wein; für eine Kiste italienischen Wein.* Gelegentlich in gehobener Ausdrucksweise auch mit dem Wesfall: *eine Kiste italienischen Wein[e]s; mit einer Kiste italienischen Wein[e]s.* Das Gemessene in der Mehrzahl: *eine Kiste gute Zigarren,* selten: *guter Zigarren; der Preis einer Kiste guter Zigarren; mit einer Kiste guter Zigarren* oder *gute Zigarren,* selten: *guten Zigarren; für eine Kiste gute Zigarren,* selten: *guter Zigarren.*

klasse oder **Klasse:** In den Fällen, in denen nicht eindeutig zu erkennen ist, ob das Eigenschaftswort *klasse* oder ob das Hauptwort *Klasse* gemeint ist, sind beide Formen korrekt. *Das ist (wird) klasse/Klasse. Das finde ich klasse/Klasse.* Eindeutig ein Eigenschaftswort (wie z. B. *toll, hervorragend*) ist *klasse* in Beispielen wie: *ein klasse* (= toller) *Film. Sie hat klasse* (= toll) *gespielt.* Ein Hauptwort (im Sinne von „Güte, Qualität“) ist *Klasse* in Sätzen wie: *Das ist große Klasse. Der Film war einsame Klasse.* Erkennbar ist dies an den Beifügungen *(groß; einsam)* zu *Klasse.*

kleiden: **1. kleiden in:** In der Verbindung *jemanden in etwas kleiden* steht nach *in* der Wenfall, nicht der Wemfall: *Sie waren in herrliche neue Gewänder gekleidet* (nicht: *in herrlichen neuen Gewändern*). **2. etwas kleidet jemanden:** Auch in der Bedeutung „etwas steht jemandem, paßt zu jemandem" wird *kleiden* mit dem Wenfall verbunden: *Das Kostüm kleidet sie* (nicht: *ihr*) *gut. Der Hut kleidet dich* (nicht: *dir*) *gar nicht.*

klopfen: **1. Er klopfte mir/mich auf die Schulter:** Werden in Verbindung mit dem Zeitwort *klopfen* Person und Körperteil genannt, auf die sich *klopfen* bezieht, dann kann die Person im Wemfall oder auch im Wenfall stehen: *Er klopfte dem Freund auf die Schulter.* Oder: *Er klopfte den Freund auf die Schulter.* Üblicher ist der Wemfall *(dem Freund).* **2. klopfen an:** Nach *klopfen an* steht gewöhnlich der Wenfall (Frage: wohin?): *an die Wand, an das Fenster klopfen.* Die Verbindung mit dem Wemfall (Frage: wo?) ist auch möglich: *an der Wand, an dem Fenster klopfen.* Nicht möglich ist der Wemfall, wenn mit dem Geschehen eine Absicht verbunden ist, z. B. bei *an die Tür klopfen* (im Sinne von „Einlaß begehren") oder *an sein Glas klopfen* (um eine Rede zu halten). Hier ist nur der Wenfall korrekt. Aber bei *es* heißt es wiederum nur: *Es klopft an der Tür* (nicht: *an die Tür*).

kneifen: Werden in Verbindung mit dem Zeitwort *kneifen* Person und Körperteil genannt, auf die sich *kneifen* bezieht, dann kann die Person im Wemfall oder auch im Wenfall stehen: *Er kniff dem Kind in den Arm.* Oder: *Er kniff das Kind in den Arm.* Üblicher ist der Wemfall *(dem Kind).*

Komet: Außer im Werfall hat das Hauptwort *Komet* immer die Endung *-en: der Komet, des Kometen* (nicht: *des Komets*), *dem Kometen* (nicht: *dem Komet*), *den Kometen* (nicht: *den Komet*), Mehrzahl: *die Kometen.*

Komma: **1. Komma bei Aufzählungen:** Die einzelnen Glieder einer Aufzählung werden durch Komma getrennt, wenn sie unverbunden nebeneinanderstehen: *Feuer, Wasser, Luft und Erde. Wir fanden eine herrlich gelegene, gar nicht teure Wohnung mit großem, sonnigem Balkon.* Ebenso werden sie durch Komma getrennt, wenn sie durch Bindewörter wie *aber, sondern, und zwar, jedoch, bald – bald, teils – teils, nicht nur – sondern auch* u. ä. verbunden sind: *Er ist intelligent, aber faul. Nicht mein, sondern sein Vorschlag wurde angenommen.* Auch Ort und Datum werden durch Komma getrennt: *Mannheim, den 8. Mai 1986; München, im Juli 1965; am Mittwoch, den 23. November 1984, 20 Uhr findet die Sitzung statt.* Ebenso werden Orts- und Wohnungsangaben (mit Ausnahme von eng zusammengehörenden Bezeichnungen) durch Komma getrennt: *Weidendamm 4, Hof rechts, 1 Treppe links bei Müller; Herr Franz Meier wohnt in 6800 Mannheim 1, Feldbergstraße 21, VI. Stock, Wohnung 28 in einer 3-Zimmer-Wohnung.* **2. Aufzählungen ohne Komma:** Kein Komma steht, wenn die einzelnen Glieder einer Aufzählung durch die Bindewörter *und, oder, als, wie, sowie, sowohl – als auch, entweder – oder, weder – noch* verbunden sind: *Heute oder morgen wird er dich besuchen. Die Kinder essen sowohl Fleisch als auch Obst gerne. Weder mir noch ihm ist das Experiment gelungen.* Folgen jedoch noch weitere Aufzählungsglieder, dann werden diese durch Komma abgetrennt: *Ich weiß weder seinen Namen noch seinen Vornamen, noch sein Alter, noch seine Anschrift.* Kein Komma steht, wenn von zwei oder mehr aufgezählten Eigenschaftswörtern das letzte mit dem zugehörigen Hauptwort einen Gesamtbegriff bildet: *ein Glas dunkles bayrisches Bier* (= das bayrische Bier ist dunkel, nicht: das Bier ist dunkel und bayrisch); *wichtige wissenschaftliche Versuche; ich wünsche Dir ein glückliches, gesegnetes* (= glückliches und gesegnetes) *Weihnachtsfest,* aber: *ich wünsche Dir ein glückliches neues Jahr.* **3. Komma bei Einschüben und Zusätzen:** Der nachgetragene Beisatz (vgl. auch dort) wird durch Komma abgetrennt: *Gutenberg, der Erfinder der Buchdruckerkunst, wurde in Mainz geboren. Der Vorsitzende, Herr Direktor Meyer, hielt einen Vortrag.* Ebenso werden nachgetragene genauere Bestimmungen und Einschübe durch Komma abgetrennt, besonders solche, die durch *und zwar, und das, nämlich, namentlich, besonders, insbesondere* u. a. eingeleitet werden: *Das Flugzeug fliegt wöchentlich einmal, und zwar samstags. Er liebte die Musik, namentlich die Lieder Schuberts. Sie können mich immer, außer in der Mittagszeit, im Büro erreichen.* Vor Fügungen wie *d. h.* oder *z. B.* steht immer ein Komma, nach ihnen kann es nur dann stehen, wenn ein Satz folgt: *Ich sehe sie oft auf der Straße, z. B. beim Einkaufen.* Aber: *Ich sehe sie oft auf der Straße, z. B., wenn sie einkaufen geht.* **4. Komma bei Anreden und Empfindungswörtern (Interjektionen):** Anrede und Empfindungswort werden durch Komma abgetrennt: *Du, hör mal zu! Was halten Sie davon, Frau Schmidt? Ach, das ist schade! Ja, daran ist nicht zu zweifeln.* Das gleiche gilt auch für einen Satzteil, der besonders hervorgehoben werden soll: *Deinen Vater, den habe ich gut gekannt. Ihr sollt ihn nicht ärgern, den armen Kerl! Am Anfang, da glaubte ich noch ...* **5. Komma bei Zeitwörtern mit *zu*:** Die Grundform (Infinitiv) mit *zu* (z. B. *zu laufen, zu sprechen*) wird durch Komma abgetrennt, wenn sie erweitert ist: *Sie folgte, ohne zu murren.*

Sie gingen in die Stadt, um einzukaufen. Er hatte keine Gelegenheit, sich zu waschen. Er beabsichtigte, bald zu verreisen. Sie wird durch Komma abgetrennt, wenn sie verdoppelt ist: *Er war bereit, zu raten und zu helfen. Es ist sein Wunsch, zu arbeiten und in Ruhe zu leben.* Sie wird durch Komma abgetrennt, wenn durch ein Wort nachträglich darauf hingewiesen wird, z. B. durch *es, das, daran, darauf* u. a.: *Zu verreisen, das war sein Traum. Zu betrügen, daran hätte er nie gedacht.* (Aber ohne Komma, wenn solche zurückverweisenden Wörter fehlen: *Einzukaufen macht ihr große Freude. Sich selbst zu besiegen ist der schönste Sieg*). Sie wird durch Komma abgetrennt, wenn ein Mißverständnis vermieden werden soll: *Ich riet ihm, zu folgen.* (Im Unterschied zu: *Ich riet, ihm zu folgen.*) Kein Komma steht, wenn die erweiterte Grundform mit *zu* mit dem Hauptsatz verschränkt ist: *Diesen Vorgang wollen wir zu erklären versuchen.* (Hauptsatz: *Wir wollen versuchen ...*) *Diesen Betrag bitten wir auf unser Konto zu überweisen.* (Hauptsatz: *Wir bitten ...*). Kein Komma steht, wenn die erweiterte Grundform auf Hilfszeitwörter u. ä. folgt, wie z. B. *sein, haben, brauchen, pflegen, scheinen,* auch: *drohen, versprechen: Sie haben nichts zu verlieren. Du scheinst heute schlecht gelaunt zu sein. Der Kranke drohte* (= lief Gefahr) *bei dem Hustenanfall zu ersticken.* Freigestellt ist die Kommasetzung nach *anfangen, aufhören, beginnen, bitten, fürchten, gedenken, glauben, helfen, hoffen, verdienen, verlangen, versuchen, wagen, wissen, wünschen,* weil meist nicht eindeutig zu entscheiden ist, ob diese Wörter nur als Hilfszeitwörter aufzufassen sind oder nicht: *Er glaubt, mich mit diesen Einwänden überzeugen zu können. Wir bitten, diesen Auftrag schnell zu erledigen.* (Aber bei Sätzen wie dem folgenden müssen zwei Kommas stehen: *Wir hoffen, Ihnen hiermit gedient zu haben, und grüßen Sie ...*) Tritt zu den obengenannten Zeitwörtern eine Umstandsangabe oder eine Ergänzung, dann muß ein Komma gesetzt werden: *Der Arzt glaubte fest, den Verletzten retten zu können. Er bat mich, morgen wiederzukommen.* **6. Komma zwischen Sätzen:** Hauptsätze werden durch Komma voneinander getrennt, auch wenn sie durch die Bindewörter *und, oder, beziehungsweise, weder – noch, entweder – oder* verbunden sind: *Sie machten es sich bequem, die Kerzen wurden angezündet, und der Gastgeber versorgte sie mit Getränken. Schreibe den Brief sofort, und bringe ihn zur Post! Fährst du heute, oder bleibst du noch einen Tag? „Morgen früh“, versprach sie, „komme ich zurück“. Sie bestiegen den Wagen, und sie fuhren nach Hause.* Aber: *Sie bestiegen den Wagen und fuhren nach Hause* (nur ein Satz!). **7. Komma zwischen Haupt- und Nebensätzen:** Haupt- und Nebensätze werden immer durch Komma getrennt: *Wenn es möglich ist, erledigen wir den Auftrag. Hunde, die viel bellen, beißen nicht. Ich weiß, daß er unschuldig ist.* Nebensätze, die nicht durch *und* oder *oder* verbunden sind, werden durch Komma voneinander getrennt: *Er war zu klug, als daß er in die Falle gegangen wäre, die man ihm gestellt hatte.* Aber mit *und: Du kannst mir glauben, daß ich deinen Vorschlag ernst nehme und daß ich ihn sicher verwirkliche. Er sagte, er wisse es und der Vorgang sei ihm völlig klar. Er wußte nicht, wer angerufen hatte und was der Kunde bestellen wollte.* **8. Komma bei Mittelwörtern (Partizipien):** Einfache Mittelwörter werden nicht durch Komma abgetrennt: *Lachend stand er in der Tür.* Auch: *Verschmitzt lächelnd schaute sie zu.* Sobald aber noch weitere Wörter hinzutreten, hat eine solche Wortgruppe soviel Eigengewicht, daß man sie durch Komma abtrennen muß: *Er kam, aus vollem Halse lachend, auf mich zu. Ihr Einverständnis voraussetzend, habe ich den Betrag überwiesen.* Zur Kommasetzung bei *und* und *oder* vergleiche die unter diesen Stichwörtern zu findenden Ausführungen.

Kommandant: In der Regel erhält das Hauptwort *Kommandant* – außer im Werfall – die Endung *-en: der Kommandant, des Kommandanten* (nicht: *des Kommandants*), *dem Kommandanten* (nicht: *dem Kommandant*), *den Kommandanten* (nicht: *den Kommandant*), Mehrzahl: *die Kommandanten.* In der Anschrift ist jedoch auch die ungebeugte Form *Kommandant* zulässig: *[An] Herrn Kommandant Bülow* neben: *[An] Herrn Kommandanten Bülow.*

König: **1. Aussprache:** In den Formen der Einzahl *(der König, des Königs, dem König, den König)* wird das *g* wie das *ch* in *ich* ausgesprochen. **2. in Verbindung mit einem Namen:** Folgt auf den Titel *König* ein Name, dann bereitet besonders die Beugung im Wesfall Schwierigkeiten. Richtig ist: *der Sieg König Ludwigs des Heiligen.* Der Titel *König* ist hier ungebeugt, der Name in seiner Gesamtheit wird dagegen gebeugt *(Ludwigs des Heiligen).* Steht *König* jedoch mit Geschlechtswort (Artikel) oder Fürwort (Pronomen), dann heißt es: *der Sieg des Königs Ludwig des Heiligen.* Der Titel *König* wird hier gebeugt, der Name *(Ludwig)* bleibt ohne Beugungsendung, die Beifügung *(der Heilige)* wird wiederum gebeugt.

können: **1. nichts dafür können:** Es heißt: *nichts dafür können,* nicht: *nichts dazu können: Sie kann nichts dafür, daß die Vase umgefallen ist.* **2. können oder gekonnt:** Das Mittelwort der Vergangenheit (2. Partizip) von *können* heißt *gekonnt: Sie haben die Aufgabe nicht gekonnt.* Steht aber vor dem Zeitwort *können* noch ein weiteres Zeitwort, und zwar in der Grundform (im Infinitiv), so steht nicht *gekonnt,* sondern *können.* Es stehen dann beide Zeitwörter in der Grundform, also nicht: *Er hat die Aufgabe nicht lösen gekonnt,* sondern nur: *Er hat die Aufgabe nicht lösen können.*

Konsument: Außer im Werfall hat das Hauptwort *Konsument* immer die Endung *-en: der Konsument, des Konsumenten* (nicht: *des Konsuments*), dem Konsumenten (nicht: *dem Konsument*), *den Konsumenten* (nicht: *den Konsument*), Mehrzahl: *die Konsumenten.*

Korb: **1. Korb oder Körbe:** Als Maßbezeichnung bleibt *Korb* in der Mehrzahl häufig ungebeugt, d. h. unverändert: *zwei Korb* oder *zwei Körbe Kabeljau.* **2. Beugung nach *Korb:*** Nach *Korb* als Maßbezeichnung steht in der Regel das, was gemessen wird, im gleichen Fall wie die Maßbezeichnung *Korb* selbst: *ein Korb Holz, ein Korb trocknes Holz; mit drei Körben trocknem Holz.* Gelegentlich in gehobener Ausdrucksweise auch mit dem Wesfall: *ein Korb trocknen Holzes; mit drei Körben trocknen Holzes.* Steht das, was gemessen wird, in der Mehrzahl, dann wird im Wemfall in folgender Weise gebeugt: *mit einem Korb reifer Äpfel* oder *mit einem Korb reife Äpfel,* seltener auch: *mit einem Korb reifen Äpfeln.*

kosten: Hat *kosten* die Bedeutung „einen bestimmten Preis haben“, dann steht die genannte Person im Wenfall: *Die Renovierung der Wohnung kostete den Vermieter 10 000 Mark, kostet dich nicht viel, hat meinen Nachbarn einiges gekostet.* Hat *kosten* die Bedeutung „von jemandem etwas Bestimmtes verlangen“, dann steht die genannte Person ebenfalls im Wenfall: *Das kostet mich nur einen Anruf. Es kostet dich keine fünf Minuten. Es kostet ihn große Überwindung.* Hat *kosten* hingegen die Bedeutung „jemanden um etwas Bestimmtes bringen“, dann kann die genannte Person im Wenfall, aber auch im Wemfall stehen: *Der Sturz kostete die alte Frau* oder *der alten Frau das Leben. Das kann dich* oder *dir die Freiheit kosten.* Auch in der Wendung *sich eine Sache etwas kosten lassen* sind beide Fälle richtig: *Ich lasse mich,* auch: *mir die Sache etwas kosten.*

Kranke, der und die: Man beugt das Wort in folgender Weise: *der Kranke, ein Kranker, zwei Kranke, die Kranken, einige Kranke, alle Kranken, solche Kranke* und *solche Kranken, beide Kranken* und seltener *beide Kranke; genanntem Kranken; die Versorgung bettlägeriger Kranker.*

Als Beisatz (Apposition): *mir (dir, ihm) als Kranken* und: *mir (dir, ihm) als Krankem; ihr als Kranken* und: *ihr als Kranker.*

kündigen: **1. jemandem oder jemanden kündigen:** Richtig ist der Wemfall: *Der Betrieb, der Vermieter hat ihm gekündigt. Ihm ist gekündigt worden.* In der Umgangssprache kommt häufiger der Wenfall vor: *Der Betrieb hat ihn, hat sie gekündigt.* Umgangssprachlich ist auch der Gebrauch des Mittelworts der Vergangenheit (des 2. Partizips) *gekündigt* in bezug auf Personen: *die gekündigten Mitarbeiter.* **2. kündigen zu oder für:** Es heißt: *Er hat zum ersten April gekündigt.* Seltener auch: *Er hat für den ersten April gekündigt.*

kürzlich: Das Umstandswort (Adverb) *kürzlich* darf nicht wie ein Eigenschaftswort bei einem Hauptwort stehen. Nicht richtig ist also: *die kürzliche Vereinbarung, der kürzliche Besuch.* Richtig ist nur: *die Vereinbarung, die kürzlich getroffen wurde; der Besuch, der kürzlich stattfand.*

L

lang, lange: Das Eigenschaftswort heißt *lang: Der Rock ist sehr lang. Ihr Haar ist lang. Sein Vortrag war zu lang.* Das Umstandswort (Adverb) heißt *lange: Er hat lange gewartet. Er war lange krank.* In der Alltagssprache, besonders in Süd- und Südwestdeutschland, wird die Form *lang* auch als Umstandswort gebraucht. *Er hat lang gewartet. Er war lang krank.*

längs: Das Verhältniswort (die Präposition) *längs* hat den Wesfall nach sich, seltener auch den Wemfall: *längs des Ufers, längs dem Waldrand.* Beides ist korrekt. Der Wemfall wird vorgezogen, wenn dem abhängigen Hauptwort noch ein Hauptwort im Wesfall folgt oder vorausgeht. Statt *längs des Ufers des Sees* besser: *längs dem Ufer des Sees.*

lassen: **1. lassen oder gelassen:** Steht vor *lassen* die Grundform (der Infinitiv) eines anderen Zeitwortes, dann heißt es richtig: *Er hat sich nicht erwischen lassen* (nicht: *gelassen*). *Du hast dich ausfragen lassen* (nicht: *gelassen*). *Warum hast du dich wegschicken lassen* (nicht: *gelassen*)? Wird *lassen* jedoch mit dem vorangehenden Zeitwort zusammengeschrieben (z. B. *liegenlassen, fallenlassen, stehenlassen* usw.), dann sind beide Formen *(lassen* und *gelassen)* richtig: *Er hat alles auf dem Boden liegenlassen* oder *liegengelassen. Er hat seinen Plan fallenlassen* oder *fallengelassen. Warum hast du sie an der Tür stehenlassen* oder *stehengelassen?* In Formulierungen wie der folgenden steht *lassen* immer am Ende: *... weil sie sich haben bestechen lassen* (nicht: *... weil sie sich bestechen lassen haben*). **2. jemanden oder jemandem etwas sehen, fühlen, merken, wissen usw. lassen:** Diese Verbindungen werden mit dem Wenfall gebildet: *Ich werde dich mein neues Kleid sehen lassen. Er hat sie seinen Ärger fühlen lassen. Er hat sie nicht merken lassen, wie enttäuscht er war. Kannst du mich wissen lassen, wann du gehst?*

laut:

1. Bedeutung: Das Verhältniswort (die Präposition) *laut* hat die Bedeutung „dem Wortlaut von etwas entsprechend". Es kann deshalb nur in Verbindung mit Wörtern stehen, die etwas Gesprochenes oder Geschriebenes bezeichnen (z. B. *Gesetz, Vorschrift, Mitteilung, Bericht, Gutachten, Pressemeldung* usw.): *laut Gesetz, laut amtlicher Mitteilung.* Nicht möglich ist: *laut Abbildung, laut Muster* usw. **2. laut unseres Schreibens, laut unserem Schreiben:** Das Verhältniswort *laut* kann den Wesfall und auch den Wemfall nach sich haben: *laut unseres Schreibens* und *laut unserem Schreiben, laut ärztlichen Gutachtens* und *laut ärztlichem Gutachten.* Steht das abhängige Hauptwort allein, also ohne Begleitwort, dann wird es in der Einzahl nicht gebeugt: *laut Vertrag, laut Befehl.* In der Mehrzahl weicht man auf den Wemfall aus: *laut Verträgen, laut Befehlen.* Der Wemfall steht auch dann, wenn noch ein Hauptwort im Wesfall folgt oder vorausgeht: *laut dem Bericht des Ministers, laut des Ministers neuestem Bericht.*

lauten:

Das Zeitwort *(auf etwas) lauten* hat den Wenfall nach sich: *Der Vertrag lautet auf den Namen seiner Frau. Das Urteil lautet auf fünf Jahre.*

lediglich nur:

Die beiden Wörter *lediglich* und *nur* bedeuten das gleiche. Man soll darum nicht beide nebeneinanderstellen. Eine solche Häufung von sinngleichen Wörtern gilt als unschön. Es genügt zu sagen: *Er verlangt lediglich sein Recht.* Oder: *Er verlangt nur sein Recht.* Nicht: *Er verlangt lediglich nur sein Recht.*

lehren:

1. lehren oder gelehrt: Steht vor dem Zeitwort *lehren* die Grundform (der Infinitiv) eines anderen Zeitworts, dann hat *lehren* heute gewöhnlich die Form des Mittelworts der Vergangenheit (des 2. Partizips) *gelehrt: Er hat die*

Kinder schreiben gelehrt. Richtig ist jedoch auch die Grundform *lehren* an Stelle des Mittelworts: *Er hat die Kinder schreiben lehren.* **2. Er lehrte die Kinder/den Kindern die französische Sprache:** Nach *lehren* stehen heute gewöhnlich die genannte Person und die genannte Sache im Wenfall: *Er lehrte die Kinder die französische Sprache.* Der hier selten gebrauchte Wemfall gilt ebenfalls als richtig: *Er lehrte den Kindern die französische Sprache.* **3. Er lehrte die Kinder schreiben/zu schreiben:** Es heißt: *Er lehrte die Kinder schreiben.* Treten zu der Grundform *schreiben* jedoch noch weitere Angaben, dann geht ihr häufiger ein *zu* voraus. *Er lehrte die Kinder leserlich schreiben.* Oder: *Er lehrte die Kinder, leserlich zu schreiben.* Je umfangreicher die Erweiterung der Grundform ist, um so fester wird der Gebrauch von *zu* vor der Grundform: *Er lehrte die Kinder, immer deutlich und leserlich zu schreiben* (nicht: *schreiben*). **4. lehren oder lernen:** Das Zeitwort *lehren* „jemanden in einem bestimmten Fach unterrichten" darf nicht mit dem Zeitwort *lernen* „sich bestimmte Kenntnisse aneignen" verwechselt werden. Es darf deshalb nur heißen: *Er hat die Kinder schreiben gelehrt* (nicht: *gelernt*).

Lehrstelle: Zu Formulierungen mit dem Wort *Lehrstelle* (z. B. in einem Bewerbungsschreiben) vergleiche die bei *Ausbildungsplatz* gemachten Angaben.

Leideform (Passiv): Man kann im Deutschen ein Geschehen oftmals aus zwei Blickrichtungen beschreiben: *Das Erdbeben überraschte uns im Schlaf* (Tatform = Aktiv) und: *Wir wurden von dem Erdbeben im Schlaf überrascht* (Leideform = Passiv). Die Leideform kann durchaus ein Mittel sein, einen Text abwechslungsreicher zu gestalten, im Ausdruck zu variieren. Sie bietet zudem die Möglichkeit, den Handelnden nicht zu nennen: *Es wird angeordnet* (Wer hat angeordnet?). *Sie wurde ausgelacht* (Wer hat sie ausgelacht?). Es kann jedoch vorkommen, daß ein Text bei übermäßiger Verwendung der Leideform etwas unlebendig und schwerfällig wird. Er ähnelt dann der unpersönlichen Verwaltungssprache oder der trokkenen Wissenschaftssprache, wo diese Konstruktionen sehr häufig sind. Will man dies vermeiden, sollte man nicht nur die Leideform, sondern auch die Tatform verwenden. Statt: *Der Plan wird durchgeführt* besser: *Wir führen den Plan durch.* Statt: *Es wird darauf hingewiesen* besser: *Wir weisen darauf hin.* Statt: *Von Herrn Meyer wurde ausgeführt* besser: *Herr Meyer führte aus.*

Leopard: Außer im Werfall hat das Hauptwort *Leopard* immer die Endung *-en: der Leopard, des Leoparden* (nicht: *des*

Leopards), *dem Leoparden* (nicht: *dem Leopard*), *den Leoparden* (nicht: *den Leopard*), Mehrzahl: *die Leoparden*.

lernen: Wenn bei *lernen* ein anderes Zeitwort in der Grundform (im Infinitiv) steht, die nicht durch irgendeinen Zusatz erweitert ist, dann steht dieses andere Zeitwort ohne *zu: Das Kind lernt laufen. Er lernt jetzt lesen.* (Dazu gehören auch Fälle wie: *Sie lernt Klavier spielen. Sie lernt Schlittschuh laufen.*) Ist die Grundform dieses Zeitwortes aber erweitert, so kann sie mit oder ohne *zu* stehen: *Ich lernte die Maschinen bedienen.* Oder: *Ich lernte, die Maschinen zu bedienen.* Je umfangreicher die Erweiterung ist, desto fester ist der Gebrauch mit *zu.* Es muß dann auch immer ein Komma gesetzt werden: *Ich lernte, die neuen Maschinen richtig zu bedienen und zu warten.*

letzterer: Ein auf *letzterer* folgendes Eigenschaftswort oder Mittelwort (Partizip) wird (auch wenn es als Hauptwort gebraucht wird) in gleicher Weise gebeugt wie *letzterer* selbst: *letzteres modernes Hörspiel, bei letzterer persönlicher Beschuldigung, letztere schlimme Fehler, die letzteren gemeinsamen Freunde; letzterer Abgeordneter, die Meinung letzterer Betroffener.*
Vergleiche auch die bei *ersterer – letzterer* gemachten Angaben.

leugnen: Weil das Zeitwort *leugnen* bereits verneinenden Sinn hat (= nicht gelten lassen, für nicht zutreffend erklären), darf der davon abhängende Satz nicht auch noch verneint werden. Also nicht korrekt: *Er leugnete, dies nicht getan zu haben.* Sondern richtig nur: *Er leugnete, dies getan zu haben.*

Liebe: Nach dem Hauptwort *Liebe* wird mit dem Verhältniswort (der Präposition) *zu,* nicht *für* angeschlossen: *Seine Liebe zu dieser* (nicht: *für diese*) *Frau wuchs. Es war nur ihre Liebe zur* (nicht: *für die*) *Heimat.*

Lieferant: Außer im Werfall erhält das Hauptwort *Lieferant* in der Regel die Endung -en: *der Lieferant, des Lieferanten* (nicht: *des Lieferants*), *dem Lieferanten* (nicht: *dem Lieferant*), *den Lieferanten* (nicht: *den Lieferant*), Mehrzahl: *die Lieferanten.*

liegen: Die zusammengesetzten Vergangenheitsformen von *liegen* werden heute im allgemeinen mit *haben* gebildet: *Die Akten haben auf dem Boden gelegen. Um 10 Uhr hatte ich bereits im Bett gelegen.* Im Unterschied dazu ist im süddeutschen Sprachgebiet (auch in Österreich und in der Schweiz) die Bildung dieser Vergangenheitsformen mit *sein* üblich: *Die Akten sind auf dem Boden gelegen. Um 10 Uhr war ich bereits im Bett gelegen.*

liegenbleiben: Dieses Zeitwort wird immer zusammengeschrieben: *Du mußt im Bett liegenbleiben. Der Spieler war verletzt auf dem Spielfeld liegengeblieben. Die Brille ist liegengeblieben* (= vergessen worden).

lila: Diese Farbbezeichnung wird in korrektem Deutsch nicht gebeugt, also: *ein lila Vorhang, in einem lila Kleid.* Wer diese Form nicht verwenden will, kann ausweichen auf die Zusammensetzung mit *-farben: ein lilafarbener Vorhang, in einem lilafarbenen Kleid.*

Linksunterzeichnete oder **links Unterzeichnete,** der und die: Man kann sowohl *der* oder *die Linksunterzeichnete* als auch *der* oder *die links Unterzeichnete* schreiben. Beide Schreibungen sind korrekt. Nicht zulässig aber ist die Form *der links Unterzeichner.* Vergleiche dazu auch die bei *Unterzeichneter* gemachten Angaben.

Liter: **1. Beugung nach *Liter:*** Nach der Maßbezeichnung *Liter* steht das, was gemessen wird, meist im selben Fall wie die Maßbezeichnung *Liter* selbst: *drei Liter [spanischer] Rotwein, mit drei Litern spanischem Rotwein, für drei Liter spanischen Rotwein.* Gelegentlich in gehobener Ausdrucksweise auch mit dem Wesfall: *drei Liter spanischen Rotweins, mit drei Litern spanischen Rotweins, für drei Liter spanischen Rotweins. Steht die Maßbezeichnung Liter* selbst im Wesfall, so heißt es: *der Preis eines Liters Rotwein* oder *der Preis eines Liter Rotweins,* aber (mit einem beigefügten Eigenschaftswort) nur: *der Preis eines Liters spanischen Rotweins.* **2. Drei Liter Wein kostet/kosten nicht viel:** Von diesen beiden Formen, die beide als korrekt gelten, wird im allgemeinen die Mehrzahl bevorzugt: *Drei Liter Wein kosten nicht viel, reichen gut aus, sind zuwenig.* Steht *Liter* in der Mehrzahl ohne Angabe des Gemessenen, dann muß auch das Zeitwort in der Mehrzahl stehen. Die Einzahl ist hier nicht korrekt: *Drei Liter kosten* (nicht: *kostet*) *nicht viel.* **3. mit drei Liter/Litern:** Wenn *Liter* in der Mehrzahl steht *(2, 3, 4* usw. *Liter),* dann heißt es im Wemfall: *Mit drei Litern kommen wir aus.* Wenn dabei das Gemessene (z. B. *Wein*) angegeben wird, steht *Liter* oft auch in der ungebeugten Form: *Mit drei Liter Wein kommen wir aus.* Geht jedoch der Maßbezeichnung *Liter* das Geschlechtswort (der Artikel) voraus, dann wird immer die gebeugte Form *(Litern)* verwendet, unabhängig davon, ob das Gemessene *(Wein)* angegeben ist oder nicht: *Mit den drei Litern [Wein] kommen wir aus.*

M

machen: Steht vor dem Zeitwort *machen* ein anderes Zeitwort, und zwar in der Grundform (im Infinitiv), dann wird überwiegend die Form *gemacht* verwendet: *Sie hat viel von sich reden gemacht.* Die ebenfalls korrekte Form *machen* wird hier nur noch selten gebraucht: *Sie hat viel von sich reden machen.*

Mädchen: Da *Mädchen* ein sächliches Hauptwort ist, werden bei den Fürwörtern (Pronomen) und Eigenschaftswörtern, die sich auf *Mädchen* beziehen, entsprechend auch die sächlichen Formen verwendet: *Ein bei uns beschäftigtes Mädchen hat seinen* (nicht: *ihren*) *Arbeitsplatz aufgegeben. Das Mädchen, das* (nicht: *die*) *ihm die Blumen überreichte, war ganz unbefangen.* Nur bei größerem Abstand zwischen *Mädchen* und dazugehörendem Fürwort wird entsprechend dem natürlichen Geschlecht die weibliche Form des Fürwortes *(sie, ihr)* gewählt: *Das bei allen beliebte Mädchen wird jetzt einige Wochen bei uns mitarbeiten. Danach wird sie erst einmal ihren Urlaub nehmen.*

mal/Mal: **1. Groß- oder Kleinschreibung:** Klein schreibt man das Wort, wenn die Angabe beim Multiplizieren (Malnehmen) gemeint ist: *Drei mal fünf ist fünfzehn.* Ebenso wenn es sich um die in der Umgangssprache übliche verkürzte Form von *einmal* handelt: *Komm mal her! Wir wollen mal sehen. Sag das noch mal! Das ist nun mal so.* Groß schreibt man das Wort, wenn es sich um das Hauptwort *das Mal* handelt in Fällen wie: *dieses Mal; das erste, das zweite Mal; das andere, das nächste, das letzte Mal; das eine Mal, ein einziges Mal, das vorige Mal, beim ersten Mal; von Mal zu Mal; ein Mal über das andere [Mal]; ein um das andere Mal, manches liebe Mal; einige, mehrere, viele Male; ein paar Dutzend Male, drei Millionen Male; zu verschiedenen, wiederholten Malen; zum soundsovielten, zum x-ten Mal* usw. Größere Schwierigkeiten entstehen oft dadurch, daß das Hauptwort *Mal* in vielen dieser Fälle mit einem seiner Beiwörter so eng zusammenrückt, daß es mit diesem eine neue Einheit bildet und dann entsprechend klein und zusammengeschrieben wird. **2. Zusammen- oder Getrenntschreibung:** Die Getrenntschreibung ist immer dann richtig, wenn *Mal* eine Beugungsendung hat *(Male)* oder wenn es auf andere Weise (besonders durch die Beugung seiner Beiwörter) als Hauptwort erkennbar ist: *das eine Mal, diese zwei Mal, ein erstes Mal, ein jedes Mal, kein einziges Mal, dieses Mal, manches Mal, nächstes Mal, voriges Mal, ein anderes Mal, ein letztes Mal, ein oder das andere Mal, ein ums andere Mal, von Mal zu Mal; beim ersten, zweiten, x-ten, soundsovielten, letzten Male; mit einem Male; zum ersten, dritten, letzten Male; einige, etliche, mehrere, unzählige, viele Male; ein paar Male, ein für alle Male, wie viele Male, viele tausend Male, drei Millionen Male, einige Dutzend Male, zu wiederholten Malen.* Die Zusammenschreibung tritt dann ein, wenn *Mal* mit einem seiner ihm vorausgehenden Beiwörter zu einem neuen Begriff, einem Umstandswort (Adverb) verschmolzen ist. Die Beugungsendungen entfallen, und das neue Wort wird klein geschrieben: *allemal, ein andermal, beidemal, diesmal, dreimal, dreimillionenmal, dutzendmal, einigemal, einmal, jedesmal, hundertmal, hundertemal, keinmal, manchmal, mehreremal, sovielmal, unzähligemal, verschiedenemal, vielmal, vieltausendmal, wievielmal, x-mal, zweimal; ein andermal, auf einmal, ein für allemal, mit einmal, mit einemmal, ein paarmal, ein paar dutzendmal, ein halbes hundertmal.* Daneben gibt es eine ganze Reihe von Fällen, in denen sowohl Zusammen- als auch Getrenntschreibung möglich ist, bei denen die Entscheidung also dem Schreibenden überlassen ist: *das erste Mal, zweite Mal, dritte Mal* oder *das erstemal, zweitemal, drittemal; das letzte Mal* oder *das letztemal; das nächste Mal* oder *das nächstemal; beim ersten Mal, zweiten Mal, letzten Mal, nächsten Mal, x-ten Mal* oder *beim erstenmal, zweitenmal, letztenmal, nächstenmal, x-tenmal; zum dritten Mal, x-ten Mal, letzten Mal* oder *zum drittenmal, x-tenmal, letztenmal; mit einem Mal* oder *mit einemmal.*

man oder **einer:** Das unbestimmte Fürwort (Indefinitpronomen) *man* kann nicht gebeugt werden. Es wird daher im Wemfall durch *einem,* im Wenfall durch *einen* ersetzt: *Man kann nicht immer so handeln, wie einem zumute ist. Wenn man mit diesem Buch anfängt, läßt es einen nicht mehr los.* Die Ersetzung von *man* durch *einer* im Werfall, wie sie gelegentlich in der Umgangssprache vorkommt, ist dagegen nicht korrekt: *Das soll einer* (korrekt: *man*) *nun wissen.*

manch: Das Wort *manch* kann ungebeugt (also stets in der Form *manch*) gebraucht werden, oder es kann in seinen gebeugten Formen *mancher, manche, manches* auftreten. Entsprechend unterschiedlich ist dann die Beugung der von ihm abhängenden Wörter. Ein auf das ungebeugte *manch* folgendes Eigenschaftswort oder Mittelwort (Partizip) hat (auch wenn es als Hauptwort gebraucht wird) folgende Beugung: *manch wunderbares Geschenk, der Duft manch schöner Blume, in manch schwierigem Fall, manch bittere Erfahrungen, die Ansicht manch gelehrter Männer, für manch ältere Leute; manch Kranker, mit manch Abgeordnetem, manch bedeutende Gelehrte, der Zustand manch älterer Kranker.* Nach den gebeugten Formen *mancher, manche, manches* dagegen werden die von ihnen abhängenden Wörter wie folgt gebeugt. In der Einzahl: *manches wunderbare Geschenk, der Duft mancher schönen Blume, in manchem schwierigen Fall, manchen schwierigen Fall lösen; mancher Kranke, mit manchem Abgeordneten.* In der Mehrzahl: *manche bittere* oder *bitteren Erfahrungen, die Ansicht mancher gelehrter* oder *gelehrten Männer, für manche ältere* oder *älteren Leute, manche bedeutende Gelehrte* oder *bedeutenden Gelehrten, der Zustand mancher älterer Kranker* oder *älteren Kranken.*

mangels:

1. Beugung nach *mangels:* Nach *mangels* steht üblicherweise der Wesfall. Es heißt also: *mangels eines Beweises* (nicht: *mangels einem Beweis*), *mangels der notwendigen Geldmittel* (nicht: *mangels den notwendigen Geldmitteln*). Steht aber das von *mangels* abhängende Hauptwort allein, also ohne ein Begleitwort, dann bleibt es in der Einzahl häufig ungebeugt, d.h. unverändert: *mangels Beweis, mangels Geld.* In der Mehrzahl aber weicht man bei alleinstehenden Hauptwörtern auf den Wemfall aus: *mangels Beweisen, mangels Geldmitteln.* Da *mangels* in der Amtssprache zwar üblich, aber stilistisch unschön ist, verwendet man im allgemeinen Sprachgebrauch besser andere Formulierungen, etwa: *da wir keinen Beweis haben, weil die notwendigen Geldmittel fehlen* o.ä. **2. mangels oder wegen Mangels an:** An Stelle von *mangels* wird oft auch die Formulierung *wegen Mangels an* gebraucht: *wegen Mangels an notwendigen Geldmitteln.* Nicht korrekt aber ist eine Vermischung von beiden zu der Formulierung *mangels an.* (Falsch also: *mangels an notwendigen Geldmitteln.*)

Mann, Gatte, Gemahl:

Spricht man von dem eigenen Ehemann, dann heißt es *mein Mann,* nicht *mein Gatte* oder gar *mein Gemahl.* Das Wort *Gatte* gehört der gehobenen Stilschicht an und wird nur auf den Ehemann einer anderen Frau, nicht auf den eigenen angewandt, aber auch nur dann, wenn man sich besonders höflich ausdrücken will: *Sie erschien ohne ihren Gatten. Grüßen Sie Ihren Gatten.* Das Wort *Gemahl* klingt sehr gehoben und wird besonders in der geschriebenen Sprache verwendet. Es drückt förmliche Ehrerbietung und Hochschätzung aus und klingt meist gespreizt. Im Unterschied zu *Gatte* wird *Ge-*

mahl oder *Herr Gemahl* im allgemeinen nur auf den Ehemann einer Gesprächspartnerin, nicht auf den Ehemann einer abwesenden Dritten angewandt: *Ist Ihr Herr Gemahl wieder wohlauf? Grüßen Sie bitte Ihren Herrn Gemahl.*

Mark: **1. Mehrzahl:** Das Wort *Mark* als Bezeichnung der Währungseinheit bleibt in der Mehrzahl unverändert: *Das kostet vier Mark.* Will man die einzelnen Münzen bezeichnen, so kann man allenfalls auf die Mehrzahl *Markstücke* ausweichen: *Kannst du mir vier einzelne Markstücke geben?* Die Mehrzahl *die Märker* ist eine scherzhafte Bildung der Umgangssprache. **2. Dreißig Mark ist/sind doch ziemlich viel Geld:** Von diesen beiden Formen ist in der Hochsprache die Mehrzahl vorzuziehen: *Dreißig Mark sind doch ziemlich viel Geld, reichen dafür nicht aus, wurden dafür vereinbart.* (In der Umgangssprache besteht allerdings die Neigung, das Zeitwort in die Einzahl zu setzen: *Dreißig Mark ist doch ziemlich viel Geld.*)

Maß: Nach dem Hauptwort *Maß* im Sinne von „rechte Menge, Ausmaß“ kann mit den Verhältniswörtern (Präpositionen) *an* und *von* angeschlossen werden: *jemandem ein hohes Maß an* oder *von Vertrauen entgegenbringen.*

-mäßig-Bildungen: Wortbildungen mit *-mäßig* sind heute äußerst beliebt. Sie werden häufig aus Bequemlichkeit gewählt oder neu geprägt, weil man auf diese Weise das, was man meint, nicht präzis zu formulieren braucht, sondern darauf vertrauen kann, daß sich die jeweilige Bedeutung aus dem Textzusammenhang ergibt. Man verwendet *-mäßig* im Sinne von „in der Art von, wie; entsprechend, gemäß; in bezug auf, hinsichtlich“. Der heute gehäufte Gebrauch von *-mäßig* für „in bezug auf; hinsichtlich“ ist in stilistischer Hinsicht oft fragwürdig. Meist läßt er sich leicht vermeiden: Nicht: *Die technische Einrichtung ist sicherheitsmäßig zu beanstanden,* sondern: *Die Sicherheit der technischen Einrichtungen ist zu beanstanden.* Nicht: *Das Verfahren A ist das organisationsmäßig bessere,* sondern: *Das Verfahren A ist das organisatorisch bessere.* Nicht: *Unsere Sekretärinnen sind bildungsmäßig hoch einzustufen,* sondern: *Unsere Sekretärinnen haben einen hohen Bildungsstand.* Nicht: *Wir sind personalmäßig gut besetzt,* sondern: *Wir sind, was das Personal betrifft, gut besetzt.* Nicht: *Der Urlaub hat erholungsmäßig nichts gebracht,* sondern: *Erholt haben wir uns im Urlaub nicht.* Nicht: *Der Fall XY hat pressemäßig viel Staub aufgewirbelt,* sondern: *Der Fall XY hat in der Presse viel Staub aufgewirbelt.*

mehr als: Wenn die Angabe nach *mehr als* in der Mehrzahl steht, dann kann das zugehörige Zeitwort in der Einzahl oder in der Mehrzahl stehen, die Mehrzahl wird im allgemeinen bevorzugt: *Mehr als alte Lumpen fand sich nicht,* häufiger: *fanden sich nicht.*

mehrere: Ein auf *mehrere* folgendes Eigenschaftswort oder Mittelwort (Partizip) wird (auch wenn es als Hauptwort gebraucht wird) fast immer in gleicher Weise gebeugt wie *mehrere* selbst: *mehrere dunkle Kleider, mehrere Anwesende, an mehreren blühenden Apfelbäumen, von mehreren Beamten.* Nur im Wesfall gibt es zwei Möglichkeiten: *in Begleitung mehrerer bewaffneter Helfer* oder auch: *in Begleitung mehrerer bewaffneten Helfer; das Talent mehrerer Mitwirkender* oder: *das Talent mehrerer Mitwirkenden.*

Mehrheit: *Die Mehrheit der Abgeordneten stimmte/stimmten zu:* Von diesen beiden Formen, die beide als korrekt gelten, wird im allgemeinen die Einzahl gewählt: *Die Mehrheit der Abgeordneten stimmte zu, war nicht anwesend, blieb sitzen.* Gelegentlich wird auch die Mehrzahl verwendet (man konstruiert dann nach dem Sinn): *Die Mehrheit der Abgeordneten stimmten zu, waren nicht anwesend, blieben sitzen.* Beide Möglichkeiten sind korrekt.

Mehrzahl: Für Sätze wie *Die Mehrzahl der Abgeordneten stimmte/stimmten zu* gelten die bei *Mehrheit* gemachten Angaben.

meines Vaters Auto/meinem Vater sein Auto: An Stelle von Formulierungen wie *meines Vaters Auto* oder *das Auto meines Vaters* heißt es in salopper Umgangssprache oft *meinem Vater sein Auto.* Diese Ausdrucksweise ist nicht korrekt.

meinetwegen/wegen meiner/wegen mir: In gutem Deutsch sagt man heute *meinetwegen: Bist du meinetwegen abgereist?* Die Form *wegen meiner* ist veraltet; *wegen mir* dagegen ist umgangssprachlich.

Menge: **1. Eine Menge haben sich ...:** Wenn *Menge* „Anzahl, Menschenmenge“ bedeutet, steht das Zeitwort in der Einzahl: *Die Menge stürmte das Rathaus.* Wenn *Menge* jedoch im Sinne von „viele; viele Leute“ verwendet wird – in dieser Bedeutung ist das Wort allerdings umgangssprachlich –, steht dagegen die Mehrzahl: *Eine Menge haben sich gemeldet.* **2. Eine Menge Äpfel war/waren faul:** Im allgemeinen wird das Zeitwort auf *Menge* bezogen und in die Einzahl gesetzt: *Eine Menge Äpfel war faul, wurde gepflückt, ist zu verkaufen* usw. Gelegentlich wird das Zeitwort aber nicht auf *Menge,* sondern auf die genannten Dinge bezogen und in die Mehrzahl gesetzt (d.h., man konstruiert nach dem Sinn): *Eine Menge Äpfel waren faul, wurden gepflückt, sind zu verkaufen.* Beide Möglichkeiten sind korrekt. **3. eine Menge hübsche/hübscher Sachen:** Üblicherweise steht nach *Menge* die folgende Angabe im Wesfall: *eine Menge hübscher Sachen; für eine Menge Abgeordneter; bei einer Menge Bäume, mit einer Menge netter Leute.* Es ist jedoch auch möglich, die auf *Menge* folgende Angabe in den gleichen Fall zu setzen wie *Menge* selbst: *eine Menge hübsche Sachen; für eine Menge Abgeordnete; bei einer Menge Bäumen; mit einer Menge netten Leuten.* Beide Möglichkeiten sind korrekt.

Mensch:

Das männliche Hauptwort *Mensch* erhält – außer im Werfall – in der Regel die Endung *-en: der Mensch, des Menschen, dem Menschen* (nicht: *dem Mensch*), *den Menschen* (nicht: *den Mensch*), Mehrzahl: *die Menschen.*

Meter:

1. Geschlecht: Es heißt *der* oder *das Meter: Sie ist ein Meter siebzig* oder *einen Meter siebzig groß.* **2. Beugung von *Meter:*** Ist *Meter* Mehrzahl *(2, 3, 4* usw. *Meter),* heißt es im Wemfall: *eine Länge von drei Metern. Mit zwei Metern Stoff kommen wir aus.* Folgt aber auf die Längenangabe die Angabe des Gemessenen, wird überwiegend die ungebeugte Form *Meter* verwendet: *Mit zwei Meter Stoff kommen wir aus.* Unabhängig davon, ob das Gemessene angegeben ist oder nicht, steht bei vorangestelltem Geschlechtswort (Artikel) die gebeugte Form *Metern* (im Wemfall): *Mit den zwei Metern [Stoff] kommen wir nicht aus.* **3. Beugung nach *Meter:*** Nach der Maßbezeichnung *Meter* steht in der Regel das, was gemessen wird, im selben Fall wie die Maßbezeichnung *Meter* selbst: *ein Meter englisches Tuch; der Preis eines Meters Tuch* oder *eines Meter Tuchs,* aber: *der Preis eines Meters englischen Tuchs; aus einem Meter englischem Tuch; für ein[en] Meter englisches Tuch.* Gelegentlich in gehobener Ausdrucksweise auch mit dem Wesfall: *ein Meter englischen Tuchs; aus einem Meter englischen Tuchs.* **4. Ein Meter Stoff reicht aus:** Nach der Angabe *ein Meter* (die Mengenangabe ist hier Einzahl) steht das Zeitwort in der Einzahl: *Ein Meter Stoff reicht aus.* Wenn jedoch die Maßangabe in der Mehrzahl steht *(2, 3, 4* usw. *Meter),* verwendet man auch beim Zeitwort gewöhnlich die Mehrzahl: *Drei Meter Stoff reichen aus, werden benötigt, sind zu wenig, haben nicht gereicht* usw.

Million:

1. Rechtschreibung: Das Wort *Million* (Abkürzung: *Mill.* oder *Mio.*) ist ein Hauptwort und muß groß geschrieben werden: *eindreiviertel Million, eine Million dreihunderttausend, drei Millionen Male* (aber als Zusammensetzung: *dreimillionenmal*). **2. Beugung nach *Million:*** Nach *Million* kann die folgende Angabe, das Gezählte, entweder im Wesfall stehen oder im selben Fall wie *Million* selbst: *eine Million neuerbauter Häuser* oder *neuerbaute Häuser; bei Millionen hungernder Kinder* oder *hungernden Kindern.* Man kann jedoch statt der Mehrzahl *Millionen* + Wesfall, auch die Konstruktion mit *von* und dem Wemfall verwenden: *Millionen von hungernden Kindern.* **3. Eine Million Londoner war/waren auf den Beinen:** Im allgemeinen wird das Zeitwort auf *eine Million* bezogen und in die Einzahl gesetzt, da *Million* der Form nach Einzahl ist: *Eine Million Londoner war auf den Beinen, hat sich vergnügt, ist davon betroffen* usw. Gelegentlich steht aber das Zeitwort in der Mehrzahl (d.h., man konstruiert nach dem Sinn): *Eine Million Londoner waren auf den Beinen, haben sich vergnügt, sind davon betroffen.* Beide Möglichkeiten sind korrekt.

minus:

1. Beugung: In der Kaufmannssprache wird *minus* im Sinne von „abzüglich" verwendet. Nach *minus* steht der Wesfall, wenn das von *minus* abhängende Hauptwort ein Begleitwort aufweist: *der Betrag minus der üblichen Abzüge.* Steht das abhängige Hauptwort jedoch ohne Begleitwort, bleibt es in der Einzahl im allgemeinen ungebeugt, d.h. unverändert: *der Betrag minus Rabatt.* In der Mehrzahl weicht man dagegen auf den Wemfall aus, wenn der Wesfall nicht eindeutig erkennbar ist, sondern mit dem Werfall und dem Wenfall übereinstimmt: *der Betrag minus Abzügen* (nicht: *Abzüge*). **2. Fünf minus drei ist zwei:** Bei dieser Art von Rechenaufgaben steht das Zeitwort in der Einzahl: *Fünf minus drei ist/macht/gibt zwei* (nicht: *sind/machen/geben*).

mir:

Statt *etwas ist mir (Das Buch ist mir)* heißt es in korrektem Deutsch *etwas gehört mir: Das Buch gehört mir.*

missen oder **vermissen:**

Bei der Verwendung von *missen* und *vermissen* ist folgendes zu beachten: Das Zeitwort *missen* bedeutet „entbehren" und wird fast nur in Verbindung mit *können, mögen, sollen, dürfen, wollen, müssen* verwendet: *Meinen Geschirrspüler möchte ich nicht mehr missen. Willst du etwa diese Annehmlichkeiten missen?* Dagegen bedeutet *vermissen* „die Abwesenheit einer Person, das Fehlen einer Sache bemerken" und kann zusätzlich noch ausdrücken, daß man die fehlende Person oder Sache herbeiwünscht: *Ich vermisse dich sehr. Sie vermißt die vertraute Umgebung. Die Einrichtung läßt jeden Geschmack vermissen.*

Mißtrauen: Nach *Mißtrauen* wird mit dem Verhältniswort (der Präposition) *gegen* (nicht mit *für*) angeschlossen: *Ich hegte Mißtrauen gegen die neue Kollegin. Unser Mißtrauen gegen ihn schwand.*

mit: **1. Beugung:** Das Verhältniswort (die Präposition) *mit* steht mit dem Wemfall: *mit Deckeln, mit Brettern, mit Kindern.* **2. mit und ohne sie:** Da nach *mit* der Wemfall, nach *ohne* aber der Wenfall steht, müßte es strenggenommen heißen: *mit Kindern und ohne Kinder; mit ihr und ohne sie.* Dies wirkt jedoch schwerfällig. Deshalb hat es sich weitgehend durchgesetzt, das erste abhängige Wort zu ersparen. Als korrekt gilt: *mit und ohne Kinder; mit und ohne sie.* **3. *bis* statt *mit*:** Landschaftlich gebräuchlich ist die Ausdrucksweise *15. Mai mit 15. Juni.* Dies ist hochsprachlich nicht korrekt. Richtig muß es heißen: *15. Mai bis 15. Juni.* **4. Zusammen- oder Getrenntschreibung:** Wenn durch die Verbindung *mit* + Zeitwort ein neuer Begriff entsteht, wird zusammengeschrieben: *mit* + *teilen* = *mitteilen* (= sagen). Zusammengeschrieben wird auch, wenn *mit-* eine dauernde Vereinigung oder Teilnahme ausdrückt. Dies ist daran erkennbar, daß nur *mit-* betont ist: *mitarbeiten, mitbestimmen, mitfahren, mitnehmen, mitreden, mitspielen, mitwirken* usw. Wenn jedoch beide Wörter betont sind, wird getrennt geschrieben: *Alle anderen Arbeiten werden wir mit übernehmen. Das ist mit zu berücksichtigen. Das kann ich nicht mit ansehen.*

mit was oder **womit:** Vor allem in der gesprochenen Sprache wird heute *womit* häufig durch *mit was* ersetzt: *Mit was beschäftigst du dich gerade? Ich weiß nicht, mit was er sich beschäftigt.* Die Verbindung *mit was* ist jedoch umgangssprachlich gefärbt; stilistisch besser ist *womit: Womit beschäftigst du dich gerade? Ich weiß nicht, womit er sich beschäftigt.*

Mitarbeit: Sowohl die Formulierung *für 25 Jahre treue Mitarbeit* als auch *für 25 Jahre treuer Mitarbeit* ist korrekt. Die zweite Form *(... treuer Mitarbeit)* klingt gehobener als die erste.

Mittel: In gutem Deutsch steht nach *Mittel* im Sinne von „Heilmittel, Medikament“ das Verhältniswort (die Präposition) *gegen* (in der Bedeutung „zur Bekämpfung von“): *Ich brauche ein Mittel gegen den Husten.* Die Verwendung von *für* statt *gegen* gehört heute der Umgangssprache an.

mittels, mittelst: Beide Formen sind korrekt, sie werden mit dem Wesfall verbunden: *mittels* oder *mittelst elektrischer Energie, mittels* oder *mittelst eines Drahtes.* Allerdings sind diese

Formen papierdeutsch. Stilistisch besser sind *mit, mit Hilfe von, durch.* Steht das abhängige Hauptwort ohne ein Begleitwort, dann bleibt es in der Einzahl häufig ungebeugt, d.h. unverändert: *mittels* oder *mittelst Draht.* In der Mehrzahl weicht man auf den Wemfall aus: *mittels* oder *mittelst Drähten.* Der Wemfall wird auch dann gesetzt, wenn man dadurch das Nebeneinanderstehen zweier Hauptwörter im Wesfall vermeiden kann: *mittels* oder *mittelst des Handwerkers neuem Draht.* Nicht korrekt ist, zu *mittels* oder *mittelst* noch *von* hinzuzufügen *(mittels* oder *mittelst von Worten).*

Mittwoch abend oder **Mittwochabend:**

Siehe Dienstag abend oder Dienstagabend.

Modewörter:

Modewörter sind zumeist nur für eine begrenzte Zeitdauer besonders beliebt. Es handelt sich dabei um neugeprägte Wörter und Wendungen, die aus einer fremden Sprache übernommen wurden (z.B. aus dem Englischen), oder um Wörter, die in der Sprache bereits vorhanden waren, sich aber – oft in neuer Bedeutung – plötzlich allgemeiner Beliebtheit erfreuen. Sie gehören häufig der Sprache bestimmter Berufs-, Gesellschafts- oder Altersgruppen an (Sprache der Politiker, der Journalisten, der Behörden, der Jugendlichen u.a.). Sie werden sehr häufig wahllos oder gedankenlos gebraucht. Die ursprüngliche Aussagekraft dieser Wörter ist dabei meist verblaßt, sie sind zu Schablonen geworden. Aus diesem Grunde ist ihr Gebrauch nicht zu empfehlen. Beispiele für heute gängige Modewörter und Wendungen sind: *super, echt, spitze, genau, vor Ort, das ist nicht drin, das macht keinen Sinn, etwas ist angesagt.*

mögen:

1. mögen oder gemocht: Das Mittelwort der Vergangenheit (2. Partizip) von *mögen* heißt *gemocht: Er hat die Suppe nicht gemocht.* Steht vor dem Zeitwort *mögen* jedoch noch ein anderes Zeitwort, und zwar in der Grundform (im Infinitiv), dann steht nicht *gemocht,* sondern *mögen: Er hat die Suppe nicht essen mögen.* **2. ich möge/ ich möchte:** Es gibt zwei Möglichkeitsformen (Konjunktivformen): *Ich möge, du mögest, er möge* usw. und *ich möchte, du möchtest, er möchte* usw. Die erste Möglichkeitsform wird vor allem in Wunschsätzen verwendet: *Möge sie glücklich werden!* Die zweite Möglichkeitsform dient u.a. zur Kennzeichnung eines Wunsches, der nicht erfüllbar ist: *Möchte er es doch endlich einsehen!* Die Formen *ich möchte, du möchtest* usw. werden auch als höfliche Ausdrucksweise an Stelle von *wollen* gebraucht: *Ich möchte noch ein Bier. Sie möchte, daß er ihr hilft.*

möglich:

1. Steigerung: Das Wort *möglich* wird üblicherweise nicht gesteigert. Als Ausdruck der Steigerung kann man aber bestimmte Wörter voranstellen: *Morgen wäre es eher/besser/leichter möglich* (nicht: *Morgen wäre es möglicher*). *Morgen wäre es am ehesten/am besten/am leichtesten möglich.* Auch die Zusammensetzungen *größtmöglich, bestmöglich, schnellstmöglich* dürfen nicht gesteigert werden (nicht: *größtmöglichst* usw.). Hier ist der höchste Steigerungsgrad bereits durch *größt-, best-, schnellst-* ausgedrückt. **2. möglichst:** Das Wort *möglichst* steht als Mittel der Steigerung vor steigerungsfähigen Eigenschaftswörtern: *möglichst groß, möglichst tief, möglichst schnell* usw. (= so groß, tief, schnell usw. wie möglich). Daneben wird *möglichst* im Sinne von „nach Möglichkeit, wenn es möglich ist" verwendet: *Ich wollte mich möglichst zurückhalten. Die Sendung soll möglichst noch heute zur Post.* In Sätzen wie *Wir suchen für diese Arbeit möglichst junge Leute* ist unklar, ob *möglichst junge Leute* soviel wie „Leute, die so jung wie möglich sind" bedeutet oder ob gemeint ist „Leute, die nach Möglichkeit jung sein sollen". In diesem Fall ist es besser, *nach Möglichkeit* oder *wenn möglich* statt *möglichst* zu verwenden. **3. Es ist möglich:** Die Form *Es kann möglich sein* ist eine Vermischung von *Es ist möglich* und *Es kann sein.* Man sollte sie vermeiden und statt dessen nur *Es ist möglich* (oder: *Es kann sein*) verwenden.

Möglichkeitsform (Konjunktiv):

Man unterscheidet eine 1. Möglichkeitsform (Konjunktiv I) und eine zweite Möglichkeitsform (Konjunktiv II). Die erste Möglichkeitsform wird vor allem in der indirekten Rede (die für das Protokoll wichtig ist) verwendet. Die 2. Möglichkeitsform dient besonders der Kennzeichnung des nur Vorgestellten, Gedachten, der Irrealität, wie es häufig in Bedingungssätzen vorkommt. **1. indirekte Rede:** In der indirekten Rede wird die 1. Möglichkeitsform verwendet: *Sie sagte, sie habe Hunger. Darauf erwiderte er, daß das Essen noch nicht fertig sei. Sie fragte deshalb, ob sie ihm helfen solle. Das könne sie wohl, meinte er.* Hängt von einem Nebensatz, der in der indirekten Rede steht, ein weiterer Nebensatz ab, steht auch dieser in der ersten Möglichkeitsform: *Sie sagte, sie habe Hunger, weil sie seit heute morgen nichts gegessen habe.* Von der Grundregel, daß für die indirekte Rede die 1. Möglichkeitsform verwendet wird, gibt es folgende Ausnahme: Statt der 1. Möglichkeitsform wird des öfteren die 2. Möglichkeitsform gebraucht: *Sie sagte, sie hätte Hunger. Darauf erwiderte er, daß das Essen noch nicht fertig wäre. Sie fragte deshalb, ob sie ihm helfen sollte. Das könnte sie wohl, meinte er.* Diese 2. Möglichkeitsform ist dann berechtigt, wenn der Sprecher die gemachten Aussagen selbst für zweifelhaft hält, sie skeptisch beurteilt und das dem Leser klarmachen will. Sie ist auch dann korrekt, wenn die Formen der 1. Möglichkeitsform nicht eindeutig als Möglichkeitsform erkennbar sind, sondern mit der Wirklichkeitsform übereinstimmen. *Die Kinder sagten, sie haben Hunger.* Die Form *sie haben* kann die 1. Möglichkeitsform oder aber die Wirklichkeitsform sein. Deshalb besser: *Die Kinder sagten, sie hätten Hunger.* **2. Bedingungssatz:** Die 2. Möglichkeitsform wird vorwiegend im Bedingungssatz verwendet: *Wenn sie käme, wäre ich sehr froh. Hätte ich mehr Geld, könnte ich mir vielleicht eine Eigentumswohnung leisten.* Die 2. Möglichkeitsform kann unter bestimmten Bedingungen auch durch *würde* + Grundform (Infinitiv) des entsprechenden Zeitwortes ausgedrückt werden. Zum Beispiel wenn die Formen der 2. Möglichkeitsform mit der Wirklichkeitsform übereinstimmen und deshalb nicht deutlich genug sind, sollten sie durch die Umschreibung mit *würde* ersetzt werden: *Sonst wohnten wir dort nicht*/(deutlicher:) *würden wir dort nicht wohnen. Wenn sie mich riefen, eilte ich sofort herbei/* (deutlicher:) *würde ich sofort herbeieilen.* Auch an Stelle altertümlich wirkender Möglichkeitsformen kann die *würde*-Umschreibung gebraucht werden: *Ich würde helfen* (für: *hülfe*), *wenn ... Wenn dies doch jetzt noch gelten würde* (für: *gälte/gölte*)! *Wenn sie das Buch kennen würden* (für: *kennten*), *könnten sie es beurteilen.*

Montag abend oder **Montagabend:** Siehe Dienstag abend oder Dienstagabend.

montieren: Nach *montieren auf* oder *an* kann sowohl der Wemfall (Frage: wo?) als auch der Wenfall (Frage: wohin?) stehen: *Er montierte die Antenne auf dem Dach* oder *auf das Dach. Das Schild wurde an der Vorderseite* oder *an die Vorderseite montiert.*

morgen: Die Zeitbestimmung *morgen* wird bei der Darstellung eines in der Vergangenheit liegenden Vorgangs gelegentlich so gebraucht, daß ein falscher Zeitbezug entsteht. Richtig ist: *Ich teilte die Leute ein, die am folgenden Tag* (nicht: *morgen*) *Schnee räumen sollten.*

Morgen: Die Mehrzahl von *der Morgen* heißt *die Morgen* (nicht: *die Morgende*).

münden: Nach *münden in* mit der Bedeutung „fließen in“ steht der Wenfall: *Der Fluß mündet in den See, in die Donau.* Nach *münden in* oder *auf* im Sinne von „enden, auslaufen" kann sowohl der Wenfall (Frage: wohin?) als auch der Wemfall (Frage: wo?) stehen: *Der Gang mündet in eine* oder *in einer großen Halle. Die Straßen münden alle auf diesen* oder *auf diesem Platz.*

müssen: Steht vor dem Zeitwort *müssen* ein anderes Zeitwort, und zwar in der Grundform (im Infinitiv), dann wird die Form *müssen* und nicht *gemußt* gebraucht: *Er hat kommen müssen.*

N

nach langem, schwerem Leiden: Bei Formulierungen wie diesen, bei denen zwei Eigenschaftswörter vor einem Hauptwort stehen, werden die Eigenschaftswörter in gleicher Weise gebeugt, d.h., sie haben die gleichen Endungen auch dann, wenn sie im Wemfall der Einzahl stehen. Es spielt dabei keine Rolle, ob zwischen den Eigenschaftswörtern ein Komma steht oder nicht. Die frühere Regel, daß in diesen Fällen im Wemfall der Einzahl das zweite Eigenschaftswort aus lautlichen Gründen die Endung -n haben müsse *(nach langem, schweren Leiden),* gilt nicht mehr. Richtig also: *nach langem, schwerem Leiden, mit schwerem, sperrigem Gepäck, bei dunklem bayrischem Bier, nach anerkanntem internationalem Strafrecht* usw.

nach was oder **wonach:** Vor allem in der gesprochenen Sprache wird heute *wonach* häufig durch *nach was* ersetzt: *Nach was hat er gefragt? Ich weiß nicht, nach was ich mich richten soll.* Die Verbindung *nach was* ist jedoch umgangssprachlich gefärbt; stilistisch besser ist *wonach: Wonach hat er gefragt? Ich weiß nicht, wonach ich mich richten soll.*

nachdem: Ein mit *nachdem* eingeleiteter Nebensatz wird immer durch ein Komma vom Hauptsatz abgetrennt. *Er kam, nachdem er sich telefonisch angemeldet hatte.* Man kann *nachdem* mit einer weiteren Zeitangabe verbinden: *sofort nachdem, drei Wochen nachdem, einige Zeit nachdem* usw. In diesen Fällen steht das Komma vor der hinzugetretenen Zeitangabe: *Wir begannen mit der Arbeit, sofort nachdem wir uns geeinigt hatten. Wir begannen mit der Arbeit, drei Wochen nachdem wir uns geeinigt hatten. Wir begannen mit der Arbeit, einige Zeit nachdem wir uns geeinigt hatten.*

nächste: Steht *nächste* in Verbindung mit einer Zeitangabe, die einen periodisch wiederkehrenden Zeitpunkt oder Zeitraum nennt (z. B. *Tag, Jahr, Monat, Winter* usw.), dann entsteht leicht Unklarheit darüber, welcher Zeitpunkt oder Zeitraum gemeint ist. Meint z. B. die Angabe *nächsten Donnerstag* den unmittelbar bevorstehenden Donnerstag oder erst den Donnerstag der folgenden Woche? Eindeutig sind Angaben dieser Art, wenn man an Stelle von *nächste* das hinweisende Fürwort *dieser* oder das Eigenschaftswort *kommend* verwendet: *Ich fahre diesen Donnerstag* oder *Ich fahre kommenden Donnerstag.* Eindeutig sind ebenfalls die Formulierungen: *Ich fahre am Donnerstag dieser* bzw. *am Donnerstag nächster Woche.*

nächstliegend: Da das Eigenschaftswort *nächstliegend* bereits eine höchste Steigerungsstufe *(nächst...)* enthält, kann es nicht noch einmal gesteigert werden: *der nächstliegende* (nicht: *nächstliegendste) Gedanke.*

nachtragen: Nach *nachtragen in* kann sowohl der Wemfall (Frage: wo?) als auch der Wenfall (Frage wohin?) stehen: *Wir bitten Sie, den Namen in der Liste* oder *in die Liste auf Seite 5 nachzutragen.*

namentlich: Vor *namentlich* steht ein Komma, wenn es einen Zusatz einleitet: *Sie ist sehr gut in der Schule, namentlich im Rechnen. Wein, namentlich Rotwein, wird hierzu gern getrunken.* Hat *namentlich* noch ein Bindewort (eine Konjunktion) wie *wenn, weil, als* bei sich *(namentlich wenn, namentlich weil, namentlich als),* dann steht zwischen diesen Wörtern im allgemeinen kein Komma, weil beide als Einheit empfunden werden: *Er kommt, namentlich wenn auch Gaby kommt.* In Ausnahmefällen kann jedoch auch hier ein Komma stehen, und zwar dann, wenn *namentlich* mit besonderem Nachdruck gesprochen wird: *Er kommt, namentlich* (= besonders dann), *wenn auch Gaby kommt.*

nämlich: Vor *nämlich* steht ein Komma, wenn es einen Zusatz einleitet: *Daß er nur einen anderen schützen wollte, nämlich die Frau des Angeklagten, ist offenkundig. Ich fahre später, nämlich erst nach Abschluß der Verhandlungen.* Hat *nämlich* noch ein Bindewort (eine Konjunktion) wie *daß* oder *wenn* bei sich *(nämlich daß, nämlich wenn),* dann steht im allgemeinen kein Komma zwischen diesen Wörtern, weil beide als eine Einheit empfunden werden: *Die Unfälle häufen sich in diesem Waldstück, nämlich wenn Nebel auftritt.* In Ausnahmefällen kann jedoch auch hier ein Komma stehen, und zwar dann, wenn beide Wörter als eigenständig empfunden werden: *Die Unfälle häufen* *sich in diesem Waldstück, nämlich, wenn Nebel auftritt.* Ebenso: *Die Unfälle häufen sich in diesem Waldstück, nämlich dann, wenn Nebel auftritt.*

neben was oder **woneben:** Vor allem in der gesprochenen Sprache wird heute *woneben* häufig durch *neben was* ersetzt: *Neben was hast du das Buch gestellt? Ich weiß nicht mehr, neben was ich es gestellt habe.* Die Verbindung *neben was* ist jedoch umgangssprachlich gefärbt; stilistisch besser ist *woneben: Woneben hast du das Buch gestellt? Ich weiß nicht mehr, woneben ich es gestellt habe.*

Neigung: Nach dem Hauptwort *Neigung* wird mit dem Verhältniswort (der Präposition) *zu,* nicht *für* angeschlossen: *Er faßte Neigung zu diesem* (nicht: *für dieses*) *Mädchen. Sie hat Neigung zur* (nicht: *für die*) *Mathematik.*

nennen: Es heißt richtig: *Sie nannte ihn ihren besten Freund* (nicht: *ihr bester Freund*). Nach *nennen* in der Bedeutung „als jemanden oder etwas bezeichnen" stehen die genannte Person oder Sache und das über sie Ausgesagte im Wenfall, nicht im Werfall.

neu renoviert: In dem Fremdwort *renovieren* (= neu herrichten) steckt schon der Sinn von *neu.* Es ist also überflüssig, das Eigenschaftswort *neu* noch dazuzusetzen. Also nicht: *Das Hotel ist neu renoviert.* Sondern: *Das Hotel ist renoviert.*

nicht nur – sondern auch: **1. Komma:** Bei *nicht nur – sondern auch* steht vor *sondern* immer ein Komma: *Alexander spielt nicht nur gut Fußball, sondern ist auch ein hervorragender Tennisspieler. Er spielt nicht nur morgen, sondern auch übermorgen.* **2. Einzahl oder Mehrzahl:** Es heißt: *Nicht nur er, sondern auch seine Frau war eingeladen.* Nach *nicht nur – sondern auch* steht das Zeitwort im allgemeinen in der Einzahl, wenn die nach *nicht nur* und *sondern auch* folgenden Hauptwörter oder Fürwörter (Pronomen) in der Einzahl stehen. Steht das nach *sondern auch* folgende Hauptwort oder Fürwort in der Mehrzahl, dann muß auch das Zeitwort in der Mehrzahl stehen: *Nicht nur er, sondern auch seine Kinder waren eingeladen.*

nichts: **1. als oder wie:** Es heißt richtig: *Mit ihm hat man nichts als Ärger.* Nicht korrekt ist: *... nichts wie Ärger.* **2. Einzahl oder Mehrzahl nach *nichts als:*** Steht nach *nichts als* ein Hauptwort oder Fürwort (Pronomen) in der Mehrzahl, dann kann das zugehörige Zeitwort in der Einzahl oder auch in der Mehrzahl stehen, die Mehrzahl wird im allgemeinen bevorzugt: *In dem Raum war nichts als alte Akten.* Häufiger: *In dem Raum waren nichts als alte Akten.*

niederlassen, sich: Nach *sich niederlassen* kann sowohl der Wemfall (Frage: wo?) als auch der Wenfall (Frage: wohin?) stehen: *Sie hatten sich auf der Bank niedergelassen.* Oder: *Sie hatten sich auf die Bank niedergelassen.*

niemand: **1. als oder wie:** Es heißt richtig: *Niemand weiß das besser als du.* Nicht korrekt ist: ... *wie du.* **2. Beugung:** Der Wesfall von *niemand* lautet *niemandes* oder *niemands.* Wemfall oder Wenfall können ungebeugt sein, also: *niemand* oder gebeugt: Wemfall: *niemandem* (nicht: *niemanden*) und Wenfall: *niemanden. Wir haben mit niemand* (oder: *mit niemandem,* nicht: *mit niemanden*) *gesprochen. Ich habe niemand* (oder seltener: *niemanden*) *gesehen.* **3. niemand anders, niemand Bekanntes:** In Verbindung mit *anders* oder mit einem als Hauptwort gebrauchten Eigenschaftswort (z. B. *der Fremde*) bleibt *niemand* meist ungebeugt: *Sie sah niemand anders, niemand Fremdes* oder *niemand Fremden. Sie hatte mit niemand anders* (selten: *mit niemandem anders*) *gesprochen. Sie hatte mit niemand Bekanntem* (selten: *mit niemandem Bekanntes*) *gesprochen.*
Vergleiche auch die bei *anderer* (3. jemand anders/jemand anderer) gemachten Angaben.

niesen: Das Mittelwort der Vergangenheit (2. Partizip) von *niesen* heißt *geniest,* nicht *genossen: Er hat mehrmals geniest.*

Nominalstil: Vergleiche den Artikel „Hauptwortstil“.

notieren: Nach *notieren in* und *notieren auf* kann sowohl der Wemfall (Frage: wo?) als auch der Wenfall (Frage: wohin?) stehen: *Er notierte die Adresse in seinem Notizbuch* oder *in sein Notizbuch. Er notierte die Zahlen auf einem Zettel* oder *auf einen Zettel.*

nötig oder **notwendig:** Von diesen beiden sinnverwandten Eigenschaftswörtern verbindet sich *nötig* mit *haben* zu der Fügung *etwas nötig haben* („brauchen, bedürfen, benötigen“): *Sie hat einen Erholungsurlaub dringend nötig* (nicht: *notwendig*). *Er hat es nötig* (nicht: *notwendig*), *mit seinem Können zu prahlen.* In Verbindung mit *sein* sind *nötig* und *notwendig* häufig austauschbar, allerdings ist *notwendig* nachdrücklicher: *Ist es nötig* (= muß es denn sein), *daß wir so früh aufbrechen? Ist es notwendig* (= ist es gar nicht anders möglich, unbedingt erforderlich), *daß wir so früh* *aufbrechen?* Oder: *Es ist nicht nötig, daß Sie mich begleiten* (= Sie brauchen mich nicht zu begleiten). *Es ist nicht notwendig* (= ist nicht unbedingt erforderlich, nicht unumgänglich), *daß Sie mich begleiten.* Aber nur: *Es wäre nicht nötig gewesen, daß ... Alles, was zum Leben nötig ist, haben wir.* Auch in Verbindung mit anderen Zeitwörtern ist ein Austausch häufig möglich: *Man hielt es nicht für nötig* oder *notwendig, Vorkehrungen zu treffen. Änderungen haben sich nicht als notwendig* oder *nötig erwiesen.* Im Sinne von „zwangsläufig" kann *nötig* nicht an Stelle von *notwendig* gebraucht werden: *Das ist die notwendige* (nicht: *nötige*) *Folge. Der Versuch mußte notwendig* (nicht: *nötig*) *mißlingen.*

null: Wenn man einen Zahlenwert unter eins angibt, z. B. *null Komma eins* (in Ziffern: *0,1*), dann steht das zugehörige Hauptwort in der Mehrzahl, nicht in der Einzahl: *Es waren nur 0,1 Sekunden* (nicht: *Sekunde*). *Er lag 0,1 Punkte* (nicht: *Punkt*) *über dem Durchschnitt.*

Nummer: Es heißt: *Nummer 1–5, Nummer 1, 3 und 5,* aber: *die Nummern 1–5, die Nummern 1, 3 und 5.* Vor Zahlen steht das Hauptwort *Nummer* in der Mehrzahl, wenn ihm ein Geschlechtswort (Artikel) vorangeht *(die Nummern),* es steht in der Einzahl, wenn kein Geschlechtswort vorangeht *(Nummer).*

nutzen, nützen: **1. Gebrauch:** Die beiden Zeitwörter sind gleichbedeutend. Während *nutzen* häufiger in Norddeutschland gebraucht wird, ist *nützen* im süddeutschen Raum gebräuchlicher. **2. mir oder mich:** Es heißt richtig: *Das nutzt* oder *nützt mir nichts.* Der Wenfall *(Das nutzt* oder *nützt mich nichts)* ist mundartlich.

O

ob: Das Bindewort (die Konjunktion) *ob* leitet einen untergeordneten Nebensatz ein, der durch Komma abgetrennt wird: *Ob er kommt, ist nicht bekannt. Es ist nicht bekannt, ob er kommt. Auf die Frage, ob er komme, wußte niemand eine Antwort.* Zu *ob* kann ein weiteres Bindewort wie *denn, aber, und* hinzutreten *(denn ob, aber ob, und ob): Denn ob er kommt, ist nicht bekannt. Aber ob er kommt, ist nicht bekannt. Und ob er kommt, ist nicht bekannt.* Vor *ob* steht in diesen Fällen kein Komma.

ob – ob: Das mehrgliedrige Bindewort (die Konjunktion) *ob – ob* verbindet aufgezählte Sätze oder Satzteile, die immer durch Komma abgetrennt werden: *Alle kamen, ob jung, ob alt. Ob jung, ob alt, alle kamen. Alle, ob sie jung waren, ob sie alt waren, kamen.*

obig: Ein auf *obig* folgendes Eigenschaftswort wird (auch wenn es als Hauptwort gebraucht wird) in gleicher Weise gebeugt wie *obig* selbst: *obiger interessanter Bericht, obige spezielle Angaben, wegen obiger genauer Aufzählung, in obigem ausführlichem Text, in dem obigen ausführlichen Text.* Nicht mehr üblich ist die ungleiche Beugung im Wemfall: *in obigem ausführlichen Text.*

Obmännin/Obfrau: Die weibliche Entsprechung zu *Obmann* lautet entweder *Obmännin* oder *Obfrau: Sie ist zur Obmännin, zur Obfrau der Partei gewählt worden.*

obwohl: Das Bindewort (die Konjunktion) *obwohl* leitet wie *obgleich* und *obschon* einen Nebensatz ein, der eine Einräumung, einen Gegengrund zu dem im Hauptsatz genannten Geschehen oder Sachverhalt angibt. Er wird durch Komma abgetrennt: *Sie kam sofort, obwohl sie nicht viel Zeit hatte. Der Schüler, obwohl gesund, erschien nicht zum Unterricht.* Zu *obwohl* kann ein weiteres Bindewort wie *denn, aber, und* hinzutreten *(denn obwohl, aber obwohl, und obwohl).* Die beiden Bindewörter werden dann nicht durch Komma getrennt: *Aber obwohl sie nicht viel Zeit hatte, kam sie sofort. Und obwohl das Stück komisch war, konnte sie nicht lachen.*

oder: **1. Komma:** Von der Grundregel, daß vor *oder* kein Komma steht, gibt es drei Ausnahmen. Vor *oder* steht ein Komma: a) Wenn *oder* zwischen zwei vollständigen Hauptsätzen steht: *Ich gehe ins Theater, oder ich besuche ein Konzert. Iß jetzt bitte, oder geh in dein Zimmer! Hast du dir weh getan, oder ist es nicht weiter schlimm?* b) Wenn vor *oder* ein Einschub steht: *Karl, ein patenter Bursche, oder sie selbst soll mir helfen. Ich will versuchen, etwas zu ändern, oder mir wenigstens Gedanken darüber machen. Ich hoffe, daß es dir gutgeht, oder bin sogar ganz zuversichtlich.* c) Wenn *oder* einen Nebensatz einleitet, der von einem nachfolgenden Hauptsatz abhängt: *Wir spielten Tennis, oder wenn es regnete, gingen wir ins Hallenbad.* **2. Der Vater oder die Mutter weiß es:** In diesem Satz verbindet *oder* zwei Glieder, die in der Einzahl stehen und in der Person (*Vater* und *Mutter* sind beide 3. Person Einzahl) übereinstimmen. In einem solchen Fall steht das Zeitwort im allgemeinen ebenfalls in der Einzahl: *Der Vater oder die Mutter weiß es, ist immer zu spre-*

chen, wird am Telefon verlangt, hat das gesagt usw. Ist jedoch eines der Glieder Mehrzahl, richtet sich das Zeitwort nach dem Glied, das ihm am nächsten steht: *Der Vater oder seine Töchter kommen,* aber: *Die Töchter oder ihr Vater kommt.* **3. Er oder ich komme:** In diesem Satz verbindet *oder* zwei Glieder, die in der Person nicht übereinstimmen (*er* = 3. Person Einzahl; *ich* = 1. Person Einzahl). In solchen Fällen richtet sich das Zeitwort nach dem Glied, das ihm am nächsten steht: *Er oder ich komme,* aber: *Ich oder er kommt. Deine Freunde oder du selbst solltest dich entschuldigen,* aber: *Du selbst oder deine Freunde sollten sich entschuldigen.*

offenbaren, sich: Bei *sich offenbaren als* steht das dem *als* folgende Hauptwort gewöhnlich im Werfall: *Er offenbarte sich als Sympathisant.* Der Wenfall *(Er offenbarte sich als Sympathisanten)* kommt seltener vor, ist aber auch richtig.

ohne: Nach *ohne* steht der Wenfall. Ein Satz wie *mit und ohne Kinder* müßte strenggenommen *mit Kindern und ohne Kinder* lauten; denn *mit* wird mit dem Wemfall verbunden. Dies wirkt jedoch schwerfällig. Deshalb hat es sich weitgehend durchgesetzt, das erste abhängige Wort zu ersparen. Also: *mit und ohne Kinder, mit und ohne ihn.*

ohne daß: Ein mit *ohne daß* eingeleiteter Nebensatz wird durch Komma abgetrennt. Zwischen *ohne daß* steht kein Komma, weil es als Einheit empfunden wird: *Sie hat mir geholfen, ohne daß sie es wußte.*

Ombudsmann/Ombudsfrau: Neben der männlichen Form *Ombudsmann* hat sich bereits die weibliche Form *Ombudsfrau* durchgesetzt: *Er ist Ombudsmann. Sie ist Ombudsfrau.*

opponieren: Nach *opponieren* wird heute gewöhnlich mit dem Verhältniswort (der Präposition) *gegen* angeschlossen: *gegen den Regierungschef, gegen einen Beschluß opponieren.* Das Anschließen ohne Verhältniswort, nur mit dem Wemfall *(dem Regierungschef, einem Beschluß opponieren)* ist veraltet.

orange: Diese Farbbezeichnung wird in korrektem Deutsch nicht gebeugt, d. h., sie bleibt unverändert: *ein orange Kleid, aus einem orange Stoff.* Wer diese Form umgehen will, kann ausweichen auf die Zusammensetzung mit *-farben: ein orangefarbenes Kleid, aus einem orangefarbenen Stoff.*

original: In Verbindung mit einem Hauptwort wird *original* in der Regel mit dem Hauptwort zusammengeschrieben: *Origi-*

nalaufnahme, Originalausgabe, Originaldruck, Originalfassung, Originalgemälde, Originaltitel, Originalton; mit einem Namen wird es mit Bindestrich gekoppelt: *ein Original-Picasso.* In Verbindung mit einem Eigenschaftswort wird *original* heute als Beifügung gebraucht, und zwar endungslos: *original französischer Sekt, original Schweizer Uhren, original Brüsseler Spitze, original afrikanische Lederarbeiten.* Es kann aber auch mit dem folgenden Eigenschaftswort mit Bindestrich gekoppelt werden: *original-französischer Sekt.*

Ostern: **1. Geschlecht:** Heute wird *Ostern* im allgemeinen als ein sächliches Hauptwort in der Einzahl aufgefaßt: *Hast du ein schönes Ostern gehabt?* Es wird jedoch vorwiegend ohne Geschlechtswort (Artikel) gebraucht: *Ostern ist längst vorbei.* Neben der sächlichen Form in der Einzahl treten zwar noch andere Formen auf; diese sind aber regional begrenzt. In bestimmten formelhaften Wendungen ist die Mehrzahl allgemein verbreitet: *Fröhliche Ostern! Weiße Ostern sind zu erwarten.* **2. an/zu Ostern:** Der Gebrauch von *an* oder *zu* ist regional verschieden. Während man besonders in Süddeutschland *an Ostern* sagt, ist in Norddeutschland *zu Ostern* gebräuchlich. Beide Ausdrucksweisen sind korrekt.

P

Paar: **1. Ein Paar Turnschuhe kostet/kosten mindestens 30 Mark:** Im allgemeinen wird das Zeitwort auf *Paar* bezogen und in die Einzahl gesetzt: *Ein Paar Turnschuhe kostet mindestens 30 Mark, ist verlorengegangen, wurde gefunden* usw. Gelegentlich wird das Zeitwort aber nicht auf *Paar,* sondern auf das Gezählte bezogen und in die Mehrzahl gesetzt (d. h., man konstruiert nach dem Sinn): *Ein Paar Turnschuhe kosten mindestens 30 Mark, sind verlorengegangen, wurden gefunden.* Beide Möglichkeiten sind korrekt. **2. ein Paar neue Schuhe/neuer Schuhe:** Üblicherweise steht nach *Paar* die folgende Angabe im gleichen Fall wie *Paar* selbst: *ein Paar neue Schuhe; mit einem Paar neuen Schuhen.* Es ist jedoch auch möglich, die auf *Paar* folgende Angabe in den Wesfall zu setzen: *ein Paar neuer Schuhe; mit einem Paar neuer Schuhe.* Dieser Wesfall klingt jedoch sehr gehoben und wird seltener gebraucht.

paar oder **Paar:** Das kleingeschriebene *ein paar* bedeutet „einige wenige“: *ein paar Blumen; mit ein paar Pfennigen in der Tasche.* Das großgeschriebene *Paar* bezeichnet dagegen eine Zweiheit, zwei gleiche oder entsprechende Wesen oder Dinge: *ein Paar Strümpfe, zwei Paar* (nicht: *Paare*) *Schuhe; ein unzertrennliches Paar.*

Paragraph: **1. Beugung:** In der Regel erhält das Hauptwort *Paragraph* – außer im Werfall – die Endung *-en: der Paragraph, des Paragraphen* (nicht: *des Paragraphs*), *dem Paragraphen* (nicht: *dem Paragraph*), *den Paragraphen* (nicht: *den Paragraph*), Mehrzahl: *die Paragraphen.* Die Endung *-en* kann aber weggelassen werden, wenn eine Zahl folgt: *der Wortlaut des Paragraph 21. Sie hat gegen Paragraph 4 verstoßen.* **2. Einzahl oder Mehrzahl:** Es heißt: *Paragraph 1–5; Paragraph 1, 3 und 5,* aber: *die Paragraphen 1–5; die Paragraphen 1, 3 und 5.* Das Hauptwort *Paragraph* vor Zahlen steht in der Mehrzahl, wenn ihm ein Geschlechtswort (Artikel) vorangeht *(die Paragraphen),* es steht in der Einzahl, wenn kein Geschlechtswort vorangeht *(Paragraph).*

parallel: Nach *parallel* wird heute gewöhnlich mit dem Verhältniswort (der Präposition) *zu* angeschlossen: *Die Straße verläuft parallel zum Fluß.* Das Anschließen mit dem Verhältniswort *mit* ist auch möglich: *Die Straße verläuft parallel mit dem Fluß.* Im übertragenen Gebrauch kommt daneben auch noch der Anschluß mit dem Wemfall (ohne ein Verhältniswort) vor: *Ihre Wünsche liefen unseren Interessen parallel.*

Passant: Außer im Werfall hat das Hauptwort *Passant* immer die Endung *-en: der Passant, des Passanten* (nicht: *des Passants*), *dem Passanten* (nicht: *dem Passant*), *den Passanten* (nicht: *den Passant*), Mehrzahl: *die Passanten.*

Patient: In der Regel erhält das Hauptwort *Patient* – außer im Werfall – die Endung *-en: der Patient, des Patienten* (nicht: *des Patients*), *dem Patienten* (nicht: *dem Patient*), *den Patienten,* (nicht: *den Patient*), Mehrzahl: *die Patienten.*

per: Nach dem besonders in der Behörden- und Kaufmannssprache häufiger gebrauchten Verhältniswort (der Präposition) *per* steht der Wenfall: *per ersten Januar, per Boten.* Da diese Formulierung stilistisch unschön ist, sollte man *per* besonders in der Allgemeinsprache durch andere Verhältniswörter ersetzen: *per ersten Januar,* besser: *für ersten* oder *zum ersten Januar; per Eilboten,* besser: *durch Eilboten; per Schiff,* besser: *mit dem Schiff.*

Pfennig: **1. Mehrzahl:** In Verbindung mit Zahlwörtern bleibt *Pfennig* in der Mehrzahl häufig ungebeugt, d. h. unverändert: *Das kostet 20 Pfennig.* Es wird aber gebeugt, wenn die einzelnen Münzen gemeint sind: *Es sind nur dreißig einzelne Pfennige im Sparschwein.* **2. Achtzig Pfennig reicht/reichen nicht:** Von diesen beiden Formen ist in der Hochsprache die Mehrzahl vorzuziehen: *Achtzig Pfennig reichen nicht, sind zuwenig, wurden noch abgezogen.* (In der Umgangssprache besteht allerdings die Neigung, das Zeitwort in die Einzahl zu setzen: *Achtzig Pfennig reicht nicht.*)

Pfingsten: **1. Geschlecht:** Heute wird *Pfingsten* im allgemeinen als ein sächliches Hauptwort in der Einzahl aufgefaßt: *Hast du ein schönes Pfingsten gehabt?* Es wird jedoch vorwiegend ohne Geschlechtswort (Artikel) gebraucht: *Pfingsten ist längst vorbei.* Neben der sächlichen Form in der Einzahl treten zwar noch andere Formen auf; diese sind aber regional begrenzt. In bestimmten formelhaften Wendungen ist allerdings die Mehrzahl allgemein verbreitet: *Schöne Pfingsten!* **2. an/zu Pfingsten:** Der Gebrauch von *an* oder *zu* ist regional verschieden. Während man besonders in Süddeutschland *an Pfingsten* sagt, ist in Norddeutschland *zu Pfingsten* gebräuchlich. Beide Ausdrucksweisen sind korrekt.

pflegen: Wenn das Zeitwort *pflegen* mit der erweiterten Grundform (dem Infinitiv) eines anderen Zeitwortes verbunden ist, darf kein Komma stehen: *Sie pflegte vor dem Einschlafen noch zu lesen. Er pflegt morgens 10 Minuten Gymnastik zu machen.*

Pfund: **1. Mehrzahl:** In Verbindung mit Zahlwörtern bleibt *Pfund* in der Mehrzahl ungebeugt, d. h. unverändert: *Zwei Pfund Äpfel genügen. Er hat dreißig Pfund Übergewicht.* Aber: *Sie hat einige überflüssige Pfunde verloren.* **2. Beugung nach *Pfund*:** Nach *Pfund* steht in der Regel das, was gewogen wird, im selben Fall wie die Mengenbezeichnung *Pfund* selbst. Dabei kann das Gewogene entweder Einzahl (z. B. *ein Pfund Schinken*) oder aber Mehrzahl (z. B. *ein Pfund Krabben*) sein. Das Gewogene in der Einzahl: *ein Pfund gekochter Schinken; der Preis eines Pfundes [gekochter] Schinken* oder *eines Pfund [gekochten] Schinkens; mit einem Pfund gekochtem Schinken; für ein Pfund gekochten Schinken.* Gelegentlich in gehobener Ausdrucksweise auch mit dem Wesfall: *ein Pfund gekochten Schinkens; mit einem Pfund gekochten Schinkens.* Das Gewogene in der Mehrzahl: *ein Pfund frische Krabben,* selten: *frischer Krabben; der Preis eines Pfundes frischer Krabben; aus einem Pfund frische Krab-*

ben oder *frischer Krabben,* selten: *frischen Krabben; für ein Pfund frische Krabben,* selten: *frischer Krabben.* **3. Ein Pfund Erdbeeren kostet/kosten ...:** Folgt der Angabe *ein Pfund* (die Mengenangabe ist hier Einzahl) ein Hauptwort ebenfalls in der Einzahl, steht auch das Zeitwort in der Einzahl: *Ein Pfund Schinken kostet 6,95 DM.* Folgt auf *ein Pfund* ein Hauptwort in der Mehrzahl, steht das Zeitwort üblicherweise in der Einzahl, es kann jedoch auch in der Mehrzahl stehen: *Ein Pfund Erdbeeren kostet 3,95 DM,* seltener: *Ein Pfund Erdbeeren kosten 3,95 DM.* Wenn allerdings die Mengenangabe selbst in der Mehrzahl steht *(2, 3, 4* usw. *Pfund),* verwendet man auch beim Zeitwort die Mehrzahl, wenn das, was als Menge angegeben wird, ebenfalls in der Mehrzahl steht: *Drei Pfund Erdbeeren kosten 11,85 DM.* Steht dagegen das, was als Menge angegeben wird, in der Einzahl *(drei Pfund Schinken),* richtet sich das Zeitwort im allgemeinen nach der Mengenangabe *(drei Pfund)* und steht deswegen meist in der Mehrzahl: *Drei Pfund Schinken kosten/*(selten:) *kostet 20,85 DM.*

Pizza: Die Mehrzahl des Hauptwortes *Pizza* heißt *die Pizzas* oder *die Pizzen.*

Planet: In der Regel erhält das Hauptwort *Planet* – außer im Werfall – die Endung *-en: der Planet, des Planeten* (nicht: *des Planets*), *dem Planeten* (nicht: *dem Planet*), *den Planeten* (nicht: *den Planet*), Mehrzahl: *die Planeten.*

plus: **1. Beugung:** In der Kaufmannssprache wird *plus* im Sinne von „zuzüglich" verwendet. Nach *plus* steht der Wesfall, wenn das von *plus* abhängende Hauptwort ein Begleitwort aufweist: *der Betrag plus der üblichen Sondervergütungen.* Steht das abhängige Hauptwort jedoch ohne Begleitwort, bleibt es in der Einzahl im allgemeinen ungebeugt, d. h. unverändert: *der Betrag plus Porto.* In der Mehrzahl weicht man dagegen auf den Wemfall aus, wenn der Wesfall nicht eindeutig erkennbar ist, sondern mit dem Werfall und dem Wenfall übereinstimmt: *der Betrag plus Einkünften* (nicht: *Einkünfte*) *aus Grundbesitz.* **2. Drei plus zwei ist fünf:** Bei dieser Art von Rechenaufgaben steht das Zeitwort in der Einzahl: *Drei plus zwei ist/macht/gibt fünf* (nicht: *sind/geben/machen*).

Polizist: In der Regel erhält das Hauptwort *Polizist* – außer im Werfall – die Endung *-en: der Polizist, des Polizisten* (nicht: *des Polizists*), *dem Polizisten* (nicht: *dem Polizist*), *den Polizisten* (nicht: *den Polizist*), Mehrzahl: *die Polizisten.*

prämiensparen: Das Zeitwort *prämiensparen* kommt meist nur in der Grundform (im Infinitiv) vor: *Wollen Sie prämiensparen?* Oder es wird als Hauptwort *(das Prämiensparen)* gebraucht. Andere Formen sind selten, sie kommen gelegentlich z. B. in der Sprache der Werbung vor: *Wer prämienspart, spart spielend! Hier erfahren Sie, wie man prämienspart.*

Präsident: In der Regel erhält das Hauptwort *Präsident* – außer im Werfall – die Endung *-en: der Präsident, des Präsidenten* (nicht: *des Präsidents), dem Präsidenten* (nicht: *dem Präsident*), *den Präsidenten* (nicht: *den Präsident*), Mehrzahl: *die Präsidenten.* In der Anschrift ist jedoch auch die ungebeugte Form *Präsident* zulässig: *[An] Herrn Präsident Meyer* neben *[An] Herrn Präsidenten Meyer.*

preisen, sich: Bei *sich preisen als* steht das dem *als* folgende Hauptwort gewöhnlich im Werfall: *Er pries sich als guter Architekt.* Der Wenfall *(Er pries sich als guten Architekten)* kommt seltener vor, ist aber auch richtig.

pro: Das fremde Verhältniswort (die Präposition) *pro* wird in Analogie zu *für* im allgemeinen mit dem Wenfall verbunden. Dies wird deutlich, wenn ein Begleitwort (z. B. ein Eigenschaftswort) vor dem Hauptwort steht: *pro berufstätige Frau, pro männlichen Angestellten, pro antiquarischen Band.* Ohne Begleitwort stehende Hauptwörter nach *pro* lassen oftmals keinen Fall erkennen: *pro Stück, pro Band.* Während die ohne Begleitwort stehenden hauptwörtlich gebrauchten Eigenschaftswörter oder Mittelwörter (Partizipien) in gutem Deutsch immer gebeugt werden *(pro Kranken, pro Angestellten),* besteht bei manchen anderen Hauptwörtern ohne Begleitwort die Tendenz, sie ohne Beugungsendung zu setzen: *pro Kollege, pro Genosse* usw. statt *pro Kollegen, pro Genossen* usw. – In Verbindung mit Zeitangaben wird *pro* – hauptsächlich in der Kaufmannssprache und Umgangssprache – im Sinne von „je, jeweils" verwendet: *Ich muß mich pro Tag* (stilistisch besser: *Ich muß mich jeden Tag*) *einmal rasieren. Die Besprechung der Abteilungsleiter findet zweimal pro Woche* (stilistisch besser: *zweimal in der Woche, jeweils zweimal die Woche, jede Woche zweimal*) *statt.*

probeweise: Das Umstandswort (Adverb) *probeweise* wird manchmal als Beifügung eines Hauptwortes (z. B. *die probeweise Einführung*) gebraucht. Als korrekt wird dieser Gebrauch jedoch nur dann angesehen, wenn das betreffende Hauptwort ein Geschehen ausdrückt: *die probeweise*

Einführung (zu: *probeweise einführen*); *eine probeweise Einstellung* (zu: *probeweise einstellen*). Nicht korrekt sind daher Formulierungen wie *eine probeweise Gleitzeit.*

Produzent:

In der Regel erhält das Hauptwort *Produzent* – außer im Wenfall – die Endung *-en: der Produzent, des Produzenten* (nicht: *des Produzents*), *dem Produzenten* (nicht: *dem Produzent*), *den Produzenten* (nicht: *den Produzent*), Mehrzahl: *die Produzenten.*

Prokurist:

In der Regel erhält das Hauptwort *Prokurist* – außer im Werfall – die Endung *-en: der Prokurist, des Prokuristen* (nicht: *des Prokurists*), *dem Prokuristen* (nicht: *dem Prokurist*), *den Prokuristen* (nicht: *den Prokurist*), Mehrzahl: *die Prokuristen.* In der Anschrift ist jedoch auch die ungebeugte Form *Prokurist* zulässig: *[An] Herrn Prokurist Meyer* neben *[An] Herrn Prokuristen Meyer.*

Prozent:

1. Mehrzahl: In Verbindung mit Zahlwörtern bleibt *Prozent* in der Mehrzahl ungebeugt, d. h. unverändert: *Die Bank zahlt 4 ½ Prozent Zinsen. Der Cognak enthält 43 Prozent Alkohol.* **2. Dreißig Prozent der Mitglieder stimmten nicht ab:** Im allgemeinen richtet sich das Zeitwort nach der Prozentangabe. Das bedeutet: Steht *Prozent* in der Einzahl *(ein Prozent),* dann steht auch das Zeitwort in der Einzahl: *Ein Prozent der Versuche war mißlungen.* Steht aber *Prozent* in der Mehrzahl *(zwei, drei* usw. *Prozent),* steht auch das Zeitwort in der Mehrzahl: *Zehn Prozent der Versuche waren mißlungen.* Das von *Prozent* abhängende Hauptwort, das in der Einzahl oder in der Mehrzahl stehen kann, hat dabei keinen Einfluß: *Ein Prozent der Bevölkerung/der Einwohner lebt in Armut. Zehn Prozent der Bevölkerung/der Einwohner leben in Armut.* Eine Ausnahme ist jedoch gegeben, wenn auf *Prozent* ein Hauptwort, das in der Einzahl steht, im Werfall folgt (z. B. *zehn Prozent Energie*). Hiernach kann das Zeitwort, das sich ja nach der Prozentangabe richtet und deshalb eigentlich in der Mehrzahl stehen müßte, auch in der Einzahl stehen: *Zehn Prozent Energie gehen verloren* oder *geht verloren.*

Quarzuhr oder **Quartzuhr:**

Im Unterschied zum Englischen schreibt man im Deutschen das Mineral *Quarz* nur mit einfachem *z,* nicht mit *tz.* Richtig ist daher nur die Schreibung *Quarzuhr,* nicht: *Quartzuhr.*

R

rational oder **rationell:**

Die beiden Wörter haben eine unterschiedliche Bedeutung und dürfen nicht verwechselt werden. Das Eigenschaftswort *rational* bedeutet „von der Vernunft bestimmt, vernunftgemäß": *etwas rational betrachten; sich etwas rational erklären können.* Dagegen hat *rationell* die Bedeutung „auf Wirtschaftlichkeit bedacht, zweckmäßig": *ein rationeller Umgang mit der Energie, mit den Vorräten; rationell mit etwas umgehen, verfahren.*

real oder **reell:**

Die beiden Wörter werden in bestimmten Bereichen miteinander verwechselt, obwohl sie in ihrer Bedeutung ganz unterschiedlich sind. Das Wort *real* bedeutet „in der Wirklichkeit vorhanden, wirklich existierend; den tatsächlichen Verhältnissen entsprechend". Es wird gebraucht in Zusammenhängen wie: *reale Werte, die reale Welt, ein real denkender Politiker.* Demgegenüber hat *reell* die Bedeutung „ehrlich und anständig, ordentlich und solide; von Anständigkeit, Gediegenheit, Solidität zeugend". Es tritt also in Zusammenhängen auf, in denen ausgedrückt wird, daß für jemand kein Nachteil entsteht, er nicht betrogen wird: *ein reelles Geschäft; die Firma, der Kaufmann ist reell.* In Verwendungen wie *eine reelle Chance* hat *reell* die Bedeutung „solide und wirklichen Erfolg versprechend".

Rechtsunterzeichnete oder **rechts Unterzeichnete,** der und die:

Man kann sowohl *der* oder *die Rechtsunterzeichnete* als auch *der* oder *die rechts Unterzeichnete* schreiben. Beide Schreibungen sind korrekt. Nicht zulässig ist die Form: *der rechts Unterzeichner.* Vergleiche dazu auch die bei *Unterzeichneter* gemachten Angaben.

Referent:

In der Regel erhält das Hauptwort *Referent* – außer im Werfall – die Endung *-en: der Referent, des Referenten* (nicht: *des Referents*), *dem Referenten* (nicht: *dem Referent*), *den Referenten* (nicht: *den Referent*), Mehrzahl: *die Referenten.* In der Anschrift ist jedoch auch die ungebeugte Form *Referent* zulässig. *[An] Herrn Referent Meyer* neben *[An] Herrn Referenten Meyer.*

Reihe:

1. Eine Reihe Abgeordneter verließ/verließen den Saal: Im allgemeinen wird das Zeitwort auf *Reihe* bezogen und in die Einzahl gesetzt: *Eine Reihe Abgeordneter verließ den Saal. Bei dem Einbruch wurde eine Reihe kostbarer Gemälde gestohlen. Eine Reihe Studenten demonstrier-*

te vor dem Gebäude. Gelegentlich wird das Zeitwort aber nicht auf *Reihe,* sondern auf das Gezählte bezogen und in die Mehrzahl gesetzt (d. h., man konstruiert nach dem Sinn): *Eine Reihe Abgeordneter verließen den Saal. Bei dem Einbruch wurden eine Reihe kostbarer Gemälde gestohlen. Eine Reihe Studenten demonstrierten vor dem Gebäude.* Beide Möglichkeiten sind korrekt. **2. eine Reihe Abgeordneter/Abgeordnete:** Üblicherweise steht nach *Reihe* die folgende Angabe im Wesfall: *eine Reihe Abgeordneter; eine Reihe anstehender Fragen.* Es ist jedoch auch möglich, die nach *Reihe* stehende Angabe in den gleichen Fall zu setzen, den *Reihe* selbst aufweist, also: *eine Reihe Abgeordnete, eine Reihe anstehende Fragen; von einer Reihe anstehenden Fragen.* Beide Möglichkeiten sind korrekt.

Reisende, der und die:

Man beugt das Wort in folgender Weise: *der Reisende, ein Reisender, zwei Reisende, die Reisenden, einige Reisende, alle Reisenden, solche Reisende* und *solche Reisenden, beide Reisenden* und seltener auch *beide Reisende; genanntem Reisenden, die Entschädigung zu Schaden gekommener Reisender.*

Als Beisatz (Apposition): *mir (dir, ihm) als Reisenden* und *mir (dir, ihm) als Reisendem; ihr als Reisenden* und *ihr als Reisender.*

retten:

An *retten* wird heute gewöhnlich mit dem Verhältniswort (der Präposition) *vor* angeschlossen: *Er konnte sie gerade noch vor dem Absturz retten.* Der Anschluß mit *von* ist veraltet.

Rolle:

Wird *Rolle* als Mengenbezeichnung gebraucht, dann beugt man das als Menge Genannte in folgender Weise: *eine Rolle Draht* (nicht: *eine Rolle Drahtes*), *eine Rolle verzinkter Draht,* (in gehobener Ausdrucksweise:) *eine Rolle verzinkten Drahtes, mit einer Rolle verzinktem Draht,* (in gehobener Ausdrucksweise:) *mit einer Rolle verzinkten Drahtes, sie brauchten eine Rolle verzinkten Draht,* (in gehobener Ausdrucksweise:) *eine Rolle verzinkten Drahtes.*

rosa:

Diese Farbbezeichnung wird in korrektem Deutsch nicht gebeugt, also: *ein rosa Kleid, in einem rosa Overall.* Wer diese Formen nicht verwenden will, kann ausweichen auf die Zusammensetzung mit *-farben: ein rosafarbenes Kleid, in einem rosafarbenen Overall.*

rotbraun oder **rot-braun:**

Farbbezeichnungen dieser Art schreibt man mit Bindestrich, wenn damit ausgedrückt werden soll, daß zwei Farben unvermischt nebeneinander vorkommen: *ein rot-braunes Muster.* (Das Muster weist die Farben Rot und Braun auf.) Man schreibt in einem Wort *(rotbraun),* wenn ausgedrückt werden soll, daß beide Farben vermischt vorkommen: *ein rotbraunes Fell, rotbraune Schuhe.* Bei der Farbe *Rotbraun* handelt es sich um ein Braun mit rötlicher Abtönung. Man schreibt ebenfalls in einem Wort, wenn (wie besonders in der Wappenkunde) als bekannt vorausgesetzt werden kann, daß die beiden genannten Farben unvermischt nebeneinander vorkommen, z. B.: *ein rotbraunes Emblem, der Schild ist rotbraun.*

rücksichtslos, rücksichtsvoll: Die beiden Eigenschaftswörter werden mit den Verhältniswörtern (den Präpositionen) *gegen* und *gegenüber,* nicht mit *zu* verbunden: *Er konnte sehr rücksichtslos gegen sie* oder *ihr gegenüber* (nicht: *zu ihr*) *nein. Sie war immer sehr rücksichtsvoll gegen ihn* oder *ihm gegenüber* (nicht: *zu ihm*).

Ruf: Nach Ausdrucksweisen wie *der Ruf des Unternehmens; der Ruf von Bürgermeister Meyer* steht gelegentlich eine Ergänzung, die mit *als* angeschlossen wird: *der Ruf des Unternehmens als Lieferant; der Ruf von Bürgermeister Meyer als Vermittler* usw. Dabei ist folgendes zu beachten:

Der Ruf des Unternehmens als ...: Folgt nach *als* eine Ergänzung mit *der, die, das, ein, eine* usw., dann wird diese Ergänzung üblicherweise in den gleichen Fall gesetzt wie das Wort, auf das sie sich bezieht, also in den Wesfall: *der Ruf des Unternehmens als eines Lieferanten der Bundeswehr.* Folgt die Ergänzung nach *als* ohne vorangehendes *der, die, das* usw., dann steht sie heute üblicherweise im Werfall: *der Ruf des Unternehmens als Lieferant der Bundeswehr; sein Ruf als Lieferant der Bundeswehr.*

Der Ruf von Bürgermeister Meyer als ...: Ist das auf *Ruf* folgende Hauptwort mit *von* angeschlossen, dann wird die mit *als* angeschlossene Ergänzung üblicherweise in den Wemfall gesetzt: *der Ruf von Bürgermeister Meyer als bedeutendem Kommunalpolitiker/als einem bedeutenden Kommunalpolitiker.* Es ist jedoch auch möglich, diese Ergänzung in den Werfall zu setzen: *der Ruf von Bürgermeister Meyer als bedeutender Kommunalpolitiker.*

rufen: Das Zeitwort *rufen* in der Bedeutung „jmdm. zurufen, jmdn. durch Zuruf verständigen“ wird im Süddeutschen und Schweizerischen in der Umgangssprache mit dem Wemfall verbunden: *Wer hat mir gerufen? Sie rief ihrem Hund.* Dieser Gebrauch des Wemfalls an Stelle des Wenfalls *(Wer hat mich gerufen? Sie rief ihren Hund.)* gilt hochsprachlich als nicht korrekt.

rühmen, sich:

Bei *sich rühmen als* steht das dem *als* folgende Hauptwort gewöhnlich im Werfall: *Er rühmte sich als großer Schachspieler.* Der Wenfall *(Er rühmte sich als großen Schachspieler)* gilt als veraltend, d. h., als nicht mehr sehr gebräuchlich.

S

Sachverständige, der und die:

Man beugt das Wort in folgender Weise: *der Sachverständige, ein Sachverständiger, zwei Sachverständige, die Sachverständigen, einige Sachverständige, alle Sachverständigen, solche Sachverständige* und *solche Sachverständigen, beide Sachverständigen* und seltener auch *beide Sachverständige; genanntem Sachverständigen, die Anhörung kompetenter Sachverständiger.*
Als Beisatz (Apposition): *mir (dir, ihm) als Sachverständigen* und: *mir (dir, ihm) als Sachverständigem; ihr als Sachverständigen* und: *ihr als Sachverständiger.*

Sack:

1. Sack oder Säcke: Als Maßbezeichnung bleibt *Sack* in der Mehrzahl häufig ungebeugt, d. h. unverändert: *zwei Sack* neben *zwei Säcke Kartoffeln.* **2. Beugung nach *Sack:*** Nach *Sack* als Maßbezeichnung steht in der Regel das, was gemessen wird, im gleichen Fall wie die Maßbezeichnung *Sack* selbst: *ein Sack Holz* (nicht: *ein Sack Holzes*), *ein Sack trockenes Holz, mit einem Sack trockenem Holz.* Gelegentlich in gehobener Ausdrucksweise auch mit dem Wesfall: *ein Sack trockenen Holzes, mit einem Sack trockenen Holzes.* Steht das, was gemessen wird, in der Mehrzahl, dann wird im Wemfall in folgender Weise gebeugt: *mit einem Sack reifer Äpfel* oder *mit einem Sack reife Äpfel,* seltener auch: *mit einem Sack reifen Äpfeln.*

salzen:

Für den Gebrauch der beiden Formen des Mittelwortes der Vergangenheit (des 2. Partizips) gelten die unter dem Stichwort *gesalzen oder gesalzt* gemachten Angaben.

Samstag abend oder **Samstagabend:**

Siehe Dienstag abend oder Dienstagabend.

sämtliche:

Ein auf *sämtliche* folgendes Eigenschaftswort oder Mittelwort der Vergangenheit (2. Partizip) wird – auch wenn es als Hauptwort gebraucht wird – in der Einzahl in folgender Weise gebeugt: Werfall: *sämtlicher aufgehäufte*

Sand, sämtliche frische Butter, sämtliches neue Geschirr, sämtliches Neue, sämtliches Gebrauchte. Im Wesfall und im Wemfall ist die Beugungsendung *-n* oder *-en: der Verbleib sämtlicher frischen Butter, sämtlichen neuen Geschirrs; mit sämtlicher frischen Butter, mit sämtlichem Gebrauchten.* Wenfall: *sämtliche frische Butter verbrauchen, sämtlichen aufgehäuften Sand durchsieben.* In der Mehrzahl kann die Beugung unterschiedlich sein: Werfall: *sämtliche neuen Bücher,* auch: *sämtliche neue Bücher.* Wesfall: *sämtlicher neuen Bücher,* auch: *sämtlicher neuer Bücher.* Wemfall: *mit sämtlichen neuen Büchern.* Wenfall: *sämtliche neuen Bücher,* auch: *sämtliche neue Bücher.*

Sankt: In Heiligennamen und in Ortsnamen steht *Sankt* (abgekürzt: *St.*) ohne Bindestrich vor dem Namen: *Sankt Martin, Sankt Anna, Sankt Gallen.* Die Bezeichnung der Einwohner (bei Ortsnamen mit dem Bestandteil *Sankt*) wird ebenfalls ohne Bindestrich geschrieben: *Sankt Blasier, Sankt Galler.* Auch die von Ortsnamen gebildeten Formen auf *-er* schreibt man ohne Bindestrich, z. B.: *Sankt Galler Spitzen.* Bindestriche müssen aber stehen, wenn ein Heiligenname oder ein Ortsname mit *Sankt* Bestandteil einer Aneinanderreihung ist, z. B.: *Sankt-Marien-Kirche, St.-Marien-Kirche, Sankt-Gotthard-Tunnel.*

Satellit: Außer im Werfall hat das Hauptwort *Satellit* in der Regel die Endung *-en: der Satellit, des Satelliten* (nicht: *des Satellits*), *dem Satelliten* (nicht: *dem Satellit*), *den Satelliten* (nicht: *den Satellit*), Mehrzahl: *die Satelliten.*

Samstag oder **Sonnabend:** *Samstag* und *Sonnabend* halten sich in ihrer räumlichen Verbreitung etwa die Waage: *Samstag* gehört in den Süden, *Sonnabend* in den Norden des deutschen Sprachgebiets. In der Bundesrepublik Deutschland setzt sich allerdings *Samstag* auch im Westen und Norden mehr und mehr durch, unterstützt vor allem durch den amtlichen Sprachgebrauch von Bahn und Post, wo *Samstag* statt *Sonnabend* zur besseren Unterscheidung von *Sonntag* eingeführt wurde. (In der DDR wird dagegen fast ausschließlich *Sonnabend* gebraucht.)

Satz: **1. Satz oder Sätze:** Als Mengenbezeichnung bleibt *Satz* in der Mehrzahl häufig ungebeugt, d.h. unverändert: *drei Satz Schüsseln* neben *drei Sätze Schüsseln.* **2. Beugung nach *Satz*:** Wird *Satz* als Mengenbezeichnung gebraucht, dann wird das, was gezählt wird, in folgender Weise gebeugt: *ein Satz flache Schüsseln.* Gelegentlich in gehobener Ausdrucksweise auch mit dem Wesfall: *ein*

Satz flacher Schüsseln; der Preis eines Satzes flacher Schüsseln. Im Wemfall kann es heißen: *mit einem Satz flacher Schüsseln* oder *mit einem Satz flache Schüsseln,* seltener auch: *flachen Schüsseln.*

Schachtelsätze, Treppensätze, überlange Sätze: Sätze, die sehr lang sind, oder umfangreiche Satzgefüge erschweren oft das Verständnis. Der Leser kann nicht alles aufnehmen, er weiß am Ende eines Satzgefüges nicht mehr, worum es eigentlich am Anfang ging und was die Hauptaussage des Satzes ist. Weil also allzu lange Sätze oder umfangreiche Satzgefüge die Verständlichkeit oft beträchtlich erschweren, sollte man sie vermeiden. Dazu ist es nötig, Hauptaussagen von anderen Aussagen zu trennen. Die Hauptaussagen sollten im Mittelpunkt eines Satzes oder Satzgefüges stehen. Aus den anderen Aussagen können Nebensätze, aber auch Hauptsätze geformt werden, die aber nicht zu lang sein sollten und die geschickt mit den anderen Hauptsätzen zu verbinden sind. Ein Beispiel: *Die Gemeinderatssitzung am 1. März 1986, nachmittags ab 14 Uhr zum Thema Parkhaus am Luisenring dauerte auf Grund der vielen Wortmeldungen der Gemeinderatsmitglieder und langer Diskussionen wegen der verschiedenen noch ungeklärten Fragen z.B. in bezug auf Lärmbelästigung der Anwohner, Dauer der Bauarbeiten, Kosten usw. bis in die Nacht hinein.* Dieser Satz ist mit Informationen überladen. Der Leser muß ihn, um sämtliche Informationen aufnehmen zu können, ein zweites oder sogar drittes Mal lesen. Will man das vermeiden, dann ist es besser, man formt aus diesem einen Satz mehrere Sätze: *Am 1. März 1986 fand ab 14 Uhr eine Gemeinderatssitzung statt, Thema: Parkhaus am Luisenring. Da es viele Wortmeldungen der Gemeinderatsmitglieder gab und lange Diskussionen geführt wurden, dauerte die Sitzung bis in die Nacht hinein. Verschiedene Fragen waren nämlich noch ungeklärt: z. B. die Frage der Kosten, der Lärmbelästigung für die Anwohner, der Dauer der Bauarbeiten usw.*

Andere lange Sätze sind unverständlich, weil sie zu viele Nebensätze enthalten. Dabei können diese Sätze ineinandergeschachtelt sein (Schachtelsätze) oder aber so gestaltet sein, daß der eine Nebensatz vom vorangehenden abhängt (Treppensätze). Ein Beispiel für einen Schachtelsatz: *Derjenige, der den Wellensittich, der auf den Baum, welcher vor dem Haus steht, geflogen ist, einfängt, kriegt eine Belohnung.* Als Treppensatz: *Derjenige kriegt eine Belohnung, der den Wellensittich einfängt, der auf den Baum geflogen ist, welcher vor dem Haus steht.* Hier sollte man nun das Satzgefüge entzerren und anders gliedern. Statt der vielen Nebensätze bildet man mehrere Hauptsätze. Im fraglichen Fall würde man also besser schreiben: *Unser Wellensittich ist entflogen. Er sitzt auf dem Baum vor dem Haus. Wer ihn einfängt, erhält eine Belohnung.*

schämen, sich:

An *sich schämen* wird mit dem Verhältniswort (der Präposition) *wegen,* aber auch mit *für* angeschlossen: *Er schämte sich wegen seines Versagens* oder auch *für sein Versagen, wegen seiner Freundin* oder auch *für seine Freundin.* Das Anschließen ohne Verhältniswort, nur mit dem Wesfall ist auch üblich, klingt aber sehr gehoben: *Er schämte sich seines Versagens, seiner Freundin.* Zu beachten ist, daß sich beim Anschließen mit *für* zwei unterschiedliche Aussagen ergeben können, wenn dabei eine Person genannt wird: *Er schämte sich für seine Freundin* kann bedeuten, daß sich der Betreffende wegen der Freundin, aber auch, daß er sich an ihrer Stelle, also stellvertretend für sie schämt.

Schar:

1. Eine Schar Kinder stand/standen um ihn herum: Im allgemeinen wird das Zeitwort auf *Schar* bezogen und in die Einzahl gesetzt: *Eine Schar Kinder stand um ihn herum, hatte im Hof gespielt, ist versammelt, wird von ihr beaufsichtigt* usw. Gelegentlich wird das Zeitwort aber nicht auf *Schar,* sondern auf das Gezählte bezogen und in die Mehrzahl gesetzt (d. h., man konstruiert nach dem Sinn): *Eine Schar Kinder standen um ihn herum, hatten im Hof gespielt, sind versammelt, werden von ihr beaufsichtigt.* Beide Möglichkeiten sind korrekt. **2. eine Schar fröhlicher/fröhliche Kinder:** Üblicherweise steht nach *Schar* die folgende Angabe im Wesfall: *eine Schar fröhlicher Kinder; für eine Schar Jugendlicher; mit einer Schar Leute, johlender Zuschauer.* Es ist jedoch auch möglich, die dem Mengenbegriff *Schar* folgende Angabe in den gleichen Fall zu setzen wie *Schar: eine Schar fröhliche Kinder; für eine Schar Jugendliche; mit einer Schar Leuten, johlenden Zuschauern.* Beide Möglichkeiten sind korrekt.

schauen oder **sehen:**

Das Wort *schauen* wird landschaftlich, besonders in Süddeutschland und in Österreich, an Stelle von *sehen* gebraucht: *Er schaute* (statt: *sah*) *auf die Uhr. Schau* (statt: *sieh*) *einmal! Du mußt schauen* (statt: *sehen*), *daß du bald fertig wirst.* Im Sinn von „wahrnehmen" sagen auch die Süddeutschen und Österreicher *sehen: Ich habe deine Schwester gesehen* (nicht: *geschaut*).

scheinen:

1. Formen: Das Wort *scheinen* ist ein Zeitwort, dessen Formen unregelmäßig sind: *scheinen, schien, geschienen.* Es muß also heißen: *Die Sonne hat geschienen* (nicht: *gescheint*). **2. Kein Komma nach *scheinen*:** Wenn *schei-*

nen mit der erweiterten Grundform (dem erweiterten Infinitiv) eines anderen Zeitwortes verbunden ist, darf kein Komma stehen: *Du scheinst heute schlecht gelaunt zu sein. Das schien ihm nicht zu genügen.*

schießen: Werden in Verbindung mit dem Zeitwort *schießen* Person und Körperteil genannt, auf die sich *schießen* bezieht, dann kann die Person im Wemfall oder auch im Wenfall stehen: *Der Polizist schoß dem Fliehenden ins Bein.* Oder: *Der Polizist schoß den Fliehenden ins Bein.* Der Wemfall *(dem Fliehenden)* ist üblicher.
Wird *schießen* dagegen in der Bedeutung „sich schnell irgendwohin bewegen" gebraucht, dann kann die Person nur im Wemfall stehen: *Die Tränen schossen dem Jungen aus den Augen. Ein Gedanke schoß ihr durch den Kopf.*

schimpfen: **1. jemanden schimpfen:** In der Bedeutung „heißen, nennen" steht nach *schimpfen* der Wenfall: *Man schimpfte mich einen Streber.* **2. mit/auf/über jemanden schimpfen:** In der Bedeutung „zurechtweisen" wird *schimpfen* in korrektem Deutsch mit den Verhältniswörtern (Präpositionen) *mit, auf* oder *über* verbunden. Man verwendet *mit (schimpfen mit jemandem),* wenn sich der Schimpfende direkt an die betreffende Person wendet: *Schimpf doch nicht mit mir!* Dagegen verwendet man *auf* oder *über,* wenn sich der Schimpfende nicht direkt an die betreffende Person wendet: *Er kam schlecht gelaunt nach Hause und fing an, auf seinen Vorgesetzten* oder *über seinen Vorgesetzten zu schimpfen.* Bezieht sich *schimpfen* jedoch nicht auf eine Person, sondern auf eine Sache, verwendet man meist *über* oder seltener *auf: Sie schimpfte über ihr schlechtes Ergebnis. Er schimpfte lauthals auf das Fernsehprogramm.*

schlagen: Werden in Verbindung mit dem Zeitwort *schlagen* Person und Körperteil genannt, auf die sich *schlagen* bezieht, dann kann die Person im Wemfall oder auch im Wenfall stehen: *Er schlug dem Freund* oder auch *den Freund auf die Schulter. Ich schlug mir,* seltener auch: *mich an die Stirn.* Der Wemfall ist üblicher. Wenn als Verursacher nicht eine Person, sondern eine Sache genannt wird, dann ist nur der Wemfall üblich: *Die Zweige schlugen mir* (nicht: *mich*) *ins Gesicht.*

schmerzen: Ist ein Körperteil auslösender Faktor *(die Schulter schmerzt; die Füße schmerzen),* dann steht, falls eine Person genannt wird, diese im Wemfall oder im Wenfall: *Die Schulter schmerzte den* oder *dem Bergsteiger sehr. Die Füße schmerzten die* oder *der Verkäuferin vom langen*

Stehen. Bezieht sich *schmerzen* jedoch auf den seelischen Bereich, dann steht die betroffene Person nur im Wenfall: *Der Gedanke an die Heimat schmerzte den* (nicht: *dem*) *ehemaligen Flüchtling nicht mehr.*

schneiden: Werden in Verbindung mit dem Zeitwort *schneiden* Person und Körperteil genannt, auf die sich *schneiden* bezieht, dann kann die Person im Wemfall oder auch im Wenfall stehen: *Der Friseur hat dem Kunden versehentlich ins Ohr geschnitten.* Oder: *Der Friseur hat den Kunden versehentlich ins Ohr geschnitten.* Der Wemfall *(dem Kunden)* ist üblicher.

schnellstmöglich: Das Eigenschaftswort *schnellstmöglich* drückt bereits den höchsten Grad einer Steigerung aus und kann deswegen nicht nochmals gesteigert werden. Richtig: *Ich bitte um schnellstmögliche Nachricht.* Nicht richtig: *Ich bitte um schnellstmöglichste Nachricht.*

schreiben: Nach *schreiben auf* kann sowohl der Wemfall (Frage: wo?) als auch der Wenfall (Frage: wohin?) stehen. *Sie schrieb auf blauem Papier* oder *auf blaues Papier.* Wenn aber in dem Satz zusätzlich die Angabe enthalten ist, was geschrieben wird, dann kann nur der Wenfall stehen: *Sie schrieb ihre Adresse auf blaues* (nicht: *blauem*) *Papier.*

Schritt: Als Maßbezeichnung bleibt *Schritt* in Verbindung mit Zahlwörtern in der Mehrzahl häufig ungebeugt, d.h. unverändert: *drei Schritt breit.* Bei der Angabe größerer Entfernungen wird die Mehrzahl vorgezogen: *Der Baum war 50 Schritte entfernt.*

Schuß: **1. Mehrzahl:** Als Maß- bzw. Mengenbezeichnung bleibt *Schuß* in Verbindung mit Zahlwörtern in der Mehrzahl gewöhnlich ungebeugt, d.h. unverändert: *mit drei Schuß Whisky, 50 Schuß Pistolenmunition.* **2. Beugung nach *Schuß*:** Nach *Schuß* als Maßbezeichnung steht in der Regel das, was bezeichnet wird, im selben Fall wie die Maßbezeichnung *Schuß* selbst: *ein Schuß Whisky* (nicht: *Whiskys*), *ein Schuß schottischer Whisky; unter Beigabe eines Schusses Whisky* oder *eines Schuß Whiskys,* aber: *unter Beigabe eines Schusses schottischen Whiskys; mit einem Schuß schottischem Whisky; für einen Schuß schottischen Whisky.* Korrekt, aber gehoben ist die Ausdrucksweise: *ein Schuß schottischen Whiskys; mit einem Schuß schottischen Whiskys.*

schützen: An *schützen* im Sinne von „Schutz gewähren, vor etwas bewahren“ kann mit den Verhältniswörtern (Präpositionen) *vor* und *gegen* angeschlossen werden: *etwas vor* oder *gegen Nässe schützen; das Eigentum vor Übergriffen* oder *gegen Übergriffe schützen.*

Schwarm: **1. Ein Schwarm Kinder folgte/folgten ihm:** Im allgemeinen wird das Zeitwort auf *Schwarm* bezogen und in die Einzahl gesetzt: *Ein Schwarm Kinder folgte ihm, ist durch das Dorf gezogen, wird gerade fotografiert* usw. Gelegentlich wird das Zeitwort aber nicht auf *Schwarm,* sondern auf das Gezählte bezogen und in die Mehrzahl gesetzt (d.h., man konstruiert nach dem Sinn): *Ein Schwarm Kinder folgten ihm, sind durch das Dorf gezogen, werden gerade fotografiert.* Beide Möglichkeiten sind korrekt. **2. ein Schwarm junger/junge Mädchen:** Üblicherweise steht nach *Schwarm* die folgende Angabe im Wesfall: *ein Schwarm junger Mädchen; für einen Schwarm Halbwüchsiger; mit einem Schwarm Heringe, wilder Tauben.* Es ist jedoch auch möglich, die dem Mengenbegriff *Schwarm* folgende Angabe in den gleichen Fall zu setzen wie *Schwarm: ein Schwarm junge Mädchen; für einen Schwarm Halbwüchsige; mit einem Schwarm Heringen, wilden Tauben.* Beide Möglichkeiten sind korrekt.

schwarzbraun oder **schwarz-braun:** Farbbezeichnungen dieser Art schreibt man mit Bindestrich, wenn damit angegeben werden soll, daß zwei Farben unvermischt nebeneinanderstehen: *eine schwarz-braune Jacke* ist eine Jacke in den Farben Schwarz und Braun. Man schreibt sie zusammen, wenn angegeben werden soll, daß beide Farben vermischt vorkommen, also zusammen einen bestimmten Farbton ergeben: *eine schwarzbraune Jacke* ist eine Jacke, deren braune Farbe ins Schwarze spielt. Man schreibt aber auch zusammen, wenn es (wie besonders in der Wappenkunde) unmißverständlich ist, daß die Farben nebeneinanderstehen: *eine schwarzbraungelbe Fahne.*

Schweizer, schweizerisch: Das Wort *Schweizer* ist zum einen Hauptwort und bedeutet „Einwohner der Schweiz". Zum anderen wird es als Eigenschaftswort gebraucht und bedeutet „aus der Schweiz stammend; die Schweiz betreffend". Es wird immer groß geschrieben: *die Schweizer Uhrenindustrie; Schweizer Banken.* Das Eigenschaftswort *schweizerisch* schreibt man dagegen klein: *die schweizerische Uhrenindustrie; schweizerische Banken.* Nur in Namen wird *schweizerisch* groß geschrieben: *die Schweizerische Eidgenossenschaft.*

Schwerbeschädigte, der und die: Man beugt das Wort in folgender Weise: *der Schwerbeschädigte, ein Schwerbeschädigter, zwei Schwerbeschädigte, die Schwerbeschädigten, einige Schwerbeschädigte, alle*

Schwerbeschädigten, solche Schwerbeschädigte und *solche Schwerbeschädigten, beide Schwerbeschädigten* und seltener auch *beide Schwerbeschädigte; stellungslosem Schwerbeschädigten, die Einstellung junger Schwerbeschädigter.*
Als Beisatz (Apposition): *mir (dir, ihm) als Schwerbeschädigten* und *mir (dir, ihm) als Schwerbeschädigtem; ihr als Schwerbeschädigten* und *ihr als Schwerbeschädigter.*

schwertun, sich: Bei dem Zeitwort *sich schwertun* kann *sich* als ein Wort im Wenfall oder auch im Wemfall aufgefaßt werden: *Ich habe mich,* seltener: *mir dabei nicht schwergetan.*

seelsorgerisch oder **seelsorgerlich** oder **seelsorglich:** Die drei Wörter bedeuten etwa das gleiche, sie sind aber in der Sehweise unterschieden. Das Eigenschaftswort *seelsorgerisch* ist von *Seelsorger* abgeleitet und hat den Sinn „wie ein Seelsorger, entsprechend der Aufgabe eines Seelsorgers". Es bezieht sich also auf das Verhalten des Geistlichen oder einer in ähnlicher Funktion tätigen Person. Das Eigenschaftswort *seelsorglich* ist dagegen von *Seelsorge* abgeleitet und hat den Sinn „von der Seelsorge ausgehend, hinsichtlich der Seelsorge", bezieht sich also mehr auf den Vorgang selbst. Statt *seelsorgerisch* wird in der theologischen Fachsprache oft auch *seelsorgerlich* gebraucht (vielleicht aus der – unbegründeten – Befürchtung, die Endung *-isch* bringe eine Herabsetzung zum Ausdruck).

sehen: **1. sich sehen als:** Bei *sich sehen als* steht das dem *als* folgende Hauptwort gewöhnlich im Werfall: *Er sieht sich schon als künftiger Präsident.* **2. sehen oder gesehen:** Steht vor dem Zeitwort *sehen* ein anderes Zeitwort in der Grundform (im Infinitiv), dann wird meist die Form *sehen,* selten auch *gesehen* verwendet: *Ich habe das Unglück kommen sehen,* selten: *kommen gesehen.*

sei oder **wäre:** Beide Formen sind Möglichkeitsformen (Konjunktive). Die Form *sei* steht vor allem in der indirekten Rede: *Sie sagte, sie sei verreist gewesen. Sie fragte, ob er schon in Urlaub sei.* Auch *wäre* kann in der indirekten Rede stehen, und zwar dann, wenn der Sprecher ausdrücken will, daß ihm das, was er berichtet, nicht glaubhaft erscheint: *Sie sagte, sie wäre verreist gewesen.* Sonst steht *wäre* vor allem in Bedingungssätzen: *Wenn ich früher hier gewesen wäre, hätte ich ihn noch angetroffen.*

seid oder **seit:** Die Form *seid* kommt von *sein: Ihr seid wohl neu hier? Seid pünktlich! Ihr seid doof!* Das Wort *seit* dagegen leitet entweder einen Nebensatz ein *(Seit er die Abteilung* *leitet, sind alle zufrieden. Seit ich hier bin, geht alles schief.);* oder es gibt einen Zeitpunkt an, an dem etwas begonnen hat: *Ich bin seit gestern krank. Sie ist seit kurzem wieder hier.*

Seien Sie so gut ...: Diese Höflichkeitsformel ist korrekt. Nicht korrekt ist: *Sind Sie so gut und ...*

seine: Steht vor *seine* ein *der, die* oder *das,* so schreibt man es klein, wenn es sich auf ein vorangehendes Hauptwort bezieht: *Ich hatte mein Werkzeug vergessen und benutzte das seine* (= sein Werkzeug). Groß schreibt man, wenn *seine* selbst als Hauptwort verwendet wird: *Er sorgte für die Seinen* (= seine Angehörigen). *Er hat das Seine* (= seinen Teil) *getan. Jedem das Seine* (= sein Eigentum). *Sie ist die Seine* (= seine Freundin).

seinetwegen oder **wegen ihm:** In gutem Deutsch sagt man heute *seinetwegen: Sie hat seinetwegen ihren Beruf aufgegeben.* Die Form *wegen ihm* ist umgangssprachlich.

seinige: Für die Schreibweise von *seinige* gelten die gleichen Regeln wie für *seine.*

seit: Wenn *seit* einen Nebensatz einleitet, wird dieser immer durch Komma vom Hauptsatz abgetrennt: *Ich fühle mich viel besser, seit ich die Kur gemacht habe.*

Seite: **1. Einzahl oder Mehrzahl:** Es heißt: *Seite 1–5; Seite 1, 3 und 5,* aber: *die Seiten 1–5; die Seiten 1, 3 und 5.* Das Hauptwort *Seite* vor Zahlen steht in der Mehrzahl, wenn ihm ein Geschlechtswort (Artikel) vorangeht *(die Seiten),* es steht in der Einzahl, wenn kein Geschlechtswort vorangeht *(Seite).* **2. Beugung nach *Seite:*** Nach dem Wort *Seite* steht das von ihm abhängende Hauptwort im selben Fall wie *Seite* selbst: *30 Seiten buntbebilderte Angebote; mit 30 Seiten buntbebilderten Angeboten.* Korrekt, aber kaum gebräuchlich ist eine Angabe im Wesfall *(30 Seiten buntbebilderter Angebote).*

seitens: Das vor allem in der Amtssprache gebräuchliche Wort *seitens* steht mit dem Wesfall: *seitens des Betriebes, seitens seiner Familie.* In Verbindung mit *Herr/Frau/Fräulein* + Name bleibt der Name in der Regel ungebeugt, d.h. unverändert; auch *Fräulein* bleibt unverändert, *Herr* jedoch nicht: *seitens Frau Meyer, seitens Fräulein Meyer,* aber: *seitens Herrn Meyer.*
In den meisten Fällen kann man aber das stilistisch unschöne *seitens* durch *von* ersetzen: *Von dem Betrieb, von seiner Familie wurden ihm Schwierigkeiten gemacht. Von*

Frau Meyer wurden keine Einwände erhoben. Oftmals ist es noch besser, die Sätze umzuwandeln: *Der Betrieb, seine Familie machte ihm Schwierigkeiten. Frau Meyer erhob keine Einwände.*

selber oder **selbst:** Beide Formen können gebraucht werden: *Du hast es doch selbst so gewollt* oder *Du hast es doch selber so gewollt.* In der Hochsprache wird *selbst* bevorzugt.

selbst wenn: Ein mit *selbst wenn* eingeleiteter Nebensatz wird immer durch Komma abgetrennt. *Ich tue dies, selbst wenn ich dafür bestraft werde. Selbst wenn das zuträfe, würde ich bei meiner Meinung bleiben.*

selten: Der Satz *Das Wetter war selten schön* ist doppeldeutig. Denn *selten* kann hier sowohl „nicht oft" als auch „besonders" bedeuten. Man könnte also zwei verschiedene Sachverhalte aus dem Satz herauslesen: Das Wetter war meist schlecht. Und: Das Wetter war besonders schön. Diese Doppeldeutigkeit kann man z. B. durch eine andere Wortwahl vermeiden. Auch eine andere Wortstellung verhindert die Doppeldeutigkeit: *Selten* (= nicht oft) *war das Wetter schön.* Dagegen: *Es herrschte ein selten* (= besonders) *schönes Wetter. Das Wetter war so schön wie selten zuvor.*

senden: Das Zeitwort *senden* hat die Vergangenheitsformen *sendete, hat gesendet* und *sandte, hat gesandt.* In der Bedeutung „schicken" sind beide Formen gebräuchlich, aber die Formen *sandte, hat gesandt* werden häufiger gebraucht: *Ich sandte,* auch: *sendete ihr einen Brief. Ich habe ihr einen Brief gesandt,* auch: *gesendet.* Gleiches gilt für die zusammengesetzten Zeitwörter *absenden, entsenden, übersenden, versenden, zurücksenden* u. ä. In der Bedeutung „ausstrahlen" werden (außer in der Schweiz) nur die Formen *sendete, hat gesendet* gebraucht: *Die Funker sendeten Peilzeichen. Das Hörspiel wurde gestern gesendet.*

sich: **1. Rechtschreibung:** Auch in Verbindung mit der (groß geschriebenen) Höflichkeitsanrede *Sie* im Brief wird *sich* immer klein geschrieben: *Wir hoffen, Sie haben sich gut erholt.* **2. sich oder einander:** Im heutigen Sprachgebrauch wird die wechselseitige Beziehung meist durch *sich* ausgedrückt, *einander* wirkt fast immer gehoben oder sogar gespreizt. **3. falsches *sich* statt *uns*:** Es heißt: *Meine Frau und ich würden uns* (nicht: *sich*) *freuen. Du und ich haben uns* (nicht: *sich*) *gut unterhalten.* Erkennbar wird dies, wenn man *wir* hinzufügt: *Meine Frau und ich, wir haben uns gefreut. Du und ich, wir ha-*

ben uns gut unterhalten. **4. Er sah die Frau auf sich zustürzen:** In Sätzen dieser Art wird in der Regel *sich* verwendet, wenn sich das Zeitwort auf die handelnde oder sprechende Person bezieht und ein Verhältniswort (*auf, an, über, nach, mit* usw.) dem fraglichen Fürwort vorangeht: *Er sah die Frau auf sich* (nicht: *auf ihn*) *zustürzen.* Geht dagegen kein Verhältniswort (keine Präposition) voran, steht im Wemfall *ihm/ihr/ihnen: Der Polizist sah die Frau ihm* (nicht: *sich*) *zulächeln.* Hierbei wird klar: Im heutigen Deutsch ist es oftmals nicht möglich, unmißverständliche Bezüge herzustellen. In dem Satz *Der Polizist sah die Frau ihm zulächeln* könnte sich *ihm* nicht nur auf das Wort *Polizist,* sondern auch auf eine dritte (männliche) Person beziehen. Das gleiche gilt für *sich* in einem Satz wie *Er ließ den Bauern für sich arbeiten.* Hier kann der Sinn erst aus dem Textzusammenhang deutlich werden.

Sie: Das Anredefürwort *Sie* (und auch *Ihrer, Ihnen*) wird als Höflichkeitsanrede immer groß geschrieben: *Bleiben Sie alle gesund! Wie geht es Ihnen? Ich harre Ihrer, mein Herr.*

sie (Einzahl) **oder du:** *Sie oder du wirst* (nicht: *wird* oder *werden*) *daran teilnehmen.*

sie (Mehrzahl) **und du:** *Sie und du* (= ihr) *habt euch gefreut.* Nicht: *Sie und du haben sich gefreut.*

sie (Mehrzahl) **und ich:** *Sie und ich* (= wir) *haben uns* (nicht: *sich*) *gefreut.*

sie (Mehrzahl) **und ihr:** *Sie und ihr* (= ihr) *habt euch gefreut.* Nicht: *Sie und ihr haben sich gefreut.*

sie (Mehrzahl) **und wir:** *Sie und wir* (= wir) *haben uns* (nicht: *sich*) *gefreut.*

siehe: Nach dem bei Hinweisen auf Textstellen u. ä. verwendeten Wort *siehe* kann nur der Wenfall stehen: *Siehe beiliegenden* (nicht: *beiliegender*) *Prospekt.*

Silbentrennung: Die Grundregel für das Trennen von Wörtern am Ende der Zeile lautet: Man trennt nach Sprechsilben. Sprechsilben sind Silben, die sich beim langsamen Sprechen eines Wortes von selbst ergeben: *Freun-de, Win-ter, Regen, Bes-se-rung, Be-zie-hung, Ge-sund-heit, Kon-ti-nent.* Bei den Mitlauten gibt es dabei folgendes zu beachten: 1. Ein einzelner Mitlaut wird immer auf die neue Zeile gesetzt: *tre-ten, ge-hen, rei-zen, bo-xen, bei-ßen.*

2. *ch* und *sch* gelten als ein Laut. Sie bleiben immer zusammen und werden auf die neue Zeile gesetzt: *waschen, Bü-cher.* 3. Steht in einem Wort als Notbehelf *ss* statt *ß*, dann kommen die beiden *s* zusammen auf die neue Zeile: *grü-ssen* (nicht: *grüs-sen*). 4. Das *ck* in einem Wort wird bei der Trennung in *k-k* aufgelöst: *Bäcker* (getrennt: *Bäk-ker*), *Hockenheim* (getrennt: *Hok-kenheim*). 5. Von mehreren aufeinanderfolgenden Mitlauten kommt nur der letzte auf die neue Zeile: *kämp-fen, Kup-fer, neb-lig, neh-men, Städ-te, Knos-pe, Ernäh-rung.* 6. Ein *st* wird nicht getrennt, beide Buchstaben kommen auf die neue Zeile *(We-sten)* bzw. bleiben zusammen am Zeilenende stehen *(west-lich),* je nachdem, ob das *st* am Anfang oder am Ende der Sprechsilbe steht. (Eine Ausnahme machen die Wörter *Diens-tag, Donners-tag, Sams-tag* oder Wörter wie *Haus-tier* u. ä.)
Bei den Selbstlauten gibt es folgendes zu beachten: 1. Ist ein einzelner Selbstlaut zugleich eine Sprechsilbe, dann darf diese Sprechsilbe nicht abgetrennt werden. Das heißt, Wörter von dieser Art können nicht getrennt werden. Zum Beispiel: *Ufer* (nicht: *U-fer*), Idee (nicht: *I-dee*), *Taue* (nicht: *Tau-e*), *Abend* (nicht: *A-bend*). 2. Zwei gleiche Selbstlaute (die wie ein Laut gesprochen werden) und ebenso die Doppellaute *au, ei, eu, ie* usw. dürfen nur zusammen abgetrennt werden. Zum Beispiel: *Waa-ge, See-le, Mau-er, Ei-fel, Eu-le, die-ser.*
Für Fremdwörter gelten im allgemeinen die gleichen Trennungsregeln wie für die deutschen Wörter. Bestimmte Mitlautverbindungen in Fremdwörtern bleiben jedoch ungetrennt. So zum Beispiel: *bl, pl, br, pr, tr, gn: Publikum* (getrennt: *Pu-blikum*), *Signal* (getrennt: *Signal*), *Februar* (getrennt: *Fe-bruar*). Ebenso gilt für einzelne Fremdwörter eine besondere Trennung nach ihren fremdwörtlichen Bestandteilen. Diese erfährt man jeweils im Wörterverzeichnis, das im übrigen bei allen Stichwörtern ihre Trennung durch senkrechte Striche markiert.
Besondere Schwierigkeiten bei der Trennung machen die folgenden Wörter: *daran* (getrennt: *dar-an*), *darauf* (getrennt: *dar-auf*) usw., *woran* (getrennt: *wor-an*), *worauf* (getrennt: *wor-auf*) usw., *voran* (getrennt: *vor-an*), *vorauf* (getrennt: *vor-auf*) usw., *heran* (getrennt: *her-an*), *herauf* (getrennt: *her-auf*) usw., *hinan* (getrennt: *hin-an*), *hinauf (getrennt: hin-auf*) usw., *warum* (getrennt: *war-um*).

sitzen: Die zusammengesetzten Vergangenheitsformen von *sitzen* werden heute im allgemeinen mit *haben* gebildet: *Wir haben auf der Bank gesessen. Die Kleine hatte auf ihrem Schoß gesessen.* Im Unterschied dazu ist im süddeutschen Sprachgebiet (auch in Österreich und in der Schweiz) die Bildung dieser Vergangenheitsformen mit *sein* üblich: *Wir sind auf der Bank gesessen. Die Kleine war auf ihrem Schoß gesessen.*

sobald: Ein mit *sobald* eingeleiteter Nebensatz wird immer durch Komma vom Hauptsatz abgetrennt: *Sobald sie nach Hause kommt, wollen wir essen. Wir gehen, sobald der Redner fertig ist.*

so bald wie oder **so bald als:** Nach *so bald* kann mit *wie* oder *als* angeschlossen werden. Beides ist korrekt. Der Anschluß mit *wie* ist aber häufiger: *Schreibe so bald wie möglich,* seltener: ... *als möglich.*

so daß: **1. Rechtschreibung:** Das einen Nebensatz einleitende *so daß* wird immer getrennt geschrieben: *Sie war erkrankt, so daß sie den Vortrag absagen mußte.* **2. Komma:** Ein mit *so daß* eingeleiteter Nebensatz wird immer durch Komma vom Hauptsatz abgetrennt; *so daß* bildet dabei eine Einheit: *Es regnete stark, so daß wir die Wanderung absagten. Sie hat mich verwirrt, so daß ich keine Antwort finde.* Ein Komma steht aber zwischen *so* und *daß,* wenn diese beiden Wörter keine Einheit bilden; *so* bezieht sich dann auf das Zeitwort des Hauptsatzes: *Es regnete so, daß wir die Wanderung absagen mußten. Sie verwirrte mich so, daß ich keine Antwort fand.*

sogenannt: Ein auf *sogenannt* folgendes Eigenschaftswort oder Mittelwort (Partizip) erhält gewöhnlich die gleichen Endungen wie *sogenannt* selbst: *ein sogenannter freischaffender Künstler; die sogenannten freiwilligen Helfer.* Im Wemfall sind in der Einzahl zwei Formen möglich, wovon die eine Form jedoch selten vorkommt: *mit sogenanntem freischaffendem,* selten: *freischaffenden Künstler.*

solang, solange: Beide Formen sind korrekt. Ein mit diesem Bindewort (dieser Konjunktion) eingeleiteter Nebensatz wird immer durch Komma vom Hauptsatz abgetrennt: *Du kannst bleiben, solang du magst. Solange ich noch nicht vollkommen gesund bin, gehe ich nicht zur Arbeit.*

solche: **1. Beugung von *solche:*** Nach einem bestimmten oder unbestimmten Zahlwort (*zwei, drei* usw.; *viele, wenige* o. ä.) wird *solche* wie ein Eigenschaftswort behandelt: *zwei solche Fehler; mit zwei solchen Fehlern* (wie z. B.: *zwei kleine Fehler; mit zwei kleinen Fehlern*). Korrekt, aber selten ist, *solche* in den Wesfall zu setzen: *noch zwei solcher Fehler.* **2. Beugung nach *solche:*** **a)** Die Beugung des folgenden Wortes bereitet oftmals Schwierigkeiten, zumal wenn es sich bei diesem Wort um ein Hauptwort handelt, das auf ein Mittelwort (Partizip) oder Eigenschaftswort zurückzuführen ist wie z. B. *der* oder *die Angestellte* (auf *angestellt*), *das Schöne* (auf *schön*) usw. In den einzelnen Fällen lauten die Formen in der Einzahl folgendermaßen: Werfall: *solcher Angestellte, solche Angestellte, solches Schöne;* Wesfall: *die Entlassung solches Angestellten, solcher Angestellten, die Beseitigung solches Schönen;* Wemfall: *mit solchem Angestellten, mit solcher Angestellten, mit solchem Schönen;* Wenfall: *für solchen Angestellten, für solche Angestellte, für solches Schöne.* In der Mehrzahl kommen dagegen für die einzelnen Fälle z. T. zwei Formen vor: Werfall: *solche Angestellte* oder *Angestellten;* Wesfall: *die Entlassung solcher Angestellten;* Wemfall: *mit solchen Angestellten;* Wenfall: *für solche Angestellte* oder *Angestellten.* **b)** Probleme bereiten auch die Formen des nach *solche* folgenden Eigenschaftswortes oder Mittelwortes, das sich auf ein sich anschließendes Hauptwort bezieht. Auch hier treten in manchen Fällen zwei Formen auf. In der Einzahl: Werfall: *solcher nette Mann, solche nette Frau, solches nette Kind;* Wesfall: *die Isolierung solchen netten Mannes, solcher netten* oder *netter Frau, solchen netten Kindes; mit solchem netten* oder *nettem Mann, mit solcher netten* oder *netter Frau, mit solchem netten* oder *nettem Kind;* Wenfall: *für solchen netten Mann, für solche nette Frau, für solches nette Kind.* In der Mehrzahl: Werfall: *solche netten* (auch: *nette*) *Männer, Frauen, Kinder;* Wesfall: *die Meinung solcher netten* (auch: *netter*) *Männer, Frauen, Kinder; mit solchen netten Männern, Frauen, Kindern; für solche netten* (auch: *nette*) *Männer, Frauen, Kinder.*

sollen: **1. sollen oder gesollt:** Steht vor dem Zeitwort *sollen* ein anderes Zeitwort in der Grundform (im Infinitiv), dann wird die Form *sollen* und nicht *gesollt* verwendet: *Er hat kommen sollen* (nicht: *gesollt*). **2. doppelte Ausdrucksweise:** Man sollte vermeiden, *sollen* zusammen mit anderen Wörtern, die eine Aufforderung ausdrücken, zu gebrauchen. Man sage also nicht: *die Aufforderung, sich in Marsch setzen zu sollen,* sondern: *die Aufforderung, sich in Marsch zu setzen.* Auch das Bindewort (die Konjunktion) *damit* zeigt in bestimmten Sätzen bereits an, daß die Aussage eine Aufforderung enthält. Es ist dann überflüssig, noch zusätzlich *sollen* zu verwenden. Also nicht: *Sie gab ihm das Geld, damit er seine Schulden bezahlen solle,* sondern: *..., damit er seine Schulden bezahlt.*

sondern: Vor *sondern* steht immer ein Komma. Es spielt dabei keine Rolle, ob *sondern* zwischen Sätzen oder zwischen

Satzteilen steht: *Sie kommt nicht heute, sondern morgen. Er zahlte nicht in bar, sondern [er] überwies den Betrag.* Was für *sondern* gilt, gilt auch für *nicht nur ..., sondern auch: Sie wollen nicht nur heute, sondern auch morgen ausgehen.*

Sonnabend abend oder **Sonnabendabend:** Siehe Dienstag abend oder Dienstagabend.

Sonntag abend oder **Sonntagabend:** Siehe Dienstag abend oder Dienstagabend.

sonstig: Das auf *sonstig* folgende Eigenschaftswort oder Mittelwort (Partizip) erhält gewöhnlich die gleichen Endungen wie das Wort *sonstig* selbst: *sonstiges überflüssiges Gepäck, sonstiger angenehmer Zeitvertreib.* Es gibt jedoch Ausnahmen. Im Wemfall der Einzahl: *mit sonstigem neuem,* auch: *neuen Material.* Im Wesfall der Mehrzahl: *die Ausnutzung sonstiger freier,* auch: *freien Tage.*

sooft: Ein mit *sooft* eingeleiteter Nebensatz wird immer durch Komma vom Hauptsatz abgetrennt: *Ich freute mich, sooft ich sie sah. Er übernachtete, sooft er hier war, immer bei uns. Sooft ich auch anrief, es war immer besetzt.*

sosehr: Ein mit *sosehr* eingeleiteter Nebensatz wird immer durch Komma vom Hauptsatz abgetrennt: *Ich schaffte es nicht, sosehr ich mich bemühte. Er wollte die Langspielplatte, sosehr sie ihm auch gefiel, wieder umtauschen. Sosehr er auch gekränkt war, er ließ sich nichts anmerken.*

soviel: Ein mit *soviel* eingeleiteter Nebensatz muß immer durch Komma abgetrennt werden: *Soviel ich weiß, kommt er morgen. Sie wollen, soviel mir bekannt ist, bauen. Es ging ihr gut, soviel er sah.*

soweit: Für die Kommasetzung bei *soweit* gelten die bei *soviel* gemachten Angaben.

sowie: **1. Komma:** Im Sinne von „sobald" leitet *sowie* einen Nebensatz ein, der immer durch Komma abgetrennt werden muß: *Sowie er wieder gesund ist, kommt er zu uns zurück. Er kommt, sowie er wieder gesund ist, zu uns zurück.* In der Bedeutung „und, und auch, und außerdem" verbindet *sowie* Glieder einer Aufzählung. Vor *sowie* steht in diesem Fall (ähnlich wie bei *und*) kein Komma: *Zeichnungen und Fotos sowie Fotoalben. Seine Eltern und Geschwister waren gekommen sowie die Eltern seiner Frau.* **2. Der Direktor sowie sein Stellvertreter war/waren**

anwesend: Bei Sätzen dieser Art steht das Zeitwort üblicherweise in der Mehrzahl. Die Einzahl ist jedoch auch möglich und richtig: *Der Direktor sowie sein Stellvertreter waren anwesend,* seltener auch: *war anwesend.* (Das Zeitwort steht aber immer in der Mehrzahl, wenn es heißt: *Der Direktor sowie seine Stellvertreter waren anwesend.*)

sowohl – als auch: **1. Komma:** Wenn *sowohl – als auch* Satzteile verbindet, dann steht vor *als* kein Komma: *Sowohl die Eltern als auch die Kinder waren krank. Die Rede überzeugte sowohl seine Freunde als auch seine Feinde als auch alle anderen Anwesenden.* Ein Komma vor *als auch* wird dann gesetzt, wenn ein Nebensatz vorausgeht: *Er behauptet sowohl, daß er ein guter Stürmer sei, als auch, daß er das Tor hüten könne. Diese Bestimmung gilt sowohl, wenn Gärten neu angelegt, als auch, wenn vorhandene Gärten erweitert werden.* **2. Sowohl seine Frau als auch sein Freund hatte/hatten ihn verlassen:** Bei Sätzen dieser Art steht das Zeitwort üblicherweise in der Mehrzahl. Die Einzahl ist jedoch auch möglich und richtig: *Sowohl seine Frau als auch sein Freund hatten ihn verlassen,* seltener auch: *hatte ihn verlassen.* (Das Zeitwort steht aber immer in der Mehrzahl, wenn es heißt: *Sowohl seine Frau als auch seine Freunde hatten ihn verlassen.*)

spalten: Für den Gebrauch der beiden Formen des Mittelwortes der Vergangenheit (des 2. Partizips) gelten die unter dem Stichwort *gespalten oder gespaltet* gemachten Angaben.

spotten: Das Zeitwort *spotten* wird gewöhnlich mit dem Verhältniswort (der Präposition) *über* verbunden: *Sie spotteten über ihn, über sein Mißgeschick.* Der Anschluß ohne Verhältniswort nur mit dem Wesfall ist sehr gehoben und veraltet allmählich: *Sie spotteten seiner, seines Mißgeschicks.*

ss oder **ß:** Die Regel lautet: An Stelle von *ß* dürfen nicht zwei *s* geschrieben werden. Eine Ausnahme von dieser Regel gibt es nur als Notbehelf, z. B. für den Fall, daß eine Schreibmaschine kein ß-Zeichen hat.

Treffen in einem solchen Fall bei einem Wort 3 s-Buchstaben zusammen, dann darf keiner von ihnen ausgelassen werden: *Reissschiene* (für: *Reißschiene*), *Massstab* (für: *Maßstab*). Wird ein Wort, das ersatzweise mit Doppel-s geschrieben ist, getrennt, dann bleiben die beiden s-Buchstaben immer zusammen: *Grüsse* (für: *Grüße*), getrennt: *Grü-sse, musste* (für: *mußte*), getrennt: *muss-te.*

Wird ein Wort nur in Großbuchstaben geschrieben,

dann tritt das Doppel-s an die Stelle von *ß*, weil ein *ß* als Großbuchstabe nicht existiert: *STRASSE, SCHLOSS, FASS.*
Treffen in einem solchen Fall in einem Wort 3 *S* zusammen, dann kann man einen Bindestrich setzen: *SCHLOSS-STRASSE* statt: *SCHLOSSSTRASSE.*
Könnten durch den Ersatz von *ß* durch Doppel-s (bei Großbuchstabenschreibung) Mißverständnisse auftreten, dann kann an Stelle von *SS* ein *SZ* geschrieben werden: *MASZE* (für: *Maße*) zum Unterschied von *MASSE* (= *Masse*).

statt: Für die Beugung und die Kommasetzung bei *statt* gelten die bei *anstatt* gemachten Angaben.

stattfinden: Das Mittelwort der Vergangenheit (2. Partizip) von *stattfinden* (es lautet *stattgefunden*) kann nicht als Beifügung eines Hauptwortes verwendet werden. Also nicht: *die stattgefundene Versammlung,* sondern: *die Versammlung, die stattgefunden hat.*

statthaben: Für den Gebrauch des Mittelwortes der Vergangenheit (des 2. Partizips) von *statthaben* (es lautet *stattgehabt*) gelten die bei *stattfinden* gemachten Angaben.

stechen: Werden nach *stechen* Person und Körperteil genannt, auf die sich *stechen* bezieht, dann kann die Person im Wemfall oder im Wenfall stehen. Der Wemfall gilt als üblicher: *Die Wespe stach dem Kind in den Arm,* auch: *stach das Kind in den Arm.* Ebenso bei *sich stechen: Ich habe mir in den Finger gestochen,* auch: *mich in den Finger gestochen.* Bei der Wendung *in die Augen stechen* ist nur der Wemfall möglich: *Die schöne alte Uhr stach ihm* (nicht: *ihn*) *gleich in die Augen.*

stehen: Die zusammengesetzten Vergangenheitsformen von *stehen* werden heute im allgemeinen mit *haben* gebildet: *Der Wagen hat in der Garage gestanden. Wir hatten unter einem Baum gestanden.* Im Unterschied dazu ist im süddeutschen Sprachgebiet (auch in Österreich und in der Schweiz) die Bildung dieser Vergangenheitsformen mit *sein* üblich: *Der Wagen ist in der Garage gestanden. Wir waren unter einem Baum gestanden.*

Stellung: Wenn nach Formulierungen wie *die Stellung des Landes, die Stellung dieses Mannes, die Stellung von Direktor Meyer* eine Beifügung mit *als* folgt (*die Stellung des Landes als Handelspartner, die Stellung dieses Mannes als Politiker* usw.), dann ist für die Beugung dieser Beifügung folgendes zu beachten:

Die Stellung des Landes als ...: Folgt nach *als* eine Beifügung mit *der, die, das, ein* usw., dann wird diese üblicherweise in den gleichen Fall gesetzt wie das Wort, auf das sie sich bezieht (hier: *des Landes,* also Wesfall): *Das schadet der Stellung des Landes als des wichtigsten Handelspartners.* Folgt aber die Beifügung nach *als* ohne *der, die, das* usw., so steht sie heute üblicherweise im Werfall: *Das schadet der Stellung des Landes als wichtigster Handelspartner.*
Die Stellung von Direktor Meyer als ...: Ist das auf *Stellung* folgende Hauptwort mit *von* angeschlossen, dann wird die auf *als* folgende Beifügung üblicherweise in den Wemfall gesetzt: *Das gefährdet die Stellung von Direktor Meyer als handelndem Partner/als dem handelnden Partner nicht.* Aber auch hier kann die Beifügung nach *als* gelegentlich in den Werfall gesetzt werden: *Das gefährdet die Stellung von Direktor Meyer als handelnder Partner nicht.*

stempeln: In der Bedeutung „jemanden als etwas Bestimmtes kennzeichnen, ihn in eine bestimmte Kategorie einordnen" wird *stempeln* nur mit *zu* (nicht mit *als*) verbunden: *Man hat ihn zum Lügner* (nicht: *als Lügner*) *gestempelt.* (Bei *jemanden abstempeln* gibt es allerdings beide Möglichkeiten: *Man hat ihn als Lügner* oder: *zum Lügner abgestempelt.*)

Stock: Der 1. Stock eines Gebäudes ist üblicherweise das Geschoß über dem Erdgeschoß. In manchen Landschaften, besonders in Süddeutschland, beginnt dagegen die Zählung der Stockwerke im Erdgeschoß, so daß dort der erste Stock dem Erdgeschoß und der zweite dem ersten Stock entspricht. Dieselbe Uneindeutigkeit besteht bei *einstöckig, zweistöckig, fünfstöckig* usw. Unmißverständlich sind dagegen Bildungen mit *-geschossig* (*eingeschossig, dreigeschossig* usw.), weil *Geschoß* allgemein auch das Parterre und den Keller bezeichnet *(Erd-, Kellergeschoß).*

stolz: Nach *stolz* wird mit dem Verhältniswort (der Präposition) *auf,* nicht mit *über* angeschlossen: *Er war stolz auf* (nicht: *über*) *sie, seinen Besitz.*

stoßen: Werden in Verbindung mit dem Zeitwort *stoßen* Person und Körperteil genannt, auf die sich *stoßen* bezieht, dann kann die Person im Wemfall oder im Wenfall stehen. Der Wemfall steht vor allem dann, wenn ein unbeabsichtigter Stoß gemeint ist: *Er stieß mir gegen die Hüfte.* Der Wenfall wird eher gewählt, um einen absichtlichen Stoß zu kennzeichnen: *Er stieß seinen Freund in die*

Seite. Wenn als Verursacher nicht eine Person, sondern eine Sache genannt wird, dann ist nur der Wemfall üblich: *Die Deichsel stieß ihm gegen die Brust.*

Straßennamen: Die Rechtschreibung der Straßennamen ist seit langem in bestimmten Regeln festgelegt. Für alle Typen von Straßennamen gibt es verbindliche Vorschriften.
1. Großschreibung: Das erste Wort eines Straßennamens wird groß geschrieben. Ebenso werden Eigenschaftswörter und Zahlwörter als Teil von Straßennamen groß geschrieben. Geschlechtswörter (Artikel) oder Verhältniswörter (Präpositionen) jedoch nur, wenn sie am Anfang stehen: *Breite Straße, Lange Gasse, In der Mittleren Holdergasse, Am Warmen Damm, An den Drei Pfählen, Weg beim Jäger.* **2. Zusammenschreibung:** Zusammen schreibt man Straßennamen aus einem Hauptwort (auch einem Namen) und einem für Straßennamen typischen Wort wie: *Straße, Gasse, Weg, Platz, Allee, Ring, Chaussee, Damm, Promenade, Ufer* u. a.: *Schloßstraße, Seilergasse, Bismarckplatz* usw. Zusammen schreibt man auch Straßennamen, bei denen der erste Wortbestandteil ein Ortsname, ein Völkername oder ein Personenname ist, der auf *-er* ausgeht: *Marienwerderstraße, Römerwall, Baumgärtnerplatz.* (Man schreibt jedoch getrennt, wenn bei einem Straßennamen der erste Bestandteil ein von einem Orts- oder Ländernamen abgeleitetes Wort ist, das auf -er ausgeht: *Berliner Platz, Bad Nauheimer Weg.*) Zusammen schreibt man auch, wenn der erste Wortbestandteil des Straßennamens aus einem ungebeugten Eigenschaftswort besteht: *Altmarkt, Neumarkt, Hochstraße.* **3. Schreibung mit Bindestrich:** Bei einem Straßennamen, dessen erster Bestandteil aus mehreren Wörtern besteht, werden alle Wörter durch Bindestriche gekoppelt: *Albrecht-Dürer-Straße, John-F.-Kennedy-Platz, Bad-Kissingen-Straße.*

Strauß: Nach dem Wort *Strauß* steht die Angabe dessen, woraus der Strauß besteht (z. B. *Rosen, Flieder*), meist im selben Fall wie das Wort *Strauß* selbst: *ein Strauß [weißer] Flieder, mit drei Sträußen weißem Flieder.* Gelegentlich in gehobener Ausdrucksweise auch mit dem Wesfall: *ein Strauß weißen Flieders, mit drei Sträußen weißen Flieders.* Nur wenn die Angabe dessen, woraus der Strauß besteht, in der Mehrzahl steht, wird häufiger auch der Wesfall gebraucht: *ein Strauß rote Rosen* neben: *ein Strauß roter Rosen.* Im Wemfall der Mehrzahl gibt es sogar drei Möglichkeiten: *von einem Strauß roter Rosen* oder *von einem Strauß rote Rosen,* seltener auch: *von einem Strauß roten Rosen.*

Streckformen: Vergleiche den Artikel „Hauptwortstil".

Stück: **1. Stück oder Stücke:** Wird *Stück* als Mengenangabe gebraucht, so bleibt es (besonders in Verbindung mit Zahlen) in der Mehrzahl oft ungebeugt: *drei Stück* oder *Stücke Zucker; fünf Stück* oder *Stücke Seife.* Die Mehrzahlform *die Stücker* ist landschaftlich und umgangssprachlich. Auch die Ausdrucksweise *Stücker zehn* für „ungefähr zehn" gehört der Umgangssprache an. **2. Beugung nach *Stück:*** Nach *Stück* als Mengenangabe (z. B. *drei Stück*) steht das, was als Menge angegeben wird (z. B. *Kuchen, Seife*), meist im selben Fall wie die Mengenangabe *Stück* selbst: *ein Stück [frischer] Kuchen, bei einem Stück frischem Kuchen, für ein Stück frischen Kuchen.* Gelegentlich in gehobener Ausdrucksweise auch mit dem Wesfall: *ein Stück frischen Kuchens, bei einem Stück frischen Kuchens, für ein Stück frischen Kuchens.* Steht die Mengenangabe *Stück* selbst im Wesfall, so heißt es: *der Preis eines Stücks Kuchen* oder *der Preis eines Stück Kuchens,* aber (mit einem beigefügten Eigenschaftswort): *der Preis eines Stücks frischen Kuchens.*

suchen: Wenn das Zeitwort *suchen* im Sinne von „versuchen" mit der erweiterten Grundform (dem erweiterten Infinitiv) eines anderen Zeitworts verbunden ist (z. B. *zu schaden*), dann wird kein Komma gesetzt: *Sie suchten mir überall zu schaden* (hier ist *suchen* Hilfszeitwort). Tritt aber zu *suchen* eine nähere Bestimmung, eine Ergänzung, dann muß das Komma stehen: *Sie suchten vergeblich, mir zu schaden.*

T

tadeln: An *tadeln* wird gewöhnlich mit den Verhältniswörtern (Präpositionen) *wegen* und *für,* selten auch mit *um ... willen* angeschlossen: *Man tadelte ihn wegen seiner Faulheit* oder *für seine Faulheit,* selten auch: *um seiner Faulheit willen.*

tagen: Das Mittelwort der Vergangenheit (2. Partizip) von *tagen* (es lautet *getagt*) kann nicht als Beifügung eines Hauptwortes verwendet werden. Also nicht: *die im April getagte Versammlung,* sondern: *die Versammlung, die im April getagt hat.*

Tasse: Nach *Tasse* als Mengenangabe steht das, was als Menge angegeben wird (z. B. *Kaffee*), meist im selben Fall wie die Mengenangabe *Tasse* selbst: *eine Tasse [starker] Kaffee, mit einer Tasse starkem Kaffee, für eine Tasse starken Kaffee.* Möglich wäre auch eine Angabe im Wesfall (*eine Tasse starken Kaffees, mit einer Tasse starken Kaffees* usw.). Dieser Wesfall klingt jedoch sehr gehoben und wird seltener gebraucht.

Teil: Von den beiden Formen *ein Teil Äpfel lag auf der Erde* oder *lagen auf der Erde* wird im allgemeinen die Einzahl des Zeitworts bevorzugt (man bezieht es auf *Teil*): *Ein Teil Äpfel lag auf der Erde, ist schon gefault, wurde verkauft.* Gelegentlich wird jedoch das Zeitwort nicht auf *Teil,* sondern auf die genannten Dinge bezogen und in die Mehrzahl gesetzt (d. h., man konstruiert nach dem Sinn): *Ein Teil [der] Äpfel lagen auf der Erde, sind schon gefault, wurden verkauft.* Beide Möglichkeiten sind korrekt.

teilnehmen: Das Mittelwort der Vergangenheit (2. Partizip) von *teilnehmen* (es lautet *teilgenommen*) kann nicht als Beifügung eines Hauptwortes verwendet werden. Also nicht: *das an der Versammlung teilgenommene Mitglied,* sondern: *das Mitglied, das an der Versammlung teilgenommen hat.*

teils – teils: **1. Komma:** Vor dem zweiten *teils* steht immer ein Komma, gleichgültig, ob *teils - teils* Satzteile oder Sätze miteinander verbindet: *Sie verbrachten ihre Ferien teils in Frankreich, teils in Italien. Die Schüler waren teils Einheimische, teils kamen sie als Fahrschüler aus den Nachbarorten.* **2. Teils seine Herkunft, teils sein Einfluß hatte/hatten ihm seine Stellung verschafft:** Bei Sätzen dieser Art steht das Zeitwort gewöhnlich in der Einzahl, die Mehrzahl ist aber auch möglich: *Teils seine Herkunft, teils sein Einfluß hatte,* selten auch: *hatten ihm seine Stellung verschafft.* (Das Zeitwort steht aber immer in der Mehrzahl, wenn es heißt: *Teils seine Herkunft, teils seine Beziehungen hatten ihm seine Stellung verschafft.*)

titulieren: Ein mit dem Zeitwort *titulieren* unmittelbar oder durch die Verhältniswörter (Präpositionen) *mit* oder *als* verbundenes Hauptwort bleibt ungebeugt, d. h. unverändert: *Die Schüler mußten ihn Herr Doktor, mit Herr Doktor titulieren. Sie hat mich „Schurke", als „Schurke", mit „Schurke" tituliert.*

Tonne: Wird *Tonne* als Maßbezeichnung gebraucht, dann wird die darauf folgende Angabe, wenn sie in der Einzahl steht, in folgender Weise gebeugt: *eine Tonne Teer* (nicht: *eine Tonne Teers*), wenn ein Eigenschaftswort dabeisteht: *eine Tonne flüssiger Teer, mit drei Tonnen flüssigem Teer.* Gelegentlich in gehobener Ausdrucksweise auch mit dem Wesfall: *eine Tonne flüssigen Teers, mit drei Tonnen flüssigen Teers.* Steht die Angabe dessen, was als Menge genannt wird, in der Mehrzahl, dann kann sie, wenn *Tonne* im Wemfall steht, in folgender Weise gebeugt sein: *mit einer Tonne gesalzener Heringe* oder *gesalzene Heringe,* seltener: *gesalzenen Heringen.*

treten: Werden nach *treten* in der Bedeutung „mit dem Fuß treffen" die betroffene Person und der betroffene Körperteil genannt, dann kann die Person im Wemfall oder auch im Wenfall stehen: *Er hat mir auf den Fuß getreten.* Oder: *Er hat mich auf den Fuß getreten.* Der Wemfall *(mir)* gilt als üblicher. Dabei kann es neben *Er hat mir auf den Fuß getreten* auch heißen: *Er ist mir auf den Fuß getreten.*

Tropfen: Steht das Hauptwort *Tropfen* als Maßbezeichnung, dann wird die Angabe dessen, was gemessen wird, gewöhnlich in den gleichen Fall gesetzt wie *Tropfen* selbst: *zwei Tropfen Öl* (nicht: *zwei Tropfen Öls*), *zwei Tropfen reines Öl, mit zwei Tropfen reinem Öl.* Steht ein Eigenschaftswort dabei *(reines Öl),* dann kann in gehobener Ausdrucksweise auch der Wesfall stehen: *zwei Tropfen reinen Öls, mit zwei Tropfen reinen Öls.*

trotz: Nach *trotz* steht heute gewöhnlich der Wesfall: *Sie gingen trotz des Regens spazieren.* In Süddeutschland, Österreich und der Schweiz wird *trotz* noch häufig mit dem Wemfall verbunden: *Sie gingen trotz dem Regen spazieren.* Der Wemfall an Stelle des Wesfalls wird auch noch dann gebraucht, wenn das auf *trotz* folgende Hauptwort kein *der, die* oder *das* bei sich hat: *trotz vielem Abfall* neben: *trotz vielen Abfalls.* Ebenfalls steht der Wemfall, wenn sich der Wesfall eines Hauptworts in der Mehrzahl nicht vom Werfall und Wenfall unterscheidet. Es heißt dann: *trotz Beweisen* (statt: *trotz Beweise*), *trotz Büchern* (statt: *trotz Bücher*).

Trupp: **1. Ein Trupp Soldaten zog/zogen durch die Straßen:** Nach dem Hauptwort *Trupp* steht das folgende Zeitwort gewöhnlich in der Einzahl: *Ein Trupp Soldaten zog durch die Straßen.* Auch die Mehrzahl des Zeitworts ist richtig, sie ist jedoch weniger üblich: *Ein Trupp Soldaten zogen durch die Straßen.* **2. ein Trupp junger Soldaten/junge Soldaten:** Üblicherweise steht die nach *Trupp* folgende Angabe im Wesfall: *ein Trupp junger Soldaten.* Es ist jedoch auch möglich, die auf *Trupp* folgende Angabe in den gleichen Fall zu setzen, den das Wort *Trupp* selbst aufweist: *ein Trupp junge Soldaten; die letzten eines Trupps wandernder Jugendlicher; sie gingen mit einem Trupp Gefangenen.* Beide Möglichkeiten sind korrekt.

tun: *Sie tut gerade schreiben. Wir tun das noch bezahlen.* Sätze dieser Art, in die das Zeitwort *tun* zusätzlich zum eigentlichen Zeitwort *(schreiben, bezahlen)* eingebaut ist, gehören der Umgangssprache an. Sie gelten als nicht korrekt. Richtig ist nur: *Sie schreibt gerade. Wir bezahlen das noch.*

U

über: **1. Kinder über 10 Jahre:** Nach *über* steht in den folgenden Beispielen der Wenfall: *Der Gesundheitszustand der Kinder über 10 Jahre* (nicht: *über 10 Jahren*) *war im allgemeinen gut. Die Steuern von Gemeinden über 10 000 Einwohner* (nicht: *über 10 000 Einwohnern*) *werden erhöht.* Wenn *über* nicht als Verhältniswort (Präposition), sondern als Umstandswort (Adverb) im Sinne von „mehr als" gebraucht wird, hat es keinen Einfluß auf die Beugung des folgenden Hauptworts *(Jahre, Einwohner, Teilnehmer): Die Kinder sind über* (= mehr als) *10 Jahre alt. Die Gemeinden haben über 10 000 Einwohner. Wir rechnen mit über* (= mehr als) *100 Teilnehmern.* **2. Gemeinden von über 10 000 Einwohnern:** Bei der Konstruktion *von über + Zahl* steht das darauffolgende Hauptwort immer im Wemfall (der von dem Verhältniswort *von* abhängt): *Gemeinden von über 10 000 Einwohnern* (nicht: *von über 10 000 Einwohner*).

über was oder **worüber:** Vor allem in der gesprochenen Sprache wird heute *worüber* häufig durch *über was* ersetzt: *Über was hat er gesprochen? Ich weiß nicht, über was sie gestolpert ist.* Die Verbindung *über was* ist jedoch umgangssprachlich gefärbt; stilistisch besser ist *worüber: Worüber hat er gesprochen? Ich weiß nicht, worüber sie gestolpert ist.*

überdrüssig: Die Verbindung *überdrüssig sein* wird gewöhnlich mit dem Wesfall einer Person oder Sache verbunden: *Sie war seiner, des Lebens, ihrer Lügen überdrüssig.* Weniger gehoben klingend, aber seltener im Gebrauch ist die Verbindung mit dem Wenfall, der heute auch als korrekt gilt: *Sie war ihn, das Leben, ihre Lügen überdrüssig.*

überlange Zusammensetzungen: Vor allem in der Amtssprache und in der Sprache der Technik besteht die Neigung, einen Sachverhalt mit möglichst wenig Worten wiederzugeben. Das führt dann dazu, daß man längere Fügungen in einem Wort zusammenfaßt. Dabei entstehen bisweilen überlange Zusammensetzungen, die nur schwer zu überblicken und kaum zu verstehen sind. Man sollte unübersichtliche und unschöne Bildungen dieser Art vermeiden: *Treibstoffstandschauzeichen* (besser: *Schauzeichen für den Treibstoffstand*), *Geräteunterhaltungsnachweis, Teilzahlungsfinanzierungsinstitut, Reiserücktrittskostenversicherung, Treibstoffzufuhrregulierung, Neugeborenenintensiveinheit* usw.

um was oder **worum:** Vor allem in der gesprochenen Sprache wird heute *worum* häufig durch *um was* ersetzt: *Um was handelt es sich? Ich frage mich, um was sie streiten.* Die Verbindung *um was* ist jedoch umgangssprachlich gefärbt; stilistisch besser ist *worum: Worum handelt es sich? Ich frage mich, worum sie streiten.*

um zu: **1. Komma:** Vor *um zu* steht immer ein Komma: *Er kam, um zu helfen. Er kam, um aufzuräumen. Er kam, um bei der Arbeit zu helfen.* **2. Falscher Anschluß nach *um zu:*** Eine mit *um zu* an einen Hauptsatz angeschlossene Aussage sollte sich immer auf den Satzgegenstand (das Subjekt) dieses Hauptsatzes beziehen. Dies wird häufig nicht beachtet. Es entstehen dann stilistisch sehr unschöne Sätze, die oft auch mißverständlich oder von unfreiwilliger Komik sind. Nicht möglich ist etwa folgender Satz: *Die Ernährung der Kühe ist nicht gut genug, um ausreichend Milch zu geben.* Der Satzgegenstand des Hauptsatzes, auf den sich die mit *um zu* angeschlossene Aussage beziehen soll, ist hier *die Ernährung (der Kühe),* gemeint sind aber natürlich *die Kühe* selbst; also muß man anders formulieren, etwa in folgender Weise: *Die Kühe werden nicht gut genug ernährt, um ausreichend Milch zu geben.* Nun ist das Hauptwort *die Kühe* der Satzgegenstand, und die mit *um zu* angeschlossene Aussage bezieht sich inhaltlich darauf. Ein anderes Beispiel: *Der Boden ist nicht gut genug, um gutes Tennis zu spielen.* In diesem Fall könnte die mit *um zu* angeschlossene Aussage so geändert werden, daß sie sich auf den Satzgegenstand des Hauptsatzes bezieht, etwa so: *Der Boden ist nicht gut genug, um gutes Tennisspielen zu ermöglichen.* Ähnlich verhält es sich bei folgendem Beispiel: *Er gab den Kindern reichlich zu essen, um satt zu werden.* Der Satz könnte richtig etwa lauten: *Er gab den Kindern reichlich zu essen, um sie zu sättigen.* Oft ist es auch geraten, die Konstruktion mit *um zu* aufzugeben und anders zu formulieren: *Er gab den Kindern reichlich zu essen, da-*

mit sie satt wurden oder: *so daß sie satt wurden.* Besondere Vorsicht ist dann geboten, wenn Mißverständnisse entstehen können. Ein Satz wie: *Der Vater schickte seinen Sohn, um den Streit zu schlichten* läßt zwei Deutungen zu. Die entsprechenden eindeutigen Formulierungen könnten sein: *Der Vater schickte seinen Sohn, um durch ihn den Streit schlichten zu lassen.* Oder: *Der Vater schickte seinen Sohn, um dadurch den Streit zu schlichten.* Im ersten Fall schlichtet der Sohn, im zweiten der Vater den Streit.

und:

1. ... und danken wir Ihnen herzlich: Die früher besonders in der Amtssprache und in der Kaufmannssprache gebräuchliche Umstellung von Satzaussage (Prädikat) und Satzgegenstand (Subjekt) nach *und* ist heute nicht mehr üblich. Also nicht: *Wir senden die uns von Ihnen zur Verfügung gestellten Unterlagen zurück, und danken wir Ihnen herzlich.* Richtig: *..., und wir danken Ihnen herzlich.* Oder: *... und danken Ihnen herzlich.* **2. Vater und Mutter gingen/ging spazieren:** Verbindet das *und* Hauptwörter in der Einzahl, dann steht das folgende Zeitwort in der Mehrzahl: *Vater und Mutter gingen* (nicht: *ging*) *spazieren. Das Haus, die Scheune und der Stall waren* (nicht: *war*) *ein Raub der Flammen.* Bei formelhaften Fügungen wie: *Grund und Boden, Zeit und Geld, Freund und Feind* kann das Zeitwort jedoch sowohl in der Einzahl wie auch in der Mehrzahl stehen: *Grund und Boden durfte* (auch: *durften*) *nicht verkauft werden. Zeit und Geld fehlt* (auch: *fehlen*) *ihm,* ebenso: *Es fehlt* (auch: *fehlen*) *ihm Zeit und Geld.* Bei zwei oder mehr durch *und* verbundenen Grundformen (Infinitiven) wird das Zeitwort gewöhnlich in die Einzahl gesetzt: *Lautes Singen und Lachen war zu hören.* Ist den durch *und* verbundenen Hauptwörtern *kein, jeder* oder *mancher* vorangestellt, dann steht das Zeitwort gewöhnlich in der Einzahl (die Mehrzahl gilt jedoch auch als richtig): *Jeder Mann und jede Frau sollte* (seltener: *sollten*) *das wissen. Mancher Lehrer und mancher Schüler lehnt* (seltener: *lehnen*) *das ab.* **3. Komma:** Von der Grundregel, daß vor *und* kein Komma steht, gibt es drei Ausnahmen. Vor *und* steht ein Komma: a) Wenn *und* zwischen zwei vollständigen Hauptsätzen steht: *Es dauert nur eine halbe Stunde, und wir können anfangen. Schreibe den Brief, und bringe ihn gleich zur Post! Wie geht es Anna, und wofür hat sie sich nun entschieden?* b) Wenn dem *und* ein Einschub vorangeht: *Karl, der Älteste, und einer seiner Brüder waren gekommen. Wir mußten das Auto stehenlassen, weil die Achse gebrochen war, und zu Fuß nach Hause gehen. Wir hoffen, Ihnen hiermit gedient zu haben, und grüßen Sie freundlich.* c) Wenn *und* einen Nebensatz einleitet, der von einem nachfolgenden Hauptsatz abhängt: *Wir spielten Tennis, und wenn es regnete, gingen wir ins Hallenbad.*

und zwar: Eine mit *und zwar* angekündigte genauere Bestimmung wird immer durch Komma abgetrennt: *Ich werde kommen, und zwar am Samstag. Er war verletzt, und zwar schwer. Ich werde am Sonntag, und zwar schon sehr früh, von hier wegfahren.*

unentgeltlich: Dieses Eigenschaftswort ist nicht von *Geld*, sondern von *Entgelt* abgeleitet. Es wird daher mit *t* geschrieben: *unentgeltlich.*

uni: Diese Farbbezeichnung wird in korrektem Deutsch nicht gebeugt, also: *ein uni Kleid, aus einem uni Stoff.* Wer diese Form nicht verwenden will, kann ausweichen auf die Zusammensetzung mit *-farben: ein unifarbenes Kleid, aus einem unifarbenen Stoff.*

Unkosten: Bei dem Hauptwort *Unkosten* hat die Vorsilbe *Un-* nicht, wie gelegentlich fälschlicherweise angenommen wird, verneinenden Sinn (wie etwa bei den Wörtern *Undank, Unvermögen, Untreue, Ungehorsam*). Die Vorsilbe *Un-* wird hier vielmehr verstärkend gebraucht (ähnlich wie bei den Wörtern *Ungewitter, Unmenge, Unzahl* u. ä.). Früher bedeutete *Unkosten* soviel wie „ärgerliche, belastende Kosten". Heute ist der Bedeutungsunterschied zu *Kosten* nicht mehr sehr groß. Man gebraucht das Wort *Unkosten* jedoch vorwiegend dann, wenn es sich um unvorhergesehene Geldausgaben handelt, die neben den normalen Lebenshaltungskosten entstehen: *Durch seinen Unfall sind ihm erhebliche Unkosten entstanden. Sie hat sich für das Geschenk sehr in Unkosten gestürzt.* In der Geschäftspraxis werden oft die Aufwendungen, die zu den Betriebskosten im engeren Sinn hinzukommen, als *Unkosten* bezeichnet: *Die Reparatur der Büromöbel hat größere Unkosten verursacht. Die Unkosten, die durch den Arbeitsausfall entstanden sind, übernehmen wir.* In der Fachsprache der Betriebswirtschaftslehre ist der Ausdruck *Unkosten* jedoch nicht zulässig, dort wird nur von *Kosten* (Gemeinkosten) gesprochen.

unter: **1. Kinder unter 10 Jahren oder unter 10 Jahre:** Nach *unter* steht in den folgenden Beispielen der Wemfall: *Es waren Kinder unter 10 Jahren* (nicht: *unter 10 Jahre*). *Der Gesundheitszustand der Kinder unter 10 Jahren* (nicht: *unter 10 Jahre*) *war im allgemeinen gut. Die Steuern von Gemeinden unter 10 000 Einwohnern* (nicht: *unter 10 000 Einwohner*) *werden gesenkt.* Anders verhält es sich in Sätzen wie diesen: *Die Kinder sind unter* (= weniger als) *10 Jahre alt. Die Gemeinden haben unter* (= weniger als) *10 000 Einwohner. Wir rechnen mit unter* (= weniger als) *25 Teilnehmern.* Das Wort *unter* in der Bedeutung „weniger als" ist hier nicht Verhältniswort (Präposition), sondern Umstandswort (Adverb). Es hat daher keinen Einfluß auf die Beugung des folgenden Hauptworts *(Jahre, Einwohner, Teilnehmer).* **2. Gemeinden von unter 10 000 Einwohnern:** Bei der Konstruktion *von unter* + Zahl steht das darauffolgende Hauptwort immer im Wemfall (der von dem Verhältniswort *von* abhängt): *Gemeinden von unter 10 000 Einwohnern* (nicht: *von unter 10 000 Einwohner*).

unter was oder **worunter:** Vor allem in der gesprochenen Sprache wird heute *worunter* häufig durch *unter was* ersetzt: *Unter was hast du die Briefe gelegt? Er wußte nicht, unter was er suchen sollte.* Die Verbindung *unter was* ist jedoch umgangssprachlich gefärbt; stilistisch besser ist *worunter: Worunter hast du die Briefe gelegt? Er wußte nicht, worunter er suchen sollte.*

untersagen: Weil das Zeitwort *untersagen* schon verneinenden Sinn hat (= nicht erlauben), darf ein von ihm abhängender Satz nicht zusätzlich verneint werden. Nicht korrekt ist darum: *Der Arzt untersagte ihm, keine Zigaretten zu rauchen.* Richtig: *Der Arzt untersagte ihm, Zigaretten zu rauchen.*

Unterschied: Die Fügungen *im Unterschied zu* und *zum Unterschied von* sind beide korrekt. Nicht richtig ist eine Vermischung beider: *im Unterschied von* oder *zum Unterschied zu.*

unterzeichnen: Nach *sich unterzeichnen als* steht das folgende Hauptwort im Werfall: *Er unterzeichnete sich als Regierender Bürgermeister.* Die Verbindung mit dem Wenfall ist veraltet. Also nicht: *Er unterzeichnete sich als Regierenden Bürgermeister.*

Unterzeichnete, der und die: Derjenige, der einen Geschäftsbrief unterzeichnet hat, ist der *Unterzeichnete,* (als Frau:) *die Unterzeichnete* oder *der Unterzeichner (die Unterzeichnerin).* Nicht korrekt ist: *der* oder *die Unterzeichnende.* Zu den Zusammensetzungen vergleiche unter: *Rechtsunterzeichnete* und *Linksunterzeichnete.*

Untiefe: Das Hauptwort *Untiefe* hat zwei Bedeutungen (entsprechend den zwei Bedeutungen der Silbe *un-*). Einmal bedeutet es „flache Stelle im Wasser" (die Silbe *un-* hat hier verneinenden Sinn wie bei den Wörtern *unhöflich, unecht, Unruhe*). Zum anderen hat es die Bedeutung „sehr große Tiefe" (hier hat *un-* verstärkenden Charakter wie bei den Wörtern *Unmenge, Unmasse, Unkosten*).

unzählig: Ein auf *unzählig* folgendes Eigenschaftswort oder Mittelwort (Partizip) wird (auch wenn es als Hauptwort gebraucht wird) in gleicher Weise gebeugt wie *unzählig* selbst: *unzählige kleine Fehler, unzählige Angestellte, unzählige kleine Mücken; das Leid unzähliger Kranker, das Summen unzähliger kleiner Mücken; mit unzähligen kleinen Mücken.*

V

verbieten: Weil das Zeitwort *verbieten* schon verneinenden Sinn hat (= nicht tun lassen, für nicht erlaubt erklären), darf ein von ihm abhängender Satz nicht zusätzlich verneint werden. Also nicht: *Wir verboten den Kindern, nicht auf der Straße zu spielen.* Richtig heißt es: *Wir verboten den Kindern, auf der Straße zu spielen.*

verbieten oder **verbitten:** Es heißt *etwas verbieten,* aber: *sich etwas verbitten.* Richtig ist darum nur: *Ich verbitte mir* (nicht: *ich verbiete mir*) *das. Ich habe mir diesen Ton verbeten* (nicht: *verboten*).

verdienen: Wenn das Zeitwort *verdienen* mit der erweiterten Grundform (dem erweiterten Infinitiv) eines anderen Zeitwortes verbunden ist (z. B. *zu erwähnen* bzw. *erwähnt zu werden*), dann kann man ein Komma setzen oder es weglassen: *Das verdient an dieser Stelle erwähnt zu werden* (hier ist *verdienen* Hilfszeitwort). Oder: *Das verdient, an dieser Stelle erwähnt zu werden.* Tritt aber zu *verdienen* eine nähere Bestimmung, eine Ergänzung, dann muß das Komma stehen: *Das verdient wirklich, an dieser Stelle erwähnt zu werden.*

Verdienst: **1. der Verdienst und das Verdienst:** Man muß unterscheiden zwischen *Verdienst* als männlichem und als sächlichem Wort. So bedeutet *der Verdienst* „durch eine Tätigkeit erworbenes Einkommen": *Er ist derzeit ohne irgendeinen Verdienst.* Dagegen bedeutet *das Verdienst* „Leistung, die Anerkennung verdient": *Ihre Rettung war das Verdienst des Sanitäters.* **2. seine Verdienste als ...:** Folgt auf *Verdienste* in der Bedeutung „Leistungen, die Anerkennung verdienen“ eine Ergänzung, die mit *als* angeschlossen wird, dann steht diese heute üblicherweise im Werfall: *für seine Verdienste als selbstloser Helfer.* Ist ein auf *Verdienste* folgendes Hauptwort mit *von* angeschlossen *(die Verdienste von Doktor Meyer ...),* dann wird die mit *als* angeschlossene Ergänzung üblicherweise in den Wemfall gesetzt: *die Verdienste von Doktor Meyer als selbstlosem Helfer* oder *als einem selbstlosen Helfer.* Es ist jedoch auch möglich, diese Ergänzung in den Werfall zu setzen: *die Verdienste von Doktor Meyer als selbstloser Helfer.*

vereinzelt: Ein auf *vereinzelt* folgendes Eigenschaftswort oder Mittelwort (Partizip) wird (auch wenn es als Hauptwort gebraucht wird) im allgemeinen in gleicher Weise gebeugt wie *vereinzelt* selbst: *vereinzelte Geschädigte, vereinzelte alte Gebäude, die Wände vereinzelter alter Gebäude, der Protest vereinzelter Geschädigter* (auch noch: *vereinzelter Geschädigten*), *von vereinzelten Geschädigten, an vereinzelten beschädigten Gebäuden.*

vergewissern, sich: An *sich vergewissern* im Sinne von „sich über jemanden oder etwas Sicherheit, Gewißheit verschaffen“ wird das abhängige Hauptwort oder Fürwort (Pronomen) gewöhnlich mit dem Wesfall angeschlossen: *Er wollte sich ihrer, seines Bruders, ihrer Sympathie vergewissern.* Der Anschluß mit dem Verhältniswort (der Präposition) *über* ist auch möglich, aber selten: *Er wollte sich über sie* (nicht: *von ihr*), *über seinen Bruder* (nicht: *von seinem Bruder*), *über ihre Sympathie* (nicht: *von ihrer Sympathie*) *vergewissern.* Der Anschluß mit *von* gilt nicht als korrekt.

verhindern: Weil das Zeitwort *verhindern* schon verneinenden Sinn hat (= nicht geschehen lassen), darf ein von ihm abhängender Satz nicht zusätzlich verneint werden. Nicht korrekt ist darum: *Sie verhinderte, daß er nicht noch mehr trank.* Richtig ist: *Sie verhinderte, daß er noch mehr trank.*

verhüten: Weil das Zeitwort *verhüten* schon verneinenden Sinn hat (= nicht Erwünschtes verhindern), darf ein von ihm abhängender Satz nicht zusätzlich verneint werden. Nicht korrekt ist darum: *Er verhütete gerade noch, daß kein Unglück geschah.* Richtig ist: *Er verhütete gerade noch, daß ein Unglück geschah.*

verkaufen: Die Formen *du verkäufst, er verkäuft* sind nicht hochsprachlich, sondern landschaftlich. Richtig ist: *du verkaufst, er verkauft.*

verlangen: Wenn das Zeitwort *verlangen* mit der erweiterten Grundform (dem erweiterten Infinitiv) eines anderen Zeitwortes verbunden ist (z. B. *zu sprechen*), dann kann man ein Komma setzen oder es weglassen. *Sie verlangte ihren Bruder zu sprechen* (hier ist *verlangen* Hilfszeitwort) oder: *Sie verlangte, ihren Bruder zu sprechen.* Tritt aber zu *verlangen* eine nähere Bestimmung, dann muß das Komma stehen: *Sie verlangte danach, ihren Bruder zu sprechen.*

vermittels, vermittelst: Beide Formen sind korrekt; sie werden mit dem Wesfall verbunden: *vermittels* oder *vermittelst eines Rundschreibens.* Das Wort kommt vor allem in der Amtssprache vor, es besagt nicht mehr als das einfache *mittels.* Man sollte es besser vermeiden. Meist kann man statt dessen *mit, mit Hilfe von* oder *durch* verwenden.

verschieden: Wenn *verschieden* im Sinne von „mehrere, manche" gebraucht wird, dann erhält das folgende Eigenschaftswort oder Mittelwort (Partizip) – auch wenn es zum Hauptwort geworden ist – in der Regel die gleichen Endungen wie *verschieden* selbst: *verschiedene neue Bücher, verschiedene zwischen den Parteien bestehende Streitpunkte; als Folge verschiedener übereilter privater* (nicht: *privaten*) *Vorstöße; mit verschiedenen Delegierten; verschiedenes Bekanntes.* Im Wesfall (Mehrzahl) tritt jedoch bei hauptwörtlich gebrauchten Mittelwörtern neben dieser Beugungsart auch die Beugung mit *-en* auf: *der Einspruch verschiedener Delegierter* oder *Delegierten.*

verschließen: Nach *verschließen in* steht überwiegend der Wemfall (Frage: wo?): *Er verschloß das Geschenk sorgfältig in seinem Schreibtisch.* Die Verbindung mit dem Wenfall (Frage: wohin?) ist auch möglich: *Er verschloß das Geschenk sorgfältig in seinen Schreibtisch.*

versprechen: Die Kommasetzung bei dem Zeitwort *versprechen* hängt von seiner Bedeutung ab. Bedeutet *versprechen* „ein Versprechen geben", dann muß ein Komma stehen, wenn eine erweiterte Grundform (ein erweiterter Infinitiv) mit *zu* folgt: *Sie hat versprochen, pünktlich zu sein.* Kein Komma steht dagegen, wenn *versprechen* die Bedeutung „den Anschein haben" hat. *Das Unternehmen verspricht prächtig zu gedeihen.*

verstauen: Nach *verstauen in, auf, unter* usw. steht überwiegend der Wemfall (Frage: wo?): *Sie verstaute das Geschirr in den zwei Kisten.* Die Verbindung mit dem Wenfall (Frage: wohin?) ist auch möglich: *Sie verstaute das Geschirr in die zwei Kisten.*

versuchen: Wenn das Zeitwort *versuchen* mit der erweiterten Grundform (dem erweiterten Infinitiv) eines anderen Zeitwortes verbunden ist (z.B. *zu helfen*), dann kann man ein Komma setzen oder es weglassen: *Er versuchte mir zu helfen* (hier ist *versuchen* Hilfszeitwort). Oder: *Er versuchte, mir zu helfen.* Tritt aber zu *versuchen* eine nähere Bestimmung, dann muß das Komma stehen: *Er versuchte mehrfach, mir zu helfen.*

Vertrauen: An das Hauptwort *Vertrauen* kann mit den Verhältniswörtern (Präpositionen) *auf, in* oder *zu* angeschlossen werden (der Anschluß mit *gegen* kommt gelegentlich vor, ist aber nicht üblich): *Sein Vertrauen auf sie, auf ihre Begabung* oder *in sie, in ihre Begabung* oder *zu ihr, zu ihrer Begabung war sehr groß.* Bei der Verbindung *Vertrauen setzen* wird nur mit *auf* oder *in* angeschlossen: *Er setzte sein ganzes Vertrauen auf sie, auf ihre Aussage* oder *in sie, in ihre Aussage.* Bei der Verbindung *Vertrauen haben* wird fast nur mit *zu* angeschlossen: *Er hatte großes Vertrauen zu ihr, zu ihren Fähigkeiten.*

Verwandte, der und die: Man beugt das Wort in folgender Weise: *der Verwandte, ein Verwandter, zwei Verwandte, die Verwandten, einige Verwandte, alle Verwandten, solche Verwandte* und *solche Verwandten, beide Verwandten* und seltener auch *beide Verwandte; besagtem Verwandten, die Namen entfernter Verwandter.*
Als Beisatz (Apposition): *mir (dir, ihm) als Verwandten* und: *mir (dir, ihm) als Verwandtem; ihr als Verwandten* und: *ihr als Verwandter.*

verwehren: Weil das Zeitwort *verwehren* schon verneinenden Sinn hat (= nicht zu tun erlauben), darf ein von ihm abhängender Satz nicht zusätzlich verneint werden. Also nicht: *Er verwehrte es ihr, nicht in das Zimmer einzutreten.* Richtig heißt es: *Er verwehrte es ihr, in das Zimmer einzutreten.*

verweigern: Weil das Zeitwort *verweigern* schon verneinenden Sinn hat (= nicht gewähren, nicht gestatten), darf ein von ihm abhängender Satz nicht zusätzlich verneint werden. Also nicht: *Er verweigerte mir, nicht an der Sitzung teilzunehmen.* Richtig heißt es: *Er verweigerte mir, an der Sitzung teilzunehmen.*

via: Das Verhältniswort (die Präposition) *via* hat die Bedeutung *über, auf dem Weg über.* Mit ihr wird also nicht ein Reiseziel unmittelbar angegeben, sondern nur eine Station auf dem Weg dorthin genannt. Richtig heißt es deshalb: *Er ist via München nach Wien gereist.*

viel: **1. Rechtschreibung:** Das Wort *viel* wird immer und in allen seinen Formen klein geschrieben: *Das sagen viele; in vielem übereinstimmen; um vieles mehr.* **2. viel oder viele:** Vor einem Hauptwort, das keine Beifügung hat, heißt es in der Einzahl meistens nur *viel: viel Geld, mit viel Geld.* Auch in der Mehrzahl kommt *viel* häufig vor: *mit viel* oder *mit vielen Fehlern; ohne viel* oder *viele Worte zu verlieren* ... Aber im Wesfall nur: *der Lohn vieler Mühen.* **3. Beugung nach *viel:* a)** Die Beugung des folgenden Wortes bereitet oftmals dann Schwierigkeiten, wenn es sich bei diesem Wort um ein Hauptwort handelt, das auf ein Eigenschaftswort oder Mittelwort (Partizip) zurückzuführen ist wie z. B. *das Fremde* (auf *fremd*), *der Verwandte* (auf *verwandt*) usw. In der Einzahl wird folgendermaßen gebeugt: *vieles Fremde, die Beseitigung vieles Fremden, mit vielem Fremden.* In der Mehrzahl treten z. T. zwei Formen auf: *viele Verwandte,* selten: *Verwandten, für viele Verwandte,* selten: *Verwandten.* **b)** Probleme bereiten auch die Formen des nach *viel* (in seiner gebeugten Form, also: *viele, vieles* usw.) folgenden Eigenschaftswortes, das sich auf ein sich anschließendes Hauptwort bezieht. Überwiegend erhält dieses Eigenschaftswort die gleichen Endungen wie *viel* selbst: *vieler unnötiger Ärger, mit vieler natürlicher Anmut, vielen guten Willen zeigen; viele nette Freunde, mit vielen freundlichen Grüßen.* Ausnahmen gibt es jedoch in der Einzahl, wenn im Wer- oder im Wenfall ein sächliches Hauptwort folgt oder wenn im Wemfall ein männliches oder ein sächliches Hauptwort folgt. Hier lauten die Formen: *vieles überflüssige Zögern* (Wer- und Wenfall); *mit vielem guten Willen; mit vielem überflüssigen Zögern.* In der Mehrzahl stellt der Wesfall eine Ausnahme dar. Hier treten zwei Formen auf: *das Überprüfen vieler freundlicher,* seltener: *freundlichen Zuschriften.* Wird jedoch statt gebeugtem *viele, vieles* usw. die endungslose Form *viel* verwendet, hat *viel* keinen Einfluß auf die Beugung des folgenden Eigenschaftswortes: *Viel gutes Reden nutzte nichts (Gutes Reden ...). Viel schöner Schmuck wurde getragen (Schöner Schmuck ...). Mit viel gutem Rat begann er die schwere Aufgabe (Mit gutem Rat ...).*

vieles, was: Ein mit dem Wort *vieles* angekündigter Nebensatz wird mit *was* eingeleitet (nicht mit *das* oder *welches*): *Es gibt noch vieles, was besprochen werden sollte. Vieles wurde besprochen, was nicht nötig gewesen wäre.*

Viertel: **1. Beugung:** Steht dieses Wort im Wemfall (Mehrzahl), dann kann man sowohl die gebeugte *(Vierteln)* als auch die ungebeugte Form *(Viertel)* verwenden: *Die Leistung wurde von drei Vierteln* oder *von drei Viertel der Beschäf-*

tigten erbracht. **2. Ein Viertel der Schüler ist/sind krank:** Folgt der Angabe *ein Viertel* ein Hauptwort in der Einzahl, dann steht auch das Zeitwort in der Einzahl: *Ein Viertel der Klasse ist krank.* Folgt auf *ein Viertel* ein Hauptwort in der Mehrzahl, dann steht das Zeitwort üblicherweise in der Einzahl, es kann jedoch auch in der Mehrzahl stehen: *Ein Viertel der Schüler ist krank,* seltener: *Ein Viertel der Schüler sind krank.* Wenn allerdings die Bruchzahl in der Mehrzahl steht *(drei Viertel),* verwendet man beim Zeitwort gewöhnlich ebenfalls die Mehrzahl, und zwar unabhängig davon, ob das der Bruchzahl folgende Hauptwort in der Mehrzahl oder in der Einzahl steht: *Drei Viertel der Klasse/der Schüler sind krank* (rechtschreibliche Variante: *dreiviertel der Klasse/der Schüler*).

vierteljährig oder **vierteljährlich:** Das Eigenschaftswort *vierteljährig* drückt eine Zeitdauer aus: *eine vierteljährige* (= drei Monate dauernde) *Reise.* Das Eigenschaftswort *vierteljährlich* drückt eine regelmäßige Wiederholung aus: *seine vierteljährlichen* (= alle drei Monate stattfindenden) *Besuche.*

vierzehntägig oder **vierzehntäglich:** Das Eigenschaftswort *vierzehntägig* drückt eine Zeitdauer aus: *ein vierzehntägiger* (= 14 Tage dauernder) *Urlaub.* Das Eigenschaftswort *vierzehntäglich* drückt dagegen eine regelmäßige Wiederholung aus: *unsere vierzehntäglichen* (= alle 14 Tage stattfindenden) *Zusammenkünfte.* Statt *vierzehntäglich* sagt man auch *zweiwöchentlich.*

voll: **1. voll Menschen/voll von Menschen:** Ein auf *voll* folgendes Hauptwort kann auf mehrfache Weise angeschlossen werden. Man kann den Wesfall verwenden: *voll der Menschen, voll des Staunens, voll des Weines.* Diese Ausdrucksweise ist jedoch gehoben und klingt leicht gespreizt. Das Hauptwort kann auch unmittelbar und unverändert an *voll* angeschlossen werden: *voll Menschen, voll Geldscheine; voll Staunen, voll Wein.* Am häufigsten ist jedoch der Anschluß mit *von* und dem Wemfall, wobei gelegentlich *von* weggelassen wird: *voll von Menschen, voll von Geldscheinen, voll Geldscheinen; voll von Staunen, voll [von] gutem Wein.* **2. voller Geldscheine:** Gelegentlich wird auch die erstarrte Form *voller* verwendet. Ein sich anschließendes Hauptwort wird unverändert angeschlossen: *voller Geldscheine, voller Mißtrauen, voller Wein.* Tritt eine Beifügung hinzu, verwendet man eher den Wesfall: *voller zerknitterter Geldscheine, voller tiefen Mißtrauens.* **3. ein Faß voll guten Weines/voll gutem Wein:** Ist *voll* als nachgestellte Beifügung verwendet, steht das folgende Hauptwort im Wesfall oder im

Wemfall: *ein Faß voll guten Weines* (Wesfall) oder: *ein Faß voll gutem Wein* (Wemfall). Will man hier mit *von* anschließen, muß ein Komma gesetzt werden: *ein Faß, voll von gutem Wein.* **4. Steigerung:** Das Wort *voll* gehört zu den Eigenschaftswörtern, die eigentlich bereits einen höchsten Grad ausdrücken und deswegen nicht mehr gesteigert werden sollten. Trotzdem wird es gelegentlich gesteigert: *vollste Diskretion; zu meiner vollsten Zufriedenheit.* Diese Form sollte in gutem Deutsch jedoch dann vermieden werden, wenn sie den bereits höchsten Grad *voll* nur noch verstärkt. Denn diese Verstärkung ist eine stark gefühlsbetonte Ausdrucksweise. Die Steigerungsformen *(voller, vollste)* sind aber dann zu akzeptieren, wenn der Sprecher die Ausgangsform *voll* nicht als höchsten, sondern nur als einen relativ hohen Grad ansieht. Ein Beispiel: *Das Kino ist heute voller als gestern.* Der Satz besagt, daß gestern das Kino zwar voll war, aber nicht voll bis auf den letzten Platz, sondern daß einige Plätze leer geblieben waren. Man sieht *voll* hier also nicht als höchste Stufe an, sondern als Stufe, die noch eine Steigerung zuläßt. Das gleiche gilt oft auch für Ausdrucksweisen wie *zu meiner vollsten Zufriedenheit* (z. B. in Zeugnissen). Man will dadurch ausdrücken, daß *zu meiner vollsten Zufriedenheit* der absolut höchste Grad ist, während *zu meiner vollen Zufriedenheit* dann nur einen relativ hohen Grad bezeichnet.

von: **1. in Namen:** Der Namenzusatz (Adelsprädikat) *von* wird am Satzanfang und in Aneinanderreihungen wie *Von-Humboldt-Straße* groß geschrieben. Wird *von* jedoch abgekürzt, dann wird es am Satzanfang und in Aneinanderreihungen klein geschrieben: *v.-Humboldt-Straße. v. Humboldts Leistungen wurden überall anerkannt.* **2. von – an:** An Stelle der Verbindung *von – an* wird manchmal *von – ab* gebraucht. In gutem Deutsch sollte man das vermeiden. Also: *von da an* (nicht: *ab*), *von Montag an, von frühester Jugend an.* **3. von – bis:** Wird mit der Verbindung *von – bis* die Erstreckung eines Zeitraumes bezeichnet *(Sprechstunde von 8 bis 10 Uhr),* muß *bis* ausgeschrieben werden. Es kann hier nicht das *bis*-Zeichen *(von 8–10 Uhr)* verwendet werden. **4. Beugung nach *von:*** Nach dem Verhältniswort (der Präposition) *von* steht der Wemfall. Hauptwörter in der Mehrzahl, die von diesem Verhältniswort abhängen, haben daher die Endung *-n* (ausgenommen bei *s*-Plural: *von den Autos*): *Verkauf von Möbeln, Einsatz von Landesmitteln; das Verzinken von Drähten.* **5. mehrere Verhältniswörter:** Das Nebeneinanderstellen mehrerer Verhältniswörter (Präpositionen) sollte man aus stilistischen Gründen nach Möglichkeit vermeiden, besonders dann, wenn es mehr als zwei sind. Denn die verschiedenen ineinandergeschachtelten Bezüge erschweren das Verständnis. Außerdem klingen solche Konstruktionen unschön: *der Lärm von mit Eisenstangen beladenen Lkws; das Auftreten von durch Frost verursachten Rissen.* Während man Fügungen mit zwei Verhältniswörtern noch hinnehmen kann, ist das Nebeneinander von drei Verhältniswörtern stilistisch schlecht: *Die Straße wird viel von mit über zehn Tonnen Baumaterial beladenen Lkws befahren.* Man umschreibt in diesen Fällen besser: *Die Straße wird viel von Lkws befahren, die mit Baumaterial von mehr als zehn Tonnen beladen sind.* Üblich sind dagegen die Verbindungen *von über* und *von unter: ein Weg von über zwei Stunden; Städte von unter 100000 Einwohnern.* Der Wemfall *(Stunden; Einwohnern)* ist von dem Wort *von* abhängig, *über* bzw. *unter* übt keinen Einfluß aus. **6. *von* oder Wesfall:** Sehr häufig wird an Stelle eines Hauptwortes im Wesfall eine Konstruktion mit dem Verhältniswort *von* (in Verbindung mit einem Hauptwort im Wemfall) verwendet. Es sind dies Fälle wie: *die Hälfte meines Vermögens* oder *10% des Gewinns.* Dafür sagt man heute auch: *die Hälfte von meinem Vermögen, 10% vom Gewinn.* Noch häufiger wird der Wesfall durch *von* mit dem Wemfall ersetzt, in Fällen wie: *eine Frau intelligenten Aussehens.* Da dies sehr gehoben klingt, sagt man lieber: *eine Frau von intelligentem Aussehen.* Die Neigung, den Wesfall auch dann durch *von* mit dem Wemfall zu ersetzen, wenn durch den Wesfall ein Besitzverhältnis ausgedrückt wird, ist besonders in der Umgangssprache sehr groß. Dies sollte man aber in der Hochsprache vermeiden. In diesen Fällen heißt es richtig: *das Haus meiner Eltern,* nicht: *das Haus von meinen Eltern;* richtig: *das Gefieder der Vögel,* nicht: *das Gefieder von den Vögeln.* In einigen Fällen ist aber auch hier die Konstruktion mit *von* üblich und notwendig, nämlich in Verbindung mit einem Zahlwort oder einem Namen: *der Preis von sechs Häusern; die Museen von München* (statt: *Münchens Museen* oder *die Museen Münchens*); *das Auto von Frau Müller* (statt: *Frau Müllers Auto*). Auf die Konstruktion mit *von* weicht man besonders auch dann aus, wenn man die Aneinanderreihung mehrerer voneinander abhängender Hauptwörter im Wesfall vermeiden will: statt *das Jahr des Todes meines Vaters* besser *das Jahr von meines Vaters Tod.*

von was oder **wovon:** Vor allem in der gesprochenen Sprache wird heute *wovon* häufig durch *von was* ersetzt: *Von was lebt er? Ich weiß nicht, von was er lebt.* Die Verbindung *von was* ist jedoch umgangssprachlich gefärbt; stilistisch besser ist *wovon: Wovon lebt er? Ich weiß nicht, wovon er lebt.*

vorausgesetzt: Wird ein Nebensatz mit *vorausgesetzt* angekündigt, dann steht vor und hinter *vorausgesetzt* ein Komma: *Wir wollen baden gehen, vorausgesetzt, die Sonne scheint.* Auch: *Wir wollen baden gehen, vorausgesetzt, daß die Sonne scheint. Die Strecke läßt sich gut fahren, vorausgesetzt, der Wagen hat Winterreifen.*

Vorbeugung: An das Hauptwort *Vorbeugung,* das zu dem Zeitwort *vorbeugen* gebildet ist, kann die Sache, der vorgebeugt werden soll, nicht im Wesfall angeschlossen werden. Also nicht korrekt: *die Vorbeugung eines Unglücks, einer Krankheit* usw. Möglich ist in solchen Fällen nur ein Anschluß mit *gegen: die Vorbeugung gegen ein Unglück, gegen eine Krankheit* usw.

W

wagen: Wenn das Zeitwort *wagen* mit der erweiterten Grundform (dem erweiterten Infinitiv) eines anderen Zeitwortes verbunden ist (z. B. *anzusprechen*), dann kann man ein Komma setzen oder es weglassen: *Sie wagte ihn anzusprechen* (hier ist *wagen* Hilfszeitwort). Oder: *Sie wagte, ihn anzusprechen.* Tritt aber zu *wagen* eine nähere Bestimmung, dann muß das Komma stehen: *Sie wagte kaum, ihn anzusprechen.*

ward oder **wart:** Die Form *ward* gehört zu *werden,* die Form *wart* dagegen zu *sein.* Die Form *ward (ich ward; er, sie, es ward)* ist kaum noch gebräuchlich, man sagt dafür heute *ich wurde; er, sie, es wurde.* Davon zu unterscheiden ist *ihr wart: Wart ihr gestern im Kino? Während ihr beim Training wart, habe ich eingekauft.*

warnen: Weil das Zeitwort *warnen* schon verneinenden Sinn hat (= raten, etwas nicht zu tun), darf ein von ihm abhängender Satz nicht zusätzlich verneint werden. Nicht korrekt ist darum: *Er warnte ihn, nicht zu schnell zu fahren.* Richtig ist: *Er warnte ihn, zu schnell zu fahren.*

was für ein oder **welcher:** In Fragesätzen sind *was für ein* und *welcher* nicht austauschbar, weil damit nach Unterschiedlichem gefragt wird. Mit *was für ein* wird nach der Beschaffenheit, nach der Art oder dem Merkmal eines Wesens oder Dings gefragt (als kleine Hilfe: Man antwortet auf eine solche Frage mit *ein*): *Was für einen Rock hast du gekauft?*

Einen schwarzen. – Was für ein Buch willst du ihm schenken? Einen Krimi. – Was für eine Schule ist das? Eine Grundschule. In der Mehrzahl heißt es nur *was für* (ohne *ein*): *Was für Blumen sind das? Das sind Lilien* (Antwort ohne *ein*). Auch bei Stoffbezeichnungen heißt es meist nur *was für* (ohne *ein*): *Mit was für Papier arbeitet er? Was für Wein trinkt er am liebsten?* Dagegen fragt *welcher* nach einem einzelnen Wesen oder Ding aus einer jeweiligen Menge; es hat also aussondernden Sinn (als kleine Hilfe: Eine Antwort mit *der, die, das* usw. ist bildbar): *Welches Kleid* (= welches von den Kleidern) *ziehst du an? Das grüne. – Welches Urlaubsziel habt ihr? [Das Urlaubsziel] Tirol.* Die Form *was für welchen* statt *was für einen (Er trinkt Wein. Was für welchen?)* ist landschaftlich und sollte deshalb vermieden werden. Richtig ist: *Er trinkt Wein. Was für einen?*

weder – noch: **1. Komma:** Vor *noch* steht kein Komma, wenn *weder – noch* nur Satzteile verbindet: *Weder er noch sie kann schwimmen.* Ein Komma steht aber, wenn *weder – noch* Sätze verbindet: *Er hat ihm weder beruflich geholfen, noch hat er seine künstlerischen Anlagen gefördert.* Wird ein Teil der Fügung zwei- oder mehrmals genannt (z. B.: *weder er noch sie, noch ihre Schwester*), steht zwischen *noch ..., noch ...* (bzw. zwischen *weder ..., weder ...*) ein Komma. **2. Weder er noch seine Schwester kann/können schwimmen:** Beide Formen sind korrekt. Nach *weder – noch* kann das Zeitwort sowohl in der Einzahl als auch in der Mehrzahl stehen, wenn die nach *weder* und *noch* folgenden Hauptwörter oder Fürwörter in der Einzahl stehen. Steht das nach *noch* folgende Hauptwort oder Fürwort in der Mehrzahl, dann hat auch das Zeitwort die Form der Mehrzahl: *Weder er noch seine Schwestern können schwimmen.*

wegen: **1. Beugung nach *wegen*:** Nach *wegen* steht der Wesfall, wenn das von *wegen* abhängende Hauptwort ein Begleitwort aufweist: *wegen des schlechten Wetters, wegen eines Unfalls, des Kindes wegen; wegen dringender Geschäfte, der Leute wegen.* Steht das abhängige Hauptwort jedoch ohne ein Begleitwort, bleibt es in der Einzahl im allgemeinen ungebeugt, d. h. unverändert: *wegen Umbau* (statt: *wegen Umbaus*), *wegen Karin, wegen Motorschaden.* In der Mehrzahl weicht man dann auf den Wemfall aus, wenn der Wesfall nicht eindeutig erkennbar ist, sondern mit dem Werfall und dem Wenfall übereinstimmt: *wegen Geschäften* (nicht: *Geschäfte;* aber: *wegen dringender Geschäfte*). Der Wemfall wird auch dann gesetzt, wenn man dadurch das Nebeneinanderstehen zweier Hauptwörter im Wesfall vermeiden kann:

wegen meines Bruders neuen Balls, wegen des neuen Balls meines Bruders. Dafür: *wegen meines Bruders neuem Ball.* **2. wegen mir oder meinetwegen:** In gutem Deutsch sagt man heute *meinetwegen: Habt ihr meinetwegen gewartet?* Die Fügung *wegen mir* ist umgangssprachlich. **3. wegen was oder weswegen:** Vor allem in der Umgangssprache wird heute *weswegen* gelegentlich durch *wegen was* ersetzt: *Wegen was regst du dich denn so auf?* Diese Verwendungsweise ist stilistisch unschön. Besser ist *weswegen: Weswegen regst du dich denn so auf?*

Weibliche Titel und Berufsbezeichnungen: Bei den meisten Berufsbezeichnungen und auch bei vielen Titeln für Frauen haben sich die weiblichen Bezeichnungen weitgehend durchgesetzt: *Meine Schwester ist Ärztin. Die Rektorin kam in die Klasse. Sie ist Direktorin. Du als Prokuristin einer großen Firma weißt ... Ich will Redakteurin werden. Sie ist Referentin für Jugendfragen.* Auch: *Sie ist Professorin* (neben: *Professor*) *an der Musikhochschule, Staatssekretärin* (neben: *Staatssekretär*) *im Familienministerium. Die Bundesministerin für das Gesundheitswesen, Frau Dr. Müller, eröffnete die Ausstellung. Die neue Ministerpräsidentin des Landes sprach vor dem Kongreß.* Gelegentlich wird zur Kennzeichnung des Geschlechts einem Titel oder einer Berufsbezeichnung die nähere Bestimmung *weiblich* vorangestellt: *Die weiblichen Zeitungsredakteure verdienen im Durchschitt weniger als ihre männlichen Kollegen. Sie war der erste weibliche Minister, der erste weibliche Ministerpräsident ihres Landes. Die Schule hat jetzt einen weiblichen Direktor. Sie ist einer der wenigen weiblichen Schiedsrichter.*

Für bestimmte Titel und Berufsbezeichnungen haben sich die weiblichen Entsprechungen in der Anrede noch nicht allgemein durchgesetzt. So heißt es üblicherweise *Frau Doktor,* auch meist *Frau Professor* oder oft auch *Frau Minister.* Aber auch in der Anrede werden mehr und mehr die weiblichen Bezeichnungen neben den männlichen gebraucht: *Frau Ministerin* (neben: *Frau Minister*), *Frau Staatssekretärin* (neben: *Frau Staatssekretär*), *Frau Rechtsanwältin* (neben: *Frau Rechtsanwalt*) usw. Nur üblich ist die weibliche Bezeichnung *Frau Kammersängerin.*

Titel oder Berufsbezeichnungen des Mannes auf die Ehefrau zu übertragen ist heute nicht mehr üblich. Man sagt also nicht *Frau Professor, Frau Doktor, Frau Bürgermeister* o. ä., wenn nicht die Frau selbst den Titel trägt oder den entsprechenden Beruf ausübt.

Weihnachten: **1. Geschlecht:** Das endungslose Hauptwort *die Weihnacht* wird gelegentlich neben der üblichen Form *Weihnachten* gebraucht, und zwar vor allem in der religiösen

Sprache. Im allgemeinen wird *Weihnachten* heute als ein sächliches Hauptwort in der Einzahl aufgefaßt: *Hast du ein schönes Weihnachten gehabt?* Es wird jedoch vorwiegend ohne Geschlechtswort (Artikel) verwendet: *Weihnachten ist längst vorbei.* Neben der sächlichen Form in der Einzahl treten zwar noch andere Formen auf, diese sind aber regional begrenzt. In bestimmten formelhaften Wendungen ist allerdings die Mehrzahl allgemein verbreitet: *Fröhliche Weihnachten! Weiße Weihnachten sind zu erwarten.* **2. an/zu Weihnachten:** Der Gebrauch von *an* oder *zu* ist regional verschieden. Während man besonders in Süddeutschland *an Weihnachten* sagt, ist in Norddeutschland und Österreich *zu Weihnachten* gebräuchlich. Beide Ausdrucksweisen sind korrekt.

weil: **1. Komma:** Ein mit *weil* eingeleiteter Nebensatz muß immer durch Komma abgetrennt werden: *Ich helfe ihm, weil er mich braucht. Weil sie sich nicht gemeldet hatte, rief ich bei ihr an.* Ist *weil* Teil einer als Einheit empfundenen Fügung (z. B. *aber weil*), steht das Komma nicht direkt vor *weil,* sondern vor dem ersten Wort der Fügung: *Ich hätte gerne daran teilgenommen, aber weil ich krank war, ging es nicht. Ich möchte mich bedanken, besonders weil ihr so fair wart.* **2. Stellung des Zeitwortes:** Die mit *weil* eingeleiteten Sätze sind Nebensätze. Deshalb muß das Zeitwort wie bei allen mit einem Bindewort (einer Konjunktion) eingeleiteten Nebensätzen am Ende stehen: *Ich kann nicht kommen, weil ich keine Zeit habe. Sie war ärgerlich, weil er nicht gekommen war.* Die besonders in der gesprochenen Sprache vorkommende Voranstellung des Zeitwortes *(Ich kann nicht kommen, weil ich habe keine Zeit. Sie war ärgerlich, weil er war nicht gekommen.)* ist nicht korrekt.

weitere: Ein auf *weitere* folgendes Eigenschaftswort oder Mittelwort (Partizip) erhält (auch wenn es als Hauptwort gebraucht wird) die gleichen Endungen wie *weitere* selbst: *weitere intensive Versuche, die Entlassung weiterer [leitender] Angestellter, weitere Reisende, weiteres wichtiges Material.*

welcher, welche, welches: **1. welches oder welchen:** Es heißt im Wesfall *welches,* wenn das folgende Hauptwort die Endung *-[e]n* hat: *Die Aussage welches Zeugen? Die Unterschrift welches Fürsten?* Hat das Hauptwort im Wesfall jedoch die Endung *-[e]s,* kann es sowohl *welches* als auch *welchen* heißen: *Die politischen Verhältnisse welches* oder *welchen Staates? Welches* oder *welchen Kindes Spielzeug?* **2. der oder welcher:** Im allgemeinen wirkt es schwerfällig, zu sagen: *die Frau, welche ich getroffen habe ...; das Kind, mit wel-*

chem ich sprach ... In gutem Deutsch verwendet man besser *der, die, das* usw.: *die Frau, die ich getroffen habe ...; das Kind, mit dem ich sprach.*

wenig: **1. Rechtschreibung:** Das Wort *wenig* wird immer und in allen seinen Formen klein geschrieben: *dies wenige; einige wenige; weniges genügt; das wenigste, die wenigsten.* **2. wenig oder wenige:** Vor einem Hauptwort, das keine Beifügung hat, heißt es in der Einzahl meistens nur *wenig: wenig Geld, mit wenig Hoffnung.* Auch in der Mehrzahl kommt *wenig* häufig vor: *mit wenig/mit wenigen Aussichten.* Aber im Wesfall der Mehrzahl nur: *das Werk weniger Augenblicke.* **3. Beugung nach *wenig*:** Ein auf *wenig* (in seiner gebeugten Form, also: *wenige, weniges* usw.) folgendes Eigenschaftswort oder Mittelwort (Partizip) erhält (auch wenn es als Hauptwort gebraucht wird) meist die gleichen Endungen wie *wenig* selbst: *weniger echter Schmuck, weniges erlesenes Silber, die Abwesenheit weniger leitender Beamter, wenige Tote.* Eine Ausnahme ist der Wemfall. Folgt hier ein männliches oder sächliches Hauptwort in der Einzahl, lautet die Endung des Eigenschaftswortes nicht *-m,* sondern *-n: mit wenigem guten Willen, nach wenigem kurzen Beraten.* Wird jedoch statt gebeugtem *wenige, weniges* usw. die endungslose Form *wenig* verwendet, hat *wenig* keinen Einfluß auf die Beugung des folgenden Eigenschaftswortes: *wenig gutes Essen* (wie: *gutes Essen*); *mit wenig gutem Willen* (wie: *mit gutem Willen*); *wenig treue Freunde* (wie: *treue Freunde*). Mit der endungslosen Form und der Form mit Endung werden häufig unterschiedliche Aussagen gemacht: In dem Satz *Er hat wenig erfahrene Mitarbeiter* kann *wenig* eine Beifügung zu *erfahren* sein und bedeutet dann „nicht sehr, in geringem Maße". Heißt es aber *Er hat wenige erfahrene Mitarbeiter,* dann ist *wenige* eine Beifügung zu *Mitarbeiter.* Es wird in diesem Fall etwas über die Zahl der Mitarbeiter ausgesagt.

weniger als: Wenn die Angabe nach *weniger als* in der Mehrzahl steht, dann kann das zugehörige Zeitwort in der Einzahl oder in der Mehrzahl stehen; die Mehrzahl wird im allgemeinen bevorzugt: *In dem riesigen Werk wird,* häufiger: *werden weniger als 300 Autos produziert.*

weniges, was: Ein mit dem Wort *weniges* angekündigter Nebensatz wird mit *was* eingeleitet (nicht mit *das*): *Auf der Ausstellung gab es nur weniges zu sehen, was bei den Besuchern größeres Interesse fand.*

wenn: Ein mit *wenn* eingeleiteter Nebensatz wird durch Komma abgetrennt: *Ich komme, wenn du mich brauchst. Wenn* *du mich brauchst, komme ich. Ich komme, wenn du mich brauchst, sofort zu dir.* Unvollständige Nebensätze aber, die mit *wenn* eingeleitet sind, wirken oft formelhaft und brauchen dann nicht durch Komma abgetrennt zu werden: *Ich werde wenn möglich kommen. Ich werde wenn nötig eingreifen.*

werde oder **würde:** Beide Formen sind Möglichkeitsformen (Konjunktive). Die Form *werde* steht vor allem in der indirekten Rede: *Sie sagte, sie werde morgen kommen. Sie fragte, ob er morgen kommen werde.* Auch *würde* kann in der indirekten Rede stehen, einmal, wenn *werde* nicht eindeutig als Möglichkeitsform erkennbar ist, d. h., wenn es in dem jeweiligen Satz mit der Wirklichkeitsform (dem Indikativ) übereinstimmt: *Ich sagte, ich würde* (für nicht eindeutiges *werde*) *bald fertig.* Zum andern steht *würde* statt *werde,* wenn dem Sprecher das, was er berichtet, nicht glaubhaft erscheint: *Sie sagte, sie würde morgen kommen.* Sonst steht *würde* vor allem in Bedingungssätzen: *Wenn man ihn rufen würde, käme er sofort.*

werden oder **sein:** Es heißt richtig: *Die Mitglieder werden* (nicht: *sind*) *gebeten, pünktlich zu erscheinen.*

wert: Nach der Verbindung *wert sein* kann das abhängende Hauptwort oder Fürwort (Pronomen) im Wenfall oder im Wesfall stehen. Es ergeben sich dabei unterschiedliche Bedeutungen: Der Wenfall steht, wenn ausgedrückt werden soll, daß etwas einen bestimmten Wert hat, daß sich etwas lohnt: *Das Auto ist diesen Preis wert. Die Veranstaltung ist diesen Aufwand nicht wert.* Der Wesfall steht dann, wenn *wert* in der Bedeutung „würdig" gebraucht wird: *Das Thema wäre einer näheren Betrachtung wert. Das ist nicht der Erwähnung wert.*

wider oder **wieder:** Die Wörter *wider* und *wieder* dürfen nicht miteinander verwechselt werden. So ist *wider* ein Verhältniswort (eine Präposition) und bedeutet „gegen". Nach diesem Verhältniswort folgt ein Hauptwort im Wenfall: *wider besseres Wissen, wider alle Vernunft, wider die Gesetze handeln, wider Erwarten.* Demgegenüber ist *wieder* ein Umstandswort (Adverb) und bedeutet „nochmals" oder „zurück zum früheren Zustand". *Wir fahren wieder nach Italien. Er stand sofort wieder auf.*

widerhallen: Die Formen von Gegenwart und Vergangenheit dieses Zeitworts sind: *hallt wider, hallte wider* und ebenso: *widerhallt, widerhallte. Ihre Schritte hallen, hallten in dem leeren Raum wider.* Oder: *Ihre Schritte widerhallen, widerhallten in dem leeren Raum.*

widerspiegeln: Die Formen von Gegenwart und Vergangenheit dieses Zeitwortes sind: *spiegelt wider, spiegelte wider.* Seltener, aber auch richtig sind die nicht getrennten Formen: *widerspiegelt, widerspiegelte: Sein Gesicht spiegelt, spiegelte die Freude wider.* Seltener: *Sein Gesicht widerspiegelt, widerspiegelte die Freude.*

wie: **1. Komma:** Vor *wie* steht kein Komma, wenn nur Wörter miteinander verbunden sind: *Michael ist nicht so stark wie Thomas. Ich bin nicht so begeistert wie er.* Man kann jedoch ein Komma setzen, wenn nach *wie* mehrere Erläuterungen folgen: *In anderen Ländern, wie Chile, Bolivien und Venezuela, ist von dieser Entwicklung noch nichts zu merken* oder: *In anderen Ländern wie Chile, Bolivien und Venezuela ist von ...* Vor *wie* muß ein Komma stehen, wenn nach *wie* ein vollständiger Satz folgt: *Es kam alles so, wie ich es vorausgesagt hatte. Das klingt, wie eine Harfe klingt.* Folgt jedoch ein unvollständiger (oft schon formelhaft wirkender) Nebensatz, braucht kein Komma gesetzt zu werden: *Ich habe wie gesagt keine Zeit* oder: *Ich habe, wie gesagt, keine Zeit* (= wie ich schon gesagt habe). Ähnliche Beispiele: *Seine Darlegungen endeten wie folgt. Er ging wie gewöhnlich um 10 Uhr ins Bett.* **2. jemanden wie ein Schurke/einen Schurken behandeln:** In einem Satz wie *Er behandelte seinen Gegner wie ein Schurke* steht *Schurke* im gleichen Fall wie *er;* das Wort, auf das sich *Schurke* bezieht, ist hier also *er.* Lautet der Satz aber *Er behandelte seinen Gegner wie einen Schurken,* steht *Schurke* im gleichen Fall wie *sein Gegner;* das Wort, auf das sich *Schurke* bezieht, ist hier also *Gegner.* Welche Form die richtige ist, hängt davon ab, welcher Bezug hergestellt werden soll. **3. an einem Tag wie jedem anderen/wie jeder andere:** Das nach *wie* folgende Satzglied kann entweder im gleichen Fall stehen wie sein Bezugswort: *an einem Tag wie jedem anderen; in Zeiten wie den heutigen* (beide Glieder im Wemfall). Oder aber man sieht dieses Satzglied als eine Verkürzung eines Nebensatzes an, der vollständig etwa lauten würde: *an einem Tag, wie es jeder andere ist; in Zeiten, wie es die heutigen sind.* Deswegen ist auch der Werfall *(wie jeder andere; wie die heutigen)* korrekt. Der Werfall muß sogar stehen, wenn das Bezugswort im Wesfall steht und das mit *wie* angeschlossene Glied ein persönliches Fürwort (Personalpronomen) oder ein Eigenname ist: *die Verdienste eines Politikers wie er; die Anteilnahme guter Bekannter wie Sie; Ausstellungen großer Maler wie Picasso* (nicht: *Picassos*).

wieder: Zusammen mit einem folgenden Zeitwort schreibt man *wieder,* wenn es die Bedeutung „zurück" hat: *je-*

mandem geborgtes Geld wiedergeben; etwas Verlorenes wiederfinden. Man schreibt auch zusammen, wenn *wieder* die Bedeutung „erneut, nochmals" hat und durch die Verbindung mit dem folgenden Zeitwort ein neuer Begriff entsteht (das neue Wort hat dann übertragene Bedeutung): *Sie hat den Verzweifelten wiederaufgerichtet* (= getröstet). *Er hat den Fehler wiedergutgemacht* (= ausgeglichen). Getrennt schreibt man, wenn *wieder* die Bedeutung „erneut, nochmals" hat und das Zeitwort seine eigentliche Bedeutung behält: *Sie hat den Korb wieder aufgenommen. Er hat seine Geschichte wieder erzählt.* Eine zusätzliche Hilfe bei Unsicherheiten, ob nun zusammen- oder ob getrennt geschrieben wird, kann die Betonung sein. Wird nur *wieder* oder nur das Zeitwort betont, ist Zusammenschreibung angezeigt, bei gleichmäßiger Betonung beider Teile aber Getrenntschreibung: *jemanden nach Jahren wiedersehen – nach einer Operation wieder sehen können.* Man vergleiche auch folgende inhaltlich bedingte Zusammen- und Getrenntschreibung: *ein Fernsehspiel wiederholen; seine Bücher wiederholen* (= zurückholen). – Aber: *Man mußte die Polizei wieder* (= nochmals) *holen. Seine Gesundheit ist wiederhergestellt. – Ich habe den Aschenbecher wieder hergestellt. – Es dauerte lange, bis er sein Geld wiederbekam* (= zurückbekam). – *Sie wußte, daß sie die Grippe jedes Jahr wieder bekam* (= erneut bekam).

wieviel/wie viele: **1. Rechtschreibung:** Man schreibt gewöhnlich *wieviel* zusammen: *Wieviel Personen? Wieviel kostet das?* Getrennt schreibt man bei besonderer Betonung: *Wenn du wüßtest, wie viel ich durchgemacht habe!* Immer getrennt schreibt man die gebeugten (d.h. veränderten) Formen *wie viele, wie vieles* usw.: *Mit wie vielen Teilnehmern rechnest du?* **2. Gebrauch:** Man verwendet eher dann die Form *wie viele* (und nicht *wieviel*), wenn man als Antwort eine größere Anzahl erwartet: *Wie viele Autos verlassen täglich das Werk?*

winken: Es heißt korrekt: *Ich habe gewinkt* (nicht: *gewunken*). Die Form *gewunken* ist landschaftlich und gilt hochsprachlich als falsch.

Wir hoffen, Ihnen damit gedient zu haben, und verbleiben ...: Vor *und* muß in diesem Satz ein Komma stehen, da *Ihnen damit gedient zu haben* in den Hauptsatz eingeschoben ist.

wir oder du: *Wir oder du hast* (nicht: *haben*) *das getan.*

wir und du: *Wir und du* (= wir) *haben uns* (nicht: *sich*) *gefreut.*

wir und er: *Wir und er* (= wir) *haben uns* (nicht: *sich*) *gefreut.*

wir und ihr: *Wir und ihr* (= wir) *haben uns gefreut.* Nicht: *Wir und ihr haben sich gefreut* oder *Wir und ihr habt euch gefreut.*

wir und sie (Mehrzahl): *Wir und sie* (= wir) *haben uns* (nicht: *sich*) *gefreut.*

wissen: **1. Komma:** Wenn das Zeitwort *wissen* mit der erweiterten Grundform (dem erweiterten Infinitiv) eines anderen Zeitwortes verbunden ist (z. B. *zu beherrschen*), dann darf kein Komma gesetzt werden: *Sie weiß sich zu beherrschen.* Tritt aber zu *wissen* eine nähere Bestimmung, dann muß ein Komma stehen: *Sie weiß wohl, sich zu beherrschen.* **2. wissen von/wissen um:** Beide Formen sind korrekt. Man kann sowohl sagen: *Ich weiß von den Schwierigkeiten* als auch: *Ich weiß um die Schwierigkeiten.* Der Anschluß mit *um* wirkt jedoch etwas gespreizt.

Wissen: Die beiden Fügungen *meines Wissens* und *meinem Wissen nach* (oder *nach meinem Wissen*) werden fälschlicherweise oft miteinander vermischt zu *meines Wissens nach.* Richtig ist aber nur: *Der Fall verhält sich meines Wissens anders. Der Fall verhält sich meinem Wissen nach anders.* (Oder: *Der Fall verhält sich nach meinem Wissen anders.*) Aber nicht korrekt: *Der Fall verhält sich meines Wissens nach anders.*

wo: **1. Komma:** Ein mit *wo* eingeleiteter Nebensatz wird durch Komma abgetrennt: *Er wußte nicht, wo es lag. Wo er war, konnte er nur ahnen.* Unvollständige Nebensätze aber, die mit *wo* eingeleitet werden, wirken gelegentlich formelhaft und brauchen dann nicht durch Komma abgetrennt zu werden: *Er wird uns wo möglich* (= wo es möglich ist) *helfen. Die Bilder sind wo nötig mit Erläuterungen versehen.* **2. Abtrennung von *wo* bei zusammengesetzten Wörtern wie *wobei, wofür, wovon* usw.:** Besonders in der norddeutschen Umgangssprache kommt diese Trennung häufig vor. Sie ist hochsprachlich nicht korrekt. Es muß also heißen: *Es war etwas, wobei er sich nichts gedacht hatte* (nicht: *... wo er sich nichts bei gedacht hatte*). *Etwas, wofür er nichts konnte* (nicht: *... wo er nichts für konnte*). *Etwas, wonach er sich sehnt* (nicht: *... wo er sich nach sehnt*). **3. Der Raum, wo ..., der Augenblick, wo ...:** Mit *wo,* das einen Nebensatz einleitet, wird meist ein räumlicher Bezug hergestellt: *Das war der Raum, das Haus, die Stadt, wo er ihm zum erstenmal begegnet war. Dort, wo er zu Hause ist, kennt man dies nicht.* Mit *wo* in dieser Funktion kann aber auch ein zeitlicher Bezug hergestellt werden: *Es geschah in dem Augenblick, wo er sich umdrehte.* Nicht möglich hingegen ist ein Anschluß mit *wo,* wenn ein unmittelbarer Bezug zu Personen oder Dingen hergestellt werden soll: Also nicht: *der Mann, wo ...,* sondern nur: *der Mann, der vorhin vorbeiging.* Nicht: *das Geld, wo ...,* sondern nur: *das Geld, das auf der Bank liegt.* **4. Falsches *wo* an Stelle von *als:*** In landschaftlicher Umgangssprache wird häufig ein in zeitlichem Bezug gebrauchtes *als* durch *wo* ersetzt. Dieser Gebrauch von *wo* ist nicht korrekt. Es muß also heißen: *Das hat er nur getan, als* (nicht: *wo*) *er noch klein war. Es war damals, als* (nicht: *wo*) *wir gerade in Urlaub fahren wollten.*

wollen: **1. wollen oder gewollt:** Das Mittelwort der Vergangenheit (2. Partizip) von *wollen* heißt *gewollt: Er hat es nicht gewollt. Er hat nur das Beste gewollt.* Wenn aber das Zeitwort *wollen* in Verbindung mit einem anderen Zeitwort auftritt, das in der Grundform (im Infinitiv) steht, so wird nicht *gewollt* gebraucht, sondern *wollen: Er hat es nicht nehmen wollen.* Nicht: *Er hat es nicht nehmen gewollt.* **2. Doppelte Ausdrucksweise:** Man sollte vermeiden, *wollen* in Verbindung mit anderen Wörtern zu gebrauchen, die (ebenso wie *wollen* selbst) einen Wunsch, eine Absicht o. ä. ausdrücken. Es heißt also nicht: *Er hatte den Wunsch, dorthin reisen zu wollen.* Sondern richtig: *Er hatte den Wunsch, dorthin zu reisen.* (Oder auch: *Er wollte gern dorthin reisen.*)

wünschen: Wenn das Zeitwort *wünschen* mit der erweiterten Grundform (dem erweiterten Infinitiv) eines anderen Zeitwortes verbunden ist (z. B. *teilzunehmen*), dann kann man ein Komma setzen oder es weglassen: *Er wünscht an der Fahrt teilzunehmen* (hier ist *wünschen* Hilfszeitwort). Oder: *Er wünscht, an der Fahrt teilzunehmen.* Tritt aber zu *wünschen* eine nähere Bestimmung, eine Ergänzung, dann muß das Komma stehen: *Er wünscht sehnlichst, an der Fahrt teilzunehmen.*

Z

Zahl: Für Formulierungen wie *eine Zahl Studenten stand/standen dort* und *eine Zahl hübscher/hübsche Sachen* gelten die bei *Anzahl* gemachten Aussagen.

Zahl oder **Ziffer:** Im allgemeinen Sprachgebrauch werden *Zahl* und *Ziffer* häufig unterschiedslos gebraucht, obwohl die Wörter verschiedene Bedeutung haben. Die Ziffern sind die graphischen Zeichen zur schriftlichen Fixierung der Zahleninhalte, d. h. der durch die Zahlen *1, 2, ... 9* und *0* ausgedrückten Werte. Dabei werden die Ziffern *1, 2, ... 9* im Textzusammenhang gleichzeitig zu den Zahlen *1, 2, ... 9.* Höhere Zahlen werden schriftlich durch Aneinanderreihung mehrerer Ziffern wiedergegeben. Die Jahreszahl *1965* etwa ist eine Zahl aus den Ziffern *1, 9, 6* und *5.* Bei einer Adresse bedeutet die Hausnummer *386* eine Zahl aus den Ziffern *3, 6* und *8.* Es gibt jedoch Bildungen, wie z. B. *Sterblichkeitsziffer, Kennziffer, Zifferblatt, sich beziffern auf,* denen *Ziffer* in der Bedeutung „Zahl" zugrunde liegt.

Zahlen und Ziffern: **1. Schreibung von Zahlen in Ziffern oder in Buchstaben:** Grundsätzlich kann man Zahlen sowohl in Ziffern als in Buchstaben schreiben: *Sie haben 4* (oder: *vier*) *Kinder. Er kommt um 4* (oder: *vier*) *Uhr.* In bestimmten Bereichen ist es jedoch üblich, die Schreibung von Zahlen in Ziffern zu verwenden, so zum Beispiel in Statistiken, in technischen und wissenschaftlichen Texten u. a., in Zusammenhängen also, in denen es darauf ankommt, daß die jeweilige Zahl leicht ins Auge springt. **2. Zahlen in Verbindung mit Zeichen und Abkürzungen:** In Verbindung mit Zeichen und Abkürzungen von Maßen, Gewichten, Geldsorten u. a. schreibt man die Zahl als Ziffer: *3 km, 3,5 kg, 6 DM.* Ist die jeweilige Maß-, Gewichts- oder Münzbezeichnung ausgeschrieben, dann kann die dazugehörende Zahl sowohl in Ziffern wie in Buchstaben geschrieben werden: *3* (oder: *drei*) *Kilometer, 3,5* (oder: *dreieinhalb,* auch: *drei Komma fünf*) *Kilo, 6* (oder: *sechs*) *Mark.* **3. Schreibung in Ziffern:** Ganze Zahlen, die aus mehr als drei Ziffern bestehen, werden von der Endziffer aus in dreistellige Gruppen zerlegt, die durch einen Zwischenraum oder Punkt (nicht durch ein Komma) voneinander abgesetzt werden: *3 560 783 DM, 10.000.* Bei Zahlen, die eine Nummer darstellen, teilt man jedoch meistens keine Gruppen ab: *Nr. 33590.* Abweichend hiervon werden Fernruf-, Fernschreib- und Postgirokontonummern geschrieben: Fernrufnummern werden in Zweiergruppen gegliedert: *08, 1 68, 14 28, 1 42 83, 14 28 37.* Bei den Nummern der Postgirokonten (Postscheckkonten) werden in jedem Fall die beiden letzten Ziffern vor dem Bindestrich durch Zwischenraum abgetrennt: *3 49–603, 640 74–208, 1749 28–802.* Die Fernschreibnummern setzen sich aus Kennzahl und Rufnummer zusammen. Die Kennzahl wird ohne Null geschrieben und steht vor der Rufnummer.

Die Rufnummer wird von der Endziffer aus in Dreiergruppen gegliedert: *8 582 404* (*8* = Kennzahl von Düsseldorf), *4 62 527* (*4* = Kennzahl von Mannheim). Dezimalzahlen werden von den ganzen Zahlen durch ein Komma getrennt, jedoch hinter dem Komma nicht in Gruppen eingeteilt: *52,36 m; 8,65432 m.* Bei Rechnungen wird die Zahl der Pfennige nur durch ein Komma, nicht durch einen Punkt abgetrennt (*3,45 DM;* in der Schweiz dagegen steht zwischen Franken- und Rappenzahl immer ein Punkt: *Fr. 4.20*). Bei der Zeitangabe wird die Zahl der Minuten von der Stundenzahl nur durch einen Punkt oder durch Hochstellung abgehoben: *6.30 Uhr* oder *6^{30} Uhr.* **4. Zusammen- oder Getrenntschreibung oder Bindestrich:** In Wörtern angegebene Zahlen, die unter einer Million liegen, werden zusammengeschrieben; Angaben über einer Million schreibt man dagegen getrennt: *neunzehnhundertfünfundsechzig,* (aber:) *zwei Millionen dreitausendvierhundertneunzehn.* Zusammen schreibt man Ableitungen und Zusammensetzungen, die eine Zahl enthalten, unabhängig davon, ob die Zahl in Buchstaben oder in Ziffern geschrieben ist: *achtfach* oder *8fach, Achttonner* oder *8tonner, ein neunundfünfziger* oder *59er Wein, 4kanteisen, 14karätig, 131er, ver307fachen, 32eck.* Aneinanderreihungen von Wörtern mit Zahlen (in Ziffern) werden durch Bindestriche verbunden: *10-Pfennig-Briefmarke, ¾-Liter-Flasche, 2-kg-Dose, 70-PS-Motor, 5 000-m-Lauf, 3-Meter-Brett, 4 × 100-m-Staffel.* Dagegen schreibt man zusammen, wenn die Zahlen in Buchstaben geschrieben werden: *Dreikaiserbündnis, Zehnpfennigmarke.*

zahllos: Ein auf *zahllos* folgendes Eigenschaftswort oder Mittelwort (Partizip) wird (auch wenn es als Hauptwort gebraucht wird) in gleicher Weise gebeugt wie *zahllos* selbst: *zahllose wertvolle Gegenstände, zahllose Abgeordnete, in zahllosen graphischen Darstellungen, mit zahllosen Angestellten.* Nur im Wesfall wird gelegentlich noch eine zweite Form gebraucht: *die Herstellung zahlloser graphischer Darstellungen,* selten auch: *die Herstellung zahlloser graphischen Darstellungen; die Reaktion zahlloser Angestellter,* selten auch: *die Reaktion zahlloser Angestellten.*

zahlreich: Für die Beugung nach *zahlreich* gelten die bei *zahllos* gemachten Angaben.

zeigen, sich: **1. sich zeigen als:** Bei *sich zeigen als* steht das dem *als* folgende Hauptwort heute gewöhnlich im Werfall: *Er zeigte sich als genialer Regisseur.* Der Wenfall *(Er zeigte sich als genialen Regisseur)* ist veraltet. **2. Gebrauch des**

Mittelworts: Das Mittelwort der Vergangenheit (2. Partizip) von *sich zeigen* (es lautet *gezeigt*) kann nicht als Beifügung eines Hauptwortes verwendet werden. Also nicht: *die sich als falsch gezeigte Maßnahme.*

Zentimeter: **1. Beugung nach *Zentimeter:*** Nach der Maßangabe *Zentimeter* steht das, was gemessen wird, meist im selben Fall wie die Maßangabe *Zentimeter* selbst: *drei Zentimeter [dünner] Golddraht; mit drei Zentimetern dünnem Golddraht.* Gelegentlich in gehobener Ausdrucksweise auch mit dem Wesfall: *drei Zentimeter dünnen Golddrahts, mit drei Zentimetern dünnen Golddrahts.* Steht die Maßangabe *Zentimeter* selbst im Wesfall, so heißt es: *der Preis eines Zentimeters Golddraht* oder auch: *der Preis eines Zentimeter Golddrahts,* aber (mit einem beigefügten Eigenschaftswort) nur: *der Preis eines Zentimeters dünnen Golddrahts.* **2. Drei Zentimeter Golddraht reicht/reichen für diesen Zweck:** Von diesen beiden Formen, die beide als korrekt gelten, wird im allgemeinen die Mehrzahl bevorzugt: *Drei Zentimeter Golddraht reichen gut aus, sind zuwenig, kosten nicht viel.* Steht *Zentimeter* in der Mehrzahl ohne Angabe des Gemessenen, dann muß das Zeitwort in der Mehrzahl stehen. Die Einzahl ist hier nicht korrekt: *Drei Zentimeter reichen* (nicht: *reicht*) *für diesen Zweck.* **3. mit drei Zentimeter/Zentimetern:** Wenn *Zentimeter* in der Mehrzahl steht *(2, 3, 4 Zentimeter),* dann heißt es im Wemfall: *Mit drei Zentimetern kommen wir aus.* Wenn dabei das Gemessene (z. B. *Golddraht*) angegeben wird, steht *Zentimeter* oft auch in der ungebeugten Form: *Mit drei Zentimeter Golddraht kommen wir aus.* Geht jedoch der Maßangabe *Zentimeter* das Geschlechtswort (der Artikel) voraus, dann wird immer die gebeugte Form *(Zentimetern)* verwendet, unabhängig davon, ob das Gemessene *(Golddraht)* angegeben ist oder nicht: *Mit den drei Zentimetern [Golddraht] kommen wir aus.*

Zentner: **1. Beugung nach *Zentner:*** Nach der Mengenangabe *Zentner* steht das, was als Menge angegeben wird, meist im selben Fall wie die Mengenangabe *Zentner* selbst: *ein Zentner [kanadischer] Weizen, aus einem Zentner kanadischem Weizen, für einen Zentner kanadischen Weizen.* Gelegentlich in gehobener Ausdrucksweise auch mit dem Wesfall: *ein Zentner kanadischen Weizens, aus einem Zentner kanadischen Weizens, für einen Zentner kanadischen Weizens.* Nur wenn das, was als Menge angegeben wird, in der Mehrzahl steht, wird häufiger auch der Wesfall gebraucht: *ein Zentner neue Kartoffeln* neben: *ein Zentner neuer Kartoffeln.* Im Wemfall der Mehrzahl gibt es sogar drei Möglichkeiten: *von einem*

Zentner neuer Kartoffeln oder *von einem Zentner neue Kartoffeln,* seltener auch: *von einem Zentner neuen Kartoffeln.* Steht die Mengenangabe *Zentner* selbst im Wesfall, so heißt es: *der Preis eines Zentners Weizen* oder auch *der Preis eines Zentner Weizens,* aber (mit einem beigefügten Eigenschaftswort) nur: *der Preis eines Zentners kanadischen Weizens.* **2. Ein Zentner Kartoffeln wird/werden benötigt:** Folgt der Angabe *ein Zentner* (die Mengenangabe steht hier in der Einzahl) das, was als Menge angegeben wird, ebenfalls in der Einzahl, so steht auch das Zeitwort in der Einzahl: *Ein Zentner Weizen reicht aus.* Folgt der Angabe *ein Zentner* das, was als Menge angegeben wird, in der Mehrzahl, so kann das Zeitwort gelegentlich auch in der Mehrzahl stehen: *Ein Zentner Kartoffeln reicht aus,* seltener: *Ein Zentner Kartoffeln reichen aus.* Wenn Mengenangabe und das, was als Menge angegeben wird, in der Mehrzahl stehen *(drei Zentner Kartoffeln),* dann steht auch das Zeitwort in der Mehrzahl: *Drei Zentner Kartoffeln reichen aus.* Steht dagegen das, was als Menge angegeben wird, in der Einzahl *(drei Zentner Weizen),* so steht das Zeitwort nur gelegentlich auch in der Einzahl: *Drei Zentner Weizen reichen aus,* selten: *Drei Zentner Weizen reicht aus.* **3. mit drei Zentner/Zentnern:** Wenn *Zentner* in der Mehrzahl steht *(2, 3, 4* usw. *Zentner),* dann heißt es im Wemfall: *Mit drei Zentnern kommen wir aus.* Wenn dabei das Gemessene (z. B. *Weizen*) genannt wird, dann steht *Zentner* oft auch in der ungebeugten Form: *Mit drei Zentner Weizen kommen wir aus.* Geht jedoch der Mengenangabe *Zentner* das Geschlechtswort (der Artikel) voraus, dann wird immer die gebeugte Form *(Zentnern)* verwendet, unabhängig davon, ob das Gemessene *(Weizen)* angegeben wird oder nicht. *Mit den drei Zentnern [Weizen] kommen wir aus. Von den 10 Zentnern [Kartoffeln] ist nicht mehr viel übrig.*

Zorn: Ein von *Zorn* abhängendes Hauptwort oder Fürwort (Pronomen) kann mit den Verhältniswörtern (Präpositionen) *auf* oder *gegen* (nicht mit *für* oder *zu*) angeschlossen werden: *Ihr Zorn auf* oder *gegen ihn* (nicht: *für ihn* oder *zu ihm*) *war verraucht.*

zornig: An das Eigenschaftswort *zornig* kann ein Hauptwort oder Fürwort (Pronomen) mit den Verhältniswörtern (Präpositionen) *auf* oder *über* angeschlossen werden. Dabei wird *auf* gebraucht, wenn eine Person als Ziel des Zorns genannt wird, und *über,* wenn allgemein vom Grund des Zorns gesprochen wird: *Der Vater war zornig auf seinen Sohn. Der Vater war zornig über das Zeugnis seines Sohnes.*

zu: **1. Schreibung von zusammengesetzten Zeitwörtern in der mit *zu* erweiterten Grundform:** Wenn die Grundform (der Infinitiv) von zusammengesetzten Zeitwörtern wie *aufeinanderlegen, einkaufen, kennenlernen, untereinanderschreiben, zurückkommen* oder auch *zumuten, zusehen* usw. durch *zu* erweitert wird, dann wird diese erweiterte Form auch in einem Wort geschrieben: *aufeinanderzulegen, einzukaufen, kennenzulernen, untereinanderzuschreiben, zurückzukommen* und auch *zuzumuten, zuzuschauen* usw. Also: *Ich bitte Sie, die Blätter sorgfältig aufeinanderzulegen. Ich freue mich sehr, ihn kennenzulernen. Das ist ihm nicht zuzumuten* usw. Zu beachten ist, daß eine Fügung, die nicht zusammengeschrieben wird (z. B. *jemand mit jemandem bekannt machen*), auch nicht bei der Erweiterung mit *zu* zusammengeschrieben werden darf: *Er bat mich, ihn mit ihr bekannt zu machen.* Dagegen bei dem zusammengesetzten Verb *bekanntmachen* im Sinne von „veröffentlichen": *Er bat ihn, den Inhalt des Schreibens bekanntzumachen.*
2. Falsch gebildete Formen von *zu*: Das Wort *zu* in der Bedeutung „geschlossen, nicht geöffnet" kann nicht wie ein Eigenschaftswort gebraucht und gebeugt werden, es ist unveränderbar. In der Umgangssprache gelegentlich vorkommende gebeugte Formen wie *die zue* oder *zune Flasche,* ein *zues* oder *zunes Fenster* sind hochsprachlich nicht korrekt.

zu was oder **wozu:** Vor allem in der gesprochenen Sprache wird heute *wozu* häufig durch *zu was* ersetzt: *Zu was brauchst du das Geld? Er fragt sich, zu was das taugt.* Die Verbindung *zu was* ist jedoch umgangssprachlich gefärbt; stilistisch besser ist *wozu: Wozu brauchst du das Geld? Er fragt sich, wozu das taugt.*

zu zweien, zu zweit: Man kann sowohl *zu zweien (zu dreien, zu vieren)* als auch *zu zweit (zu dritt, zu viert)* sagen. Allerdings werden beide Formen meist in der Bedeutung unterschieden. Gewöhnlich wird *zu zweien* gebraucht, wenn von einer Einteilung einer größeren Anzahl in Gruppen zu je zwei die Rede ist: *Ihr müßt euch zu zweien aufstellen.* Soll dagegen nur die Gesamtzahl genannt werden, so gebraucht man gewöhnlich *zu zweit: Allein geht es nicht, aber zu zweit oder zu dritt schafft man es leicht.*

zugunsten: Das Verhältniswort (die Präposition) *zugunsten* kann vor oder nach dem Hauptwort oder Fürwort (Pronomen) stehen. Bei Voranstellung wird es mit dem Wesfall (oder auch in Verbindung mit *von* und dem Wemfall) gebraucht: *zugunsten bedürftiger Kinder* (oder: *zugunsten von bedürftigen Kindern*). Ist *zugunsten* nachgestellt, dann wird es mit dem Wemfall verbunden. Diese Nachstellung ist jedoch selten: *bedürftigen Kindern zugunsten.*

zum Beispiel (z. B.): Die Fügung *zum Beispiel* kann ohne Komma in den Ablauf eines Satzes einbezogen sein oder auch an dessen Spitze stehen: *Ich sehe sie zum Beispiel oft auf der Straße beim Einkaufen.* Oder: *Zum Beispiel sehe ich sie oft auf der Straße beim Einkaufen.* Wenn aber mit *zum Beispiel* eine nachgestellte nähere Bestimmung eingeleitet wird, dann steht vor *zum Beispiel* immer ein Komma: *Ich sehe sie oft auf der Straße, z. B. beim Einkaufen. Ich sehe sie oft, z. B. beim Einkaufen, auf der Straße. Er hat die Rolle schon überall, z. B. in Paris und in New York, gespielt und gesungen. Manches stört mich an ihm, z. B. hat er schlechte Manieren.* Wenn in solchen Fällen *zum Beispiel* in Verbindung mit einem Bindewort (einer Konjunktion wie *als, daß, wenn* o. ä.) einen Nebensatz einleitet, dann steht unmittelbar nach *zum Beispiel* gewöhnlich auch ein Komma, es muß aber nicht stehen: *Ich sehe sie oft auf der Straße, z. B., wenn sie einkaufen geht.* Oder als einheitliche Fügung ohne Komma: *Ich sehe sie oft auf der Straße, z. B. wenn sie einkaufen geht.*

zumal: Wenn *zumal* einen Zusatz (sei es ein Satzteil oder ein ganzer Satz) einleitet, so wird dieser Zusatz durch Komma abgetrennt: *Er ißt sehr gerne Obst, zumal Äpfel. Er ißt Obst, zumal Äpfel, sehr gerne. Er ißt Obst sehr gerne, zumal Äpfel liebt er besonders.* Gelegentlich kann die Kommasetzung bei einem mit *zumal* eingeleiteten Satzteil unterbleiben, nämlich wenn dieser Satzteil in den Ablauf des Satzes einbezogen werden kann und nicht als Zusatz aufgefaßt wird. Als Zusatz mit Kommasetzung: *Er ißt Obst, zumal am Abend, sehr gerne.* In den Ablauf des Satzes einbezogen ohne Kommasetzung: *Er ißt Obst zumal am Abend sehr gerne.*

Mit *da* und *wenn* bildet *zumal* Fügungen, die als Einheit empfunden werden. Zwischen *zumal* und *da* bzw. *zumal* und *wenn* steht kein Komma. Die mit *zumal da* oder *zumal wenn* eingeleiteten Nebensätze werden stets durch Komma abgetrennt: *Sie kann ihn nicht ausstehen, zumal wenn er betrunken ist. Ich kann es ihm nicht abschlagen, zumal da er immer so gefällig ist.* (Bei solchen Sätzen kann *da* im Unterschied zu *wenn* auch weggelassen werden: *Ich kann es ihm nicht abschlagen, zumal er immer so gefällig ist.*)

zumindest/ mindestens/ zum mindesten: Im Sinne von „wenigstens" kann sowohl *zumindest* als auch *mindestens,* seltener auch *zum mindesten* gebraucht werden: *Du hättest mir die Sache zumindest* oder *mindestens* oder auch *zum mindesten andeuten müssen.*

Falsch hingegen ist die Form *zumindestens,* die durch eine Vermischung von *zumindest* und *mindestens* entstanden ist.

Zusammentreffen von drei gleichen Mitlauten (Konsonanten): Treffen in einem zusammengesetzten Wort drei gleiche Mitlaute zusammen, dann fällt einer der Mitlaute aus, wenn ein Selbstlaut folgt: *Schiff* + *Fahrt* wird zu *Schiffahrt, Roll* + *Laden* wird zu *Rolladen* usw. (Werden Wörter dieser Art getrennt, dann wird der dritte Selbstlaut wieder geschrieben: *Schiff-fahrt, Roll-laden* usw.) Folgt auf drei gleiche Mitlaute in einem zusammengesetzten Wort ein weiterer Mitlaut, dann bleiben die drei gleichen Mitlaute erhalten: *Balletttruppe, Pappplakat.* Treffen bei der behelfsmäßigen Schreibung von *ß* als *ss* drei s-Buchstaben zusammen, dann darf von diesen drei *s* in keinem Falle eines ausgelassen werden: *MASSSACHEN, MASSSTAB.* (Der größeren Übersichtlichkeit wegen können Zusammensetzungen dieser Art auch mit Bindestrich geschrieben werden: *MASS-SACHEN, MASS-STAB.*)

zuungunsten: Für das Verhältniswort (die Präposition) *zuungunsten* gelten die bei *zugunsten* gemachten Angaben.

zuzüglich: Nach *zuzüglich* steht üblicherweise der Wesfall: *zuzüglich aller Versandkosten, zuzüglich des Portos, zuzüglich der erwähnten Gläser.* Steht aber das von *zuzüglich* abhängende Hauptwort allein, also ohne ein Begleitwort, dann bleibt es in der Einzahl im allgemeinen ungebeugt, d. h. unverändert: *zuzüglich Porto.* In der Mehrzahl aber weicht man bei alleinstehenden Hauptwörtern auf den Wemfall aus: *zuzüglich Gläsern.*

zwecks: Das besonders in der Amtssprache gebräuchliche Verhältniswort (die Präposition) *zwecks* ist stilistisch unschön. Es steht im allgemeinen an Stelle von *zu* oder *für* und wird in der Regel mit dem Wesfall verbunden: *zwecks eines Handels, zwecks Zahlungsaufschubs.* In der Mehrzahl weicht man jedoch auf den Wemfall aus, wenn der Wesfall nicht eindeutig erkennbar ist: *zwecks Geschäften* (nicht: *Geschäfte*).

zwischen: **1. Kinder zwischen 10 und 12 Jahren, Gemeinden zwischen 50 000 und 100 000 Einwohnern:** Nach dem Verhältniswort (der Präposition) *zwischen* steht in solchen Fällen immer der Wemfall: *Das Buch ist besonders für Kinder zwischen 10 und 12 Jahren geeignet. Es waren Kinder zwischen 10 und 12 Jahren. Es geht um den Gesundheitszustand der Kinder zwischen 10 und 12 Jahren. Es waren die Steuern von Gemeinden zwischen 50 000 und 100 000 Ein-*

wohnern. Anders verhält es sich bei Sätzen wie: *Die Kinder waren zwischen 10 und 12 Jahre alt. Es waren die Steuern von Gemeinden, die zwischen 50 000 und 100 000 Einwohner haben.* Hier ist *zwischen* kein Verhältniswort, sondern Umstandswort (Adverb). Es hat daher keinen Einfluß auf die Beugung des folgenden Hauptworts *Jahre* bzw. *Einwohner*. Diese Hauptwörter sind hier nicht von *zwischen* abhängig, sondern von *alt sein* und *haben*.
2. Gegensätze zwischen den Arbeitgebern und zwischen den Arbeitnehmern: Die Wiederholung von *zwischen* (nach *und*) kann bei solchen Aussagen völlig den Sinn verändern und zu Mißverständnissen führen. Korrekt und sinnvoll ist eine solche Formulierung nur, wenn hier Gegensätze sowohl innerhalb des Arbeitgeberlagers als auch innerhalb des Arbeitnehmerlagers angesprochen werden sollen und nicht Gegensätze zwischen diesen beiden Lagern. Sonst dürfte *zwischen* nicht wiederholt werden, und es müßte heißen: *Die Gegensätze zwischen den Arbeitgebern und den Arbeitnehmern sollen abgebaut werden.* Ganz und gar sinnlos ist die Wiederholung von *zwischen* in Fällen wie: *der Abstand zwischen diesem Haus und zwischen dem Nachbarhaus* oder: *das Spiel zwischen dem 1. FCK und zwischen dem HSV.* Richtig ist hier nur: *der Abstand zwischen diesem Haus und dem Nachbarhaus* und: *das Spiel zwischen dem 1. FCK und dem HSV.*

zwischenzeitlich: Das hauptsächlich im geschäftlichen Briefverkehr, in der Amtssprache verwendete Wort *zwischenzeitlich* ist stilistisch unschön. Man ersetzt es besser durch *inzwischen* oder *in der Zwischenzeit.*

Wörterverzeichnis

Wörterverzeichnis

mit Formulierungshilfen

A

A (Buchstabe); das A; des A, die A
a, A, das; -, - (Tonbezeichnung)
à (bes. Kaufmannsspr.: zu [je]); 3 Stück à 20 Pfennig, besser: ...zu [je] 20 Pfennig
Aal, der; -[e]s, -e; **aa|len,** sich (ugs. für: sich ausruhen); **aal|glatt**
Aar, der; -[e]s, -e (dicht. für: Adler)
Aas, das; -es (Tierleichen [selten]:) -e u. (als Schimpfwort:) Äser; **aa|sen** (ugs. für: verschwenderisch mit etwas umgehen); **Aas|gei|er**
ab; *Umstandsw.:* - und zu, (landsch.:) - und an (von Zeit zu Zeit); *Verhältnisw.* mit *Wemf.:* - Bremen, - [unserem] Werk; - erstem März; bei Zeitangaben, Mengenangaben o.ä. auch *Wenf.:* ab ersten März; - 50 Exemplaren/50 Exemplare
ab|än|dern; Ab|än|de|rung; Ab|än|de|rungs|vor|schlag
ab|ar|bei|ten
Ab|art; ab|ar|tig
ab|asten, sich (ugs. für: sich abplagen)
Ab|bau, der; -[e]s, (Bergmannsspr.: Abbaustellen:) -e u. (landsch.: abseits gelegenes Anwesen *Mehrz.:*) -ten; **ab|bau|en**
ab|be|ru|fen; Ab|be|ru|fung
ab|be|stel|len
◇ rückgängig machen, stornieren
Ab|be|stel|lung
ab|bie|gen
Ab|bild; ab|bil|den; Ab|bil|dung
Ab|bit|te; - leisten, tun
ab|bla|sen (ugs. auch für: absagen, abbrechen, beenden)
ab|blät|tern
ab|blen|den; Ab|blend|licht (*Mehrz.* ...lichter)
ab|blit|zen; jmdn. - lassen (ugs. für: jmdn. abweisen)
ab|blocken[1] (Sportspr.: abwehren)
ab|bre|chen
ab|brem|sen; Ab|brem|sung
ab|bren|nen
ab|brin|gen; jmdn. von etwas -
ab|bröckeln[1]

[1] *Trenn.:* ...k|k...

Ab|bruch, der; -[e]s, ...brüche
ab|bür|sten
Abc, das; -
ab|checken[1] [*...tschäken*] (überprüfen, kontrollieren; kontrollierend abhaken)
Abc-Schüt|ze
ABC-Waf|fen, die (*Mehrz.;* Sammelbezeichnung für *a*tomare, *b*iologische u. *c*hemische Waffen)
Ab|dampf; ab|damp|fen (ugs. auch für: abfahren); **ab|dämp|fen** (etwas [in seiner Wirkung] mildern)
ab|dan|ken; Ab|dan|kung (schweiz. auch für: Trauerfeier)
ab|decken[1]; **Ab|decker**[1] (Schinder); **Ab|decke|rei**[1]; **Ab|deckung**[1]
ab|dich|ten; Ab|dich|tung
ab|dros|seln
Ab|druck, der; -[e]s, ...drücke (in Gips u.a.) u. (Druckw.:) ...drucke; **ab|drucken**[1]; ein Buch -; **ab|drücken**[1]; das Gewehr -
abe|ce|lich; abe|ce|wei|se
Abend, der; -s, -e; zu Abend essen; guten Abend sagen; guten Abend! (Gruß); [bis, von] gestern, heute, morgen abend; [am] Dienstag abend (an dem bestimmten, einmaligen); [um] 8 Uhr abends; Dienstag od. dienstags abends (unbestimmt, wiederkehrend); **Abend‿es|sen, ...land** (das; -[e]s); **abend|lich; Abend|mahl** (*Mehrz.* ...mahle); **Abend|mahls|brot; Abend‿rot** od.: **...rö|te; abends;** vgl. Abend
Aben|teu|er, das; -s, -; **Aben|teue|rin,** die, -, -nen; **aben|teu|er|lich; Aben|teu|rer; Aben|teu|re|rin,** die, -, -nen
aber; *Bindew.:* er sah sie, aber ([je]doch) er hörte sie nicht. *Umstandsw.* in Fügungen wie: aber und abermals (wieder und wiederum); tausend und aber (wieder[um]) tausend; Tausende und aber Tausende
◇ im Gegensatz dazu, [je]doch (geh.), indes[sen] (geh.), [da]hingegen, allein (geh.)

[1] *Trenn.:* ...k|k...

Aber, das; -s, -; es ist ein - dabei; viele Wenn und - vorbringen
Aber|glau|be; aber|gläu|bisch
ab|er|ken|nen; ich erkenne ab, (selten:) ich aberkenne; ich erkannte ab, (selten:) ich aberkannte; jmdm. etwas -; **Ab|er|ken|nung**
aber|ma|lig; aber|mals
ab|es|sen
ab|fah|ren; Ab|fahrt; Ab|fahrt[s]‿ge|lei|se od. **...gleis; Ab|fahrts‿lauf, ...ren|nen; Ab|fahrt[s]|si|gnal**
Ab|fall, der
◇ Müll, Kehricht (geh.), Unrat (geh.)
Ab|fall|ei|mer; ab|fal|len; ab|fäl|lig
ab|fan|gen
ab|fas|sen; Ab|fas|sung
ab|fer|ti|gen; Ab|fer|ti|gung
ab|fin|den; Ab|fin|dung
ab|fla|chen; sich -
ab|flau|en
ab|flie|gen
ab|flie|ßen
Ab|flug; Ab|flug‿ge|schwin|dig|keit, ...zeit
Ab|fluß; Ab|fluß|hahn
ab|fra|gen; jmdn. od. jmdm. etwas -
Ab|fuhr, die; -, -en; **ab|füh|ren; Ab|führ|mit|tel; Ab|füh|rung**
Ab|ga|be (für: Steuer usw. meist *Mehrz.*); **ab|ga|ben|pflich|tig; Ab|ga|be|ter|min**
Ab|gang, der; **Ab|gän|ger** (Amtsdt.: von der Schule Abgehender); **ab|gän|gig; Ab|gangs|zeug|nis**
Ab|gas (bei Verbrennungsvorgängen entweichendes Gas); **Ab|gas|son|der|un|ter|su|chung** (Abk.: ASU)
ab|ge|ar|bei|tet
ab|ge|ben
◇ aushändigen, übergeben, überreichen, überbringen; abtreten, überlassen
ab|ge|blaßt
ab|ge|brannt (ugs. für: ohne Geldmittel)
ab|ge|brüht (ugs. für: [sittlich] abgestumpft, unempfindlich)
ab|ge|dro|schen; -e (ugs. für: [zu] oft gebrauchte) Redensart
ab|ge|feimt (durchtrieben)
ab|ge|hen
ab|ge|kar|tet (ugs. für: zum Nachteil eines anderen heimlich verabredet); eine -e Sache
ab|ge|klärt
ab|ge|le|gen
◇ entlegen, abgeschieden, einsam [gelegen]
ab|ge|lei|ert; -e (ugs.: [zu] oft gebrauchte, platte) Worte
ab|ge|macht (ugs.); eine -e Sache
ab|ge|mer|gelt (erschöpft; abgemagert); vgl. abmergeln
ab|ge|neigt
Ab|ge|ord|ne|te, der u. die; -n, -n
◇ Volksvertreter, Delegierter, Parlamentarier
ab|ge|ris|sen; -e (abgenutzte, zerlumpte) Kleider
Ab|ge|sand|te, der u. die; -n, -n
Ab|ge|sang
ab|ge|schie|den (geh. für: einsam [gelegen]; verstorben); **Ab|ge|schie|de|ne** (geh.), der u. die; -n, -n; **Ab|ge|schie|den|heit**
ab|ge|schlafft (ugs. für: müde, erschöpft); vgl. abschlaffen
ab|ge|schla|gen; Ab|ge|schla|gen|heit
ab|ge|schmackt; -e (platte) Worte
ab|ge|se|hen; abgesehen von ...
ab|ge|spannt
◇ erschöpft, müde, zerschlagen
ab|ge|ta|kelt (ugs. für: heruntergekommen, ausgedient)
ab|ge|tan; eine -e (erledigte) Sache
ab|ge|wetzt
ab|ge|wo|gen
ab|ge|wöh|nen
ab|ge|zehrt
ab|ge|zo|gen; ein -er (geh.: abstrakter) Begriff; vgl. abziehen
Ab|gott, der; -[e]s, Abgötter
◇ Idol, Götze
ab|göt|tisch
ab|gra|ben; jmdm. das Wasser -
ab|gren|zen; Ab|gren|zung
Ab|grund; ab|grün|dig
ab|gucken[1] (ugs.); [von od. bei] jmdm. etwas -
Ab|guß
ab|ha|ben (ugs.)
ab|hacken[1]
ab|ha|ken
ab|hal|ten; Ab|hal|tung
ab|han|deln; ein Thema -
ab|han|den; - kommen (verlorengehen)
Ab|hand|lung
Ab|hang; [1]ab|hän|gen; hing ab, abgehangen; **[2]ab|hän|gen;** hängte ab, abgehängt; **ab|hän|gig;** -e (indirekte) Rede; **Ab|hän|gig|keit,** die; -
ab|här|ten; Ab|här|tung
ab|hau|en (ugs. auch für: davonlaufen); ich hieb den Ast ab; wir hauten ab
ab|he|ben
ab|hef|ten; ein Schriftstück im Ordner -
ab|hel|fen; einem Mangel -
ab|het|zen; sich -
ab|heu|ern
Ab|hil|fe
ab|hold; jmdm., einer Sache - sein
ab|ho|len; Ab|ho|ler
ab|hö|ren; jmdn. od. jmdm. etwas -; **Ab|hör|ge|rät**
Abi|tur, das; -s, (selten:) -e (Reifeprü-

[1] *Trenn.:* ...k|k...

fung); **Ab|itu|ri|ent,** der; -en, -en (Reifeprüfling); **Ab|itu|ri|en|tin,** die; -, -nen
ab|kan|zeln (ugs. für: scharf tadeln)
ab|kap|seln
Ab|kehr, die; -
ab|klap|pern (ugs. für: suchend, fragend ablaufen)
ab|klin|gen
ab|knal|len
ab|knap|sen; jmdm. etwas - (ugs.: entziehen)
ab|knicken[1]**;** abknickende Vorfahrt
ab|knöp|fen; jmdm. Geld -
Ab|kom|men, das; -s, -; **ab|kömm|lich; Ab|kömm|ling**
ab|kop|peln
ab|krat|zen (ugs. auch für: sterben)
ab|küh|len; Ab|küh|lung
Ab|kunft, die; -
◇ Herkommen, Abstammung, Herkunft
ab|kür|zen; Ab|kür|zung
ab|la|den; vgl. [1]laden; **Ab|la|de|platz; Ab|la|dung**
Ab|la|ge; ab|la|gern; Ab|la|ge|rung
Ab|laß, der; Ablasses, Ablässe; **ab|las|sen**
Ab|lauf
ab|lau|fen
◇ verfallen, ungültig werden, auslaufen
Ab|laut (Sprachw.: gesetzmäßiger Selbstlautwechsel in der Stammsilbe etymologisch verwandter Wörter, z. B. „singen, sang, gesungen")
Ab|le|ben, das; -s (Tod)
ab|lecken [*Trenn.:* lek|ken]
ab|le|gen; Ab|le|ger (Pflanzentrieb; ugs. scherzh. für: Sohn)
ab|leh|nen; einen Vorschlag -
◇ zurückweisen, ausschlagen, abweisen, verschmähen; abschlägig bescheiden (Papierdt.), abschlagen, verweigern
Ab|leh|nung
ab|lei|sten; Ab|lei|stung
ab|lei|ten; Ab|lei|tung
ab|len|ken; Ab|len|kung
ab|le|sen; Ab|le|ser
ab|leug|nen
ab|lich|ten; Ab|lich|tung
ab|lie|fern; Ab|lie|fe|rung
ab|lie|gen; weit -
ab|lö|sen; Ab|lö|se|sum|me; Ab|lö|sung; Ab|lö|sungs|sum|me
ab|luch|sen (ugs. für: jmdm. etwas abnehmen, durch Überredung von ihm erhalten); jmdm. etwas -
ABM = Arbeitsbeschaffungsmaßnahme
ab|ma|chen
Ab|ma|chung
◇ Verabredung, Übereinkunft, Übereinkommen, Vereinbarung, Abkommen
ab|ma|gern; Ab|ma|ge|rung
ab|ma|len; ein Bild -
Ab|marsch, der; **ab|mar|schie|ren**
ab|mel|den; Ab|mel|dung
ab|mer|geln, sich (ugs. für: sich abmühen, abquälen); vgl. abgemergelt
ab|mes|sen; Ab|mes|sung
ab|mon|tie|ren
ab|mü|hen, sich
ab|murk|sen (ugs. für: umbringen)
ab|mu|stern (Seemannsspr.: entlassen; den Dienst aufgeben)
ab|nä|hen; Ab|nä|her
Ab|nah|me, die; -, -n
ab|neh|men
◇ nachlassen, [dahin]schwinden, zurückgehen, sich verringern, sich vermindern; schlank werden
Ab|neh|mer
Ab|nei|gung; eine - gegen jmdn., etw. haben
ab|norm (vom Normalen abweichend, regelwidrig; krankhaft); **ab|nor|mal** [auch: *...mal*] (nicht normal, ungewöhnlich); **Ab|nor|mi|tät,** die; -, -en
ab|nut|zen, (bes. südd., österr.:) **ab|nüt|zen**
Abon|ne|ment [*abon(e)mang,* schweiz. auch: *...mänt*], das; -s, -s (schweiz. auch: -e); (Dauerbezug von Zeitungen u. ä., Dauermiete für Theater u. ä.); **Abon|nent,** der; -en, -en (Inhaber eines Abonnements); **abon|nie|ren;** abonniert sein auf etwas
ab|ord|nen; Ab|ord|nung
[1]Ab|ort, der; -[e]s, -e (Klosett)
[2]Ab|ort, der; -s, -e (Med.: Fehlgeburt)
ab|pas|sen
ab|pau|sen; eine Zeichnung -
ab|pfei|fen; Ab|pfiff (Sportspr.)
ab|pflücken[1]
ab|pla|gen, sich
ab|pral|len
ab|put|zen
ab|qua|li|fi|zie|ren
ab|rackern[1]**,** sich (ugs. für: sich abarbeiten)
ab|ra|ten; jmdm. von etwas -
◇ vor etwas warnen, widerraten (geh.), nicht zuraten
ab|räu|men
ab|rea|gie|ren; sich -
ab|rech|nen; Ab|rech|nung
Ab|re|de; etwas in - stellen
ab|rei|ben; Ab|rei|bung
Ab|rei|se (*Mehrz.* selten); **ab|rei|sen**
Ab|reiß|block (*Mehrz.* ...blöcke u. ...blocks); **ab|rei|ßen;** vgl. abgerissen; **Ab|reiß|ka|len|der**
ab|rich|ten; Ab|rich|tung
Ab|rieb, der; -[e]s, (abgeriebene Teilchen:) -e (Technik); **ab|rieb|fest**
ab|rie|geln
Ab|riß, der; Abrisses, Abrisse

---
[1] *Trenn.:* ...k|k...

Ab|ruf, der; -[e]s; auf -; **ab|ruf|be|reit;** sich - halten; **ab|ru|fen**
ab|run|den; eine Zahl [nach oben, unten] -; **Ab|run|dung**
ab|rupt (abgebrochen, zusammenhanglos, plötzlich, jäh)
ab|rüs|ten; Ab|rü|stung
ABS = Antiblockiersystem (Technik)
ab|sacken[1] (ugs. auch für: [ab]sinken)
Ab|sa|ge, die; -, -n
ab|sa|gen
◇ eine Zusage zurücknehmen, rückgängig machen, abblasen (ugs.)
ab|sä|gen (ugs. auch für: absetzen, von einem Posten entfernen)
ab|sah|nen (ugs. auch für: sich aneignen; an einer Sache viel verdienen)
Ab|satz
ab|schaf|fen
◇ aufheben, beseitigen, annullieren (geh.)
Ab|schaf|fung
ab|schät|zen; ab|schät|zig
Ab|schaum, der; -[e]s
ab|sche|ren; den Bart -
Ab|scheu, der; -[e]s (seltener: die; -); **abscheu|er|re|gend; ab|scheu|lich**
Ab|schied, der; -[e]s, -e; **Ab|schiedsbe|such**
ab|schir|men; Ab|schir|mung
ab|schlach|ten
ab|schlaf|fen (ugs. für: schlaff werden; sich entspannen)
Ab|schlag; auf -; **ab|schla|gen; abschlä|gig** (Amtsdt.); jmdn. od. etwas - bescheiden ([jmdm.] etwas nicht genehmigen); **Ab|schlags|zah|lung**
ab|schlep|pen; Ab|schlepp|seil
ab|schlie|ßen
◇ absperren (landsch.), zuschließen, zusperren (landsch.), ab-, verriegeln
Ab|schluß; zum - bringen
ab|schmir|geln
ab|schnei|den; Ab|schnitt; abschnitt[s]|wei|se
ab|schrecken[1]**;** schreckte ab, abgeschreckt; **ab|schreckend**[1]**; Abschreckung**[1]
ab|schrei|ben; Ab|schrei|bung
Ab|schrift
◇ Zweitschrift, Duplikat, Kopie
ab|schrift|lich (Papierdt.)
ab|schuf|ten, sich (ugs. für: sich abarbeiten)
Ab|schuß; ab|schüs|sig
ab|schwä|chen
ab|seh|bar [auch: ...*se*...]; **ab|se|hen;** vgl. abgesehen
ab|sei|len; sich -
ab|sein (ugs. für: entfernt, getrennt sein; abgespannt sein); der Ast ist ab, ist abgewesen, aber: ... daß der Ast ab ist

[1] *Trenn.:* ...k|k...

[1]**Ab|sei|te,** die; -, -n landsch. (Nebenraum, -bau)
[2]**Ab|sei|te** (Stoffrückseite); **ab|sei|tig; Ab|sei|tig|keit; ab|seits;** *Verhältnisw.* mit *Wesf.:* - des Ortes; *Umstandsw.:* - stehen, sein; - von jeder menschlichen Behausung; **Ab|seits,** das; -, - (Sportspr.); - pfeifen
ab|sen|den; sandte u. sendete ab; abgesandt u. abgesendet; **Ab|sen|der**
ab|sen|tie|ren, sich (sich entfernen)
ab|ser|vie|ren (ugs. für: seines Einflusses berauben)
ab|set|zen; sich -; **Ab|set|zung**
Ab|sicht, die; -, -en
◇ Intention, Vorsatz, Ziel
ab|sicht|lich [auch: ...*sicht*...]
◇ beabsichtigt, mit Absicht, willentlich
ab|so|lut (uneingeschränkt; unbedingt; rein); **Ab|so|lut|heit,** die; -; **Ab|so|luti|on** [...*zion*], die; -, -en (Los-, Freisprechung, bes. Sündenvergebung); **Ab|solu|tis|mus,** der; - (unbeschränkte Herrschaft eines Monarchen, Willkürherrschaft); **ab|so|lu|ti|stisch; Ab|solvent** [...*wänt*], der; -en, -en (Schulabgänger mit Abschlußprüfung); **ab|sol|vieren** (Absolution erteilen; erledigen, ableisten; [Schule] durchlaufen)
ab|son|der|lich; ab|son|dern; sich -; **Ab|son|de|rung**
ab|sor|bie|ren (aufsaugen; [gänzlich] beanspruchen); **Ab|sorp|ti|on** [...*zion*], die; -, -en
ab|spa|ren, sich; sich etwas am Munde -
ab|spei|sen
ab|spen|stig; jmdm. jmdn. od. etwas - machen
ab|sper|ren; Ab|sper|rung
Ab|spiel, das; -[e]s; **ab|spie|len**
Ab|spra|che; ab|spre|chen
ab|sprin|gen; Ab|sprung
ab|spu|len; ein Tonband -
ab|spü|len; Geschirr -
ab|stam|men; Ab|stam|mung
Ab|stand; von etwas - nehmen; **Abstand|hal|ter** (Vorrichtung am Fahrrad)
ab|stat|ten; jmdm. einen Besuch - (geh.)
ab|stau|ben (auch ugs. für: unbemerkt mitnehmen, sich auf nicht ganz korrekte Weise aneignen; Sport: durch Ausnutzen eines glücklichen Zufalls ein Tor schießen)
Ab|ste|cher (kleine Nebenreise)
ab|ste|hen
ab|stei|gen; Ab|stei|ge|quar|tier; Ab|stei|ger (Sportspr.)
ab|stel|len; Gepäck auf dem Bahnsteig -; er stellte sein Auto in der Parkverbotszone, unter einem Vordach ab; **Ab|stellge|lei|se** od. **...gleis, ...raum; Abstel|lung**
ab|stem|peln

Ab|stieg, der; -[e]s, -e
ab|stim|men; Ab|stim|mung
ab|sti|nent (enthaltsam, alkohol. Getränke meidend); **Ab|sti|nenz,** die; -; **Ab|sti|nenz|ler** (abstinent lebender Mensch)
ab|stop|pen
Ab|stoß; ab|sto|ßen; ab|sto|ßend
ab|stot|tern (ugs. für: in Raten bezahlen)
ab|stra|hie|ren (gedanklich verallgemeinern)
ab|strakt (unwirklich, begrifflich, nur gedacht); -e (vom Gegenständlichen absehende) Kunst; **Ab|strakt|heit; Ab|strak|ti|on** [...*zion*], die; -, -en
ab|strei|chen; Ab|strei|cher
ab|strei|ten
◇ bestreiten, in Abrede stellen (Papierdt.), [ab]leugnen, von sich weisen, dementieren
Ab|strich
ab|strus (verworren, schwer verständlich)
ab|stump|fen; Ab|stump|fung
Ab|sturz; ab|stür|zen
ab|surd (ungereimt, unvernünftig, sinnwidrig, sinnlos); **Ab|sur|di|tät,** die; -, -en
Ab|szeß, der; ...esses, ...esse (Med.: Eiteransammlung im Gewebe)
Ab|szis|se, die; -, -n (Math.: auf der Abszissenachse abgetragene erste Koordinate eines Punktes)
Abt, der; -[e]s, Äbte (Kloster-, Stiftsvorsteher)
ab|ta|keln; ein Schiff - (das Takelwerk entfernen, außer Dienst stellen); vgl. abgetakelt
ab|tau|en; einen Kühlschrank -
Ab|tei
Ab|teil, [ugs. auch: *ap*...] das; -[e]s, -e; **ab|tei|len;** [1]**Ab|tei|lung,** die; - (Abtrennung); [2]**Ab|tei|lung** ([durch Abtrennung entstandener] Teil)
ab|tip|pen (ugs. für: mit der Schreibmaschine abschreiben)
Äb|tis|sin, die; -, -nen (Kloster-, Stiftsvorsteherin)
Ab|trag, der; -[e]s, Abträge; jmdm. od. einer Sache - tun (geh. für: schaden); **ab|tra|gen; ab|träg|lich** (schädlich); jmdm. od. einer Sache - sein
Ab|trans|port; ab|trans|por|tie|ren
ab|trei|ben; Ab|trei|bung; Ab|trei|bungs‿pa|ra|graph (§ 218 des Strafgesetzbuches), **...ver|such**
ab|tren|nen; Ab|tren|nung
ab|tre|ten; Ab|tre|ter; Ab|tre|tung
Ab|tritt (ugs. für: Abort)
ab|trock|nen; nach dem Regen ist/hat es schnell wieder abgetrocknet
ab|trün|nig; Ab|trün|nig|keit, die; -
ab|tun; etwas als Scherz -; vgl. abgetan
ab|ur|tei|len; Ab|ur|tei|lung

ab|wä|gen; wägte, wog ab; abgewogen, abgewägt
Ab|wahl; ab|wäh|len
ab|wan|deln; Ab|wand|lung
ab|wan|dern; Ab|wan|de|rung
Ab|wär|me (Technik: nicht genutzte Wärmeenergie)
ab|war|ten
ab|wärts; abwärts (nach unten) gehen; **ab|wärts|ge|hen** (ugs. für: schlechter werden)
Ab|wasch, der; -[e]s (Geschirrspülen; schmutziges Geschirr); **ab|wa|schen; Ab|wasch|was|ser**
Ab|was|ser (*Mehrz.* ...wässer)
ab|wech|seln; ab|wech|selnd; Ab|wech|se|lung, Ab|wechs|lung
Ab|we|ge, die *(Mehrz.)*; **ab|we|gig**
Ab|wehr, die; -; **ab|weh|ren**
[1]**ab|wei|chen;** ein Pflaster -
[2]**ab|wei|chen;** vom Kurs -
Ab|wei|chung
◇ Unstimmigkeit, Unterschied, Divergenz, Differenz, Variante
ab|wei|sen; Ab|wei|sung
ab|wen|den; ich wandte od. wendete mich ab, habe mich abgewandt od. abgewendet; **Ab|wen|dung,** die; -
ab|wer|ben; Ab|wer|bung
ab|wer|ten; Ab|wer|tung
ab|we|send; Ab|we|sen|de, der u. die; -n, -n; **Ab|we|sen|heit,** die; -
ab|wickeln[1]; **Ab|wicke|lung**[1], **Ab|wick|lung**
ab|wim|meln (ugs. für: mit Ausflüchten abweisen)
ab|wirt|schaf|ten; abgewirtschaftet
ab|wracken[1]; ein Schiff - (verschrotten)
Ab|wurf
ab|wür|gen
ab|zah|len; ab|zäh|len; Ab|zähl|reim; Ab|zah|lung; Ab|zah|lungs|ge|schäft
ab|zap|peln, sich
Ab|zei|chen; ab|zeich|nen; sich -
Ab|zieh|bild; ab|zie|hen
ab|zir|keln; abgezirkelt
Ab|zug; ab|züg|lich (Kaufmannsspr.): *Verhältnisw.* mit *Wesf.*: - des gewährten Rabatts, aber: - Rabatt; der Preis für die Mahlzeiten - Getränken; **ab|zugs|fä|hig**
ab|zwacken[1] (ugs. für: entziehen, abnehmen)
Ab|zweig (Amtsdt.: Abzweigung): **ab|zwei|gen; Ab|zweig|stel|le; Ab|zwei|gung**
Ac|ces|soire [*akßäßoar*], das; -s, -s (meist *Mehrz.*; modisches Zubehör)
ach!; ach so!; ach ja!; ach je!; ach und weh schreien; **Ach,** das; -s, -[s]; mit - und Krach; mit - und Weh
Achat, der; -[e]s, -e (ein Halbedelstein)

[1] *Trenn.*: ...k|k...

Achil|les‿fer|se (verwundbare Stelle), **...seh|ne** (sehniges Ende des Wadenmuskels am Fersenbein)
Ach-Laut
Ach|se, die; -, -n
Ach|sel, die; -, -n; **Ach|sel‿höh|le, ...klap|pe, ..zucken**[1], das; -s; **ach|sel-zuckend**[1]
Ach|sen|bruch
acht; acht Schüler; wir sind [unser] acht; wir sind zu acht; [1]**Acht,** die; -, -en (Ziffer, Zahl); die Ziffer -
[2]**Acht,** die; - (Aufmerksamkeit; Fürsorge); [ganz] außer acht lassen; sich in acht nehmen
[3]**Acht,** die; - (Ausschließung [vom Rechtsschutz], Ächtung); in Acht und Bann tun
acht|bar; Acht|bar|keit, die; -
ach|te; der achte (der Reihe nach); der Achte (der Leistung nach)
ach|tel; ein - Zentner; drei - Liter, aber (Maß): ein Achtelliter; **Ach|tel,** das; -s, -; ein - Rotwein; **Ach|tel‿fi|na|le** (Sportspr.), **...li|ter**
ach|ten
◇ schätzen, große Stücke auf jmdn. halten, verehren, bewundern; respektieren, anerkennen; achtgeben, aufpassen
äch|ten
Acht|en|der (ein Hirsch mit acht Geweihenden); **ach|tens; Ach|ter** (Ziffer 8; Form einer 8; ein Boot für acht Ruderer); **Ach|ter|bahn; ach|ter|lei**
ach|tern (Seemannsspr.: hinten); nach -
acht|fach
acht|ge|ben; gib acht!; auf etwas -
acht|ha|ben; vgl. achtgeben
acht|hun|dert; acht|jäh|rig
acht|los; Acht|lo|sig|keit
acht|mal; achtmal so groß wie (seltener: als) ...; acht- bis neunmal; **acht|ma|lig**
acht|sam; Acht|sam|keit
Acht|stun|den|tag; acht|tau|send; Acht|ton|ner (mit Ziffer: 8tonner); **Acht|uhr|zug** (mit Ziffer: 8-Uhr-Zug)
Ach|tung, die; -; Achtung!; - vor jmdm./vor etw. haben
Äch|tung
ach|tung|ge|bie|tend; ach|tungs|voll
acht|zehn
acht|zig; er ist - Jahre alt; **Acht|zig,** die; -, -en (Zahl); der Mensch über -
acht|zi|ger; in den achtziger Jahren [des Jahrhunderts], aber: ein Mann in den Achtzigerjahren, in den Achtzigern (über achtzig Jahre alt); **Acht|zi|ger** (jmd., der [über] 80 Jahre ist)
Acht|zy|lin|der (ugs. für: Achtzylindermotor od. damit ausgerüstetes Kraftfahrzeug); **Acht|zy|lin|der|mo|tor**
äch|zen; du ächzt (ächzest)

[1] *Trenn.:* ...k|k...

Acker[1], der; -s, Äcker; 30 - Land; **Acker|bau**[1], der; -[e]s; **acker|bau|trei-bend**[1]; **ackern**[1]
a con|to [- *konto*] (auf [laufende] Rechnung von ...); vgl. Akontozahlung
Ac|tion [*äksch*[e]*n*], die; - (spannende Handlung; Schwung, Betrieb)
ad ab|sur|dum; - - führen (das Widersinnige nachweisen)
ad ac|ta („ zu den Akten"); - - legen
ada|gio [*adadscho*] (Musik: sanft, langsam, ruhig); **Ada|gio,** das; -s, -s (langsames Tonstück)
Adams‿ap|fel, ...ko|stüm
Ad|ap|ta|ti|on [*...zion*], die; - (Anpassung[svermögen])
ad|äquat (angemessen); **Ad|äquat|heit,** die; -
ad|die|ren (zusammenzählen); **Ad|dier-ma|schi|ne; Ad|di|ti|on** [*...zion*], die; -, -en
ade!; ade sagen; **Ade,** das; -s, -s
Ade|bar, der; -s, -e (niederd. für: Storch)
Adel, der; -s; **ade|lig,** adlig; **adeln; Adels|prä|di|kat**
Ader, die; -, -n; **Äder|chen; Ader|laß,** der; ...lasses, ...lässe; **Äde|rung**
Ad|hä|si|on, die; -, -en (Aneinanderhaften von Körpern)
adieu! [*adiö*] („Gott befohlen!"; veralt., landsch. für: lebe [lebt] wohl!); jmdm. - sagen; **Adieu,** das; -s, -s (veralt. für: Lebewohl)
Ad|jek|tiv [auch: *...tif*], das; -s, -e [*...w*[e]] (Sprachw.: Eigenschaftswort, z. B. „schön"); **ad|jek|ti|visch** [auch: *...ti...*]
ad|ju|stie|ren ([Werkstücke] zurichten; eichen; fein einstellen); **Ad|ju|stie|rung**
Ad|ju|tant, der; -en, -en (beigeordneter Offizier)
Ad|ler, der; -s, -
ad|lig, ade|lig; **Ad|li|ge,** der u. die; -n, -n
Ad|mi|ni|stra|ti|on [*...zion*], die; -, -en (Verwaltung[sbehörde]); **ad|mi|ni|stra-tiv** (zur Verwaltung gehörend)
Ad|mi|ral, der; -s, -e u. (seltener:) ...äle (Marineoffizier; ein Schmetterling); **Ad-mi|ra|li|tät; Ad|mi|rals|rang**
Ado|nis, der; -, -se (schöner Jüngling, Mann)
ad|op|tie|ren (an Kindes Statt annehmen); **Ad|op|ti|on** [*...zion*], die; -, -en; **Ad|op|tiv‿el|tern, ...kind**
Adre|ma®, die, -, -s (eine Adressiermaschine)
Adres|sant, der; -en, -en (Absender); **Adres|sat,** der; -en, -en (Empfänger; [bei Wechseln:] Bezogener); **Adreß-buch; Adres|se,** die; -, -n (Anschrift); **Adres|sen|samm|lung; adres|sie-ren; Adres|sier|ma|schi|ne**

[1] *Trenn.:* ...k|k...

adrett (nett, hübsch, ordentlich, sauber)
A-Dur [auch: *adur*], das; - (Tonart; Zeichen: A): **A-Dur-Ton|lei|ter**
Ad|vent [...*wänt*], der; -[e]s, (selten:) -e („Ankunft"; Zeit vor Weihnachten); **Ad|ven|tist,** der; -en, -en (Angehöriger einer bestimmten Sekte); **Ad|vents-kranz, ...sonn|tag**
Ad|verb [...*wärp*], das; -s, -ien [...*i*ᵉ*n*] (Sprachw.: Umstandswort, z. B. „dort"); **ad|ver|bi|al** (umstandswörtlich); adverbiale Bestimmung; **Ad|ver|bi|al-be|stim|mung, ...satz; ad|ver|bi|ell** (seltener für: adverbial)
Ad|vo|kat, der; -en, -en (veralt.; landsch. [bes. schweiz.]: [Rechts]anwalt)
Ae|ro|bic [*ärobik*], das; -s (tänzerische Gymnastik, bei der der Umsatz von Sauerstoff im Körper verstärkt wird)
Ae|ro|gramm [*a-ero*...] (Luftpostleichtbrief); **Ae|ro|train** (Luftkissenzug)
Af|fä|re, die; -, -n (Angelegenheit; [unangenehmer] Vorfall; Streitsache)
Äff|chen; Af|fe, der; -n, -n
Af|fekt, der; -[e]s, -e (Gemütsbewegung, stärkere Erregung); **af|fek|tiert** (geziert, gekünstelt); **Af|fek|tiert|heit**
äf|fen; af|fen|ar|tig; Af|fen|brot|baum (eine afrik. Baumart); **Af|fen-hit|ze** (ugs.), **...lie|be** (die; -), **...schan|de** (ugs.)
af|fig (ugs. abwertend für: eitel); **Af|fig|keit; Äf|fin,** die; -, -nen; **äf|fisch**
Af|front [*afrong*, schweiz.: *afront*], der, -s, -s u. (schweiz.:) -e (herausfordernde Beleidigung)
Afri|kaan|der, Afri|kan|der (weißer Südafrikaner mit Afrikaans als Muttersprache); **afri|kaans;** die -e Sprache; **Afri|kaans,** das; - (Sprache der Buren); **Afri|ka|ner** (Eingeborener, Bewohner von Afrika); **afri|ka|nisch**
Af|ter, der; -s, -
AG (= Aktiengesellschaft), die; -, -s
Aga|ve [...*w*ᵉ], die; -, -n (aloeähnl. Pflanze der [Sub]tropen)
Agent, der; -en, -en (Spion; veralt. für: Geschäftsvermittler, Vertreter); **Agen|ten-ring, ...tä|tig|keit; Agen|tur,** die; -, -en (Geschäftsstelle, Vertretung)
Ag|gre|gat, das; -[e]s, -e (Maschinensatz); **Ag|gre|gat|zu|stand** (Erscheinungsform eines Stoffes)
Ag|gres|si|on, die; -, -en (Angriff[sverhalten], Überfall); **Ag|gres|si|ons-krieg, ...trieb; ag|gres|siv** (angreifend; angriffslustig); **Ag|gres|si|vi|tät,** die; -, -en; **Ag|gres|sor,** der; -s, ...oren (Angreifer)
Ägi|de, die; - (Schutz, Obhut); unter der - von ...
agie|ren (handeln; Theater: eine Rolle spielen)
agil (flink, wendig, beweglich); **Agi|li|tät,** die; -
Agi|ta|ti|on [...*zion*], die; -, -en (politische Hetze; intensive politische Aufklärungs-, Werbetätigkeit); **Agi|ta|tor,** der; -s, ..oren (jmd., der Agitation betreibt); **agi|ta|to|risch; agi|tie|ren; Agit|prop** (Kurzw. aus: Agitation und Propaganda)
Agraf|fe, die; -, -n (Schmuckspange)
Agra|ri|er [...*i*ᵉ*r*] (Großgrundbesitzer, Landwirt; oft mit abwertendem Sinn); **agra|risch; Agrar-po|li|tik, ...re|form**
Agree|ment [ᵉ*grim*ᵉ*nt*], das; -s, -s (Politik: formlose Übereinkunft im zwischenstaatl. Verkehr); vgl. Gentleman's Agreement; **Agré|ment** [*agremang*], das; -s, -s (Politik: Zustimmung zur Ernennung eines diplomat. Vertreters)
Agro|nom, der; -en, -en (wissenschaftlich ausgebildeter Landwirt); **Agro|no|mie,** die; - (Ackerbaukunde, Landwirtschaftswissenschaft); **agro|no|misch**
ägyp|tisch; eine -e (tiefe) Finsternis; -e Augenkrankheit; **Ägyp|to|lo|gie,** die; - (wissenschaftl. Erforschung des ägypt. Altertums)
ah! [auch: *a*]; ah so!; ah was!; **Ah,** das; -s, -s; ein lautes - ertönte; **äh!** [auch: *ä*]; **aha!** [auch: *aha*]; **Aha-Er|leb|nis** [auch: *aha*...] (Psych.)
Ah|le, die; -, -n (Pfriem)
Ahn, der; -s u. -en, -en (Stammvater, Vorfahr)
ahn|den (geh. für: strafen; rächen); **Ahn|dung**
¹Ah|ne, der; -n, -n (geh. Nebenform von: Ahn); **²Ah|ne,** die; -, -n (Stammutter, Vorfahrin)
äh|neln
ah|nen
Ah|nen|bild; Ahn-frau, ...herr
ähn|lich; ähnliches (solches); und ähnliche[s] (Abk.: u. ä.); das Ähnliche; Ähnliches und Verschiedenes; etwas, viel, nichts Ähnliches; **Ähn|lich|keit**
Ah|nung; ah|nungs|los; Ah|nungs|lo|sig|keit
ahoi! [*aheu*] (Seemannsspr.: Anruf [eines Schiffes]); Boot ahoi!
Ahorn, der; -s, -e (ein Laubbaum)
Äh|re, die; -, -n; **Äh|ren|le|se**
Aids [ᵉ*ⁱdß*], das; - (meist ohne Artikel) ‹engl.› (eine gefährliche Infektionskrankheit)
Air|bag [*ärbäg*], der; -s, -s ‹engl.› (Luftkissen im Auto, das sich beim Aufprall automatisch vor dem Armaturenbrett aufbläst); **Air|bus** [*är*...] (großes Verkehrsflugzeug für den Passagierdienst auf den kurzen Strecken); **Air-con|di|tio|ning** [*ärkondisch*ᵉ*ning*], das; -s, -s (Klimaanlage)

Aja|tol|lah, der; -[s], -s (schiitischer Ehrentitel)
Aka|de|mie, die; -, ...ien (gelehrte Gesellschaft; [Fach]hochschule; österr. auch: literar. od. musik. Veranstaltung); **Aka|de|mi|ker** (Person mit Hochschulausbildung); **aka|de|misch**
Aka|zie [...*i*[e]], die; -, -n (trop. Laubbaum od. Strauch)
Ake|lei, die; -, -en (Zierpflanze)
Aki (= Aktualitätenkino), das; -s, -s
Ak|kla|ma|ti|on [...*zion*], die; -, -en (beistimmender Zuruf ohne Einzelabstimmungen)
Ak|kli|ma|ti|sa|ti|on [...*zion*], die; -, -en (Anpassung); **ak|kli|ma|ti|sie|ren;** sich -; **Ak|kli|ma|ti|sie|rung**
Ak|kord, der; -[e]s, -e (Musik: Zusammenklang; Wirtsch.: Stücklohn; Übereinkommen); **Ak|kord‿ar|beit, ...ar|bei|ter; Ak|kor|de|on,** das; -s, -s (Handharmonika)
ak|kre|di|tie|ren (Politik: beglaubigen; bevollmächtigen)
Ak|ku, der; -s, -s (Kurzw. für: Akkumulator); **Ak|ku|mu|la|ti|on** [...*zion*], die, -, -en (Anhäufung); **Ak|ku|mu|la|tor,** der; -s, ...oren (ein Stromspeicher; ein Druckwasserbehälter; Kurzw.: Akku); **ak|ku|mu|lie|ren** (anhäufen; sammeln, speichern)
ak|ku|rat (sorgfältig, ordentlich; landsch. für: genau); **Ak|ku|ra|tes|se,** die; -
Ak|ku|sa|tiv [auch: ...tif], der; -s, -e [...*w*[e]], (Sprachw.: Wenfall, 4. Fall); **Ak|ku|sa|tiv|ob|jekt** [auch: ...*tif*...]
Ak|ne, die; -, -n (Med.: Hautausschlag)
Akon|to|zah|lung (Abschlagszahlung); vgl. a conto
Ak|qui|si|teur [...*tör*], der; -s, -e (Kunden-, Anzeigenwerber)
Akri|bie, die; - (höchste Sorgfalt, Genauigkeit)
Akro|bat, der; -en, -en; **Akro|ba|tik,** die; -; **Akro|ba|tin,** die; -, -nen; **akro|ba|tisch**
Akt, der; -[e]s, -e (Abschnitt, Aufzug eines Theaterstückes; Handlung, Vorgang; Stellung u. künstler. Darstellung des nackten Körpers; vgl. Akte); **Ak|te,** die; -, -n, (auch:) Akt, der; -[e]s, -e (Schriftstück; Urkunde); **Ak|tei** (Aktensammlung); **ak|ten|kun|dig; Ak|ten‿schrank, ...ta|sche; Ak|teur** [*aktör*], der; -s, -e (der Handelnde; [Schau]spieler); **Ak|tie** [...*zi*[e]], die, -, -n (Anteil[schein]); **Ak|ti|en‿ge|sell|schaft** (Abk.: AG)
Ak|ti|on [*akzion*], die, -, -en (Unternehmung; Handlung); eine konzertierte -
Ak|tio|när [*akzi*...], der; -s, -e (Besitzer von Aktien); **Ak|tio|närs|ver|samm|lung**
Ak|ti|ons|ra|di|us [*akzionß*...] (Wirkungsbereich, Reichweite; Fahr-, Flugbereich)
ak|tiv [bei Gegenüberstellung zu passiv auch: *aktif*] (tätig, rührig, im Einsatz; seltener für: aktivisch); -e [...*w*[e]] Bestechung; -e Bilanz; -er Wortschatz; -es Wahlrecht; [1]**Ak|tiv** [auch: *aktif*], das; -s (Sprachw.: Tat-, Tätigkeitsform); [2]**Ak|tiv,** das; -s, -s u. (seltener:) -e [...*w*[e]] (DDR: Gruppe von Personen, die gemeinsam an der Lösung bestimmter Aufgaben arbeiten); **Ak|ti|va** [...*wa*], die (Mehrz.) (Summe der Vermögenswerte eines Unternehmens); **ak|ti|vie|ren** [...*wi*...] (in Tätigkeit setzen; Vermögensteile in die Bilanz einsetzen); **ak|ti|visch** (Sprachw.: das Aktiv betreffend, in der Tatform stehend); **Ak|ti|vis|mus,** der; - (Bereitschaft zu zielstrebigem Handeln); **Ak|ti|vist,** der; -en, -en (zielbewußt Handelnder; DDR: Arbeiter, dessen Leistungen vorbildlich sind); **Ak|ti|vi|tät,** die; -, (einzelne Handlungen, Maßnahmen:) -en (Tätigkeitsdrang, Wirksamkeit)
ak|tua|li|sie|ren (aktuell machen); **Ak|tua|li|tät,** die; -, -en (Gegenwartsbezogenheit; Bedeutsamkeit für die unmittelbare Gegenwart); **Ak|tua|li|tä|ten|ki|no** (Abk.: Aki [vgl. d.]); **ak|tu|ell** (im augenblickl. Interesse liegend, zeitgemäß, zeitnah)
aku|punk|tie|ren; Aku|punk|tur, die; -, -en (Heilbehandlung durch Nadelstiche)
Aku|stik, die; - (Lehre vom Schall, von den Tönen; Klangwirkung); **aku|stisch**
akut; -e (brennende) Frage; -e (unvermittelt auftretende, heftig verlaufende) Krankheit; **Akut,** der; -[e]s, -e (ein Betonungszeichen: ´, z. B. é)
Ak|zent, der; -[e]s, -e (Betonung[szeichen]; Tonfall, Aussprache; Nachdruck); **ak|zen|tu|ie|ren**
ak|zep|ta|bel (annehmbar); ...able Bedingungen; **Ak|zep|tanz,** die; - (Aufnahme bes. eines neuen Produkts auf dem Markt); **ak|zep|tie|ren** (annehmen); **Ak|zep|tie|rung**
à la (im Stile von, nach Art von)
alaaf! (niederrheinischer Hochruf); Kölle -
Ala|ba|ster, der; -s (eine Gipsart)
à la carte [*a la kart*] (nach der Speisekarte)
Alarm, der; -[e]s, -e (Warnung[szeichen, -signal]); **alarm|be|reit; Alarm|be|reit|schaft; alar|mie|ren** (Alarm geben, warnen, aufrütteln)
Alaun, der; -s, -e (ein Salz); **Alaun|stein**
Al|ba|tros, der; -, -se (ein Sturmvogel)
Al|be|rei

[1]**al|bern;** albert nicht so!; [2]**al|bern;** -es Geschwätz; **Al|bern|heit**
Al|bi|nis|mus, der; - (Unfähigkeit, Farbstoffe in Haut, Haaren u. Augen zu bilden); **Al|bi|no,** der; -s, -s („Weißling“; Mensch, Tier od. Pflanze mit fehlender Farbstoffbildung; vgl. Kakerlak)
Al|bum, das; -s, Alben („weiße Tafel“; Gedenk-, Stamm-, Sammelbuch)
Al|can|ta|ra®, das; -[s] (ein Veloursleder-imitat)
Äl|chen (kleiner Aal; Fadenwurm)
Al|chi|mie, die; - (hist.: Chemie des MA.s; vermeintl. Goldmacherkunst); **Al|chi|mist,** der; -en, -en (die Alchimie Ausübender); **al|chi|mi|stisch**
Ale [*e'l*], das; -s (engl. Bier)
alert landsch. (munter, frisch)
Al|ge, die; -, -n (eine niedere Wasserpflanze)
Al|ge|bra [österr.: *...gebra*], die; -, (für: algebraische Struktur auch *Mehrz.:*) ...ebren (Buchstabenrechnung; Lehre von math. Gleichungen); **al|ge|bra|isch**
Ali|bi, das; -s, -s („anderswo“; [Nachweis der] Abwesenheit [vom Tatort des Verbrechens]; Unschuldsbeweis, Rechtfertigung)
Ali|men|te, die *(Mehrz.)* (Unterhaltsbeiträge, bes. für uneheliche Kinder)
Al|ka|li [auch: *al...*], das; -s, Alkalien [*...i*e*n*] (eine laugenartige chem. Verbindung); **al|ka|lisch** (laugenhaft)
Al|ko|hol [auch: *alkohol*], der; -s, -e (eine organ. Verbindung; Bestandteil der alkohol. Getränke); **al|ko|hol‿arm, ...frei; Al|ko|ho|li|ka,** die *(Mehrz.)* (alkohol. Getränke); **Al|ko|ho|li|ker; al|ko|ho|lisch; al|ko|ho|li|sie|ren** (mit Alkohol versetzen; scherzh. für: unter Alkohol setzen); **al|ko|ho|li|siert** (scherzh. für: betrunken); **Al|ko|ho|li|sie|rung; Al|ko|ho|lis|mus,** der; -
all; all und jeder; trotz allem; allen Ernstes; aller guten Dinge sind drei; alle beide; sie kamen alle; all[e] die Mühe; alle vier Jahre; alle (ugs. für: zu Ende, aufgebraucht) sein, werden; alles, was; alles in allem; alles Gute; alles Mögliche (er versuchte alles Mögliche [alle Möglichkeiten]), a b e r: alles mögliche (er versuchte alles mögliche [viel, allerlei]); alles andere, übrige; mein ein und [mein] alles
All, das; -s (Weltall)
all|abend|lich: all|abends
all|be|kannt
all|dem, al|le|dem; bei -
Al|lee, die; -, Alleen (mit Bäumen eingefaßte Straße)
Al|le|go|rie, die; -, ...ien (Sinnbild; Gleichnis); **al|le|go|risch; al|le|go|ri|sie|ren** (versinnbildlichen)
al|le|gret|to (Musik: mäßig schnell, mäßig lebhaft); **Al|le|gret|to,** das; -s, -s u. ...tti (mäßig schnelles Musikstück); **al|le|gro** (Musik: lebhaft); **Al|le|gro,** das; -s, -s u. ...gri (schnelles Musikstück)
al|lein; - sein, stehen, bleiben; jmdn. - lassen; von allein[e] (ugs.); **al|lei|ne** (ugs. für: allein)
◇ verlassen, einsam, mutterseelenallein
Al|lein‿er|zie|hen|de (der u. die; -n, -n), **...gang, ...herr|scher; al|lei|nig; al|lein|se|lig|ma|chend** (kath. Kirche); **al|lein ste|hen,** a b e r: **al|lein|ste|hend; Al|lein|ste|hen|de,** der u. die; -n, -n
al|le|mal; ein für -, a b e r: ein für alle Male
al|len|falls; vgl. Fall, der; **al|lent|hal|ben**
al|ler|al|ler|letz|te
al|ler|art (allerlei); allerart Dinge, a b e r: Dinge aller Art
al|ler|be|ste; am allerbesten; es ist das allerbeste (sehr gut), daß ..., a b e r: es ist das Allerbeste, was ...
al|ler|dings
al|ler|en|den (geh. für: überall)
al|ler|er|ste
Al|ler|gie, die; -, ...ien (Med.: Überempfindlichkeit); **Al|ler|gi|ker; al|ler|gisch**
al|ler|hand; - Neues; - Streiche; er weiß - (ugs. für: viel); das ist ja, doch - (ugs.)
Al|ler|hei|li|gen, das; - (kath. Fest zu Ehren aller Heiligen); **Al|ler|hei|li|gen|fest; Al|ler|hei|lig|ste,** das; -n
al|ler|höchst; allerhöchstens; auf das, aufs allerhöchste
al|ler|lei; - Wichtiges; - Farben
◇ mancherlei, verschiedenerlei; vielerlei, allerhand
Al|ler|lei, das; -s, -s; Leipziger -
al|ler|letz|te
al|ler|liebst; Al|ler|lieb|ste, der u. die; -n, -n
al|ler|mei|ste
al|ler|näch|ste; al|ler|neu[e]|ste; das Allerneu[e]ste
al|ler|or|ten, al|ler|orts
Al|ler|see|len, das; - (kath. Gedächtnistag für die Verstorbenen); **Al|ler|see|len|tag**
al|ler|seits, all|seits
al|ler|wärts
Al|ler|welts|kerl
al|ler|we|nig|ste; das Allerwenigste, was ...; am allerwenigsten; allerwenigstens
Al|ler|wer|te|ste, der; -n, -n (ugs. scherzh. für: Gesäß)
al|les; vgl. all
al|le|samt
Al|les‿bes|ser|wis|ser, ...fresser
al|le|zeit, all|zeit (immer)
all|fäl|lig [auch: *...fäl...*] (österr., schweiz.

für: etwaig, allenfalls [vorkommend], eventuell)
all|ge|mein; im allgemeinen (gewöhnlich; Abk. i. allg.), aber: er bewegt sich stets nur im Allgemeinen (beachtet nicht das Besondere); die -e Schul-, Wehrpflicht; -e Geschäfts-, Versicherungsbedingungen; **All|ge|mein_be|fin|den, ...bil|dung** (die; -); **all|ge|mein|gül|tig;** die allgemeingültigen Ausführungen, aber: die Ausführungen sind allgemein gültig; **All|ge|mein|gut; All|ge|mein|heit,** die; -; **All|ge|mein|platz** (abgegriffene Redensart; meist *Mehrz.*); **all|ge|mein|ver|ständ|lich;** vgl. allgemeingültig
all|ge|wal|tig
All|heil|mit|tel
Al|li|anz, die; -, -en ([Staaten]bündnis)
Al|li|ga|tor, der; -s, ...oren (Panzerechse)
al|li|ie|ren, sich (sich verbünden); **Al|li|ier|te,** der u. die; -n, -n
all|jähr|lich
All|macht, die; -; **all|mäch|tig; All|mäch|ti|ge,** der; -n (Gott); Allmächtiger!
all|mäh|lich
all|mo|nat|lich
all|nächt|lich
Al|lo|pa|thie, die; - (Heilkunst [Schulmedizin])
Al|lo|tria, die *(Mehrz.)* (Unfug), heute meist: das; -s
All|round|man [*ålraundmᵉn*], der; -s, ...men (jmd., der in vielen Bereichen Bescheid weiß); **All|round|sport|ler** (Sportler, der viele Sportarten beherrscht)
all|sei|tig; all|seits, al|ler|seits
All|strom|ge|rät (für Gleich- u. Wechselstrom)
All|tag; all|täg|lich [auch: *altäk...* (= alltags) od. *altäk...* (= täglich, gewohnt)]; **All|täg|lich|keit; all|tags;** alltags wie feiertags; **All|tags|spra|che,** die; -
all|über|all
Al|lü|ren, die *(Mehrz.)* ([schlechte] Umgangsformen)
all|wis|send; Doktor Allwissend (eine Märchengestalt); **All|wis|sen|heit,** die; -
all|wö|chent|lich
all|zeit, al|le|zeit (immer)
all|zu; allzubald, allzufrüh, allzugern, allzulang[e], allzuoft, allzusehr, allzuselten, allzuviel, allzuweit, aber (bei deutlich unterscheidbarer Betonung [und Beugung des zweiten Wortes] getrennt): die Last ist allzu schwer, er hatte allzu viele Bedenken
All|zweck|tuch (*Mehrz.* ...tücher)
Alm, die; -, -en (Bergweide)
Al|ma|nach, der; -s, -e (Kalender, [bebildertes] Jahrbuch)
Al|mo|sen, das; -s, - (kleine Spende, [milde] Gabe)
Aloe [*alo-e*], die; -, -n (eine Zier- u. Heilpflanze)
[1]**Alp,** der; -s, -e (gespenstisches Wesen; Alpdrücken)
[2]**Alp,** Al|pe, die; -, Alpen (svw. Alm)
[1]**Al|pa|ka,** das; -s, -s (Lamaart Südamerikas); [2]**Al|pa|ka,** das; -s (Wolle vom Alpaka; Reißwolle); [3]**Al|pa|ka** (als Ⓦⓩ: Alpacca), das; -s (Neusilber)
Alp_druck (der; -[e]s, ...drücke), **...drük|ken** (das; -s)
Al|pe vgl. [2]Alp; **Al|pen_jä|ger, ...veil|chen**
Al|pha, das; -[s], -s (gr. Buchstabe: *A*, α); **Al|pha|bet,** das; -[e]s, -e (Abc); **al|pha|be|tisch; al|pha|be|ti|sie|ren**
Alp|horn (*Mehrz.* ...hörner)
al|pin (die Alpen, das Hochgebirge betreffend, darin vorkommend); -e Kombination (Skisport); **Al|pi|ni,** die *(Mehrz.)* (it. Alpenjäger); **Al|pi|nis|mus,** der; - (sportl. Bergsteigen); **Al|pi|nist,** der; -en, -en (sportl. Bergsteiger im Hochgebirge); **Al|pi|ni|stik,** die; - (svw. Alpinismus); **Al|pi|num,** das; -s, ...nen (Alpenpflanzenanlage); **Älp|ler** (Alpenbewohner)
Alp|traum
Al|raun, der; -[e]s, -e u. **Al|rau|ne,** die; -, -n (menschenähnliche Zauberwurzel; Zauberwesen)
als; - ob; - daß; sie ist schöner als ihre Freundin; **als|bald; als|bal|dig; als|dann**
al|so
◇ folglich, demnach, demzufolge, somit
alt; älter, älteste; alte Sprachen; ein alter Mann; er ist immer der alte (derselbe); er ist der ältere, älteste meiner Söhne; alt und jung (jedermann); es beim alten lassen; aus alt mach neu; Altes und Neues; Alte und Junge; mein Ältester (ältester Sohn); der Alte Fritz; das Alte Testament (Abk.: A. T.); die Alte Welt (Europa, Asien u. Afrika)
◇ älter, bejahrt, betagt, greis
Alt, der; -s, -e (tiefe Frauen- od. Knabenstimme; Sängerin mit dieser Stimme)
Al|tan, der; -[e]s, -e (Balkon; Söller)
Al|tar, der; -[e]s, ...täre; **Al|tar|bild; Al|tar[s]|sa|kra|ment**
alt|backen [*Trenn.:* ...bak|ken]; -es Brot
Alt|bau, der; -[e]s, -ten; **Alt|bau|woh|nung**
alt|be|kannt
alt|be|währt
Alt|bun|des|prä|si|dent
alt|deutsch; -e Bierstube
Al|te, der u. die; -n, -n (ugs. für: Vater u. Mutter, Ehemann u. Ehefrau, Chef u. Chefin)

alt|ehr|wür|dig
alt|ein|ge|ses|sen
Al|ten‿heim, ...hil|fe (die; -), **...teil,** das
Al|ter, das; -s, -; seit alters, vor alters, von alters her
al|te|rie|ren, sich (sich aufregen)
al|tern; in letzter Zeit ist sie/(selten:) hat sie stark gealtert; **Al|tern,** das; -s
al|ter|na|tiv (wahlweise; zwischen zwei Möglichkeiten die Wahl lassend); [1]**Al|ter|na|ti|ve** [...*w*[e]], die; -, -n (Entscheidung zwischen zwei [oder mehr] Möglichkeiten; die andere, zweite Möglichkeit); [2]**Al|ter|na|ti|ve** [...*w*[e]], der u. die; -n, -n (meist *Mehrz.;* Anhänger[in] einer Lebensform, die sich bes. vom Konsumdenken abwendet); **al|ter|nie|ren** ([ab]wechseln)
alt|er|probt
al|ters vgl. Alter; **Al|ters‿be|schwer|den** (*Mehrz.*), **...heim, ...ru|he|geld; al|ters|schwach; Al|ters|ver|sor|gung**
Al|ter|tum, das; -s; das klassische -; **Al|ter|tü|me|lei; al|ter|tü|meln** (das Wesen des Altertums [übertrieben] nachahmen); **Al|ter|tü|mer,** die (Mehrz.) (Gegenstände aus dem Altertum); **al|ter|tüm|lich; Al|ter|tüm|lich|keit; Al|ter|tums|for|scher**
Al|te|rung (auch: Reifung; Technik: [bei Metall od. Flüssigkeit] Änderung des Gefüges oder der Zusammensetzung durch Altern)
Äl|te|ste, der u. die; -n, -n (einer Kirchengemeinde u. a.)
alt|frän|kisch
alt|ge|dient
alt|ge|wohnt
Alt|glas
Alt|gold
Alt|händ|ler
alt|her|ge|bracht
Alt|her|ren|mann|schaft (Sportspr.)
alt|hoch|deutsch
Al|ti|stin, die; -; -nen
alt|jüng|fer|lich
alt|klug
ält|lich
Alt|ma|te|ri|al
Alt|mei|ster (als Vorbild geltender Meister, auch in der Wissenschaft)
Alt|me|tall
alt|mo|disch
◇ unmodern, altväterisch, altfränkisch, antiquiert (geh.), altertümlich
alt|nor|disch
Alt|pa|pier
Alt|phi|lo|lo|ge
Al|tru|is|mus, der; - (Selbstlosigkeit); **Al|tru|ist** der; -en, -en; **al|tru|i|stisch**
alt|sprach|lich; -er Zweig
Alt|stim|me
alt|te|sta|men|ta|risch; alt|te|sta|ment|lich
Alt|tier (Jägerspr.: Muttertier beim Rot- u. Damwild)
alt|über|lie|fert
alt|vä|te|risch (altmodisch); **alt|vä|ter|lich** (ehrwürdig)
alt|ver|traut
Alt|vor|dern, die (*Mehrz.*) (geh. für: Vorfahren)
Alt|wa|ren|händ|ler
Alt|was|ser, das; -s, ...wasser (ehemaliger Flußarm)
Alt|wei|ber|som|mer (warme Spätherbsttage; vom Wind getragene Spinnweben)
Alu, das; -s (Kurzw. für: Aluminium); **Alu|mi|ni|um,** das; -s (chem. Grundstoff, Metall; Zeichen Al); **Alu|mi|ni|um|fo|lie**
am (an dem); - [nächsten] Sonntag, dem (od. den) 27. März; - besten usw.
Amal|gam, das; -s, -e (Quecksilberlegierung); **amal|ga|mie|ren** (eine Quecksilberlegierung herstellen; Gold u. Silber mit Quecksilber aus Erzen gewinnen)
Ama|ryl|lis, die; -, ...llen (eine Zierpflanze)
Ama|teur [...*tör*], der; -s, -e ([Kunst-, Sport]liebhaber; Nichtfachmann); **Ama|teur|sport|ler**
Ama|ti, die; -, -s (von der Geigenbauerfamilie Amati hergestellte Geige)
Ama|zo|ne, die; -, -n (Angehörige eines krieger. Frauenvolkes der gr. Sage; auch Turnierreiterin)
Am|bi|ti|on [...*zion*], die; -, -en (Ehrgeiz; hohes Streben); **am|bi|ti|ös** (ehrgeizig)
Am|boß, der; ...bosses, ...bosse
Am|bro|sia, die; - (dicht.: Götterspeise); **am|bro|sisch** (dicht.: himmlisch)
am|bu|lant (wandernd; ohne festen Sitz); -e Behandlung (bei der der Kranke den Arzt aufsucht); -es Gewerbe (Wandergewerbe); **Am|bu|lanz,** die; -, -en (veralt. für: bewegliches Lazarett; Krankentransportwagen; Abteilung einer Klinik für ambulante Behandlung); **am|bu|la|to|risch;** -e Behandlung; **Am|bu|la|to|ri|um,** das; -s, ...ien [...*i*[e]*n*] (Raum, Abteilung für ambulante Behandlung)
Amei|se, die; -, -n; **Amei|sen‿bär, ...hau|fen, ...säu|re** (die; -)
amen; zu allem ja und - sagen (ugs.); **Amen,** das; -s, - (feierliche Bekräftigung); sein - (Einverständnis) zu etwas geben (ugs.)
Ame|ri|ka|ner; ame|ri|ka|nisch; ame|ri|ka|ni|sie|ren; Ame|ri|ka|ni|sie|rung; Ame|ri|ka|nis|mus, der; -, ...men (Spracheigentümlichkeit des amerik. Englisch in einer anderen Sprache);

Ame|ri|ka|ni|stik, die; - (Erforschung der Geschichte u. Kultur Amerikas)
Ame|thyst, der; -[e]s, -e (ein Halbedelstein)
Am|me, die; -, -n; **Am|men|mär|chen**
Am|mer, die; -, -n (ein Vogel)
Am|mo|ni|ak [auch: *am*...], das; -s (gasförmige Verbindung von Stickstoff u. Wasserstoff)
Amne|stie, die; -, ...ien (Begnadigung, Straferlaß); **amne|stie|ren**
Amok [auch: *amok*], der; -s (Erscheinung des Amoklaufens); - laufen (in einem Anfall von Geistesgestörtheit mit einer Waffe umherlaufen und blindwütig töten); **Amok‿lau|fen** (das; -s), **...läu|fer**
a-Moll [auch: *amol*], das; - (Tonart; Zeichen: a); **a-Moll-Ton|lei|ter**
amo|ra|lisch (sich über die Moral hinwegsetzend); **Amo|ra|li|tät,** die; - (amoralische Lebenshaltung)
Amo|ret|te, die; -, -n (meist *Mehrz.;* Figur eines geflügelten Liebesgottes)
Amor|ti|sa|ti|on [...*zion*], die; -, -en ([allmähliche] Tilgung; Abschreibung, Abtragung [einer Schuld]); **amor|ti|sie|ren**
Am|pel, die; -, -n (Hängelampe; Hängevase; Verkehrssignal)
Am|pere [...*pär;* nach dem fr. Physiker Ampère], das; -[s], - (Einheit der elektr. Stromstärke; Zeichen: A)
Amp|fer, der; -s, - (eine Pflanze)
Am|phi|bie [*amfibi*[e]], die; -, -n (meist *Mehrz.*) u. Am|phi|bi|um, das; -s, ...ien [...*i*[e]*n*] („beidlebiges" Tier, Lurch); **Am|phi|bi|en|fahr|zeug** (Land-Wasser-Fahrzeug); **am|phi|bisch; Am|phi|bi|um** vgl. Amphibie
Am|phi|thea|ter (elliptisches, meist dachloses Theatergebäude mit stufenweise aufsteigenden Sitzen, Rundtheater); **am|phi|thea|tra|lisch**
Am|pho|ra, Am|pho|re, die; -, ...oren (zweihenkliges Gefäß der Antike)
Am|pul|le, die; -, -n (Glasröhrchen [bes. mit sterilen Lösungen zum Einspritzen])
Am|pu|ta|ti|on [...*zion*], die; -, -en ([Glied]abtrennung); **am|pu|tie|ren**
Am|sel, die; -, -n
Amt, das; -[e]s, Ämter; von Amts wegen; ein - bekleiden
◇ Behörde, Dienststelle, Verwaltung
Amt|frau; am|tie|ren; amt|lich; Amt|mann (*Mehrz.* ...männer u. ...leute); **Amt|män|nin,** die; -, -nen; **Amts‿deutsch, ...gericht** (Abk.: AG); **amts|hal|ber; Amts‿schim|mel** (ugs.; der; -s); **...weg**
Amu|lett, das; -[e]s, -e (Zauber[schutz]mittel)
amü|sant (unterhaltend; vergnüglich); **Amü|se|ment** [*amüs*[e]*mang*], das; -s, -s; **amü|sie|ren;** sich -

an; *Verhältnisw.* mit *Wemf.* und *Wenf.:* an dem Zaun stehen, aber: an den Zaun stellen; es ist nicht an dem; an [und für] sich (eigentlich, im Grunde); am (an dem; vgl. am); ans (an das; vgl. ans); *Umstandsw.:* Gemeinden von an [die] 1 000 Einwohnern; ab und an (landsch. für: ab und zu)
Ana|chro|nis|mus [...*kro*...], der; -, ...men (falsche zeitliche Einordnung; durch die Zeit überholte Einrichtung); **ana|chro|ni|stisch**
Ana|gramm, das; -s, -e (Buchstabenversetzrätsel)
ana|log (ähnlich; entsprechend); - [zu] diesem Fall; **Ana|lo|gie,** die; -, ...ien
An|al|pha|bet [auch: *an*...], der; -en, -en (des Lesens u. Schreibens Unkundiger); **An|al|pha|be|ten|tum** [auch: *an*...], das; -s
Ana|ly|se, die; -, -n (Zergliederung, Untersuchung); **ana|ly|sie|ren; ana|ly|tisch;** -e Geometrie
An|ämie, die; -, ...ien (Med.: Blutarmut)
Ana|mne|se, die; -, -n (Med.; Vorgeschichte einer Krankheit nach Angaben des Kranken)
Ana|nas, die; -, - u. -se (eine tropische Frucht)
An|ar|chie, die; -, ...ien (autoritätsloser Zustand; Herrschafts-, Gesetzlosigkeit); **an|ar|chisch; An|ar|chis|mus,** der; - (Lehre, die sich gegen jede Autorität richtet u. für unbeschränkte Freiheit des Individuums eintritt); **An|ar|chist,** der; -en, -en (Vertreter des Anarchismus); **an|ar|chi|stisch**
An|äs|the|sie, die; -, ...ien (Med.: Schmerzunempfindlichkeit; Betäubung des Schmerzes); **An|äs|the|sist** (Narkosefacharzt)
Ana|tom, der; -en, -en („Zergliederer"; Lehrer der Anatomie); **Ana|to|mie,** die; -, (für: Forschungsanstalt der Anatomen auch *Mehrz.:*) ...ien (Lehre von Form u. Körperbau der Lebewesen; [Kunst der] Zergliederung; Gebäude, in dem Anatomie gelehrt wird); **ana|to|misch**
an|bah|nen; An|bah|nung
an|ban|deln südd., österr. (anbändeln); **an|bän|deln** (ugs.)
An|bau, der; -[e]s, (für: Gebäudeteil auch *Mehrz.:*) -ten; **an|bau|en; An|bau|mö|bel**
An|be|ginn; seit -, von - [an]
an|bei [auch: *anbei*]
an[|be]|lan|gen; was mich an[be]langt
an|be|rau|men; ich beraum[t]e an, (selten:) ich anberaum[t]e; anberaumt; anzuberaumen; **An|be|rau|mung**
an|be|ten
An|be|tracht; in - dessen, daß...
an|be|tref|fen; was mich anbetrifft, so ...

an|bie|dern, sich; **An|bie|de|rung**
an|bin|den; angebunden (vgl. d.)
an|bre|chen; der Tag bricht an
An|bruch, der; -[e]s
An|cho|vis [...*chowiß*]; vgl. Anschovis
An|ci|en|ni|tät [*angßiänität*], die; -, -en ([Reihenfolge nach dem] Dienstalter); **An|ci|en|ni|täts|prin|zip,** das; -s (Prinzip, daß der Dienstälteste bei Beförderung Vorrang hat)
An|dacht, die; -, (für: Gebetsstunde auch *Mehrz.*:) -en; **an|däch|tig; an|dachts|voll**
an|dan|te („gehend"; Musik: mäßig langsam); **An|dan|te,** das; -[s], -s (mäßig langsames Tonstück)
an|dau|ern; an|dau|ernd
An|den|ken, das; -s, (für: Erinnerungsgegenstand auch *Mehrz.*:) -
an|de|re, and|re; (immer klein geschrieben:) der, die, das, eine, keine, alles and[e]re usw.; und and[e]re, und and[e]res (Abk.: u.a.); und and[e]re mehr, und and[e]res mehr (Abk.: u.a.m.); unter and[e]rem, anderm (Abk.: u.a.); eines and[e]ren, andern belehren; sich eines and[e]ren, andern besinnen; ein and[e]res Mal; ein um das and[e]re Mal; ein und das and[e]re Mal; vgl. anders; **an|de|ren|falls**[1], **an|de|ren|orts**[1], an|der|orts (geh.); **an|de|ren|tags**[1]; **an|de|ren|teils**[1]; einesteils ... -; **an|de|rer|seits,** an|der|seits, and|rer|seits; einerseits ... -; **an|der|lei; an|der|mal;** ein -
än|dern
an|dern|falls usw. vgl. anderenfalls usw.; **an|der|orts** (geh.), an|de|ren|orts, an|dern|orts
an|ders; jemand, niemand, wer anders (südd., österr.: and[e]rer); mit jemand, niemand anders (südd., österr.: and[e]rem, anderem) reden; anders als ... (nicht: anders wie ...); **an|ders|ar|tig; an|ders|den|kend; An|ders|den|ken|de,** der u. die; -n, -n
an|der|seits, an|de|rer|seits, and|rer|seits
an|ders|ge|ar|tet; An|ders|ge|sinn|te, der u. die; -n, -n; **An|ders|gläu|bi|ge,** der u. die; -n, -n; **an|ders|her|um, an|ders|rum; An|ders|sein; an|ders|wo; an|ders|wo|her; an|ders|wo|hin**
an|dert|halb; in - Stunden; - Pfund; **an|dert|halb|fach; an|dert|halb|mal;** - so groß wie (seltener: als)
Än|de|rung
an|der|wärts; an|der|weit; an|der|wei|tig
an|deu|ten; An|deu|tung; an|deu|tungs|wei|se
an|die|nen (Kaufmannsspr.: [Waren] anbieten)

[1] Auch: an|dern|...

an|docken [*Trenn.*: ...dok|ken] (Raumschiffe aneinander ankoppeln)
An|drang, der; -[e]s
and|re; vgl. andere
an|dre|hen; jmdm. etwas - (ugs. für: jmdm. etwas Minderwertiges aufschwatzen)
and|rer|seits, an|de|rer|seits, an|der|seits
an|dro|hen; An|dro|hung
an|ecken [*Trenn.*: ...ek|ken] (ugs. für: Anstoß erregen)
an|eig|nen, sich; ich eigne mir etwas an; **An|eig|nung**
an|ein|an|der; - denken; - anfügen; **an|ein|an|der|fü|gen;** er hat die Teile aneinandergefügt; **an|ein|an|der|ge|ra|ten** (sich streiten); **an|ein|an|der|gren|zen; an|ein|an|der|le|gen; an|ein|an|der|rei|hen**
An|ek|do|te, die; -, -n (kurze Geschichte mit überraschender Pointe); **an|ek|do|ten|haft; an|ek|do|tisch**
an|ekeln; der Anblick ekelte mich an
Ane|mo|ne, die; -, -n (Windröschen)
an|emp|feh|len (besser das einfache Wort: empfehlen); ich empfehle (empfahl) an u. ich anempfehle (anempfahl); anempfohlen; anzuempfehlen
an|er|bie|ten, sich; ich erbiete mich an; anerboten; anzuerbieten; **An|er|bie|ten,** das; -s, -
an|er|kann|ter|ma|ßen; an|er|ken|nen; ich erkenne (erkannte) an, (seltener:) ich anerkenne (anerkannte); anerkannt; anzuerkennen; **an|er|ken|nens|wert; An|er|ken|nung; An|er|ken|nungs|schrei|ben**
an|fah|ren (auch für: heftig anreden); **An|fahrts‿stra|ße, ...weg**
An|fall; an|fal|len; an|fäl|lig; An|fäl|lig|keit, die; -, (selten:) -en
An|fang, der; -[e]s, ...fänge; im -; von - an; zu -; - Januar; **an|fan|gen; An|fän|ger; An|fän|ge|rin,** die; -, -nen; **an|fäng|lich; an|fangs; An|fangs|sta|di|um**
an|fecht|bar; an|fech|ten; das ficht mich nicht an; **An|fech|tung**
an|fein|den; An|fein|dung
an|fer|ti|gen; An|fer|ti|gung
an|feuch|ten; An|feuch|tung
an|feu|ern; An|feue|rung
an|flie|gen; das Flugzeug hat Frankfurt angeflogen; **An|flug**
an|for|dern; An|for|de|rung
An|fra|ge; die kleine oder große - [im Parlament]; **an|fra|gen;** bei jmdm. -
an|freun|den, sich
An|fuhr, die; -, -en; **an|füh|ren; An|füh|rer; An|füh|rung; An|füh|rungs‿strich, ...zei|chen**
An|ga|be (ugs. [nur *Einz.*] auch für: Prahlerei, Übertreibung)

an|gän|gig
an|ge|ben; An|ge|ber (ugs.); **An|ge|be|rei** (ugs.); **an|ge|be|risch** (ugs.)
An|ge|bin|de, das; -s, - (Geschenk)
an|geb|lich
an|ge|bo|ren
An|ge|bot
an|ge|bun|den; kurz - (mürrisch, abweisend) sein
an|ge|dei|hen; jmdm. etwas - lassen
an|ge|grif|fen (auch: erschöpft)
an|ge|hei|ra|tet
an|ge|hei|tert (durch Alkoholgenuß beschwingt, leicht betrunken)
an|ge|hen; das geht nicht an, es geht mich [nichts] an; jmdn. um etwas - (bitten); **an|ge|hend** (künftig)
an|ge|hö|ren; einem Volk[e] -; **an|ge|hö|rig; An|ge|hö|ri|ge,** der u. die; -n, -n
An|ge|klag|te, der u. die; -n, -n
an|ge|krän|kelt
An|gel, die; -, -n
an|ge|le|gen; ich lasse mir etwas - sein; **An|ge|le|gen|heit; an|ge|le|gent|lich;** auf das, aufs -ste
an|geln
an|ge|mes|sen; An|ge|mes|sen|heit, die; -
an|ge|nehm
an|ge|nom|men; -er Standort; angenommen, daß ...
An|ger, der; -s, -
an|ge|säu|selt (ugs. für: leicht betrunken)
An|ge|schul|dig|te, der u. die; -n, -n
an|ge|se|hen (geachtet)
An|ge|sicht; an|ge|sichts; *Verhältnisw.* mit *Wesf.:* - des Todes
an|ge|spannt
An|ge|stell|te, der u. die; -n, -n; **An|ge|stell|ten|ver|si|che|rung**
an|ge|stie|felt; - kommen (ugs. für: mit großen, schwerfälligen Schritten herankommen)
an|ge|strengt
an|ge|trun|ken (leicht betrunken)
an|ge|wandt; -e Kunst; -e Mathematik, Physik; vgl. anwenden
an|ge|wie|sen; auf eine Person oder eine Sache - sein
an|ge|wöh|nen; ich gewöhne mir etwas an; **An|ge|wohn|heit; An|ge|wöh|nung**
an|ge|wur|zelt; wie - stehenbleiben
An|gi|na [*anggina*], die; -, ...nen (Mandelentzündung); **An|gi|na pec|to|ris** [*-päk...*], die; - - (Herzkrampf)
Ang|ler
an|gli|ka|nisch [*anggli...*]; -e Kirche (engl. Staatskirche); **an|gli|sie|ren** (englisch machen; englisieren); **An|glist,** der; -en, -en (Wissenschaftler auf dem Gebiet der Anglistik); **An|gli|stik,** die; - (engl. Sprach- u. Literaturwissenschaft); **An|gli|zis|mus,** der; -, ...men (engl. Spracheigentümlichkeit in einer anderen Sprache); **An|glo|ame|ri|ka|ner** [*anglo...*, auch: *ang...*] (aus England stammender Amerikaner); **An|glo-Ame|ri|ka|ner** (Sammelname für Engländer u. Amerikaner)
An|go|ra‿kat|ze, ...wol|le [*anggora...;* nach Angora, dem früheren Namen von Ankara]
an|grei|fen; vgl. angegriffen
◇ attackieren, überfallen, über jmdn., etwas herfallen
An|grei|fer
an|gren|zen
An|griff, der; -[e]s, -e; in - nehmen; **An|griffs|krieg**
Angst, die; -, Ängste; in [tausend] Ängsten sein; er ist in -; aus - fliehen; **Angst haben [vor]** (sich ängstigen, sich fürchten, ängstlich/bange sein); mir ist, wird angst und bange
◇ Furcht, Grauen, Grausen
angst|er|füllt; Angst‿geg|ner (Sportspr.: Gegner, vor dem man besondere Angst hat), **...ha|se** (ugs.); **äng|sti|gen;** sich -
ängst|lich
◇ furchtsam, schreckhaft, bang, angsterfüllt, scheu
Ängst|lich|keit, die; -; **angst|voll**
an|ha|ben (ugs.); ..., daß er nichts anhat; er kann mir nichts -
An|halt (Anhaltspunkt); **an|hal|tend; An|hal|ter** (ugs.); per - fahren (Fahrzeuge anhalten, um mitgenommen zu werden); **An|halts|punkt**
an Hand, (jetzt häufig:) **an|hand;** mit *Wesf.:* an Hand od. anhand des Buches; an Hand od. anhand von Unterlagen
An|hang; [1]an|hän|gen; er hing mir treulich an; **[2]an|hän|gen;** er hängte den Zettel [an die Tür] an; **An|hän|ger; An|hän|ger|schaft; an|hän|gig** (Rechtsspr.: beim Gericht zur Entscheidung liegend); eine Klage - machen (Klage erheben); **an|häng|lich** (ergeben); **An|häng|lich|keit,** die; -; **An|häng|sel,** das; -s, -; **an|hangs|wei|se**
an|hau|en (ugs. auch für: jmdn. formlos ansprechen; auch: um etwas angehen); wir hauten das Mädchen an
an|häu|fen; An|häu|fung
an|he|ben (auch für: anfangen)
an|hef|ten
an|hei|meln; es heimelt mich an
an|heim‿fal|len (zufallen; es fällt anheim; anheimgefallen; anheimzufallen), **...stel|len**
an|hei|schig; sich - machen
an|hei|zen

an|heu|ern
An|hieb, nur in: auf -
an|him|meln
An|hö|he
an|hö|ren
Ani|lin, das; -s (Ausgangsstoff für Farben u. Heilmittel)
ani|ma|lisch (tierisch, den Tieren eigentümlich); **ani|mie|ren** (beleben, anregen, ermuntern); **Ani|mo|si|tät,** die; -, -en (Erbitterung; Abneigung)
Anis [*aniß,* auch, österr. nur: *aniß*], der; -es, -e (eine Gewürz- u. Heilpflanze); **Ani|sette** [...*sät*], der; -s, -s (Anisbranntwein)
An|kauf; an|kau|fen
An|ker, der; -s, -; vor - gehen, liegen; **an|kern; An|ker|platz**
An|kla|ge; An|kla|ge|bank (*Mehrz.* ...bänke); **an|kla|gen;** man hat ihn des Diebstahls od. wegen Diebstahl[s] angeklagt
an|klam|mern; sich -
An|klang; - finden
An|klei|de|ka|bi|ne; an|klei|den; sich -; **An|klei|de|raum**
an|knüp|fen; An|knüp|fung
an|koh|len; jmdn. - (ugs. für: zum Spaß belügen)
an|kom|men; mich (veralt.: mir) kommt ein Ekel an; es kommt mir nicht darauf an; **An|kömm|ling**
an|kop|peln
an|krei|den; jmdm. etwas - (ugs. für: zur Last legen)
an|kreu|zen
an|kün|di|gen; An|kün|di|gung
An|kunft, die; -; **An|kunfts|zeit**
an|kur|beln
An|la|ge; etwas als - übersenden; **An|la|ge|be|ra|ter** (Wirtsch.)
an|la|gern (Chemie)
an|lan|den; etwas, jmdn. - (an Land bringen)
an|lan|gen vgl. anbelangen
An|laß, der; ...lasses, ...lässe; - geben, nehmen; **an|las|sen; An|las|ser; an|läß|lich** (Amtsdt.); *Verhältnisw.* mit *Wesf.:* - des Festes
an|la|sten (aufbürden; zur Last legen)
An|lauf; an|lau|fen; An|lauf|zeit
An|laut; an|lau|ten (von Wörtern, Silben: mit einem bestimmten Laut beginnen)
an|le|gen; An|le|ge|platz
an|leh|nen; An|leh|nung; an|leh|nungs|be|dürf|tig
An|lei|he
an|lei|ten; An|lei|tung
An|lern|be|ruf; an|ler|nen; jmdn. -; **An|lern|ling; An|lern|zeit**
an|lie|fern
an|lie|gen; eng am Körper -; vgl. angelegen; **An|lie|gen,** das; -s, - (Wunsch); **An|lie|ger** (Anwohner); **An|lie|ger|ver|kehr**
an|locken [*Trenn.:* ...lok|ken]
an|ma|chen
an|ma|len
An|marsch, der; **An|marsch|weg**
an|ma|ßen, sich; du maßt dir etwas an; **an|ma|ßend; An|ma|ßung**
An|mel|de|for|mu|lar; an|mel|den; An|mel|dung
an|mer|ken; ich ließ mir nichts -; **An|mer|kung** (Abk.: Anm.)
an|mie|ten; An|mie|tung
an|mon|tie|ren
an|mu|stern (Seemannsspr.: anwerben; den Dienst aufnehmen)
An|mut, die; -; **an|mu|ten;** es mutet mich komisch an; **an|mutig; an|mut[s]|voll**
an|nä|hern; sich -; **an|nä|hernd; An|nä|he|rung; An|nä|he|rungs|ver|such; an|nä|he|rungs|wei|se**
An|nah|me, die; -, -n; - an Kindes Statt; **An|nah|me|ver|wei|ge|rung**
An|na|len, die *(Mehrz.)* ([geschichtliche] Jahrbücher)
an|nehm|bar
◇ akzeptabel, vernünftig
an|neh|men; vgl. angenommen
◇ entgegennehmen (geh.), in Empfang nehmen
an|nehm|lich; An|nehm|lich|keit
an|nek|tie|ren (sich [gewaltsam] aneignen); **An|ne|xi|on,** die; -, -en ([gewaltsame] Aneignung)
an|no (österr. nur so), auch **An|no** (im Jahre; Abk.: a. od. A.); - elf; - dazumal; - Tobak (ugs. für: in alter Zeit); **An|no Do|mi|ni** (im Jahre des Herrn; Abk.: A. D.)
An|non|ce [*anongß*[e]], die; -, -n (Zeitungsanzeige); **An|non|cen|ex|pe|di|ti|on** (Anzeigenvermittlung); **an|non|cie|ren**
An|nui|tät [...*u-i*...], die; -, -en (Jahreszahlung an Zinsen u. Tilgungsraten für eine Schuld)
an|nul|lie|ren (für ungültig erklären); **An|nul|lie|rung**
An|ode, die; -, -n („Eingang"; positive Elektrode, Pluspol)
an|omal [auch: *a*...] (unregelmäßig, regelwidrig); **An|oma|lie,** die; -, ...ien
an|onym (ohne Nennung des Namens, ungenannt); **An|ony|mi|tät,** die; - (Verschweigung, Nichtangabe des Namens, der Unterschrift)
Ano|rak, der; -s, -s (Kajakjacke; Windbluse mit Kapuze)
an|ord|nen
◇ befehlen, bestimmen, verfügen, anweisen
An|ord|nung

an|or|ga|nisch (unbelebt)
anor|mal (regelwidrig, krankhaft)
an|packen [*Trenn.:* ...pak|ken]
An|pad|deln, das; -s (jährl. Beginn des Paddelsports)
an|pas|sen
◇ sich angleichen, sich assimilieren (geh.), sich eingewöhnen, sich einfügen, sich einordnen
An|pas|sung; an|pas|sungs|fä|hig
an|pei|len
an|pfei|fen (ugs. auch für: heftig tadeln); **An|pfiff**
an|pflan|zen; An|pflan|zung
an|pflau|men (ugs. für: necken, verspotten); **An|pflau|me|rei**
an|pö|beln (in ungebührlicher Weise belästigen)
An|prall; an|pral|len
an|pran|gern; An|pran|ge|rung
an|prei|sen; An|prei|sung
An|pro|be; an|pro|ben; an|pro|bie|ren
an|pum|pen (ugs.); jmdn. - (sich von ihm Geld leihen)
An|rai|ner (Rechtsspr., auch österr.: Anlieger, Grenznachbar); **An|rai|ner|staat**
an|ra|ten; An|ra|ten, das; -s; auf -
an|rech|nen; das rechne ich dir hoch an; **An|rech|nung**
Anrecht
An|re|de; an|re|den; jmdn. mit Sie, du -
an|re|gen
◇ animieren, stimulieren, initiieren
an|re|gend; An|re|gung; An|re|gungs|mit|tel, das
an|rei|chern; An|rei|che|rung
an|rei|hen
An|rei|se; an|rei|sen; An|rei|se|tag
an|rei|ßen; An|rei|ßer (Vorzeichner in Metallindustrie und Tischlerei; aufdringlicher Kundenwerber); **an|rei|ße|risch** (marktschreierisch; aufdringlich)
An|reiz; an|rei|zen
an|rem|peln (ugs.)
An|rich|te, die; -, -n; **an|rich|ten**
an|rü|chig
◇ berüchtigt, verrufen, anstößig, obszön
An|rü|chig|keit
an|rucken [*Trenn.:* ...ruk|ken] (mit einem Ruck anfahren); **an|rücken** [*Trenn.:* ...rük|ken] (in einer Formation näherkommen)
An|ru|dern, das; -s (jährl. Beginn des Rudersports)
An|ruf; an|ru|fen; ich rufe dich später an; **An|ru|fung**
an|rüh|ren
ans (an das); bis - Ende
An|sa|ge, die; -, -n; **an|sa|gen**
an|sä|gen
An|sa|ger (kurz für: Fernseh- od. Rundfunkansager)
an|sam|meln; An|samm|lung
an|säs|sig
An|satz; An|satz|punkt
an|säu|seln; ich säusele mir einen an (ugs. für: betrinke mich leicht); vgl. angesäuselt
an|schaf|fen (bayr., österr. auch: anordnen); **An|schaf|fung; An|schaf|fungs|ko|sten,** die *(Mehrz.)*
an|schau|en; an|schau|lich; An|schau|lich|keit, die; -; **An|schau|ung; An|schau|ungs|un|ter|richt**
An|schein, der; -[e]s; allem, dem - nach; **an|schei|nend;** vgl. scheinbar
an|schei|ßen (derb für: heftig tadeln)
an|schicken [*Trenn.:* ...schik|ken], sich
An|schiß (derb für: heftiger Tadel)
An|schlag; an|schla|gen; das Essen schlägt an; **An|schlag|säu|le**
an|schlei|chen, sich
[1]**an|schlei|fen;** er hat das Messer angeschliffen (ein wenig scharf geschliffen); [2]**an|schlei|fen;** er hat den Sack angeschleift (ugs. für: schleifend herangezogen)
an|schlie|ßen; an|schlie|ßend; An|schluß; im - an die Versammlung; **An|schluß|ka|bel**
an|schmie|gen, sich; **an|schmieg|sam; An|schmieg|sam|keit,** die; -
an|schmie|ren (ugs. auch für: betrügen)
an|schnal|len; sich -; **An|schnall|pflicht,** die; -
an|schnau|zen (ugs. für: grob tadeln); **An|schnau|zer** (ugs.)
an|schnei|den; An|schnitt
An|scho|vis [*...wiß*], die; -, - ([gesalzene] kleine Sardelle)
an|schrei|ben; An|schrei|ben
An|schrift
◇ Adresse, Wohnungsangabe
An|schrif|ten|buch
an|schul|di|gen; An|schul|di|gung
an|schwär|zen (ugs. auch für: verleumden)
an|schwei|ßen
[1]**an|schwel|len;** der Strom schwillt an, war angeschwollen; [2]**an|schwel|len;** der Regen hat die Flüsse angeschwellt; **An|schwel|lung**
an|schwem|men; An|schwem|mung
an|schwin|deln
An|se|geln, das; -s (jährl. Beginn des Segel[flug]sports)
an|se|hen; vgl. angesehen
◇ anschauen (landsch.), anblicken (geh.), angucken (ugs.), besehen, begucken (ugs.), betrachten, in Augenschein nehmen, beäugeln (ugs.)
An|se|hen, das; -s; ohne - der Person (ganz gleich, um wen es sich handelt)
◇ Geltung, Prestige, Ruf, Reputation, Image

an|sehn|lich; An|sehn|lich|keit, die; -
an|sei|len; sich -
an|sein (ugs.); das Licht ist an, ist angewesen, aber: ..., daß das Licht an ist, war
an|set|zen
An|sicht, die; -, -en; meiner - nach (Abk.: m. A. n.)
◇ Meinung, Anschauung, Auffassung
an|sich|tig; mit *Wesf.:* des Gebirges - werden (geh.); **An|sichts|kar|te**
an|sie|deln; An|sie|de|lung, An|sied|lung; An|sied|ler
An|sin|nen, das; -s, -; ein - an jmdn. stellen
an|son|sten (im übrigen, anderenfalls)
an|span|nen; An|span|nung
An|spiel (Sportspr.), das; -[e]s; **an|spie|len; An|spie|lung**
An|sporn, der; -[e]s; **an|spor|nen**
An|spra|che
an|spre|chen
◇ ein Gespräch beginnen, ein Gespräch anknüpfen [mit jmdm.] (geh.), anreden, anquatschen (ugs.), anmachen (ugs.)
an|spre|chend; am -sten
An|spruch; an|spruchs|los; An|spruchs|lo|sig|keit, die; -; **an|spruchs|voll**
an|sta|cheln
◇ anspornen, aufstacheln, anfeuern, antreiben, jmdn. zu etwas bringen/bewegen
An|stalt, die; -, -en; **An|stalts‿er|zie|hung** (die; -), **...lei|ter,** der
An|stand; keinen - an dem Vorhaben nehmen (geh. für: keine Bedenken haben); (Jägerspr.:) auf dem - stehen
an|stän|dig
◇ unbescholten, keusch (geh.), tugendhaft (veraltend), züchtig (veraltend), sittsam (veraltend), fair
An|stän|dig|keit, die; -; **an|stands|hal|ber**
an|stands|los
◇ ohne weiteres, unbesehen, bedenkenlos, blanko
An|stands|re|gel
an|statt; vgl. statt u. Statt; anstatt daß
an|ste|chen; ein Faß - (anzapfen)
an|stecken[1]**; an|steckend**[1]**;** eine -e Krankheit; **An|steck|na|del; An|steckung**[1]**; An|steckungs|ge|fahr**[1]
an|ste|hen; ich stehe nicht an (habe keine Bedenken); es steht mir nicht an (es geziemt sich nicht für mich)
an Stel|le, (jetzt häufig:) **an|stel|le;** mit *Wesf.:* an Stelle od. anstelle des Vaters; an Stelle od. anstelle von Worten
an|stel|len; sich -; **An|stel|le|rei; an|stel|lig** (geschickt); **An|stel|lig|keit,** die; -; **An|stel|lung; An|stel|lungs|ver|trag**

[1]*Trenn.:* ...k|k...

An|stich (eines Fasses [Bier])
An|stieg, der; -[e]s, -e
an|stif|ten; An|stif|ter; An|stif|tung
an|stim|men
An|stoß; - nehmen an etwas; **an|sto|ßen**
an|stö|ßig
◇ Anstoß/Mißfallen/Mißbilligung/Ärgernis erregend, unanständig, schlüpfrig, unzüchtig
An|stö|ßig|keit
an|strah|len; An|strah|lung
an|strän|gen; ein Pferd -
an|stre|ben; an|stre|bens|wert
an|strei|chen; An|strei|cher
an|stren|gen; sich - (sehr bemühen); einen Prozeß -
◇ sich [ab]mühen, sich [ab]plagen, sich [ab]quälen, sich [ab]schinden (ugs.), sich strapazieren (geh.), sich abarbeiten, sich abrackern
an|stren|gend; An|stren|gung
An|strich
an|stücken [*Trenn.:* ...stük|ken]
An|sturm, der; -[e]s; **an|stür|men**
an|su|chen; um etwas - (Papierdt.: um etwas bitten); **An|su|chen,** das; -s, - (Papierdt.: förmliche Bitte; Gesuch); auf -
Ant|ago|nis|mus, der; -, ...men (Widerstreit; Gegensatz); **Ant|ago|nist,** der; -en, -en (Gegner); **ant|ago|ni|stisch**
Ant|ark|tis, die; - (Land- u. Meeresgebiete um den Südpol)
An|teil, der; - haben, nehmen; **an|tei|lig; An|teil|nah|me,** die; -; **an|teil[s]|mä|ßig**
An|ten|ne, die; -, -n (Vorrichtung zum Senden od. Empfangen elektromagnet. Wellen; Fühler der Gliedertiere)
An|tho|lo|gie, die; -, ...ien („Blumenlese"; [Gedicht]sammlung; Auswahl)
An|thra|zit, der; -s, -e (glänzende Steinkohle)
An|thro|po|lo|gie, die; - (Menschenkunde, Geschichte der Menschenrassen); **An|thro|po|soph,** der; -en, -en (Vertreter der Anthroposophie); **An|thro|po|so|phie,** die; - („Menschenweisheit"; Lehre Rudolf Steiners); **an|thro|po|so|phisch**
An|ti|al|ko|ho|li|ker [auch: *anti...*] (Alkoholgegner)
an|ti|au|to|ri|tär (sich gegen [mißbrauchte] Autorität auflehnend)
An|ti|ba|by|pil|le, (auch:) **An|ti-Ba|by-Pil|le** [*...bebi...*] (ugs. für: ein hormonales Empfängnisverhütungsmittel)
An|ti|bio|ti|kum, das; -s, ...ka (Med.: biologischer Wirkstoff gegen Krankheitserreger)
An|ti|christ [*...krißt*] (der Widerchrist, Teufel), der; -[s] u. (Gegner des Christentums:) der; -en, -en; **an|ti|christ|lich**

An|ti|fa|schis|mus [auch: *anti...*] (Gegnerschaft gegen den Faschismus); **An|ti|fa|schist** [auch: *anti...*], der; -en, -en (Gegner des Faschismus); **an|ti|fa|schi|stisch** [auch: *anti...*]

an|tik (altertümlich; dem klass. Altertum angehörend); **An|ti|ke** (das klass. Altertum u. seine Kultur), die; - u. (antikes Kunstwerk:) die; -, -n (meist *Mehrz.*); **An|ti|ken|samm|lung; an|ti|ki|sie|ren** (nach der Art der Antike gestalten; alten Geschmack nachahmen)

An|ti|lo|pe, die; -, -n (ein Huftier)

An|ti|pa|thie, die; -, ...ien (Abneigung)

An|ti|po|de, der; -n, -n (auf dem gegenüberliegenden Punkt der Erde wohnender Mensch; übertr.: Gegner)

An|ti|qua, die; - (Lateinschrift); **An|ti|quar,** der; -s, -e (Händler mit Altertümern, mit alten Büchern); **An|ti|qua|ri|at,** das; -[e]s, -e (Altbuchhandlung, Altbuchhandel); **an|ti|qua|risch; An|ti|qua|schrift; an|ti|quiert** (veraltet; altertümlich); **An|ti|quiert|heit; An|ti|qui|tät,** die; -, -en (meist *Mehrz.;* altertümliches Kunstwerk, Möbel u. a.); **An|ti|qui|tä|ten‿han|del, ...samm|ler**

An|ti|[ra|ke|ten|]ra|ke|te

An|ti|se|mit, der; -en, -en (Judenfeind); **an|ti|se|mi|tisch; An|ti|se|mi|tis|mus,** der; -

an|ti|sep|tisch (keimtötend)

An|ti|the|se [auch: *anti...*] (entgegengesetzte Behauptung); **an|ti|the|tisch**

Ant|litz, das; -es (selten:) -e

An|trag, der; -[e]s, ...träge; einen - auf etwas stellen; **an|tra|gen; An|trags|for|mu|lar; an|trags|ge|mäß; An|trag|stel|ler**

an|trei|ben; An|trei|ber; An|trieb; An|triebs|kraft

an|trin|ken; sich einen - (ugs.)

An|tritt; An|tritts‿be|such, ...re|de

an|tun; jmdm. etwas -; sich etwas -

Ant|wort, die; -, -en; um [od. Um] - wird gebeten (Abk.: u. [od. U.] A. w. g.)

ant|wor|ten
◇ die/zur Antwort geben, entgegnen (geh.), erwidern (geh.)

Ant|wort|schein (Postw.)

an|ver|trau|en; jmdm. einen Brief -; sich jmdm. -; ich vertrau[t]e an, (seltener:) ich anvertrau[t]e; anvertraut; anzuvertrauen

An|ver|wand|te, der u. die; -n, -n

an|vi|sie|ren

an|wach|sen

an|wäh|len (Fernsprechwesen)

An|walt, der; -[e]s, ...wälte; **An|wäl|tin,** die; -, -nen; **An|walts|kam|mer**

an|wandeln; An|wand|lung

an|wär|men

An|wär|ter
◇ Aspirant (geh.), Bewerber, Kandidat

An|wart|schaft (die; -, [selten:] -en)

an|wei|sen; Geld -; vgl. angewiesen; **An|wei|sung**

an|wend|bar; An|wend|bar|keit, die; -; **an|wen|den;** ich wandte od. wendete die Regel an, habe angewandt od. angewendet; die angewandte od. angewendete Regel; vgl. angewandt; **An|wen|dung**

an|wer|ben; An|wer|bung

an|wer|fen

An|we|sen (Grundstück [mit Wohnhaus, Stall usw.])

an|we|send
◇ zugegen (geh.), da[bei], präsent (geh.)

An|we|sen|de, der u. die; -n, -n; **An|we|sen|heit,** die; -; **An|we|sen|heits|li|ste**

an|wi|dern; es widert mich an

An|woh|ner
◇ Anlieger, Anrainer, Nachbar

An|wurf

an|wur|zeln; vgl. angewurzelt

An|zahl, die; -; **an|zah|len; An|zah|lung**

an|zap|fen; An|zap|fung

An|zei|chen
◇ Anhaltspunkt, Hinweis, Indiz, Merkmal, Symptom

an|zeich|nen

An|zei|ge, die; -, -n; **an|zei|gen; An|zei|ge[n]|blatt; An|zei|gen|teil; an|zei|ge|pflich|tig;** -e Krankheit; **An|zei|ger**

an|zet|teln (etwas Negatives vorbereiten und in die Wege leiten); **An|zet|telung**

an|zie|hen; sich -
◇ sich ankleiden

an|zie|hend
◇ attraktiv, sexy (ugs.), knackig (ugs.), kernig (ugs.), gutaussehend

An|zie|hung; An|zie|hungs|kraft, die

An|zug; es ist Gefahr im -; **an|züg|lich; An|züg|lich|keit; An|zugs|kraft; An|zug|stoff**

an|zün|den
◇ anstecken (landsch.), in Brand stecken/setzen, entzünden (geh.); anbrennen, anfachen (geh.), entfachen (geh.), Feuer machen (ugs.)/legen (geh.)

An|zün|der

an|zwecken [*Trenn.:* ...zwek|ken]

an|zwei|feln; An|zwei|fe|lung, An|zweif|lung

AOK = Allgemeine Ortskrankenkasse

Äon, der; -s, -en (meist *Mehrz.;* Zeitraum, Weltalter; Ewigkeit)

Aor|ta, die; -, ...ten (Hauptschlagader)

Apa|che [*apatsch*[e] u. *apach*[e]], der; -n, -n (Angehöriger eines Indianerstammes; [nur: *apach*[e]*:*] Verbrecher, Zuhälter [in Paris])

apart (geschmackvoll, reizvoll); **Apart|heid,** die; - (völlige Trennung zwischen

Weißen u. Farbigen in der Republik Südafrika); **Apart|ment** [*ᵉpa̲ʳtmᵉnt*], das; -s, -s (Kleinstwohnung [in meist luxuriösem Mietshaus]); vgl. Appartement; **Apart-ment|haus**

Apa|thie, die; - (Teilnahmslosigkeit); **apa|thisch**

aper (südd., schweiz., österr. für: schneefrei); -e Wiesen

Ape|ri|tif, der; -s, -s (appetitanregendes alkohol. Getränk)

Ap|fel, der; -s, Äpfel; **Ap|fel|baum; Äp|fel|chen**

Ap|fel|si|ne, die; -, -n

◇ Orange, Pomeranze (landsch.)

Ap|fel|si|nen|scha|le

Aphel|an|dra, die; -, ...dren (eine Pflanzengattung; z. T. beliebte Zierpflanzen)

Apho|ris|mus, der; -, ...men (Gedankensplitter; geistreicher, knapp formulierter Gedanke); **apho|ri|stisch**

Aphro|di|sia|kum, das; -s, ...ka (den Geschlechtstrieb anregendes Mittel)

APO, (auch:) **Apo,** die; - (außerparlamentarische Opposition)

apo|dik|tisch (unwiderleglich; keinen Widerspruch duldend)

Apo|ka|lyp|se, die; -, -n (Schrift über das Weltende, bes. die Offenbarung des Johannes; Unheil, Grauen); **apo|ka|lyp-tisch;** die Apokalyptischen Reiter

apo|li|tisch (unpolitisch, der Politik gegenüber gleichgültig)

Apo|lo|get, der; -en, -en (Verfechter, Verteidiger); **Apo|lo|ge|tik,** die; -, -en (Verteidigung der christl. Lehren); **apo|lo-ge|tisch**

Apo|stel, der; -s, -

a po|ste|rio|ri (aus der Wahrnehmung gewonnen, aus Erfahrung)

apo|sto|lisch (nach Art der Apostel; von den Aposteln ausgehend); die -en Väter; den -en Segen erteilen; das Apostolische Glaubensbekenntnis; der Apostolische Nuntius, Stuhl

Apo|stroph, der; -s, -e (Auslassungszeichen, Häkchen, z. B. ich hab'); **apo|stro-phie|ren** ([feierlich] anreden; [jmdn.] nachdrücklich bezeichnen, sich [auf jmdn., etwas] beziehen); jmdn. als primitiv -; **Apo|stro|phie|rung**

Apo|the|ke, die; -, -n; **Apo|the|ker**

Apo|theo|se, die; -, -n (Vergottung; Verklärung)

Ap|pa|rat, der; -[e]s, -e (größeres Gerät, Vorrichtung technischer Art); **Ap|pa-rat|schik,** der; -s, -s (Funktionär im Staats- u. Parteiapparat totalitärer Staaten des Ostens, der Weisungen u. Maßnahmen bürokratisch durchzusetzen sucht); **Ap|pa|ra|tur,** die; -, -en (Gesamtanlage von Apparaten)

Ap|par|te|ment [*...mang*, schweiz.: *mänt*], das; -s, -s (komfortable Wohnung, Zimmerflucht; auch für: Apartment); **Ap|par|te|ment|haus**

Ap|pell, der; -s, -e (Aufruf; Mahnruf; Militär: Antreten zur Befehlsausgabe usw.); **ap|pel|lie|ren** (sich mahnend, beschwörend an jmdn. wenden; veralt. für: Berufung einlegen); **Ap|pell|platz**

Ap|pe|tit, der; -[e]s, -e; **ap|pe|tit|an|re-gend**

ap|pe|tit|lich

◇ lecker, delikat (geh.), köstlich, deliziös (geh.)

ap|pe|tit|los; Ap|pe|tit|lo|sig|keit, die; -; **Ap|pe|tit[s]|hap|pen** (ugs.); **Ap|pe|tit|züg|ler** (den Appetit zügelndes Medikament)

ap|plau|die|ren (Beifall klatschen); jmdm. -; **Ap|plaus,** der; -es, -e (Beifall)

ap|port! ([Anruf an den Hund:] bring es her!); **Ap|port,** der; -s, -e (Herbeibringen; Zugebrachtes); **ap|por|tie|ren**

Ap|po|si|ti|on [*...zion*], die; -, -en (Sprachw.: haupt- od. fürwörtl. Beifügung, meist im gleichen Fall wie das Bezugswort, z. B. Konrad Adenauer, *der erste deutsche Bundeskanzler,* regierte ...; einem Mann wie *ihm*); **ap|po|si|tio|nell**

Ap|pre|teur [*...tör*], der; -s, -e (Zurichter, Ausrüster [von Geweben]); **ap|pre|tie-ren** ([Gewebe] zurichten, ausrüsten); **Ap-pre|tur,** die; -, -en ([Gewebe]zurichtung, -veredelung)

Ap|pro|ba|ti|on [*...zion*], die; -, -en (staatl. Zulassung als Arzt od. Apotheker); **ap|pro|bie|ren;** approbierter Arzt

ap|pro|xi|ma|tiv (annähernd)

Après-Ski [*apräschi*], das; - (bequeme Kleidung, die man nach dem Skilaufen trägt); **Après-Ski-Klei|dung**

Apri|ko|se, die; -, -n; **Apri|ko|sen|mar-me|la|de**

April, der; -[s], -e (vierter Monat im Jahr, Ostermond, Wandelmonat; Abk.: Apr.); **April‿scherz, ...wet|ter**

a prio|ri (von der Wahrnehmung unabhängig, aus Vernunftgründen; von vornherein)

apro|pos [*apropo*] (veraltend für: nebenbei bemerkt; übrigens)

Ap|sis, die; -, ...siden (halbrunde, auch vieleckige Altarnische; [halbrunde] Nische im Zelt zur Aufnahme von Gepäck u. a.)

Aquä|dukt, der; -[e]s, -e (über eine Brükke geführte antike Wasserleitung); **Aqua|ma|rin,** der; -s, -e (ein Edelstein); **Aqua|pla|ning** [auch: *...pleⁱning*], das; -[s] (das Aufschwimmen der Reifen eines Kraftfahrzeugs auf aufgestautem Wasser einer regennassen Straße); **Aqua|rell,** das; -s, -e (mit Wasserfarben gemaltes Bild); in - (Wasserfarben) malen; **aqua-**

rel|lie|ren (in Wasserfarben malen); **Aqua|ria|ner** (Aquarienliebhaber); **Aqua|ri|um,** das; -s, ...ien [...*iᵉn*] (Behälter zur Pflege und Züchtung von kleinen Wassertieren und -pflanzen)

Äqua|tor, der; -s („Gleicher"; größter Breitenkreis); **Äqua|tor|tau|fe**

Aqua|vit [*akwawit*], der; -s, -e (ein Branntwein)

Äqui|va|lent [...*iwa*...], das; -[e]s, -e (Gegenwert; Ausgleich)

Ar, das (auch: der); -s, -e (ein Flächenmaß; Zeichen: a); drei -

Ära, die; -, (selten:) Ären (Zeitalter, -rechnung); christliche -

Ara|bes|ke, die; -, -n (Pflanzenornament); **ara|bisch;** -es Vollblut; -e Ziffern; **ara|bi|sie|ren; Ara|bist,** der; -en, -en (Wissenschaftler auf dem Gebiet der Arabistik); **Ara|bi|stik,** die; - (Erforschung der arabischen Sprache u. Literatur)

Ara|lie [...*iᵉ*], die; -, -n (trop. Pflanzengattung)

Ar|beit, die; -, -en

◇ Beschäftigung, Job (ugs.), Werk, Opus (geh.)

ar|bei|ten

◇ schaffen (landsch.), tätig sein (geh.), schuften, malochen (ugs.), sich betätigen

Ar|bei|ter; Ar|bei|te|rin, die; -, -nen; **Ar|bei|ter|schaft,** die; -; **Ar|beit‿ge|ber, ...neh|mer; ar|beit|sam; Ar|beit|sam|keit,** die; -; **Ar|beits‿amt, ...be|schaf|fung, ...es|sen** (bes. Politik); **ar|beits|fä|hig; Ar|beits‿fä|hig|keit** (die; -), **...ge|richt, ...kraft** (die), **...lohn**

ar|beits|los

◇ erwerbslos, ohne Arbeit, beschäftigungslos, unbeschäftigt, ohne Beschäftigung, stellenlos, stellungslos, ohne Anstellung, brotlos (geh.)

Ar|beits|lo|se, der u. die; -n, -n; **Ar|beits|lo|sen|ver|si|che|rung,** die; -; **Ar|beits‿lo|sig|keit** (die; -), **...platz; ar|beit[s]|su|chend; Ar|beit[s]|su|chen|de,** der u. die; -n, -n; **Ar|beits|zeit**

ar|cha|isch (aus sehr früher Zeit [stammend], altertümlich); **ar|chai|sie|ren** (archaische Formen verwenden; altertümeln); **Ar|cha|is|mus,** der; -, ...men (altertümliche Ausdrucksform, veraltetes Wort)

Ar|chäo|lo|ge, der; -n, -n (Wissenschaftler auf dem Gebiet der Archäologie, Altertumsforscher); **Ar|chäo|lo|gie,** die; - (Altertumskunde); **ar|chäo|lo|gisch**

Ar|che, die; -, -n („Kasten"); - Noah

Ar|chi|pel, der; -s, -e (Inselmeer, -gruppe); **Ar|chi|tekt,** der; -en, -en; **Ar|chi|tek|ten|bü|ro; Ar|chi|tek|to|nik,** die; -, -en (Wissenschaft der Baukunst [nur *Einz.*]; Bauart; planmäßiger Aufbau); **ar|chi|tek|to|nisch** (baulich; baukünstlerisch); **Ar|chi|tek|tur,** die, -, -en (Baukunst; Baustil)

Ar|chiv, das; -s, -e [...*wᵉ*] (Urkundensammlung; Titel wissenschaftlicher Zeitschriften); **Ar|chi|va|li|en** [...*waliᵉn*], die *(Mehrz.)* (Aktenstücke [aus einem Archiv]); **ar|chi|va|lisch** (ein Archiv betreffend; urkundlich); **Ar|chi|var,** der; -s, -e (Archivbeamter); **ar|chi|vie|ren** (in ein Archiv aufnehmen)

Are|al, das; -s, -e ([Boden]fläche, Gelände; schweiz. für: Grundstück)

Ären (*Mehrz.* von: Ära)

Are|na, die; -, ...nen ([sandbestreuter] Kampfplatz; Sportplatz; Manege im Zirkus)

arg; ärger, ärgste; im argen liegen; vor dem Ärgsten bewahren; das Ärgste verhüten; nichts Arges denken

Är|ger, der; -s

◇ Verdruß, Unmut (geh.), Unwille (geh.), Groll (geh.), Verärgerung

är|ger|lich

◇ böse, sauer, empört, erbost, mißmutig, verärgert, wütend

är|gern; sich über etwas -

◇ sich aufregen, sich empören, sich erregen, sich fuchsen (ugs.), sich giften (ugs.), geladen/sauer sein (ugs.)

Är|ger|nis, das; ...nisses, ...nisse; **Arg|list,** die; -; **arg|li|stig; arg|los; Arg|lo|sig|keit,** die; -

Ar|gu|ment, das; -[e]s, -e (Beweis[mittel, -grund]); **Ar|gu|men|ta|ti|on** [...*zion*], die; -, -en (Beweisführung); **ar|gu|men|tie|ren**

Ar|gus|au|gen, die *(Mehrz.)* (scharfe, wachsame Augen)

Arg|wohn, der; -[e]s

◇ Mißtrauen, Skepsis, Verdacht

arg|wöh|nen; ich argwöhne; geargwöhnt; zu -

arg|wöh|nisch

◇ mißtrauisch, skeptisch, kritisch, mit Argusaugen (geh.)

Arie [*ariᵉ*], die; -, -n (Sologesangstück mit Instrumentalbegleitung)

Ari|er [...*iᵉr*], der; -s, - („Edler"; Angehöriger frühgeschichtl. Völker mit idg. Sprache; nationalsoz.: Nichtjude, Angehöriger der „nord." Rasse); **arisch** [zu: Arier]; **ari|sie|ren** (nationalsoz.: in arischen Besitz überführen)

Ari|sto|krat, der; -en, -en (Angehöriger des Adels; vornehmer Mensch); **Ari|sto|kra|tie,** die; -, ...ien; **ari|sto|kra|tisch**

Arith|me|tik [auch: ...*tik*], die; - (Zahlenlehre, Rechnen mit Zahlen); **Arith|me|ti|ker; arith|me|tisch;** -es Mittel (Durchschnittswert)

Ar|ka|den, die *(Mehrz.)* (Bogenreihe)
Ark|tis, die; - (Gebiet um den Nordpol)
arm; ärmer, ärmste; arme Ritter (eine Speise); die Kluft zwischen Arm und Reich (= zwischen Armen und Reichen)
◇ mittellos, unbemittelt, besitzlos, unvermögend, notleidend, verarmt, bettelarm
Arm, der; -[e]s, -e; vgl. Armvoll
Ar|ma|da, die; -, ...den u. -s („Rüstung"; [mächtige] Kriegsflotte)
Ar|ma|gnac [*armanjak*], der; -[s], -s (ein fr. Weinbrand)
Ar|ma|tur, die; -, -en; **Ar|ma|tu|renbrett**
Arm|band, das (*Mehrz.* ...bänder); **Armband|uhr; Arm|bin|de**
Arm|brust, die; -, ...brüste, (auch:) -e
Ärm|chen
arm|dick; -er Ast, aber: einen Arm dick
Ar|me, der u. die; -n, -n
Ar|mee, die; -, Armeen (Heer; Heeresabteilung); **Ar|mee|korps**
Är|mel, der; -s, -; **Ar|mes|län|ge;** auf - an jmdn. herankommen
ar|mie|ren (veralt. für: bewaffnen; Technik: ausrüsten, bestücken, bewehren); **Ar|mie|rung; Ar|mie|rungs|ei|sen** (Stahlbetonbau: Bewehrungseisen)
arm|lang; -er Stiel, aber: einen Arm lang
ärm|lich; Ärm|lich|keit, die; -
Ärm|ling (Ärmel zum Überstreifen)
arm|se|lig; Arm|se|lig|keit, die; -
Ar|mut, die; -; **Ar|muts|zeug|nis**
Arm|voll, der; -, -; zwei - Reisig
Ar|ni|ka, die; -, -s (eine Heilpflanze)
Aro|ma, das; -s, ...men, -s u. (älter:) -ta; **aro|ma|tisch; aro|ma|ti|sie|ren**
Ar|rak, der; -s, -e u. -s (Branntwein, bes. aus Reis)
Ar|ran|ge|ment [*arangschemang*], das; -s, -s (Anordnung; Übereinkunft; Einrichtung eines Musikstücks); **Ar|ran|geur** [*arangschör*], der; -s, -e (wer ein Musikstück einrichtet, einen Schlager instrumentiert od. allgemein etwas arrangiert); **ar|ran|gie|ren** [*arangschiren*]
Ar|rest, der; -[e]s, -e (Beschlagnahme; Haft; Nachsitzen); **Ar|re|stant,** der; -en, -en (Häftling); **Ar|rest|zel|le; arre|tie|ren** (anhalten; sperren; veralt. für: verhaften); **Ar|re|tie|rung** (Sperrvorrichtung)
ar|ri|vie|ren [*...wiren*] (in der Welt vorwärtskommen); **ar|ri|viert** (anerkannt, erfolgreich); **Ar|ri|vier|te** (anerkannte[r] Künstler[in]; Emporkömmling), der u. die; -n, -n
ar|ro|gant (anmaßend); **Ar|ro|ganz,** die; -
ar|ron|die|ren [*arongdiren*] (abrunden, zusammenlegen)
Arsch (derb), der; -[e]s, Ärsche; **Arschbacke** [*Trenn.:* ...bak|ke] (derb), **...krie|cher** (derb für: übertrieben schmeichlerischer Mensch), **...loch** (derb)
Ar|sen, das; -s (chem. Grundstoff; Zeichen: As)
Ar|se|nal, das; -s, -e (Zeughaus; Geräte-, Waffenlager)
Ar|se|nik, das; -s (gift. Arsenverbindung)
Art, die; -, -en; **ar|ten;** nach jmdm. -; **Arten|reich|tum,** der; -[e]s; **art|er|haltend**
Ar|te|rie [*...ie*], die; -, -n (Schlagader); **arte|ri|ell; Ar|te|ri|en|ver|kal|kung; Ar|te|rio|skle|ro|se** (Arterienverkalkung); **ar|te|rio|skle|ro|tisch**
Ar|thri|ti|ker, der; -s, - (an Arthritis Leidender); **Ar|thri|tis,** die; -, ...itiden (Gelenkentzündung); **ar|thri|tisch**
ar|tig
◇ brav, folgsam, fügsam, gehorsam, gesittet, lieb, manierlich, wohlerzogen
Ar|tig|keit
Ar|ti|kel [auch: *...ti...*], der; -s, - („kleines Glied"; Geschlechtswort; Abschnitt [Abk.: Art.]; Ware; Aufsatz); **Ar|ti|kelse|rie** [auch: *...ti...*] (Folge von Artikeln zu einem Thema); **Ar|ti|ku|la|ti|on** [*...zion*], die; -, -en (Biol.: Gliederung, Gelenkverbindung; Sprachw.: Lautbildung, Aussprache); **ar|ti|ku|la|to|risch; ar|tiku|lie|ren** (deutlich aussprechen, formulieren)
Ar|til|le|rie, die; -, ...ien; **Ar|til|le|rist,** der; -en, -en; **ar|til|le|ri|stisch**
Ar|ti|schocke [*Trenn.:* ...schok|ke], die; -, -n (eine Zier- u. Gemüsepflanze)
Ar|tist, der; -en, -en; **Ar|ti|stik,** die; - (Kunst der Artisten); **Ar|ti|stin,** die; -, -nen; **ar|ti|stisch**
art|ver|wandt
Arz|nei; Arz|nei‿buch, ...mit|tel, das; **Arz|nei|mit|tel|leh|re**
Arzt, der; -es, Ärzte
◇ Doktor (ugs.), Mediziner
Ärz|te|schaft, die; -, **Arzt|hel|fe|rin; Ärz|tin,** die; -, -nen; **ärzt|lich**
As, das; Asses, Asse (Eins [auf Karten]; das od. der Beste [z. B. im Sport]; Tennis: für den Gegner unerreichbarer Aufschlagball)
As|best, der; -[e]s, -e (mineralische Faser); **As|best|plat|te**
Asch|be|cher, Aschen|be|cher; **aschblond; Asche,** die; -, (techn.:) -n; **Asche|ge|halt,** der; **Aschen|bahn; Asch[en]|be|cher; Aschen|brö|del,** das; -s, (für: jmd., der ein unscheinbares Leben führt, auch *Mehrz.*:) - (Märchengestalt); **Aschen|put|tel,** das; -s, - (Aschenbrödel); **Ascher** (ugs. für: Aschenbecher); **Ascher|mitt|woch** (Mittwoch nach Fastnacht); **asch‿fahl,**

...**grau,** aber: bis ins Aschgraue (bis zum Überdruß)

Ase, der; -n, -n (meist *Mehrz.;* germ. Gottheit)

äsen; das Rotwild äst (frißt)

Asep|sis, die; - (Med.: Keimfreiheit); **asep|tisch** (keimfrei)

Äser (*Mehrz.* von: Aas)

Asi|at, der; -en, -en; **asia|tisch;** -e Grippe

As|ke|se, die; - (enthaltsame Lebensweise); **As|ket,** der; -en, -en (enthaltsam lebender Mensch); **As|ke|tik,** die; -; **as|ke|tisch**

aso|zi|al [auch: ...*al*] (gemeinschaftsschädigend; gemeinschaftsfremd); **Aso|zia|li|tät,** die; -

Aspekt, der; -[e]s, -e (Ansicht, Gesichtspunkt; Astron.: bestimmte Stellung der Planeten zueinander)

As|phalt [auch: *aß*...], der; -[e]s, -e; **as|phal|tie|ren; As|phalt|stra|ße**

Aspik [auch: *aßpik* u. *aßpik*], der; -s, -e (Gallert aus Gelatine od. Kalbsknochen)

Aspi|rant, der; -en, -en (Bewerber; Anwärter; DDR: wissenschaftliche Nachwuchskraft in der Weiterbildung); **Aspi|ra|ti|on** [...*zion*], die; -, -en (veralt. für: Bestrebung [meist *Mehrz.*])

As|se|ku|ranz, die; -, -en (veralt.: Versicherung)

As|sel, die; -, -n (ein Krebstier)

As|ses|sor, der; -s, ...oren („Beisitzer"; Anwärter der höheren Beamtenlaufbahn; Abk.: Ass.); **As|ses|so|rin,** die; -, -nen

As|si|mi|la|ti|on [...*zion*], **As|si|mi|lie|rung,** die; -, -en (Angleichung); **as|si|mi|lie|ren**

As|si|stent, der; -en, -en (Gehilfe, Mitarbeiter); **As|si|sten|tin,** die; -, -nen; **As|si|stenz,** die; -, -en (Beistand); **As|si|stenz|arzt; as|si|stie|ren** (beistehen)

As|so|zia|ti|on [...*zion*], die; -, -en (Vereinigung; Psych.: Vorstellungsverknüpfung); **as|so|zi|ie|ren** (verknüpfen); sich - (sich [genossenschaftlich] zusammenschließen); assoziierte Staaten

Ast, der; -[e]s, Äste

AStA [*aßta*], der; -[s], -[s] (auch: ASten) = Allgemeiner Studentenausschuß

Äst|chen

asten (ugs. für: sich abmühen); geastet

Aster, die; -, -n („Sternblume"; eine Zierpflanze); **Astern|art**

Asthe|nie, die; -, ...ien (Med.: allgemeine Körperschwäche); **Asthe|ni|ker** (schmaler, schmächtiger Mensch); **asthe|nisch**

Äs|thet, der; -en, -en ([überfeinerter] Freund des Schönen); **Äs|the|tik,** die; - (Wissenschaft von den Gesetzen der Kunst, bes. vom Schönen); **äs|the|tisch** (auch für: überfeinert)

Asth|ma, das; -s (anfallsweise auftretende Atemnot); **Asth|ma|ti|ker,** der; -s, -; **asth|ma|tisch**

ästi|mie|ren (veraltend für: schätzen, würdigen)

ast|rein; etwas ist nicht ganz - (ugs. für: ist anrüchig)

Astro|lo|ge, der; -n, -n (Sterndeuter); **Astro|lo|gie,** die; - (Sterndeutung); **astro|lo|gisch; Astro|naut,** der; -en, -en (Weltraumfahrer); **Astro|nau|tik,** die; - (Wissenschaft von der Raumfahrt, auch: die Raumfahrt selbst); **astro|nau|tisch; Astro|nom,** der; -en, -en (Stern-, Himmelsforscher); **Astro|no|mie,** die; - (Stern-, Himmelskunde); **astro|no|misch**

Asyl, das; -s, -e (Zufluchtsort, Heim); **Asy|lant,** der; -en, -en (Bewerber um politisches Asyl); **Asyl|recht,** das; -[e]s

Asym|me|trie, die; -, -ien (Mangel an Ebenmaß; Ungleichmäßigkeit); **asym|me|trisch**

Ata|vis|mus [...*wiß*...], der; -, ...men (plötzl. Wiederauftreten von Eigenschaften der Ahnen); **ata|vi|stisch**

Ate|lier [*at^e lie*], das; -s, -s ([Künstler]werkstatt; [fotogr.] Aufnahmeraum); **Ate|lier|fest**

Atem, der; -s; - holen; außer - sein
◇ Luft, Puste (ugs.), Odem (dicht.)

atem|be|rau|bend; Atem|be|schwer|den, die (*Mehrz.*); **Atem|ho|len,** das; -s; **atem|los; Atem|pau|se**

a tem|po (ugs.: sofort, schnell; Musik: im Anfangstempo)

Athe|is|mus, der; - (Leugnung der Existenz [eines gestalthaften] Gottes, einer von Gott bestimmten Weltordnung); **Athe|ist,** der; -en, -en; **athe|i|stisch**

Äther, der; -s, (für: Betäubungs-, Lösungsmittel auch *Mehrz.:* - („Himmelsluft"; feiner Urstoff in der gr. Philosophie; geh. für: Himmel); **äthe|risch** (ätherartig; himmlisch; zart); ätherische Öle

Ath|let, der; -en, -en („Wettkämpfer"); **Ath|le|tik,** die; -; bes. in: Leichtathletik, Schwerathletik; **Ath|le|ti|ker,** der; -s, - (Mensch von athletischer Konstitution); **ath|le|tisch**

¹At|las, der; - u. Atlasses, Atlasse u. Atlanten (geographisches Kartenwerk)

²At|las, der; - u. Atlasses, Atlasse (ein Seidengewebe)

at|men

At|mo|sphä|re, die; -, -n (Lufthülle; Druckmaß; Stimmung, Umwelt); **At|mo|sphä|ren|über|druck** (*Mehrz.* ...drücke); **at|mo|sphä|risch**

At|mung; at|mungs|ak|tiv

Atoll, das; -s, -e (ringförmige Koralleninsel)

Atom, das; -s, -e („unteilbar"; kleinster Materieteil eines chem. Grundstoffes); **ato|mar** (das Atom, die Kernenergie, die Atomwaffen betreffend; mit Atomwaffen [versehen]); **Atom|bom|be** (kurz: A-Bombe); **Atom|bom|ber; Atom‿ener|gie** (die; -), **...ge|wicht; Ato|mi|seur** [*...sör*], der; -s, -e (Zerstäuber); **ato|mi|sie|ren** (in Atome auflösen; völlig zerstören); **Ato|mi|sie|rung; Atom‿kraft|werk, ...krieg, ...macht** (Staat, der im Besitz von Atomwaffen ist), **...müll, ...phy|sik, ...strom; Atom-U-Boot; Atom|waf|fe** (meist *Mehrz.*); **Atom|waf|fen|sperr|ver|trag,** der; -[e]s

ato|nal [auch: *atonal*] (Musik: an keine Tonart gebunden); -e Musik

Atri|um, das; -s, ...ien [*...iᵉn*] (offener Hauptraum des altröm. Hauses; Innenhof eines Hauses); **Atri|um|haus,** das; -es, ...häuser (um einen Innenhof gebauter Bungalow)

ätsch! (ugs.)

At|ta|ché [*atasche*], der; -s, -s („Zugeordneter"; Anwärter des diplomatischen Dienstes; Auslandsvertretungen zugeteilter Berater); **At|tacke** [*Trenn.:* ...tak|ke], die; -, -n ([Reiter]angriff); **at|tackie|ren** [*Trenn.:* ...tak|kie...]

At|ten|tat [auch: *a...*], das; -[e]s, -e; **At|ten|tä|ter** [auch: *a...*], der; -s, -

At|test, das; -[e]s, -e (ärztl. Bescheinigung; Gutachten; Zeugnis); **at|te|stie|ren**

At|ti|tü|de, die; -, -n (Haltung; [innere] Einstellung; Ballett: eine [Schluß]figur)

At|trak|ti|on [*...zion*], die; -, -en; **at|trak|tiv; At|trak|ti|vi|tät** [*...wi...*], die; -

At|trap|pe, die; -, -n ([täuschend ähnliche] Nachbildung; Schau-, Blindpakkung)

At|tri|but, das; -[e]s, -e (Sprachw.: Beifügung; auch: Eigenschaft, Merkmal; Beigabe); **at|tri|bu|tiv** (beifügend); **At|tri|but|satz**

at|zen (füttern [von Raubvögeln]); **ät|zen** (beizen); **Ätz|flüs|sig|keit**

au!; au Backe!; auweh! (ugs.)

Au, Aue, die; -, Auen (landsch. od. dicht.: feuchte Niederung)

Au|ber|gi|ne [*obärsehinᵉ*], die; -, -n (Nachtschattengewächs mit gurkenähnlichen Früchten; Eierpflanze)

auch; wenn auch; auch wenn

◇ ebenfalls, gleichfalls, genauso, ebenso, dito, außerdem, dazu, ferner

Auch|künst|ler

Au|di|enz, die; -, -en (feierl. Empfang; Zulassung zu einer Unterredung); **Au|dio|vi|si|on,** die; - (Gebiet der audiovisuellen Technik); **au|dio|vi|su|ell** (zugleich hör- u. sichtbar, Hören u. Sehen ansprechend); -er Unterricht; **Au|di|to|ri|um,** das; -s, ...ien [*...iᵉn*] (ein Hörsaal [der Hochschule]; Zuhörerschaft)

Aue vgl. Au; **Au|en|land|schaft**

Au|er|hahn

Au|er|och|se

auf; *Verhältnisw.* mit *Wemf.* u. *Wenf.:* auf dem Tisch liegen, aber: auf den Tisch legen; auf Grund; aufs neue; auf das, aufs beste; auf seiten; auf einmal; *Umstandsw.:* auf und ab, auf und nieder; auf und davon; das Auf und Nieder, das Auf und Ab

auf|ar|bei|ten; Auf|ar|bei|tung

auf|at|men

auf|bah|ren; Auf|bah|rung

Auf|bau, der; -[e]s, (für: Gebäude-, Schiffsteil auch *Mehrz.:*) -ten; **Auf|bau|ar|beit; auf|bau|en;** eine Theorie auf einer Annahme -; jmdn. - (an jmds. Aufstieg arbeiten)

auf|bäu|men, sich

auf|bau|schen (übertreiben)

auf|be|geh|ren

◇ wider/gegen den Stachel löcken (geh.), meutern (ugs.), sich auflehnen/erheben (geh.)/widersetzen, protestieren, rebellieren, mosern (ugs.), auf die Barrikaden gehen

auf|be|hal|ten; den Hut -

auf|be|kom|men; Aufgaben -

auf|bes|sern; Auf|bes|se|rung

auf|be|wah|ren

◇ aufheben, verwahren (geh.), unter Verschluß halten, an sich nehmen (ugs.), in Verwahrung nehmen

Auf|be|wah|rung

auf|bie|ten; Auf|bie|tung, die; -; unter - aller Kräfte

auf|bin|den; jmdm. etwas - (ugs. für: weismachen)

auf|blä|hen; Auf|blä|hung

auf|bla|sen; vgl. aufgeblasen

auf|blei|ben

auf|blen|den

auf|blicken[1]

auf|blit|zen

auf|blü|hen

auf|bocken[1]

auf|brau|chen

auf|brau|sen; auf|brau|send

auf|bre|chen

auf|brin|gen (auch für: kapern); vgl. aufgebracht

Auf|bruch, der; -[e]s, ...brüche

auf|brü|hen

auf|brum|men (ugs. für: auferlegen); eine Strafe -

auf|bü|geln

auf|bür|den; Auf|bür|dung

auf|decken[1]

---

[1] *Trenn.:* ...k|k...

◇ bloßlegen (geh.), enthüllen, entschleiern (geh.), entlarven, dekuvrieren (geh.)
Auf|deckung[1]
auf|don|nern, sich (ugs.: sich auffällig kleiden u. schminken)
auf|drän|gen; jmdm. etwas -; sich jmdm. -
auf|dre|hen
auf|dring|lich; Auf|dring|lich|keit
auf|drö|seln (landsch. für: [Gewebe usw. mühsam] aufdrehen)
Auf|druck, der; -[e]s, -e; **auf|drucken**[1]
auf|drücken[1]
auf|ein|an|der; aufeinander (auf sich gegenseitig) achten, warten, aufeinander auffahren; **auf|ein|an|der|bei|ßen;** die Zähne -; **Auf|ein|an|der|fol|ge,** die; -; **auf|ein|an|der‿fol|gen, ...le|gen, ...pral|len, ...pres|sen, ...sto|ßen, ...tref|fen**
Auf|ent|halt, der; -[e]s, -e; **Auf|ent|halts|ge|neh|mi|gung**
auf|er|le|gen; ich erlege ihm etwas auf, (seltener:) ich auferlege; auferlegt; aufzuerlegen
auf|er|ste|hen; üblich sind nur ungetrennte Formen, z. B. wenn er auferstünde, er ist auferstanden; **Auf|er|ste|hung,** die; -
auf|er|wecken[1]**;** vgl. auferstehen; **Auf|er|weckung**[1]
auf|es|sen
◇ verzehren (geh.), verspeisen (geh.), verschlingen, verschlucken, auffressen, verkonsumieren (ugs.), verdrücken (ugs.), auffuttern, verputzen (ugs.), vertilgen
auf|fah|ren; Auf|fahrt; Auf|fahrts‿ram|pe, ...stra|ße; Auf|fahr|un|fall
auf|fal|len; auf fällt, daß ...; er fiel durch seinen Fleiß auf; sie fiel überall durch ihre hohe Stimme/mit ihrer hohen Stimme auf
◇ bemerkt werden, die Aufmerksamkeit auf sich ziehen/lenken, Aufsehen erregen/verursachen
auf|fal|lend; auf|fäl|lig; Auf|fäl|lig|keit
auf|fan|gen; Auf|fang|la|ger
auf|fas|sen; Auf|fas|sung; Auf|fas|sungs|ga|be
auf|fin|den; Auf|fin|dung
auf|flie|gen
auf|for|dern; Auf|for|de|rung; Auf|for|de|rungs|satz
auf|for|sten (Wald [wieder] anpflanzen); **Auf|for|stung**
auf|fres|sen
auf|fri|schen; der Wind frischt auf; **Auf|fri|schung**
auf|füh|ren; Auf|füh|rung; Auf|füh|rungs|recht

[1] *Trenn.:* ...k|k...

auf|fül|len; Auf|fül|lung
Auf|ga|be
◇ Obliegenheit (geh.), Pflicht, Funktion, Auftrag
auf|ga|beln (ugs. auch für: zufällig treffen u. mitnehmen)
Auf|ga|ben|be|reich, der
Auf|ga|lopp (Sportspr.: Galoppieren an den Schiedsrichtern vorbei zum Start; Auftakt, erste Runde, Beginn)
Auf|gang, der
auf|ge|ben
◇ aufstecken (ugs.), an den Nagel hängen (ugs.), fallenlassen, fahrenlassen (ugs.), lassen
auf|ge|bläht
auf|ge|bla|sen; ein -er (eingebildeter) Kerl
Auf|ge|bot; Auf|ge|bots|schein
auf|ge|bracht (erregt, erzürnt)
auf|ge|don|nert vgl. aufdonnern
auf|ge|dreht (ugs. für: angeregt)
auf|ge|dun|sen
auf|ge|hen
auf|ge|klärt
auf|ge|knöpft (ugs. für: mitteilsam)
auf|ge|kratzt; in -er (ugs. für: froher) Stimmung sein
auf|ge|legt (auch für: zu etwas bereit, gelaunt); zum Spazierengehen - sein
auf|ge|paßt!
auf|ge|räumt (auch für: heiter); in -er Stimmung sein
auf|ge|regt
◇ erregt, nervös, fiebrig, fick[e]rig (ugs.; landsch.), ruhelos, unruhig, hektisch, zapplig (ugs.), kribblig (ugs.)
Auf|ge|regt|heit, die; -
auf|ge|schlos|sen; - (mitteilsam) sein
◇ offen, aufnahmefähig, aufnahmebereit, empfänglich, zugänglich
Auf|ge|schlos|sen|heit, die; -
auf|ge|schmis|sen; - (ugs. für: hilflos) sein
auf|ge|schos|sen; hoch -
auf|ge|ta|kelt (ugs. für: auffällig, geschmacklos gekleidet)
auf|ge|weckt; ein -er (kluger) Junge; **Auf|ge|weckt|heit,** die; -
auf|ge|wor|fen; eine -e Nase
auf|glie|dern; Auf|glie|de|rung
auf Grund, (häufig auch schon:) **aufgrund** (vgl. Grund)
Auf|guß
auf|ha|ben (ugs.); ..., daß er einen Hut aufhat; für die Schule viel - (als Aufgabe)
auf|hal|sen (ugs. für: aufbürden)
auf|hal|ten; Auf|hal|tung
auf|hän|gen; hängte auf; aufgehängt; sich -; **Auf|hän|ger; Auf|hän|ge|vor|rich|tung**
auf|häu|fen
◇ aufschichten, [auf]stapeln, [auf]türmen

auf|he|ben; Auf|he|ben, das; -s; [ein] großes -, viel -[s] von dem Buch machen; **Auf|he|bung,** die; -
auf|hei|tern; Auf|hei|te|rung
auf|het|zen; Auf|het|zung
auf|hor|chen; die Nachricht ließ -
auf|hö|ren
◇ enden (geh.); zu Ende sein; umschalten, einhalten (geh.), einstellen, abbrechen, unterbrechen
Auf|kauf; auf|kau|fen; Auf|käu|fer
auf|keh|ren
auf|kla|ren (Seemannsspr.: aufräumen; klar werden, sich aufklären [vom Wetter]); es klart auf; **auf|klä|ren** (erkennen lassen; belehren); der Himmel klärt sich auf (wird klar); **Auf|klä|rer; auf|klä|re|risch; Auf|klä|rung; Auf|klä|rungs|flug|zeug**
auf|kle|ben; Auf|kle|ber
auf|knacken [*Trenn.:* ...knak|ken]
auf|knöp|fen; vgl. aufgeknöpft
auf|knüp|fen; Auf|knüp|fung
auf|kom|men
auf|krat|zen; vgl. aufgekratzt
auf|krem|peln
auf|krie|gen (ugs.)
auf|kün|den, (älter für:) **auf|kün|di|gen; Auf|kün|di|gung**
auf|la|den; vgl. [1]laden; **Auf|la|de|platz**
Auf|la|ge (Abk.: Aufl.); **Auf|la|ge[n]|hö|he**
auf|las|sen (aufsteigen lassen; Bergmannsspr.: Grube stillegen); **Auf|las|sung**
auf|lau|ern; jmdm. -
Auf|lauf (Ansammlung; Speise); **Auf|lauf|brem|se; auf|lau|fen** (anwachsen [von Schulden]; Seemannsspr.: auf Grund geraten)
auf|lecken [*Trenn.:* ...lek|ken]
Auf|le|ge|ma|trat|ze; auf|le|gen; vgl. aufgelegt
auf|leh|nen, sich; **Auf|leh|nung**
Auf|lie|fe|rer; auf|lie|fern; Auf|lie|fe|rung
auf|lie|gen (ausliegen; auch: sich wundliegen)
auf|li|sten; Auf|li|stung
auf|lockern [*Trenn.:* ...lok|kern]
auf|lö|sen; Auf|lö|sung; Auf|lö|sungs|pro|zeß
auf'm (ugs. für: auf dem)
auf|ma|chen; auf- und zumachen; **Auf|ma|cher** (wirkungsvoller Titel, eingängige Schlagzeile für einen Zeitungs- od. Illustriertenartikel); **Auf|ma|chung**
Auf|marsch, der; **auf|mar|schie|ren**
auf|mer|ken
auf|merk|sam; jmdn. auf etwas - machen
◇ andächtig, [an]gespannt, angestrengt, konzentriert
Auf|merk|sam|keit
auf|mö|beln (ugs. für: aufmuntern; etw. erneuern)
auf|mucken [*Trenn.:* ...muk|ken] (ugs. für: aufbegehren)
auf|mun|tern; Auf|mun|te|rung
auf|müp|fig (landsch. für: aufsässig, widersetzlich); **Auf|müp|fig|keit**
auf'n (ugs. für: auf den)
Auf|nah|me, die; -, -n; **auf|nah|me|fä|hig; Auf|nah|me|prü|fung; auf|neh|men; Auf|neh|mer** landsch. (Scheuerlappen)
auf|nö|ti|gen
auf|ok|troy|ie|ren [*...oktroajirᵉn*] (aufdrängen, aufzwingen)
auf|op|fern; sich -; **Auf|op|fe|rung,** die; -, (selten:) -en; **auf|op|fe|rungs|voll**
auf|packen [*Trenn.:* ...pak|ken]
auf|päp|peln
auf|pas|sen; Auf|pas|ser
auf|pep|pen (ugs. für: einer Sache Pep, Schwung geben)
auf|pfrop|fen
auf|picken [*Trenn.:* ...pik|ken]
auf|plu|stern; sich -
Auf|prall, der; -[e]s, (selten:) -e; **auf|pral|len**
auf|put|zen; sich -
auf|quel|len; vgl. [1]quellen
auf|raf|fen; sich -
auf|rap|peln, sich (ugs.: sich aufraffen)
auf|rau|hen
auf|räu|men; vgl. aufgeräumt; **Auf|räu|mung; Auf|räu|mungs|ar|bei|ten,** die *(Mehrz.)*
auf|rech|nen; Auf|rech|nung
auf|recht; - (gerade, in aufrechter Haltung) halten, sitzen, stehen, stellen; er kann sich nicht - halten; **auf|recht|er|hal|ten** (weiterbestehen lassen); ich erhalte aufrecht, habe -; aufrechtzuerhalten; **Auf|recht|er|hal|tung,** die; -
auf|re|gen; auf|re|gend; Auf|re|gung
auf|rei|ben; auf|rei|bend
auf|rei|zen; auf|rei|zend; Auf|rei|zung
auf|rich|ten
auf|rich|tig
◇ ehrlich, gerade, offen
Auf|rich|tig|keit, die; -; **Auf|rich|tung,** die; -
Auf|riß (Bauzeichnung)
auf|rücken [*Trenn.:* ...rük|ken]
Auf|ruf; auf|ru|fen
Auf|ruhr, der; -[e]s; **auf|rüh|ren; Auf|rüh|rer; auf|rüh|re|risch**
auf|run|den (Zahlen nach oben runden); **Auf|run|den**
auf|rü|sten; Auf|rü|stung
auf|rüt|teln
aufs (auf das)

auf|säs|sig; Auf|säs|sig|keit
Auf|satz; Auf|satz|the|ma
auf|schei|nen (bes. österr. für: erscheinen, vorkommen)
auf|scheu|chen
auf|schie|ben; Auf|schie|bung
Auf|schlag; auf|schla|gen
auf|schlie|ßen; vgl. aufgeschlossen; **Auf|schlie|ßung**
Auf|schluß; auf|schlüs|seln; Auf|schlüs|se|lung; auf|schluß|reich
auf|schnap|pen
auf|schnei|den; Auf|schnei|der; Auf|schnei|de|rei; auf|schnei|de|risch; Auf|schnitt; kalter -
[1]**auf|schrecken** [*Trenn.:* ...schrek|ken]; sie schrak od. schreckte auf; sie war aufgeschreckt; [2]**auf|schrecken** [*Trenn.:* ...schrek|ken]; ich schreckte ihn auf; sie hatte ihn aufgeschreckt
Auf|schrei; auf|schrei|en
auf|schrei|ben
◇ [auf]notieren, festhalten, vermerken
Auf|schrift
Auf|schub
auf|schwat|zen, (landsch.:) **auf|schwät|zen**
[1]**auf|schwel|len;** der Leib schwoll auf, ist aufgeschwollen; vgl. [1]schwellen; [2]**auf|schwel|len;** der Exkurs schwellte das Buch auf, hat das Buch aufgeschwellt; vgl. [2]schwellen; **Auf|schwel|lung**
auf|schwem|men
auf|schwin|gen, sich
Auf|schwung
◇ Boom, Hausse, Blüte, Konjunktur
auf|se|hen; Auf|se|hen, das; -s; **auf|se|hen|er|re|gend; Auf|se|her; Auf|se|he|rin,** die; -, -nen
auf|sein (ugs. für: geöffnet sein; außer Bett sein); das Fenster ist auf, ist aufgewesen, aber: ..., daß das Fenster auf ist, war
auf sei|ten; mit *Wesf.:* - - der Regierung
auf|set|zen; Auf|set|zer (Sportspr.)
Auf|sicht, die; -, -en; **auf|sicht|füh|rend; Auf|sicht|füh|ren|de,** der u. die; -n, -n; **Auf|sichts‿be|am|te, ...rat** (*Mehrz.:* ...räte); **Auf|sichts|rats|sit|zung**
auf|sit|zen; jmdn. - lassen (jmdn. im Stich lassen); jmdm. - (auf jmdn. hereinfallen)
auf|spie|len; sich -
auf|spie|ßen
auf|split|tern; Auf|split|te|rung
auf|spray|en [*...ßpre^i-^en*]
auf|spren|gen; eine Tür - (mit Gewalt öffnen)
auf|spu|len; ein Tonband -
auf|spü|len; Sand -
auf|spü|ren; Auf|spü|rung
auf|sta|cheln
Auf|stand; auf|stän|disch; Auf|stän|di|sche, der u. die; -n, -n; **Auf|stands|ver|such**
auf|sta|peln
auf|stecken [*Trenn.:* ...stek|ken]; vgl. [2]stecken
auf|ste|hen
◇ sich erheben, sich aufrichten
auf|stei|gen; Auf|stei|ger (Sportspr.)
auf|stel|len; Auf|stel|lung
auf|stem|men (mit dem Stemmeisen öffnen); sich -
Auf|stieg, der; -[e]s, -e; **Auf|stiegs‿mög|lich|keit, ...spiel** (Sportspr.)
auf|stö|bern
auf|stocken [*Trenn.:* ...stok|ken] ([um ein Stockwerk] erhöhen)
auf|sto|ßen; mir stößt etwas auf
auf|stre|ben; auf|stre|bend
auf|strei|chen; Auf|strich
auf|ta|keln (Seemannsspr.: mit Takelwerk ausrüsten); sich - (ugs. für: sich auffällig, geschmacklos kleiden und schminken); vgl. aufgetakelt
Auf|takt, der; -[e]s, -e
auf|tan|ken; ein Auto -; das Flugzeug tankt auf
auf|tei|len; Auf|tei|lung
auf|ti|schen ([Speisen] auftragen; meist übertr. ugs. für: vorbringen)
Auf|trag, der; -[e]s, ...träge; im -[e]
◇ Weisung, Order
auf|tra|gen; Auf|trag|ge|ber; Auf|trags|be|stä|ti|gung; auf|trags|ge|mäß
auf|tre|ten; Auf|tre|ten, das; -s
Auf|trieb; Auf|triebs|kraft
Auf|tritt; Auf|tritts|ver|bot
auf|trump|fen
auf|tun; sich -
◇ sich öffnen, aufgehen, aufspringen
auf|tür|men; sich -
auf und ab; - - - gehen (ohne bestimmtes Ziel); **Auf und Ab,** das; - - -
auf und da|von; - - - gehen (ugs.); sich - - - machen (ugs.)
Auf|wand, der; -[e]s; **auf|wand|reich; Auf|wands|ent|schä|di|gung**
Auf|war|te|frau; auf|war|ten; Auf|wär|te|rin, die; -, -nen
auf|wärts; auf- und abwärts; aufwärts (nach oben) gehen usw., aber: aufwärtsgehen (besser werden); **Auf|wärts|ent|wick|lung**
Auf|war|tung
Auf|wasch, der; -[e]s (Geschirrspülen; schmutziges Geschirr)
auf|wecken [*Trenn.:* ...wek|ken]; vgl. aufgeweckt
◇ wecken, aus dem Schlaf rütteln, wach machen
auf|wei|chen; vgl. [1]weichen; **Auf|wei|chung**

Auf|weis, der; -es, -e; **auf|wei|sen**
auf|wen|den; ich wandte oder wendete viel Zeit auf, habe aufgewandt od. aufgewendet; aufgewandte od. aufgewendete Zeit; **auf|wen|dig** (luxuriös); **Aufwen|dung**
auf|wer|fen; sich zum Richter -
auf|wer|ten; Auf|wer|tung
auf|wickeln [*Trenn.:* ...wik|keln]
Auf|wie|ge|lei; auf|wie|geln; Aufwie|ge|lung, Auf|wieg|lung
auf|wie|gen
Auf|wieg|ler; auf|wieg|le|risch
auf|wi|schen; Auf|wisch|lap|pen
Auf|wuchs
auf|wüh|len
auf|zäh|len; Auf|zäh|lung
auf|zäu|men; das Pferd am od. beim Schwanz - (ugs. für: etwas verkehrt beginnen)
auf|zeich|nen; Auf|zeich|nung
auf|zei|gen (dartun)
auf Zeit (Abk.: a. Z.)
auf|zie|hen
◇ großziehen, aufpäppeln, hochpäppeln
Auf|zucht
Auf|zug
◇ Fahrstuhl, Lift, Paternoster
Auf|zug|füh|rer; Auf|zug[s]|schacht
auf|zwin|gen
Aug|ap|fel; Au|ge, das; -s, -n; - um -; **Äu|gel|chen,** Äug|lein; **äu|gen** ([angespannt] blicken); **Au|gen‿arzt, ...bank** (*Mehrz.* ...banken)
Au|gen|blick[1]
◇ Moment, Weile
au|gen|blick|lich[1]; **Au|gen|blicks|sache; Au|gen|braue; au|gen|fäl|lig; Au|gen‿far|be, ...pul|ver** (das; -s; ugs. für: sehr kleine, die Augen anstrengende Schrift), **...schein** (der; -[e]s); **au|genschein|lich** [auch: ...*schain*...]; **Au|gen‿wei|de** (die; -), **...zeu|ge; Au|genzeu|gen|be|richt**
Äug|lein, Äu|gel|chen
Au|gust, der; -[s], -e (achter Monat im Jahr; Abk.: Aug.); **Au|gu|sti|ner,** der; -s, - (Angehöriger eines kath. Ordens)
Auk|ti|on [...*zion*], die; -, -en (Versteigerung); **Auk|tio|na|tor,** der; -s, ...oren (Versteigerer)
Au|la, die; -, Aulen u. -s (Vorhof in besseren gr. u. röm. Häusern; Fest-, Versammlungssaal in [Hoch]schulen)
au pair [*o pär*] (Leistung gegen Leistung, ohne Bezahlung); **Au-pair-Mäd|chen; Au-pair-Stel|le**
Au|reo|le, die; -, -n (Heiligenschein; Hof [um Sonne und Mond])
Au|ri|kel, die; -, -n (eine Zierpflanze)
aus; *Verhältnisw.* mit *Wemf.:* - dem Hause; - aller Herren Länder[n]; *Umstandsw.:* aus und ein gehen (verkehren); weder aus noch ein wissen; **Aus,** das; - (Sportspr.: Raum außerhalb des Spielfeldes)
aus|ar|bei|ten; sich -; **Aus|ar|bei|tung**
aus|at|men; Aus|at|mung
aus|ba|den; eine Sache - müssen (ugs.)
aus|ba|lan|cie|ren; Aus|ba|lan|cierung
aus|bal|do|wern (ugs. für: auskundschaften)
Aus|ball (Sportspr.)
Aus|bau, der; -[e]s, (für: Gebäudeteil, abseits gelegenes Anwesen auch *Mehrz.:*) ...bauten; **aus|bau|en; aus|bau|fä|hig**
aus|be|din|gen; sich etwas -
◇ zur Bedingung machen, verlangen, fordern
aus|bes|sern
◇ instand setzen, reparieren, in Ordnung bringen
Aus|bes|se|rung; aus|bes|se|rungsbe|dürf|tig
Aus|beu|te, die; -, -n; **aus|beu|ten; Aus|beu|ter; Aus|beu|te|rei; ausbeu|te|risch; Aus|beu|tung**
aus|bil|den; Aus|bil|den|de, der u. die; -n, -n; **Aus|bil|der**
Aus|bil|dung
◇ Lehre, Lehrzeit, Studium
Aus|bil|dungs|ver|trag
aus|bit|ten; sich etwas -
[1]aus|blei|chen (bleich machen); du bleichtest aus; ausgebleicht; vgl. [1]bleichen; **[2]aus|blei|chen** (bleich werden), es blich aus; ausgeblichen (auch schon: ausgebleicht); vgl. [2]bleichen
Aus|blick
aus|boo|ten
aus|bor|gen; sich etwas von jmdm. -
◇ borgen, leihen, entleihen, ausleihen
aus|bre|chen; Aus|bre|cher
aus|brei|ten; Aus|brei|tung
aus|brin|gen; einen Trinkspruch -
Aus|bruch, der; -[e]s, ...brüche; **Ausbruchs|ver|such**
aus|bud|deln (ugs.)
aus|bü|geln
aus|bu|hen (mit Buhrufen an jmdm. Kritik üben)
Aus|bund, der; -[e]s
aus|bür|gern; Aus|bür|ge|rung
Aus|dau|er
◇ Beharrlichkeit, Geduld, Stetigkeit
aus|dau|ernd
aus|deh|nen; sich -; **Aus|deh|nung; Aus|deh|nungs|ko|ef|fi|zi|ent**
aus|den|ken; sich etwas -
aus|die|nen; vgl. ausgedient
aus|dor|ren; aus|dör|ren
Aus|druck, der; -[e]s, ...drücke u. (Druckw.:) ...drucke
◇ Bezeichnung, Wort, Benennung

[1] Auch: ...*blik*...

aus|drucken [*Trenn.:* ...druk|ken] ([ein Buch] fertig drucken); **aus|drücken** [*Trenn.:* ...drük|ken]; sich -; **aus|drück|lich** [auch: ...*drük*...]; **aus|drucks|voll; Aus|drucks|wei|se**

aus|dun|sten, (häufiger:) **aus|dün|sten**

aus|ein|an|der; auseinander sein; auseinander (voneinander getrennt) setzen, liegen; **aus|ein|an|der|ge|hen** (sich trennen, unterscheiden; ugs. für: dick werden); **aus|ein|an|der|hal|ten** (sondern); **aus|ein|an|der|set|zen** (erklären); sich mit jmdm. od. etwas -; **Aus|ein|an|der|set|zung**

aus|er|ko|ren (auserwählt)

aus|er|le|sen

aus|er|se|hen

aus|er|wäh|len

aus|er|wählt

◇ erwählt, ausersehen, auserlesen, auserkoren

Aus|er|wähl|te, der u. die; -n, -n

aus|fah|ren; aus|fah|rend (jäh, beleidigend); **Aus|fahrt; Aus|fahrt[s]|er|laub|nis; Aus|fahrts|stra|ße**

Aus|fall, der; **aus|fal|len;** (vgl. ausgefallen; **aus|fäl|len** (Chemie: gelöste Stoffe in Kristalle, Flocken, Tröpfchen überführen); **aus|fal|lend** od. **aus|fäl|lig** (beleidigend); **Aus|fall[s]|er|schei|nung** (Med.); **Aus|fall|stra|ße**

aus|fech|ten

aus|fin|dig; - machen

aus|flip|pen (ugs. für: sich der Realität durch Drogenkonsum entziehen; sich [bewußt] außerhalb der gesellschaftlichen Norm stellen; außer sich geraten); ausgeflippt sein

Aus|flucht, die; -, ...flüchte

◇ Ausrede, Vorwand, Finte

Aus|flug; Aus|flüg|ler; Aus|flugs|ver|kehr

Aus|fluß

aus|fra|gen; Aus|fra|ge|rei

aus|fran|sen; vgl. ausgefranst

aus|fres|sen; etwas ausgefressen (ugs. für: verbrochen) haben

Aus|fuhr, die; -, -en; **aus|füh|ren; Aus|fuhr|land** (*Mehrz.* ...länder); **aus|führ|lich**[1]; **Aus|führ|lich|keit**[1]; die; -; **Aus|füh|rung; Aus|füh|rungs|be|stim|mung**

aus|fül|len; Aus|fül|lung

Aus|ga|be (Abk. für Drucke: Ausg.); **Aus|ga|be[n]|buch; Aus|ga|ben|po|li|tik; Aus|ga|be|ter|min**

Aus|gang

◇ Ende, Schluß, Finale

aus|gangs (Papierdt.); *Verhältnisw.* mit *Wesf.:* - des Tunnels; **Aus|gangs|ba|sis**

aus|ge|ben; Geld -; sich -

[1] Auch: ...*für*...

aus|ge|bleicht; vgl. [1]ausbleichen; **aus|ge|bli|chen;** vgl. [2]ausbleichen

aus|ge|bucht (voll besetzt, ohne freie Plätze); ein -es Flugzeug

aus|ge|bufft (ugs. für: raffiniert)

Aus|ge|burt

aus|ge|dient; ein -er Soldat; - haben

aus|ge|fal|len (auch für: ungewöhnlich); -e Ideen

aus|ge|feilt

aus|ge|flippt vgl. ausflippen

aus|ge|franst; eine -e Hose

aus|ge|fuchst (ugs. für: durchtrieben)

aus|ge|gli|chen; ein -er Mensch

◇ in sich ruhend, abgeklärt, gelassen

Aus|ge|gli|chen|heit, die; -

aus|ge|hun|gert (sehr hungrig)

aus|ge|klü|gelt

aus|ge|kocht (ugs. für: durchtrieben); ein -er Kerl

aus|ge|las|sen (auch für: übermütig); ein -er Junge; **Aus|ge|las|sen|heit,** die; -

aus|ge|la|stet

aus|ge|laugt; -e Böden

aus|ge|lei|ert

aus|ge|lernt; ein -er Schlosser; **Aus|ge|lern|te,** der u. die; -n, -n

aus|ge|lit|ten; - haben

aus|ge|macht (feststehend); als - gelten; ein -er (ugs. für: großer) Schwindel

aus|ge|mer|gelt

aus|ge|nom|men; alle waren zugegen, er ausgenommen (od. ausgenommen er)

aus|ge|picht (ugs. für: gerissen, durchtrieben)

aus|ge|po|wert

aus|ge|prägt; eine -e (stark entwickelte) Vorliebe

aus|ge|pumpt (ugs. für: erschöpft)

aus|ge|rech|net

aus|ge|schlos|sen (unmöglich); es ist [nicht] -, daß ...

aus|ge|spro|chen (entschieden, sehr groß); eine -e Abneigung; **aus|ge|spro|che|ner|ma|ßen**

aus|ge|stal|ten; Aus|ge|stal|tung

aus|ge|steu|ert; Aus|ge|steu|er|te, der u. die; -n, -n

aus|ge|sucht ([aus]erlesen; ausgesprochen)

aus|ge|wach|sen (voll ausgereift)

aus|ge|wo|gen (wohl abgestimmt, harmonisch); **Aus|ge|wo|gen|heit,** die; -

aus|ge|zeich|net (vorzüglich, hervorragend); -e Leistungen

aus|gie|big (reichlich)

Aus|gleich, der; -[e]s, -e; **aus|glei|chen;** vgl. ausgeglichen; **Aus|gleichs|ge|trie|be** (für: Differential), **...sport**

aus|gra|ben; Aus|grä|ber, ...gra|bung

aus|grei|fen; Aus|griff

Aus|guck, der; -[e]s, -e
Aus|guß
aus|ha|ben (ugs.); ..., daß er den Mantel aushat; das Buch -
aus|hal|ten; es ist nicht zum Aushalten
aus|hän|di|gen; Aus|hän|di|gung
Aus|hang; [1]**aus|hän|gen;** die Verordnung hat ausgehangen; vgl. [1]hängen; [2]**aus|hän|gen;** ich habe das Fenster ausgehängt; vgl. [2]hängen; **Aus|hän|geschild,** das
aus|har|ren
aus|hau|chen; sein Leben -
aus|he|ben (herausheben; zum Heeresdienst einberufen)
aus|hecken [*Trenn.:* ...hek|ken] (ugs. für: listig ersinnen)
aus|hel|fen; Aus|hil|fe; Aus|hilfskraft, die; **aus|hilfs|wei|se**
aus|hol|zen; Aus|hol|zung
aus|hor|chen; Aus|hor|cher
aus|hun|gern; vgl. ausgehungert
aus|ixen (ugs. für: mit dem Buchstaben x ungültig machen)
aus|käm|men; Aus|käm|mung
aus|keh|ren
aus|ken|nen, sich
aus|kip|pen
aus|klam|mern; Aus|klam|me|rung
aus|kla|mü|sern vgl. klamüsern
Aus|klang
aus|klei|den; sich -
◇ sich entkleiden, sich ausziehen, die Kleider ablegen/von sich tun
aus|klop|fen; Aus|klop|fer
aus|knei|fen (ugs. für: feige u. heimlich weglaufen)
aus|knip|sen
aus|kno|beln (ugs. auch für: ausdenken)
aus|knocken [*...nokᵉn; Trenn.:* ...knok|ken] (Boxsport: durch K. o. besiegen; ugs. für: ausstechen, besiegen)
aus|kom|men; Aus|kom|men, das; -s, **aus|kömm|lich**
aus|ko|sten
aus|kot|zen (derb); sich -
aus|kra|men
aus|krat|zen
aus|krie|gen (ugs.)
aus|ku|geln (ugs. für: ausrenken)
aus|küh|len; Aus|küh|lung
Aus|kul|ta|ti|on [*...zion*], die; -, -en (Med.: Behorchung); **aus|kul|tie|ren**
aus|kund|schaf|ten
◇ erkunden, erfragen, ausspionieren, ausschnüffeln (ugs.), ausforschen
Aus|kunft, die; -, ...künfte; **Aus|kunftei; Aus|kunfts|stel|le**
aus|kup|peln
aus|ku|rie|ren
aus|la|chen
◇ verlachen, sich lustig machen
[1]**aus|la|den;** Waren -; [2]**aus|la|den;** jmdn. -; **aus|la|dend** (nach außen ragend); **Aus|la|dung**
Aus|la|ge
aus|la|gern; Aus|la|ge|rung
Aus|land, das; -[e]s; **Aus|län|der; Auslän|de|rin,** die; -, -nen; **aus|län|disch; Aus|lands|rei|se**
aus|las|sen; vgl. ausgelassen; **Aus|lassung; Aus|las|sungs|zei|chen** (für: Apostroph)
aus|la|sten; Aus|la|stung
Aus|lauf; aus|lau|fen; Aus|läu|fer
Aus|laut; aus|lau|ten
aus|le|ben; sich -
aus|lee|ren
◇ leeren, leer machen
Aus|lee|rung
aus|le|gen; Aus|le|ger; Aus|le|gewa|re (Teppichstoffe zum Auslegen); **Aus|le|gung**
aus|lei|ern
Aus|lei|he; aus|lei|hen
aus|ler|nen; vgl. ausgelernt
Aus|le|se; Aus|le|se|pro|zeß
aus|lie|fern; Aus|lie|fe|rung
aus|lö|schen; er löschte das Licht aus, hat es ausgelöscht
aus|lo|sen
aus|lö|sen; Aus|lö|ser
aus'm (ugs. für: aus dem)
aus|ma|chen; eine Sache -; vgl. ausgemacht
aus|mah|len; Aus|mah|lung (z. B. des Kornes), die; -
aus|ma|len; Aus|ma|lung (z. B. des Bildes)
aus|ma|nö|vrie|ren (ausschalten)
aus|mä|ren, sich (bes. ostmitteldt. für: fertig werden, zu trödeln aufhören)
Aus|maß, das
◇ Grad, Umfang, Stärke, Maß, Größe
aus|mer|zen (radikal beseitigen); **Ausmer|zung**
aus|mes|sen; Aus|mes|sung
aus|mi|sten
aus|mu|stern; Aus|mu|ste|rung
Aus|nah|me, die; -, -n; **Aus|nah|mefall,** der; **...zu|stand; aus|nahmslos, ...wei|se; aus|neh|men;** sich -; vgl. ausgenommen; **aus|neh|mend** (sehr)
aus|nut|zen, (bes. südd., österr.:) **ausnüt|zen**
aus|packen [*Trenn.:* ...pak|ken]
aus|peit|schen; Aus|peit|schung
Aus|pend|ler (Person, die außerhalb ihres Wohnortes arbeitet)
Au|spi|zi|um, das; -s, ...ien [*...iᵉn*] („Vogelschau“; Vorbedeutung); unter jemandes Auspizien, unter den Auspizien von ... (Oberleitung, Schutz)
aus|plün|dern; Aus|plün|de|rung
aus|po|sau|nen (ugs. für: etwas [gegen

den Willen eines anderen] bekanntmachen)
aus|po|wern (bis zur Verelendung ausbeuten); **Aus|po|we|rung**
aus|prä|gen; vgl. ausgeprägt; **Aus|prägung**
aus|pro|bie|ren
Aus|puff, der; -[e]s, -e; **Aus|puff|topf**
aus|pum|pen; vgl. ausgepumpt
aus|punk|ten (Boxsport: nach Punkten besiegen)
aus|quar|tie|ren; Aus|quar|tie|rung
aus|quat|schen; sich -
aus|quet|schen
aus|ra|die|ren
aus|ran|gie|ren [...~~sch~~ir^e^n] (ugs. für: aussondern; ausscheiden)
aus|rau|ben; aus|räu|bern
aus|räu|chern
aus|räu|men
aus|rech|nen
◇ berechnen, errechnen, kalkulieren
Aus|rech|nung
Aus|re|de; aus|re|den; jmdm. etwas -
aus|rei|chen
◇ reichen, genügen, langen (ugs.)
aus|rei|chend; er hat [die Note] „ausreichend" erhalten; er hat mit [der Note] „ausreichend" bestanden
◇ genug, genügend, hinreichend, zureichend
Aus|rei|se; aus|rei|sen; Aus|rei|sesper|re
aus|rei|ßen; Aus|rei|ßer
aus|ren|ken; Aus|ren|kung
aus|rich|ten; etwas -; **Aus|rich|ter; Aus|rich|tung**
aus|rot|ten; Aus|rot|tung
aus|rücken [*Trenn.:* ...rük|ken] ([die Garnison] verlassen; ugs. für: fliehen)
Aus|ruf; aus|ru|fen; Aus|ru|fer; Aus|ru|fe|zei|chen; Aus|ru|fung; Aus|rufungs|zei|chen
aus|ru|hen
◇ ruhen, rasten, eine Pause machen, sich erholen
aus|rü|sten; Aus|rü|ster; Aus|rü|stung; Aus|rü|stungs|ge|gen|stand
aus|rut|schen; Aus|rut|scher
Aus|saat; aus|sä|en
Aus|sa|ge, die; -, -n; **aus|sa|gen; Aus|sa|ge|wei|se,** die (Sprachw. für: Modus)
Aus|satz (eine Krankheit), der; -es; **aus|sät|zig**
aus|schach|ten; Aus|schach|tung
aus|schal|ten; Aus|schal|tung
Aus|schank
Aus|schau, die; -; - halten; **aus|schau|en**
aus|schei|den; Aus|schei|dung; Aus|schei|dungs|spiel
aus|schen|ken (Bier, Wein usw.)
aus|sche|ren (von Schiffen, Kraftfahrzeugen od. Flugzeugen: die Linie, Spur verlassen); scherte aus, ausgeschert
aus|schil|dern (Verkehrswege mit Verkehrsschildern ausstatten); **Aus|schil|de|rung**
aus|schlach|ten (ugs. auch für: etwas ausbeuten)
aus|schla|fen, sich
Aus|schlag; aus|schla|gen; aus|schlag|ge|bend
aus|schlie|ßen; vgl. ausgeschlossen; **aus|schlie|ßend**
aus|schließ|lich[1], *Verhältnisw.* mit *Wesf.:* - des Weines; - Porto; - Getränken
◇ nur, bloß, lediglich
Aus|schließ|lich|keit[1], die; -; **Aus|schlie|ßung**
Aus|schluß
aus|schmücken [*Trenn.:* ...schmük|ken]; **Aus|schmückung** [*Trenn.:* ...schmük|kung]
aus|schnei|den; Aus|schnei|dung; Aus|schnitt
aus|schöp|fen; Aus|schöp|fung
aus|schrei|ben; Aus|schrei|bung
aus|schrei|ten; Aus|schrei|tung (meist *Mehrz.*)
Aus|schuß
◇ Kommission, Gremium, Kreis
Aus|schuß|sit|zung
aus|schüt|ten; Aus|schüt|tung
aus|schwei|fen; aus|schwei|fend; Aus|schwei|fung
aus|se|hen; Aus|se|hen, das; -s
aus|sein (ugs. für: zu Ende sein); das Theater ist aus, ist ausgewesen; ..., daß das Theater aus ist, war; auf etwas - (ugs. für: versessen sein)
au|ßen; von - [her]; nach innen und -; nach - [hin]; **Au|ßen,** der; -, - (Sportspr.: Außenspieler); er spielt - (als Außenspieler); **Au|ßen|bord|mo|tor; au|ßen|bords** (außerhalb des Schiffes)
aus|sen|den; sendete aus u. sandte aus; ausgesendet u. ausgesandt; **Aus|sen|dung,** die; -
Au|ßen|dienst; Au|ßen‿han|del, ...po|li|tik; au|ßen|po|li|tisch; Au|ßen‿sei|te
Au|ßen|sei|ter
◇ Einzelgänger, Eigenbrötler, Individualist
Au|ßen|ste|hen|de, der u. die; -n, -n
au|ßer; *Bindew.:* - daß/wenn/wo: wir fahren in die Ferien, - [wenn] es regnet; niemand kann diese Schrift lesen - er selbst; *Verhältnisw.* mit *Wemf.:* niemand kann es lesen - ihm selbst; - [dem] Haus[e]; - allem Zweifel; - Dienst (Abk.: a. D.); ich bin - mir (empört); mit *Wenf.* (bei Zeitwörtern

[1] Auch: *außschlìß...* od. *...schlìß...*

der Bewegung): ich gerate - mich (auch: mir) vor Freude; mit *Wesf.* nur in: - Landes gehen, sein; - Hauses (neben: Haus[e]); **Au|ßer|acht|las|sen,** das; -s; **Au|ßer|acht|las|sung; au|ßer|dem; au|ßer|dienst|lich; äu|ße|re;** die - Mission; **Äu|ße|re,** das; ...r[e]n; im Äußer[e]n; sein -s; ein erschreckendes Äußere[s]; mit jugendlichem -m/(seltener:) -n; Minister des -n

au|ßer|ge|wöhn|lich

◇ ungewöhnlich, erstaunlich, beträchtlich, aufsehenerregend, spektakulär

au|ßer|halb; *Verhältnisw.* mit *Wesf.*: - des Lagers; - Münchens; er stellte sich - der Gesellschaft; *Umstandsw.*: - von München; **Au|ßer|kraft|set|zung; äu|ßer|lich; Äu|ßer|lich|keit**

äu|ßern; sich -

au|ßer|or|dent|lich; -er Professor (Abk.: ao., a.o. Prof.); **au|ßer|par|la|men|ta|risch;** die -e Opposition (Abk.: APO, auch: Apo); **au|ßer|plan|mä|ßig** (Abk.: apl.)

äu|ßerst (auch: sehr, in hohem Grade); bis zum äußersten (sehr); auf das, aufs äußerste (sehr) erschrocken sein; das Äußerste befürchten; auf das, aufs Äußerste (auf die schlimmsten Dinge) gefaßt sein; es bis zum Äußersten treiben; es auf das, aufs Äußerste ankommen, zum Äußersten kommen lassen

au|ßer|stand [auch: *au*...]; - setzen; **au|ßer|stan|de** [auch: *au*...]; - sein; sich - sehen; sich [als] - erweisen

äu|ßer|sten|falls

Äu|ße|rung

aus|set|zen; Aus|set|zung

Aus|sicht, die; -, -en

aus|sichts|los

◇ ausweglos, verfahren, hoffnungslos

Aus|sichts|lo|sig|keit, die; -; **aus|sichts|reich; Aus|sichts|turm**

aus|sie|deln; Aus|sied|ler; Aus|sie|de|lung, Aus|sied|lung

aus|söh|nen; sich -; **Aus|söh|nung**

aus|sor|tie|ren

aus|span|nen (ugs. auch für: abspenstig machen)

aus|sper|ren; Aus|sper|rung

aus|spie|len; jmdn. gegen jmdn. -

aus|spio|nie|ren

Aus|spra|che; Aus|spra|che|wör|ter|buch; aus|spre|chen; sich -; vgl. ausgesprochen

Aus|spruch

◇ Redensart, Zitat, geflügeltes Wort

aus|spucken [*Trenn.*: ...spuk|ken]

aus|staf|fie|ren (ausstatten); **Aus|staf|fie|rung**

Aus|stand, der; -[e]s; in den - treten (streiken)

aus|stat|ten; Aus|stat|tung

aus|ste|hen; jmdn. nicht - können; die Rechnung steht noch aus

aus|stei|gen; Aus|stei|ger (jmd., der seinen Beruf, seine gesellschaftlichen Bindungen aufgibt, um alternativ zu leben)

aus|stel|len; Aus|stel|ler; Aus|stell|fen|ster (Kfz); **Aus|stel|lung; Aus|stel|lungs|ge|län|de**

Aus|ster|be|etat [...*eta*]; nur noch in festen Wendungen wie: auf dem - stehen (ugs.); **aus|ster|ben**

Aus|steu|er, die

◇ Mitgift, Heiratsgut

aus|steu|ern; Aus|steue|rung

Aus|stieg, der; -[e]s, -e

Aus|stoß, der; -es (z. B. von Bier); **aus|sto|ßen**

aus|strah|len; Aus|strah|lung

aus|strecken [*Trenn.*: ...strek|ken]

aus|streu|en; Gerüchte -

aus|su|chen; vgl. ausgesucht

Aus|tausch, der; -[e]s; **aus|tau|schen; Aus|tausch|mo|tor** (aus teilweise neuen Teilen bestehender Ersatzmotor)

aus|tei|len; Aus|tei|lung

Au|ster, die; -, -n (eßbare Meeresmuschel); **Au|stern|bank** (*Mehrz.* ...bänke)

aus|to|ben, sich

Aus|trag, der; -[e]s; die Meisterschaften kommen zum -; **aus|tra|gen; Aus|trä|ger** (Person, die etwas austrägt); **Aus|tra|gung**

aus|trei|ben; Aus|trei|bung

aus|tre|ten

aus|trick|sen (Sportspr.: mit einem Trick ausspielen)

Aus|tritt; Aus|tritts|er|klä|rung

aus|trock|nen; Aus|trock|nung

aus|tüf|teln

aus|üben; Aus|übung

Aus|ver|kauf; aus|ver|kau|fen

aus|wach|sen; es ist zum Auswachsen (ugs.); vgl. ausgewachsen

Aus|wahl

aus|wäh|len

◇ [aus]erwählen, auslesen, aussuchen, sich entscheiden für

Aus|wahl|mög|lich|keit

Aus|wan|de|rer; Aus|wan|de|rer|schiff

aus|wan|dern

◇ ins Ausland gehen, emigrieren

Aus|wan|de|rung

aus|wär|tig; -er Dienst; das Auswärtige Amt (Abk.: AA); Minister des Auswärtigen; **aus|wärts;** nach, von -; nach - gehen; auswärts (außer dem Hause) essen; **aus|wärts|ge|hen, aus|wärts|lau|fen** (mit auswärts gerichteten Füßen); **Aus|wärts|spiel**

aus|wech|seln; Aus|wech|se|lung, Aus|wechs|lung

Aus|weg; aus|weg|los; Aus|weg|lo|sig|keit, die; -
aus|wei|chen; aus|wei|chend; Aus|weich|mög|lich|keit
aus|wei|den (Eingeweide entfernen [bei Wild usw.])
Aus|weis, der; -es, -e
◇ Papiere, Paß, Kennkarte, Legitimation
aus|wei|sen; sich -; **Aus|weis|kon|trol|le; Aus|wei|sung**
aus|wei|ten; Aus|wei|tung
aus|wen|dig; - lernen, wissen; **Aus|wen|dig|ler|nen,** das; -s
aus|wer|fen; Aus|wer|fer (Technik)
aus|wer|ten; Aus|wer|tung
aus|wickeln [*Trenn.:* ...wik|keln]
aus|wie|gen; vgl. ausgewogen
aus|wir|ken, sich; **Aus|wir|kung**
aus|wi|schen; jmdm. eins - (ugs. für: schaden)
aus|wrin|gen
Aus|wuchs
aus|wuch|ten (bes. Kfz-Technik)
Aus|wurf
aus|zah|len; das zahlt sich nicht aus (ugs. für: das lohnt sich nicht); **aus|zäh|len**
Aus|zeh|rung (Schwindsucht; Kräfteverfall), die; -
aus|zeich|nen; sich -; vgl. ausgezeichnet; **Aus|zeich|nung**
aus|zie|hen
◇ seine Wohnung aufgeben/räumen/verlassen · [sich] auskleiden, [sich] entkleiden, die Kleider ablegen/von sich tun
Aus|zieh|tisch
Aus|zu|bil|den|de, der u. die; -n, -n
◇ Azubi, Lehrling, Anlernling
Aus|zug; Aus|zug|mehl; aus|zugs|wei|se
aut|ark (sich selbst genügend; wirtschaftlich unabhängig vom Ausland); **Aut|ar|kie,** die; -, ...ien (wirtschaftliche Unabhängigkeit vom Ausland durch Selbstversorgung)
au|then|tisch (im Wortlaut verbürgt; rechtsgültig); **au|then|ti|sie|ren** (glaubwürdig, rechtsgültig machen); **Au|then|ti|zi|tät,** die; - (Echtheit; Rechtsgültigkeit)
Au|to, das; -s, -s (kurz für: Automobil); Auto fahren; ich bin Auto und radgefahren
◇ Automobil, Wagen, Kraftfahrzeug, Pkw, fahrbarer Untersatz (ugs. scherzh.), Vehikel, Mühle (ugs. abwertend)
Au|to|bahn; Au|to|bahn|rast|stät|te
Au|to|bio|gra|phie, die; -, -ien (literar. Darstellung des eigenen Lebens); **au|to|bio|gra|phisch**
Au|to|bus, der; ...busses, ...busse (kurz für: Autoomnibus)
Au|to-Cross (Geländeprüfung für Autosportler), das; -, -e
Au|to|di|dakt, der; -en, -en („Selbstlerner"; durch Selbstunterricht sich Bildender); **au|to|di|dak|tisch**
Au|to‿fäh|re, ...fah|ren (das; -s), **...fah|rer, ...fried|hof** (ugs.)
au|to|gen (ursprünglich; selbsttätig); -e Schweißung (mit heißer Stichflamme erfolgende Schweißung); -es Training (Methode der Selbstentspannung)
Au|to|gramm, das; -s, -e (eigenhändig geschriebener Name)
Au|to‿in|du|strie, ...ki|no (Freilichtkino, in dem man Filme vom Auto aus betrachtet)
Au|to|krat, der; -en, -en (Selbstherrscher; selbstherrlicher Mensch); **Au|to|kra|tie,** die; -, ...ien (unumschränkte [Selbst]herrschaft); **au|to|kra|tisch**
Au|to|mat, der; -en, -en; **Au|to|ma|ten|re|stau|rant; Au|to|ma|tik,** die; -, -en (Vorrichtung, die einen techn. Vorgang steuert u. regelt); **Au|to|ma|ti|on** [*...zion*], die; - (vollautomatische Fabrikation); **au|to|ma|tisch** (selbsttätig; selbstregelnd; unwillkürlich; zwangsläufig); **au|to|ma|ti|sie|ren** (auf vollautomatische Fabrikation umstellen); **Au|to|ma|ti|sie|rung; Au|to|ma|tis|mus,** der; -, ...men (sich selbst steuernder, unbewußter, eigengesetzlicher Ablauf)
Au|to|mo|bil, das; -s, -e; **Au|to|mo|bil|aus|stel|lung; Au|to|mo|bi|list,** der; -en, -en (bes. schweiz. für: Autofahrer)
au|to|nom (selbständig, unabhängig; eigengesetzlich); -es Nervensystem; **Au|to|no|mie,** die; -, ...ien (Selbständigkeit, Unabhängigkeit; Eigengesetzlichkeit)
Au|to|pi|lot (automatische Steuerung von Flugzeugen, Raketen u. ä.)
Aut|op|sie, die; -, ...ien (eigenes Sehen, Augenschein; Med.: Leichenöffnung)
Au|tor, der; -s, ...oren
◇ Verfasser, Schreiber
Au|to|ren|abend; Au|to|ri|sa|ti|on [*...zion*], die; -, -en (Ermächtigung, Vollmacht); **au|to|ri|sie|ren; au|to|ri|siert** ([einzig] berechtigt); **au|to|ri|tär** (in [illegitimer] Autoritätsanmaßung handelnd, regierend; diktatorisch); ein autoritäres Regime; **Au|to|ri|tät,** die; -, -en (anerkanntes Ansehen; bedeutender Vertreter seines Faches; maßgebende Institution); **au|to|ri|ta|tiv** (sich auf echte Autorität stützend, maßgebend); **au|to|ri|täts|gläu|big; Au|tor|schaft,** die; -
Au|to|skoo|ter
Au|to|sug|ge|sti|on, die; -, -en (Selbstbeeinflussung)
autsch!
au|weh!
avan|cie|ren [*awangßiren*] (befördert werden; aufrücken)
Avant|gar|de [*awang..., auch: ...garde*]

(veralt. für: Vorhut; die Vorkämpfer für eine Idee); **Avant-gar|dis|mus, ...gardist** (Vorkämpfer); **avant|gar|distisch**

avan|ti [*awanti*] (ugs. für: „vorwärts!")

Ave-Ma|ria [*awe...*], das; -[s], -[s] („Gegrüßet seist du, Maria!"; ein kath. Gebet)

Ave|nue [*aw^e^nü*], die; -, ...uen [*...ü^e^n*] („Zufahrt"; Prachtstraße)

Aver|si|on, die; -, -en (Abneigung, Widerwille)

avi|sie|ren (ankündigen)

Avo|ca|do [*awokado*]; die; -, -s (südamerik. Frucht)

Axel, der; -s, - (schwieriger Sprung im Eis- u. Rollkunstlauf)

axi|al (in der Achsenrichtung); **Axi|alver|schie|bung**

Axi|om, das; -s, -e (keines Beweises bedürfender Grundsatz)

Axt, die; -, Äxte

Aya|tol|lah vgl. Ajatollah

Aza|lee, (auch:) **Aza|lie** [*...i^e^*], die; -, -n (eine Zierpflanze aus der Familie der Heidekrautgewächse)

Azur, der; -s (dicht. für: Himmelsblau); **azur|blau; azurn** (dicht. für: himmelblau)

B

B (Buchstabe); das B; des B, die B

b, B, das; -, - (Tonbezeichnung)

bab|beln (ugs. für: schwatzen)

Ba|by [*bebi*], das; -s, -s (Säugling, Kleinkind); **Ba|by|jahr** (zusätzlich anzurechnendes Rentenversicherungsjahr für die Mutter eines Kindes)

ba|by|lo|nisch; -e Kunst, Religion; die Babylonische Gefangenschaft; der Babylonische Turm

ba|by|sit|ten [*...ßit^e^n*] (nur in der Grundform gebr.); **Ba|by|sit|ter** [*...ßit^e^r*], der; -s, -

Bac|cha|nal [*bachanal*], das; -s, -e u. -ien [*...i^e^n*] (altröm. Bacchusfest; wüstes Trinkgelage); **Bac|chant**, der; -en, -en (Trinkbruder; trunkener Schwärmer); **bac|chan|tisch** (trunken; ausgelassen)

Bach, der; -[e]s, Bäche

Ba|che, die; -, -n (w. Wildschwein)

Bä|chel|chen, Bäch|lein; Bach|stelze

Back|bord, das; -[e]s, -e (linke Schiffsseite [von hinten gesehen]); **back|bord[s]**

Bäck|chen; Backe[1], die; -, -n u. **Bakken**, der; -s, - (landsch.)

backen[1] (Brot usw.); du bäckst od. backst; er bäckt od. backt; du backtest (älter: buk[e]st); du backtest (älter: bükest); gebacken; back[e]!; Beugung in der Bedeutung von „kleben" (vgl. „festbakken"): der Schnee backt, backte, hat gebackt

Backen|zahn[1]

Bäcker[1]; **Bäcke|rei**[1]; **Bäcker|la|den**[1]; **Bäcker[s]|frau**[1]

Back|fisch (auch: halbwüchsiges Mädchen)

Back|gam|mon [*bäkgäm^e^n*], das; -[s] (ein Würfelspiel)

Back|ground [*bäkgraunt*], der; -s, -s (Hintergrund; Milieu)

Back|hand [*bäkhänt*], die; -, - (auch: der; -[s], -s) (Sportspr.: Rückhandschlag)

Back|hendl, das; -s, -[n] österr. (Backhuhn)

Back|ofen

Back|pfei|fe (Ohrfeige); **back|pfeifen;** er backpfeifte ihn, hat ihn gebackpfeift; **Back|pfei|fen|ge|sicht** (ugs.)

Back|pflau|me; Back|stein; Backwa|re (meist *Mehrz.*)

Bad, das; -[e]s, Bäder; **Ba|de|an|stalt**

ba|den; - gehen

◇ ein Bad nehmen, in die Wanne steigen

Bad|min|ton [*bädmint^e^n;* nach dem Landsitz des Herzogs von Beaufort in England], das; - (sportmäßig betriebenes Federballspiel)

Bae|de|ker Ⓦⓩ [*bä...;* nach dem Verleger], der; -s (auch: -), - (Reisehandbuch, [Reise]führer, Guide)

baff (ugs. für: verblüfft); - sein

Ba|ga|ge [*bagasch^e^*], die; -, -n (veralt. für: Gepäck, Troß; ugs. für: Gesindel)

Ba|ga|tel|le, die; -, -n (unbedeutende Kleinigkeit; kleines, leichtes Musikstück); **ba|ga|tel|li|sie|ren** (als unbedeutende Kleinigkeit behandeln); **Baga|tell|sa|che**

Bag|ger, der; -s, - (Baumaschine zum Wegschaffen von Erdreich od. Geröll); **bag|gern; Bag|ger|füh|rer**

bah!, pah (ugs.)

bäh! (ugs.)

Bahn, die; -, -en; sich Bahn brechen (ich breche mir Bahn); **bahn|bre|chend;** eine -e Erfindung; **Bahn|bus**, der; ...busses, ...busse (Kurzw. für: Bahnomnibus); **bah|nen; Bahn|hof** (Abk.: Bf., Bhf.); **Bahn|hofs|buch|hand|lung; bahnla|gernd;** -e Sendungen; **Bahn|steig**

Bah|re, die; -, -n; **Bahr|tuch** (*Mehrz.* ...tücher)

Bai, die; -, -en (Bucht)

---

[1] *Trenn.:* ...k|k...

Bai|ser [*bäse*], das; -s, -s (ein Schaumgebäck)
Bais|se [*bäß^e*], die; -, -n ([starkes] Fallen der Börsenkurse od. Preise)
Ba|ja|de|re, die; -, -n (ind. [Tempel]tänzerin)
Ba|jaz|zo, der; -s, -s (Possenreißer; auch Titel einer Oper von Leoncavallo)
Ba|jo|nett [nach der Stadt Bayonne in Südfrankreich], das; -[e]s, -e (Seitengewehr); **Ba|jo|nett|ver|schluß** (Schnellverbindung von Rohren, Stangen od. Hülsen)
Ba|ke, die; -, -n (festes Orientierungszeichen für Seefahrt, Luftfahrt, Straßenverkehr; Vorsignal auf Bahnstrecken)
Bak|ken, der; -[s], - (Skisport: Sprungschanze)
Bak|schisch, das; -[s], -e (Almosen; Trinkgeld; Bestechungsgeld)
Bak|te|rie [...*i^e*], die; -, -n (Spaltpilz) ◇ Bazille, [Krankheits]keim, [Krankheits]erreger
bak|te|ri|ell; Bak|te|ri|en|trä|ger; Bak|te|rio|lo|ge, der; -n, -n (Wissenschaftler auf dem Gebiet der Bakteriologie); **Bak|te|rio|lo|gie,** die; - (Lehre von den Bakterien); **bak|te|rio|lo|gisch**
Ba|la|lai|ka, die; -, -s u. ...ken (russ. Saiteninstrument)
Ba|lan|ce [*balangß^(e)*], die; -, -n (Gleichgewicht); **Ba|lan|ce|akt; ba|lan|cie|ren** [*balangßir^en*] (das Gleichgewicht halten, ausgleichen); **Ba|lan|cier|bal|ken**
bal|bie|ren (ugs. für: rasieren); jmdn. über den Löffel - [auch: barbieren] (ugs. für: betrügen)
bald; Steigerung: eher, am ehesten; möglichst - (besser als: baldmöglichst); so - als od. wie möglich
Bal|da|chin [*baldachin*] [nach der Stadt Baldacco, d. h. Bagdad], der; -s, -e (Trag-, Betthimmel)
Bäl|de, nur noch in: in - (Papierdt.: bald); **bal|dig;** -st; **bald|mög|lichst** (dafür besser: möglichst bald)
Bal|dri|an, der; -s, -e (eine Heilpflanze); **Bal|dri|an|trop|fen** *(Mehrz.)*
¹**Balg,** der; -[e]s, Bälge (Tierhaut; Luftsack; ausgestopfter Körper einer Puppe); ²**Balg,** der od. das; -[e]s, Bälger (ugs. für: unartiges Kind)
bal|gen, sich (ugs. für: raufen); **Bal|ge|rei**
Bal|ken, der; -s, -; **Bal|ken|kon|struk|ti|on; Bal|kon** [*balkong,* (fr.:) ...*kong,* (auch, bes. südd. österr. u. schweiz.: ...*kon*], der; -s, -s u. (bei nichtnasalierter Ausspr.:) -e
¹**Ball,** der; -[e]s, Bälle (runder Körper); Ball spielen
²**Ball,** der; -[e]s, Bälle (Tanzfest); **Bal|la|de,** die; -, -n (episch-dramatisches Gedicht); **bal|la|den|haft; bal|la|desk;** -e Erzählung
Bal|last [auch: *balaßt*], der; -[e]s, (selten:) -e (tote Last; Bürde)
Bäll|chen; bal|len; Bal|len, der; -s, -
Bal|le|rei (sinnloses, lautes Schießen)
Bal|le|ri|na, Bal|le|ri|ne, die; -, ...nen (Ballettänzerin)
bal|lern (ugs. für: knallen)
Bal|lett, das; -[e]s, -e (Bühnen-, Schautanz; Tanzgruppe); **Ballettänzerin** [*Trenn.:* Bal|lett|tän|ze|rin], die; -, -nen; **Bal|let|teu|se** [*baletös^e*], die; -, -n (Ballettänzerin); **Bal|lett_korps** (Theatertanzgruppe), **...trup|pe**
Bal|li|stik, die; - (Lehre von der Bewegung geschleuderter od. geschossener Körper); **bal|li|stisch;** -e Kurve (Flugbahn)
Bal|lon [*balong,* (fr.:) ...*long,* (auch, bes. südd., österr. u. schweiz.:) ...*lon*], der; -s, -s u. (bei nichtnasalierter Ausspr.:) -e (mit Gas gefüllter Ball; Korbflasche; Glaskolben; Luftfahrzeug)
Bal|lung; Bal|lungs|raum
Bal|sam, der; -s, -s (Gemisch von Harzen mit ätherischen Ölen, bes. als Linderungsmittel; in gehobener Sprache auch: Linderung, Labsal); **bal|sa|mie|ren** (einsalben); **Bal|sa|mie|rung; bal|sa|misch** (würzig; lindernd)
Ba|lu|stra|de, die; -, -n (Brüstung, Geländer)
Balz, die; -, -en (Paarungsspiel und Paarungszeit bestimmter Vögel); **bal|zen** (werben [von bestimmten Vögeln]); **Balz|zeit**
Bam|bi|no, der; -s, ...ni u. (ugs.:) -s („Kindlein"; ugs. für: kleines Kind, kleiner Junge)
Bam|bus, der; ...busses u. -, ...busse (trop. Riesengras); **Bam|bus|stab**
Bam|mel, der; -s (ugs. für: Angst)
bam|meln (ugs. für: baumeln)
ba|nal (alltäglich, fade, flach); **Ba|na|li|tät,** die; -, -n
Ba|na|ne, die; -, -n (eine trop. Pflanze u. Frucht); **Ba|na|nen|stecker** [*Trenn.:* ...stek|ker] (Elektrotechnik)
Ba|nau|se, der; -n, -n (Mensch ohne Kunstsinn; Spießbürger); **Ba|nau|sen|tum,** das; -s; **ba|nau|sisch**
¹**Band** (Buch; Abk.: Bd.), der; -[e]s, Bände (Abk.: Bde.); ²**Band,** das; -[e]s, -e (Fessel); außer Rand und -; ³**Band,** das; -[e]s, Bänder ([Gewebe]streifen; Gelenkband); auf - spielen, sprechen; am laufenden Band
⁴**Band** [*bänt*], die; -, -s (Gruppe von Musikern, bes. Tanzkapelle u. Jazzband)
Ban|da|ge [...*asch^e*], die; -, -n (Stütz- od. Schutzverband); **ban|da|gie|ren** [...*schir^en*] (mit Bandagen versehen)

Bänd|chen, das; -s, - u. (für: [Gewebe]streifen:) Bänderchen
[1]**Ban|de,** die; -, -n (Einfassung, z. B. Billardbande)
[2]**Ban|de,** die; -, -n (abwertend für: Schar, z. B. Räuber-, Schülerbande)
Bän|der|chen (*Mehrz.* von: Bändchen)
Ban|de|ril|la [*...rilja*], die; -, -s (mit Bändern, Fähnchen u. a. geschmückter Wurfpfeil, den der Banderillero dem Stier in den Nacken stößt); **Ban|de|ril|le|ro** [*...riljero*], der; -s, -s (der im Stierkampf die Banderillas dem Stier in den Nacken stößt)
Ban|de|ro|le, die; -, -n (Steuerband)
bän|di|gen; Bän|di|gung
Ban|dit, der; -en, -en ([Straßen]räuber)
Band|lea|der [*bäntlidᵉr*], der; -s, - (Leiter einer Jazz- od. Rockgruppe)
Band‿maß, das, **...nu|deln** *(Mehrz.)*
Ban|do|ne|on u. **Ban|do|ni|on** [nach dem dt. Erfinder Band], das; -s, -s (ein Musikinstrument)
Band|schei|be (Med.); **Band|schei|ben|scha|den; Band|wurm; Band|wurm|be|fall**
bang, ban|ge; banger u. bänger; am bangsten u. am bängsten; mir ist angst u. bang[e]; bange machen; Bangemachen (auch: bange machen) gilt nicht
◇ sich ängstigen, sich sorgen, sich Sorgen machen, in Sorge sein
ban|gen; Ban|gig|keit, die; -; **bäng|lich; Bang|nis,** die; -, -se
Ban|jo [auch: *bändscho*], das; -s, -s (ein Musikinstrument)
[1]**Bank,** die; -, Bänke (Sitzgelegenheit); [2]**Bank,** die; -, -en (Kreditanstalt); **Bank|be|am|te; Bänk|chen**
Bän|kel‿lied, ...sän|ger
Ban|ker (ugs. für: Bankier)
Ban|kert, der; -s, -e (abwertend für: uneheliches Kind)
[1]**Ban|kett,** das; -[e]s, -e (Festmahl); [2]**Ban|kett,** das; -[e]s, -e, (auch:) **Ban|ket|te,** die; -, -n ([unfester] Randstreifen neben einer Straße)
Ban|kier [*bangkie*], der; -s, -s (Inhaber eines Bankhauses); **Bank|kon|to**
bank|rott (zahlungsunfähig; auch übertr.: am Ende, erledigt); - gehen, sein, werden
Bank|rott, der; -[e]s, -e; - machen
◇ Insolvenz, Konkurs, Pleite, Zahlungsunfähigkeit
Bank|rott|er|klä|rung
Bann, der; -[e]s, -e (Ausschluß [aus einer Gemeinschaft]; Gerichtsbarkeit; abgegrenztes Gebiet; zwingende Gewalt); **Bann|bul|le,** die; **ban|nen**
Ban|ner, das; -s, - (Fahne); **Ban|ner|trä|ger**
Bann‿kreis, ...mei|le

Ban|tam|ge|wicht (Körpergewichtsklasse in der Schwerathletik)
Bap|tis|mus, der; - („Taufe“; Lehre evangel. Freikirchen, die nur die Erwachsenentaufe zuläßt); **Bap|tist,** der; -en, -en (Anhänger des Baptismus); **Bap|ti|ste|ri|um,** das; -s, ...ien [*...iᵉn*] (Taufbekken; Taufkirche, -kapelle)
bar (bloß); aller Ehre[n] -; bares Geld; bar zahlen; in -; gegen -; -er Unsinn
Bar, die; -, -s (kleines [Nacht]lokal; Schanktisch)
Bär, der; -en, -en
◇ Teddy, [Meister] Petz
Ba|racke [*Trenn.:* rak|ke], die; -, -n (leichtes, meist eingeschossiges Behelfshaus); **Ba|racken|la|ger** [*Trenn.:* ...rak|ken...] (*Mehrz.* ...lager)
Bar|bar, der; -en, -en (urspr.: Nichtgrieche; jetzt: roher, ungesitteter, wilder Mensch); **Bar|ba|rei** (Roheit); **bar|ba|risch** (roh)
Bar|be|cue [*báʳbikju*], das; -[s], -s (Gartenfest mit Spießbraten)
bär|bei|ßig (grimmig; verdrießlich); **Bär|bei|ßig|keit**
Bar|bier, der; -s, -e (veralt. für: Haar-, Bartpfleger); **bar|bie|ren** (veralt. für: den Bart scheren); vgl. auch: balbieren
Bar|bi|tu|rat, das; -s, -e (Schlaf- u. Beruhigungsmittel)
bar|dauz!, par|dauz!
Bar|de, der; -n, -n ([altkelt.] Sänger u. Dichter; abwertend für: lyr. Dichter)
Bä|ren‿dienst (ugs. für: schlechter Dienst), **...dreck** (südd., österr. ugs. für: Lakritze), **...fang** (der; -[e]s; Honiglikör), **...hun|ger** (ugs. für: großer Hunger), **...na|tur** (bes. kräftiger, körperlich unempfindlicher Mensch); **bä|ren|stark** (ugs. für: sehr stark)
Ba|rett, das; -[e]s, -e (flache, randlose Kopfbedeckung, meist als Amtstracht)
bar|fuß; - gehen; **Bar|fü|ßer,** der; -s, - (barfuß gehender od. nur Sandalen tragender Mönch); **bar|fü|ßig**
Bar|geld, das; -[e]s; **bar|geld|los;** -er Zahlungsverkehr
bar|haupt; bar|häup|tig
bä|rig (landsch.: bärenhaft, stark, robust)
Ba|ri|ton, der; -s, -e (Männerstimme zwischen Tenor u. Baß; auch: Sänger mit dieser Stimme)
Bark, die; -, -en (ein Segelschiff); **Bar|ka|ro|le,** die; -, -n (Boot; Gondellied); **Bar|kas|se,** die; -, -n (Motorboot; auf Kriegsschiffen größtes Beiboot); **Bar|ke,** die; -, -n (kleines Boot)
Bar|kee|per [*barkipᵉr*], der; -s, - (Inhaber od. Schankkellner einer Bar)
bar|men (nord- u. ostd. abwertend für: klagen); **barm|her|zig; Barm|her|zig|keit,** die; -

Bar|mi|xer (Getränkemischer in einer [2]Bar)
ba|rock („schief, unregelmäßig"; im Stil des Barocks; verschnörkelt, überladen); **Ba|rock,** das od. der; -s, auch (fachspr.:): - ([Kunst]stil); **Ba|rock_kir|che, ...stil** (der; -[e]s)
Ba|ro|me|ter, das (österr., schweiz. auch: der); -s, - (Luftdruckmesser); **Ba|ro|me|ter|stand**
Ba|ron, der; -s, -e (Freiherr); **Ba|ro|neß,** die; -, ...essen u. (häufiger:) **Ba|ro|nes|se,** die; -, -n (Freifräulein); **Ba|ro|nin,** die; -, -nen (Freifrau)
Bar|ra|ku|da, der; -s, -s (ein Raubfisch)
Bar|ras, der; - (Soldatenspr.: Heerwesen; Militär)
Bar|re, die; -, -n (Schranke aus waagerechten Stangen; Sand-, Schlammbank)
Bar|ren, der; -s, - (Turngerät; Handelsform der Metalle in Stangen)
Bar|rel [*bä...*], das; -s, -s (engl. Hohlmaß; Faß, Tonne)
Bar|rie|re, die; -, -n (Schranke; Sperre); **Bar|ri|ka|de,** die; -, -n ([Straßen]sperre, Hindernis)
barsch (unfreundlich, rauh)
Barsch, der; -[e]s, -e (ein Fisch)
Bar|schaft
Barsch|heit
Bar|soi [*...seu*], der; -s, -s (russ. Windhund)
Bar|sor|ti|ment (Buchhandelsbetrieb zwischen Verlag u. Einzelbuchhandel)
Bart, der; -[e]s, Bärte; **Bärt|chen; Bart_flech|te, ...haar; bär|tig; Bär|tig|keit,** die; -; **bart|los; Bart|lo|sig|keit,** die; -
Bar|zah|lung
Ba|salt, der; -[e]s, -e (Gestein); **Ba|salt|tuff**
Ba|sar, der; -s, -e (oriental. Händlerviertel; Warenverkauf zu Wohltätigkeitszwecken)
Bäs|chen
[1]Ba|se, die; -, -n (Kusine)
[2]Ba|se, die; -, -n („Grundlage"; Verbindung, die mit Säuren Salze bildet)
Base|ball [*be'ßbål*], der; -s (amerik. Schlagballspiel)
Ba|se|dow-Krank|heit [nach dem Arzt K. v. Basedow], die; - (auf vermehrter Tätigkeit der Schilddrüse beruhende Krankheit, Glotzaugenkrankheit)
Ba|sen (auch *Mehrz.* von: Basis)
ba|sie|ren; etwas basiert auf der Tatsache (beruht auf der, gründet sich auf die Tatsache)
Ba|si|li|ka, die; -, ...ken (Halle; Kirchenbauform mit überhöhtem Mittelschiff)
Ba|si|li|kum, das; -s, -s u. ...ken (eine Gewürzpflanze)
Ba|si|lisk, der; -en, -en (Fabeltier; trop. Echse); **Ba|si|lis|ken|blick** (böser, stechender Blick)
Ba|sis, die; -, Basen (Grundlage, -linie, -fläche; Grundzahl; Fuß[punkt]; Sockel; Unterbau; Stütz-, Ausgangspunkt); **ba|sisch** (Chemie: sich wie eine [2]Base verhaltend); -e Farbstoffe, Salze; -er Stahl; **Ba|sis|grup|pe** (linksorientierter politisch aktiver [Studenten]arbeitskreis)
Bas|ken|müt|ze
Bas|ket|ball, der; -[e]s (Korbball[spiel])
Bas|kü|le, die; -, -n (Treibriegelverschluß für Fenster u. Türen); **Bas|kü|le|ver|schluß**
Bas|re|li|ef [*bareliäf*] (Flachbildwerk, flacherhabene Arbeit)
baß (veralt., aber noch scherzh. iron. für: sehr); er war baß erstaunt
Baß, der; Basses, Bässe (tiefe Männerstimme; Sänger; Streichinstrument); **Baß|gei|ge**
Bas|sin [*baßäng*], das; -s, -s (künstliches Wasserbecken)
Bas|sist, der; -en, -en (Baßsänger); **Baß_schlüs|sel, ...stim|me**
Bast, der; -[e]s, -e (Pflanzenfaser; Haut am Geweih)
ba|sta (ugs. für: genug!); [und] damit -!
Ba|stard, der; -[e]s, -e (in der Allgemeinsprache abwertend: Mischling; uneheliches Kind)
Ba|stei (vorspringender Teil an alten Festungsbauten)
ba|steln ([in der Freizeit, aus Liebhaberei] kleine Arbeiten machen)
ba|sten (aus Bast); **bast|far|ben, bast|far|big**
Ba|stil|le [*baßtij*[e]], die, -, -n (festes Schloß, bes. das 1789 erstürmte Staatsgefängnis in Paris); **Ba|sti|on,** die; -, -en (Bollwerk)
Bast|ler
Ba|sto|na|de, die; -, -n (bis ins 19. Jh. im Orient übl. Prügelstrafe mit dem Stock, bes. auf die Fußsohlen)
Ba|tail|lon [*bataljon*], das; -s, -e (Truppenabteilung; Abk.: Bat.)
Ba|tik, der; -s, -en, auch: die; -, -en (aus Südostasien stammendes Färbeverfahren mit Verwendung von Wachs [nur *Einz.*]; gebatikter Stoff o. ä.); **Ba|tik|druck** (*Mehrz.* ...drucke); **ba|ti|ken;** gebatikt
Ba|tist, der; -[e]s, -e (feines Gewebe); **ba|ti|sten** (aus Batist)
Bat|te|rie, die; -, ...ien (Einheit der Artillerie [Abk.: Batt(r).]; Elektrotechnik: Zusammenschaltung mehrerer Elemente od. Akkumulatorenzellen zu einer Stromquelle)
Bat|zen, der; -s, - (ugs. für: Klumpen; frühere Münze; schweiz. noch für: Zehnrappenstück)
Bau, der; -[e]s, -ten (Gebäude) u. der; -[e]s,

-e (Höhle als Unterschlupf; Bergmannsspr.: Stollen); sich im od. in - befinden
Bauch, der; -[e]s, Bäuche; **Bäu|chelchen,** Bäuchlein; **bau|chig, bäu|chig; Bauch|lan|dung; Bäuch|lein,** Bäuchel|chen; **bäuch|lings; bauch|re|den** (meist nur in der Grundform gebr.); **Bauch‿red|ner, ...weh** (das; -s)
Bau|de, die; -, -n (Unterkunftshütte im Gebirge, Berggasthof)
Bau|denk|mal, das; -[e]s, ...mäler (geh. auch: ...male)
bau|en
◇ erbauen, errichten, erstellen, hochziehen
Bau|ele|ment
¹Bau|er, der; -s, - (Be-, Erbauer)
²Bau|er, der; -n (selten: -s), -n (Landwirt; Schachfigur; Spielkarte)
³Bau|er, das (seltener: der); -s, - (Käfig)
Bäu|er|chen, Bäu|er|lein; Bäue|rin, die; -, -nen; **bäu|er|lich; Bau|ern|fänger** (abwertend); **Bau|ern|fän|ge|rei; Bau|ern|früh|stück** (ein Gericht); **Bau|ern|schaft,** die; - (Gesamtheit der Bauern); **Bau|ers|frau**
bau|fäl|lig; Bau|fäl|lig|keit, die; -; **Bau|klotz,** der; -es, ...klötze (ugs. auch: ...klötzer); Bauklötze[r] staunen; **bau|lich; Bau|lich|keit** (Papierdt., meist *Mehrz.*)
Baum, der; -[e]s, Bäume; **Bäum|chen; bau|meln; bäu|men,** sich; **Baum|wol|le; baum|wol|len** (aus Baumwolle)
Bau‿platz, ...po|li|zei; bau|po|li|zei|lich; bau|reif; ein -es Grundstück
bäu|risch
Bausch, der; -[e]s, -e u. Bäusche; in - und Bogen (ganz und gar)
bau|schen; sich -; **bau|schig**
bau|spa|ren (fast nur in der Grundform gebräuchlich); bauzusparen; **Bau|spar|kas|se; Bau|ten** vgl. Bau
bauz!
bay[e]|risch
Ba|zar vgl. Basar
Ba|zil|len|trä|ger; Ba|zil|lus, der; -, ...llen (sporenbildender Spaltpilz, oft Krankheitserreger)
be|ab|sich|ti|gen
◇ vorhaben, die Absicht haben, sich mit dem Gedanken tragen, zu tun gedenken
be|ach|ten; be|ach|tens|wert; be|acht|lich; Be|ach|tung
be|ackern [*Trenn.:* ...ak|kern] (den Acker bestellen; ugs. auch für: gründlich bearbeiten)
be|am|peln; eine beampelte Kreuzung
Be|am|te, der; -n, -n; **Be|am|ten|schaft; be|am|tet; Be|am|tin,** die; -, -nen
be|äng|sti|gend

be|an|spru|chen; Be|an|spru|chung
be|an|stan|den
◇ bemängeln, etwas auszusetzen haben, monieren, reklamieren
Be|an|stan|dung
be|an|tra|gen; beantragt; **Be|an|tra|gung**
be|ant|wor|ten; Be|ant|wor|tung
be|ar|bei|ten; Be|ar|bei|tung
be|arg|wöh|nen
Beat [*bit*], der; -[s] (im Jazz: Schlagrhythmus; betonter Taktteil; die so geartete Musik); **Beat|mu|sik** [*bit...*], die; -
be|auf|sich|ti|gen; Be|auf|sich|ti|gung
be|auf|tra|gen; beauftragt; **Be|auf|trag|te,** der u. die; -n, -n
be|äu|gen; beäugt
Beau|jo|lais [*bosch̶olä*], der; -, - (ein franz. Rotwein)
be|bau|en
◇ bepflanzen, bestellen
Be|bau|ung
be|ben; Be|ben, das; -s, -
be|bil|dern; Be|bil|de|rung
Be|bop [*bibop*], der; -[s], -s (Jazzstil der 40er Jahre)
Be|cher, der; -s, -; **be|chern** (ugs. scherzh. für: tüchtig trinken)
be|cir|cen [*b^ezirz^en;* nach der sagenhaften gr. Zauberin Circe] (ugs. für: verführen, bezaubern)
Becken [*Trenn.:* Bek|ken], das; -s, -
Beck|mes|ser (Gestalt aus Wagners „Meistersingern"; kleinlicher Kritiker); **Beck|mes|se|rei; beck|mes|sern** (kleinlich tadeln, kritteln); ich beckmessere u. ...meßre; gebeckmessert
Bec|que|rel [*bäk^eräl;* nach dem fr. Physiker], das; -s, - (Einheit für die Aktivität ionisierender Strahlung; Zeichen: Bq)
be|dacht; auf eine Sache - sein; **Be|dacht,** der; -[e]s; mit -; auf etwas - nehmen (Papierdt.); **Be|dach|te** (wem ein Vermächtnis ausgesetzt ist), der u. die; -n, -n; **be|däch|tig; Be|däch|tig|keit,** die; -; **be|dacht|sam; Be|dacht|sam|keit,** die; -
be|dan|ken, sich
◇ danken, Dank sagen
Be|darf, der; -[e]s, (fachspr. auch *Mehrz.:*) -e; nach -; - an (Kaufmannsspr. auch: in) etwas; **Be|darfs|fall,** der; im -[e]
be|dau|er|lich; be|dau|er|li|cher|wei|se
be|dau|ern
◇ beklagen, bejammern, jmdm. leid tun · bemitleiden, Mitleid haben, mitfühlen
Be|dau|ern, das; -s; **be|dau|erns|wert**
be|decken [*Trenn.:* ...dek|ken]; **be|deckt;** -er Himmel; **Be|deckung** [*Trenn.:* ...dek|kung]

be|den|ken; bedacht (vgl. d.); **Be|den|ken,** das; -s, -; **be|den|ken|los; be|denk|lich; Be|denk|lich|keit; Be|denk|zeit**
be|dep|pert (ugs. für: eingeschüchtert, ratlos, gedrückt)
be|deu|ten
◇ die Bedeutung haben, besagen, aussagen, ausdrücken
be|deu|tend; das hat um ein bedeutendes (sehr) zugenommen; das bedeutendste (am bedeutendsten) war, daß ...; aber: das Bedeutendste von allem ist dies; **be|deut|sam; Be|deut|sam|keit,** die; -; **Be|deu|tung; be|deu|tungs|los; Be|deu|tungs|lo|sig|keit**
be|die|nen; sich eines Kompasses - (geh.); bedient sein (ugs. für: von etwas, jmdm. genug haben); **be|dien|stet** (in Dienst stehend); **Be|dien|ste|te,** der u. die; -n, -n; **Be|dien|te,** der; -n, -n (veralt. für: Diener); **Be|die|nung; Be|die|nungs|feh|ler**
be|din|gen; bedang u. bedingte; bedungen (ausbedungen, ausgemacht, z. B. der bedungene Lohn); vgl. bedingt; **be|dingt** (eingeschränkt, an Bedingungen geknüpft, unter bestimmten Voraussetzungen geltend); -er Reflex; -e Strafaussetzung; **Be|dingt|heit,** die; -; **Be|din|gung; be|din|gungs|los**
be|drän|gen; Be|dräng|nis, die; -, -se; **Be|drän|gung**
be|dripst (nordd. für: kleinlaut)
be|dro|hen
◇ drohen mit, terrorisieren
be|droh|lich; Be|dro|hung
be|drucken[1]; **be|drücken**[1]; **Be|drücker**[1]
Be|dui|ne, der; -n, -n (arab. Nomade)
be|dun|gen vgl. bedingen
be|dür|fen (geh.); eines Zuspruchs -; **Be|dürf|nis,** das; -ses, -se; **Be|dürf|nis|an|stalt; be|dürf|nis|los; be|dürf|tig;** mit *Wesf.:* des Trostes -; **Be|dürf|tig|keit**
Beef|steak [*bifßtek*], das; -s, -s (Rinds[lenden]stück); deutsches -
be|eh|ren; sich -
be|ei|len, sich
◇ sich eilen, sich sputen, sich tummeln, schnell machen (ugs.)
Be|ei|lung! (ugs. für: bitte schnell!)
be|ein|drucken [*Trenn.:* ...k|k...]; von etwas beeindruckt sein
be|ein|flus|sen; Be|ein|flus|sung; Be|ein|flus|sungs|mög|lich|keit
be|ein|träch|ti|gen
Be|el|ze|bub [auch: *bel...*], der; - (Herr der bösen Geister, oberster Teufel im N. T.)

[1] *Trenn.:* ...k|k...

be|en|den; beendet; **be|en|di|gen;** beendigt; **Be|en|di|gung; Be|en|dung**
be|en|gen; Be|engt|heit
be|er|ben; jmdn. -; **Be|er|bung**
be|er|di|gen; Be|er|di|gung; Be|er|di|gungs|in|sti|tut
Bee|re, die; -, -n; **Bee|ren|obst**
Beet, das; -[e]s, -e
Bee|te, vgl. Be|te
be|fä|hi|gen; ein befähigter Mensch; **Be|fä|hi|gung; Be|fä|hi|gungs|nach|weis**
be|fah|ren; eine Straße -
Be|fall, der; -[e]s; **be|fal|len**
be|fan|gen (schüchtern; voreingenommen); **Be|fan|gen|heit,** die; -
be|fas|sen; befaßt; sich mit einer Sache -
◇ sich beschäftigen, sich abgeben, sich widmen
be|feh|den (mit Fehde überziehen, bekämpfen); sich -; **Be|feh|dung**
Be|fehl, der; -[e]s, -e
be|feh|len; befahl (beföhle u. befähle), befohlen; befiehl!
◇ anordnen, einen Befehl geben/erteilen, jmdn. etwas heißen
be|feh|le|risch; be|feh|li|gen; be|fehls|ge|mäß; Be|fehls|ha|ber
be|fein|den; sich -; **Be|fein|dung**
be|fe|sti|gen; Be|fe|sti|gung
be|feuch|ten; Be|feuch|tung
Beff|chen (Halsbinde mit zwei Leinenstreifen vorn am Halsausschnitt von Amtstrachten, bes. des ev. Geistlichen)
be|fin|den; befunden; den Plan für gut usw. -; sich -; **Be|fin|den,** das; -s; **be|find|lich** (vorhanden)
be|flag|gen; Be|flag|gung, die; -
be|flecken [*Trenn.:* ...flek|ken]
be|flei|ßi|gen, sich; mit *Wesf.:* sich eines guten Tons -
be|flis|sen (eifrig bemüht); um Anerkennung -; **Be|flis|sen|heit,** die; -
be|flü|geln
be|fol|gen; Be|fol|gung
be|för|dern; Be|för|de|rung; Be|för|de|rungs|be|din|gun|gen
be|fra|gen; befragte, befragt; auf Befragen
◇ ausfragen, interviewen, ausquetschen (ugs.)
Be|fra|gung
be|frei|en; sich -; **Be|frei|er; Be|frei|ung**
be|frem|den; es befremdet; **Be|frem|den,** das; -s; **be|frem|dend; be|fremd|lich; Be|frem|dung,** die; -
be|freun|den, sich
◇ sich anfreunden, Freundschaft schließen, Freunde werden
be|freun|det
be|frie|den (Frieden bringen; geh. für: einhegen); befriedet; **be|frie|di|gen** (zu-

friedenstellen); **be|frie|di|gend;** vgl. ausreichend; **Be|frie|di|gung; Be|frie|dung,** die; -

be|fruch|ten; Be|fruch|tung

be|fu|gen; Be|fug|nis, die; -, -se; **be|fugt;** zu etwas - sein

◇ berechtigt, bevollmächtigt, zuständig, autorisiert (sein)

be|fum|meln

Be|fund (Feststellung); nach -; ohne - (Med.; Abk.: o. B.)

be|fürch|ten

◇ die Befürchtung haben, fürchten, Bedenken haben

Be|fürch|tung

be|für|wor|ten; Be|für|wor|ter; Be|für|wor|tung

be|gabt

◇ befähigt, begnadet, talentiert

Be|gab|te, der u. die; -n, -n; **Be|ga|bungs|re|ser|ve**

be|gaf|fen (ugs. abwertend)

Be|gäng|nis, das; -ses, -se (feierliche Bestattung)

be|gat|ten; sich -; **Be|gat|tung**

be|ge|ben, sich; **Be|ge|ben|heit**

be|geg|nen; jmdm. -

◇ treffen, in die Arme laufen, über den Weg laufen · jmdm. passieren, jmdm. zustoßen, jmdm. widerfahren

Be|geg|nung

be|ge|hen; Be|ge|hung

Be|gehr, der od. das (veralt.); -s; **be|geh|ren; Be|geh|ren,** das; -s; **be|geh|rens|wert; be|gehr|lich; Be|gehr|lich|keit**

be|gei|stern; sich -; **Be|gei|ste|rung,** die; -; **Be|gei|ste|rungs|sturm**

Be|gier; Be|gier|de, die; -, -n; **be|gie|rig**

Be|ginn, der; -[e]s; von - an; zu -; **be|gin|nen;** begann (begänne, seltener: begönne), begonnen

be|glau|bi|gen; beglaubigte Abschrift; **Be|glau|bi|gung; Be|glau|bi|gungs|schrei|ben**

be|glei|chen; Be|glei|chung

be|glei|ten (mitgehen); begleitet

◇ geleiten, das Geleit geben, eskortieren

Be|glei|ter; Be|gleit|er|schei|nung; Be|glei|tung

be|glück|wün|schen; beglückwünscht

◇ jmdm. Glück wünschen, gratulieren, Glückwünsche übermitteln/darbringen

be|gna|det (meist nur noch für: begabt); **be|gna|di|gen** (Strafe erlassen); **Be|gna|di|gung; Be|gna|di|gungs|recht,** das; -[e]s

be|gnü|gen, sich

Be|go|nie [...i[e]; nach dem Franzosen Michel Bégon], die; -, -n (eine Zierpflanze)

be|gra|ben; Be|gräb|nis, das; -ses, -se; **Be|gräb|nis|ko|sten,** die *(Mehrz.)*

be|gra|di|gen ([einen ungeraden Weg od. Wasserlauf] geradelegen, [eine gebrochene Grenzlinie] ausgleichen); **Be|gra|di|gung**

be|grei|fen; vgl. begriffen; **be|greif|lich; be|greif|li|cher|wei|se**

be|gren|zen; be|grenzt; Be|grenzt|heit; Be|gren|zung

Be|griff, der; -[e]s, -e; im Begriff[e] sein

◇ Ausdruck, Bezeichnung, Terminus, Wort

be|grif|fen; diese Tierart ist im Aussterben -; **be|griff|lich; be|griffs|stut|zig; Be|griffs|ver|wir|rung**

be|grün|den; Be|grün|der; Be|grün|dung

be|grü|ßen

◇ willkommen heißen, bewillkommnen · gutheißen, billigen, bejahen, ja sagen zu etwas

be|grü|ßens|wert; Be|grü|ßung; Be|grü|ßungs|an|spra|che

be|gucken [*Trenn.:* ...guk|ken] (ugs.)

be|gün|sti|gen; Be|gün|sti|gung

be|gut|ach|ten; begutachtet; **Be|gut|ach|tung**

be|gü|tert

be|gü|ti|gen; Be|gü|ti|gung

be|haart; Be|haa|rung

be|hä|big; Be|hä|big|keit, die; -

be|haf|tet; mit etwas - sein

be|ha|gen; Be|ha|gen, das; -s; **be|hag|lich; Be|hag|lich|keit**

be|hal|ten

Be|häl|ter

◇ Behältnis, Gefäß, Container

Be|hält|nis, das; -ses, -se

be|han|deln; Be|hand|lung

be|han|gen; der Baum ist mit Äpfeln -; **be|hän|gen;** sie hat sich mit Schmuck behängt

be|har|ren; ich beharre auf meinem Anspruch

be|harr|lich

◇ ausdauernd, hartnäckig, zäh, verbissen

Be|harr|lich|keit, die, -; **Be|har|rung; Be|har|rungs|ver|mö|gen**

be|hau|en; ich behaute den Stamm

be|haup|ten; sich -; **Be|haup|tung**

be|he|ben; Be|he|bung

be|hei|zen; Be|hei|zung, die; -

Be|helf, der; -[e]s, -e; **be|hel|fen,** sich; ich behelfe mich; **Be|helfs|heim; be|helfs|mä|ßig**

be|hel|li|gen (belästigen)

be|hend, be|hen|de; Be|hen|dig|keit, die; -

be|her|ber|gen

◇ aufnehmen, unterbringen, Unterkunft geben/gewähren, Obdach geben, Quartier geben

Be|her|ber|gung

be|herr|schen; sich -; **be|herrscht;**

Be|hẹrrsch|te, der u. die; **Be|hẹrrscht|heit,** die; -; **Be|hẹrr|schung**
be|hẹr|zi|gen; be|hẹr|zi|gens|wert; Be|hẹr|zi|gung; be|hẹrzt (entschlossen); **Be|hẹrzt|heit,** die; -
be|hịlf|lich
be|hịn|dern
Be|hịn|de|rung
◇ Hindernis, Hemmschuh, Handicap
be|hor|chen (abhören; belauschen)
Be|hör|de, die; -, -n; **Be|hör|den|an|ge|stell|te; be|hörd|lich; be|hörd|li|cher|seits**
be|hufs (Amtsdt.); *Verhältnisw.* mit *Wesf.:* - des Neubaues
be|hü|ten; behüt' dich Gott!
◇ beschützen, beschirmen, bewahren, schützen
be|hut|sam
◇ vorsichtig, sorgsam, pfleglich, schonend, sanft
Be|hut|sam|keit, die; -; **Be|hü|tung**
bei (Abk.: b.); *Verhältnisw.* mit *Wemf.;* bei weitem; bei[m] Abgang des Schauspielers; bei[m] Eintritt in den Saal; bei aller Bescheidenheit
bei|be|hal|ten; Bei|be|hal|tung, die; -
bei|brin|gen; jmdm. etwas - (lehren); eine Bescheinigung -
Beich|te, die; -, -n; **beich|ten; Beicht|ge|heim|nis; Beicht‿stuhl, ...vater** (der die Beichte hörende Priester)
bei|de; -s; alles -s; - jungen Leute; alle -; wir - (selten: wir -n); **bei|de|mal; bei|der|lei;** - Geschlecht[e]s; **bei|der|sei|tig; bei|der|seits;** *Verhältnisw.* mit *Wesf.:* - des Flusses; *Umstandsw.:* das Brett ist - furniert
bei|dre|hen (Seemannsspr.: die Fahrt verlangsamen)
bei|ein|ạn|der; beieinander (einer bei dem andern) sein, a b e r : beieinandersein (ugs. für: bei Verstand sein; gesund sein); er ist gut -
Bei|fah|rer; Bei|fah|rer|sitz
Bei|fall, der; -[e]s
◇ Applaus, Klatschen, Ovation, Akklamation
bei|fäl|lig; Bei|fall[s]|klat|schen, das; -s; **Bei|falls|kund|ge|bung**
Bei|film
bei|fü|gen; Bei|fü|gung
Bei|fuß, der; -es (eine Gewürz- u. Heilpflanze)
Bei|ga|be (Zugabe)
beige [*bäsch*[e], auch: *besch*] (sandfarben); ein - (ugs.: -s) Kleid; **Beige,** das; -, - (ugs.: -s) (ein Farbton)
bei|ge|ben (auch für: sich fügen); klein -
Bei|ge|ord|ne|te, der u. die; -n, -n
Bei|ge|schmack, der; -[e]s
bei|hef|ten; beigeheftet
Bei|hil|fe

bei|kom|men; sich - (ugs. für: einfallen) lassen
Beil, das; -[e]s, -e (ein Werkzeug)
bei|la|den; vgl. [1]laden; **Bei|la|dung**
Bei|la|ge
bei|läu|fig; Bei|läu|fig|keit
bei|le|gen; Bei|le|gung
bei|lei|be; - nicht
Bei|leid; Bei|leids‿be|zei|gung od. **...be|zeu|gung**
bei|lie|gend (Abk.: beil.)
beim (bei dem; Abk.: b.); es - alten lassen; beim Singen u. Spielen
bei|mes|sen
Bein, das; -[e]s, -e
bei|nah, bei|na|he [auch: *báina*[(e)], *baina*[(e)]]
◇ fast, nahezu, bald, so gut wie
Bei|na|me
Bein|bruch, der
be|ịn|hal|ten (Papierdt.: enthalten)
bei|pflich|ten; Bei|pflich|tung (Zustimmung)
Bei|pro|gramm
Bei|rat (*Mehrz.* ...räte)
be|ịr|ren; sich nicht - lassen
bei|sạm|men; beisammen sein, a b e r : beisammensein (ugs. für: rüstig sein; bei Verstand sein); **Bei|sạm|men|sein,** das; -s
Bei|satz (für: Apposition)
bei|schie|ßen ([Geld]beitrag leisten)
Bei|schlaf; Bei|schlä|fe|rin
Bei|sein, das; -s; in seinem Beisein
bei|sei|te; beiseite legen, schaffen, stoßen usw.; **Bei|sei|te|schaf|fung,** die; -
bei|set|zen; Bei‿set|zung, ...sit|zer
Bei|spiel, das; -[e]s, -e; zum - (Abk.: z. B.)
◇ Muster, Vorbild, Exempel
bei|spiel‿ge|bend, ...los; Bei|spiel|satz; bei|spiels‿hal|ber, ...wei|se
bei|sprin|gen (helfen)
bei|ßen; biß, gebissen; der Hund beißt ihn (auch: ihm) ins Bein; **Bei|ße|rei; beiß|wü|tig; Beiß|zan|ge**
Bei|stand, der; -[e]s, Beistände; **Bei|stands|pakt; bei|ste|hen**
bei|steu|ern
bei|stim|men
◇ beipflichten, zustimmen, jmds. Meinung sein
Bei|strich (für: Komma)
Bei|trag, der; -[e]s, ...träge; **bei|tra|gen;** er hat das Seine, sie hat das Ihre dazu beigetragen
◇ beisteuern, zugeben, beischießen, hinzutun, zusteuern
Bei|trags|rück|er|stat|tung
bei|trei|ben; Bei|trei|bung ([zwangsmäßige] Einziehung [von Geld])
bei|tre|ten
◇ eintreten, Mitglied werden, sich anschließen

Bei|tritt; Bei|tritts|er|klä|rung
Bei|wa|gen; Bei|wa|gen|fah|rer
Bei|werk (auch für: Unwichtiges)
bei|woh|nen; Bei|woh|nung
[1]**Bei|ze,** die; -, -n (chem. Flüssigkeit zum Färben, Gerben u. ä.)
[2]**Bei|ze,** die; -, -n (Beizjagd)
bei|zei|ten
bei|zen
be|ja|hen; eine bejahende Antwort; **be|ja|hen|den|falls**
be|jahrt
Be|ja|hung
be|jam|mern; be|jam|merns|wert
be|kämp|fen; Be|kämp|fung
be|kannt; er soll mich mit ihm bekannt machen; sich mit einer Sache bekannt (vertraut) machen; einen Autor bekannt machen
◇ prominent, berühmt, angesehen, namhaft
Be|kann|te, der u. die; -n, -n; jemand -s; liebe -; **Be|kann|ten|kreis; be|kann|ter|ma|ßen; Be|kannt|ga|be,** die; -; **be|kannt|ge|ben; Be|kannt|heit; Be|kannt|heits|grad; be|kannt|lich; be|kannt|ma|chen;** (veröffentlichen, eröffnen); **Be|kannt‿ma|chung, ...schaft; be|kannt|wer|den;** (veröffentlicht werden; in die Öffentlichkeit dringen); die Sache ist bekanntgeworden; wenn der Wortlaut bekannt wird
be|keh|ren; sich -; **Be|keh|rer; Be|kehr|te,** der u. die; -n, -n; **Be|keh|rung**
be|ken|nen; sich -; **Be|ken|ner|brief** (Brief, in dem sich jmd. zu einem [politisch motivierten] Verbrechen bekennt)
Be|kennt|nis, das; ...nisses, ...nisse
◇ Konfession, Religion, Religionszugehörigkeit
Be|kennt|nis|schu|le (Schule mit Unterricht im Geiste eines religiösen Bekenntnisses)
be|kla|gen; sich -
◇ sich beschweren, Klage führen
be|kla|gens|wert; Be|klag|te (jmd., gegen den eine [Zivil]klage erhoben wird), der u. die; -n, -n; **Be|klag|ten|par|tei**
be|klau|en (ugs. für: bestehlen)
be|kleckern [*Trenn.:* ...klek|kern] (ugs. für: beklecksen); sich -; **be|kleck|sen;** sich -; bekleckst
be|klei|den; ein Amt -
◇ innehaben, einnehmen, etwas sein
Be|klei|dung; Be|klei|dungs|in|du|strie
be|klem|men; beklemmt; **be|klem|mend; Be|klem|mung; be|klom|men** (ängstlich, bedrückt); **Be|klom|men|heit,** die; -
be|kloppt (ugs. für: blöd)
be|knien (ugs. für: jmdn. dringend u. ausdauernd bitten)
be|kom|men; ich habe es -; es ist mir gut -
◇ kriegen (ugs.), erhalten, erlangen, zu etwas kommen/gelangen, empfangen
be|kömm|lich
be|kom|pli|men|tie|ren (jmdm. viele Komplimente machen)
be|kö|sti|gen; Be|kö|sti|gung
be|kräf|ti|gen; Be|kräf|ti|gung
be|kreu|zi|gen, sich
be|krie|gen
be|krit|teln (bemängeln, [kleinlich] tadeln)
be|küm|mern; das bekümmert ihn; sich um jmdn. oder etwas -; **Be|küm|mer|nis,** die; -, -se; **Be|küm|mert|heit**
be|kun|den; sich -
◇ erkennen lassen, kundgeben, zeigen
Be|kun|dung
be|la|den; vgl. [1]laden; **Be|la|dung**
Be|lag, der; -[e]s, ...läge
Be|la|ge|rer; be|la|gern; Be|la|ge|rung; Be|la|ge|rungs|zu|stand
Be|lang, der; -[e]s, -e; von - sein; **be|lan|gen;** jmdn. - (zur Rechenschaft ziehen; verklagen);
be|lang|los
◇ unwichtig, unbedeutend, ohne Belang, unerheblich, irrelevant
Be|lang|lo|sig|keit
be|las|sen; Be|las|sung
be|la|sten; be|la|stend
be|lä|sti|gen; Be|lä|sti|gung
Be|la|stung; Be|la|stungs|zeu|ge
be|lau|fen; sich -; die Kosten haben sich auf ... belaufen
be|le|ben; be|lebt; ein -er Platz; **Be|lebt|heit; Be|le|bung,** die; -
Be|leg (Beweis[stück]), der; -[e]s, -e; zum -[e]; **be|le|gen; Be|leg|ex|em|plar; Be|leg|schaft; Be|leg|schafts|stär|ke; be|legt; Be|le|gung,** die; -
be|leh|nen (in ein Lehen einsetzen); **Be|leh|nung**
be|leh|ren; eines and[e]ren od. andern -; eines Besser[e]n od. Beßren -; **Be|leh|rung**
be|leibt; Be|leibt|heit, die; -
be|lei|di|gen
◇ kränken, verletzen, treffen, jmdm. auf den Schlips treten (ugs.)
Be|lei|di|ger; be|lei|digt; Be|lei|di|gung; Be|lei|di|gungs|pro|zeß
be|leih|bar; be|lei|hen; Be|lei|hung
be|lem|mert (ugs. für: schlimm, übel)
be|le|sen (unterrichtet; viel wissend); **Be|le|sen|heit,** die; -
be|leuch|ten; Be|leuch|tung; Be|leuch|tungs|kör|per
be|leum|det, be|leu|mun|det; er ist gut, übel -
bel|fern (ugs. für: laut schimpfen, zanken)

be|lich|ten; Be|lich|tung; Be|lich|tungs‿mes|ser (der), **...zeit**
be|lie|ben (wünschen); es beliebt (gefällt) mir; **Be|lie|ben,** das; -s; nach -; es steht in seinem -; **be|lie|big;** alles -e (was auch immer), jeder -e; etwas Beliebiges (etwas nach Belieben)
be|liebt
◇ geschätzt, wohlgelitten, gern gesehen, angesehen
Be|liebt|heit, die; -
be|lie|fern; Be|lie|fe|rung, die; -
Bel|la|don|na, die; -, ...nnen (Tollkirsche)
bel|len
◇ kläffen, anschlagen, Laut geben
Bel|le|tri|stik, die; - (Unterhaltungsliteratur); **bel|le|tri|stisch**
Belle|vue [*bälwü*], die; -, -n (veralt. für: „schöne Aussicht"; Aussichtspunkt)
be|lo|bi|gen; Be|lo|bi|gung
be|loh|nen; Be|loh|nung
be|lüf|ten; Be|lüf|tung
be|lü|gen
◇ anlügen, die Unwahrheit sagen, nicht bei der Wahrheit bleiben, beschwindeln, jmdm. etwas vorschwindeln
be|lu|sti|gen; sich -; **Be|lu|sti|gung**
Bel|ve|de|re [*...we...*], das; -[s], -s („schöne Aussicht"; Aussichtspunkt; Bez. für: Schloß, Gaststätte mit schöner Aussicht)
be|mäch|ti|gen, sich; sich des Geldes -; **Be|mäch|ti|gung**
be|mä|keln (ugs. für: bemängeln)
be|ma|len
◇ anmalen, mit Farbe versehen, bunt machen
Be|ma|lung
be|män|geln
be|man|nen (ein Schiff); **Be|man|nung**
be|män|teln (beschönigen)
be|merk|bar; sich - machen
be|mer|ken
◇ merken, registrieren, feststellen, wahrnehmen, innewerden
Be|mer|ken, das; -s; mit dem -; **be|mer|kens|wert; Be|mer|kung** (Abk.: Bem.)
be|mes|sen; sich -; **Be|mes|sung**
be|mit|lei|den; Be|mit|lei|dung
be|mit|telt (wohlhabend)
Bem|me, die; -, -n (ostmitteld. für: Brotschnitte mit Aufstrich, Belag)
be|mo|geln (ugs. für: betrügen)
be|moost
be|mü|hen; sich -; er ist um sie bemüht
◇ sich [alle] Mühe geben, sich anstrengen, sein möglichstes/Bestes tun, nichts unversucht lassen
Be|mü|hung
be|mü|ßigt; ich sehe mich -
be|mut|tern; ich ...ere
be|nach|bart
be|nach|rich|ti|gen; Be|nach|rich|ti|gung
be|nach|tei|li|gen
◇ zurücksetzen, übergehen, ungerecht behandeln
Be|nach|tei|li|gung
be|na|gen
be|nannt
Ben|del, der od. das; -s, - ([schmales] Band, Schnur)
be|ne|beln (verwirren, den Verstand trüben); **be|ne|belt** (ugs. für: [durch Alkohol] geistig verwirrt)
be|ne|dei|en (segnen; seligpreisen); gebenedeit od. benedeit
Be|ne|dik|ti|ner, der; -s, - (Mönch des Benediktinerordens; auch: Likörsorte)
Be|ne|fiz|vor|stel|lung (Vorstellung für einen wohltätigen Zweck)
be|neh|men; sich -; vgl. benommen
◇ sich verhalten, sich aufführen, sich betragen, sich geben
Be|neh|men, das; -s; sich mit jmdm. ins - setzen
be|nei|den; be|nei|dens|wert
be|nen|nen; Be|nen|nung
be|net|zen; Be|net|zung
ben|ga|lisch; -es Feuer (Buntfeuer); -e Beleuchtung
Ben|gel, der; -s, -, ugs.: -s (veralt. für: Stock, Prügelholz; auch: [ungezogener] Junge)
be|nie|sen; etwas -
Be|nimm, der; -s (ugs. für: Betragen, Verhalten)
Ben|ja|min, der; -s, -e (Jüngster)
be|nom|men (fast betäubt); **Be|nom|men|heit,** die; -
be|no|ten; einen Aufsatz -
be|nö|ti|gen
◇ brauchen, nötig haben, bedürfen
be|num|mern; Be|num|me|rung
be|nut|zen, (bes. südd., österr.:) **be|nüt|zen; Be|nut|zer|kreis; Be|nut|zung,** (bes. südd., österr.:) **Be|nüt|zung; Be|nut|zungs|ge|bühr**
Ben|zin, das; -s, -e (Treibstoff; Lösungsmittel); **Ben|zin|ka|ni|ster; Ben|zol,** das; -s, -e (Teerdestillat aus Steinkohlen; Lösungsmittel)
be|ob|ach|ten
◇ nicht aus den Augen lassen, im Auge behalten, aufpassen
Be|ob|ach|ter; Be|ob|ach|tung; Be|ob|ach|tungs|ma|te|ri|al
be|packen [*Trenn.:* ...pak|ken]
be|pflan|zen; Be|pflan|zung
be|pfla|stern; Be|pfla|ste|rung
be|pin|seln
be|quat|schen (ugs. für: bereden)
be|quem
◇ mühelos, leicht, einfach, ohne Mühe/Schwierigkeiten

be|que|men, sich; **Be|quem|lich|keit**
be|rap|pen (ugs. für: bezahlen)
be|ra|ten; beratender Ingenieur; **Be|ra-ter; be|rat|schla|gen;** beratschlagt; **Be|rat|schla|gung; Be|ra|tung; Be-ra|tungs|stel|le**
be|rau|ben; Be|rau|bung
be|rau|schen; sich -; **be|rau|schend; be|rauscht; Be|rauscht|heit,** die; -; **Be|rau|schung**
Ber|ber, der; -s, -: (ein afrikan. Knüpfteppich; auch Selbstbezeichnung Nichtseßhafter)
Ber|be|rit|ze, die; -, -n (Sauerdorn, ein Zierstrauch)
be|rech|nen
◇ ausrechnen, errechnen, vorausberechnen, kalkulieren
Be|rech|nung
be|rech|ti|gen; berechtigt; **be|rech|tig-ter|wei|se; Be|rech|ti|gung; Be-rech|ti|gungs|schein**
be|re|den; be|red|sam; Be|red|sam-keit, die; -
be|redt; auf das, aufs -este
◇ wortgewandt, redegewandt, zungenfertig, beredsam, eloquent
Be|redt|heit, die; -
be|reg|nen; Be|reg|nung; Be|reg-nungs|an|la|ge
Be|reich, der (seltener: das); -[e]s, -e
be|rei|chern; sich -; **Be|rei|che|rung; Be|rei|che|rungs|ver|such**
be|rei|fen (mit Reifen versehen); bereift
be|reift (mit Reif bedeckt)
Be|rei|fung
be|rei|ni|gen
◇ schlichten, beilegen, ins reine/in Ordnung bringen, einrenken (ugs.), ausbügeln (ugs.)
Be|rei|ni|gung
be|rei|sen; ein Land -; **Be|rei|sung**
be|reit; zu etwas - sein, sich - erklären sich - finden, sich - halten
◇ gewillt, geneigt, willens
be|rei|ten (zubereiten); bereitet
be|reit|hal|ten; ich habe es bereitgehalten; **be|reit|le|gen;** ich habe das Buch bereitgelegt; **be|reit|lie|gen;** die Bücher werden -; **be|reit|ma|chen;** ich habe alles bereitgemacht; **be|reits** (schon); **Be-reit|schaft; Be|reit|schafts|dienst; be|reit|ste|hen;** ich habe bereitgestanden; **be|reit|stel|len;** ich habe das Paket bereitgestellt; **Be|reit|stel|lung; Be|rei|tung; be|reit|wil|lig;** -st; **Be-reit|wil|lig|keit,** die; -
be|ren|nen; das Tor - (Sportspr.)
be|ren|ten (Amtsdt.: eine Rente zusprechen)
be|reu|en
Berg, der; -[e]s, -e; **berg|ab;** - gehen; **berg|ab|wärts**

Ber|ga|mot|te, die; -, -n (eine Birnensorte; eine Zitrusfrucht)
berg|an; - gehen; **berg|auf;** - steigen; **berg|auf|wärts; Berg|bau,** der; -[e]s; **ber|ge|hoch,** berg|hoch
ber|gen; sich -; barg (bärge), geborgen; birg!
ber|ge|wei|se (ugs. für: in großen Mengen); **Berg|fried,** der; -[e]s, -e (Hauptturm auf Burgen; Wehrturm); **berg-hoch, ber|ge|hoch; ber|gig; Berg-mann** (*Mehrz.* ...leute); **berg|män-nisch; Berg|manns|spra|che; Berg-steigen** (das; -s), **...stei|ger; Berg-und-Tal-Bahn,** die; -, -en
Ber|gung; Ber|gungs|kom|man|do
Berg|werk
◇ Grube, Zeche, Mine
Be|richt, der; -[e]s, -e; - erstatten
◇ Reportage, Report
be|rich|ten; falsch, gut berichtet sein;
◇ einen Bericht geben, erzählen, schildern, eine Beschreibung geben
Be|rich|ter; Be|richt|er|stat|ter; Be-richt|er|stat|tung
be|rich|ti|gen
◇ verbessern, korrigieren
Be|rich|ti|gung; Be|richts|heft (Heft für wöchentl. Arbeitsberichte von Lehrlingen)
be|rie|chen; sich - (ugs. für: vorsichtig Kontakte herstellen)
be|rie|seln; Be|rie|se|lung, Be|ries-lung; Be|rie|se|lungs|an|la|ge
be|rin|gen ([Vögel u.a.] mit Ringen [am Fuß] versehen)
be|rit|ten (mit Reittier[en] versehen)
Ber|li|ner (auch kurz für: Berliner Pfannkuchen); **ber|li|ne|risch** vgl. berlinisch; **ber|li|nern** (berlinerisch sprechen); **ber-li|nisch**
Ber|mu|das, die (*Mehrz.;* fast knielange Shorts)
Bern|har|di|ner, der; -s, - (eine Hunderasse); **Bern|har|di|ner|hund**
Bern|stein („Brennstein“; ein fossiles Harz); **bern|stei|ne[r]n** (aus Bernstein)
Ber|ser|ker [auch: *bär...*], der; -s, - (wilder Krieger; auch für: blindwütig tobender Mensch); **ber|ser|ker|haft; Ber|ser-ker|wut**
ber|sten; barst (bärste), geborsten; birst! (selten)
be|rüch|tigt
be|rücken [*Trenn.:* ...rük|ken] (betören); **be|rückend** [*Trenn.:* ...rük|kend]
be|rück|sich|ti|gen
◇ einkalkulieren, in Rechnung stellen, nicht außer acht lassen
Be|rück|sich|ti|gung
Be|ruf, der; -[e]s, -e
◇ Arbeit, Beschäftigung, Job, Metier, Amt, Posten, Position, Stelle, Stellung

be|ru|fen; sich auf jmdn. od. etwas -; **be|ruf|lich; Be|rufs‿auf|bau|schu|le** (Schulform des zweiten Bildungsweges zur Erlangung der Fachschulreife), **...aus|bil|dung, ...be|am|te, ...be|ra|tung, ...be|zeich|nung; be|rufs|tä|tig; Be|rufs|tä|ti|ge,** der u. die; -n, -n; **Be|ru|fung; Be|ru|fungs|ver|fah|ren**
be|ru|hen; es beruht auf einem Irrtum; etwas auf sich - lassen
be|ru|hi|gen; sich -
◇ besänftigen, beschwichtigen, abwiegeln, bezähmen
Be|ru|hi|gung; Be|ru|hi|gungs‿mit|tel, das, **...sprit|ze**
be|rühmt; be|rühmt-be|rüch|tigt; Be|rühmt|heit
be|rüh|ren; sich -
◇ anrühren, anfassen, betasten, befühlen
Be|rüh|rung; Be|rüh|rungs‿li|nie, ...punkt
Be|ryll, der; -[e]s, -e (ein Edelstein)
be|sa|gen; das besagt nichts; **be|sagt** (Amtsdt.: erwähnt)
be|sai|ten; besaitet; vgl. zartbesaitet
Be|sa|mung (Befruchtung); **Be|sa|mungs|sta|ti|on**
be|sänf|ti|gen; Be|sänf|ti|gung
be|sät; mit etwas - sein
Be|satz, der; -es, ...sätze; **Be|sat|zung; Be|sat|zungs|macht**
be|sau|fen, sich (derb für: sich betrinken); besoffen; **[1]Be|säuf|nis,** die; -, -se od. das; -ses, -se (ugs. für: Sauferei, Zechgelage); **[2]Be|säuf|nis,** die; - (ugs. für: Volltrunkenheit)
be|schä|di|gen
◇ übel zurichten, in Mitleidenschaft ziehen, ankratzen (ugs.)
Be|schä|di|gung
[1]be|schaf|fen (besorgen); vgl. [1]schaffen
◇ besorgen, auftreiben (ugs.), herbeischaffen (ugs.), heranschaffen, organisieren (ugs.)
[2]be|schaf|fen (geartet); mit seiner Gesundheit ist es gut beschaffen; **Be|schaf|fen|heit; Be|schaf|fung**
be|schäf|ti|gen; sich -; beschäftigt sein; **Be|schäf|tig|te,** der u. die; -n, -n; **Be|schäf|ti|gung; be|schäf|ti|gungs|los; Be|schäf|ti|gungs|the|ra|pie**
be|schä|men; be|schä|mend; be|schä|men|der|wei|se; Be|schä|mung
Be|schau, die; -; **be|schau|en; Be|schau|er**
be|schau|lich
◇ besinnlich, geruhsam, ruhig, ohne Hektik
Be|schau|lich|keit, die; -; **Be|schau|ung**
Be|scheid, der; -[e]s, -e; - geben, sagen, tun, wissen
[1]be|schei|den; ein -er Mann
◇ genügsam, bedürfnislos, anspruchslos, ohne Ansprüche
[2]be|schei|den; beschied, beschieden; einen Antrag abschlägig - (Amtsdt.: ablehnen); sich - (sich zufriedengeben); **Be|schei|den|heit,** die; -
be|schei|nen
be|schei|ni|gen
Be|schei|ni|gung
◇ Bestätigung, Attest
be|schei|ßen (derb für: betrügen); beschissen
be|schen|ken; Be|schenk|te, der u. die; -n, -n
[1]be|sche|ren (beschneiden); beschoren; vgl. [1]scheren
[2]be|sche|ren (schenken); beschert; jmdm. [etwas] -; die Kinder wurden [mit vielen Geschenken] beschert; **Be|sche|rung** (ugs. auch für: [unangenehme] Überraschung)
be|schicken [*Trenn.:* ...schik|ken]; **Be|schickung** [*Trenn.:* ...schik|kung]
be|schie|den; das ist ihm beschieden; vgl. [2]bescheiden
be|schie|ßen; Be|schie|ßung
be|schil|dern (mit einem Schild versehen); **Be|schil|de|rung**
be|schimp|fen; Be|schimp|fung
be|schir|men; Be|schir|mung
Be|schiß, der; ...isses (derb für: Betrug); **be|schis|sen;** vgl. bescheißen
be|schlab|bern, sich (ugs. für: sich beim Essen beschmutzen)
Be|schlag, der; -[e]s, Beschläge; mit - belegen; in - nehmen, halten; **[1]be|schla|gen;** gut - (bewandert; kenntnisreich); **[2]be|schla|gen;** Pferde -; die Fenster sind -; die Glasscheibe beschlägt [sich] (läuft an); **Be|schla|gen|heit** [zu: [1]beschlagen]; **Be|schlag|nah|me,** die; -, -n
be|schlag|nah|men; beschlagnahmt
◇ einziehen, konfiszieren, sicherstellen
Be|schlag|nah|mung
be|schlei|chen
be|schleu|ni|gen; Be|schleu|ni|ger; be|schleu|nigt (schnellstens); **Be|schleu|ni|gung**
be|schlie|ßen
◇ sich entschließen, den Beschluß fassen, sich schlüssig werden
Be|schlie|ßer (Aufseher, Haushälter); **Be|schlie|ße|rin,** die; -, -nen; **be|schlos|sen; be|schlos|se|ner|ma|ßen; Be|schluß; be|schluß|fä|hig; Be|schluß|fä|hig|keit,** die; -; **Be|schluß|fas|sung**
be|schmei|ßen (ugs.)
be|schmie|ren
be|schmut|zen
◇ schmutzig machen, verunreinigen, eindrecken (ugs.), versauen (derb)

Be|schmut|zung
be|schnei|den; Be|schnei|dung
be|schnei|en; beschneite Dächer
be|schnup|pern
be|schö|ni|gen; Be|schö|ni|gung
be|schrän|ken; sich -; **be|schrankt** (mit Schranken versehen); -er Bahnübergang; **be|schränkt** (beengt; geistesarm); **Be|schränkt|heit,** die; -; **Beschrän|kung**
be|schrei|ben
◇ darstellen, schildern, eine Beschreibung geben
Be|schrei|bung
be|schrif|ten, Be|schrif|tung
be|schul|di|gen; eines Verbrechens -
◇ verdächtigen, anschuldigen, bezichtigen, jmdm. die Schuld zuweisen, geben, jmdn. für etwas verantwortlich machen
Be|schul|dig|te, der u. die; -n, -n; **Beschul|di|gung**
be|schum|meln (ugs. für: [in Kleinigkeiten] betrügen)
be|schuppt (mit Schuppen bedeckt)
be|schup|sen (landsch. für: betrügen)
Be|schuß, der; ...schusses
be|schüt|zen; Be|schüt|zer; Beschüt|zung
be|schwat|zen (ugs.)
Be|schwer|de, die; -, -n; - führen
◇ Protest, Veto, Einspruch
be|schwer|de|frei; Be|schwer|de-führ|ren|de (der u. die; -n, -n), **...füh|rer**
be|schwe|ren; sich -
◇ Beschwerde führen, etwas auszusetzen haben, bemängeln, meckern (ugs.)
be|schwer|lich
◇ mühsam, anstrengend, mühselig, mühevoll
Be|schwer|lich|keit; Be|schwe|rung
be|schwich|ti|gen; Be|schwich|tigung
be|schwin|deln
be|schwingt (hochgemut; begeistert); **Beschwingt|heit,** die; -
be|schwipst (ugs. für: leicht betrunken); **Be|schwip|ste,** der u. die; -n, -n
be|schwö|ren; beschwor, beschworen; **Be|schwö|rer; Be|schwö|rung; Beschwö|rungs|for|mel**
be|see|len (beleben; mit Seele erfüllen); **be|seelt;** -e Natur; **Be|seelt|heit,** die; -; **Be|see|lung**
be|se|hen
be|sei|ti|gen
◇ entfernen, fortschaffen, wegschaffen, beiseite räumen/schaffen
Be|sei|ti|gung
be|se|li|gen (geh.); ein beseligendes Erlebnis; **be|se|ligt**
Be|sen, der; -s, -; **be|sen|rein; Be|senstiel**
be|ses|sen; vom Teufel -; **Be|ses|sene,** der u. die; -n, -n; **Be|ses|sen|heit,** die; -
be|set|zen; besetzt; **Be|setzt|zei|chen** (Telefon); **Be|set|zung**
be|sich|ti|gen
◇ ansehen, eine Besichtigung vornehmen, in Augenschein nehmen, beäugen, besehen, sich anschauen, sich angucken
Be|sich|ti|gung
be|sie|deln
be|sie|geln
be|sie|gen; Be|sieg|te, der u. die; -n, -n
be|sin|nen, sich; **be|sinn|lich; Besinn|lich|keit,** die; -; **Be|sin|nung,** die; -; **besin|nungs|los**
Be|sitz, der; -es
◇ Eigentum, Habe, Habseligkeiten, Hab und Gut
be|sit|zen
◇ [in Besitz] haben, sein eigen nennen, jmdm. gehören
Be|sit|zer
◇ Eigentümer, Eigner, Inhaber
Be|sitz|er|grei|fung; Be|sit|zer|wechsel; be|sitz|los; Be|sitz-lo|se (der u. die; -n, -n), **...nah|me** (die; -, -n), **...tum; Be|sit|zung; Be|sitz|wech|sel**
be|sof|fen (derb für: betrunken); **Besof|fen|heit,** die; -
be|soh|len; Be|soh|lung
be|sol|den; Be|sol|dung; Be|soldungs|grup|pe
be|son|de|re; zur -n Verwendung (Abk.: z.b.V.); im besonder[e]n, im besondren; das Besond[e]re (Seltenes, Außergewöhnliches); etwas, nichts Besond[e]res; **Beson|der|heit**
be|son|ders (Abk.: bes.)
◇ eigens, extra, speziell, exklusiv
be|son|nen (überlegt, umsichtig); **Beson|nen|heit,** die; -
be|sor|gen; Be|sorg|nis, die; -, -se; **besorg|nis|er|re|gend; be|sorgt; Besorgt|heit,** die; -; **Be|sor|gung**
be|span|nen; Be|span|nung
be|spickt
be|spie|geln
be|spiel|bar; be|spie|len; eine Schallplatte -; einen Ort - (dort Aufführungen geben)
be|spit|zeln (heimlich beobachten und aushorchen); **Be|spit|ze|lung, Bespitz|lung**
be|spöt|teln
be|spre|chen; sich -; **Be|spre|cher**
Be|spre|chung
◇ Würdigung, Kritik, Rezension
be|spren|gen; mit Wasser -
be|spren|keln
be|sprin|gen (begatten [von Tieren])
be|sprit|zen
be|sprü|hen
be|spucken [*Trenn.:* ...spuk|ken]

bes|ser; es ist das bessere (es ist besser), daß ...; eines Besser[e]n (auch: Beßren) belehren; eine Wendung zum Besser[e]n (auch: Beßren); **bes|ser|ge|hen;** dem Kranken wird es bald -
bes|sern; sich -
◇ besser werden, aufwärtsgehen, bergauf gehen
bes|ser|stel|len (in eine bessere finanzielle, wirtschaftliche Lage versetzen); **Bes|se|rung; Bes|ser|wis|ser; Bes|ser|wis|se|rei**
be|stal|len ([förmlich] in ein Amt einsetzen, mit einer Aufgabe betrauen); wohlbestallt; **Be|stal|lung; Be|stal|lungs|ur|kun|de**
Be|stand, der; -[e]s, Bestände; - haben; von - sein; **be|stan|den** (auch für: bewachsen); mit Wald - sein; **be|stän|dig;** das Barometer steht auf „beständig"; **Be|stän|dig|keit; Be|stands|auf|nah|me; Be|stand|teil,** der
be|stär|ken; Be|stär|kung
be|stä|ti|gen; Be|stä|ti|gung
be|stat|ten
◇ beerdigen, begraben, beisetzen, das letzte Geleit geben
Be|stat|tung
be|stau|ben; bestaubt; **be|stäu|ben; Be|stäu|bung**
best|be|zahlt; der bestbezahlte (falsch: bestbezahlteste) Job
be|ste; das beste [Buch] seiner Bücher; auf das, aufs beste; am besten; nicht zum besten (nicht gut) gelungen; zum besten dienen, geben, gereichen, haben, halten, kehren, lenken, stehen, wenden; der erste, nächste beste; es ist das beste, er hält es für das beste (am besten), daß ...; das Beste in seiner Art; das Beste ist für ihn gut genug; er hält dies für das Beste (die beste Sache), was er je gesehen hat; er ist der Beste in der Klasse; zu deinem Besten; er hat sein Bestes getan; das Beste von allem ist, daß ...
be|ste|chen
◇ korrumpieren, kaufen (ugs.), schmieren (ugs.)
be|stech|lich
◇ korrupt, käuflich, verführbar
Be|stech|lich|keit, die; -; **Be|ste|chung; Be|ste|chungs|ver|such**
Be|steck, das; -[e]s, -e (ugs.: -s)
be|ste|hen; auf etwas -; ich bestehe auf meiner (heute selten: meine) Forderung
◇ beharren auf, bleiben bei, sich versteifen
Be|ste|hen, das; -s; seit - der Firma; **be|ste|hen|blei|ben;** bestehengeblieben; **be|ste|hen|las|sen;** bestehengelassen
be|steh|len
be|stei|gen; Be|stei|gung
be|stel|len
◇ anfordern, abonnieren, in Auftrag geben
Be|stel|ler; Bestelliste [*Trenn.:* Bestell|li|ste], die; -; -n; **Be|stel|lung**
be|sten|falls; be|stens
be|steu|ern; Be|steue|rung
best_ge|haßt, ...ge|pflegt
be|stia|lisch (unmenschlich, viehisch); **Be|stia|li|tät,** die; -, -en (tierisches, grausames Verhalten)
be|sticken [*Trenn.:* ...stik|ken]
Be|stie [...*i*[e]], die; -, -n (wildes Tier; Unmensch)
be|stim|men; be|stimmt; an einem -en Tag; bestimmter Artikel; **Be|stimmt|heit; Be|stim|mung; Be|stim|mungs|bahn|hof; be|stim|mungs|ge|mäß**
be|stirnt; -er Himmel
Best|lei|stung
best|mög|lich, dafür besser: möglichst gut; falsch: bestmöglichst
be|stra|fen
◇ strafen, eine Strafe verhängen, mit einer Strafe belegen, maßregeln, züchtigen
Be|stra|fung
be|strah|len; Be|strah|lung
be|stre|ben, sich; **Be|stre|ben,** das; -s; **be|strebt;** - sein; **Be|stre|bung**
be|strei|chen; Be|strei|chung
be|strei|ken; Be|strei|kung; - eines Betriebes
be|strei|ten; Be|strei|tung
best|re|nom|miert; das bestrenommierte Hotel
be|streu|en; Be|streu|ung
be|stricken[1] (bezaubern); **be|strickend**[1]; **Be|strickung**[1]
Best|sel|ler, der; -s, - (Ware [bes. Buch] mit dem größten Absatz)
be|stücken [*Trenn.:* ...stük|ken] (mit Teilstücken ausrüsten, bes. beim Schiff mit Geschützen)
Be|stuh|lung
be|stür|men; Be|stür|mung
be|stür|zen; be|stür|zend; be|stürzt; - sein; **Be|stürzt|heit,** die; -; **Be|stür|zung**
Be|such, der; -[e]s, -e; auf, zu - sein
be|su|chen
◇ zu Besuch kommen, [einen] Besuch machen, vorbeikommen (ugs.), aufsuchen
Be|su|cher; Be|su|cher|strom, Be|suchs|er|laub|nis
be|su|deln; Be|su|de|lung, Be|sud|lung
Be|ta, das; -[s], -s (gr. Buchstabe: *Β, β*)
be|tagt
be|tan|ken
be|ta|sten
be|tä|ti|gen; sich -; **Be|tä|ti|gung; Be|tä|ti|gungs|feld**
be|tat|schen (ugs.)

[1] *Trenn.:* ...k|k...

be|täu|ben; Be|täu|bung; Be|täu|bungs|mit|tel, das
Be|te (landsch. Nebenform: Bee|te), die; -, -n (Wurzelgemüse; Futterpflanze); rote - (nordd. für: rote Rübe)
be|tei|li|gen; sich -; **Be|tei|lig|te,** der u. die; -n, -n; **Be|tei|ligt|sein; Be|tei|li|gung**
Be|tel, der; -s (Kau- u. Genußmittel aus der Betelnuß)
be|ten; Be|ter
be|teu|ern; Be|teue|rung
be|ti|teln [auch *...tit...*]
be|töl|peln; Be|töl|pe|lung
Be|ton [*betong,* (fr.:) *betong,* auch, österr. nur dt. Ausspr.: *beton*], der; -s, -s, (bei dt. Aussprache:) -e (Baustoff aus der Mischung von Zement, Wasser, Sand usw.); **Be|ton|bau** (*Mehrz.* ...bauten)
be|to|nen
◇ hervorheben, herausstellen, unterstreichen
be|to|nie|ren (auch übertr. für: festlegen, unveränderlich machen); **Be|to|nie|rung**
be|ton|ter|ma|ßen; Be|to|nung
be|tö|ren; Be|tö|rer; Be|tö|rung
Be|tracht, nur noch in Fügungen wie: in - kommen, ziehen; außer - bleiben; **be|trach|ten;** sich -; **Be|trach|ter; be|trächt|lich;** um ein -es (bedeutend, sehr); **Be|trach|tung; Be|trach|tungs|wei|se,** die
Be|trag, der; -[e]s, Beträge; **be|tra|gen;** sich -; **Be|tra|gen,** das; -s
be|trau|en; mit etwas betraut; **Be|trau|ung**
Be|treff (Amtsdt.; Abk.: Betr.), der; -[e]s, -e; in betreff des Bahnbaues
be|tref|fen; was mich betrifft; vgl. betroffen
◇ berühren, tangieren, jmdn. angehen
be|tref|fend (in Betracht kommend; Abk.: betr.); die -e Behörde; den Bahnbau -; **Be|tref|fen|de,** der u. die; -n, -n; **be|treffs** (Amtsdt.; Abk.: betr.); *Verhältnisw.* mit *Wesf.:* - des Neubaus (besser: wegen)
be|trei|ben; Be|trei|ben, das; -s; auf mein -; **Be|trei|bung**
be|treßt (mit Tressen versehen)
[1]**be|tre|ten** (verwirrt; verwundert)
[2]**be|tre|ten;** er hat den Raum -
◇ eintreten, hineingehen, hineingelangen
Be|tre|ten, das; -s
be|treu|en
Be|treu|er
◇ Trainer, Coach, Manager
Be|treu|ung, die; -; **Be|treu|ungs|stel|le**
Be|trieb, der; -[e]s, -e; in - setzen; die Maschine ist in - (läuft); er ist im - (hält sich an der Arbeitsstelle auf); **be|trieb|lich; be|trieb|sam; Be|trieb|sam|keit,** die; -; **Be|triebs‿an|ge|hö|ri|ge, ...an|lei|tung, ...aus|flug, ...rat** (*Mehrz.* ...räte); **Be|triebs|rats‿mit|glied, ...vor|sit|zen|de**
be|trin|ken, sich; betrunken
◇ zu tief ins Glas gucken, einen über den Durst trinken, sich einen antrinken (ugs.), sich einen ansaufen (derb), sich besaufen (derb), sich vollaufen lassen (ugs.)
be|trof|fen
◇ entsetzt, bestürzt, verstört, konsterniert, starr, fassungslos
Be|trof|fen|heit, die; -
be|trü|ben; be|trüb|lich; be|trüb|li|cher|wei|se; Be|trüb|nis, die; -, -se; **be|trübt; Be|trübt|heit,** die; -
Be|trug
◇ Täuschung, Manipulation, Unregelmäßigkeit, Schiebung (ugs.)
be|trü|gen
◇ hintergehen, täuschen, mogeln, überlisten, hereinlegen, übers Ohr hauen (ugs.), bescheißen (derb)
Be|trü|ger
◇ Schwindler, Schieber (ugs.), Gauner, Scharlatan
Be|trü|ge|rei; be|trü|ge|risch
be|trun|ken
◇ angetrunken, angeheitert, berauscht, beschwipst (ugs.), volltrunken, besoffen (derb), voll (ugs.), blau (ugs.)
Be|trun|ke|ne, der u. die; -n, -n; **Be|trun|ken|heit,** die; -
Bett, das; -[e]s, -en; zu -[e] gehen
Bet|tag; vgl. Buß- und Bettag
Bett‿couch, ...decke [*Trenn.:* ...dek|ke]
Bet|tel, der; -s; **bet|tel|arm; Bet|te|lei; bet|teln**
bet|ten; sich -; **Bet|ten|ma|chen,** das; -s; **Bett|ge|stell; bett|lä|ge|rig**
Bett|ler
[1]**Bettuch** [*Trenn.:* Bett|tuch], das; -[e]s, ...tücher; [2]**Bet|tuch** (beim jüdischen Gottesdienst; *Mehrz.* ...tücher)
be|tucht (landsch. für: still; sicher, vertrauenswert; wohlhabend)
be|tu|lich (in umständlicher Weise freundlich u. geschäftig); **Be|tu|lich|keit,** die; -
beu|gen (auch für: flektieren, deklinieren, konjugieren); sich -
◇ sich bücken, sich ducken, sich neigen
Beu|gung (auch für: Flexion, Deklination, Konjugation); **Beu|gungs|en|dung**
Beu|le, die; -, -n; **beu|len** (Falten werfen); sich -
be|un|ru|hi|gen; sich -; **Be|un|ru|hi|gung,** die; -
be|ur|kun|den; Be|ur|kun|dung
be|ur|lau|ben; Be|ur|lau|bung
be|ur|tei|len

◇ urteilen über, werten, bewerten, begutachten, einschätzen
Be|ur|tei|ler; Be|ur|tei|lung; Be|ur|tei|lungs|maß|stab
Beu|te, die; - (Erbeutetes); **beu|te|gie|rig; Beu|te|gut**
Beu|tel, der; -s, -; **beu|teln;** das Kleid beutelt [sich]; das Mehl wird gebeutelt (gesiebt); ich habe ihn gebeutelt (tüchtig geschüttelt); **Beu|tel‿schnei|der, ...tier**
be|völ|kern; Be|völ|ke|rung; Be|völ|ke|rungs‿dich|te, ...ex|plo|si|on, ...po|li|tik, ...schicht
be|voll|mäch|ti|gen; Be|voll|mäch|tig|te, der u. die; -n, -n
be|vor
be|vor|mun|den
be|vor|ra|ten (mit einem Vorrat ausstatten)
be|vor|ste|hen
be|vor|zu|gen; Be|vor|zu|gung
be|wa|chen; Be|wa|cher
be|wach|sen
Be|wa|chung
be|waff|nen; Be|waff|ne|te, der u. die; -n -n; **Be|waff|nung**
be|wah|ren (hüten); jmdn. vor Schaden -
be|wäh|ren, sich; **be|wahr|hei|ten,** sich; **be|währt; Be|wäh|rung** (Erprobung); **Be|wäh|rungs‿frist, ...hel|fer, ...pro|be, ...zeit**
be|wal|den
be|wäl|ti|gen
◇ meistern, schaffen, vollbringen, erreichen, daß ..., bringen (ugs.)
be|wan|dert (erfahren)
Be|wandt|nis, die; -, -se
be|wäs|sern; Be|wäs|se|rung, Be|wäß|rung
[1]**be|we|gen** (Lage ändern); bewegte; bewegt; [2]**be|we|gen** (veranlassen); bewog (bewöge); bewogen; **Be|weg|grund; be|weg|lich; Be|weg|lich|keit,** die; -
be|wegt; - sein
◇ gerührt, ergriffen; erschüttert, aufgewühlt
Be|we|gung; Be|we|gungs‿ab|lauf, ...frei|heit
be|weh|ren (ausrüsten; bewaffnen)
be|wei|ben, sich (ugs. für: sich verheiraten)
be|weih|räu|chern (auch abwertend für: übertrieben loben)
be|wei|nen; Be|wei|nung; - Christi
Be|weis, der; -es, -e; unter - stellen (Amtsdt.; besser: beweisen); **be|wei|sen;** bewiesen; **be|weis|kräf|tig; Be|weis|mit|tel,** das
be|wen|den, nur in: - lassen; **Be|wen|den,** das; -s; es hat dabei sein Bewenden (es bleibt dabei)
be|wer|ben, sich; **Be|wer|bung**
be|wer|fen
be|werk|stel|li|gen
◇ arrangieren, deichseln (ugs.), hinkriegen (ugs.), managen (ugs.), drehen (ugs.)
be|wer|ten; Be|wer|tung
be|wickeln [*Trenn.:* be|wik|keln]
be|wil|li|gen; Be|wil|li|gung
be|will|komm|nen
be|wir|ken
be|wir|ten; be|wirt|schaf|ten; Be|wir|tung
be|wohn|bar; be|woh|nen; Be|woh|ner
be|wöl|ken, sich; **Be|wöl|kung,** die
Be|wuchs, der; -es
Be|wun|de|rer; be|wun|dern; Be|wun|de|rung; Be|wund|rer
be|wußt; ich bin mir keines Vergehens -; **Be|wußt|heit,** die; -; **be|wußt|los; Be|wußt|lo|sig|keit,** die; -; **be|wußt|ma|chen** (klarmachen); er hat ihm den Zusammenhang bewußtgemacht; aber: be|wußt (mit Absicht, mit Bewußtsein) ma|chen; er hat den Fehler bewußt gemacht; **Be|wußt|sein,** das; -s
be|zah|len
be|zäh|men; sich -
be|zau|bern
◇ faszinieren, bestricken, berücken, verzaubern
be|zau|bernd
be|zeich|nen; be|zeich|nend; Be|zeich|nung
be|zei|gen (zu erkennen geben, kundgeben); Beileid, Ehren -; **Be|zei|gung**
be|zeu|gen (Zeugnis ablegen; aus eigenem Erleben bekunden); die Wahrheit -; **Be|zeu|gung**
be|zich|ti|gen; jemanden eines Verbrechens -; **Be|zich|ti|gung**
be|zieh|bar; be|zie|hen; sich auf eine Sache -; **Be|zie|her; Be|zie|hung;**
be|zif|fern; sich - (dafür besser: sich belaufen) auf etwas
Be|zirk, der -[e]s, -e; **be|zirk|lich**
be|zir|zen vgl. becircen
Be|zug (österr. auch für: Gehalt); in bezug auf; mit Bezug auf; auf etwas Bezug haben, nehmen (dafür besser: sich auf etwas beziehen); Bezug nehmend auf (dafür besser: mit Bezug auf); **Be|zü|ge,** die (*Mehrz.;* Einkommen); **be|züg|lich;** -es Fürwort (für Relativpronomen); *Verhältnisw.* mit *Wesf.* (Amtsdt.); - Ihres Briefes (besser: wegen); in der *Mehrz.* auch mit *Wemf.:* - Entwicklungsprogrammen; **Be|zugs‿per|son, ...preis**
be|zu|schus|sen (einen Zuschuß gewähren); bezuschußte, bezuschußt; **Be|zu|schus|sung**
be|zwecken [*Trenn.:* ...zwek|ken]
be|zwei|feln
be|zwin|gen

BfA = Bundesversicherungsanstalt für Angestellte
BGB = Bürgerliches Gesetzbuch
BGL = Betriebsgewerkschaftsleitung
BH [*beha*], der; -[s], -[s] (ugs. für: Büstenhalter)
bi... (in *Zusammensetzungen:* zwei...; doppel[t]...); **Bi...** (Zwei...; Doppel[t]...)
Bi|ath|lon, das; -s, -s (Kombination aus Skilanglauf u. Scheibenschießen)
bib|bern (ugs. für: zittern)
Bi|bel, die; -, -n (die Heilige Schrift)
¹Bi|ber, der; -s, - (ein Nagetier; Pelz); **²Biber,** der od. das; -s (Rohflanell); **Bi|ber‿pelz, ...schwanz**
Bi|bi, der; -s, -s (ugs. für: steifer Hut [aus Biberpelz], Baskenmütze)
Bi|blio|gra|phie, die; -, ...ien (Bücherkunde, -verzeichnis); **bi|blio|gra|phieren** (den Titel einer Schrift bibliographisch verzeichnen, auch: genau feststellen); **bi|blio|gra|phisch** (bücherkundlich); **bi|blio|phil** (schöne od. seltene Bücher liebend); **Bi|blio|phi|le,** der u. die; -n, -n (Bücherliebhaber[in]); **Bi|blio|thek,** die; -, -en ([wissenschaftliche] Bücherei); **Bi|blio|the|kar,** der; -s, -e (Beamter od. Angestellter in wissenschaftl. Bibliotheken od. Volksbüchereien); **Bi|blio|the|ka|rin,** die; -, -nen
bi|blisch
Bick|bee|re (nordd. für: Heidelbeere)
Bi|det [*bide*], das; -s, -s (längliches Sitzbecken für Spülungen)
bie|der; Bie|der‿mann (*Mehrz.* ...männer), **...mei|er,** das; -[s] ([Kunst]stil in der Zeit des Vormärz [1815 bis 1848])
bie|gen; bog (böge), gebogen; auf Biegen oder Brechen (ugs.)
bieg|sam
◇ elastisch, geschmeidig, flexibel, beweglich
Bie|ne, die; -, -n; **Bie|nen|fleiß; Bienen‿ho|nig, ...kö|ni|gin, ...korb, ...schwarm, ...spra|che, ...stich** (auch: Kuchenart), **...stock** (*Mehrz.* ...stöcke), **...volk**
Bi|en|na|le [*biä...*], die; -, -n (zweijährliche Veranstaltung od. Schau, bes. in der bildenden Kunst u. im Film)
Bier, das; -[e]s, -e; **Bier‿deckel** [*Trenn.:* ...dek|kel], **...do|se, ...fla|sche, ...glas** (*Mehrz.* ...gläser), **...ru|he** (ugs.: Verhalten eines Menschen, der durch nichts aus der Ruhe zu bringen ist), **...un|ter|satz, ...zei|tung, ...zelt**
Bie|se, die; -, -n (farbiger Vorstoß an Uniformen; Säumchen)
Biest, das; -[e]s, -er (derb für: „Vieh" [Schimpfwort])
bie|ten; bot (böte), geboten
Bi|fo|kal|glas (Brillenglas mit Fern- und Nahteil; *Mehrz.* ...gläser)
Bi|ga|mie, die; -, ...ien (Doppelehe)
Big Band [*-bänd*], die; - -, - -s (großes Jazz- od. Tanzorchester)
Big Ben, der; - - („großer Benjamin"; Stundenglocke der Uhr im Londoner Parlamentsgebäude)
bi|gott (frömmelnd; scheinheilig); **Bigot|te|rie,** die; -, ...ien
Bi|jou|te|rie, die; -, ...ien ([Handel mit] Schmuckwaren)
Bi|ki|ni, der; -s, -s (zweiteiliger Badeanzug)
Bi|lanz, die; -, -en (Gegenüberstellung von Vermögen und Kapital für ein Geschäftsjahr; übertr.: Ergebnis)
bi|la|te|ral [auch: *...al*] (zweiseitig); -e Verträge
Bild, das; -[e]s, -er
◇ Abbildung, Illustration, Darstellung, Bildnis, Abbild
Bild‿bei|la|ge, ...be|richt, ...be|richter|stat|ter, ...be|schrei|bung; bilden; sich -; **Bil|der‿bo|gen, ...buch; Bil|der‿rah|men, ...rät|sel; Bild|hauer; bild|hübsch; bild|kräf|tig; bildlich; Bild|nis,** das; -ses, -se; **Bild‿repor|ta|ge, ...re|por|ter, ...röh|re; bild|sam; Bild‿säu|le, ...schirm; bild|schön**
Bil|dung; Bil|dungs‿grad, ...lücke [*Trenn.:* ...lük|ke], **...rei|se, ...stu|fe, ...ur|laub, ...we|sen** (das; -s)
Bil|lard [*biljart,* österr.: *bijar*], das; -s, -e u. (österr.:) -s (Kugelspiel; dazugehörender Tisch)
Bil|lett [*biljät,* österr. *bijä*], das; -[e]s, -s u. -e (schweiz., sonst veraltend für: Einlaßkarte, Fahrkarte, -schein)
Bil|li|ar|de, die; -, -n (10^{15}; tausend Billionen)
bil|lig
◇ preiswert, [preis]günstig, wohlfeil (geh.)
bil|li|gen
◇ gutheißen, beistimmen, zustimmen, bejahen, begrüßen, einverstanden sein, tolerieren (geh.)
Bil|li|on, die; -, -en (10^{12}; eine Million Millionen od. 1 000 Milliarden)
Bil|sen|kraut, das; -[e]s (giftiges Kraut)
Bim|mel, die; -, -n (ugs. für: Glocke); **Bim|mel|bahn** (ugs.); **bim|meln** (ugs.)
bim|sen (ugs. für: schleifen; durch angestrengtes Lernen einprägen); **Bimsstein**
bi|nar, bi|när, bi|na|risch (fachspr.: aus zwei Einheiten bestehend, Zweistoff...)
Bin|de, die; -, -n; **Bin|de|ge|we|be; Bin|de|ge|webs‿ent|zün|dung, ...mas|sa|ge; Bin|de‿glied, ...haut, ...mit|tel,** das
bin|den; band (bände), gebunden
◇ knüpfen, schnüren, knoten
Bin|der; Bin|de‿strich, ...wort (für:

Konjunktion; *Mehrz.* ...wörter); **Bindfa|den**

Bin|go [*binggo*], das; -[s] (engl. Glücksspiel; eine Art Lotto)

bin|nen; *Verhältnisw.* mit *Wemf.;* - einem Jahre (geh. auch mit *Wesf.:* - eines Jahres)

◇ innerhalb, in, im Laufe von, im Verlauf von, in der Zeit von

Bin|nen‿han|del, ...land, ...markt, ...meer, ...see

Bin|se, die; -, -n (grasähnliche Pflanze); in die -n gehen (ugs.: verlorengehen; unbrauchbar werden); **Bin|sen‿wahr|heit** (ugs. für: allbekannte Wahrheit)

bio... (leben[s]...); **Bio...** (Leben[s]...); **Bio|che|mie** (Lehre von den chemischen Vorgängen in Lebewesen; heilkundlich angewandte Chemie); **Bio|gene|se,** die; -, -n (Entwicklung[sgeschichte] der Lebewesen); **Bio|graph,** der; -en, -en (Verfasser einer Lebensbeschreibung)

Bio|gra|phie, die; -, ...ien (Lebensbeschreibung)

◇ Memoiren, Lebensgeschichte, Lebenserinnerungen, Erinnerungen

bio|gra|phisch; Bio|la|den (Geschäft, das Erzeugnisse aus biologischem Anbau verkauft); **Bio|lo|ge,** der; -n, -n; **Bio|logie,** die; - (Lehre von der belebten Natur); **bio|lo|gisch**

Bir|cher|mües|li (Müsli nach dem Arzt Bircher-Benner)

Bir|ke, die; -, -n (Laubbaum); **bir|ken** (aus Birkenholz); **Bir|ken‿holz, ...reis** (das), **...wald; Birk‿hahn, ...huhn**

Birn|baum; Bir|ne, die; -, -n; **bir|nenför|mig**

bis; *Verhältnisw.* mit *Wenf.:* bis nächstes Jahr; - [nach] Berlin; - hierher; - wann?; - auf die Haut; - zu 50%; *Umstandsw.:* der Vorstand kann [- zu] 8 Mitglieder umfassen; Kinder - 10 Jahre od. - 10 Jahre alte Kinder zahlen die Hälfte

Bi|sam, der; -s, -e u. -s (Moschus [nur *Einz.*]; Pelz); **Bi|sam|rat|te** (große Wühlmaus)

Bi|schof, der; -s, Bischöfe (kirchl. Würdenträger); **bi|schöf|lich; Bi|schofs‿hut,** der, **...kon|fe|renz; bi|schofs|lila; Bi|schofs‿sitz, ...stab**

Bi|se, die; -, -n (schweiz. für: Nord[ost]wind)

bi|se|xu|ell [auch: *bi*...] (mit beiden Geschlechtern sexuell verkehrend; zweigeschlechtig)

bis|her

◇ bislang, bis jetzt

bis|he|rig

Bis|kuit [...*kwit*], das (auch: der); -[e]s, -s, auch: -e (leichtes Gebäck)

bis|lang (bis jetzt)

Bis|marck|he|ring

Bi|son, der; -s, -s (nordamerik. Büffel)

Biß, der; Bisses, Bisse; **biß|chen;** das -, ein - (ein wenig), **bis|sel, bis|serl** (landsch. für: bißchen); **Bis|sen,** der; -s, -; **bis|sig**

Bi|stro, das; -s, -s (kleine Schenke od. Kneipe)

Bis|tum (Amtsbezirk eines kath. Bischofs)

bis|wei|len

Bis|wind, der; -[e]s (schweiz., südbad. neben: Bise)

Bit, das; -[s], -[s] (Nachrichtentechnik: Informationseinheit); Zeichen: bit

Bit|te, die; -, -n

◇ Wunsch, Anliegen, Ersuchen (geh.)

bit|ten; bat (bäte), gebeten

◇ erbitten, ersuchen, vorstellig werden, beschwören, flehen, angehen um (ugs.), anhauen (ugs.), jmdm. in den Ohren liegen (ugs.)

bit|ter; bit|ter|böse; bit|ter|kalt; Bitter|keit; bit|ter|lich; Bit|ter|ling (Fisch; Pflanze; Pilz); **Bit|ter|man|delöl; Bit|ter|nis;** die; -, -se; **bit|ter|süß**

Bitt‿gang (der), **...ge|such, ...schrift, ...stel|ler**

Bi|tu|men, das; -s, -, auch: ...mina (aus organischen Stoffen natürlich entstandene teerartige Masse)

[1]**bit|zeln** (südd. u. westd. für: prickeln, [vor Kälte] beißend weh tun)

[2]**bit|zeln** (mitteld. für: in kleine Stückchen schneiden, schnitzeln)

Bi|wak, das; -s, -s u. -e (Feld[nacht]lager); **bi|wa|kie|ren**

bi|zarr (seltsam)

Bi|zeps, der; -[es], -e (Beugemuskel des Oberarmes)

Bla|bla, das; -[s] (ugs. für: Gerede; lange, u. fruchtlose Diskussion um Nichtigkeiten)

Black|out [*bläkaut*], das u. der; -[s], -s (plötzlicher Verlust des Bewußtseins, des Erinnerungsvermögens; Raumfahrt: Abbrechen des Funkkontakts); **Black Power** [*bläk pauᵉr*], die; - - (amerik. Freiheitsbewegung der Schwarzen)

bla|fen (bellen), **bläf|fen**

Blag, das; -s,-en u. **Bla|ge,** die; -, -n (ugs. für: kleines, meist unartiges, lästiges Kind)

blä|hen; sich -; **Blä|hung**

bla|ken (niederd. für: schwelen, rußen)

blä|ken (ugs. für: brüllen)

bla|kig (rußend)

bla|ma|bel (beschämend); eine ...a|ble Geschichte; **Bla|ma|ge** [...*mascheᵉ*], die; -, -n (Schande; Bloßstellung); **bla|mieren;** sich -

blan|chie|ren [*blangschi*...] (Kochk.: abbrühen)

blank (rein, bloß); blanker, blankste; **blan|ko** (leer, unausgefüllt); **Blan|ko-**

˷**scheck, ...voll|macht** (übertr. für: unbeschränkte Vollmacht); **blank|zie|hen;** er hat den Säbel blankgezogen
Bla|se, die; -, -n; **Bla|se|balg** (*Mehrz.* ...bälge); **bla|sen;** blies, geblasen; **Bla|sen|lei|den; Blä|ser**
bla|siert (hochnäsig, hochmütig); **Bla|siert|heit,** die; -
Blas˷in|stru|ment, ...mu|sik
Blas|phe|mie, die; -, ...ien (Gotteslästerung; verletzende Äußerung über etwas Heiliges); **blas|phe|misch**
blaß; blasser (auch: blässer), blasseste (auch: blässeste)
◇ bläßlich, bleich, fahl, weiß, kreidebleich, -weiß, käseweiß (ugs.), grau, aschgrau
Bläs|se, die; - (Blaßheit); **Bläß|huhn; bläß|lich**
Bla|stu|la, die; - (Biol.: Entwicklungsstadium des Embryos)
Blatt, das; -[e]s, Blätter (Jägerspr. auch für: Schulterstück od. Instrument zum Blatten; Abk. Bl. [Papier]); 5 - Papier; **blät|te|rig,** blätt|rig
Blat|tern, die (*Mehrz.*) (Infektionskrankheit)
blät|tern; Blät|ter˷teig, ...wald (scherzh. für: viele Zeitungen verschiedener Richtung); **Blatt˷gold, ...grün, ...laus, ...pflan|ze; blätt|rig,** blät|terig; **Blatt|schuß; Blatt|werk,** das; -[e]s
blau; -er; -[e]ste: sein blaues Wunder erleben (ugs. für: staunen); der blaue Planet (die Erde); blauer Montag; einen blauen Brief (ugs. für: Mahnschreiben der Schule an die Eltern; auch: Kündigungsschreiben) erhalten; **Blau,** das; -s, - u. (ugs.:) -s (blaue Farbe); ein Kleid in -; **blau|äu|gig; Blau|bart,** der; -[e]s, ...bärte (Frauenmörder [im Märchen]) **...bee|re** (ostmitteld. für: Heidelbeere); **Blaue,** das; -n; das - vom Himmel [herunter]reden; Fahrt ins -; **Bläue,** die; - (Himmel[sblau]); **Blau|kraut,** das; -[e]s (südd., österr. für: Rotkohl); **bläu|lich; Blau|licht** (*Mehrz.* ...lichter); **blau|ma|chen** (ugs. für: nicht zur Arbeit gehen); **Blau|mei|se** (ein Vogel); **Blau|säu|re,** die; -; **blau|sti|chig;** ein -es Farbfoto; **Blau|strumpf** (abschätzig für: einseitig intellektuelle Frau)
Bla|zer [*bleˢer*], der; -s, - (Klubjacke [mit Klubabzeichen])
Blech, das; -[e]s, -e; **Blech˷büch|se, ...do|se; ble|chen** (ugs. für: zahlen); **ble|chern** (aus Blech); **Blech|mu|sik; Blech|ner** (südwestd. für: Klempner); **Blech|scha|den**
blecken [*Trenn.:* blek|ken]; die Zähne -
[1]**Blei,** das; -[e]s, -e (chem. Grundstoff, Metall; Zeichen: Pb); [2]**Blei;** der (auch: das); -[e]s, -e (ugs. für: Bleistift)

Blei|be, die; -, -n (Unterkunft); **blei|ben;** blieb, geblieben; **blei|ben|lassen;** ich habe es -, (seltener:) bleibengelassen (unterlassen); aber getrennt in ursprünglicher Bedeutung: er wird uns nicht länger hier bleiben lassen
bleich; [1]**blei|chen** (bleich machen); bleichte, gebleicht; [2]**blei|chen** (bleich werden); bleichte, gebleicht; **Bleich˷gesicht** (*Mehrz.* ...gesichter), **...sand, ...sucht** (die; -)
blei|ern (aus Blei); **blei|frei;** bleifreies Benzin; **Blei|kri|stall; blei|schwer; Blei|stift,** der
Blen|de, die; -, -n (auch für: blindes Fenster, Nische; Optik: lichtabschirmende Scheibe; Mineral; auch für: Attrappe); **blen|dend; Blend|werk**
Bles|se, die; -, -n (weißer [Stirn]fleck, Tier mit weißem Fleck); **Bleß|huhn** vgl. Bläßhuhn
bleu [*blö*] (blau [leicht ins Grünliche spielend])
bleu|en (ugs. für: schlagen)
Blick, der; -[e]s, -e
blicken [*Trenn.:* blik|ken]
◇ sehen, schauen, gucken (ugs.), starren, spähen
blind; Blind|darm; Blind|darm|ent|zün|dung; Blin|de, der u. die; -n, -n; **Blin|den|schrift; blind|flie|gen; Blind˷flug, ...gän|ger; blind|lings; Blind|schlei|che,** die; -, -n; **blind|schrei|ben** (auf der Schreibmaschine)
blin|ken; Blin|ker; Blink˷feu|er (Seezeichen), **...licht** (*Mehrz.* ...lichter)
blin|zeln
Blitz, der; -es, -e; **Blitz|ab|lei|ter; blitz|ar|tig; blitz|blank,** (ugs. auch:) **blit|ze|blank; blit|zen** (ugs. auch für: mit Blitzlicht fotografieren); du blitzt; **Blitz˷ge|spräch, ...kar|rie|re, ...licht** (*Mehrz.* ...lichter); **blitz|sau|ber; Blitz|schlag; blitz|schnell**
Bliz|zard [*blisᵉrt*], der; -s, -s (Schneesturm [in Nordamerika])
Block, der; -[e]s, (für: Beton-, Eisen-, Felsblock:) Blöcke u. (für: Abreiß-, Brief-, Steno[gramm]-, Zeichenblock, auch meist für: Häuser-, Wohnblock:) Blocks; (für: Macht-, Wirtschaftsblock u. a.:) Blöcke od. Blocks; **Blocka|de**[1] ([See]sperre; Druckw.: im Satz durch Blockieren gekennzeichnete Stelle); **Blocker**[1] (landsch. für: Bohnerbesen); **Block|flö|te; block|frei;** -e Staaten; **Block|haus; blockie|ren**[1] (einschließen, blocken, [ab]sperren; Druckw.: fehlenden Text durch ▮▮ kennzeichnen)
blöd, blö|de; Blö|di|an, der; -[e]s, -e (dummer Mensch); **Blöd|sinn,** der; -[e]s

[1] *Trenn.:* ...k|k...

blö|ken
blond; blon|die|ren (blond färben); **Blon|di|ne,** die; -, -n (blonde Frau)
[1]**bloß** (nur); [2]**bloß** (entblößt); **Blö|ße,** die; -, -n; **bloß‿le|gen, ...liegen**
bloß|stel|len
◇ sich eine Blöße geben, kompromittieren, lächerlich machen, blamieren
Blou|son [*blusong*], das (auch: der); -[s], -s (kurze, sportliche, an den Hüften eng anliegende Jacke)
blub|bern (niederd. für: glucksen; rasch u. undeutlich sprechen)
Blue|jeans, auch: **Blue jeans** [*blúdsehins*], die *(Mehrz.)* (blaue [Arbeits]hose aus geköpertem Baumwollgewebe); **Blues** [*blus*], der; -, - (urspr. religiöses Lied der nordamerik. Schwarzen, dann langsamer Tanz im 4/4-Takt)
Bluff [auch noch: *blöf*], der; -s, -s (Verblüffung; Täuschung); **bluf|fen** [auch noch: *blöf^en*]
blü|hen; Blu|me, die; -, -n
blü|me|rant (ugs. für: schwindelig, flau)
Blu|se, die; -, -n
Blut, das; -[e]s, (Med. fachspr.:) -e; [1]**blut|arm** (arm an Blut); [2]**blut|arm** (ugs.: für sehr arm); **Blut‿ar|mut, ...bahn, ...bank** (*Mehrz.* ...banken), **...bu|che, ...druck** (der; -[e]s)
Blü|te, die; -, -n
blu|ten; Blu|ter (ein Mensch, der zu schwer stillbaren Blutungen neigt); **Blut‿ge|fäß, ...ge|rinn|sel, ...grup|pe, ...grup|pen|un|ter|su|chung, ...hoch|druck, ...hund; blu|tig**
blut|jung (ugs. für: sehr jung)
Blut‿kon|ser|ve, ...kör|per|chen, ...pro|be, ...ra|che, ...rausch, ...schan|de (die; -) **...sen|kung** (Med.), **...spen|der; bluts|ver|wandt; Blut‿ver|gif|tung, ...wä|sche**
BMX-Rad (kleines, bes. geländegängiges Fahrrad)
Bö, (auch:) Böe, die; -, Böen (heftiger Windstoß)
Boa, die; -, -s (Riesenschlange; langer, schmaler Schal aus Pelz oder Federn)
Bob, der; -s, -s (Kurzform für: Bobsleigh); **Bob|bahn; Bob|sleigh** [*bóbßle^i*], der; -s, -s (Rennschlitten; Kurzform: Bob)
Boc|cia [*botscha*], das od. die; -, -s (it. Kugelspiel)
Bock, der; -[e]s, Böcke; **bock|bei|nig**
Bock|bier
bocken[1]; **bockig**[1]; **Bocks‿beu|tel** (bauchige Flasche; Frankenwein in solcher Flasche), **...horn** (*Mehrz.* ...hörner; laß dich nicht ins - jagen [ugs.: einschüchtern]), **Bock‿sprin|gen, ...sprung, ...wurst**

[1] *Trenn.:* ...k|k...

Bod|den, der; -s, - (Strandsee, [Ostsee]bucht)
Bo|de|ga, die; -, -s (span. Weinkeller, -schenke)
Bo|den, der; -s, Böden; **Bo|den‿be|lag, ...frost; bo|den|los; Bo|den‿ne|bel, ...per|so|nal; bo|den|stän|dig; Boden‿sta|ti|on, ...tur|nen**
Bo|dy|buil|der [*bodibild^er*], der; -s, - (jmd., der Bodybuilding betreibt); **Bo|dy|buil|ding,** das; -[s] (moderne Methode der Körperbildung u. Vervollkommnung der Körperformen); **Bo|dy|check** [*...tschäk*] (erlaubtes Rempeln beim Eishockey)
Böe vgl. Bö
Boe|ing [*bo^uing*], die; -, -s (amerik. Flugzeugtyp)
Bo|fist [auch: *bofißt*], Bo|vist [auch: *bowißt*], der; -[e]s, -e (ein Pilz)
Bo|gen, der; -s, - (bes. südd., österr. auch: Bögen)
Bo|heme [*boäm*, auch: *bohäm*], die; - (unbürgerliches Milieu der Künstler); **Bo|he|mi|en** [*boämjäng*], der; -s, -s (Angehöriger der Boheme)
Boh|le, die; -, -n (starkes Brett)
Böh|me, der; -n, -n; **böh|misch** (auch ugs. für: unverständlich)
Boh|ne, die; -, -n; **Boh|nen‿ein|topf, ...kaf|fee**
Boh|ner|be|sen; boh|nern ([Fußboden] mit Wachs glätten)
boh|ren; Boh|rer
bö|ig; -er Wind (in kurzen Stößen wehender Wind)
Boi|ler [*beul^er*], der; -s, - (Warmwasserbereiter)
Bo|je, die; -, -n (Seemannsspr.: [verankerter] Schwimmkörper, als Seezeichen od. zum Festmachen verwendet)
Bo|le|ro, der; -s, -s (Tanz; kurze Jacke)
Böl|ler (kleiner Mörser zum Schießen); **bol|lern** (landsch. für: poltern, krachen); **böl|lern**
Boll|werk
Bol|sche|wik, der; -en, -i u. (abschätzig:) -en (Mitglied der Kommunistischen Partei der Sowjetunion); **Bol|sche|wis|mus,** der; -; **Bol|sche|wist,** der; -en, -en
Bol|zen, der; -s, -; **bol|zen** (Fußball: systemlos spielen); du bolzt
Bom|bar|de|ment [*...d^emang*, österr.: *bombardmang*], das; -s, -s (Beschießung [mit Bomben]); **bom|bar|die|ren; Bom|bar|die|rung**
bom|ba|stisch (abwertend für: übertrieben aufwendig)
Bom|be, die; -, -n (mit Sprengstoff angefüllter Hohlkörper; auch ugs. für: sehr kräftiger Stoß mit dem Ball); **bom|ben** (ugs.); **Bom|ben‿an|griff, ...er|folg**

(ugs. für: großer Erfolg); **Bom|ben-_stim|mung** (ugs.), **...tep|pich, ...ter|ror; Bom|ber**
Bom|mel, die; -, -n (landsch. für: Quaste)
Bon [*bong*], der; -s, -s (Gutschein)
Bon|bon [*bongbong*], der od. (österr. nur:) das, -s, -s (Zuckerware, -zeug); **Bon|bon|nie|re** [*bongboniär*[e]], die; -, -n (Pralinenpackung; Behälter für Pralinen)
bon|gen (ugs. für: einen Kassenbon tippen)
Bon|go [*bonggo*], das od. die; -, -s (als Jazzinstrument verwendete, einfellige Trommel kubanischen Ursprungs)
Bo|ni|tät, die; -, -en (Güte, Wert eines Bodens; Ruf einer Person od. Firma im Hinblick auf ihre Zahlungsfähigkeit)
Bon|mot [*bongmo*], das; -s, -s (treffende, geistreiche Wendung)
[1]**Bon|sai,** der; -s, -s (jap. Zwergbaum); [2]**Bon|sai,** das; - (Kunst des Ziehens von Zwergbäumen)
Bo|nus, der; - u. -ses, - u. -se od. ...ni (im Handel Gutschrift an Kunden od. Vertreter; bei Aktiengesellschaften einmalige Vergütung neben der Dividende)
Bon|ze, der; -n, -n ([buddhistischer] Mönch, Priester; verächtlich: auf seine Vorteile bedachter Funktionär)
Boo|gie-Woo|gie [*bugiwugi*, auch: *bugiwugi*], der; -[s], -s (Jazzart; ein Tanz)
Boom [*bum*], der; -s, -s ([plötzlicher] Wirtschaftsaufschwung, Hochkonjunktur)
Boot, das; -[e]s, -e, (landsch. auch:) Böte
◇ Kahn, Nachen, Barke (geh.)
[1]**Bord,** das; -[e]s, -e ([Bücher-, Wand]brett); [2]**Bord,** der; -[e]s, -e ([Schiffs]rand, -deck, -seite; übertr. Schiff, Luftfahrzeug)
Bor|dell, das; -s, -e (Dirnenhaus)
◇ Freudenhaus, öffentliches Haus, Puff (ugs.)
Bord_funk, ...fun|ker
bor|die|ren (einfassen, besetzen)
Bord_kan|te, ...stein
Bor|dü|re, die; -, -n (Einfassung, [farbiger] Geweberand, Besatz)
Bo|retsch vgl. Borretsch
bor|gen
Bor|ke, die; -, -n (Rinde); **Bor|ken|käfer**
Born, der; -[e]s,-e (dicht. für: Wasserquelle, Brunnen)
bor|niert (geistig beschränkt, engstirnig); **Bor|niert|heit**
Bor|retsch, der; -[e]s (ein Küchenkraut)
Bör|se, die; -, -n (Gebäude zur Abhaltung eines regelmäßigen Marktes für Wertpapiere; Geldbeutel)
Bor|ste, die; -, -n (starkes Haar); **borstig**
Bor|te, die; -, -n (gemustertes Band als Besatz; Randstreifen)
bös, bö|se; im bösen (= böse) auseinandergehen; Gut und Böse nicht unterscheiden können; jenseits von Gut und Böse; **bös|ar|tig**
Bö|schung
bö|se vgl. bös
◇ boshaft, bösartig, schlimm, gehässig, garstig, niederträchtig, übelwollend
Bö|se|wicht, der; -[e]s, -er, (auch, österr. nur:) -e; **bos|haft; Bos|haf|tig|keit**
Bos|heit
◇ Niedertracht, Unverschämtheit, Infamie (geh.), Gehässigkeit
Bos|kop, der; -s, - (Apfelsorte)
Boß, der; Bosses, Bosse ([Betriebs-, Partei]leiter)
Bo|ßel, der; -s, - u. die; -, -n (niederd. für Kugel)
bos|seln (ugs. für: kleine Arbeiten [peinlich genau] machen)
bo|ßeln (niederd. für: mit [dem] Boßel werfen; den Kloot schießen; ich ...[e]le
bös|wil|lig, Bös|wil|lig|keit
Bo|ta|nik, die; - (Pflanzenkunde); **Bo|ta|ni|ker; bo|ta|nisch**
Bo|te, der; -n, -n
◇ Botenjunge, Laufbursche, Austräger, Ausfahrer
Bot|schaft; Bot|schaf|ter
Bött|cher (Bottichmacher)
Bot|tich, der; -[e]s, -e
Bou|clé [*bukle*], der; -s, -s (Gewebe u. Teppich aus bestimmtem Zwirn)
Bou|doir [*budoar*], das; -s, -s (Zimmer der Dame)
Bouil|la|baisse [*bujabäß*], die; -, -s [*bujabäß*] (provenzalische Fischsuppe); **Bouil|lon** [*buljong, buljong* od. *bujong*], die; -, -s (Kraft-, Fleischbrühe)
Bou|le|vard [*bul*[e]*war*], der; -s, -s (breite [Ring]straße); **Bou|le|vard_pres|se, ...thea|ter**
Bou|quet [*buke*], das; -s, -s
Bour|bon [*börb*[e]*n*], der; -s, -s (amerikanischer Whisky)
Bour|bo|ne [*bur...*], der; -n, -n (Angehöriger eines fr. Herrschergeschlechtes)
bour|geois [*burschoa*, in beifügender Verwendung; *burschoas...*] (der Bourgeoisie angehörend, entsprechend); **Bourgeois** [*burschoa*], der; -, - (abwertend für: wohlhabender, satter Bürger); **Bourgeoi|sie** [*burschoasi*], die; -, ...ien ([wohlhabender] Bürgerstand; [auch: durch Wohlleben entartetes] Bürgertum)
Bou|tique [*butik*], die; -, -s [*...tikß*] u. -n [*...k*[e]*n*] (kleiner Laden für mod. Neuheiten)
Bow|den|zug [*baud*[e]*n...*] (Drahtkabel zur Übertragung von Zugkräften)
Bow|le [*bol*[e]], die; -, -n (Getränk aus Wein, Zucker u. Früchten; Gefäß für dieses Getränk)

Bow|ling [*bo*ᵘ*ling*], das; -s, -s (amerik. Art des Kegelspiels mit 10 Kegeln; engl. Kugelspiel auf glattem Rasen)
Box, die; -, -en (Pferdestand; Unterstellraum; einfache, kastenförmige Kamera)
bo|xen (mit den Fäusten kämpfen); er boxt; **Bo|xer,** der; -s (Faustkämpfer; Hund einer bestimmten Rasse)
Box|kalf [in engl. Aussprache auch: *bokßkaf*], das; -s, -s (Kalbleder)
Boy [*beu*], der; -s, -s ([Lauf]junge; Diener, Bote)
Boy|kott [*beu*...], der; -[e]s, -e (Verruf[serklärung], Ächtung; Abbruch der Geschäftsbeziehungen); **boy|kot|tie|ren**
Boy-Scout [*beußkaut*], der; -[s], -s (engl. Bez. für: Pfadfinder)
brab|beln (ugs. für: undeutlich vor sich hin reden)
brach (unbestellt; unbebaut); **Bra|che,** die; -, -n (Brachfeld)
Bra|chi|al|ge|walt, die; - (rohe, körperliche Gewalt)
brach|lie|gen (unbebaut liegen)
Bracke [*Trenn.:* Brak|ke], der; -n, -n (seltener:) die; -, -n (Spürhundrasse)
Brack|was|ser, das; -s, ...wasser (Gemisch von Süß- und Salzwasser in den Flußmündungen)
Brä|gen, der; -s, - (Nebenform von: Bregen)
Brah|ma|ne, der; -n, -n (Angehöriger einer ind. Priesterkaste)
bra|mar|ba|sie|ren (aufschneiden, prahlen)
Bran|che [*brangsch*ᵉ], die; -, -n (Wirtschafts-, Geschäftszweig; Fachgebiet)
Brand, der; -[e]s, Brände; **brand|ak|tu|ell**
brand|mar|ken
◇ ächten, verpönen, verwünschen, verfluchen, verdammen
Brand‿mau|er, ...mei|ster; brand|neu; Brand|sal|be; brand|schat|zen; du brandschatzt; **Brand‿soh|le, ...stif|ter, ...stif|tung; Bran|dung; Brand|wun|de; Bran|dy** [*brändi*], der; -s, -s ([feiner] Branntwein); **Brannt|wein**
[1]**Bra|sil,** der; -s, -e u. -s (Tabak; Kaffeesorte); [2]**Bra|sil,** die; -, -[s] (Zigarre)
Brät, das; -s (landsch., bes. schweiz. für: feingehacktes [Bratwurst]fleisch); **Brat|ap|fel**
bra|ten, briet, gebraten
◇ rösten, schmoren, backen, brutzeln (ugs.), schmurgeln (ugs.), grillen
Bra|ten, der; -s, -; **Bra|ten|rock** (scherzh.: Gehrock); **Brat|hendl,** das; -s, -[n] (südd., österr. für: Brathähnchen); **Brat‿he|ring, ...kar|tof|feln,** die *(Mehrz.);* **Brat|ling** (gebratener Kloß aus Gemüse, Hülsenfrüchten); **Brät|ling** (Fisch; Pilz); **Brat|pfan|ne**
Brat|sche, die; -, -n (ein Streichinstrument)
Brat|wurst
Brauch, der; -[e]s, Bräuche
◇ Sitte, Regel, Gebräuche, Brauchtum
brauch|bar
brau|chen
◇ bedürfen, benötigen, nötig haben
Braue, die; -, -n
brau|en; Brau|er; Braue|rei
braun; -e Augen; sich von der Sonne - brennen lassen; **Braun,** das; -s, - u. (ugs.:) -s (braune Farbe); in Braun [gekleidet sein]; **Bräu|ne,** die; - (braune Färbung); **bräu|nen; braun|gebrannt; Braun|koh|le; bräun|lich**
Brau|se, die; -, -n; **brau|sen**
Braut, die; -, Bräute; **Bräu|ti|gam,** der; -s, -e; **Braut‿jung|fer, ...kleid, ...kranz, ...leu|te; bräut|lich; Braut‿paar, ...schau;** auf - gehen; **Braut|stand,** der; -[e]s
brav [*braf*] (tapfer; tüchtig; artig, ordentlich); -er, -ste; **bra|vo!** [...*wo*] (sehr gut!); **Bra|vo,** das; -s, -s (Beifallsruf); **Bra|vour** [...*wur*], die; - (Tapferkeit; Schneid); **Bra|vour|arie** [...*i*ᵉ]; **bra|vou|rös** (tapfer, schneidig; meisterhaft)
break! [*brek*] (Trennkommando des Ringrichters beim Boxkampf); **Break,** der od. das; -s, -s (Sport: schnell vorgetragener Durchbruch aus der Verteidigung heraus; Gewinn eines Punktes bei gegnerischem Aufschlag im Tennis)
brech|bar, Brech|boh|ne; Brech|ei|sen; bre|chen; brach (bräche), gebrochen); brich!; **Brech‿mit|tel** (das), **...reiz, ...stan|ge**
Bre|douil|le [*bredulj*ᵉ], die; - landsch. (Verlegenheit, Bedrängnis) in der - sein
Bree|ches [*britsch*ᵉ*ß*, auch: *bri*...], die (*Mehrz.;* Sport-, bes. Reithose)
Bre|gen, der; -s, - (nordd. für: Gehirn [vom Schlachttier])
Brei, der; -[e]s, -e, **brei|ig**
breit; des langen und -en (umständlich); **breit|bei|nig; Brei|te,** die; -, -n; **breit|ma|chen;** sich (ugs. für: sich anmaßend benehmen); **breit|schla|gen** (ugs. für: durch Überredung für etwas gewinnen); **breit|schult|rig; Breit|schwanz** (Lammfell); **breit|tre|ten** (ugs. für: weitschweifig darlegen); **Breit|wand** (im Kino); **Breit|wand|film**
[1]**Brem|se,** die; -, -n (ein Insekt)
[2]**Brem|se,** die; -, -n; **brem|sen; Brems|spur; Brem|sung; Brems‿vor|rich|tung, ...weg**
brenn|bar; Brenn|bar|keit, die; -; **bren|nen;** brannte (brennte [selten]), gebrannt
◇ flackern, lodern, lohen, sengen, schwelen, glühen, glimmen

Bren|ne|rei; Brennessel [*Trenn.:* Brenn|nes|sel], die; -, -n; **Brenn‿holz, ...ma|te|ri|al, ...punkt, ...spi|ri|tus, ...stoff, ...wei|te; brenz|lich** (österr. häufiger für: brenzlig); **brenz|lig;** eine -e Situation

Bre|sche, die; -, -n (gewaltsam gebrochene Lücke; Mauerbruch; Riß); eine - schlagen

Brett, das; -[e]s, -er
◇ Planke, Bohle, Diele, Bord

Bret|ter|bu|de; Brettl, das; -s, - (Kleinkunstbühne; südd. österr. auch: Ski); **Brett|spiel**

Bre|vier, das; -s, -e (Gebetbuch der kath. Geistlichen; Stundengebet; kurze Stellensammlung aus den Werken eines Schriftstellers)

Bre|zel, die; -, -n; **Bre|zen,** der; -s, - u. die; -, - (österr.)

Bridge [*bridsch*], das; - (Kartenspiel)

Brief, der; -[e]s, -e; **Brief‿be|schwe|rer, ...block** (*Mehrz.* ...blocks), **...bo|gen, ...druck|sa|che, ...kar|te, ...ka|sten** (*Mehrz.* ...kästen), **...kopf; brief|lich; Brief‿mar|ke, ...öff|ner, ...pa|pier, ...schaf|ten** *(Mehrz.)*, **...schrei|ber, ...ta|sche, ...trä|ger, ...um|schlag, ...wahl, ...wech|sel**

Brie|kä|se

Bries, das; -es, -e u. **Brie|sel,** das; -s, - (innere Brustdrüse bei Tieren, bes. beim Kalb)

Bri|ga|de, die; -, -n (größere Truppenabteilung; DDR: kleinste Arbeitsgruppe in einem Produktionsbetrieb); **Bri|ga|dier** [...*ie* u. bei dt. Ausspr.: ...ir], der; -s, -s u. (bei dt. Ausspr.:) -e (Befehlshaber einer Truppenabteilung, Brigade; DDR: Leiter einer Arbeitsbrigade); **Brigg,** die; -, -s (zweimastiges Segelschiff)

Bri|kett, das; -s, -s u. (selten:) -e (aus kleinstückigem od. staubförmigem Gut durch Pressen gewonnenes festes Formstück, z. B. Preßkohle)

bril|lant [*briljant*] (glänzend; fein); **Bril|lant,** der; -en, -en (geschliffener Diamant); **Bril|lanz,** die; - (Glanz, Feinheit)

Bril|le, die; -, -n

bril|lie|ren [*briljir^e^n*] (glänzen)

Brim|bo|ri|um, das; -s (ugs. für: Gerede; Umschweife)

brin|gen; brachte (brächte), gebracht

bri|sant (sprengend, hochexplosiv; sehr aktuell); **Bri|sanz,** die; -, -en (Sprengkraft)

Bri|se, die; -, -n ([Fahr]wind; Lüftchen)

Broad|way [*bro̊dwe^i^*], der, -s (Hauptstraße in New York)

bröckeln[1]

Brocken[1], der; -s, - (das Abgebrochene)

[1] *Trenn.:* ...k|k...

bröck|lig

bro|deln (dampfend aufsteigen, aufwallen; österr. auch für: Zeit vertrödeln); **Bro|dem,** der; -s (geh. für: Qualm, Dampf, Dunst)

Broi|ler [*breul^e^r*], der; -s, - (Hähnchen zum Grillen)

Bro|kat, der; -[e]s, -e (kostbares gemustertes Seidengewebe)

Brok|ko|li (*Mehrz.;* Spargelkohl)

Brom|bee|re; Brom|beer|strauch

bron|chi|al; Bron|chi|al‿asth|ma, ...ka|tarrh (Luftröhrenkatarrh); **Bron|chie** [...*i^e^*], die; -, -n (meist *Mehrz.*) (Luftröhrenast); **Bron|chi|tis,** die; -, ...itiden (Bronchialkatarrh)

Bron|ze [*brongß^e^*], die; -, -n (Metallmischung; Kunstgegenstand aus Bronze; nur *Einz.:* Farbe); **Bron|ze|zeit,** die; - (vorgeschichtl. Kulturzeit); **bron|zie|ren** (mit Bronze überziehen)

Bro|sa|me, die; -, -n (meist *Mehrz.*)

Bro|sche, die; -, -n

bro|schie|ren (Druckbogen in einen Papierumschlag heften od. leimen); **broschiert; Bro|schü|re,** die; -, -n (leicht gebundenes Heftchen, Druckheft; Flugschrift)

brö|seln (bröckeln)

Brot, das; -[e]s, -e; **Brot‿auf|strich, ...beu|tel**

Bröt|chen (ein Gebäck)
◇ Semmel (landsch.), Weck[en] (landsch.), Schrippe (berl.), Rundstück (nordd.)

Bröt|chen|ge|ber (ugs. scherzh. für: Arbeitgeber); **Brot‿er|werb, ...korb, ...kru|me, ...laib; brot|los;** -e Künste; **Brot|zeit** (südd. ugs. für: Zwischenmahlzeit [am Vormittag])

brot|zeln (Nebenform von: brutzeln)

Brow|ning [*braun*...], der; -s, -s (eine Schußwaffe)

[1]**Bruch,** der; -[e]s, Brüche (Brechen; Zerbrochenes)

[2]**Bruch** [auch: *bruch*], der u. das; -[e]s, Brüche (landsch. auch:) Brücher (Sumpfland)

Bruch‿band (das; *Mehrz.* ...bänder), **...bu|de** (ugs. für: baufällige Hütte; schlechtes, baufälliges Haus)

brü|chig (morsch); **Brü|chig|keit; Bruch|lan|dung; bruch|los; Bruch‿rech|nen** (das; -s), **...rech|nung** (die; -), **...stück, ...teil,** der, **...zahl**

Brücke [*Trenn.:* Brük|ke], die; -, -n
◇ Steg, Übergang, Viadukt, Überführung

Brücken‿bau [*Trenn.:* Brük|ken...] (*Mehrz.* ...bauten), **...bo|gen, ...kopf**

Bru|der, der; -s, Brüder; **brü|der|lich; Brü|der|lich|keit,** die; -; **Bru|der|schaft** (rel. Vereinigung); **Brü|der|schaft** (brüderliches Verhältnis); **Bru|der‿volk, ...zwist**

Brü|he, die; -, -n; **brü|hen**
brül|len
brum|meln (ugs. für: leise brummen; undeutlich sprechen); **brum|men; Brummer; brum|mig**
brü|nett (braunhaarig, -häutig)
Brunft, die; -, Brünfte (Jägerspr.: beim Wild [bes. Hirsch] svw. Brunst)
Brun|nen, der; -s, -
Brunst, die; -, Brünste (Periode der geschlechtl. Erregung u. Paarungsbereitschaft bei einigen Tieren)
brüsk (barsch; rücksichtslos); **brüs|kieren** (barsch, rücksichtslos behandeln); **Brüs|kie|rung**
Brust, die; -, Brüste; **brü|sten,** sich; **brust|schwim|men** (im allg. nur in der Grundform gebr.); **Brust‿schwimmen** (das; -s), **...stim|me, ...tee; Brüstung; Brust|war|ze**
Brut, die; -, -en
bru|tal (roh; gefühllos; gewalttätig); **bruta|li|sie|ren; Bru|ta|li|tät,** die; -, -en
brü|ten
brut|to (mit Verpackung; ohne Abzug der [Un]kosten; roh); **Brut|to‿ein|kommen, ...re|gi|ster|ton|ne** (Abk.: BRT), **...so|zi|al|pro|dukt**
brut|zeln (ugs. für: in zischendem Fett braten)
Btx = Bildschirmtext
Bub, der; -en, -en (südd., österr. u. schweiz. für: Junge); **Büb|chen,** Büblein; **Bu|be,** der; -n, -n (abwertend für: gemeiner, niederträchtiger Mensch; Spielkartenbezeichnung); **Bu|ben‿streich, ...stück; Bu|bi,** der; -s, -s (Koseform von: Bub); **Bu|bi|kopf** (weibl. Haartracht)
Buch, das; -[e]s, Bücher; - führen (Notizen, Aufzeichnungen machen)
◇ Band, Foliant, Titel, Schrift, Broschüre, Schmöker (ugs.), Wälzer (ugs.), Schinken (ugs.), Schwarte (ugs.)
Buch‿aus|stat|tung, ...bin|der; Buch|bin|de|rei; Buch|druckerkunst[1], die; -
Bu|che, die; -, -n; **Buch|ecker**[1], die; -, -n
bu|chen (in ein Rechnungs- od. Vormerkbuch eintragen; Plätze für eine Reise reservieren lassen)
◇ verbuchen, verzeichnen, erfassen, registrieren, archivieren
Buch|fink
Buch|füh|rung; Buch|hal|ter; Buch‿hal|tung, ...han|del, ...händ|ler; Buch|hand|lung; Buch|ma|cher (Vermittler von Rennwetten); **Buch|prü|fer** (Bücherrevisor)
Buchs|baum

[1] *Trenn.:* ...k|k...

Buch|se, die; -, -n (Steckdose; Hohlzylinder zur Aufnahme eines Zapfens usw.);
Büch|se, die; -, -n (zylindrisches [Metall]gefäß mit Deckel; Feuerwaffe); **Büch|sen‿fleisch, ...licht** (das; -[e]s; zum Schießen ausreichende Helligkeit) **...öff|ner**
Buch|sta|be, der; -ns (selten: -n), -n
◇ Letter, Schriftzeichen
buch|sta|bie|ren; buch|stäb|lich (genau nach dem Wortlaut)
Bucht, die; -, -en
Buch|wei|zen (Nutzpflanze)
Buckel[1], der; -s, - (Höcker, Rücken); **buckeln**[1] (einen Buckel machen)
bücken[1], sich
buck|lig
[1]**Bück|ling** (scherzh., auch abschätzig für: Verbeugung)
[2]**Bück|ling** (geräucherter Hering)
Bud|del, die; -, -n (ugs. für: Flasche)
bud|deln (ugs. für: im Sand wühlen, graben)
Bud|dhis|mus, der; - (Lehre Buddhas); **Bud|dhist,** der; -en, -en
Bu|de, die; -, -n
Bud|get [*büdsche*], das; -s, -s ([Staats]-haushaltsplan, Voranschlag)
Bu|do, das; -s (Sammelbegriff f. Judo, Karate u. ä. Sportarten)
Bü|fett, Buf|fet [*büfe*] (österr. auch: Büffet [*büfe*], schweiz.: Buf|fet [*büfe*]), das; -[e]s, -s u. (bei dt. Ausspr. von Büfett auch:) -e (Anrichte[tisch]; Geschirrschrank; Schanktisch)
Büf|fel, der; -s, - (Untergattung der Rinder); **büf|feln** (ugs. für: lange u. angestrengt lernen)
Buf|fet, Büf|fet vgl. Büfett
Buf|fo, der; -s, -s u. Buffi (Sänger komischer Rollen)
Bü|gel, der; -s, -; **Bü|gel‿ei|sen, ...falte**
bü|geln
◇ plätten (nordd.), glätten (landsch.), mangeln, mangen (landsch.), rollen (landsch.)
bug|sie|ren ([Schiff] schleppen, ins Schlepptau nehmen; ugs. für: mühsam an einen Ort befördern)
buh (Ausruf als Ausdruck des Mißfallens)
Bu|hei, das; -s (ugs. für: unnütze Worte, Theater um etw.); - machen
bu|hen (ugs. für: durch Buhrufe sein Mißfallen ausdrücken)
Bühl, der; -[e]s, -e u. Bü|hel, der; -s, - südd. u. österr. (für: Hügel)
buh|len; um jmds. Gunst -.
Buh|mann (familiär für: böser Mann, Schreckgespenst; *Mehrz.* ...männer)
Buh|ne, die; -, -n (künstlicher Damm zum Uferschutz)

[1] *Trenn.:* ...k|k...

Bühne, die; -, -n ([hölzerne] Plattform; Schaubühne; Spielfläche; Hebebühne; südd., schweiz. auch für: Dachboden)
Bukett, das; -[e]s, -e ([Blumen]strauß; Duft [des Weines])
Bulette, die; -, -n (gebratenes Fleischklößchen)
Bullauge (rundes Schiffsfenster)
Bulldogge (Hunderasse); **Bulldozer** [*búldosᵉr*], der; -s, - (schwere Zugmaschine, Bagger)
¹**Bulle,** der, -n, -n (Stier, männl. Zuchtrind; ugs. abwertend auch für: Polizist)
²**Bulle,** die; -, -n (mittelalterl. Urkunde, feierl. päpstl. Erlaß)
Bulletin [*bültäng*], das; -s, -s (amtliche Bekanntmachung; [Tages]bericht; Krankenbericht)
bullig
bullrig (ugs.)
Bumerang [auch: *bu...*], der; -s, -e od. -s (gekrümmtes Wurfholz)
Bummel, der; -s, - (ugs. für: Spaziergang); **Bummelant,** der; -en, -en; **Bummelei; bummeln; Bummel‿streik, ...zug** (scherzh.); **bummern** (ugs. für: dröhnend klopfen)
bumsen (ugs. für: dröhnend aufschlagen; ugs. für: koitieren); **Bumslokal** (ugs. für: zweifelhaftes Vergnügungslokal)
¹**Bund,** der; -[e]s, Bünde (Vereinigung)
◇ Bündnis, Verbindung, Verein, Klub, Verband, Zusammenschluß
²**Bund,** das; -[e]s, -e (Gebinde); vier - Stroh
Bündel, das; -s, -; **Bundhose** (Golfhose); **bündig** (bindend); kurz und -; **Bündnis,** das; -ses, -se
Bungalow [*bunggalo*], der; -s, -s (eingeschossiges [Sommer]haus)
Bunker, der; -s, - (Behälter zur Aufnahme u. Abgabe von Massengut [Kohle, Erz]; Betonunterstand; [Golf:] Sandloch); **bunkern** (Massengüter in den Bunker füllen)
bunt; ein bunter Abend, aber: Stoffe in Grau und Bunt
◇ farbig, mehrfarbig, farbenfroh, farbenprächtig, knallig (ugs.)
Bunt‿specht, ...stift, der
Bürde, die; -, -n
Bure, der; -n, -n (Nachkomme der niederl. u. dt. Ansiedler in Südafrika)
Burg, die; -, -en
Bürge, der; -n, -n; **bürgen**
Bürger; Bürgerbegehren, das; -s, -; **Bürger‿initiative, ...krieg; bürgerlich; Bürgermeister** [oft auch: *...maißtᵉr*]; **Bürger‿steig, ...tum** (das; -s)
Bürgschaft
burlesk (possenhaft)

Burnus, der; - u. -ses, -se (Beduinenmantel mit Kapuze)
Büro, das; -s, -s; **Bürokrat,** der; -en, -en; **Bürokratie,** die; -, ...ien; **bürokratisch**
Bursch, der; -en, -en (landsch. für: junger Mann; Studentenspr.: Verbindungsstudent mit allen Rechten); **Bursche,** der; -n, -n (Kerl; Studentenspr. auch für: Bursch); **burschikos** (salopp)
Bürste, die; -, -n; **bürsten**
Bürzel, der; -s, - (Schwanz[wurzel])
Bus, der; -ses, -se (Kurzform für: Autobus, Omnibus)
Busch, der; -[e]s, Büsche; **buschig**
Busen, der; -s, -
◇ Brust, Brüste, Büste, Balkon (ugs.), Titten (derb)
Busenfreund
Business [*bisniß*], das; - (Geschäft[sleben])
Bussard, der; -s, -e (ein Greifvogel)
Buße, die; -, -n (auch: Geldstrafe); **büßen** (schweiz. auch für: jmdn. mit einer Geldstrafe belegen)
Bußgeld; Bußgeldbescheid
Buß- und Bettag
Büste, die; -, -n; **Büstenhalter** (Abk.: BH)
Butler [*batlᵉr*], der; -s, - (Diener in vornehmen Häusern)
Bütt, die; -, -en (landsch. für: faßförmiges Vortragspult für Karnevalsredner)
Bütten, das; -s (Papierart)
Butter, die; -
Butterflystil [*batᵉrflai...*], der; -[e]s (Schwimmsport: Schmetterlingsstil)
Butzenscheibe ([runde] Glasscheibe mit Buckel in der Mitte)
Büx, Buxe, die; -, Büxen u. Buxen (nordd. für: Hose)
bye-bye! [*baibai*] (ugs. für: auf Wiedersehen!)
Bypass [*baipaß*], der; -es, ...pässe (Med.: Überbrückung eines krankhaft veränderten Abschnittes der Blutgefäße)
Byte [*bait*], das; -[s], -[s] (Datenverarbeitung: Zusammenfassung von 8 Bits)

Vgl. auch **K, Sch** und **Z**

C (Buchstabe); das C; des C, die C
c, C, das; -, - (Tonbezeichnung)
Cabaret [*kabare*] vgl. Kabarett
Cabriolet [*kabriole*], das; -s, -s vgl. Kabriolett

Ca|fé [*kafe*], das; -s, -s (Kaffeehaus, -stube); **Ca|fe|te|ria** [*kafeteria*], die; -, -s (Café od. Restaurant mit Selbstbedienung)
Cal|ci... usw. vgl. Kalzi... usw.
Call|girl [*kålgöˈl*] (Prostituierte, die auf telefon. Anruf hin kommt od. jmdn. empfängt)
Ca|mem|bert [*kamangbär*, auch: *kamᵉmbär*], der; -s, -s (ein Weichkäse)
Camp [*kämp*], das; -s, -s ([Feld-, Gefangenen]lager; auch Kurzform für: Campingplatz); **cam|pen** [*käm...*]; **Cam|per; Cam|ping,** das; -s (Leben auf Zeltplätzen im Zelt od. Wohnwagen, Zeltleben); **Cam|pus** [*ka...*; auch in engl. Aussprache: *kämpᵉß*], der; -, - (Universitätsgelände)
Ca|na|sta [*ka...*], das; -s (aus Uruguay stammendes Kartenspiel)
Can|can [*kangkang*], der; -s, -s (ein Tanz)
Cape [*kep*], das; -s,-s (ärmelloser Umhang)
Cap|puc|ci|no [*kaputschino*], der; -[s], -[s] (heißes Kaffeegetränk mit geschlagener Sahne)
Ca|pric|cio, (auch:) Ka|pric|cio [*kapritscho*], das; -s, -s (scherzhaftes, launiges Musikstück)
Car [*kar*], der; -s, -s (schweiz. Kurzform für: Autocar; Reiseomnibus)
Ca|ra|bi|nie|re vgl. Karabiniere
Ca|ra|van [*karawan*, auch: *karawan*, seltener: *kärᵉwän* od. *kärᵉwän*], der; -s, -s: (kombinierter Personen- u. Lastenwagen; Wohnwagen)
Car|bid vgl. Karbid
care of [*kär* -] (in Briefanschriften usw.: bei ...; Abk.: c/o)
Ca|ri|tas [*ka...*], die; - (Kurzbez. für den Deutschen Caritasverband der kath. Kirche)
Car|toon [*kaˈtun*], der od. das; -[s], -s (engl. Bez. für: Karikatur)
Ca|sa|no|va [*kasa...*], der; -[s], -s (ugs. für: Frauenheld, -verführer)
Cas|sa|ta [*ka...*], die; -, -s (Speiseeisspezialität)
Catch-as-catch-can [*kätschᵉskäschkän*], das; - (Freistilringkampf nordamerik. Herkunft); **cat|chen** [*kätschᵉn*]; **Cat|cher** [*kätschᵉr*] (Freistilringkämpfer)
Catch|up vgl. Ketchup
CB-Funk (privater Sprechfunkverkehr auf einem bestimmten Frequenzbereich)
CD-Plat|te (Kompaktschallplatte)
C-Dur [*zedur*, auch: *zedur*], das; - (Tonart; Zeichen: C); **C-Dur-Ton|lei|ter** [*ze...*]
Cel|list [*(t)schä...*], der; -en, -en (Cellospieler); **Cel|lo,** das; -s, -s u. ...lli (Kurzform für: Violoncello)
Cel|lo|phan Ⓦ [*zälofan*], das; -s (glasklare Folie)
Cel|si|us [*zäl...*] (Einheit der Grade beim 100teiligen Thermometer; Zeichen: C; fachspr.: °C); 5° C (fachspr.: 5 °C)
Cem|ba|lo [*tschäm...*], das; -s, -s u. ...li (Kielflügel, ein Tasteninstrument)
Cen|ter [*ßäntᵉr*], das; -s, - (Zentrum)
Cer|ve|lat [*ßärwᵉla*], der; -s, -s (schweiz. für: Brühwurst aus Rindfleisch mit Schwarten und Speck)
Će|vap|či|ći [*tschewaptschitschi*], die (*Mehrz.*; gegrillte Hackfleischröllchen)
Cha-Cha-Cha [*tschatschatscha*], der; -[s], -s (ein Tanz)
Chair|man [*tschäˈmᵉn*], der; -, ...men (engl. Bez. für den Vorsitzenden eines polit. od. wirtschaftl. Gremiums)
Chai|se [*schäsᵉ*], die; -, -n (veralt.: Stuhl, Sessel; [halbverdeckter] Wagen); **Chaise|longue** [*schäsᵉlongg*], die; -, -n [*schäsᵉlonggᵉn*] u. -s, ugs. auch: [...*long*], das; -s, -s (gepolsterte Liegestatt mit Kopflehne, Liege)
Cha|let [*schale*, ...*lä*], das; -s, -s (Sennhütte; Schweizerhäuschen, Landhaus)
Cha|mä|le|on [*ka...*], das; -s, -s (bes. auf Bäumen lebende Echse)
Cham|bre sé|pa|rée [*schangbrᵉ ßepare*], das; - -, -s -s [*schangbrᵉ ßepare*] (Sonderraum)
cha|mois [*schamoa*] (gemsfarben, gelbbräunlich)
Cham|pa|gner [*schampanjᵉr*] (ein Schaumwein)
◇ Sekt, Schaumwein, Champus (ugs.)
Cham|pi|gnon [*schangpinjong*, meist *schampinjong*], der; -s, -s (ein Edelpilz); **Cham|pi|on** [*tschämpjᵉn*, auch: schangpiong], der; -s, -s (Meister in einer Sportart)
Chan|ce [*schangßᵉ*, österr.: *schangß*], die; -, -n (günstige Möglichkeit, Gelegenheit)
Change *fr.* u. *engl.* [*schangsch*, engl. Ausspr.: *tscheˈndsch*], (bei fr. Ausspr.:) die; -, (bei engl. Ausspr.:) der; - (fr. u. engl. Bez. für: Tausch, Wechsel, bes. von Geld); **chan|geant** *fr.* [*schangschang*] (von Stoffen: in mehreren Farben schillernd); **chan|gie|ren** [*schangschirᵉn*] (schillern [von Stoffen]; Reitsport: vom Rechts- zum Linksgalopp übergehen; Jägerspr.: die Fährte wechseln [vom Jagdhund])
Chan|son [*schangßong*], das; -s, -s; **Chan|so|net|te,** (nach fr. Schreibung auch:) **Chan|son|net|te** [*schangßo...*], die; -, -n (Chansonsängerin; kleines Chanson); **Chan|son|nier** [*schangßonie*], der; -s, -s (Chansonsänger, -dichter)
Cha|os [*kaoß*], das; -; **Chao|ten** [*ka...*] (*Mehrz.*; polit. Chaos erstrebende Radikale); **chao|tisch**
Cha|rak|ter [*ka...*], der; -s, ...ere; **Cha|rak|ter_dar|stel|ler, ...ei|gen|schaft,**

...feh|ler; cha|rak|ter|fest; cha|rak|te|ri|sie|ren; Cha|rak|te|ri|stik, die; -, -en (Kennzeichnung; [eingehende, treffende] Schilderung; Technik: Kennlinie; Kennziffer eines Logarithmus); **cha|rak|te|ri|stisch; cha|rak|ter|lich; cha|rak|ter|los; Cha|rak|ter|zug**

Char|ge [*scharsch*[e]], die; -, -n (Rang; Militär: Dienstgrad; Technik: Ladung, Beschickung [von metallurgischen Öfen]; Theater: [stark ausgeprägte] Nebenrolle)

Cha|ris|ma [auch: *cha*...], das; -s, ...rismen u. ...rismata (geh. für: besondere Ausstrahlung)

Charles|ton [*tscha'lßt*[e]*n*], der; -, -s (ein Tanz)

char|mant [*schar*...]; **Charme** [*scharm*], der; -s; **Char|meur** [*...ör*], der; -s, -e (charmanter Plauderer); **Char|meuse** [*scharmös*], die; - (maschenfeste Wirkware [aus Kunstseide])

Char|ta [*karta*], die; -, -s ([Verfassungs]urkunde, [Staats]grundgesetz)

Char|ter|ma|schi|ne [*(t)schar*...] (für eine Flugreise gemietetes Flugzeug); **char|tern** (ein Schiff od. Flugzeug mieten)

Charts [*tscharz*] (*Mehrz.;* Liste[n] der beliebtesten Schlager)

Chas|sis [*schaßi*], das; - [*...ßi(ß)*], - [*...ßiß*] (Fahrgestell des Kraftwagens; Rahmen [eines Rundfunkgerätes])

Cha|suble [*schasübl,* auch in engl.Ausspr.: *tschäsjubl*], das; -s, -s (ärmelloses [an den Seiten offenes] Überkleid)

Chauf|feur [*schoför*], der; -s, -e

Chaus|see [*schoße*], die; -, ...sseen (veralt.: für: Landstraße)

Chau|vi [*schowi*], der; -s, -s (ugs. für: Mann mit übersteigertem Selbstwertgefühl gegenüber Frauen); **Chau|vi|nis|mus** [*schowi*...], der; - (einseitige, überspitzte Vaterlandsbegeisterung; übertriebenes männliches Selbstwertgefühl gegenüber Frauen); **Chau|vi|nist,** der; -en, -en; **chau|vi|ni|stisch**

Check [*tschäk*], der; -s, -s (beim Eishokkey jede Behinderung des Spielverlaufs); **checken** [*tschäk*[e]*n; Trenn.:* ...k|k...] (Eishockey: behindern, [an]rempeln; nachprüfen, kontrollieren)

Cheese|bur|ger [*tschisbö*[r]*g*[e]*r*], der; -s, - (Brötchen mit gebratenem Rinderhackfleisch und Käse)

Chef [*schäf,* österr.: *schef*], der; -s, -s; **Che|fin,** die; -, nen

Che|mie [*che...,* österr.: *ke...*], die; -; **Che|mi|ka|lie,** die; -, -ien [*...i*[e]*n*] (meist *Mehrz.*); **Che|mi|ker; che|misch; Che|mo|keu|le** (Sprühgerät für Reizstoffe, bes. Tränengas, das bei polizeilichen Einsätzen verwendet wird); **Che|mo|the|ra|pie,** die; - (Behandlung mit chemischen Heilmitteln)

Cher|ry Bran|dy [*(t)schäri brändi*], der; - -s, - -s (feiner Kirschlikör)

che|va|le|resk [*sch*[e]*wa*...] (ritterlich)

Che|vreau [*sch*[e]*wro,* auch: *schä*...], das; -s (Ziegenleder)

Chi|an|ti [*ki*...], der; -[s] (it. Rotwein)

chic usw. vgl. schick usw. (in den gebeugten Formen nur in der deutschen Schreibung: schick)

Chi|co|rée [*schikore,* auch: *...re*], die; - od. der; -s (ein Gemüse)

Chif|fon [*schifong,* österr. *...fon*], der; -s, -s u. (österr.:) -e (feines Gewebe)

Chif|fre [*schifr*[e], auch: *schif*[e]*r*], die; -, -n (Ziffer; Geheimzeichen, -schrift; Kennwort); **chif|frie|ren** (in Geheimschrift abfassen)

Chi|hua|hua [*tschi-ua-ua*], der; -s, -s (kleinster zwergpinscherähnlicher Hund)

Chi|li [*tschili*], der; -s (scharfe Gewürztunke)

Chi|mä|re usw. vgl. Schimäre usw.

Chi|nin [*chi...,* österr.: *ki*...], das; -s (Alkaloid der Chinarinde; ein Fiebermittel)

Chip [*tschip*], der; -s, -s (Spielmarke [bei Glücksspielen])

Chip|pen|dale [*(t)schip*[e]*nde*[i]*l*], das; -[s] ([Möbel]stil)

Chips [*tschipß*] (*Mehrz.;* in Fett gebackene Scheibchen roher Kartoffeln)

Chi|ro|mant [*chi...,* österr.: *ki*...], der; -en, -en (Handliniendeuter); **Chi|ro|man|tie,** die; -; **Chi|ro|prak|tik,** die; - (Heilmethode, Wirbel- u. Bandscheibenverschiebungen durch Massagegriffe zu beseitigen); **Chir|urg,** der; -en, -en (Facharzt für operative Medizin); **Chir|ur|gie,** die; -, ...ien; **chir|ur|gisch**

Chlor [*klor*], das; -s (chem. Grundstoff; Zeichen: Cl); **chlo|ren** (keimfrei machen); **Chlo|ro|form,** das; -s (Betäubungs-, Lösungsmittel); **chlo|ro|for|mie|ren** (mit Chloroform betäuben); **Chlo|ro|phyll,** das; -s (Blattgrün)

Cho|le|ra [*ko*...], die; - (eine Infektionskrankheit); **Cho|le|ri|ker** (leidenschaftlicher, reizbarer, jähzorniger Mensch); **cho|le|risch** (jähzornig; aufbrausend); **Cho|le|ste|rin,** das; -s (Bestandteil der Gallensteine)

[1]**Chor** [*kor*], der u. (seltener:) das; -[e]s, -e u. Chöre ([erhöhter] Kirchenraum mit [Haupt]altar); [2]**Chor,** der; -[e]s, Chöre (Gruppengesangswerk; Gemeinschaft von Sängern od. von Spielern gleichartiger Orchesterinstrumente); **Cho|ral,** der; -s, ...räle (Kirchenlied der ev. Gemeinde); **Cho|reo|gra|phie,** die; -, ...ien (Tanzbeschreibung, Regieentwurf für die Tanzbewegungen); **Cho|rist,** der; -en, -en ([Berufs]chorsänger); **Cho|ri|stin,** die; -, -nen; **Chor‿kna|be, ...lei|ter** (der), **...sän|ger**

Cho|se [*schose*], die; -, -n (ugs. für: Sache, Angelegenheit)
Chow-Chow [*tschau-tschau*], der; -s, -s (chin. Spitz)
Christ [*kr...*], der; -en, -en (Anhänger des Christentums); **Christ|baum** (landsch. für: Weihnachtsbaum); **Chri|sten|heit,** die; -; **Chri|sten|leh|re,** die; - (kirchl. Unterweisung der konfirmierten ev. Jugend; DDR: ev. Religionsunterricht); **Christ|kind; christ|lich; Christ|met|te; Chri|stus** (Jesus Christus)
Chrom [*krom*], das; -s (chem. Grundstoff, Metall; Zeichen: Cr); **Chro|mo|som,** das; -s, -en (Biol.: in jedem Zellkern vorhandene, für die Vererbung bedeutungsvolle Kernschleife)
Chro|nik [*kro...*], die; -, -en (Aufzeichnung geschichtl. Ereignisse nach ihrer Zeitfolge); **chro|nisch** (langsam verlaufend, langwierig); **Chro|nist,** der; -en, -en (Verfasser einer Chronik); **Chro|no|lo|gie,** die; - ([Lehre von der] Zeitrechnung; zeitliche Folge); **chro|no|lo|gisch** (zeitlich geordnet); **Chro|no|me|ter,** das u. (ugs. auch:) der; -s, - (genau gehende Uhr; Taktmesser)
Chrys|an|the|me [*krü...*], die; -, -n u. **Chrys|an|the|mum** [auch: *chrü...*], das; -s, ...emen (Zierpflanze mit großen strahligen Blüten)
Chuz|pe [*chuzpe*], die; - (ugs. verächtlich für: Dreistigkeit, Unverschämtheit)
Ci|dre [*ßider*], der; -s (französischer Apfelwein)
Ci|ne|ast [*ßi...*], der; -en, -en (Filmfachmann, Filmschaffender; auch für: Filmfan)
cir|ca (häufige Schreibung für: zirka; Abk.: ca.); **Cir|cu|lus vi|ti|o|sus** [*zir... wiz...*], der; - -, ...li ...si (Zirkelschluß, bei dem das zu Beweisende in der Voraussetzung enthalten ist); **Cir|cus** vgl. Zirkus
Ci|ty [*ßiti*], die; -, -s (Geschäftsviertel in Großstädten; Innenstadt)
Clan [*klan*, engl. Ausspr.: *klän*], der; -s, -e u. (bei engl. Ausspr.:) -s ([schott.] Lehns-, Stammesverband)
Cla|queur [*klakör*], der; -s, -e (bezahlter Beifallklatscher)
clean [*klin*] (ugs. für: nicht mehr von Drogen abhängig)
cle|ver [*kläwer*] (klug, gewitzt); **Cle|ver|neß,** die; -
Clinch [*klin(t)sch*], der, -[e]s (Umklammerung des Gegners im Boxkampf)
Clip vgl. Klipp u. Klips
Cli|que [*klike*, auch: *klike*], die; -, -n (Sippschaft; Bande; Klüngel)
Clo|chard [*kloschar*], der; -[s], -s (fr. ugs. Bez. für: Landstreicher, Pennbruder)
Clog [*klok*], der; -s, -s (meist *Mehrz.;* modischer Holzpantoffel)
Clou [*klu*], der; -s, -s (Glanz-, Höhepunkt; Zugstück; Kernpunkt)
Clown [*klaun*], der; -s, -s (Spaßmacher)
Club vgl. Klub
c-Moll [*zemol*, auch: *zemol*], das; - (Tonart; Zeichen: c); **c-Moll-Ton|lei|ter**
Coach [*koutsch*], der; -[s], -s (Sportlehrer, Trainer u. Betreuer eines Sportlers)
Co, Co. = Compagnie, Kompanie
Cocker|spa|ni|el [*Trenn.:* Cok|ker...] [*kokerßpänjel*], der; -[s], -s (angeblich aus Spanien stammende engl. Jagdhundart)
Cock|pit, das; -s, -s (vertiefter Sitzraum für die Besatzung von Jachten u. ä.; Pilotenkabine)
Cock|tail [*kókteil*], der; -s, -s (alkohol. Mischgetränk); **Cock|tail‿kleid, ...par|ty, ...schür|ze**
Code vgl. Kode
Cœur [*kör*], das; -[s], -[s] (Herz im Kartenspiel)
Cof|fe|in vgl. Koffein
Co|gnac Ⓦ [*konjak*], der; -s, -s (fr. Weinbrand)
Coif|feur [*koaför*, (schweiz.:) *koaför*], der; -s, -e (schweiz., sonst geh. für: Friseur)
Co|itus usw. vgl. Koitus usw.
Col|la|ge [*kolasche*], die; -, -n (aus buntem Papier od. anderem Material geklebtes Bild)
Col|lege [*kolidsch*], das; -[s], -s (in England u. in den USA höhere Schule; auch Universität)
Col|lie [*koli*], der; -s, -s (schott. Schäferhund)
Col|lier vgl. Kollier
Colt Ⓦ [*kolt*], der; -s, -s (Revolver)
Com|bo [*kombo*], die; -, -s (kleine Besetzung in der Jazzmusik)
Come|back [*kambäk*], das; -[s], -s (Wiederauftreten eines bekannten Künstlers, Sportlers, Politikers nach längerer Pause; auch auf Sachen bezogen)
Co|mic [*komik*], der; -s, -s (Kurzw. für: Comic strip [*komik ßtrip*]: Bildgeschichte [mit Sprechblasentext])
Com|mu|ni|qué vgl. Kommuniqué
Com|pa|gnie [*kongpanji*] vgl. Kompanie
Com|po|ser [*kompouser*], der; -s, - (Druckw.: elektr. Schreibmaschine mit auswechselbarem Kugelkopf)
Com|pu|ter [*kompjuter*], der; -s, - (elektron. Rechenanlage, Rechner); **com|pu|ter|ge|steu|ert;** eine computergesteuerte Fertigungsanlage; **Com|pu|ter|kri|mi|na|li|tät**
Con|cierge [*kongßjärsch*], der od. die; -, -s (fr. Bez. für: Gefängniswärter[in]; Pförtner[in])
Con|fé|ren|cier [*kongferangßie*], der; -s, -s (Sprecher, Ansager)
Con|tai|ner [*konteiner*], der; -s, - (Großbe-

hälter für den Verkehr von Werk zu Werk)
con|tra (lat. Schreibung von: kontra)
cool [*kul*] (ugs. für: ruhig, überlegen; kaltschnäuzig); **Cool Jazz** [- *dsehäs*], der; - - (Jazzstil der 50er Jahre)
Co|pi|lot vgl. Kopilot
Co|py|right [*kopirait*], das; -s, -s (amerik. Verlagsrecht)
Cord vgl. Kord
Cor|don bleu [*kordongblö*], das; - -, -s -s [...*dongblö*] (mit einer Käsescheibe und gekochtem Schinken gefülltes [Filet]-steak)
Cor|ned beef [*ko'n(e)d bif*], das; - - (gepökeltes Büchsenrindfleisch)
Cor|ner [*ko'nᵉr*], (auch:) Kor|ner, der; -s, - (Börsenwesen: Aufkäufergruppe; Ringecke [beim Boxen]; österr., sonst veralt. für: Ecke, Eckball beim Fußballspiel)
Corn-flakes [*ko'nfleⁱkß*] (*Mehrz.;* Maisflocken)
Corps vgl. Korps
Cor|pus de|lic|ti [*ko*... -], das; - -, ...pora - (Gegenstand od. Werkzeug eines Verbrechers; Beweisstück)
Cot|tage [*kotidsch*], das; -, -s (engl. Bez. für: Landhaus; Häuschen; österr.: Villenviertel)
Cot|ton [*kot(ᵉ)n*], der od. das; - (engl. Bez. für: Baumwolle)
Couch [*kautsch*], die u. (schweiz. auch:) der; -, -es [...*is*] u. (ugs.) -en (Liegestatt)
Cou|leur [*kulör*], die; -, -en u. -s (fr. Bez. für: Farbe [nur *Einz.*]; Trumpf [im Kartenspiel]; Studentenspr.: Band u. Mütze einer Verbindung)
Cou|lomb [*kulong*], das; -s, - (Maßeinheit für die Elektrizitätsmenge; Zeichen: C)
Count|down [*kauntdaun*], der u. das; -[s], -s (bis zum Zeitpunkt Null [Startzeitpunkt] zurückschreitende Ansage der Zeiteinheiten, oft übertr. gebraucht)
Coup [ku], der; -s, -s (Schlag; Streich; [Kunst]griff); **Cou|pé** [*kupe*], das; -s, -s ([Wagen]abteil; bestimmte Autokarosserieform)
Cou|plet [*kuple*], das; -s, -s (Lied [für die Kleinkunstbühne])
Cou|pon [*kupong*], der; -s, -s ([Stoff]abschnitt; Zinsschein)
Cou|ra|ge [*kurascheᵉ*], die; - (Mut); **cou|ra|giert** [*kuraschirt*] (beherzt)
Cou|sin [*kusäng*], der; -s, -s (Vetter); **Cou|si|ne** [*kusinᵉ*], die; -, -n (Base)
Cou|vert [*kuwär*], das; -s, -s usw. vgl. Kuvert usw.
Co|ver|girl [*kawᵉrgö'l*] (auf der Titelseite einer Illustrierten abgebildetes Mädchen)
Cow|boy [*kaubeu*], der; -s, -s (berittener amerik. Rinderhirt)
Crack [*kräk*], der; -s, -s (Spitzensportler); **Cracker** [*kräkᵉr; Trenn:* Crak|ker], der; -s -[s] (meist *Mehrz.;* hartes, sprödes Kleingebäck)
Cra|que|lé [*krakᵉle*], das; -s, -s (feine Haarrisse in der Glasur von Keramiken, auch auf Glas)
Creme [*kräm*, auch: *krem*], die; -, -s u. (schweiz.:) -n (pastenartige auftragbare Masse zur Pflege von Haut, Schuhen, Zähnen; auch für: feine [dickflüssige bis feste] Süßspeise; übertr.: das Erlesenste [nur *Einz.*]); vgl. auch: Krem; **creme-far|ben** od. **...far|big; cre|men;** die Haut -
Crew [*kru*], die; -, -s ([Schiffs- u. Flugzeug]mannschaft)
Crime [*kraim*], das; - (engl. Bez. für: Straftat, Verbrechen)
Crom|ar|gan Ⓦz, das; -s (rostfreier Chrom-Nickel-Stahl)
Cro|quet|te vgl. Krokette
cross (Tennis: diagonal); den Ball - spielen
Crou|pier [*krupie*], der; -s, -s (Gehilfe des Bankhalters im Glücksspiel)
Crou|ton [*krutong*], der; -[s], -s (gerösteter Weißbrotwürfel
Crux, die; - (Leid, Kummer; Schwierigkeit)
Csár|dás [*tschárdasch*], der; -, - (ung. Nationaltanz)
Cun|ni|lin|gus [*ku*...], der; - (Lecken am weibl. Geschlechtsorgan)
Cup [*kap*], der; -s, -s (Pokal; Ehrenpreis; Schale des Büstenhalters)
Cu|ra|çao Ⓦz [*küraßao*], der; -[s], -s (ein Likör)
Cur|ling [*kö'ling*], das; -s (schott. Eisspiel)
Cur|ri|cu|lum [*kurik*...], das; -s, ...la (Päd.: Theorie des Lehr- u. Lernablaufs; Lehrplan, -programm)
Cur|ry [*köri,* selten: *kari*], der u. (auch:) das; -s (Gewürzmischung)
Cut [*kat,* meist: *köt*] u. **Cut|away** [*katᵉweⁱ,* meist: *kötᵉweⁱ*], der; -s, -s (abgerundet geschnittener Herrenschoßrock)
Cut|ter [*katᵉr*], der; -s, - (Film, Rundfunk, Fernsehen: Schnittmeister); **Cut|te|rin,** die; -, -nen

D

D (Buchstabe); das D; des D, die D
d, D, das; -, - (Tonbezeichnung)
da
da|be|hal|ten (zurückbehalten, nicht weglassen)

da|bei [auch: *da*...]; er ist reich und dabei (doch) nicht stolz; **da|bei|blei|ben** (bei einer Tätigkeit bleiben); er hat mit dem Training begonnen, ist aber nicht dabeigeblieben, aber: **da|bei blei|ben** (bei einer Meinung u. ä. verharren); trotz aller Einwände will er dabei bleiben; **da|bei-ha|ben** (ugs. für: bei sich haben; teilnehmen lassen); **da|bei|sein** (anwesend, beteiligt sein); **da|bei|sit|zen** (sitzend zugegen sein); **da|bei|ste|hen** (stehend zugegen sein)
da|blei|ben (nicht fortgehen), aber: **da blei|ben;** du sollst da (dort) bleiben
da ca|po [- *kapo*] (Musik: noch einmal von Anfang an; Abk.: d. c.)
Dach, das; -[e]s, Dächer
Dach|bo|den
◇ Boden, Speicher, Estrich (landsch.)
Dach‿decker [*Trenn.:* ...dek|ker], **...gar-ten, ...ge|schoß, ...ge|sell|schaft** (Spitzen-, Muttergesellschaft), **...ha|se** (ugs. scherzh. für: Katze), **...kam|mer, ...lu|ke, ...or|ga|ni|sa|ti|on, ...pap-pe, ...pfan|ne, ...rei|ter, ...rin|ne, ...scha|den** (ugs. für: geistiger Defekt)
Dachs, der; -es, -e; **Dachs|bau** (*Mehrz.* -e)
Dach|stuhl
Dackel [*Trenn.:* Dak|kel], der; -s, - (Dachshund, Teckel)
Dad|dy [*dädi*], der; -s, -s od. Daddies [*dädis*] (engl. ugs. Bez. für: Vater)
da|durch [auch: *da*...]
Daff|ke (berliner.); nur in: aus - (Trotz)
da|für [auch: *da*...]; **da|für|hal|ten** (meinen); er hat dafürgehalten; **da|für|kön-nen;** nichts -
DAG = Deutsche Angestellten-Gewerkschaft
da|ge|gen [auch: *da*...]; die Prüfung der anderen war gut, seine - schlecht; **da|ge-gen|hal|ten** (vorhalten, erwidern); **da-ge|gen|stel|len,** sich (sich widersetzen); es nützt dir nichts, dich dagegenzustellen
da|heim; Da|heim, das; -s; **Da|heim-ge|blie|be|ne,** der u. die; -n, -n
da|her [auch: *da*...]; **da|her|ge|lau|fen;** ein -er Kerl; **da|her|kom|men;** sieh nur, wie er daherkommt!, aber: **da|her kom|men;** es wird daher kommen, daß ...; **da|her|re|den;** dumm -
da|hin [auch: *da*...]; wie weit ist es bis -?; *Getrenntschreibung:* dahin (an das bezeichnete Ziel) fahren, gehen; er äußerte sich dahin gehend, daß ...; *Zusammenschreibung:* wie die Stunden dahinfliegen, dahingehen; es bleibe dahingestellt, daß ...
da|hin|däm|mern; ich dämmere dahin
da|hin|ge|gen [auch: *da*...]
da|hin|ge|hen (vergehen); wie schnell sind die Tage dahingegangen; **da|hin-ge|stellt;** - bleiben; **da|hin|le|ben; da-hin|raf|fen; da|hin|se|geln; da|hin-sie|chen;** bei dieser Krankheit wird er elend dahinsiechen; **da|hin|ste|hen** (nicht sicher, noch fraglich sein)
da|hin|ten [auch: *da*...]; **da|hin|ter** [auch: *da*...]; der Bleistift liegt -; **da|hin-ter|knien,** sich (ugs. für: sich bei etwas anstrengen); **da|hin|ter|kom|men** (erkennen, erfahren); **da|hin|ter|set|zen,** sich (ugs. für: sich bei etwas anstrengen); **da|hin|ter|stecken** [*Trenn.:* ...stek|ken] (ugs. für: zu bedeuten haben); **da|hin-ter|ste|hen** (unterstützen, helfen)
Dah|lie [...*i*[e]], die; -, -n (Zierpflanze)
da|las|sen; er hat seinen Mantel dagelassen
Dal|be|rei (ugs. für: Alberei); **dal|be|rig, dal|brig** (ugs. für: albern); **dal|bern** (ugs. für: sich albern verhalten)
da|lie|gen (hingestreckt liegen); er hat völlig erschöpft dagelegen
Dal|les, der; - (ugs. für: Armut; Not)
dal|li! (ugs. für: schnell)
da|ma|lig
da|mals
◇ früher, seinerzeit, in der/zu der/zu jener Zeit, einst[ens], dazumal (veralt.), weiland (veralt.)
Da|mast, der; -[e]s, -e (ein Gewebe)
Da|me, die; -, -n
Dä|mel, der; -s, - (ugs. für: Dummkopf, alberner Kerl)
Da|men|ein|zel (Sport); **da|men|haft; Da|men‿schnei|der, ...wahl** (beim Tanz); **Da|me‿spiel, ...stein**
Dam|hirsch
da|misch (bayr.-schwäb., österr. ugs. für: dumm, albern; schwindelig; sehr)
da|mit [auch: *da*...]
Däm|lack, der; -s, -e u. -s (ugs. für: Dummkopf)
däm|lich (ugs. für: dumm, albern)
Damm, der; -[e]s, Dämme
◇ Pier, Mole, Kai, Deich
Damm|bruch, der; -[e]s, ...brüche
däm|men (auch für: isolieren)
däm|me|rig, dämm|rig; **Däm|mer-licht,** das; -[e]s; **däm|mern;** es dämmert; **Däm|mer‿schop|pen, ...stun-de; Däm|me|rung; Däm|mer|zu-stand; dämm|rig,** däm|me|rig
Damm|riß (Med.)
Däm|mung (auch für: Isolierung)
Dä|mon, der; -s, ...onen; **dä|mo|nen-haft; Dä|mo|nie,** die; -, ...ien; **dä|mo-nisch**
Dampf, der; -[e]s, Dämpfe; **Dampf|bad; damp|fen; dämp|fen; Damp|fer,** der; -s, - ([Dampf]schiff); **Dämp|fer,** der; -s, -; einen - aufsetzen (ugs. für: mäßigen); **Dampf‿hei|zung, ...kes|sel,**

...koch|topf, ...lo|ko|mo|ti|ve, ...ma|schi|ne, ...nu|del (südd. für: gebackene Hefeteigkugel; meist *Mehrz.*), **...schiff, ...schiffahrt** [*Trenn.:* ...schiff-fahrt]; **Dämp|fung; Dampf|wal|ze**
Dam|wild
da|nach [auch: *da...*]
Da|na|er|ge|schenk [*...naᵉr*] (unheilbringendes Geschenk)
Dan|cing [*danßing*], das; -s, -s (Tanzbar, Tanzlokal)
Dan|dy [*dändi*], der; -s, -s (Stutzer, Geck, Modenarr)
da|ne|ben [auch: *da...*]; **da|ne|ben|be-neh|men,** sich (ugs. für: sich unpassend benehmen); **da|ne|ben|fal|len;** er ist danebengefallen; **da|ne|ben|ge|hen** (ugs. für: mißlingen); **da|ne|ben|grei-fen** (vorbeigreifen; einen Fehlgriff tun); **da|ne|ben|hau|en** ([am Nagel] vorbeihauen; ugs. für: aus der Rolle fallen, sich irren); **da|ne|ben|lie|gen** (ugs. für: sich irren, täuschen); mit dieser Meinung liegst du daneben, aber: es wird sicher daneben (= neben den anderen Sachen) liegen; **da|ne|ben|schie|ßen** (vorbeischießen; ugs. für: sich irren)
da|nie|der; da|nie|der|lie|gen
dank; *Verhältnisw.* mit *Wemf.* od. *Wesf.*, in der *Mehrz.* überwiegend mit *Wesf.:* - meinem Fleiße; - eures guten Willens; - raffinierter Verfahren
Dank, der; -[e]s; Gott sei -!
◇ Dankbarkeit, Anerkennung
dank|bar; Dank|bar|keit, die; -
dan|ken; danke schön!
◇ Dank sagen, sich bedanken, seinen Dank ausdrücken / aussprechen / bezeigen / bezeugen
dan|kens|wert; Dan|kes|be|zei|gung (nicht: ...bezeugung); **Dan|ke|schön,** das; -s; **dank|sa|gen** u. **Dank sa|gen;** du danksagtest u. du sagtest Dank; dankgesagt u. Dank gesagt; dankzusagen u. Dank zu sagen, aber: ich sage vielen Dank; **Dank|sa|gung; Dank|schrei-ben**
dann; - und wann
dar|an [auch: *dar...*], (ugs.:) dran; **dar-an|ge|ben** (geh. für: opfern); er wollte alles darangeben; **dar|an|ge|hen** (mit etwas beginnen); er ist endlich darangegangen; **dar|an|hal|ten,** sich (sich anstrengen, beeilen); du mußt dich schon etwas daranhalten, wenn du fertig werden willst; **dar|an|ma|chen,** sich (ugs. für: mit etwas beginnen); **dar|an|set-zen** (für etwas einsetzen); er hat alles darangesetzt, um dies Ziel zu erreichen
dar|auf [auch: *dar...*], (ugs.:) drauf; **dar-auf|hin** [auch: *dar...*] (demzufolge, danach, darauf, unter diesem Gesichtspunkt)
dar|aus [auch: *dar...*], (ugs.:) draus
dar|ben
dar|bie|ten; Dar|bie|tung
dar|brin|gen; Dar|brin|gung
dar|ein [auch: *dar...*], (ugs.:) drein; **dar-ein|fin|den,** (ugs.:) drein|fin|den, sich; er hat sich dareingefunden
dar|in [auch: *da...*], (ugs.:) drin; **dar|in-nen,** (ugs.:) drin|nen
dar|le|gen
◇ darstellen, auseinandersetzen, ausführen, erörtern
Dar|le|gung
◇ Darstellung, Ausführung, Betrachtung
Dar|le|hen, Dar|lehn, das; -s, -; **Dar|le-hens‿kas|se** oder Dar|lehns|kas|se, **...sum|me** oder Dar|lehns|sum|me, **...ver|trag** oder Dar|lehns|ver|trag, **...zins** od. Dar|lehns|zins; **Dar|lehn** usw. vgl. Darlehen usw.
Dar|ling, der; -s, -s (Liebling)
Darm, der; -[e]s, Därme; **Darm‿blu-tung, ...ent|lee|rung, ...er|kran-kung, ...flo|ra** (Sammelbez. für die Bakterien im Darm), **...in|fek|ti|on, ...ka-tarrh, ...krebs, ...sai|te, ...tä|tig-keit, ...träg|heit, ...ver|schlin|gung, ...ver|schluß, ...wand**
dar|nach, dar|ne|ben, dar|nie|der (älter für: danach usw.)
dar|ob [auch: *dar...*], drob
Dar|re, die; -, -n (Trocken- od. Röstvorrichtung; Tierkrankheit)
dar|rei|chen; Dar|rei|chung
dar|ren (Technik: dörren, trocknen, rösten)
dar|stel|len; Dar|stel|ler, der; -s, -; **Dar|stel|le|rin,** die; -, -nen; **dar|stel-le|risch; Dar|stel|lung; Dar|stel-lungs‿form, ...ga|be, ...kunst, ...mit|tel, ...wei|se**
dar|tun (zeigen, beweisen)
dar|über [auch: *dar...*], (ugs.:) drüber; **dar|über|fah|ren** (über etwas streichen); er wollte mit der Hand darüberfahren; **dar|über|ma|chen,** sich (ugs. für: mit etwas beginnen); er wollte sich gleich darübermachen; **dar|über-schrei|ben;** er hat eine Bemerkung darübergeschrieben; **dar|über|ste|hen** (überlegen sein); er hat mit seiner Anschauung weit darübergestanden
dar|um [auch: *dar...*], (ugs.:) drum; **dar-um|kom|men** (nicht bekommen); er ist darumgekommen; **dar|um|le|gen** (um etwas legen); er hat den Verband darumgelegt; **dar|um|ste|hen** (um etwas stehen)
dar|un|ter [auch: *dar...*], (ugs.:) drun|ter; **dar|un|ter|fal|len** (zu etwas od. jmdm. gehören); ich kenne die Bestimmung, er wird auch darunterfallen; **dar|un|ter-lie|gen** (unter etwas liegen)

das
da|sein (gegenwärtig, zugegen, vorhanden sein); so etwas ist noch nicht dagewesen (vorgekommen); **Da|sein,** das; -s; **Da|seins‿angst, ...be|rech|ti|gung, ...form, ...freu|de, ...kampf,** der; -[e]s
das heißt (Abk.: d. h.)
da|sit|zen
das|je|ni|ge; *Wesf.:* desjenigen, *Mehrz.:* diejenigen
daß; so daß (immer getrennt)
das|sel|be; *Wesf.:* desselben, *Mehrz.:* dieselben
da|ste|hen (gelten, wert sein); wie wird er nach diesem Vorgang dastehen; wie hat er dagestanden
Date [*de'ᵗt*], das; -[s], -s (ugs. für: Verabredung, Treffen); **Da|tei,** die; -, -en (Speichereinrichtung bei der EDV); **Da|ten** (*Mehrz.;* Angaben, Tatsachen); **Da|ten‿bank** (*Mehrz.* ...banken), **...er|fas|sung, ...schutz, ...schutz|be|auf|trag|te, ...trä|ger, ...über|tra|gung; da|ten|ver|ar|bei|tend; Da|ten|ver|ar|bei|tung; da|tie|ren** (mit Zeitangabe versehen); **Da|tie|rung**
Da|tiv, der; -s, -e [...*wᵉ*] (Sprachw.: Wemfall, 3. Fall)
da|to (Kaufmannsspr.: heute); bis - (bis heute)
Dat|scha, die; -, -s od. ...schen u. **Dat|sche,** die; -, -n (russ. Holzhaus; Sommerhaus)
Dat|tel, die; -, -n; **Dat|tel‿pal|me, ...pflau|me**
Da|tum, das; -s, ...ten; **Da|tums|an|ga|be; Da|tum[s]|stem|pel**
Dau|be, die; -, -n (Seitenbrett eines Fasses; hölzernes Zielstück beim Eisschießen)
Dau|er, die; -, (fachspr. gelegentlich:) -n; **Dau|er‿ar|beits|lo|se, ...auf|trag, ...be|la|stung, ...be|schäf|ti|gung, ...ein|rich|tung; dau|er|haft; Dau|er‿lauf, ...lut|scher;** [1]**dau|ern;** es dauert nicht lange
[2]**dau|ern** (geh. für: leid tun); es dauert mich
dau|ernd; Dau|er‿re|gen, ...wel|le, ...wurst, ...zu|stand
Dau|men, der; -s, -; **Dau|men|ab|druck; dau|men‿breit, ...dick**
Dau|ne, die; -, -n (Flaumfeder); **Dau|nen‿bett, ...decke** [*Trenn.:* ...dek|ke], **...fe|der, ...kis|sen**
[1]**Daus** (Teufel), nur noch in: was der -!; ei der -! (veralt.)
[2]**Daus,** das; -es, Däuser, (auch:) -e (zwei Augen im Würfelspiel; As im deutschen Kartenspiel)
Da|vis-Cup [*de'ᵗwißkap*], **Da|vis-Po|kal,** der; -s (internationaler Tenniswanderpreis)
da|von [auch: *da*...]; **da|von|blei|ben** (nicht anfassen); **da|von|ge|hen** (weggehen); **da|von|kom|men** (auch übertr. für: Glück haben); er ist noch einmal davongekommen; **da|von|las|sen;** er soll die Finger davonlassen (sich nicht damit abgeben); **da|von|lau|fen** (weglaufen); **da|von|ma|chen,** sich (ugs. für: davonlaufen); **da|von|tra|gen** (forttragen); das Pferd hat ihn in Windeseile davongetragen; er hat den Sieg davongetragen
da|vor [auch: *da*...]; **da|vor|hän|gen;** sie soll einen Vorhang davorhängen; **da|vor|lie|gen;** der Teppich hat davorgelegen; **da|vor|ste|hen;** er hat schweigend davorgestanden
da|wi|der (veralt., noch landsch. für: dagegen); wenn Sie nichts - haben
da|zu [auch: *da*...]; **da|zu|ge|hö|ren** (zu jmdm. od. etw. gehören); **da|zu|ge|hö|rig; da|zu|hal|ten,** sich (heranhalten, beeilen); er hat sich dazugehalten; **da|zu|kom|men** (hinzukommen); **da|zu|mal;** Anno (österr.: anno) -; **da|zu|rech|nen** (rechnend hinzufügen); **da|zu|tun** (hinzutun); er hat zwei Äpfel dazugetan; **Da|zu|tun,** das; in der Fügung: ohne mein - (ohne meine Hilfe, Unterstützung)
da|zwi|schen [auch: *da*...]; **da|zwi|schen|fah|ren** (sich in etwas einmischen, Ordnung schaffen); du mußt mal ordentlich dazwischenfahren; **da|zwi|schen|kom|men** (auch übertr. für: sich in etwas einmischen); er ist dazwischengekommen; **da|zwi|schen|ru|fen; da|zwi|schen|tre|ten** (auch übertr. für: schlichten, ausgleichen)
DDR = Deutsche Demokratische Republik
Dea|ler [*dilᵉr*], der; -s, - (Rauschgifthändler)
De|ba|kel, das; -s, - (Zusammenbruch; blamable Niederlage)
De|bat|te, die; -, -n (Diskussion, Erörterung); **de|bat|tie|ren**
de|bil (Med.: schwach; leicht geistesschwach); **De|bi|li|tät,** die; - (Med.: Schwäche, leichter Grad des Schwachsinns)
De|bi|tor, der; -s, ...oren (meist *Mehrz.;* Schuldner, der Waren von einem Lieferer auf Kredit bezogen hat)
De|brec|zi|ner, die (*Mehrz.;* stark gewürzte Würstchen)
De|büt [*debü*], das; -s, -s (erstes Auftreten); **De|bü|tant,** der; -en, -en (erstmalig Auftretender; Anfänger); **De|bü|tan|tin,** die; -, -nen; **de|bü|tie|ren**
De|chant [auch, vor allem österr.: *dech*...], der; -en, -en (höherer kath. Geistlicher, Vorsteher eines kath. Kirchenbezirkes innerhalb der Diözese u. a.)

de|chif|frie|ren [*deschifriren*] (entziffern; Klartext herstellen); **De|chif|frie|rung**

Deck, das; -[e]s, -s; **Deck‿adres|se, ...bett, ...blatt; Decke**[1], die; -, -n; **Deckel**[1], der; -s, -; **deckeln**[1]; ich ...[e]le; **decken**[1]; **Decken**[1]**‿ge|mäl|de, ...kon|struk|ti|on, ...lam|pe, ...ma|le|rei; Deck‿far|be, ...man|tel, ...na|me** (der; -ns, -n); **Deckung**[1]; **deckungs|gleich**[1] (für: kongruent); **Deck‿weiß, ...wort** (*Mehrz.* ...wörter)

de|co|die|ren vgl. dekodieren

Dé|colle|té vgl. Dekolleté

De|di|ka|ti|on [*...zion*], die; -, -en (Widmung; Geschenk); **de|di|zie|ren** (widmen; schenken)

De|duk|ti|on [*...zion*], die; -, -en (Herleitung des Besonderen aus dem Allgemeinen; Beweis); **de|duk|tiv** [auch: *de...*]; **de|du|zie|ren**

De|es|ka|la|ti|on [*...zion*], die; -, -en (stufenweise Abschwächung, Verringerung); **de|es|ka|lie|ren**

de fac|to (tatsächlich [bestehend]); **De-fac|to-An|er|ken|nung**

De|fä|ka|ti|on [*...zion*], die; -, -en (Med.: Reinigung, Klärung; auch: Kotentleerung); **de|fä|kie|ren**

De|fä|tis|mus, (schweiz. auch:) **De|fai|tis|mus** [*...fä...*] der; - (Schwarzseherei)
◇ Nihilismus, Panikmache, Pessimismus

De|fä|tist, (schweiz. auch:) De|fai|tist [*...fä...*], der; -en, -en (Schwarzseher); **de|fä|ti|stisch,** (schweiz. auch:) de|fai|ti|stisch [*...fä...*]

de|fekt (fehlerhaft)
◇ beschädigt, schadhaft, kaputt

De|fekt, der; -[e]s, -e

de|fen|siv (verteidigend); **De|fen|si|ve** [*...we*], die; -, -n (Verteidigung, Abwehr); **De|fen|siv‿krieg, ...spiel** (Sportspr.), **...spie|ler** (Sportspr.), **...stel|lung, ...tak|tik**

De|fi|lee [schweiz. *de...*], das; -s, -s (schweiz. nur so) u. ...leen ([parademäßiger] Vorbeimarsch); **de|fi|lie|ren** (parademäßig od. feierlich vorbeiziehen)

de|fi|nie|ren (den Inhalt eines Begriffs o. ä. bestimmen); **De|fi|ni|ti|on** [*...zion*], die; -, -en; **de|fi|ni|tiv** (endgültig, abschließend)

De|fi|zit, das; -s, -e (Fehlbetrag); **de|fi|zi|tär**

De|fla|ti|on [*...zion*], die; -, -en (Geol.: Abblasung lockeren Gesteins durch Wind; Wirtsch.: unzureichende Versorgung einer Volkswirtschaft mit Geld); **de|fla|tio|ni|stisch**

De|flo|ra|ti|on [*...zion*], die; -, -en (Zerstörung des Jungfernhäutchens beim ersten Geschlechtsverkehr)

de|flo|rie|ren
◇ entjungfern, die Unschuld rauben

De|flo|rie|rung

De|for|ma|ti|on [*...zion*], die; -, -en (Formänderung; Verunstaltung); **de|for|mie|ren; De|for|mie|rung**

def|tig (ugs. für: derb, saftig)

De|gen, der; -s, - (eine Stichwaffe)

De|ge|ne|ra|ti|on [*...zion*], die; -, -en (Ent-, Ausartung); **de|ge|ne|rie|ren**

de|gou|tant (ekelhaft)

De|gra|die|rung, die; -, -en (Rangverlust; Landw.: Veränderung eines guten Bodens zu einem schlechten [durch Auswaschung, Kahlschlag u. a.])

de|gres|siv ([stufenweise] abnehmend)

dehn|bar; Dehn|bar|keit, die; -; **dehnen; Deh|nung**

Deich, der; -[e]s, -e (Damm); **Deich‿fuß, ...graf, ...haupt|mann**

Deich|sel, die; -, -n (Wagenteil); **deichseln** (ugs. für: [etwas Schwieriges] zustande bringen)

deik|tisch (hinweisend; auf Beispiele gegründet)

dein; dei|ne, deinige; **dei|ner|seits; dei|nes|glei|chen; dei|net|we|gen; dei|net|wil|len;** um -

de ju|re (von Rechts wegen); **De-ju|re-An|er|ken|nung**

De|ka, das; -[s], - (österr. Kurzform für: Dekagramm); **De|ka|de,** die; -, -n (Zehnzahl; zehn Stück; Zeitraum von zehn Tagen, Wochen, Monaten oder Jahren)

de|ka|dent (verfallen; entartet); **De|ka|denz,** die; - (Verfall; Entartung)

De|ka|gramm, das; -s, -[e] (10 g; Zeichen: Dg [in Österreich: dag od. dkg])

De|kan, der; -s, -e (Vorsteher einer Fakultät; Amtsbezeichnung für Geistliche); **De|ka|nat,** das; -[e]s, -e (Amt, Bezirk eines Dekans)

de|kar|tel|li|sie|ren (Kartelle entflechten, auflösen)

De|kla|ma|ti|on [*...zion*], die; -, -en (Erklärung; künstlerisch vorgetragener Text); **de|kla|ma|to|risch; de|kla|mie|ren**

De|kla|ra|ti|on [*...zion*], die; -, -en ([Zoll-, Steuer]erklärung; Inhalts-, Wertangabe); **de|kla|rie|ren**

de|klas|sie|ren (herabsetzen)

de|kli|na|bel (veränderlich, beugbar); **De|kli|na|ti|on** [*...zion*], die; -, -en (Sprachw.: Beugung des Haupt-, Eigenschafts-, Für- u. Zahlwortes; Abweichung der Richtung einer Magnetnadel von der wahren Nordrichtung; Abweichung, Winkelabstand eines Gestirns vom Himmelsäquator); **de|kli|nie|ren** (Sprachw.: [Haupt-, Eigenschafts-, Für- und Zahlwörter] beugen)

---
[1] *Trenn.:* ...k|k...

de|ko|die|ren, (in der Technik meist:) de|co|die|ren (einen Kode entschlüsseln); **De|ko|die|rung**

De|kolle|té, (schweiz.:) Dé|colle|té [*dekolte*], das; -s, -s (tiefer [Kleid]ausschnitt); **de|kolle|tie|ren; de|kolle|tiert; De-kolle|tie|rung**

De|kon|zen|tra|ti|on [*...zion*], die; -, -en (Zerstreuung, Zersplitterung, Auflösung); **de|kon|zen|trie|ren**

De|kor, der u. (auch:) das; -s, -s u. -e ([farbige] Verzierung, Ausschmückung, Vergoldung); **De|ko|ra|teur** [*...tör*], der; -s, -e; **De|ko|ra|teu|rin** [*...törin*], die; -, -nen; **De|ko|ra|ti|on** [*...zion*], die; -, -en; **de|ko|ra|tiv; de|ko|rie|ren; De|ko-rie|rung** (auch Auszeichnung mit Orden u. ä.)

De|ko|rum, das; -s (Anstand, Schicklichkeit)

De|ko|stoff (Kurzform für: Dekorationsstoff)

De|kret, das; -[e]s, -e (Beschluß; Verordnung; behördliche, richterliche Verfügung); **de|kre|tie|ren**

de|ku|vrie|ren (zu erkennen geben, entlarven)

de|lea|tur (Druckw.: Korrekturanweisung, etwas zu streichen; Zeichen: ₰);
De|lea|tur, das; -s, - (Druckw.: das Tilgungszeichen)

De|le|gat, der; -en, -en (Bevollmächtigter); **De|le|ga|ti|on** [*...zion*], die; -, -en; **De|le|ga|ti|ons‿lei|ter** (der), **...mit-glied, ...teil|neh|mer; de|le|gie|ren; De|le|gier|te,** der u. die; -n, -n; **De|le-gie|rung**

de|lek|tie|ren (geh. für: ergötzen, erfreuen); sich -

de|li|kat (lecker, wohlschmeckend; zart; heikel); **De|li|ka|tes|se,** die; -, -n (Lekkerbissen; Feinkost; in der *Einz.* auch: Zartgefühl); **De|li|ka|tes|sen|ge-schäft,** od. **De|li|ka|teß|ge|schäft**

De|likt, das; -[e]s, -e (Vergehen; Straftat); **de|lin|quent** (straffällig, verbrecherisch); **De|lin|quent,** der; -en, -en (Übeltäter; Angeklagter)

De|li|ri|um, das; -s, ...ien [*...iᵉ*] (Fieber-, Rauschzustand)

de|li|zi|ös (köstlich)

Del|le, die; -, -n (ugs. für: [leichte] Vertiefung; Beule)

Del|phin, der; -s, -e (Zahnwal); **Del|phi-na|ri|um,** das; -s, ...ien [*...iᵉn*] (Anlage zur Pflege, Züchtung und Dressur von Delphinen); **del|phin|schwim|men** (im allg. nur in der Grundform gebr.); er kann nicht -; **Del|phin|schwim|men,** das; -s

Del|ta, das; -s, -s u. ...ten (dreieckförmige mehrarmige Flußmündung]); **del|ta|för-mig; Del|ta|strah|len, δ-Strah|len** (*Mehrz.;* Höhenstrahlen aus Elektronen mit so hoher Geschwindigkeit, daß sie Zweigspuren erzeugen)

dem

Dem|ago|ge, der; -n, -n (Volksverführer, -aufwiegler); **Dem|ago|gie,** die; -, ...ien; **dem|ago|gisch**

De|mar|che [*demarschᵉ*], die; -, -n (diplomatischer Schritt, mündlich vorgetragener diplomatischer Einspruch)

De|mar|ka|ti|on [*...zion*], die; -, -en (Abgrenzung); **De|mar|ka|ti|ons|li|nie; de|mar|kie|ren; De|mar|kie|rung**

de|mas|kie|ren (die Maske abnehmen; jmdn. entlarven); **De|mas|kie|rung**

De|men|ti, das; -s, -s (offizieller Widerruf; Berichtigung); **de|men|tie|ren** (widerrufen; berichtigen; für unwahr erklären); eine Meldung -

dem|ent|spre|chend

dem|ge|gen|über (dagegen, anderseits), aber: dem [Manne] gegenüber saß ...; **dem|ge|mäß**

de|mi|li|ta|ri|sie|ren (entmilitarisieren)

De|mi|mon|de [*dᵉmimongdᵉ*], die; - (Halbwelt)

De|mis|si|on, die; -, -en (Rücktritt eines Ministers od. einer Regierung); **de|mis-sio|nie|ren**

dem|nach; dem|nächst

De|mo, die; -, -s (ugs. kurz für: Demonstration)

De|mo|bi|li|sa|ti|on [*...zion*], die; -, -en; **de|mo|bi|li|sie|ren; De|mo|bi|li|sie-rung**

De|mo|krat, der; -en, -en; **De|mo|kra-tie,** die; -, ...ien (Regierungssystem, in dem der Wille des Volkes ausschlaggebend ist); **de|mo|kra|tisch; de|mo-kra|ti|sie|ren; De|mo|kra|ti|sie|rung**

de|mo|lie|ren (gewaltsam entzweimachen, beschädigen)

De|mon|strant, der; -en, -en; **De|mon-stra|ti|on** [*...zion*]; die; -, -en; **de|mon-stra|tiv; De|mon|stra|tiv|pro|no-men,** das; -s, - (Sprachw.: hinweisendes Fürwort, z. B. „dieser, diese, dieses"); **de|mon|strie|ren** (beweisen, vorführen; eine Massenversammlung veranstalten, daran teilnehmen)

De|mon|ta|ge [*demontaschᵉ,* auch: *...mong...*], die; -, -n (Abbau, Abbruch [insbes. von Industrieanlagen]); **de-mon|tie|ren**

de|mo|ra|li|sie|ren (den moralischen Halt nehmen; entmutigen)

De|mo|skop, der; -en, -en (Meinungsforscher); **De|mo|sko|pie,** die; -, ...ien (Meinungsumfrage, Meinungsforschung); **de|mo|sko|pisch**

De|mut, die; -; **de|mü|tig; de|mü|ti-gen; De|mü|ti|gung; De|muts‿ge-bär|de, ...hal|tung; de|mut[s]|voll**

dem|zu|fol|ge (demnach)
den
De|na|tu|ra|li|sa|ti|on [*...zion*], die; -, -en (Entlassung aus der bisherigen Staatsangehörigkeit); **de|na|tu|ra|li|sie|ren; de|na|tu|rie|ren** (ungenießbar machen; vergällen); denaturierter Spiritus
de|nen
Den|gel, der; -s, - (Schneide einer Sense, Sichel od. eines Pfluges); **den|geln** (Sense, Sichel od. Pflug durch Hammerschlag schärfen)
De|nier [*denie*], das; -[s], - (frühere Einheit für die Fadenstärke bei Seide u. Chemiefasern; Abk.: den)
Denk‿an|stoß, ...art, ...auf|ga|be; denk|bar; die - günstigsten Bedingungen
den|ken; dachte (dächte), gedacht
◇ überlegen, sich Gedanken machen, sich den Kopf zerbrechen, den Verstand gebrauchen, seinen Geist anstrengen · meinen, sich vorstellen
Den|ken, das; -s; **Den|ker; Denk|mal** (*Mehrz.* ...mäler [seltener: ...male]); **Denk|mal[s]‿kun|de,** die; -; **...pfle|ge** (die; -), **...schutz; Denk‿mo|dell, ...pau|se, ...schrift, ...sport; denk|ste!** (ugs. für: das hast du dir so gedacht!); **denk|wür|dig; Denk|zet|tel**
denn; es sei -, daß ...; vor „je" u. zur Vermeidung von doppeltem „als": mehr -je; man kennt ihn eher als Maler - als Dichter
den|noch
◇ doch, trotzdem, nichtsdestoweniger, gleichwohl (geh.), demungeachtet/demunerachtet/dessenungeachtet (Papierdt.), nichtsdestotrotz (ugs.)
den|tal (Med.: die Zähne betreffend; Sprachw.: mit Hilfe der Zähne gebildet); **Den|tist,** der; -en, -en (früher für: Zahnarzt ohne Hochschulprüfung)
De|nun|zi|ant, der; -en, -en (abwertend: jmd., der einen anderen anzeigt); **De|nun|zia|ti|on** [*...zion*], die; -, -en (Anzeige eines Denunzianten); **de|nun|zie|ren**
De|odo|rant, das; -s, -e u. -s (geruchtilgendes Mittel)
De|par|te|ment [*depart(e)mang*, österr.: *departmang*, schweiz.: *departemänt*], das; -s, -s u. (schweiz.:) -e (Verwaltungsbezirk in Frankreich; Ministerium beim Bund und in einigen Kantonen in der Schweiz)
De|pen|dance [*depangdangß*], (schweiz.:) **Dé|pen|dance** [*depangdangß*], die; -, -n (Nebengebäude [eines Hotels])
De|pe|sche, die; -, -n; (Draht-, Funknachricht); **de|pe|schie|ren**
de|pla|ciert [*deplaßirt*], (eingedeutscht:) **de|pla|ziert** (fehl am Platz; unangebracht)
De|po|nie, die; -, ...ien (Lagerplatz, zentraler Müllabladeplatz); **de|po|nie|ren**
De|por|ta|ti|on, [*...zion*], die; -, -en (zwangsweise Verschickung; Verbannung); **de|por|tie|ren**
De|pot [*depo*], das; -s, -s (Niederlage; Hinterlegtes; Sammelstelle, Lager; Med.: Ablagerung)
Depp, der; -en u. -s, -en u. -e (bes. südd., österr. ugs. für: ungeschickter, einfältiger Mensch); **dep|pert** (südd., österr. ugs. für: einfältig, dumm)
De|pres|si|on, die; -, -en (Niedergeschlagenheit; Senkung; wirtschaftlicher Rückgang; Meteor.: Tief); **de|pres|siv** (gedrückt, niedergeschlagen); **de|pri|mie|ren** (niederdrücken; entmutigen); **de|pri|miert** (niedergeschlagen)
De|pu|tat, das; -[e]s, -e (regelmäßige Leistungen in Naturalien als Teil des Lohnes; volle Anzahl der Pflichtstunden eines Lehrers); **De|pu|ta|ti|on** [*...zion*], die; -, -en (Abordnung)
de|ran|giert [*...schirt*] (verwirrt, zerzaust)
der|art (so); **der|ar|tig;** derartiges (solches), aber: etwas Derartiges (so Beschaffenes)
derb
Der|by [*därbi*], das; -[s], -s (Pferderennen)
der|einst
de|ren
de|rent|we|gen
de|rer
der|ge|stalt (so)
der|glei|chen
der|je|ni|ge
der|lei (dergleichen)
der|mal|einst
der|ma|ßen (so)
der|sel|be; es war derselbe Hund
der|weil, der|wei|le[n]
Der|wisch, der; -[e]s, -e (Mitglied eines islamischen religiösen Ordens)
der|zeit (augenblicklich, gegenwärtig; veralt. für: früher, damals); **der|zei|tig**
des
De|sa|ster, das; -s, - (Mißgeschick; Zusammenbruch)
des|avou|ie|ren [*...awuiren*] (nicht anerkennen, in Abrede stellen; im Stich lassen, bloßstellen)
De|ser|teur [*...tör*], der; -s, -e (Fahnenflüchtiger, Überläufer); **de|ser|tie|ren; De|ser|ti|on** [*...zion*], die; -, -en (Fahnenflucht)
des|glei|chen
des|halb
De|sign [*disain*], das; -s, -s (Plan, Entwurf, Muster, Modell); **De|si|gner** [*disainer*], der; -s, - (Formgestalter für Gebrauchs- u. Verbrauchsgüter); **de|si|gnie|ren** (bestimmen, bezeichnen, für ein Amt vorsehen)

Des|il|lu|si|on, die; -, -en (Enttäuschung; Ernüchterung); **des|il|lu|sio|nie|ren**
Des|in|fek|ti|on [...*zion*], die; -, -en (Vernichtung von Krankheitserregern); **des|in|fi|zie|ren; Des|in|fi|zie|rung**
Des|in|ter|es|se, das; - (Unbeteiligtheit, Gleichgültigkeit); **des|in|ter|es|siert**
de|skrip|tiv (beschreibend)
Des|odo|rant, das; -s, -e u. -s; vgl. Deodorant; **des|odo|rie|ren** (geruchlos machen)
de|so|lat (vereinsamt; trostlos, traurig)
de|spek|tier|lich (verächtlich, geringschätzig)
De|spe|ra|do, der; -s, -s ([politischer] Heißsporn; Bandit)
Des|pot, der; -en, -en (Gewaltherr, Willkürherrscher; herrische Person); **Des|po|tie,** die; -, ...ien; **des|po|tisch**
des|sel|ben
des|sen; des|sen|un|ge|ach|tet
Des|sert [*däßär* (österr. nur so) od. *däßärt*], das; -s, -s
◇ Nachspeise, Nachtisch
Des|sin [*däßäng*], das; -s, -s (Zeichnung; Muster)
De|stil|le, die; -, -n (ugs. für: Branntweinausschank); **de|stil|lie|ren;** destilliertes Wasser (chemisch reines Wasser)
de|sto; - besser
de|struk|tiv (zersetzend, zerstörend)
des|un|ge|ach|tet [auch: *däßun*...]; **des|we|gen**
De|tail [*detaj*], das; -s, -s (Einzelheit, Einzelteil); **de|tail|liert;** -e Angaben
De|tek|tei, die; -, -en (Detektivbüro); **De|tek|tiv,** der; -s, -e [...*wᵉ*]; dem, den Detektiv (nicht: Detektiven)
de|ter|mi|nie|ren (bestimmen, begrenzen, entscheiden)
De|to|na|ti|on [..*zion*], die; -, -en (Knall, Explosion); **de|to|nie|ren** (knallen, explodieren)
deu|teln; daran gibt es nichts zu -; **deuten; deut|lich**
deutsch; auf deutsche Art, in deutscher Weise; von deutscher Abstammung; in deutschem Wortlaut; zu deutsch, auf deutsch, auf gut deutsch, in deutsch (in deutschem Text, Wortlaut); der Redner hat deutsch (nicht englisch) gesprochen; **Deutsch,** das; des -[s], dem - (die deutsche Sprache, sofern sie die Sprache eines einzelnen oder einer bestimmten Gruppe bezeichnet oder sonstwie näher bestimmt ist; Kenntnis der deutschen Sprache) mein, dein, sein Deutsch ist schlecht; er kann, lehrt, lernt, schreibt, spricht, versteht [kein, nicht, gut, schlecht] Deutsch; **¹Deut|sche,** der u. die; -n, -n; ich Deutscher; wir Deutschen (auch: wir Deutsche); alle [guten] Deutschen; **²Deutsche,** das; des -n, dem -n (die deutsche Sprache überhaupt); das Deutsche ist eine indogermanische Sprache; er hat aus dem Englischen ins Deutsche übersetzt; **deutsch|spra|chig** (in deutscher Sprache abgefaßt, vorgetragen); -e Bevölkerung; **deutsch|sprach|lich** (die deutsche Sprache betreffend); -er Unterricht
Deu|tung; Deu|tungs|ver|such
De|vi|se [...*wisᵉ*], die; -, -n (Wahlspruch; meist *Mehrz.* für: Zahlungsmittel in ausländ. Währung); **De|vi|sen‿aus|gleich, ...über|schuß**
de|vot [*dewot*] (gottergeben; unterwürfig)
De|zem|ber, der; -[s], - (zwölfter Monat im Jahr; Christmond, Julmond, Wintermonat); im Laufe des Dezember[s]
de|zent (anständig; abgetönt; zart)
De|zer|nat, das; -[e]s, -e (Geschäftsbereich, Sachgebiet bei Behörden, in Verwaltungen); **De|zer|nent,** der; -en -en (Leiter eines Dezernats)
De|zi... (Zehntel...; ein Zehntel einer Einheit)
de|zi|diert (entschieden, kurz entschlossen, bestimmt)
de|zi|mal (auf die Grundzahl 10 bezogen); **De|zi|mal‿bruch,** der (Bruch, dessen Nenner mit einer Potenz von 10 gebildet wird), **...sy|stem** (das; -s); **De|zi|me|ter** [auch: *dezi*...], der u. das; -s, - ($^1/_{10}$ m; Zeichen: dm); **de|zi|mie|ren** (urspr. jeden zehnten Mann mit dem Tode bestrafen; heute: große Verluste beibringen; stark vermindern); **de|zi|miert**
d'Hondt|sche Sy|stem, das; -n -s (Berechnungsmodus für die Sitzverteilung in Parlamenten bei der Verhältniswahl)
Dia, das; -s -s (Kurzform für: Diapositiv)
Dia|be|tes, der; - (Harnruhr); - mellitus (Med.: Zuckerharnruhr, Zuckerkrankheit); **Dia|be|ti|ker**
dia|bo|lisch (teuflisch)
dia|chro|nisch (die geschichtliche Entwicklung betreffend)
Dia|dem, das; -s, -e (kostbarer Reif)
Dia|gno|se, die; -, -n ([Krankheits]erkennung; Zool., Bot.: Bestimmung); **dia|gno|stisch; dia|gno|sti|zie|ren**
dia|go|nal (schräglaufend); **Dia|go|na|le,** die; -, -n (Gerade, die zwei nicht benachbarte Ecken eines Vielecks miteinander verbindet); zwei Diagonale[n]
Dia|gramm, das; -s -e (zeichnerische Darstellung errechneter Werte in einem Koordinatensystem; Stellungsbild beim Schach; Drudenfuß)
Dia|kon [österr.: *dia*...], der; -s u. -en, -e[n] (kath., anglikan. od. orthodoxer Geistlicher, der um einen Weihegrad unter dem Priester steht; Krankenpfleger od. Pfarrhelfer in der ev. Inneren Mission); **Dia|ko|nie,** die; - ([berufsmäßige] Sozialtätigkeit [Krankenpflege, Gemeindedienst]

in der ev. Kirche); **Dia|ko|nis|se,** die; -, -n u. **Dia|ko|nis|sin,** die; -, -nen (ev. Kranken- u. Gemeindeschwester)
Dia|lekt, der; -[e]s, -e (Mundart); **Dia|lek|tik,** die; - (Erforschung der Wahrheit durch Aufweis u. Überwindung von Widersprüchen; auch für: Spitzfindigkeit); **dia|lek|tisch** (mundartlich; die Dialektik betreffend; auch für: spitzfindig); -er Materialismus ([sowjet.] Lehre von den Grundbegriffen der Dialektik u. des Materialismus)
Dia|log, der; -[e]s, -e (Zwiegespräch; Wechselrede)
Dia|ly|se, die; -, -n (chem. Trennungsmethode)
Dia|mant, der; -en, -en (Edelstein); **dia|man|ten;** -e Hochzeit (60. Jahrestag der Hochzeit)
dia|me|tral (entgegengesetzt [wie die Endpunkte eines Durchmessers])
Dia|po|si|tiv, das; -s, -e [...*w*[e]] (Kopie eines Negativs auf einer durchsichtigen Diapositivplatte; Kurzform: Dia)
Di|ar|rhö[1], **Di|ar|rhöe,** die; -, ...rrhöen (Durchfall)
Dia|spo|ra, die; - (Gebiete, in denen religiöse Minderheiten leben, auch die religiösen Minderheiten selbst)
di|ät (der richtigen Ernährung entsprechend; mäßig); - leben; **Di|ät,** die; - ([richtige] Ernährung; Schonkost); **Diä|ten** (*Mehrz.;* Tagegelder; Entschädigung)
dicht; Dich|te, die; -, (selten:) -n (Technik auch: Verhältnis der Masse zur Raumeinheit); [1]**dich|ten** (dicht machen)
[2]**dich|ten** (Verse schreiben)
◇ schreiben, reimen, schriftstellern
Dich|ter; Dich|te|rin, die; -, -nen; **dich|te|risch**
dicht|hal|ten (ugs. für: schweigen)
dicht|ma|chen (ugs. für: schließen); er hat seinen Laden dichtgemacht
[1]**Dich|tung** (Gedicht)
[2]**Dich|tung** (Vorrichtung zum Dichtmachen); **Dich|tungs‿mit|tel,** das, **...ring**
dick; durch - und dünn gehen
◇ korpulent, [wohl]beleibt (geh.), vollschlank, mollig, rundlich, pummelig, wohlgenährt, gut im Futter (ugs.)
Dick|darm
dicke|tun[1] (ugs. für: sich wichtig machen); **dick|fel|lig; Dick|häu|ter; Dickicht**[1], das; -s, -e; **Dick|kopf; dick|lich; Dick‿milch, ...schä|del; dick|tun** vgl. dicketun
Di|dak|tik, die; - (Unterrichtslehre)
die
Dieb, der; -[e]s, -e
◇ Räuber, Einbrecher, Bandit, Langfinger (ugs.)
Die|bin, die; -, -nen; **die|bisch; Dieb|stahl,** der; -[e]s, ...stähle
die|je|ni|ge
Die|le, die; -, -n
◇ Flur, Vorraum, Entree, Korridor
die|nen
Die|ner
◇ Butler, Lakai, Page, Boy, Dienstbote, Domestik[e]
Die|ne|rin, die; -, -nen; **die|nern; dien|lich; Dienst,** der; -[e]s, -e
Diens|tag, der; -[e]s, -e; **Diens|tag|abend** [auch: *dinßtagab*[e]*nt*]; am - hat sie Gesangstunde; **diens|tags**
Dienst‿al|ter, ...äl|te|ste, ...an|tritt; dienst|eif|rig, ...fer|tig, ...frei; Dienst‿ge|heim|nis, ...ge|spräch, ...grad; dienst|ha|bend; Dienst|ha|ben|de, der u. die; -n, -n; **Dienst|lei|stung; Dienst|lei|stungs|ge|wer|be; dienst|lich; Dienst|mann,** der; -[e]s, ...männer [österr. nur so] u. ...leute (Gepäckträger); **Dienst‿pflicht, ...rang, ...rei|se, ...schluß, ...stel|le; dienst|ver|pflich|tet; Dienst‿wa|gen, ...woh|nung**
dies; dies|be|züg|lich
Die|sel, der; -[s], - (Kurzform für: [Wagen mit] Dieselmotor)
die|sel|be
die|ser; die|ses
die|sig (neblig)
dies|jäh|rig; dies|mal; dies|seits; *Verhältnisw.* mit *Wesf.:* - des Flusses; *Umstandsw.:* - vom Wald
Diet|rich, der; -s, -e (Nachschlüssel)
dif|fa|mie|ren (im Wert, Ansehen herabsetzen); **Dif|fa|mie|rung**
dif|fe|rent (verschieden, ungleich); **Dif|fe|ren|ti|al** [...*zi*...], das; -s, -e (Math.: unendlich kleine Differenz; Ausgleichsgetriebe); **Dif|fe|ren|ti|al|rech|nung; Dif|fe|renz,** die; -,-en; **dif|fe|ren|zie|ren** (trennen; unterscheiden); **Dif|fe|ren|ziert|heit** (Unterschiedlichkeit, Abgestuftsein); **Dif|fe|ren|zie|rung** (Sonderung, Abstufung); **dif|fe|rie|ren** (verschieden sein; voneinander abweichen)
dif|fi|zil (schwierig, mühsam; schwer zu behandeln; heikel)
dif|fus (zerstreut; ungeordnet)
di|gi|tal (Med.: mit dem Finger; bei Rechenmaschinen: in, mit Ziffern); **Di|gi|tal‿rech|ner** (eine Rechenmaschine), **...uhr** (die; -, -en; Uhr, die die Uhrzeit als Zahl angibt [z. B. 18.20])

---
[1] In Übereinstimmung mit der Arbeitsgruppe für medizin. Literaturdokumentation in der Deutschen Gesellschaft für Dokumentation und mit führenden Fachverlagen wurde die Form auf -oe zugunsten der Form -ö aufgegeben.
[2] *Trenn.:* ...k|k...

Dik|ta|phon, das; -s, -e (Tonbandgerät zum Diktieren); **Dik|tat,** das; -[e]s, -e; **Dik|ta|tor,** der; -s, ...oren; **dik|ta|to|risch; Dik|ta|tur,** die; -, -en; **dik|tie|ren; Dik|tier|ge|rät; Dik|ti|on** [...*zion*], die; -, -en (Schreibart; Ausdrucksweise); **Dik|tio|när,** das u. der; -s, -e (Wörterbuch)
Di|lem|ma, das; -s, -s u. -ta (Klemme; Wahl zwischen zwei [unangenehmen] Dingen, Zwangslage, -entscheidung)
Di|let|tant, der; -en, -en (Nichtfachmann; Laie; veralt. für: [Kunst]liebhaber)
di|let|tan|tisch
◇ laienhaft, stümperhaft, unfachmännisch
Dill, der; -s, -e (eine Gewürzpflanze)
Di|men|si|on, die; -, -en (Ausdehnung; [Aus]maß; Bereich)
Dim|mer, der; -s, - (Vorrichtung, mit der die Helligkeit von elektrischem Licht stufenlos verändert werden kann)
DIN® (Kurzw. für: *D*eutsche *I*ndustrie-*N*orm[en], Verbandszeichen des Deutschen Instituts für Normung e. V.)
Di|ner [*dine*], das; -s, -s (Mittagessen; [Fest]mahl)
Ding, das; -[e]s, -e u. (abschätzig:) -er (Sache); **ding|fest,** nur in: jmdn. - machen; **Dings,** der, die, das; - (ugs. für eine unbekannte od. unbenannte Person od. Sache); **Dings|bums,** der, die, das; - (ugs. für eine unbekannte od. unbenannte Person od. Sache); **Dings|da,** der, die, das; - (ugs. für eine unbekannte od. unbenannte Person od. Sache); **Ding|wort** (für: Substantiv; *Mehrz.* ...wörter)
di|nie|ren (zu Mittag essen, speisen)
Din|ner, das; -s, -[s] (Hauptmahlzeit in England [abends eingenommen])
Di|ora|ma, das; -s, ...men (plastisches Schaubild vor einem gemalten od. fotografierten Rundhorizont)
Di|oxin, das; -s (hochgiftige Verbindung von Chlor und Kohlenwasserstoff)
Di|oxyd [auch: ...*üt*], das; -s, -e (Oxyd, das zwei Sauerstoffatome enthält)
Di|öze|se, die; -, -n (Amtsgebiet eines [kath.] Bischofs, auch: ev. Kirchenkreis)
Dip, der; -s, -s (kalte, dickflüssige Soße zum Eintunken von kleinen Happen)
Diph|the|rie, die; -, ...ien (eine Infektionskrankheit)
Di|plom, das; -[e]s, -e (amtl. Schriftstück; Urkunde; [Ehren]zeugnis); **Di|plo|mand,** der; -en, -en (jmd., der sich auf eine Diplomprüfung vorbereitet); **Di|plom|ar|beit; Di|plo|mat,** der; -en, -en (beglaubigter Vertreter eines Landes bei Fremdstaaten); **Di|plo|ma|ten‿aus|weis, ...kof|fer, ...lauf|bahn, ...paß, ...schreib|tisch** (bes. wuchtiger Schreibtisch); **Di|plo|ma|tie,** die; - (Kunst des [staatsmännischen] Verhandelns mit fremden Mächten; Staatskunst; Gesamtheit der Diplomaten; kluge Berechnung); **di|plo|ma|tisch** (staatsmännisch; klug berechnend); **Di|plom|in|ge|nieur** (Abk.: Dipl.-Ing.)
dir
di|rekt (in gerader Richtung, unmittelbar); **Di|rekt|flug; Di|rekt|heit; Di|rek|ti|on** [...*zion*], die; -, -en (schweiz. auch: kantonales Ministerium); **Di|rek|ti|ons‿se|kre|tä|rin, ...zim|mer; Di|rek|ti|ve** [...*w*ᵉ], die; -, -n (Weisung; Verhaltensregel); **Di|rekt|man|dat; Di|rek|tor,** der; -s, ...oren; **Di|rek|tri|ce** [...*trißᵉ*], die; -, -n (leitende Angestellte [bes. in der Bekleidungsindustrie]); **Di|rekt‿sen|dung, ...spiel** (Sportspr.), **...über|tra|gung, ...ver|kauf; Di|rex,** der; -, -e (Schülerspr. für: Direktor)
Di|ri|gent, der; -en, -en; **Di|ri|gen|ten‿pult, ...stab; di|ri|gie|ren** (leiten; Takt schlagen); **Di|ri|gis|mus,** der; - (staatl. Lenkung der Wirtschaft); **di|ri|gi|stisch**
Dirndl, das; -s, - (bayr., österr. für: junges Mädchen; Dirndlkleid); **Dirndl|kleid; Dir|ne,** die; -, -n (Prostituierte)
Dis|agio [...*adscho*], das; -s, -s (Abschlag, um den der Preis eines Wertpapiers hinter dem Nennwert zurückbleibt)
Disc|jockey[1] vgl. Diskjockey
Dis|count‿ge|schäft [*dißkaunt*...] (Geschäft, in dem Waren sehr billig, mit hohem Rabatt verkauft werden), **...la|den, ...preis**
Di|seur [*disör*], der; -s, -e (Sprecher, Vortragskünstler); **Di|seu|se** [*disösᵉ*], die; -, -n
Dis|har|mo|nie, die; -, ...ien (Mißklang; Uneinigkeit); **dis|har|mo|nie|ren; dis|har|mo|nisch**
Dis|ket|te, die; -, -n (EDV: beidseitig beschichtete, als Datenspeicher dienende Magnetplatte)
Disk|jockey[1] [*dißkdschoke*, engl. Ausspr.: ...*ki*], der; -s, -s (jmd., der Schallplatten präsentiert)
Disk|ka|me|ra (Kamera, bei der die Fotos auf einer runden Scheibe belichtet werden)
Dis|ko, die; -, -s (Kurzform von Diskothek)
Dis|kont, der; -s, -e (Zinsvergütung bei noch nicht fälligen Zahlungen)
Dis|kont|satz (Zinssatz)
Dis|ko|thek, die; -, -en (Schallplattensammlung; Lokal, in dem Schallplatten gespielt werden)
dis|kre|di|tie|ren (in Verruf bringen)
Dis|kre|panz, die; -, -en (Unstimmigkeit, Zwiespältigkeit)

---
[1] *Trenn.:* ...k|k...

dis|kret (taktvoll, rücksichtsvoll; unauffällig; vertraulich); **Dis|kre|ti|on** [*...zion*], die; -
dis|kri|mi|nie|ren (herabwürdigen, unterschiedlich behandeln); **Dis|kri|mi|nie|rung** (unterschiedliche Behandlung; Herabsetzung, Herabwürdigung)
Dis|kurs, der; -es, -e ([eifrige] Erörterung; Verhandlung)
Dis|kus, der; -, ...ken u. -se (Wurfscheibe)
Dis|kus|si|on, die; -, -en (Erörterung; Aussprache; Meinungsaustausch)
Dis|kus|wer|fer
dis|ku|ta|bel (erwägenswert; strittig); ...a|ble Fragen; **dis|ku|tie|ren**
Dis|pens, der; -es, -e u. (österr.:) die; -, -en (Aufhebung einer Verpflichtung, Befreiung; Urlaub; Ausnahme[bewilligung]); **dis|pen|sie|ren** (befreien, beurlauben; Arzneien bereiten u. abgeben)
dis|po|nie|ren (über etwas verfügen, einteilen); **dis|po|niert** (auch für: aufgelegt; gestimmt zu ...; empfänglich [für Krankheiten]); **Dis|po|si|ti|on** [*...zion*], die; -, -en (Anordnung, Gliederung, Verfügung; Anlage; Empfänglichkeit [für Krankheiten])
Dis|put, der; -[e]s, -e (Wortwechsel; Streitgespräch); **dis|pu|tie|ren**
Dis|qua|li|fi|ka|ti|on [*...zion*], die; -, -en (Untauglichkeitserklärung; Ausschließung vom sportlichen Wettbewerb); **dis|qua|li|fi|zie|ren**
Dis|ser|ta|ti|on [*...zion*], die; -, -en (wissenschaftl. Abhandlung zur Erlangung der Doktorwürde)
Dis|si|dent, der; -en, -en (außerhalb einer staatlich anerkannten [Religions]gemeinschaft Stehender)
dis|so|nant (mißtönend); **Dis|so|nanz,** die; -, -en (Mißklang; Unstimmigkeit)
Di|stanz, die; -, -en (Abstand, Entfernung); **di|stan|zie|ren** ([im Wettkampf] überbieten, hinter sich lassen); sich - (von jmdm. od. etwas abrücken)
Di|stel, die; -, -n
di|stin|guiert [*dißtinggirt*] (vornehm); **distink|tiv** (unterscheidend)
Dis|tri|bu|ti|on [*..zion*], die; -, -en (Verteilung; Wirtsch.: Einkommensverteilung, Verteilung von Handelsgütern)
Di|strikt, der; -[e]s, -e (Bezirk, abgeschlossener Bereich)
Dis|zi|plin, die; -, -en (Zucht; Ordnung; Fach einer Wissenschaft); **dis|zi|pli|narisch** (die [dienstliche] Zucht, Strafgewalt betreffend; streng); **Dis|zi|pli|nar‿stra|fe, ...ver|fah|ren** (Dienststrafverfahren); **dis|zi|pli|nie|ren** (zur Ordnung erziehen); **dis|zi|pli|niert**
di|to (dasselbe, ebenso)
Di|va [*diwa*], die; -, -s u. ...ven [*...w^en*] (erste Sängerin, gefeierte Schauspielerin)
Di|ver|genz, die; -, -en (Auseinandergehen; Meinungsverschiedenheit); **di|ver|gie|ren; di|ver|gie|rend**
di|vers [*diwärß*] (verschieden)
Di|vi|dend [*...wi...*], der; -en, -en (Bruchrechnung: Zähler); **Di|vi|den|de,** die; -, -n (der auf eine Aktie entfallende Gewinn[anteil]); **di|vi|die|ren** (teilen); **Di|vi|si|on,** die; -, -en (Math.: Teilung; Heeresabteilung); **Di|vi|sor,** der; -s, ...oren (Bruchrechnung: Nenner)
Di|wan, der; -s, -e (niedriges Liegesofa)
Di|xie|land [*dikßiländ*], der; -[s] u. **Di|xieland-Jazz** (nordamerik. Bez. für eine bestimmte Variante des Jazz)
Do|ber|mann, der; -s, ...männer (Hunderasse)
doch
Docht, der; -[e]s, -e
Dock, das; -s, -s (Anlage zum Ausbessern von Schiffen); **Docker** [*Trenn.:* Dok|ker], der; -s, - (Dockarbeiter); **Dock|hafen; Docking** [*Trenn.:* Dok|king], das; -s, -s (Ankoppelung der Mondfähre an das Raumschiff)
Do|ge [*dosch^e;* it. Ausspr. *dodsche*], der; -n, -n (früher: Titel des Staatsoberhauptes in Venedig u. Genua); **Do|gen|pa|last**
Dog|ge, die; -, -n (eine Hunderasse)
Dog|ma, das; -s, ...men (Kirchenlehre; [Glaubens]satz; Lehrmeinung); **dog|matisch** (die [Glaubens]lehre betreffend; lehrhaft; streng [an Lehrsätze] gebunden); **Dog|ma|tis|mus,** der; - (Abhängigkeit von [Glaubens]lehren)
Doh|le, die; -, -n (ein Rabenvogel)
Do-it-your|self-Be|we|gung [*du it ju^rßälf...*] (Bewegung, die sich als eine Art Hobby die eigene Ausführung handwerklicher Arbeiten zum Ziel gesetzt hat)
Dok|tor, der; -s, ...oren (höchster akadem. Grad; ugs. auch für: Arzt; Abk.: Dr. [in der *Mehrz.* Dres., wenn mehrere Personen, nicht mehrere Titel einer Person gemeint sind]); **Dok|to|rand,** der; -en, -en (Student, der sich auf die Doktorprüfung vorbereitet); **Dok|to|ran|din,** die; -, -nen; **Dok|tor‿ar|beit, ...grad, ...hut** (der), **...in|ge|nieur** (Abk.: Dr.-Ing.), **...prü|fung, ...ti|tel; Dok|trin,** die; -, -en (Lehrsatz; Lehrmeinung); **dok|tri|när** (an einer Lehrmeinung starr festhaltend; gedanklich einseitig)
Do|ku|ment, das; -[e]s, -e (Urkunde; Schriftstück; Beweis); **Do|ku|men|tar‿auf|nah|me, ...film** (Film, der die Wirklichkeit von Mensch u. Landschaft wiedergibt); **do|ku|men|ta|risch** (urkundlich; belegbar); **Do|ku|men|ta|tion** [*...zion*], die; -, -en (Zusammenstellung, Ordnung und Nutzbarmachung von Dokumenten u. Materialien jeder Art, z. B. von Urkunden, Akten, Zeitschriften-

aufsätzen, Begriffen, sprachlichen Erscheinungen u. a.); **do|ku|men|tie|ren** (beurkunden; beweisen)

Dolch, der; -[e]s, -e; **Dolch|stoß; Dolch|stoß|le|gen|de,** die; - (nach 1918 in Deutschland verbreitete Behauptung, der 1. Weltkrieg sei durch Verrat in der Heimat verloren worden)

Dol|de, die; -, -n

doll (nordd. ugs. für: unglaublich)

Dol|lar, der; -[s], -s (Münzeinheit in den USA, in Kanada u. Äthiopien; Zeichen: $); 30 -

dol|met|schen; Dol|met|scher, der; -s, - (Übersetzer; Sprachkundiger); **Dol|met|sche|rin,** die; -, -nen; **Dol|met|scher‿in|sti|tut, ...schu|le**

Dom, der; -[e]s, -e (Bischofs-, Hauptkirche); **Do|mä|ne,** die; -, -n (Staatsgut, -besitz; besonderes [Arbeits-, Wissens]gebiet); **Do|me|stik,** der; -en, -en (meist *Mehrz.:* Dienstbote); **Do|me|sti|ka|ti|on** [*...zion*], die; -, -en (Umzüchtung wilder Tiere zu Haustieren); **do|me|sti|zie|ren; do|mi|nant** (be-, vorherrschend; überlagernd, überdeckend); **Do|mi|nanz,** die; -, -en (Vererbungslehre; Vorherrschen bestimmter Merkmale), **do|mi|nie|ren** ([vor]herrschen, beherrschen); **Do|mi|ni|ka|ner,** der; -s, - (Angehöriger des vom hl. Dominikus gegr. Ordens); **Do|mi|ni|ka|ner‿klo|ster, ...mönch, ...or|den** (der; -s); **Do|mi|nion** [*dominj*^{e}*n*], das; -s, -s u. ...ien [*...i*^{e}*n*] (frühere Bez. für einen sich selbst regierenden Teil des Commonwealth); [1]**Do|mi|no,** der; -s, -s (Maskenmantel, -kostüm); [2]**Do|mi|no,** das; -s, -s (Spiel); **Do|mi|zil,** das; -s, -e (Wohnsitz; Zahlungsort [von Wechseln]); **Dom|pfaff,** der; -en, -en (ein Vogel)

Domp|teur [*...tör*], der; -s, -e; **Domp|teu|se** [*...tös*^{e}], die; -, -n

Don Ju|an [*don chuan,* auch: *don juan* od. *dong schuang*], der; - -s, - -s (span. Sagengestalt; Verführer; Frauenheld)

Don|ner, der; -s, -; **don|nern; Don|ners|tag,** der; -[e]s, -e; **don|ners|tags; Don|ner|wet|ter,** das; -s, -

doof (ugs. für: dumm; einfältig; beschränkt); **Doof|heit,** die; -

do|pen [auch: *do...*] (Sport: durch [verbotene] Anregungsmittel zu Höchstleistungen antreiben); **Do|ping** [auch: *do...*], das; -s, -s

Dop|pel, das; -s, - (zweite Ausfertigung [einer Schrift], Zweitschrift; [Tisch]tennis: Doppelspiel); **Dop|pel‿ad|ler, ...axel** (Eislauffigur), **...bett; dop|pel|bö|dig** (hintergründig); **Dop|pel|decker** [*Trenn.:* ...dek|ker] (ein Flugzeugtyp; ugs. für: Omnibus mit Oberdeck); **dop|pel|deu|tig; Dop|pel‿fen|ster, ...gän|ger; dop|pel|glei|sig; Dop|pel‿hoch|zeit, ...kinn, ...kopf** (Kartenspiel; der; -[e]s), **...le|ben** (das; -s), **...punkt; dop|pel‿rei|hig, ...sin|nig; dop|pelt;** -e Buchführung; - gemoppelt (ugs. für: unnötigerweise zweimal); **dop|pelt|koh|len|sau|er; Dop|pel‿ver|die|ner, ...zent|ner** (100 kg; Zeichen: dz), **...zim|mer; dop|pel|zün|gig**

Do|ra|do vgl. Eldorado

Dorf, das; -[e]s, Dörfer; **Dorf|be|woh|ner; dörf|lich; Dorf|schen|ke**

Dorn, der; -[e]s, -en (ugs. auch: Dörner) u. (Technik:) -e; **Dor|nen|hecke,** Dornhecke [*Trenn.:* ...hek|ke]; **Dor|nen|kro|ne; dor|nen|reich; dor|nig; Dorn|rös|chen,** das; -[s] (eine Märchengestalt)

dör|ren (dürr machen); **Dörr‿fleisch, ...ge|mü|se, ...obst**

Dorsch (ein Fisch), der; -[e]s, -e

dort; dort|her [auch: *dorther, dorther*]; **dort|hin** [auch: *dorthin, dorthin*]; **dor|tig**

Do|se, die; -, -n (kleine Büchse); **Do|sen** (auch *Mehrz.* von: Dosis)

dö|sen (ugs. für: wachend träumen; halb schlafen; unaufmerksam vor sich hin starren)

Do|sen|bier; do|sen|fer|tig; Do|sen‿fleisch, ...milch, ...öff|ner

do|sie|ren (ab-, zumessen)

dö|sig (ugs. für: schläfrig; auch für: stumpfsinnig)

Do|sis, die; -, ...sen (zugemessene [Arznei]gabe, kleine Menge)

Dos|sier [*doßie*], das, (veraltend:) der; -s, -s (Aktenheft, -bündel)

do|tie|ren; Do|tie|rung

Dot|ter (Eigelb), der u. das; -s, -; **Dot|ter|blu|me; dot|ter|gelb**

Doua|ne [*duan*^{e}], die; -, -n (fr. Bez. für: Zoll[amt])

dou|beln [*dub*^{e}*ln*] (Film: die Rolle eines Doubles spielen); **Dou|ble** [*dub*^{e}*l*], das; -s, -s (Film: Ersatzspieler [ähnlichen Aussehens]); **Dou|blé** [*duble*] vgl. Dublee

down! [*daun*] (Befehl an Hunde: nieder!); down (ugs. für: bedrückt, ermüdet) sein

Doy|en [*doajäng*], der; -s, -s (Leiter des diplomatischen Korps)

Do|zent, der; -en, -en (Lehrbeauftragter); **Do|zen|tur,** die; -, -en; **do|zie|ren**

Dra|che, der; -n, -n (ein Fabeltier); **Dra|chen,** der; -s, - (Fluggerät; zanksüchtige Person)

Drach|me, die; -, -n (griech. Währungseinheit)

Dra|gée, (auch:) **Dra|gee** [*...sche*], das; -s, -s (überzuckerte Frucht; Arzneipille)

Dra|go|ner, der; -s, - (früher: leichter Reiter; österr. noch für: Rückenspange am Rock u. am Mantel)

Draht, der; -[e]s, Drähte; **[1]drah|ten** (telegrafieren; mit Draht zusammenflechten); **[2]drah|ten** (aus Draht); **Draht‿esel** (ugs. scherzh. für: Fahrrad), **...ge|flecht; drah|tig; Draht|korb; draht|los;** -e Telegrafie; **Draht‿rol|le, ...seil|bahn, ...ver|hau, ...zaun, ...zie|her** (auch ugs. für: jmd., der wie ein Puppenspieler im verborgenen Vorgänge leitet)

Drai|si|ne [*drai...*, ugs. auch: *drä...*], die; -, -n (Vorläufer des Fahrrades; Eisenbahnfahrzeug zur Streckenkontrolle)

dra|ko|nisch (sehr streng)

drall (derb, stramm); **Drall,** der; -[e]s, -e ([Geschoß]drehung; Windung der Züge in Feuerwaffen; Drehung bei Garn und Zwirn)

Dra|ma, das, -s, ...men (Schauspiel; erregendes od. trauriges Geschehen); **Dra|ma|tik,** die; - (dramatische Dichtkunst; erregende Spannung); **Dra|ma|ti|ker,** der; -s, - (dramatischer Dichter, Schauspieldichter); **dra|ma|tisch** (in Dramenform; auf das Drama bezüglich; lebhaft; erregend, spannend); **dra|ma|ti|sie|ren** (als Schauspiel für die Bühne bearbeiten; etwas lebhafter, erregender darstellen, als es in Wirklichkeit ist); **Dra|ma|ti|sie|rung; Dra|ma|turg,** der; -en, -en (literarischer Berater einer Bühnenleitung); **Dra|ma|tur|gie,** die; -, ...ien (Gestaltung eines Dramas; Lehre vom Drama); **dra|ma|tur|gisch**

dran (ugs. für: daran); - sein (ugs. für: an der Reihe sein); - glauben müssen (ugs. für: vom Schicksal ereilt werden)

Drä|na|ge [...*asch*^{e}], die; -, -n (früher für: Dränung)

Drang, der; -[e]s, (selten:) Dränge

dran|ge|ben (ugs. für: darangeben); **dran|ge|hen** (ugs. für: darangehen)

Drän|ge|lei; drän|geln; drän|gen; Drang|sal, die; -, -e (Not, bedrängte Lage); **drang|sa|lie|ren** (quälen); **drang|voll**

dran|hal|ten, sich (ugs. für: daranhalten, sich)

dran|kom|men (ugs. für: an die Reihe kommen); **dran|krie|gen** (ugs. für: hereinlegen, übertölpeln); **dran|ma|chen;** sich -

dran|set|zen (ugs. für: daransetzen)

Drä|nung, die; -, -en (Entwässerung des Bodens durch Rohre)

dra|pie|ren ([mit Stoff] behängen, [aus]schmücken; raffen; in Falten legen); **Dra|pie|rung**

dra|stisch (sehr deutlich, wirksam; derb)

dräu|en (veralt. für: drohen)

drauf (ugs. für: darauf); - und dran sein (ugs. für: nahe daran sein); **Drauf|ga|be** (Handgeld beim Vertrags-, Kaufabschluß; österr. auch: Zugabe des Künstlers); **Drauf|gän|ger; drauf|gän|ge|risch; Drauf|gän|ger|tum,** das; -s; **drauf|ge|ben;** jmdm. eins - (ugs. für: jmdm. einen Schlag versetzen; jmdn. zurechtweisen); **drauf|ge|hen** (ugs. auch für: verbraucht werden, sterben); **drauf|le|gen** (ugs. für: zusätzlich bezahlen); **drauf|sat|teln** (ugs. für: dazugeben, zusätzlich gewähren); **drauf|schla|gen** (ugs. für: auf etwas schlagen; erhöhen, steigern, aufschlagen); **drauf|zah|len** (drauflegen)

draus (ugs. für: daraus)

drau|ßen

drech|seln; Drechs|ler; Drechs|ler|ar|beit

Dreck, der; -[e]s (ugs.); **Dreck‿ar|beit, ...ei|mer, ...fink** (der; -en [auch: -s], -en), **...hau|fen; dreckig** [*Trenn.:* drek|kig]; **Dreck|nest** (ugs. abwertend für: Dorf, Kleinstadt); **Drecks|ar|beit; Dreck‿sau** (derb); **...schleu|der** (ugs. abwertend für: freches Mundwerk); **Drecks|kerl; Dreck|spatz**

Dreh, der; -[e]s, -s od. -e (ugs. für: Einfall od. Weg, der zu einer Lösung führt); **Dreh‿ach|se, ...ar|beit** (Film; die; -, -en; meist *Mehrz.*), **...bank** (*Mehrz.* ...bänke); **dreh|bar; Dreh‿be|we|gung, ...blei|stift, ...buch** (Vorlage für Filmaufnahmen); **Dreh|buch|au|tor; Dreh|büh|ne; dre|hen; Dre|her; Dre|he|rei; Dreh|strom|mo|tor; Dreh‿stuhl, ...tür; Dre|hung**

drei, *Wesf.* dreier, *Wemf.* dreien; **Drei,** die; -, -en (Ziffer, Zahl); er hat in Deutsch eine - geschrieben; **drei‿ar|mig, ...bän|dig, ...bei|nig; ...di|men|sio|nal; Drei|eck; drei|eckig** [*Trenn.:* ...ek|kig]; **Drei|ecks|ge|schich|te; drei|ein|halb; Drei|ei|nig|keit,** die; -; **drei|er|lei; drei|fach; Drei|fal|tig|keit,** die; -; **Drei|far|ben|druck** (*Mehrz.* ...drucke); **drei|far|big; Drei|fel|der|wirt|schaft** (die; -), **drei|hun|dert; drei|jäh|rig; Drei|kä|se|hoch,** der; -s, -[s]; **Drei|klang; Drei|klas|sen|wahl|recht,** das; -[e]s; **Drei|kö|ni|ge** (*Mehrz.;* Dreikönigsfest); zu -; **Drei|kö|nigs|fest** (6. Jan.); **drei|mal; Drei|ma|ster,** der; -s, - (dreimastiges Schiff); **drei|ma|stig; Drei|me|ter|brett**

drein (ugs. für: darein); **drein|blicken** [*Trenn.:* ...blik|ken] (in bestimmter Weise blicken); finster -; **drein|fin|den,** sich (ugs. für: dareinfinden, sich); **drein|re|den** (ugs. für: dareinreden); **drein|schla|gen** (ugs. für: in etwas hineinschlagen)

Drei‿rad, ...satz, ...spitz (früher für: dreieckiger Hut); **drei|ßig; Drei|ßig,** die; -, -en (Zahl); der Mensch über -; **drei|ßig|jäh|rig**

dreist; Dreilstiglkeit
dreiltaulsend; dreilteillig; dreilundeinlhalb; dreilundlzwanlzig; dreivierltel [...*fir*...]; **Dreilvierltellstunde; Dreilvierteltakt** [...*fir*...], der; -[e]s; **Dreilwelgelkaltallylsaltor** (Technik); **Dreilzack,** der; -[e]s, -e; **dreizehn; Dreilzimlmerlwohlnung**
Drelsche, die; - (ugs. für: Prügel); **dreschen;** drosch (drösche), gedroschen; **Dreschlflelgel**
Dreß, der; - u. Dresses, (selten:) Dresse u. (österr.:) die; -, Dressen ([Sport]kleidung); **dreslsielren; Dresslman** [*dräßmän*], der; -s, ...men (männliche Person, die Herrenkleidung vorführt); **Dreslsur,** die; -, -en; **Dreslsurlreilten** (das; -s)
driblbeln (Sport: den Ball durch kurze Stöße vortreiben); **Dribbling,** das; -s, -s (das Laufen mit dem Ball [am Fuß])
Drift, die; -, -en (Seemannsspr.: vom Wind bewirkte Bewegung des Wassers); **driflten** (Seemannsspr.: treiben)
Drill, der; -[e]s (Militär: Einübung, Schinderei); **Drilllbohlrer; drilllen** (Militär: einüben, schinden; mit dem Drillbohrer bohren; Landw.: in Reihen säen)
Drilllich, der; -s, -e (ein festes Gewebe); **Drillling** (auch: Jagdgewehr mit drei Läufen)
Drilllmalschilne (Maschine, die in Reihen sät)
drin (ugs. für: darin)
drinlgen; drang (dränge), gedrungen; **drinlgend; dringllich; Dringllichkeit,** die; -
Drink, der; -[s], -s (alkohol. [Misch]getränk)
drinlnen (ugs. für: darinnen); **drinlsitzen** (ugs. für: in der Patsche sitzen); er hat ganz schön dringesessen; **drinstecken** [*Trenn.:* ...steklken] (ugs. für: viel Arbeit, Schwierigkeiten haben); er hat bis über die Ohren [in seiner Arbeit] dringesteckt
dritlte; jeder dritte; der dritte (der Reihe nach); der Dritte (der Leistung nach); der dritte Stand (Bürgerstand); die dritte Welt (die Entwicklungsländer); er ist der Dritte im Bunde; ein Dritter (ein Unbeteiligter); **Dritltel,** das (schweiz. meist: der); -s, -; **dritlteln** (in drei Teile teilen); **dritltens; Dritlte-Welt-Lalden** (Geschäft, in dem Erzeugnisse aus der dritten Welt verkauft werden)
Drive [*draiw*], der; -s, -s (Treibschlag beim Golfspiel und Tennis; Jazz: treibender Rhythmus)
drolben (da oben)
Drolge, die; -, -n (bes. medizin. verwendeter tier. od. pflanzl. [Roh]stoff); **drogenlablhänlgig; Drolgelrie,** die; -, ...ien; **Drolgist,** der; -en, -en
Drohlbrief; drolhen
Drohlne, die; -, -n (Bienenmännchen; übertr. für: Nichtstuer)
dröhlnen
Drolhung
drolllig; Drollliglkeit
Drolmeldar [auch: *dro*...], das; -s, -e („Renner“; einhöckeriges Kamel)
Drops, der; (auch:) das; -, - (meist *Mehrz.;* Fruchtbonbon)
Droschlke, die; -, -n; **Droschlkengaul, ...kutlscher**
Droslsel, die; -, -n (Singvogelart); **Drossellbart;** König - (eine Märchengestalt); **droslseln; Droslsellung, Droßllung**
drülben (auf der anderen Seite); **drülber** (ugs. für: darüber)
Druck, der; -[e]s, (techn.:) Drücke, (Druckw.:) Drucke u. (Textilw. für bedruckte Stoffe:) -s; **Drucklbuchlstabe; Drückelberlger**[1]; **drucklempfindllich; drucken**[1]; **drücken**[1]; **drükkend; Drucker**[1]; **Drücker**[1]; **Druckerei**[1]; **Druckerlschwärlze**[1]; **Druckerzeuglnis, ...fehller; drucklferltig; Druckknopf, ...mitltel,** das; **druckreif; Drucksalche, ...schrift; drucklsen** (ugs. für: nicht recht mit der Sprache herauskommen)
Drulde, die; -, -n (Nachtgeist; Zauberin; Hexe); **Drudenlfuß** (Zeichen gegen Zauberei)
Druglstore [*drágståʳ*], der; -s, -s (in den USA urspr. Drogerie, jetzt Verkaufsgeschäft für alle gängigen Bedarfsartikel mit Imbißecke)
drum (ugs. für: darum)
Drum [*dram*], die; -, -s (engl. Bez. für: Trommel); **Drumlmer** [*dramᵉr*], der; -s, - (Jazz: Musiker, der die Drum schlägt); **Drums** [*drams*], die (*Mehrz.;* Bez. für das Schlagzeug)
Drum und Dran, das; - - -
drunlten (da unten); **drunlter** (ugs. für: darunter)
Drülse, die; -, -n
dry [*drai*] (herb [von alkohol. Getränken])
Dschunlgel, der; -s, - (undurchdringliche tropische Sumpfwälder); **Dschungellkrieg**
Dschunlke, die; -, -n (chin. Segelschiff)
du; Du, das; -[s], -[s]; jmdm. das Du anbieten
Dülbel, der; -s, - (kleiner Holzkeil, Zapfen); **dülbeln**
dulbilos (zweifelhaft; unsicher)
Dulblee [...*ble*], das; -s, -s (Metall mit [Edelmetall]überzug; Stoß beim Billardspiel); **Dulbleelgold; Dulbletlte,** die; -, -n
ducken[1]; **Ducklmäulser,** der; -s, - (ugs.

---
[1] *Trenn.:* ...klk...

für: verängstigter, feiger, heuchlerischer Mensch)
Du|de|lei; du|deln; Du|del|sack (ein Blasinstrument); **Du|del|sack|pfei|fer**
Du|ell, das; -s, -e (Zweikampf); **du|el|lie|ren,** sich
Du|ett, das; -[e]s, -e (Musikstück für zwei Gesangsstimmen)
Duf|fle|coat [*dafᵉlkoᵘt*], der; -s, -s (dreiviertellanger Sportmantel)
Duft, der; -[e]s, Düfte
duf|te (ugs., bes. berl. für: gut, fein)
duf|ten; duf|tig; Duft‿stoff, ...was|ser (*Mehrz.* ...wässer)
Du|ka|ten, der; -s, - (frühere Goldmünze)
dul|den; Dul|der|mie|ne; duld|sam; Duld|sam|keit, die; -
dumm; dümmer, dümmste
◇ dämlich, blöd[e], begriffsstutzig, beschränkt, doof (ugs.), unterbelichtet, behämmert (ugs.), bekloppt (ugs.), bescheuert (ugs.)
Dumm|bar|tel, der; -s, - (ugs. für: dummer Mensch); **dumm|dreist; Dum|me|jun|gen|streich,** der; *Wesf.* des Dumme[n]jungenstreich[e]s, *Mehrz.* die Dumme[n]jungenstreiche; **dum|mer|wei|se; Dumm|heit; Dumm|kopf; dümm|lich**
Dum|my [*dami*], der; -s, -s od. ...mies (Attrappe; lebensgroße Puppe für Unfalltests in Kraftfahrzeugen)
düm|peln (Seemannsspr.: leicht schlingern)
dumpf; Dumpf|heit, die; -; **dump|fig**
Dum|ping [*damping*], das; -s (Unterbieten der Preise im Ausland)
dun (niederd. für: betrunken)
Dü|ne, die; -, -n; **Dü|nen‿gras, ...sand**
Dung, der; -[e]s; **Dün|ge|mit|tel,** das; **dün|gen; Dün|ger,** der; -s, -; **Dung|gru|be; Dün|gung**
dun|kel; seine Spuren verloren sich im dunkeln (im ungewissen); aber: im Dunkeln ist gut munkeln; im dunkeln tappen (nicht Bescheid wissen), aber: im Dunkeln (in der Finsternis) tappte er nach Hause
◇ [stock]finster, lichtlos, düster, duster (landsch., ugs.)
Dun|kel, das; -s
Dün|kel, der; -s
Dun|kel|ar|rest; dun|kel‿äu|gig, ...blau, ...blond, ...haa|rig
dün|kel|haft
◇ eingebildet, eitel, aufgeblasen, selbstgefällig, überheblich, anmaßend, arrogant, süffisant, hochmütig, hochfahrend, hochnäsig, blasiert, herablassend, snobistisch
dun|kel|häu|tig; Dun|kel|heit; Dun|kel‿kam|mer, ...mann (*Mehrz.* ...männer); **dun|keln; dun|kel|rot; Dun|kel|zif|fer** (nicht bekannte Anzahl)
dün|ken; mich od. mir dünkt
dünn; Dünn|darm; Dünn|druck (*Mehrz.* ...drucke); **Dünn|druck‿aus|ga|be, ...pa|pier**
dünn|ma|chen, sich (ugs. für: weglaufen); **dünn|wan|dig**
Dunst, der; -es, Dünste; **dun|sten** (Dunst verbreiten); **dün|sten** (dunsten; in Dampf gar machen); **Dunst|glocke** [*Trenn.:* ...glok|ke]; **dun|stig; Dunst‿kreis, ...schicht, ...schlei|er**
Dü|nung, die; -, -en (Seegang nach dem Sturm)
Duo, das; -s, -s (Musikstück für zwei Instrumente; auch die zwei Ausführenden)
dü|pie|ren (täuschen, foppen; unsicher machen)
Du|pli|kat, das; -[e]s, -e; **du|pli|zie|ren** (verdoppeln); **Du|pli|zi|tät,** die; -, -en (Doppelheit; doppeltes Vorkommen, Auftreten; Zweideutigkeit)
Dur, das; -, - („harte" Tonart); A-Dur
durch; *Verhältnisw.* mit *Wenf.:* - ihn
durch|ackern [*Trenn.:* ...ak|kern] (ugs. für: sorgsam durcharbeiten); er hat das ganze Buch durchgeackert
durch|ar|bei|ten (sorgsam bearbeiten; [den Körper] stählen; pausenlos arbeiten)
durch|at|men
durch|aus [auch: *durchauß* u. *durch...*]
durch|bei|ßen
durch|blät|tern, durch|blät|tern; er hat das Buch durchgeblättert od. durchblättert
durch|bleu|en (ugs. für: durchprügeln)
Durch|blick; durch|blicken [*Trenn.:* ...blik|ken] (hindurchblicken)
Durch|blu|tung; Durch|blu|tungs|stö|rung
durch|boh|ren; er hat ein Loch durchgebohrt; der Wurm hat sich durchgebohrt; **durch|boh|ren;** eine Kugel hat die Tür durchbohrt; von Blicken durchbohrt
durch|bo|xen (ugs. für: durchsetzen); er hat das Projekt durchgeboxt; sich -
durch|bra|ten; das Fleisch war gut durchgebraten
durch|bre|chen; es ist [durch den schadhaften Boden] durchgebrochen; er hat den Stock durchgebrochen; **durch|bre|chen;** er hat die Schranken, die Schallmauer durchbrochen; durchbrochene Arbeit (Stickerei, Goldarbeit)
durch|bren|nen (auch ugs. für: sich heimlich davonmachen)
Durch|bruch, der; -[e]s, ...brüche
durch|den|ken; ich habe die Sache noch einmal durchdacht
durch|dis|ku|tie|ren
durch|dre|hen; das Fleisch [durch den Wolf] -; ich bin völlig durchgedreht (ugs. für: verwirrt)
durch|drin|gen; er ist mit seiner Ansicht

nicht durchgedrungen; **durch|drin|gen;** er hat das Urwaldgebiet durchdrungen
durch|drücken [*Trenn.:* drük|ken]; er hat die Änderung doch noch durchgedrückt (ugs. für: durchgesetzt)
durch|drun|gen; von etwas - (erfüllt)
durch|ein|an|der; Durch|ein|an|der [auch: *durch*...], das; -s
Durch|fahrt; Durch|fahrts_hö|he, ...recht; Durch|fahrt[s]_si|gnal, ...sta|ti|on; Durch|fahrts|stra|ße
Durch|fall, der; -s, ...fälle
◇ Darmkatarrh, Diarrhö, Dünnschiß (derb)
durch|fal|len
durch|fei|ern; sie haben bis zum Morgen durchgefeiert; **durch|fei|ern;** eine durchfeierte Nacht
durch|for|sten (den Wald ausholzen); **durch|for|sten** (Akten o. ä. prüfend durchsehen)
durch|führ|bar; durch|füh|ren; Durch|füh|rung
Durch|gang; durch|gän|gig; Durch|gangs_bahn|hof, ...la|ger, ...stra|ße, ...ver|kehr
durch|ge|dreht (ugs. für: verwirrt)
durch|ge|hend
durch|gei|stigt
durch|grei|fen (Ordnung schaffen)
durch|hal|ten (bis zum Ende aushalten); **Durch|hal|te|pa|ro|le**
durch|hau|en; durch|hau|en; er hat den Knoten mit einem Schlag durchhauen
durch|he|cheln; der Flachs wird durchgehechelt; die lieben Verwandten wurden durchgehechelt (ugs. für: es wurde unfreundlich über sie geredet)
durch|hun|gern, sich; ich habe mich mit meiner Familie durchgehungert
durch|käm|men; das Haar wurde durchgekämmt; die Soldaten haben den Wald durchgekämmt; **durch|käm|men;** die Soldaten durchkämmten den Wald, haben ihn durchkämmt
durch|kom|men (eine Prüfung bestehen; sich retten)
durch|kreu|zen (kreuzweise durchstreichen); **durch|kreu|zen;** man hat seinen Plan durchkreuzt
durch|las|sen; durch|läs|sig
Durch|laucht, die; -, -en
Durch|lauf|er|hit|zer
durch|le|sen; ich habe den Brief durchgelesen
durch|leuch|ten; das Licht hat [durch das Fenster] durchgeleuchtet; **durch|leuch|ten** (mit Licht, auch mit Röntgenstrahlen durchdringen); die Brust des Kranken wurde durchleuchtet; **Durch|leuch|tung**
durch|lö|chern; das Brett war von Kugeln durchlöchert
durch|ma|chen; die Familie hat viel durchgemacht
Durch|marsch, der; **durch|mar|schie|ren**
Durch|mes|ser, der (Zeichen: *d* [nur kursiv] od. ø)
durch|näs|sen; er war völlig durchnäßt
durch|neh|men; der Lehrer hat den Stoff nochmals durchgenommen
durch|nu|me|rie|ren
durch|que|ren
Durch|rei|che, die; -, -n (Öffnung zum Durchreichen von Speisen)
durchs (durch das)
Durch|sa|ge, die; -, -n
durch|schau|bar; durch|schau|en; er hat [durch das Fernrohr] durchgeschaut; **durch|schau|en;** ich habe ihn durchschaut
durch|schei|nen; die Sonne hat durchgeschienen; **durch|schei|nen;** vom Tageslicht durchschienen; **durch|schei|nend**
Durch|schlag|pa|pier; Durch|schlags|kraft, die; -
durch|schnei|den; er hat das Tuch durchgeschnitten; **durch|schnei|den;** von Kanälen durchschnittenes Land; **Durch|schnitt;** im -; **durch|schnitt|lich; Durch|schnitts_al|ter, ...ge|schwin|dig|keit**
Durch|schrift
durch|set|zen (erreichen); ich habe es durchgesetzt
◇ durchdrücken (ugs.), durchboxen (ugs.); sich behaupten/durchbeißen (ugs.), sich durchschlagen (ugs.)
durch|set|zen; das Gestein ist mit Erzen durchsetzt
Durch|sicht, die; -; **durch|sich|tig**
durch|sie|ben; sie hat das Mehl durchgesiebt; **durch|sie|ben;** die Tür war von Kugeln durchsiebt
durch|star|ten; der Pilot hat die Maschine durchgestartet
durch|ste|hen
Durch|stich
durch|trai|nie|ren; mein Körper ist durchtrainiert
durch|trie|ben (gerissen)
durch|tren|nen, durch|tren|nen; er hat das Kabel durchgetrennt od. durchtrennt
durch|weg [auch: *durchwäk*]; **durch|wegs** [auch: *durchwekß*] (österr. nur so, sonst ugs. neben: durchweg)
durch|wüh|len; die Maus hat sich durchgewühlt; **durch|wüh|len;** die Diebe haben alles durchwühlt od. durchgewühlt
durch|zäh|len; er hat durchgezählt

durch|ze|chen; er hat die Nacht durchgezecht; **durch|ze|chen;** durchzechte Nächte
durch|zie|hen; ich habe den Faden durchgezogen; **durch|zie|hen;** wir haben das Land durchzogen; **Durch|zug**
durch|zwän|gen; ich habe mich durchgezwängt
dür|fen; darf, gedurft
dürf|tig
dürr; Dür|re, die; -, -n
Durst, der; -[e]s; **dür|sten** (geh.); mich dürstet, ich dürste; **dur|stig; Durst-strecke** [*Trenn.:* ...strek|ke] (Zeit der Entbehrung)
Du|sche [auch: *du*...], die; -, -n; **duschen** [auch: *du*...]
Dü|se, die; -, -n
Du|sel, der; -s (ugs. für: unverdientes Glück; auch für: Schwindel, Rausch)
Dü|sen‿an|trieb, ...jä|ger
Dus|sel, der; -s, - (ugs. für: Dummkopf); **duß|lig; Duß|lig|keit**
du|ster (landsch. für: düster); **dü|ster; Dü|ster|nis,** die; -, -se
Dutt, der; -[e]s, -s od. -e (landsch. für: Haarknoten)
Du|ty-free-Shop [*djuti fri schop*], der; -s, -s (Laden, in dem zollfreie Waren verkauft werden [z. B. in Flughäfen])
Dut|zend, das; -s, -e; **dut|zend|fach; dut|zend|mal; Dut|zend‿mensch** (der; abwertend), **...wa|re** (die; -; abwertend); **dut|zend|wei|se**
Duz|bru|der; du|zen; du duzt
Dy|na|mik, die; - (Lehre von den Kräften; Schwung, Triebkraft); **dy|na|misch** (die „Kraft" betreffend; voll innerer Kraft; Kraft...); **dy|na|mi|sie|ren; Dy-na|mi|sie|rung; Dy|na|mit,** das; -s (Sprengstoff); **Dy|na|mo** [oft: *dünamo*], der; -s, -s (Kurzform für: Dynamomaschine); **Dy|na|mo|ma|schi|ne** (Stromerzeuger); **Dy|na|stie,** die; -, ...ien (Herrschergeschlecht); **dy|na|stisch**
D-Zug [*de*...] („Durchgangszug"; Schnellzug)

E

E (Buchstabe); das E; des E, die E
e, E, das; -, - (Tonbezeichnung)
Ea|sy-ri|der [*isi raideʳr*], der; -s, -[s] (Motorrad mit hohem Lenker u. hochlehnigem Sattel; Jugendlicher auf einem Easyrider)
Eau de Co|lo|gne [*o dᵉ kolonjᵉ*], das; - - - (Kölnischwasser)
Eb|be, die; -, -n
eben (flach); **Eben|bild; eben|bür|tig; eben|da** [auch: *ebᵉndá*] (Abk.: ebd.); **Ebe|ne,** die; -, -n; **eben|falls**
Eben|holz
Eben|maß, das; **eben|mä|ßig**
eben|so; er spielt ebenso gut Klavier wie ich; **eben|so|gut** (ebensowohl); du kannst das ebensogut machen; **eben|so-viel;** ebensoviel sonnige Tage; **eben|so-we|nig**
Eber, der; -s, - (männl. Schwein)
Eber|esche, die; -, -n (ein Laubbaum)
eb|nen
echauf|fiert (erhitzt; aufgeregt)
Echo, das; -s, -s (Widerhall); **Echo|lot,** das; -[e]s, -e (Apparat zur Messung von Meerestiefen)
Ech|se, die; -, -n (ein Kriechtier)
echt
◇ natürlich, rein, ursprünglich, originär, urwüchsig, unverfälscht
Echt|heit, die; -
Eck‿ball (Sportspr.), **...bank** (*Mehrz.* ...bänke), **...brett; Ecke**[1], die; -, -n; **ecken|los**[1]; **Ecken|ste|her**[1]; der; -s, - (ugs. veraltend)
Eckern[1] (*Mehrz.;* Farbe im dt. Kartenspiel)
Eck|haus; eckig[1]; **Eck‿lohn, ...pfei-ler, ...stoß** (Sportspr.), **...zins**
Eco|no|my|klas|se [*ikonᵉmi*...], die; -, -n (billigste Tarifklasse im Flugverkehr)
Ecu [*ekü*], der; -[s], -[s] (Verrechnungseinheit der EWG)
edel; Edel‿mann (*Mehrz.* ...leute), **...me|tall, ...mut; edel|mü|tig; Edel-‿stein, ...tan|ne, ...weiß** (das; -[es], -e; eine Gebirgspflanze)
Eden (Paradies im A. T.) der Garten Eden
Edikt, das; -[e]s, -e (amtl. Erlaß von Kaisern u. Königen)
Edi|ti|on [...*zion*], die; -, -en (Ausgabe)
EDV = elektronische Datenverarbeitung
Efeu, der; -s
Eff|eff [auch: *äfäf* u. *äfäf*] (ugs.); etwas aus dem - (gründlich) verstehen
Ef|fekt, der; -[e]s, -e (Wirkung, Erfolg; Ergebnis); **Ef|fek|ten,** die (*Mehrz.;* Wertpapiere); **Ef|fekt|ha|sche|rei; ef-fek|tiv** (tatsächlich; wirksam; greifbar); **Ef|fek|ti|vi|tät,** die; - (Wirkungskraft); **Ef|fek|tiv|lohn; ef|fekt|voll** (wirkungsvoll)
Ef|fet [*äfe* od. *äfä*], der u. (selten:) das; -s, -s (der Drall einer [Billard]kugel, eines Balles)
EFTA, die; - (Europäische Freihandelsassoziation)

[1] *Trenn.:* ...k|k...

[1]**egal** (ugs. für: gleichgültig); das ist mir -; [2]**egal** (landsch. für: immer [wieder, noch]); er hat - etwas an mir auszusetzen; **ega|li|sie|ren** (gleichmachen, ausgleichen); **ega|li|tär** (auf Gleichheit gerichtet)
Egel, der; -s, - (ein Wurm)
Eg|ge, die; -, -n (ein Ackergerät); **eg|gen**
Ego|is|mus, der; -, ...men (Selbstsucht; Ggs.: Altruismus); **Ego|ist,** der; -en, -en; **egoi|stisch; Ego|trip,** der; -s, -s; auf dem - sein (ugs. für: sich egozentrisch verhalten); **Ego|zen|trik,** die; - (Ichbezogenheit); **Ego|zen|tri|ker,** der; -s, - (ichbezogener Mensch); **ego|zen|trisch**
eh (südd., österr. für: ohnehin, sowieso)
Ehe, die; -, -n; **ehe|ähn|lich; Ehe|bett; ehe|bre|chen; Ehe‿bre|cher, ...bre|che|rin** (die; -, -nen); **ehe|bre|che|risch; Ehe|bruch,** der
ehe|dem (vormals)
Ehe|frau
◇ Frau, Weib, Gemahlin (geh.), Lebensgefährtin (geh.), Lebenskamerad[in], bessere Hälfte
Ehe‿gat|te, ...krach, ...leu|te (die; *Mehrz.*); **ehe|lich; ehe|li|chen**
ehe|ma|lig; ehe|mals
Ehe|mann (*Mehrz.* ...männer)
◇ Mann, Gatte, Gemahl (geh.), Lebensgefährte (geh.), Lebenskamerad, bessere Hälfte
Ehe‿paar, ...part|ner
eher; je eher (früher), je lieber
Ehe‿ring, ...schei|dung, ...schlie|ßung, ...stand (der; -[e]s)
Ehr|ab|schnei|der; ehr|bar; Ehr|be|griff; Eh|re, die; -, -n; **eh|ren; Eh|ren|amt; eh|ren|amt|lich; Eh|ren‿bür|ger, ...dok|tor** (Abk.: Dr. h. c. u. Dr. E. h.), **...gast** (*Mehrz.* ...gäste), **...mann** (*Mehrz.* ...männer); **eh|ren|rüh|rig; Eh|ren‿sa|che, ...tri|bü|ne, ...ur|kun|de; eh|ren‿voll, ...wert; Eh|ren|wort** (*Mehrz.* ...worte); **ehr|er|bie|tig; Ehr|er|bie|tung,** die; -; **Ehr|furcht,** die; -, (selten:) -en; **ehr|fürch|tig; Ehr‿ge|fühl** (das; -[e]s), **...geiz; ehr|gei|zig; ehr|lich; ehr|li|cher|wei|se; Ehr|lich|keit,** die; -
ehr|los
◇ charakterlos, verächtlich, nichtswürdig, ehrvergessen
Ehr|lo|sig|keit; Eh|rung; ehr|wür|dig
Ei, das; -[e]s, -er
Ei|be, die; -, -n (ein Nadelbaum)
Ei|bisch, der; -[e]s, -e (eine Heilpflanze)
Ei|che, die; -, -n (ein Baum); **Ei|chel,** die; -, -n; **Ei|chel|hä|her** (ein Vogel); **Ei|chel|mast,** die; **Ei|cheln** (*Mehrz.;* Farbe im dt. Kartenspiel); [1]**ei|chen** (aus Eichenholz)
[2]**ei|chen** (das gesetzl. Maß geben; prüfen)
Eich‿hörn|chen, (landsch.:) **...kätz|chen** od. **...kat|ze** (ein Nagetier)
Eich|maß, das
Eid, der; -[e]s, -e
Ei|dech|se, die; -, -n
Ei|der|dau|ne; Ei|der|en|te
ei|des|statt|lich (an Eides Statt)
Ei|dot|ter (das Gelbe im Ei); **Ei|er|bri|kett; Ei|er‿hand|gra|na|te, ...kopf, ...ku|chen, ...li|kör; ei|ern** (ugs.); das Rad eiert; **Ei|er‿scha|le, ...stich** (Suppeneinlage aus Ei), **...stock** (*Mehrz.* ...stöcke), **...tanz, ...uhr**
Ei|fer, der; -s; **Ei|fe|rer; ei|fern; Ei|fer|sucht,** die; -; **ei|fer|süch|tig; eif|rig; Eif|rig|keit**
Ei|gelb, das; -s, -e (Dotter)
ei|gen; zu - geben, machen; etw. sein - nennen; **Ei|gen|art; ei|gen|ar|tig; Ei|gen|bröt|ler** (Sonderling); **ei|gen|bröt|le|risch; ei|gen|hän|dig; Ei|gen‿heim, ...heit, ...in|itia|ti|ve, ...ka|pi|tal, ...lie|be, ...lob; ei|gen|mäch|tig; ei|gen|nüt|zig; ei|gens; Ei|gen|schaft; Ei|gen|schafts|wort** (für: Adjektiv; *Mehrz.* ...wörter); **ei|gen|sin|nig; ei|gen|stän|dig; ei|gent|lich; Ei|gen|tor,** das (Sportspr.)
Ei|gen|tum, das; -s; **Ei|gen|tü|mer; ei|gen|tüm|lich**
Ei|gen|wil|le; ei|gen|wil|lig; eig|nen; etwas eignet ihm (ist ihm eigen); sich - (geeignet sein); **Eig|nung** (Befähigung); **Eig|nungs‿prü|fung, ...test**
Ei|klar, Ei|er|klar, das; -s, - österr. (Eiweiß)
Ei|land, das; -[e]s, -e (dicht. für: Insel)
Eil‿bo|te, ...brief; Ei|le, die; -
Ei|lei|ter, der
ei|len; ei|lends; eil|fer|tig; Eil|gut; ei|lig; Eil|tem|po
Ei|mer, der; -s, -
[1]**ein;** es war ein Mann, nicht eine Frau; es war ein Mann, eine Frau, ein Kind [es waren nicht zwei]; [2]**ein;** *Umstandsw.:* nicht ein noch aus wissen (ratlos sein)
Ein|ak|ter (Bühnenstück aus nur einem Akt)
ein|an|der
ein|ar|bei|ten; Ein|ar|bei|tung
ein|ar|mig
ein|äschern
ein|at|men
ein|äu|gig
Ein|bahn|stra|ße
ein|bal|sa|mie|ren
Ein|band, der; -[e]s, ...bände (Bucheinband)
Ein|bau, der; -[e]s, (für: eingebauter Teil auch *Mehrz.:*) -ten; **ein|bau|en**
Ein|baum (Boot aus einem ausgehöhlten Baumstamm)
Ein|bau‿schrank, ...teil, das

ein|be|grif|fen; er zahlte die Zeche, den Wein einbegriffen
ein|be|hal|ten
ein|bei|nig
ein|be|ru|fen; Ein|be|ru|fe|ne, der u. die; -n, -n; **Ein|be|ru|fung**
ein|be|zie|hen
ein|bil|den, sich
Ein|bil|dung
◇ Illusion, Wahn, Hirngespinst, Luftschloß, Utopie
Ein|bil|dungs|kraft, die; -
ein|bin|den
ein|bleu|en (ugs. für: mit Nachdruck einprägen, einschärfen)
Ein|blick
ein|bre|chen; in ein[em] Haus -; **Ein|bre|cher**
ein|brocken [*Trenn.:* ...brok|ken]; sich, jmdm. etwas - (ugs. für: Unannehmlichkeiten bereiten)
Ein|bruch, der; -[e]s, ...brüche; **ein|bruch[s]|si|cher**
ein|bür|gern; sich -
Ein|bu|ße; ein|bü|ßen
ein|cre|men
ein|däm|men; Ein|däm|mung
ein|decken [*Trenn.:* ...dek|ken]; sich -
ein|deu|tig; Ein|deu|tig|keit
ein|dö|sen (ugs. für: in Halbschlaf fallen; einschlafen)
ein|drin|gen; ein|dring|lich; Ein|dring|ling
Ein|druck, der; -[e]s, ...drücke; **ein|drücken** [*Trenn.:* ...drük|ken]; **ein|drucks|voll**
ein|dü|beln (mit einem Dübel befestigen)
ei|ne
ein|eb|nen; Ein|eb|nung
ein|ein|halb
ei|nen (geh. für: einigen)
ein|en|gen; Ein|en|gung
ei|ner; Ei|ner (Sportboot für eine Person); **ei|ner|lei; ei|ner|seits;** einerseits ... ander[er]seits, andrerseits; **ei|nes; ei|nes|teils;** einesteils ... ander[e]nteils
ein|fach
◇ schlicht, kunstlos, unscheinbar, farblos, primitiv
ein|fä|deln
ein|fah|ren; Ein|fahrt; Ein|fahrt[s]|er|laub|nis, ...gleis, ...si|gnal
Ein|fall, der
◇ Gedanke, Idee, Eingebung, Erleuchtung, Geistesblitz, Intuition, Inspiration
ein|fal|len; ein|falls|los; ein|fall[s]|reich
Ein|falt, die; -; **ein|fäl|tig; Ein|falts|pin|sel** (abschätzig)
ein|fas|sen; Ein|fas|sung
Ein|fluß; Ein|fluß|be|reich, der
ein|för|mig; Ein|för|mig|keit
ein|frie|ren; Ein|frie|rung
ein|fro|sten; Ein|fro|stung
ein|fü|gen; sich -; **Ein|fü|gung**
ein|füh|len, sich; **Ein|füh|lung**
Ein|fuhr, die; -, -en; **ein|füh|ren**
Ein|ga|be
Ein|gang; ein|gän|gig; ein|gangs; *Umstandsw.:* das wurde bereits - erwähnt; *Verhältnisw.* mit *Wesf.:* - des Briefes
Ein|ge|bo|re|ne, Ein|ge|bor|ne, der u. die; -n, -n
ein|ge|denk; mit *Wesf.:* - des Verdienstes
ein|ge|frie|ren
ein|ge|fuchst (ugs. für: eingearbeitet)
ein|ge|hen; ein|ge|hend
Ein|ge|mach|te, das; -n
ein|ge|sandt
Ein|ge|ständ|nis; ein|ge|ste|hen
Ein|ge|wei|de, das; -s, - (meist *Mehrz.*)
Ein|ge|weih|te, der u. die; -n, -n
ein|ge|wöh|nen; sich -
ein|glie|dern; sich -
ein|gra|ben
ein|gra|vie|ren [*...wir^e^n*]
ein|grei|fen
◇ einschreiten, dazwischentreten, sich einschalten
ein|gren|zen; Ein|gren|zung
Ein|griff
Ein|halt, der; -[e]s; - gebieten, tun
ein|hef|ten
ein|hei|misch; Ein|hei|mi|sche, der u. die; -n, -n
Ein|hei|rat; ein|hei|ra|ten
Ein|heit; ein|heit|lich; Ein|heit|lich|keit, die; -
ein|hel|lig; Ein|hel|lig|keit, die; -
ein|ho|len
◇ [noch] erreichen, ereilen, einkriegen (ugs.)
Ein|horn (ein Fabeltier; *Mehrz.* ...hörner)
ein|hun|dert
ei|nig; einig sein, werden; **ei|ni|ge;** einige tausend Schüler; bei einigem guten Willen
ein|igeln, sich; **Ein|ige|lung**
ei|ni|ge|mal [auch: *ainig^e^mal*], aber: **ei|ni|ge Ma|le; ei|ni|gen;** sich -
ei|ni|ger|ma|ßen
◇ annähernd, ungefähr, ziemlich, halbwegs
ei|ni|ges; er weiß -; **Ei|nig|keit,** die; -; **Ei|ni|gung,** die
ein|imp|fen; Ein|imp|fung
ein|ja|gen; jmdm. einen Schrecken -
ein|jäh|rig; Ein|jäh|ri|ge, der od. die od. das; -n, -n
ein|kal|ku|lie|ren (einplanen)
ein|kas|sie|ren; Ein|kas|sie|rung
Ein|kauf; ein|kau|fen; Ein|käu|fer
Ein|kehr, die; -, -en; **ein|keh|ren**
ein|kel|lern; Ein|kel|le|rung

ein|ker|ben; Ein|ker|bung
ein|ker|kern; Ein|ker|ke|rung
ein|kes|seln
ein|klam|mern; Ein|klam|me|rung
Ein|klang; im od. in - stehen
ein|kle|ben
ein|klei|den; Ein|klei|dung
ein|knöp|fen
ein|ko|chen; Ein|koch|topf
ein|kom|men; um etwas - (Amtsdt.); **Ein|kom|men,** das; -s, -; **ein|kom|mens‿los, ...schwach; Ein|kom|men[s]|steu|er,** die
ein|krei|sen; Ein|krei|sung
ein|kre|men vgl. eincremen
Ein|künf|te *Mehrz.*
ein|kup|peln; langsam -
[1]**ein|la|den;** Waren -; [2]**ein|la|den;** zum Essen -; **ein|la|dend; Ein|la|dung**
Ein|la|ge
ein|la|gern; Ein|la|ge|rung
Ein|laß, der; ...lasses, ...lässe; **ein|las|sen**
Ein|lauf; ein|lau|fen
ein|läu|ten; den Sonntag -
ein|le|ben, sich
Ein|le|ge|ar|beit; ein|le|gen
ein|lei|ten; Ein|lei|tung
ein|len|ken; Ein|len|kung
ein|leuch|ten
ein|leuch|tend
◇ glaubhaft, augenfällig, evident, einsichtig, plausibel (ugs.)
ein|lie|fern; Ein|lie|fe|rung
ein|lo|chen (ugs. für: einsperren)
ein|lö|sen; Ein|lö|sung
ein|ma|chen
ein|mal; auf -; noch -; ein- bis zweimal; **Ein|mal|eins,** das; -; **ein|ma|lig**
Ein|mann|be|trieb
Ein|mark|stück
Ein|marsch, der
ein|mar|schie|ren
◇ einrücken, einziehen, eindringen, einfallen
Ein|ma|ster; ein|ma|stig
ein|mau|ern; Ein|maue|rung
ein|mei|ßeln
ein|mie|ten; sich -
ein|mi|schen, sich
ein|mot|ten
ein|mum|meln (ugs. für: warm einhüllen)
ein|mün|den; Ein|mün|dung
ein|mü|tig; Ein|mü|tig|keit, die; -
ein|nä|hen
Ein|nah|me, die; -, -n; **ein|neh|men; ein|neh|mend**
Ein|öde
◇ Ödland, Wüste[nei], Steppe, Tundra
Ein|öd|hof
ein|ölen; sich -
ein|ord|nen; sich -
ein|packen [*Trenn.:* ...pak|ken]
◇ verpacken, einwickeln, verschnüren
ein|par|ken
ein|pas|sen; Ein|pas|sung
ein|pau|ken (ugs.); **Ein|pau|ker**
ein|pen|nen (ugs. für: einschlafen)
Ein|pfen|nig|stück
ein|pflan|zen; Ein|pflan|zung
ein|pla|nen; Ein|pla|nung
ein|pö|keln
ein|po|lig
ein|prä|gen; ein|präg|sam
ein|pro|gram|mie|ren
ein|pu|dern; sich -
ein|quar|tie|ren; Ein|quar|tie|rung
ein|rah|men; ein Bild -
ein|ram|men; Pfähle -
ein|räu|men; Ein|räu|mung
ein|re|den
ein|reg|nen; es hat sich eingeregnet
ein|rei|ben; Ein|rei|bung
ein|rei|chen; Ein|rei|chung
ein|rei|hen; Ein|rei|her; ein|rei|hig
Ein|rei|se; ein|rei|sen
ein|rei|ßen; Ein|reiß|ha|ken
ein|ren|nen
ein|rich|ten; sich -; **Ein|rich|tung; Ein|rich|tungs|ge|gen|stand**
ein|rol|len
ein|ro|sten
ein|rücken [*Trenn.:* ...rük|ken]
eins; eins u. zwei macht, ist drei; es ist, schlägt eins (ein Uhr); halb eins; Nummer eins; eins (einig) sein, werden; es ist mir alles eins (gleichgültig); **Eins,** die; -, -en; die Note „Eins"; drei -en würfeln
ein|sa|gen (landsch. für: vorsagen)
ein|sal|zen; Ein|sal|zung
ein|sam; Ein|sam|keit, die; -
ein|sam|meln; Ein|samm|lung
ein|sar|gen; Ein|sar|gung
Ein|satz, der; -[e]s, Einsätze; **Ein|satz|be|fehl; ein|satz|be|reit**
ein|sau|gen; Ein|sau|gung
ein|schal|ten; sich -; **Ein|schalt|he|bel; Ein|schal|tung**
ein|schär|fen
ein|schät|zen; Ein|schät|zung
ein|schen|ken; Wein -
ein|sche|ren (Verkehrswesen: sich in die Kolonne einreihen)
ein|schicken [*Trenn.:* ...schik|ken]
ein|schie|ben; Ein|schieb|sel, das; -s, -; **Ein|schie|bung**
ein|schif|fen; sich -; **Ein|schif|fung**
ein|schla|fen
◇ einnicken, einschlummern (geh.), eindus[s]eln, einpennen (ugs.), eindösen (ugs.), in Schlaf sinken
ein|schlä|fern; ein|schlä|fernd; Ein|schlä|fe|rung
Ein|schlag; ein|schla|gen; ein|schlä|gig (zu etwas gehörend)

ein|schlei|chen, sich
ein|schlep|pen
ein|schleu|sen
ein|schlie|ßen
◇ enthalten, beinhalten, mit berücksichtigen
ein|schließ|lich; *Verhältnisw.* mit *Wesf.:* - des Kaufpreises; *Umstandsw.:* verreist bis zum 15. Juli - od. bis - 15. Juli; bis Seite 410 -
◇ inklusive, einbegriffen, inbegriffen, plus, samt
Ein|schlie|ßung
ein|schmei|cheln, sich
ein|schmel|zen
ein|schmie|ren; sich -
ein|schmug|geln
ein|schnei|den; ein|schnei|dend
Ein|schnitt
ein|schnü|ren; Ein|schnü|rung
ein|schrän|ken
Ein|schrän|kung
◇ Beschränkung, Restriktion, Verminderung, Reduzierung, Vorbehalt
ein|schrau|ben
Ein|schreib|brief, Ein|schrei|be|brief; ein|schrei|ben; Ein|schrei|ben, das, -s, - (eingeschriebene Postsendung)
ein|schrei|ten
ein|schrump|fen
Ein|schub, der; -[e]s, Einschübe
ein|schüch|tern
ein|schu|len; Ein|schu|lung
Ein|schuß; Ein|schuß|stel|le
ein|seg|nen; Ein|seg|nung
ein|se|hen; Ein|se|hen, das; -s; ein - haben
ein|sei|fen
ein|sei|tig; Ein|sei|tig|keit
ein|sen|den; Ein|sen|der; Ein|sen|dung
ein|set|zen; Ein|set|zung
Ein|sicht, die; -, -en; **ein|sich|tig; Ein|sich|tig|keit; Ein|sicht|nah|me,** die; -, -n
Ein|sie|de|lei; Ein|sied|ler; ein|sied|le|risch
ein|sil|big; Ein|sil|big|keit, die; -
ein|sin|ken
ein|sit|zen (im Gefängnis sitzen)
Ein|sit|zer; ein|sit|zig
ein|span|nen
Ein|spän|ner; ein|spän|nig
ein|spa|ren; Ein|spa|rung
ein|sper|ren
ein|spie|len; Ein|spie|lung
ein|spra|chig
ein|sprin|gen
ein|sprit|zen; Ein|sprit|zung
Ein|spruch; - erheben
◇ Widerspruch, Protest, Beschwerde, Einwand, Veto

ein|spu|rig
einst
ein|stamp|fen; Ein|stamp|fung
ein|ste|chen
ein|stecken [*Trenn.:* ...stek|ken]
ein|stei|gen
ein|stell|bar
ein|stel|len; sich -
◇ anstellen, engagieren, [an]heuern
Ein|stell|platz; Ein|stel|lung
Ein|stich; Ein|stich|stel|le
Ein|stieg, der; -[e]s, -e
ein|stim|men
ein|stim|mig; Ein|stim|mig|keit, die; -
ein|stöckig [*Trenn.:* ...stök|kig]
ein|strei|chen; das Geld -
ein|strö|men
ein|stu|die|ren; Ein|stu|die|rung
ein|stür|men; alles stürmt auf ihn ein
Ein|sturz; ein|stür|zen
einst|wei|len; einst|wei|lig; -e Verfügung
Ein|tags‿fie|ber, ...flie|ge
ein|tan|zen; Ein|tän|zer (in Tanzlokalen angestellter Tanzpartner)
ein|tau|chen; Ein|tau|chung
ein|tau|schen
ein|tau|send
ein|tei|len
◇ zuteilen, rationieren, zumessen, dosieren
Ein|tei|lung
ein|tö|nig; Ein|tö|nig|keit
Ein|topf (ugs.); **Ein|topf|ge|richt**
Ein|tracht, die; -; **ein|träch|tig**
Ein|trag, der; -[e]s, ...träge; **ein|tra|gen**
ein|träg|lich
◇ gewinnbringend, rentabel, lukrativ
ein|trän|ken (ugs.); jmdm. etwas -
ein|träu|feln
ein|tref|fen
ein|trei|ben; Ein|trei|bung
ein|tre|ten; in ein Zimmer -; für jmdn., eine Sache -
◇ sich einsetzen für, Partei ergreifen/nehmen für, jmdn. in Schutz nehmen, jmdm. beispringen, sich vor jmdn. stellen
ein|trich|tern (ugs.)
Ein|tritt; Ein|tritts‿geld, ...kar|te
ein|trock|nen
ein|tröp|feln
ein|trü|ben; sich -; **Ein|trü|bung**
ein|tru|deln (ugs. für: langsam eintreffen)
ein|üben; sich -; **Ein|übung**
ein|[und|]ein|halb; ein|und|zwan|zig
ein|ver|lei|ben; Ein|ver|lei|bung
Ein|ver|nah|me, die; -, -n (österr., schweiz. für: Verhör); **ein|ver|neh|men; Ein|ver|neh|men,** das; -s; sich ins - setzen
ein|ver|stan|den; Ein|ver|ständ|nis
Ein|waa|ge, die; - (in Dosen eingewogene Menge)

[1]**ein|wach|sen;** ein eingewachsener Nagel
[2]**ein|wach|sen** (mit Wachs einreiben)
Ein|wand, der; -[e]s, ...wände
Ein|wan|de|rer; ein|wan|dern; Ein|wan|de|rung
ein|wand|frei
ein|wärts; ein|wärts|ge|bo|gen
ein|wech|seln
ein|wecken [*Trenn.:* ...wek|ken] ([in Weckgläsern] einmachen)
Ein|weg‿fla|sche (Flasche zum Wegwerfen), **...glas**
ein|wei|chen; Ein|wei|chung
ein|wei|hen; Ein|wei|hung
ein|wei|sen (in ein Amt); **Ein|wei|sung**
ein|wen|den; ich wandte od. wendete ein, habe eingewandt od. eingewendet; **Ein|wen|dung**
ein|wer|fen
ein|wer|tig (Chemie); **Ein|wer|tig|keit**
ein|wickeln [*Trenn.:* ...wik|keln]
ein|wil|li|gen; Ein|wil|li|gung
ein|win|ken (Verkehrswesen)
ein|wir|ken; Ein|wir|kung
Ein|woh|ner; Ein|woh|ner‿mel|de|amt, ...zahl
Ein|wurf
Ein|zahl, die; - (für: Singular)
ein|zah|len; Ein|zah|lung; Ein|zah|lungs‿schal|ter, ...schein
ein|zäu|nen; Ein|zäu|nung
ein|zeich|nen; Ein|zeich|nung
ein|zei|lig
Ein|zel, das; -s, - (Sportspr: Einzelspiel); **Ein|zel‿fall,** der, **...gän|ger, ...han|del, ...heit**
Ein|zel|ler (einzelliges Lebewesen); **ein|zel|lig**
ein|zeln; der, die, das einzelne; einzelnes; vom Einzelnen zum Allgemeinen
◇ gesondert, getrennt, separat, für sich
ein|zeln|ste|hend; ein -er Baum; **Ein|zel‿per|son, ...stück**
ein|ze|men|tie|ren
ein|zie|hen; Ein|zie|hung
ein|zig; der, die, das einzige; kein einziger; Karl ist unser Einziger; **ein|zig|ar|tig** [auch: *ainzichartich*]; **Ein|zig|ar|tig|keit**
Ein|zim|mer|woh|nung
Ein|zug; Ein|zugs|be|reich
ein|zwän|gen; Ein|zwän|gung
ei|rund; Ei|rund
Eis, das; -es; [drei] - essen; **Eis‿bahn, ...bär, ...bein** (eine Speise), **...berg, ...beu|tel, ...block** (*Mehrz.* ...blöcke), **...blu|me, ...bom|be, ...bre|cher**
Ei|schnee
Eis‿creme od. ...krem, **...die|le**
Ei|sen (chem. Grundstoff, Metall; Zeichen: Fe), das; -s, -; **Ei|sen|bahn; Ei|sen|bah|ner; Ei|sen|stan|ge; ei|sen|ver|ar|bei|tend;** die -e Industrie; **Ei|sen|zeit,** die; -; **ei|sern;** die -e Ration; die -e Lunge; der -e Bestand; der -e Schaffner; die -e Hochzeit; das Eiserne Kreuz (ein Orden)
Ei|ses|käl|te; Eis|flä|che; Eis|hei|li|gen, die *Mehrz.;* **Eis|hockey** [*Trenn.:* ...hok|key]; **ei|sig; eis|kalt; Eis‿krem** od. ...creme, **...kunst|lauf, ...lauf; eis|lau|fen;** ich laufe, lief eis, bin eisgelaufen; um eiszulaufen; **Eis‿schrank, ...sta|di|on, ...tanz, ...vo|gel, ...zap|fen, ...zeit; eis|zeit|lich**
ei|tel; ein eitler Mensch
◇ putzsüchtig, gefallsüchtig, kokett, affig (ugs.), hoffärtig, geckenhaft, dandyhaft
Ei|tel|keit
Ei|ter, der; -s; **Ei|ter‿beu|le, ...herd; ei|tern; eit|rig**
Ei|weiß, das; -es, -e; **Ei|zel|le**
Eja|ku|la|ti|on [*...zion*], die; -, -en (Med.: Samenerguß)
[1]**Ekel,** der; -s; [2]**Ekel,** das; -s, - (ugs. für: widerlicher Mensch); **ekel|er|re|gend; ekel|haft; ekeln;** sich -
EKG, Ekg = Elektrokardiogramm
Eklat [*ekla*], der; -s, -s (aufsehenerregendes Ereignis); **ekla|tant** (aufsehenerregend; offenkundig)
ek|lig
Ek|lip|tik, die; -, -en (scheinbare Sonnenbahn; Erdbahn)
Ek|sta|se ([religiöse] Verzückung; höchste Begeisterung)
Ek|zem, das; -s, -e (Med.: eine Entzündung der Haut)
Ela|bo|rat, das; -[e]s, -e (schlechte schriftl. Ausarbeitung; Machwerk)
Elan, der; -s [fr. Ausspr.: *elang*] (Schwung; Begeisterung)
ela|stisch (federnd); **Ela|sti|zi|tät,** die; - (Federkraft; Spannkraft)
Elch, der; -[e]s, -e (Hirschart)
El|do|ra|do, Do|ra|do, das; -s, -s (sagenhaftes Goldland in Südamerika; übertr. für: Paradies)
Ele|fant, der; -en, -en
ele|gant; Ele|ganz, die; -
Ele|gie, die; -, ...ien (eine Gedichtform; Klagelied, wehmütiges Lied); **ele|gisch**
Elek|tri|fi|ka|ti|on [*...zion*], die; -, -en (schweiz. neben: Elektrifizierung); **elek|tri|fi|zie|ren** (auf elektr. Betrieb umstellen); **Elek|tri|fi|zie|rung; Elek|tri|ker; elek|trisch;** -e Eisenbahn; -e Lokomotive (Abk.: E-Lok); -er Strom; **Elek|tri|sche,** die; -n, -n (ugs.: elektr. Straßenbahn); **elek|tri|sie|ren; Elek|tri|zi|tät,** die; -; **Elek|tri|zi|täts|werk; Elek|tro|che|mie; elek|tro|che|misch; Elek|tro|de,** die; -, -n (den Stromübergang vermittelnder Leiter); **Elek|tro‿herd, ...in|ge|nieur, ...in|stal|la|teur; Elek-**

tro|kar|dio|gramm (Abk.: EKG, Ekg); **Elek|tro|ma|gnet; elek|tro|ma|gne|tisch;** -es Feld; -e Wellen; **Elek|tro-me|cha|ni|ker; Elek|tro|mo|bil,** das; -s, -e (elektrisch angetriebenes Auto); **Elek|tro|mo|tor**
Elek|tron [auch *eläk*... od. ...tron], das; -s, ...onen (negativ geladenes Elementarteilchen); **Elek|tro|nen-blitz, ...[ge]-hirn, ...mi|kro|skop, ...rech|ner, ...röh|re; Elek|tro|nik,** die; - (Lehre von den Elektronengeräten); **elek|tro|nisch;** -e Musik; -e Datenverarbeitung (Abk.: EDV)
Elek|tro-ofen, ...ra|sie|rer, ...tech|nik (die; -), **...tech|ni|ker**
Ele|ment, das; -[e]s, -e (Urstoff; Grundbestandteil; chem. Grundstoff; Naturgewalt; ein elektr. Gerät; Bez. für: [minderwertige] Person, meist *Mehrz.*); er ist, fühlt sich in seinem -; **ele|men|tar** (grundlegend, naturhaft; einfach)
elend; Elend, das; -[e]s; **Elends-quar|tier, ...vier|tel**
Ele|ve [...*w*[e]], der; -n, -n (Land- od. Forstwirt während der prakt. Ausbildungszeit)
elf; wir sind zu elfen od. zu elft
[1]**Elf,** der; -en, -en (ein Naturgeist) u. El|fe, die; -, -n
[2]**Elf,** die; -, -en (Zahl; Mannschaftsbez. beim Sport)
El|fe vgl. [1]Elf
El|fen|bein, das; -[e]s, (selten:) -e; **el|fen|bei|nern** (aus Elfenbein)
Elf|me|ter, der; -s, - (Strafstoß vom Elfmeterpunkt beim Fußball); **elft; elf|tau|send; elf|te; elf|tel; Elf|tel,** das (schweiz. meist: der); -s, -
eli|mi|nie|ren (beseitigen, ausscheiden); **Eli|mi|nie|rung**
eli|tär (einer Elite angehörend, auserlesen); **Eli|te,** die; -, -n [österr.: ...*lit*] (Auslese der Besten)
Eli|xier, das; -s, -e (Heil-, Zaubertrank)
Ell|bo|gen, El|len|bo|gen, der; -s, ...bogen
El|le, die; -, -n; drei -n Tuch
El|len|bo|gen vgl. Ellbogen
El|lip|se, die; -, -n (Kegelschnitt); **el|lip|tisch** (in der Form einer Ellipse)
E-Lok (= elektrische Lokomotive)
El|ster, die; -, -n (ein Vogel)
El|ter, das u. der; -s, -n (naturwissenschaftl. u. statist. für: ein Elternteil); **el|ter|lich;** -e Gewalt; **El|tern** *Mehrz.;* **El|tern-abend, ...haus; el|tern|los**
Email [auch: *emaj*], das; -s, -s u. **Email|le** *emalj*[e], *emaj, emai*], die; -, -n (Schmelz[überzug]); **email|lie|ren** [*emaljir*[e]*n, emajir*[e]*n*]; **Email|ma|le|rei**
Eman|zi|pa|ti|on [...*zion*], die; -, -en (Verselbständigung; Gleichstellung); **eman|zi|pa|to|risch; eman|zi|pie|ren;** sich -; **eman|zi|piert** (frei, ungebunden)

Em|bar|go, das; -s, -s (Zurückhalten od. Beschlagnahme [von Schiffen] im Hafen; Ausfuhrverbot)
Em|blem [fr. Aussprache: *angblem*], das; -s, -e (Kennzeichen, Hoheitszeichen; Sinnbild)
Em|bo|lie, die; -, ...ien (Med.: Verstopfung von Blutgefäßen durch einen Fremdkörper)
Em|bryo, der (österr. auch: das); -s, -s u. ...onen (noch nicht geborenes Lebewesen)
◇ Fötus, Fetus, Leibesfrucht
em|bryo|nal (im Anfangsstadium der Entwicklung)
eme|ri|tie|ren (in den Ruhestand versetzen); **eme|ri|tiert** (Abk.: em.); -er Professor; **Eme|ri|tie|rung**
Emi|grant, der; -en, -en (Auswanderer [bes. aus polit. od. religiösen Gründen])
◇ Flüchtling, Auswanderer, Asylant
Emi|gran|tin, die; -, -nen; **Emi|gra|ti|on** [...*zion*], die; -, -en; **emi|grie|ren**
emi|nent (hervorragend; außerordentlich); **Emi|nenz,** die; -, -en (frühere Anrede für Kardinäle)
Emir [auch: ...*ir*], der; -s, -e (arab. [Fürsten]titel); **Emi|rat,** das; -[e]s, -e (arab. Fürstentum)
Emis|si|on, die; -, -en (Physik: Ausstrahlung; Technik: Abblasen von Gasen, Ruß u. ä. industriellen Abfallstoffen in die Luft; Wirtsch.: Ausgabe [von Wertpapieren]; Med.: Entleerung)
Emm|chen (ugs. scherzh. für: Mark); das kostet tausend -
Em|men|ta|ler, der; -s, - (Käse)
Emo|ti|on [...*zion*], die; -, -en (Gemütsbewegung); **emo|tio|nal** (gefühlsmäßig, gefühlsbetont, affektiv); **emo|tio|na|li|sie|ren**
Emp|fang, der; -[e]s, ...fänge; **emp|fan|gen**
Emp|fän|ger
◇ Adressat
emp|fäng|lich; Emp|fäng|lich|keit, die; -; **Emp|fäng|nis,** die; -, -se; **Emp|fäng|nis|ver|hü|tung; emp|fangs|be|rech|tigt; Emp|fangs-chef, ...da|me**
emp|feh|len; empfahl (empföhle, seltener: empfähle), empfohlen; empfiehl!; sich -; **emp|feh|lens|wert**
Emp|feh|lung
◇ Rat, Ratschlag, Hinweis
emp|fin|den
◇ fühlen, spüren
Emp|fin|den, das; -s
emp|find|lich
◇ verletzlich, zartbesaitet, [über]sensibel, dünnhäutig
Emp|find|lich|keit; Emp|fin|dung
em|pha|tisch (mit Nachdruck, stark)

Em|pire [*angpir*], das; -s u. (fachspr.:) - (Kunststil der Zeit Napoleons I.)
Em|pi|rie, die; - (Erfahrung, Erfahrungswissen[schaft]); **em|pi|risch**
em|por; em|por...; Em|po|re, die; -, -n (erhöhter Sitzraum [in Kirchen]); **em|pö|ren;** sich -; **Em|pö|rer**
em|por|kom|men
◇ aufsteigen, arrivieren, emporsteigen, es zu etwas bringen
Em|por|kömm|ling
em|sig; Em|sig|keit, die; -
Emu, der; -s, -s (ein Laufvogel)
Emul|si|on, die; -, -en (feinste Verteilung eines unlösl. nichtkristallinen Stoffes in einer Flüssigkeit; lichtempfindl. Schicht auf fotogr. Platten, Filmen u. ä.)
En|de, das; -s, -n; am -; zu - sein; das dikke - kommt nach (ugs.); letzten Endes (schließlich)
◇ Ausgang, Schluß, Abschluß, Ausklang, Finale
End|ef|fekt; im -
en|den; nicht enden wollender Beifall
◇ aufhören, ein Ende haben, nicht weitergehen, zum Abschluß kommen, ausklingen
End|er|geb|nis
en dé|tail [*angdetaj*] (im kleinen; einzeln; im Einzelverkauf; Ggs.: en gros)
end|gül|tig; End|gül|tig|keit
En|di|vie [...*wi*[e]], die; -, -n (eine Salatpflanze); **En|di|vi|en|sa|lat**
End|la|ger (Lagerplatz für Atommüll); **end|lich; End|lich|keit,** die; -, (selten:) -en; **end|los;** -es Band
en|do|gen (von innen kommend, z. B. von Krankheiten)
End‿punkt, ...run|de, ...sil|be, ...spiel, ...spurt, ...sta|ti|on; En|dung; en|dungs|los (Grammatik)
Ener|gie, die; -, ...ien (Tatkraft; Physik: Fähigkeit, Arbeit zu leisten); **ener|gie|arm; Ener|gie‿be|darf, ...quel|le; Ener|gie|ver|sor|gung**
ener|gisch
◇ resolut, zupackend, tatkräftig
En|fant ter|ri|ble [*angfang täribe*[e]*l*], das; -, -s -s [*angfang täribe*[e]*l*] (jmd., der gegen die geltenden [gesellschaftlichen] Regeln verstößt und dadurch seine Umgebung ohne Absicht oft schockiert)
eng; auf das, aufs engste
En|ga|ge|ment [*anggasch*[e]*mang*, österr.: ...*gaschmang*], das; -s, -s (Verpflichtung, Bindung; [An]stellung, bes. eines Künstlers); **en|ga|gie|ren** [*anggaschir*[e]*n*] (verpflichten, binden); sich - (sich einsetzen, eintreten für); **en|ga|giert**
eng|an|lie|gend; eng|an|schlie|ßend; eng|be|freun|det; enger, am engsten befreundet; **eng|brü|stig; En|ge,** die; -, -n
En|gel, der; -s, -; **En|gel|chen; En|gel|ma|che|rin,** die; -, -nen (ugs. verhüllend: Kurpfuscherin, die illegale Abtreibungen vornimmt); **En|gels|ge|duld; En|gels|zun|gen** *Mehrz.;* mit [Menschen- und mit] Engelszungen (so eindringlich wie möglich) reden
En|ger|ling (Maikäferlarve)
eng|her|zig
Eng|län|der (auch Bez. für ein zangenartiges Werkzeug)
Eng|lein
eng|lisch; in englischem Wortlaut; auf englisch, in englisch (in englischem Text, Wortlaut); der Redner hat englisch (nicht deutsch) gesprochen; die -e Krankheit; **Eng|lisch,** das; -[s] (eine Sprache); mein, dein, sein Englisch ist schlecht; er kann, lehrt, lernt, schreibt, spricht, versteht [kein, nicht, gut, schlecht] Englisch; **Eng|li|sche,** das; -n (die englische Sprache); er hat aus dem Deutschen ins Englische übersetzt
Eng|li|sche Gruß, der; -n -es [zu: Engel] (ein Gebet)
Eng|lisch|horn (ein Holzblasinstrument; *Mehrz.* ...hörner)
eng|ma|schig; Eng|paß
en gros [*anggro*] (im großen, Ggs.: en détail)
eng|stir|nig; Eng|stir|nig|keit, die; -
En|kel, der; -s, - (Kindeskind); **En|ke|lin,** die; -, -nen
En|kla|ve [...*w*[e]], die; -, -n (ein fremdstaatl. Gebiet im eigenen Staatsgebiet)
en masse [*angmaß*] (ugs. für: „in Masse"; gehäuft)
en mi|nia|ture [*angminiatür*] (in kleinem Maßstabe, im kleinen)
enorm (außerordentlich; ungeheuer)
en pas|sant [*angpaßang*] (im Vorübergehen; beiläufig)
En|quete [*angkät*], die; -, -n [...*t*[e]*n*] (amtliche Untersuchung)
En|sem|ble [*angßangb*[e]*l*], das; -s, -s (ein zusammengehörendes Ganzes; Gruppe von Künstlern)
ent|ar|ten; ent|ar|tet; Ent|ar|tung
ent|beh|ren; ein Buch -; des Trostes - (geh.)
◇ ermangeln (geh.), missen, vermissen, jmdm. fehlen
ent|behr|lich; Ent|beh|rung
ent|bie|ten; Grüße -
ent|bin|den; Ent|bin|dung
ent|blät|tern; sich -
ent|blö|den, nur in: sich nicht entblöden (sich nicht scheuen)
ent|blö|ßen; sich -; **Ent|blö|ßung**
ent|decken[1]
◇ stoßen auf, finden, einen Fund machen

[1] *Trenn.:* ...k|k...

Ent|de̤cker[1]; **En|de̤ckung**[1]; **Entde̤ckungs|rei|se**[1]
E̤n|te, die; -, -n; kalte - (ein Getränk)
ent|e̲h|ren; Ent|e̲h|rung
ent|e̲i̲g|nen
◇ abnehmen, verstaatlichen, vergesellschaften
Ent|e̲i̲g|nung
ent|e̲i̲|len
ent|e̲i̲|sen (von Eis befreien); du enteist (enteisest); er entei|ste; enteist
ent|e̲i̲|se|nen (von Eisen befreien); du enteisenst; einteisent; enteisentes Wasser
E̤n|ten‿bra|ten, ...ei, ...kü|ken
En|tente [*angtangt*], die; -, -n (Staatenbündnis); die Große -, die Kleine -
ent|e̤r|ben; Ent|e̤r|bung
E̤n|te|rich, der; -s, -e (männl. Ente)
e̤n|tern (auf etwas klettern); ein Schiff - (mit Enterhaken festhalten und erobern)
En|ter|tai|ner [*änt^e^rte̲^i^n^e^r*], der; -s, - (Unterhalter)
ent|fa̤|chen; Ent|fa̤|chung
ent|fa̲h|ren; ein Fluch entfuhr ihm
ent|fa̤l|len
◇ vergessen, aus dem Gedächtnis verlieren, nicht mehr gegenwärtig haben
ent|fa̤l|ten; sich -; **Ent|fa̤l|tung**
ent|fe̤r|nen; sich -
◇ weggehen, davongehen, fortgehen, gehen, sich trollen (ugs.), abdampfen (ugs.), Leine ziehen (ugs.)
ent|fe̤rnt; nicht im -esten; **Ent|fe̤r|nung**
ent|fe̤s|seln
ent|fe̤t|ten; Ent|fe̤t|tung
ent|fla̤mm|bar; leicht -es Material; **entfla̤m|men; ent|fla̤mmt**
ent|fle̤ch|ten; Ent|fle̤ch|tung
ent|flie̲|hen
ent|fre̤m|den; sich -; **Ent|fre̤m|dung**
ent|fü̲h|ren; Ent|fü̲h|rer; Ent|fü̲hrung
ent|ge̲|gen; *Umstandsw.:* der Sonne -; dieser Rat ist unseren Wünschen völlig -; *Verhältnisw.* mit *Wemf.:* - meinem Rat ist er abgereist; **ent|ge̲|gen|brin|gen;** jmdm. Vertrauen -; **ent|ge̲|gen‿fahren, ...ge|hen; ent|ge̲|gen|ge|setzt;** die -e Richtung; **ent|ge̲|gen|kommen; ent|ge̲|gen|kom|mend; entge̲g|nen; Ent|ge̲g|nung**
ent|ge̲|hen; ich lasse mir nichts -
ent|ge̲i̲|stert (sprachlos; verstört)
Ent|ge̤lt, das (veralt.: der); -[e]s, -e; gegen, ohne -
◇ Bezahlung, Vergütung
ent|ge̤l|ten; Ent|ge̤lt[s]‿be|schei|nigung, ...for|de|rung
ent|gi̤f|ten; Ent|gi̤f|tung
ent|gle̲i̲|sen; Ent|gle̲i̲|sung
ent|gle̲i̲|ten

[1] *Trenn.:* ...k|k...

ent|grä̲|ten; entgräteter Fisch
ent|ha̲a̲|ren; Ent|ha̲a̲|rung
ent|ha̤l|ten; sich -
◇ einschließen, beinhalten (Papierdt.), zum Inhalt haben, in sich begreifen · lassen, unterlassen, absehen von, abstehen von, sich verkneifen (ugs.)
ent|ha̤lt|sam; Ent|ha̤lt|sam|keit, die; -; **Ent|ha̤l|tung**
ent|hä̤r|ten; Ent|hä̤r|tung
ent|ha̲u̲p|ten; Ent|ha̲u̲p|tung
ent|hä̲u̲|ten; Ent|hä̲u̲|tung
ent|he̲|ben; jmdn. seines Amtes -
ent|he̤m|men; Ent|he̤mmt|heit
ent|hṳ̈l|len; sich -; **Ent|hṳ̈l|lung**
En|thu|si|a̤s|mus, der; - (große Begeisterung; Leidenschaftlichkeit); **en|thu|si|a̤stisch**
ent|ka̤l|ken
ent|ke̲i̲|men; Ent|ke̲i̲|mung
ent|ke̤r|nen
ent|kle̲i̲|den; sich -
ent|ko̤m|men
ent|ko̤r|ken
ent|krä̤f|ten; Ent|krä̤f|tung
ent|la̲|den; sich -; **Ent|la̲|dung**
ent|la̤ng; den Wald -; - dem Fluß; **entla̤ng|lau|fen**
ent|la̤r|ven; sich -; **Ent|la̤r|vung**
ent|la̤s|sen
◇ kündigen, freisetzen, fortschicken, feuern (ugs.), seines Amtes entheben, aus seinem Amt entfernen, ausbooten (ugs.), abbauen, auf die Straße setzen (ugs.)
Ent|la̤s|sung
ent|la̤|sten; Ent|la̤|stung
ent|la̲u̲|ben; ent|la̲u̲bt
ent|la̲u̲|fen
ent|la̲u̲|sen; Ent|la̲u̲|sung
ent|le̲|di|gen; sich der Aufgabe -
ent|le̲e̲|ren; Ent|le̲e̲|rung
ent|le̲|gen
ent|le̲i̲|hen
◇ leihen, ausleihen, borgen, ausborgen
Ent|le̲i̲|her
ent|lo̲|ben, sich; **Ent|lo̲|bung**
ent|lo̤cken [*Trenn.:* ...lok|ken]
ent|lo̲h|nen, (schweiz.:) **ent|lö̲h|nen; Ent|lo̲h|nung,** (schweiz.:) **Ent|lö̲hnung**
ent|lṳ̈f|ten; Ent|lṳ̈f|ter (für: Exhaustor); **Ent|lṳ̈f|tung**
ent|ma̤ch|ten; Ent|ma̤ch|tung
ent|ma̤n|nen; Ent|ma̤n|nung
ent|me̤n|schen; ent|me̤nscht
ent|mie̲|ten (ein Haus o. ä. von Mietern frei machen)
ent|mi|li|ta|ri|sie̲|ren
ent|mṳ̈n|di|gen; Ent|mṳ̈n|di|gung
ent|mu̲|ti|gen; Ent|mu̲|ti|gung
Ent|na̲h|me, die; -, -n
ent|na|zi|fi|zie̲|ren
ent|ne̲h|men; [aus] den Worten -

ent|ner|ven [...*fᵉn*]; **ent|nervt**
ent|pflich|ten; Ent|pflich|tung
ent|pup|pen, sich
ent|rah|men
ent|rät|seln
ent|rech|ten; Ent|rech|tung
En|tre|cote [*angtrᵉkot*], das; -[s], -s (Rippenstück beim Rind)
En|tree [*angtre*], das; -s, -s (Eintritt[sgeld], Eingang; Vorspeise; Eröffnungsmusik)
ent|rei|ßen
ent|rich|ten; Ent|rich|tung
ent|rin|nen; Ent|rin|nen, das; -s
ent|rücken [*Trenn.:* ...rük|ken]
ent|rüm|peln; Ent|rüm|pe|lung
ent|rü|sten; sich -; **ent|rü|stet**
ent|saf|ten; Ent|saf|ter
ent|sa|gen; dem Vorhaben -
◇ verzichten, resignieren, fallenlassen, abschreiben, sich etwas aus dem Kopf schlagen (ugs.)
Ent|satz, der; -es
ent|schä|di|gen
◇ Schadenersatz leisten, für den Schaden einstehen, [wieder]gutmachen, ersetzen, erstatten
Ent|schä|di|gung
ent|schär|fen; eine Mine -
Ent|scheid, der; -[e]s, -e; **ent|schei|den;** sich für etw. -; **ent|schei|dend; Ent|schei|dung; ent|schie|den;** auf das, aufs -ste; **Ent|schie|den|heit,** die; -
ent|schla|fen (sterben)
ent|schlei|ern
ent|schlie|ßen, sich; sich zu etw. -
◇ sich schlüssig werden, sich entscheiden, einen Entschluß fassen, beschließen
Ent|schlie|ßung; ent|schlos|sen; Ent|schlos|sen|heit, die; -
ent|schlüp|fen
Ent|schluß
ent|schlüs|seln
ent|schluß|fä|hig; Ent|schluß|kraft, die; -
ent|schul|di|gen; sich für, wegen etwas -
◇ um Entschuldigung/Verzeihung bitten, Abbitte tun/leisten
Ent|schul|di|gung
ent|schwin|den
ent|seelt (geh. für: tot)
ent|sen|den; entsendete od. entsandt, entsendet od. entsandt; **Ent|sen|dung**
ent|set|zen; sich -
Ent|set|zen; das, -s
◇ Grauen, Grausen, Schauder, Schrecken, Bestürzung
ent|set|zen|er|re|gend; Ent|set|zens|schrei; ent|setz|lich
ent|si|chern
ent|sin|nen, sich; ich kann mich meines Lehrers od. an meinen Lehrer, seiner od. an ihn, dessen od. daran nicht mehr -

ent|span|nen; sich -; **ent|spannt;** -es Wasser; **Ent|span|nung**
ent|spin|nen, sich
ent|spre|chen; ent|spre|chend; eine -e Entschädigung; bei der -en Behörde anfragen; *Verhältnisw.* mit *Wemf.:* - seinem Vorschlag od. seinem Vorschlag -; sie hat[,] seinen Anordnungen entsprechend[,] gehandelt
ent|sprie|ßen
ent|sprin|gen
ent|stam|men
ent|ste|hen
◇ sich entfalten, sich entwickeln, sich bilden
Ent|ste|hung; Ent|ste|hungs|ge|schich|te
ent|stei|nen; Kirschen -
ent|stel|len; ent|stellt; Ent|stel|lung
ent|stem|peln; die Nummernschilder wurden entstempelt
ent|stö|ren; Ent|stö|rung
ent|tar|nen; Ent|tar|nung
ent|täu|schen; Ent|täu|schung
ent|thro|nen; Ent|thro|nung
ent|völ|kern; Ent|völ|ke|rung
ent|wach|sen
ent|waff|nen; Ent|waff|nung
ent|war|nen; Ent|war|nung
ent|wäs|sern; Ent|wäs|se|rung
ent|we|der [auch: *änt*...]; entweder – oder
ent|wei|chen; Ent|wei|chung
ent|wei|hen; Ent|wei|hung
ent|wen|den; Ent|wen|dung
ent|wer|fen; Pläne -
◇ einen Entwurf machen, konzipieren, skizzieren, planen
ent|wer|ten; sich -; **Ent|wer|tung**
ent|wickeln [*Trenn.:* ...wik|keln]; sich -; **Ent|wick|ler**
Ent|wick|lung
◇ Entfaltung, Wachstum, Entstehung, Werdegang
Ent|wick|lungs|hil|fe
ent|win|den
ent|wir|ren; sich -; **Ent|wir|rung**
ent|wi|schen (ugs. für: entkommen)
ent|wöh|nen; Ent|wöh|nung
ent|wür|di|gen
Ent|wurf
◇ Skizze, Plan, Konzept, Konzeption, Exposé
ent|wur|zeln; Ent|wur|ze|lung
ent|zau|bern; Ent|zau|be|rung
ent|zer|ren; Ent|zer|rer (Technik)
ent|zie|hen; sich -; **Ent|zie|hung**
ent|zif|fer|bar; ent|zif|fern
ent|zücken[1]; **Ent|zücken**[1], das; -s; **ent|zückend**[1]
Ent|zug, der; -[e]s

[1] *Trenn.:* ...k|k...

ent|zünd|bar; ent|zün|den; sich -; **ent-zünd|lich; Ent|zün|dung; Ent|zün-dungs|herd**
ent|zwei; - sein; **ent|zwei|bre|chen; ent|zwei|en;** sich -; **ent|zwei|ge|hen; Ent|zwei|ung**
en vogue [*angwog*] (beliebt; modisch; im Schwange)
En|zi|an, der; -s, -e (eine Alpenpflanze; ein alkohol. Getränk)
En|zy|kli|ka [auch: *änzü*...], die; -, ...ken (päpstl. Rundschreiben)
En|zy|klo|pä|die, die; -, ...ien (ein Nachschlagewerk); **en|zy|klo|pä|disch** (umfassend)
En|zym, das; -s, -e (ein Ferment)
Epau|let|te [*epoläte*], die; -, -n (Schulterstück auf Uniformen)
Epen (*Mehrz.* von: Epos)
Epi|de|mie, die; -, ...ien (Seuche, Massenerkrankung); **epi|de|misch**
Epi|go|ne, der; -n, -n (schwächerer Nachkomme; Nachahmer ohne Schöpferkraft)
Epi|gramm, das; -s, -e (Sinn-, Spottgedicht)
Epi|lep|sie, die; -, ...ien (Fallsucht, meist mit Krämpfen); **Epi|lep|ti|ker; epi|lep-tisch**
epi|lie|ren (Körperhaare entfernen)
Epi|log, der; -s, -e (Nachwort; Nachspiel, Ausklang)
Epi|pha|ni|as (Fest der „Erscheinung" [des Herrn]; Dreikönigsfest); **Epi|pha-ni|en|fest** = Epiphanias
episch (erzählend; das Epos betreffend); -es Theater
epi|sko|pal (bischöflich); **Epi|sko|pat,** das u. (Theologie) der; -[e]s, -e (Gesamtheit der Bischöfe; Bischofswürde)
Epi|so|de, die; -, -n (vorübergehendes nebensächl. Ereignis; Zwischenstück)
Epi|stel, die; -, -n (Apostelbrief im N. T.; vorgeschriebene gottesdienstl. Lesung; ugs. für: Brief, Strafpredigt)
Epo|che, die; -, -n (Beginn eines Zeitraums; Zeitabschnitt); **epo|che|ma-chend**
Epos, das; -, Epen (erzählende Versdichtung; Heldengedicht)
Equipe [*ekip,* schweiz.: *ekipe*], die; -, -n ([Reiter]mannschaft)
◇ Mannschaft, Crew, Team, Gruppe, Kollektiv
er; - kommt; **Er,** der; -, -s (ugs. für: Mensch oder Tier männl. Geschlechts); ein Er und eine Sie saßen dort
er|ach|ten; jmdn. od. etwas als oder für etwas -; **Er|ach|ten,** das; -s; meinem - nach, meines -s
er|ar|bei|ten; Er|ar|bei|tung
er|äu|gen (meist scherzh.)
Erb‿an|la|ge, ...an|spruch
er|bar|men; sich -; du erbarmst dich seiner; **Er|bar|men,** das; -s; zum -; **er-bärm|lich; Er|bärm|lich|keit; er|bar-mungs|los**
er|bau|en; sich -; **Er|bau|er; er|bau-lich; Er|bau|ung**
erb|be|rech|tigt; [1]Er|be, der; -n, -n; der gesetzliche -
[2]Er|be, das; -s; das kulturelle -
◇ Erbteil, Erbschaft, Hinterlassenschaft, Nachlaß
er|be|ben
er|ben
◇ ererben, eine Erbschaft machen/antreten, zum Erben eingesetzt werden
Er|ben|ge|mein|schaft
er|be|ten; ein -er Gast
er|bet|teln
er|beu|ten; Er|beu|tung
Er|bin, die; -, -nen
er|bit|ten
er|bit|tern; Er|bit|te|rung
Erb|las|ser (der eine Erbschaft Hinterlassende)
er|blei|chen (bleich werden)
erb|lich; Erb|lich|keit, die; -
erblicken [*Trenn.:* er|blik|ken]
er|blin|den; Er|blin|dung
er|blü|hen
Erb|mas|se; erb|mä|ßig
er|bo|sen (erzürnen); sich -; ich habe mich erbost
er|bre|chen; sich -
◇ sich übergeben, brechen (ugs.), spucken (ugs.)
er|brin|gen; den Nachweis -
Erb|schaft; Erb|schaft[s]|steu|er
Erb|se, die; -, -n; **erb|sen|groß; Erb-sen|sup|pe**
Erb‿stück, ...sün|de
Erbs|wurst
Erb|teil, das u. (BGB:) der
Erd|ach|se, die; -
er|dacht; eine -e Geschichte
Erd‿ap|fel (landsch. für: Kartoffel), **...ball** (der; -[e]s), **...be|ben; Erd|bee-re; Erd‿be|stat|tung, ...bo|den**
Er|de, die; -, (selten:) -n
◇ Erdreich, Grund, Boden, Erdkrume · Erdball, Erdkugel, Welt, Globus, der blaue Planet
er|den (Elektrotechnik: Verbindung zwischen einem elektr. Gerät und der Erde herstellen)
er|den|ken; er|denk|lich
Erd|gas; Erd‿geist (*Mehrz.* ...geister), **...ge|schoß** (Parterre)
er|dich|ten (scherzh.: [als Ausrede] erfinden; sich ausdenken)
er|dig; Erd‿kreis (der; -es), **...ku|gel, ...kun|de** (die; -); **erd|kund|lich**
Erd‿nuß, ...ober|flä|che, ...öl
er|dol|chen; Er|dol|chung
er|drei|sten, sich

◇ sich etwas anmaßen, sich erkühnen, sich erfrechen
er|dröh|nen
er|dros|seln
er|drücken[1]**; er|drückend**[1]
Erd.rutsch, ...teil (der)
er|dul|den
Erd|um|krei|sung; Er|dung (Erden); **Erd.wall, ...zeit|al|ter**
er|ei|fern, sich; **Er|ei|fe|rung**
er|eig|nen, sich
◇ sich zutragen, sich abspielen, geschehen, passieren
Er|eig|nis, das; -ses, -se; ein freudiges -; ein großes -
◇ Geschehen, Geschehnis, Begebenheit, Vorfall, Sensation
er|eig|nis.los, ...reich
er|ei|len; das Schicksal ereilte ihn
Erek|ti|on [*...zion*] (Med.: Aufrichtung; Anschwellung)
Ere|mit, der; -en, -en (Einsiedler)
er|er|ben
er|fahr|bar
[1]**er|fah|ren;** etwas Wichtiges -
◇ hören, jmdm. zu Ohren kommen, Kenntnis von etwas bekommen
[2]**er|fah|ren;** -er Mann; **Er|fah|rung; er|fah|rungs|ge|mäß**
er|fas|sen; erfaßt; **Er|fas|sung**
er|fin|den
◇ eine Erfindung machen, entwickeln, austüfteln
Er|fin|der; er|fin|de|risch; Er|fin|dung; Er|fin|dungs|ga|be
er|fle|hen; erflehte Hilfe
Er|folg, der; -[e]s, -e
er|fol|gen
◇ nötig machen, verlangen, erheischen (geh.)
er|folg.los, ...reich; Er|folgs.aus|sicht (meist *Mehrz.*), **...rech|nung** (Wirtsch.); **er|folg|ver|spre|chend**
er|for|der|lich; er|for|dern; Er|for|der|nis, das; -ses, -se
er|for|schen; Er|for|schung
er|fre|chen, sich
er|freu|en; sich -; **er|freu|lich**
er|frie|ren; Er|frie|rung
er|fri|schen; er|fri|schend; Er|fri|schung
er|füh|len
er|füll|bar; -e Wünsche; **er|fül|len;** sich -; **Er|fül|lung**
er|gän|zen; sich -
◇ vervollständigen, komplettieren
Er|gän|zung
er|gat|tern (ugs. für: sich durch geschicktes Bemühen verschaffen)
er|gau|nern (ugs. für: sich durch Betrug verschaffen)

[1]*Trenn.:* ...k|k...

[1]**er|ge|ben;** sich ins Unvermeidliche -; [2]**er|ge|ben;** -er Diener; **Er|ge|ben|heit,** die; -; **er|ge|benst**
Er|geb|nis, das; -ses, -se
◇ Resultat, Endergebnis, Fazit
er|geb|nis|los
er|ge|hen; sich -
er|gie|big; Er|gie|big|keit, die; -
er|gie|ßen; sich -; **Er|gie|ßung**
er|go (folglich, also)
er|göt|zen; sich -; **Er|göt|zen,** das; -s; **er|götz|lich**
er|grau|en; ergraut
er|grei|fen; er|grei|fend; Er|grei|fung; er|grif|fen; Er|grif|fen|heit, die; -
er|grim|men
er|grün|den; Er|grün|dung
Er|guß; Er|guß|ge|stein
er|ha|ben; sie ist über jeden Zweifel -; **Er|ha|ben|heit**
Er|halt, der; -[e]s (Empfang; Erhaltung, Bewahrung)
er|hal|ten; - bleiben; etwas frisch -
◇ bekommen, kriegen, erlangen, empfangen
er|hält|lich
er|hän|gen; sich -
er|här|ten; Er|här|tung
er|he|ben; sich -; **er|he|bend** (feierlich); **er|heb|lich; Er|he|bung**
er|hei|ra|ten (durch Heirat erlangen)
er|hei|tern
◇ erfreuen, froh machen, beglücken
Er|hei|te|rung
[1]**er|hel|len;** das Zimmer - (beleuchten); sich - (hell werden); [2]**er|hel|len;** daraus erhellt (wird klar), daß ...; **Er|hel|lung**
er|hit|zen; sich -; **Er|hit|zung**
er|ho|ben
er|hof|fen
er|hö|hen; Er|hö|hung
er|ho|len, sich
◇ wieder zu Kräften kommen, sich regenerieren, sich wieder hochrappeln (ugs.), [wieder] auf die Beine kommen
er|hol|sam; Er|ho|lung; er|ho|lungs|be|dürf|tig
er|hö|ren; Er|hö|rung
eri|gie|ren (sich aufrichten)
Eri|ka, die; -, ...ken (Heidekraut)
er|in|ner|lich
er|in|nern; sich -
◇ sich entsinnen, etwas noch wissen/noch im Gedächtnis haben · mahnen, etwas in Erinnerung bringen
Er|in|ne|rung; Er|in|ne|rungs.bild, ...ver|mö|gen (das; -s)
er|ja|gen
er|kal|ten
er|käl|ten, sich
◇ sich einen Schnupfen/eine Grippe holen, sich verkühlen (landsch.)

Er|kal|tung; Er|käl|tung
er|kämp|fen
er|kau|fen
er|kenn|bar; Er|kenn|bar|keit, die; -; **er|ken|nen;** etwas - (deutlich erfassen, zu der Erkenntnis kommen, jmdm. klarwerden, bewußt werden); auf eine Freiheitsstrafe - (Rechtsspr.); sich zu erkennen geben; **er|kennt|lich;** sich - zeigen; **Er|kennt|nis,** die; -, -se (Einsicht); **Er|ken|nungs‿dienst, ...zei|chen**
Er|ker, der; -s, -; **Er|ker|fen|ster**
er|klär|bar
er|klä|ren; sich -
◇ sagen, äußern, kundgeben, zum Ausdruck bringen · jmdm. etwas klarmachen, explizieren, darlegen, verdeutlichen
Er|klä|rung
er|kleck|lich (beträchtlich)
er|klim|men; Er|klim|mung
er|klin|gen
er|kran|ken
◇ krank werden, von einer Krankheit befallen werden
Er|kran|kung
er|kun|den; er|kun|di|gen, sich; **Er|kun|di|gung**
er|lah|men; Er|lah|mung
er|lan|gen
Er|laß, der; Erlasses, Erlasse (österr.: Erlässe); **er|las|sen**
er|lau|ben; sich -
◇ die Erlaubnis geben, seine Zustimmung geben, die Genehmigung erteilen, nichts dagegen haben, gutheißen
Er|laub|nis, die; -
er|läu|tern; Er|läu|te|rung
Er|le, die; -, -n (ein Laubbaum)
er|le|ben
◇ durchleben, verleben
Er|le|ben, das; -s; **Er|leb|nis,** das; -ses, -se; **er|lebt;** -e Rede
er|le|di|gen; Er|le|di|gung
er|le|gen; Er|le|gung
er|leich|tern; sich -; **er|leich|tert; Er|leich|te|rung**
er|lei|den
er|ler|nen; Er|ler|nung
er|le|sen; ein -es Gericht
er|leuch|ten; Er|leuch|tung
er|lie|gen; zum Erliegen kommen
er|lo|gen; eine -e Geschichte
Er|lös, der; -es, -e
er|lö|schen; erlosch, erloschen; erlisch!; **Er|lö|schen,** das; -s
er|lö|sen; erlöst; **Er|lö|ser; Er|lö|sung**
er|mäch|ti|gen; Er|mäch|ti|gung
er|mah|nen; Er|mah|nung
Er|man|ge|lung, Er|mang|lung, die; -; in - eines Besser[e]n
er|man|nen, sich
er|mä|ßi|gen
◇ verringern, nachlassen
Er|mä|ßi|gung
er|mat|ten; Er|mat|tung
er|mes|sen; Er|mes|sen, das; -s; nach meinem -; **Er|mes|sens|frei|heit**
er|mit|teln; Er|mitt|lung; Er|mitt|lungs‿rich|ter, ...ver|fah|ren
er|mög|li|chen
er|mor|den; Er|mor|dung
er|mü|den; Er|mü|dung
er|mun|tern; Er|mun|te|rung
er|mu|ti|gen; Er|mu|ti|gung
er|näh|ren; Er|näh|rer
Er|näh|rung
◇ Nahrung, Kost, Essen
Er|näh|rungs|stö|rung
er|nen|nen; Er|nen|nung
er|neu|en; er|neu|ern; sich -; **Er|neue|rung; er|neut**
er|nied|ri|gen; sich -; **er|nied|ri|gend; Er|nied|ri|gung**
ernst; -er, -este; ernst sein, werden, nehmen; die Lage wird -
◇ kritisch, bedrohlich, gefährlich
Ernst, der; -es; im -; - machen; Scherz für - nehmen; es ist mir [vollkommener] - damit; allen -es; **Ernst|fall; ernst|gemeint;** ernster, am ernstesten gemeint; **ernst|haft; Ernst|haf|tig|keit,** die; -; **ernst|lich**
Ern|te, die; -, -n; **Ern|te|dank|fest** [auch: *ärn*...]; **ern|ten**
er|nüch|tern; Er|nüch|te|rung
Er|obe|rer; Er|obe|rin, die; -, -nen; **erobern; Er|obe|rung; Er|obe|rungs|krieg**
er|öff|nen; sich -; **Er|öff|nung**
er|ör|tern
◇ besprechen, diskutieren, behandeln, durchsprechen, bekakeln (ugs.)
Er|ör|te|rung
Eros [auch: *eroß*], der; - ([geschlechtl.] Liebe; Philos.: durch Liebe geweckter schöpferischer Urtrieb); **Eros-Cen|ter** [auch: *eroß*...] (verhüllend für: Bordell); **Ero|tik,** die; - (den geistig-seel. Bereich einbeziehende sinnliche Liebe); **erotisch**
Er|pel, der; -s, - (Enterich)
er|picht; auf eine Sache - (begierig) sein
er|pres|sen; Er|pres|ser; er|pres|serisch; Er|pres|sung
er|pro|ben
◇ prüfen, testen, ausprobieren
er|probt
erquicken [*Trenn.:* er|quik|ken]; **erquick|lich; Erquickung** [*Trenn.:* Er|quik|kung]
er|rat|bar; er|ra|ten
er|rech|nen
er|reg|bar; er|re|gen; Er|re|ger
Er|re|gung
◇ Aufregung, Emotion, Affekt-, Aufgeregtheit

er|reich|bar; er|rei|chen
er|ret|ten; - von (selten: vor); **Er|ret|ter; Er|ret|tung**
er|rich|ten
◇ bauen, erbauen, erstellen, aufführen
Er|rich|tung
er|rin|gen; Er|rin|gung
er|rö|ten; Er|rö|ten, das; -s
Er|run|gen|schaft
Er|satz, der; -es; **Er|satz‿dienst, ...kas|se; er|satz|pflich|tig; Er|satz|teil,** das (seltener: der)
er|sau|fen (ugs. für: ertrinken); **er|säu|fen** (ertränken)
er|schaf|fen; erschuf, erschaffen; **Er|schaf|fung**
er|schal|len
er|schei|nen; Er|schei|nung; Er|schei|nungs‿bild, ...form
er|schie|ßen
◇ totschießen, über den Haufen schießen (ugs.), durch Erschießen töten, abknallen (ugs.)
Er|schie|ßung
er|schlaf|fen; Er|schlaf|fung
er|schla|gen
er|schlei|chen (durch List erringen); **Er|schlei|chung**
er|schlie|ßen
er|schöp|fen; sich -
er|schöpft
◇ abgespannt, ausgepumpt (ugs.), ausgelaugt (ugs.), fertig (ugs.), schachmatt (ugs.), erschossen (ugs.), kaputt (ugs.), k. o. (ugs.), wie gerädert (ugs.)
Er|schöp|fung
[1]**er|schrecken**[1]**;** ich bin darüber erschrocken; erschrick!; [2]**er|schrecken**[1]**;** sein Aussehen hat mich erschreckt; [3]**er|schrecken**[1]**,** sich (ugs.); ich habe mich erschreckt, erschrocken; **er|schrek|kend**
er|schüt|tern; er|schüt|ternd; -ste; **Er|schüt|te|rung**
er|schwe|ren; Er|schwer|nis, die; -, -se; **Er|schwe|rung**
er|schwin|deln
er|schwin|gen; er|schwing|lich
er|se|hen
er|seh|nen
er|setz|bar; er|set|zen
er|sicht|lich
er|sit|zen; ersessene Rechte
er|spä|hen
er|spa|ren; Er|spar|nis, die; -, -se (österr. auch: das; -ses, -se)
er|sprieß|lich
erst; - recht
er|star|ken; Er|star|kung
er|star|ren; Er|star|rung
er|stat|ten; Er|stat|tung

[1]*Trenn.:* ...k|k...

Erst|auf|füh|rung
er|stau|nen; Er|stau|nen, das; -s; **er|staun|lich**
Erst‿aus|ga|be, ...be|sitz; erst|be|ste (vgl. erste); **Erst|be|stei|gung**
er|ste; der, die, das erste (der Reihe nach); als erster, erstes; der erste beste; erste Geige spielen; das erste Programm; das erste Mal, od. das erstemal; fürs erste, zum ersten; beim, zum ersten Mal[e], od. beim, zum erstenmal; Erste Hilfe (bei Unglücksfällen); am Ersten des Monats; der, die Erste (dem Range, der Tüchtigkeit nach [nicht der Reihe nach])
er|ste|chen
er|ste|hen
er|steig|bar; Er|steig|bar|keit, die; -; **er|stei|gen; Er|stei|gung**
er|stel|len; Er|stel|lung
er|ste|mal; das -; **er|stens**
er|ster|ben; mit -der Stimme
er|ste|re, der (der erste [von zweien]); -r; **Er|ste[r]-Klas|se-Ab|teil; Erst|ge|burt**
er|sticken[1]**; Er|stickung**[1]
Erst|kläs|ser (mitteld. für: Erstkläßler); **erst|klas|sig; Erst|klaß|ler** (landsch., bes. österr.) u. **Erst|kläß|ler** (schweiz. u. südd. für: Schüler der ersten Klasse); **erst|ma|lig; erst|mals**
er|strah|len
erst|ran|gig
er|stre|ben; er|stre|bens|wert
er|strecken[1]**,** sich; **Er|streckung**[1]
Erst|stim|me; Erst|tags|brief
er|stun|ken (derb für: erdichtet); - und erlogen
er|stür|men; Er|stür|mung
er|su|chen
er|tap|pen; sich -
er|tei|len; Er|tei|lung
er|tö|nen
Er|trag, der; -[e]s, ...träge; **er|trag|bar**
er|tra|gen
◇ erdulden, erleiden, durchmachen, mitmachen, aushalten [müssen], durchstehen, ausstehen
er|träg|lich; er|trag‿los, ...reich
er|trän|ken; Er|trän|kung
er|trin|ken; Er|trin|ken|de, Er|trun|ke|ne, der u. die; -n, -n
er|tüch|ti|gen; Er|tüch|ti|gung
er|üb|ri|gen; er hat viel erübrigt (gespart); es erübrigt sich (ist überflüssig)[,] zu erwähnen ...
eru|ie|ren (herausbringen; ermitteln)
Erup|ti|on [*...zion*] ([vulkan.] Ausbruch)
er|wa|chen
◇ aufwachen, wach/munter werden, die Augen aufschlagen, sich den Schlaf aus den Augen reiben

[1]*Trenn.:* ...k|k...

Er|wa|chen, das; -s
er|wach|sen; Er|wach|se|ne, der u. die; **Er|wach|se|nen|bil|dung,** die; -
er|wä|gen
◇ in Erwägung/in Betracht ziehen, ins Auge fassen
er|wä|gens|wert; Er|wä|gung; in - ziehen
er|wäh|len; Er|wäh|lung
er|wäh|nen
◇ nennen, anführen, zitieren
er|wäh|nens|wert; Er|wäh|nung
er|wan|dern; Er|wan|de|rung
er|wär|men (warm machen); sich - (begeistern) für
er|war|ten; Er|war|ten, das; -s; wider -; **Er|war|tung**
erwecken [*Trenn.:* er|wek|ken]
er|wei|chen; Er|wei|chung
er|wei|sen; sich -
er|wei|tern; Er|wei|te|rung
Er|werb, der; -[e]s, -e; **er|wer|ben; er|werbs|fä|hig; er|werbs|los; Er|werbs|lo|se,** der u. die; -n, -n; **er|werbs|tä|tig; Er|werbs|tä|ti|ge,** der u. die; -n, -n; **Er|wer|bung**
er|wi|dern; Er|wi|de|rung
er|wie|sen; er|wie|se|ner|ma|ßen
er|wir|ken; Er|wir|kung
er|wirt|schaf|ten; Gewinn -
er|wi|schen (ugs.)
er|wor|ben; -e Rechte
er|wünscht
er|wür|gen; Er|wür|gung
Erz, das; -es, -e
er|zäh|len
◇ berichten, sagen, mitteilen, zum besten geben, hinterbringen
Er|zäh|ler; er|zäh|le|risch; Er|zäh|lung
Erz|bi|schof; erz|bi|schöf|lich
er|zen (aus Erz)
Erz|en|gel
er|zeu|gen
◇ produzieren, herstellen, machen (ugs.)
Er|zeu|ger; Er|zeug|nis, das; -ses, -se; **Er|zeu|gung**
Erz|her|zog; Erz|her|zo|gin; Erz|her|zog|tum
er|zieh|bar; er|zie|hen; Er|zie|her; Er|zie|he|rin, die; -, -nen; **er|zie|he|risch; Er|zie|hung,** die; -; **Er|zie|hungs|be|rech|tig|te,** der u. die; -n, -n
er|zie|len; Er|zie|lung
er|zit|tern
er|zür|nen; Er|zür|nung
er|zwin|gen; Er|zwin|gung; er|zwun|ge|ner|ma|ßen
es; es sei denn, daß; er ist's; das unbestimmte Es
Esche, die; -, -n (ein Laubbaum)
Esel, der; -s, -; **Ese|lei; Ese|lin,** die; -, -nen; **Esels|ohr**

Es|ka|la|ti|on [*...zion*], die; -, -en (stufenweise Steigerung, bes. im Einsatz polit. u. militär. Mittel); **es|ka|lie|ren** (stufenweise steigern)
Es|ka|pa|de (mutwilliger Streich)
Es|kor|te, die; -, -n (Geleit; Gefolge)
eso|te|risch (nur für Eingeweihte verständlich)
Es|pe, die; -, -n (Zitterpappel)
Es|pe|ran|to, das; -[s] (eine künstl. Weltsprache)
Es|pres|so, der; -[s], -s od. ...ssi (it. Bez. für das in der Maschine bereitete, starke Kaffeegetränk); **Es|pres|so|bar,** die
Es|prit [*...pri*], der; -s (Geist, Witz)
Es|say [*äße* od. (österr. nur:) *äße*], der od. das; -s, -s (kürzere Abhandlung, Aufsatz, Studie); **Es|say|ist,** der; -en, -en (Verfasser von Essays)
eß|bar; Eß|bar|keit, die; -; **Eß|besteck**
Es|se, die; -, -n (bes. ostmitteld. für: Schornstein)
es|sen; aß (äße), gegessen; iß!; zu Abend -
◇ speisen, tafeln, dinieren, das Essen einnehmen
Es|sen; das; -s, -
◇ Mahl[zeit], Gericht, Speise, Fressen (derb), Fraß (derb)
Es|sen[s]‿aus|ga|be, ...mar|ke; Es|sens|zeit
Es|senz, die; -, -en (Wesen, Kern [nur *Einz.*]; konzentrierter Auszug)
Es|sig, der; -s, -e; **Es|sig‿es|senz, ...gur|ke; es|sig|sau|er;** essigsaure Tonerde
Eß|löf|fel
Esta|blish|ment [*ißtäblischmᵉnt*], das; -s, -s (Schicht der Einflußreichen u. bürgerlichen Etablierten)
Estra|gon, der; -s (Gewürzpflanze)
Est|rich, der; -[s], -e (fugenloser Fußboden; schweiz. für: Dachboden, -raum)
Es|zett, das; -, - (Buchstabe: „ß")
et (und; Zeichen [in Firmennamen]: &)
eta|blie|ren (festsetzen; begründen); sich - (sich selbständig machen; sich niederlassen); **Eta|blis|se|ment** [*...ßᵉmang*, schweiz.: *...mänt*], das; -s, -s u. (schweiz.:) -e (Einrichtung; Betrieb, Anlage, Fabrik; [vornehme] Gaststätte; auch für: Bordell)
Eta|ge [*etaschᵉ*, österr.: *etasch*], die; -, -n (Stock[werk], [Ober]geschoß)
Etap|pe, die; -, -n ([Teil]strecke, Abschnitt; Stufe; Militär: Versorgungsgebiet hinter der Front)
Etat [*eta*], der; -s, -s ([Staats]haushalt[splan]; Geldmittel)
etc. = et cetera; **et ce|te|ra** [*ät ze...*] (und so weiter)
ete|pe|te|te (ugs. für: geziert, zimperlich; übertrieben feinfühlig)

Ethik, die; -, (selten:) -en (Philosophie u. Wissenschaft von der Sittlichkeit; Sittenlehre); **ethisch** (sittlich)
Eth|no|lo|gie, die; -, ...ien (Völkerkunde)
Ethos, das; - (das Ganze der moral. Gesinnung)
Eti|kett, das -[e]s, -e (auch: -s) u. (schweiz., österr., sonst veraltet:) **¹Eti|ket|te,** die; -, -n (Zettel mit [Preis]aufschrift, Schild[chen]; Auszeichnung [von Waren]); **²Eti|ket|te,** die; -, -n ([Hof]sitte, Förmlichkeit; feiner Brauch); **eti|ket|tie|ren** (mit Etikett versehen)
et|li|che; etliche (einige, mehrere) Tage sind vergangen; ich weiß etliches (manches) darüber zu erzählen
Etü|de, die; -, -n (Musik: Übungsstück)
Etui [*ätwi*], das; -s, -s (Behälter, [Schutz]hülle; ärztl. Besteck)
et|wa; in - (annähernd, ungefähr); **et|wa|ig;** etwaige weitere Kosten; **et|was;** etwas Auffälliges, Derartiges, aber: etwas anderes; das ist doch etwas; **Et|was,** das; -, -; ein gewisses -
Ety|mo|lo|gie, die; -, ...ien (Sprachw.: Ursprung u. Geschichte der Wörter; Forschungsrichtung, die sich damit befaßt); **ety|mo|lo|gisch**
euch; *in Briefen:* Euch
Eu|cha|ri|stie [*...cha...*], die; -, ...ien (kath. Kirche: Abendmahl, Altarsakrament)
¹eu|er, eu[e]|re, eu|er (*in Briefen:* Euer usw.); euer Haus; **²eu|er,** *in Briefen:* Euer (*Wesf.* von ihr); euer (nicht: eurer) sind drei; ich erinnere mich euer (nicht: eurer); **eu[e]|re,** *in Briefen:* Eu[e]re; **eu|er|seits,** *in Briefen:* Euerseits usw.; **eu|ers|glei|chen; eu|ert|hal|ben; eu|ert|we|gen; eu|ert|wil|len;** um -
Eu|ka|lyp|tus, der; -, ...ten u. - (ein Baum)
Eu|le, die; -, -n (nordd. auch für: [Dekken]besen)
Eu|nuch, der; -en, -en (entmannter Haremswächter)
eu|phe|mi|stisch (beschönigend)
Eu|pho|rie die; - (subjektives Wohlbefinden [von Schwerkranken od. Menschen unter dem Einfluß von Drogen]); **eu|pho|risch**
Eu|ra|tom, die; - (Kurzw. für: Europäische Gemeinschaft für Atomenergie)
eu|re, *in Briefen:* Eure, vgl. eu[e]re; **eu[r]er|seits,** *in Briefen:* Eu[r]erseits usw.; **eu|res|glei|chen; eu|ret|hal|ben; eu|ret|we|gen; eu|ret|wil|len;** um -
Eu|ro|cheque, (internationale Schreibung auf den Formularen:) **eu|ro|cheque** [*...schäk*], der; -s, -s (offizieller, bei den Banken fast aller europ. Länder einzulösender Scheck); **Eu|ro|cheque-Kar|te**
Eu|ro|pä|er, der; -s, -; **eu|ro|pä|isch;** das -e Gleichgewicht; Europäische Wirtschaftsgemeinschaft (Abk.: EWG); **Eu|ro|vi|si|on,** die; - [Kurzw. aus europäisch u. Television] (europ. Organisation zur Kettenübertragung von Fernsehsendungen)
Eu|ter, das (landsch. auch: der); -s, -
Eu|tha|na|sie, die; - (Med.: Sterbehilfe durch Narkotika o. ä.)
eva|ku|ie|ren [*ewa...*] ([ein Gebiet von Bewohnern] räumen, [Bewohner aus einem Gebiet] aussiedeln); **Eva|ku|ier|te,** der u. die; -n, -n; **Eva|ku|ie|rung**
evan|ge|lisch [*ew...*, auch: *ef...*] (auf dem Evangelium fußend; protestantisch); die evangelische Kirche; **evan|ge|lisch-lu|the|risch; evan|ge|lisch-re|for|miert; Evan|ge|list,** der; -en, -en (Verfasser eines der 4 Evangelien; Titel in der ev. Freikirche; Wanderprediger); **Evan|ge|li|um,** das; -s, (für: die vier ersten Bücher im N. T. auch *Mehrz.:*) ...ien [*...iᵉn*] („gute Botschaft", die Frohe Botschaft von Jesus Christus)
Even|tua|li|tät [*ewän...*], die; -, -en (Möglichkeit, mögl. Fall); **even|tu|ell** (möglicherweise eintretend; unter Umständen)
Ever|green [*äwᵉrgrin*], der (auch: das); -s, -s (Schlager, der über lange Zeit beliebt ist)
evi|dent [*ewi...*] (offenbar; überzeugend, einleuchtend)
Evo|lu|ti|on [*ewolution*] die; -, -en (fortschreitende Entwicklung; Biol.: stammesgeschichtl. Entwicklung der Lebewesen von niederen zu höheren Formen)
EWG = Europäische Wirtschaftsgemeinschaft
ewig; das -e Leben; der -e Frieden; -er Schnee, aber: die Ewige Lampe u. das Ewige Licht [in kath. Kirchen]; **Ewig|keit; Ewig|keits|sonn|tag** (Totensonntag, letzter Sonntag des Kirchenjahres)
ex (ugs. für: aus; tot); - trinken
Ex... (ehemalig, z. B. Exminister)
ex|akt (genau; sorgfältig; pünktlich); **Ex|akt|heit**
Ex|amen, das; -s, - od. (seltener:) ...mina; ([Abschluß]prüfung); **Ex|amens|ar|beit**
exe|ku|tie|ren (vollstrecken); **Exe|ku|ti|on** [*...zion*], die; -, -en (Vollstreckung [eines Urteils]; Hinrichtung; österr. auch für: Pfändung); **Exe|ku|ti|ve** [*...wᵉ*], die; -, -n (vollziehende Gewalt [im Staat])
Ex|em|pel, das; -s - ([warnendes] Beispiel; Aufgabe); **Ex|em|plar,** das; -s, -e ([einzelnes] Stück); **ex|em|pla|risch** (musterhaft; warnend, abschreckend)
ex|er|zie|ren (meist von Truppen: üben); **Ex|er|zier|platz; Ex|er|zi|ti|en** [*...ziᵉn*] *Mehrz.* (geistliche Übungen)

ex|hu|mie|ren ([einen Leichnam] wieder ausgraben)
Exil, das; -s, -e (Verbannung[sort]); **Exil|re|gie|rung**
exi|stent (wirklich, vorhanden); **Exi|stenz,** die; -, (für Mensch *Mehrz.:*) -en (Dasein; Auskommen; Unterhalt; abschätzig für: Mensch); **Exi|stenz|be|rech|ti|gung; exi|stie|ren** (vorhanden sein, bestehen, vorkommen, herrschen)
Exi|tus, der; - (Med.)
◇ Tod, Sterben, Ende, Ableben, Hinscheiden
Ex|kla|ve [*...we*], die; -, -n (ein eigenstaatl. Gebiet in fremdem Staatsgebiet)
ex|klu|siv (nur einem bestimmten Personenkreis zugänglich); **Ex|klu|si|vi|tät,** die; - (Ausschließlichkeit, [gesellschaftl.] Abgeschlossenheit)
Ex|kom|mu|ni|ka|ti|on [*...zion*], die; -, -en (Kirchenbann; Ausschluß aus der Kirchengemeinschaft); **ex|kom|mu|ni|zie|ren**
Ex|kö|nig; Ex|kö|ni|gin
Ex|kre|ment, das; -[e]s, -e (Ausscheidung)
Ex|kurs, der; -es, -e (Abschweifung; einer Abhandlung beigefügte kürzere Ausarbeitung; Anhang); **Ex|kur|si|on,** die; -, -en (wissenschaftl. Ausflug, Lehrfahrt; Streifzug)
Ex|mi|ni|ster; Ex|mi|ni|ste|rin
exo|tisch (fremdländisch, überseeisch, fremdartig); -e Musik
Ex|pan|der, der; -s, - (ein Sportgerät: Muskelstrecker); **ex|pan|die|ren** ([sich] ausdehnen); **Ex|pan|si|on,** die; -, -en (Ausdehnung; Ausbreitung [eines Staates])
Ex|pe|di|ent, der; -en, -en (Abfertigungsbeauftragter in der Versandabteilung einer Firma); **ex|pe|die|ren** (abfertigen; absenden; befördern); **Ex|pe|di|ti|on** [*...zion*], die; -, -en (Forschungsreise; Versand- od. Abfertigungsabteilung); **Ex|pe|di|ti|ons|lei|ter,** der
Ex|pe|ri|ment, das; -[e]s, -e; **Ex|pe|ri|men|tal...** (auf Experimenten beruhend, z. B. Experimentalphysik); **ex|pe|ri|men|tell** (auf Experimenten beruhend)
ex|pe|ri|men|tie|ren
◇ Experimente anstellen/machen, Versuche machen, versuchen
Ex|per|te, der; -n, -n (Sachverständiger, Gutachter); **Ex|per|ti|se,** die; -, -n (Gutachten)
ex|pli|zie|ren (erklären)
ex|plo|dier|bar
ex|plo|die|ren
◇ platzen, zerplatzen, bersten, zerspringen, in die Luft fliegen (ugs.)
ex|plo|si|bel (explosionsfähig, -gefährlich); ...i|ble Stoffe; **Ex|plo|si|on,** die; -, -en; **Ex|plo|si|ons‿ge|fahr, ...mo|tor; ex|plo|siv** (leicht explodierend, explosionsartig)
Ex|po|nat, das; -[e]s, -e (Ausstellungsstück eines Museums); **Ex|po|nent,** der; -en, -en (Hochzahl, bes. in der Wurzel- u. Potenzrechnung; Vertreter [einer Ansicht]); **ex|po|niert** (hervorgehoben; gefährdet; [Angriffen] ausgesetzt)
Ex|port, der; -[e]s, -e (Ausfuhr); Ex- u. Import; **Ex|por|teur,** [*...tör*], der; -s, -e (Ausfuhrhändler od. -firma)
Ex|po|sé, das; -s, -s (Denkschrift, Bericht, Darlegung; Zusammenfassung; Plan, Skizze [für ein Drehbuch])
ex|preß (ugs. für: eilig, Eil...); **Ex|preß,** der; ...presses, Expreßzüge (österr., sonst veralt. für: Expreßzug); Orientexpreß; **Ex|preß|gut**
Ex|pres|sio|nis|mus, der; - (Kunstrichtung im frühen 20. Jh., Ausdruckskunst); **Ex|pres|sio|nist,** der; -en, -en; **ex|pres|sio|ni|stisch**
ex|qui|sit (ausgesucht, erlesen)
ex|tem|po|rie|ren (aus dem Stegreif reden, schreiben usw.; einflechten, zusetzen)
ex|ten|siv (der Ausdehnung nach; räumlich; nach außen wirkend); -e Wirtschaft (Form der Bodennutzung mit geringem Einsatz von Arbeitskraft u. Kapital)
Ex|te|rieur [*...iör*], das; -s, -e (Äußeres; Außenseite; Erscheinung)
ex|tra (nebenbei, außerdem, besonders, eigens); **Ex|tra,** das; -s, -s ([nicht serienmäßig mitgeliefertes] Zubehör[teil]); **ex|tra|fein**
Ex|trakt, der (naturw. auch: das); -[e]s, -e (Auszug [aus Büchern, Stoffen]; Hauptinhalt; Kern)
ex|tra|or|di|när (außergewöhnlich, außerordentlich)
ex|tra|va|gant [*...wa...*, auch: *äk...*] (verstiegen, überspannt); **Ex|tra|va|ganz,** die; -, -en [auch: *äk...*]
ex|tra|ver|tiert, ex|tro|ver|tiert (nach außen gerichtet)
Ex|tra|wurst (ugs.)
ex|trem („äußerst"; übertrieben); **Ex|trem,** das; -s, -e (höchster Grad, äußerster Standpunkt; Übertreibung); **Ex|tre|mi|tä|ten** (*Mehrz.;* Gliedmaßen)
ex|tro|ver|tiert vgl. extravertiert
ex|zel|lent (hervorragend); **Ex|zel|lenz,** die; -, -en (ein Titel)
ex|zen|trisch (außerhalb des Mittelpunktes liegend; überspannt, verschroben)
Ex|zeß, der; Exzesses, Exzesse (Ausschreitung; Ausschweifung); **ex|zes|siv** (ausschweifend)
Eye|li|ner [*ailain^e^r*], der; -s, - (Kosmetikum zum Ziehen des Lidstrichs)

F

F (Buchstabe): das F, des F, die F
f, F, das; -, - (Tonbezeichnung)
Fa|bel, die; -, -n (erdichtete [lehrhafte] Erzählung; Grundhandlung einer Dichtung); **Fa|be|lei; fa|bel|haft; fa|beln; Fa|bel|tier**
Fa|brik[1], die; -, -en
◇ Industriebetrieb, Werk, Produktionsstätte, Manufaktur
Fa|bri|kant, der; -en, -en; **Fa|brik**[1]**|ar|bei|ter** (österr.: Fabriksarbeiter)
Fa|bri|kat, das; -[e]s, -e
◇ Erzeugnis, Marke, Produkt
Fa|bri|ka|ti|on [*...zion*], die; -, en; **Fa|bri|ka|ti|ons‿feh|ler, ...pro|zeß; Fa|brik**[1]**|be|sit|zer; fa|brik**[1]**‿mä|ßig, ...neu; fa|bri|zie|ren**
Fach, das; -[e]s, Fächer
◇ Gebiet, Bereich, Sparte
...fach (z. B. vierfach [mit Ziffer: 4fach]; aber: n-fach)
Fach‿ar|bei|ter, ...aus|druck
fä|cheln; Fä|cher, der; -s, -; **fä|chern**
Fach|ge|biet; fach|ge|recht; Fach‿ge|schäft, ...han|del, ...idi|ot (abwertend für: jmd., der nur sein Fachgebiet kennt); **fach|kun|dig; Fach|leh|rer; fach|lich; Fach‿li|te|ra|tur, ...mann** (*Mehrz.* ...männer u. ...leute); **fach|män|nisch; fach|sim|peln** (ugs. für: [zur Unzeit] Fachgespräche führen); **Fach|werk|haus**
Fackel[2], die; -, -n; **fackeln**[2]**;** wir wollen nicht lange - (ugs. für: zögern); **Fackel-zug**[2]
fad, fa|de
Fäd|chen; fä|deln (einfädeln); **Fa|den,** der; -s, Fäden u. (Längenmaß:) -; **fa|den|schei|nig**
Fa|gott, das; -[e]s, -e (ein Holzblasinstrument)
fä|hig; er ist zu einer solchen Gemeinheit nicht -; er ist einer solchen Gemeinheit nicht -
◇ begabt, tüchtig, befähigt, talentiert
Fä|hig|keit
fahl; fahlgelb usw.
fahn|den; Fahn|dung; Fahn|dungs‿buch, ...li|ste
Fah|ne, die; -, -n; **Fah|nen|eid; fah|nen|flüch|tig; Fah|nen|stan|ge; Fähn|lein; Fähn|rich,** der; -s, -e

[1] Auch: *...ik*
[2] *Trenn.:* ...k|k...

Fahr‿aus|weis (Fahrkarte, -schein; schweiz. auch für: Führerschein), **...bahn; fahr|bar; fahr|be|reit**
Fahr|dienst, der; -[e]s; **Fahr|dienst|lei|ter,** der; **Fäh|re,** die; -, -n
fah|ren; fuhr (führe), gefahren; ich fahre Auto, ich fahre Rad
◇ lenken, steuern, chauffieren
fah|rend; -e Leute; **fah|ren|las|sen** (ugs. für: aufgeben); er hat sein Vorhaben fahrenlassen
Fah|rer
◇ Chauffeur, Führer, Lenker
Fah|re|rei, die; -; **Fah|rer|flucht,** die; -; **Fah|re|rin,** die; -, -nen; **Fah|rer|sitz**
Fahr|gast (*Mehrz.* ...gäste)
◇ Passagier, Reisender
Fahr‿geld, ...ge|stell; fah|rig (zerstreut)
Fahr|kar|te
◇ Fahrausweis, Fahrschein, Ticket, Billett (veralt.)
fahr|läs|sig; -e Tötung; **Fahr|läs|sig|keit; Fahr|leh|rer**
Fähr|mann (*Mehrz.* ...männer u. ...leute)
Fahr|plan; fahr|plan|mä|ßig; Fahr|preis
Fahr|rad
◇ Rad, Drahtesel (ugs. scherzh.), Velo (schweiz.)
Fahr‿schu|le, ...stuhl, ...stun|de; Fahrt, die; -, -en
Fähr|te, die; -, -n (Spur)
Fahr|ten‿buch, ...schrei|ber; Fahr[t]|ko|sten (*Mehrz.*); **Fahr‿tüch|tig|keit, ...zeug**
fair [*fär*] (einwandfrei; anständig; ehrlich); ein -es Spiel; **Fair|neß** [*fär...*], die; -; **Fair play** [*fär ple*^{i}], das; - - (ehrenhaftes, anständiges Spiel od. Verhalten [im Sport])
fä|kal (Med.: kotig); **Fä|ka|li|en** [*...i*^{e}*n*] (*Mehrz.;* Med.: Kot)
Fa|kir [österr.: *...kir*], der; -s, -e ([ind.] Büßer; Zauberkünstler)
Fak|si|mi|le, das; -s, -s („mache ähnlich!"; getreue Nachbildung einer Vorlage, z. B. einer alten Handschrift)
fak|tisch (tatsächlich; in Wirklichkeit); -es Vertragsverhältnis (Rechtsspr.); **Fak|tor,** der; -s, ...oren („Macher"; Werkmeister [einer Buchdruckerei]; Vervielfältigungszahl; Umstand, Grund); **Fak|to|tum,** das; -s, -s u. ...ten („tu alles!"; jmd., der alles besorgt; Mädchen für alles); **Fak|tum,** das; -s, ...ta u. ...ten ([nachweisbare] Tatsache; Ereignis)
Fak|tur, die; -, -en u. (österr.:) **Fak|tu|ra,** die; -, ...ren ([Waren]rechnung); **fak|tu|rie|ren** ([Waren] berechnen, Fakturen ausschreiben)
Fa|kul|tät, die; -, -en (Hochschule: zusammengehörende Wissenschaftsgebiete)

falb; Fal|be, der; -n, -n (gelbliches Pferd)
Fal|ke, der; -n, -n; **Fal|ken|jagd; Falk|ner**
Fall, der; -[e]s, Fälle (auch für: Kasus); für den -, daß ...; von - zu -; im Fall[e](,) daß ...; zu Fall bringen; erster (1.) Fall; **Fall|beil; Fal|le,** die; -, -n
fal|len; fiel, gefallen
◇ stürzen, hinfallen, zu Fall kommen, hinschlagen, hinpurzeln
fäl|len; fal|len|las|sen; er hat seine Absicht fallenlassen (aufgegeben); er hat entsprechende Bemerkungen fallenlassen, (seltener:) fallengelassen (geäußert); **fäl|lig;** -er, - gewordener Wechsel; **Fäl|lig|keit; Fäl|lig|keits|ter|min; Fall|obst;** das - auflesen
Fall|out [*fål-aut*], der; -s, -s (radioaktiver Niederschlag)
Fall|reep, das; -[e]s, -e (äußere Schiffstreppe); **Fall|rück|zie|her** (Fußball); **falls; Fall_schirm, ...tür**
falsch; -este
◇ unrichtig, unzutreffend, unwahr, irrig · fehlerhaft, verkehrt
Falsch, der, nur noch in: es ist kein - an ihm; ohne -; **Falsch|aus|sa|ge; fäl|schen; Fäl|scher; Falsch|geld; Falsch|heit; fälsch|lich; fälsch|li|cher|wei|se; Falsch|mel|dung; falsch|spie|len** (betrügerisch spielen); **Falsch|spie|ler; Fäl|schung**
Fal|sett, das; -[e]s, -e (Fistelstimme)
Fält|chen; Fal|te, die; -, -n; **fäl|teln; fal|ten;** gefaltet; **fal|ten|los; Fal|ten|rock**
Fal|ter, der; -s, -
fal|tig (Falten habend)
◇ runzlig, zerfurcht, zerknittert
...fäl|tig (z. B. vielfältig)
Falz, der; -es, -e; **fal|zen**
fa|mi|li|är (die Familie betreffend; vertraut, eng verbunden)
Fa|mi|lie [*...iᵉ*], die; -, -n
◇ Verwandtschaft, Sippe, Angehörige, Anhang (ugs.), Mischpoke (ugs.)
Fa|mi|li|en_fei|er, ...na|me, ...stand (der; -[e]s), **...va|ter**
fa|mos (ugs. für: ausgezeichnet, prächtig, großartig)
Fan [*fän*], der; -s, -s (überschwenglich Begeisterter)
Fa|nal, das; -s, -e ([Feuer]zeichen, Brandfackel)
Fa|na|ti|ker (Eiferer; [Glaubens]schwärmer); **fa|na|tisch** (sich unbedingt, rücksichtslos einsetzend); **Fa|na|tis|mus,** der; -
Fan|fa|re, die; -, -n (Trompetengeschmetter; Blasinstrument)
Fang, der; -[e]s, Fänge
fan|gen; fing, gefangen
◇ [er]greifen, [er]haschen, einfangen

Fan|gen, das; -s (Kinderspiel); Fangen spielen; **Fän|ger; Fang_fra|ge, ...gerät, ...lei|ne, ...netz**
Fan|go [*fanggo*], der; -s (heilkräftiger Mineralschlamm)
Far|be, die; -, -n; die - Blau; **farb|echt; Fär|be|mit|tel,** das; **...far|ben** (z. B. fleischfarben); **fär|ben; far|ben_blind, ...froh; Farb_fern|se|hen, ...film, ...fil|ter; far|big** (österr. auch: färbig); **...far|big,** (österr.:) ...fär|big, z. B. einfarbig, (österr.:) einfärbig
Far|bi|ge, der u. die; -n, -n (Angehöriger einer nichtweißen Rasse)
◇ Neger, Schwarzer, Afrikaner, Nigger (abwertend), Mohr (veralt.)
farb|lich; farb|los; Farb|ton (*Mehrz.* ...töne); **Fär|bung**
Farm, die; -, -en; **Far|mer,** der; -s, -; **Far|mers|frau**
Farn, der; -[e]s, -e (eine Sporenpflanze); **Farn|kraut**
Fär|se, die; -, -n (Kuh, die noch nicht gekalbt hat)
Fa|san, der; -[e]s, -e[n]; **Fa|sa|ne|rie,** die; -, ...ien (Fasanengehege)
fa|schie|ren (österr. für: Fleisch durch den Fleischwolf drehen); **Fa|schier|te,** das; -n (österr. für: Hackfleisch)
Fa|sching, der; -s, -e u. -s
◇ Fastnacht, Fasnacht (landsch.), Karneval
Fa|schis|mus, der; - (antidemokratische, nationalistische Staatsauffassung); **Fa|schist,** der; -en, -en
Fa|se|lei; fa|se|lig; fa|seln (törichtes Zeug reden)
fa|sen (abkanten)
Fa|ser, die; -, -n; **Fä|ser|chen; fa|se|rig; fa|sern**
Fa|shion [*fäschᵉn*], die; - (Mode; feine Sitte)
fas|rig, fa|se|rig
Fas|nacht (landsch. für: Fastnacht)
Faß, das; Fasses, Fässer; zwei - Bier
Fas|sa|de, die; -, -n (Vorder-, Schau-, Stirnseite; Ansicht)
faß|bar; Faß|bar|keit, die; -
Faß|bier; Fäß|chen
fas|sen; faßte, gefaßt
◇ [er]greifen, in die Hand nehmen
faß|lich; Faß|lich|keit, die; -
Fas|son [*faßong*, schweiz. u. österr. meist: *faßon*], die; -, -s (schweiz., österr.: -en) (Form; Muster; Art; Zuschnitt)
Fas|sung; fas|sungs|los
fast (beinahe)
fas|ten
◇ eine Fastenkur/Abmagerungskur/Schlankheitskur machen, hungern, sich der Nahrung enthalten (geh.)
Fa|sten, die (*Mehrz.;* Fasttage); **Fast|nacht,** die; -

Fas|zi|na|ti|on [*...zion*], die; -, -en (Bezauberung, Verblendung)

fas|zi|nie|ren

◇ begeistern, bezaubern, berücken, bestrikken, in seinen Bann schlagen, hinreißen, betören

fa|tal (verhängnisvoll; unangenehm; peinlich); **Fa|ta|lis|mus,** der; - (Schicksalsglaube)

Fa|ta Mor|ga|na, die; - -, - ...nen u. - -s (eine durch Luftspiegelung verursachte Täuschung)

Fatz|ke, der; -n u. -s, -n u. -s (ugs. für: Geck, eitler Mensch, Hohlkopf)

fau|chen

faul; -e Ausreden; auf der -en Haut liegen (ugs.); **Fäu|le,** die; -; **fau|len; fau|lenzen; Fau|len|zer; Fau|len|ze|rei; Faul|heit,** die; -; **fau|lig; Fäul|nis,** die; -; **Faul‿pelz, ...tier**

Faun, der; -[e]s, -e (lüsterner Mensch); **Fau|na,** die; -, ...nen (Tierwelt)

Faust, die; -, Fäuste; **Faust|ball; Fäustchen; faust|dick;** er hat es - hinter den Ohren

Faux|pas [*fopa*], der; - [*...pa(ß)*], - [*...paß*] („Fehltritt"; Taktlosigkeit; gesellschaftlicher Verstoß)

fa|vo|ri|sie|ren (begünstigen; als voraussichtlichen Sieger [im Sportkampf] nennen); **Fa|vo|rit,** der; -en, -en (Günstling; Liebling; erwarteter Sieger [im Sportkampf]); **Fa|vo|ri|tin,** die; -, -nen

Fa|xe, die; -, -n (meist *Mehrz.;* Vorgetäuschtes; dummer Spaß); **Fa|xen|macher** (Gesichterschneider; Spaßmacher)

Fa|yence [*fajangß*], die; -, -n [*...ßᵉn*] (glasierte Töpferware)

Fa|zit, das; -s, -e u. -s („es macht"; [Schluß]summe, Ergebnis; Schlußfolgerung)

Fea|ture [*fitschᵉr*], das; -s, -s (auch: die; -, -s) (aktuell aufgemachter Dokumentarbericht, bes. für Funk od. Fernsehen)

Fe|bru|ar, der; -[s], -e (der zweite Monat des Jahres)

fech|ten; focht; (föchte), gefochten; du fichtst (ugs.: fichst)

Fe|der, die; -, -n; **Fe|der‿ball, ...bett, ...fuch|ser** (Pedant); **fe|der|füh|rend; Fe|der‿ge|wicht** (Körpergewichtsklasse in der Schwerathletik), **...hal|ter; fe|der|leicht; Fe|der|le|sen,** das; -s; nicht viel -s machen; **fe|dern; Fe|derung; Fe|der|wei|ße,** der; -n, -n (gärender Weinmost)

Fee, die; -, Feen (Weissagerin; eine Märchengestalt)

Fe|ge|feu|er, Feg|feu|er; fe|gen

Feh|de, die; -, -n; **Feh|de|hand|schuh**

fehl; - am Ort, Platz; **Fehl,** der, nur noch in: ohne -; **Fehl|an|zei|ge; fehl|bar** (schweiz. für: [einer Übertretung] schuldig); **Fehl‿be|trag, ...ein|schät|zung; feh|len**

Feh|ler

◇ Lapsus, Schnitzer (ugs.), Patzer

feh|ler|frei; feh|ler|haft; feh|ler|los; Feh|ler‿quel|le, ...zahl; Fehl‿far|be, ...ge|burt; fehl|ge|hen; Fehl‿paß (Sportspr.), **...schlag** (der; -[e]s, ...schläge); **fehl|schla|gen;** der Versuch ist fehlgeschlagen; **Fehl|start** (Sportspr.); **fehl|tre|ten; Fehl‿tritt, ...zün|dung**

fei|en ([durch vermeintliche Zaubermittel] schützen); gefeit (sicher, geschützt)

Fei|er, die; -, -n

◇ Feierlichkeit, Festakt

Fei|er|abend; fei|er|lich; Fei|er|lichkeit; fei|ern; Fei|er‿schicht, ...stunde, ...tag; fei|er|tags

feig, fei|ge

◇ feigherzig, hasenfüßig, memmenhaft (abwertend), ängstlich

Fei|ge, die; -, -n; **Fei|gen|blatt**

Feig|heit; Feig|ling

feil; feil|bie|ten

Fei|le, die; -, -n; **fei|len**

feil|hal|ten; feil|schen

fein; sehr -; eine -e Nase haben; -e Sitten; **Fein|ar|beit**

feind; jmdm. - sein; **Feind,** der; -[e]s, -e; jemandes - sein; **feind|lich; Feindschaft; feind|se|lig; Feind|se|ligkeit**

fein|füh|lig; Fein|füh|lig|keit, die; -; **Fein|ge|fühl,** das; -[e]s; **fein‿ge|mahlen, ...ge|spon|nen; Fein|heit; feinkör|nig; Fein‿kost, ...me|cha|niker; fein|ner|vig**

Fein|schmecker [*Trenn.:* ...schmek|ker]

◇ Genießer, Gourmet, Gourmand

fein|sin|nig; Fein|wasch|mit|tel

feist

fei|xen (ugs. für: grinsend lachen)

Fel|chen, der; -s, - (ein Fisch)

Feld, das; -[e]s, -er; elektrisches -; Feld- u. Gartenfrüchte; **Feld|fla|sche; Feld‿herr, ...jä|ger** (milit. Truppe), **...marschall, ...maus, ...sa|lat, ...ste|cher** (Fernglas), **...we|bel** (der; -s, -), **...weg, ...zug**

Fel|ge, die; -, -n (Radkranz; Reckübung); **Fel|gen|brem|se**

Fell, das; -[e]s, -e; ein dickes - haben (ugs.)

Fel|la|che, der; -n, -n (Bauer im Vorderen Orient)

[1]**Fels,** der; - (hartes Gestein); im - klettern; [2]**Fels,** der; -ens (älter: -en), -en (geh. für: Felsen, Felsblock); ein - in der Brandung; **Fels|block** (*Mehrz.* ...blökke); **Fel|sen,** der; -s, - (vegetationslose Stelle, schroffe Gesteinsbildung); **felsen|fest; Fels|wand; fel|sig**

Fe|me, die; -, -n (heimliches Gericht, Freigericht); **Fe|me|mord**

fe|mi|nin (weibisch; Sprachw.: weiblich); **Fe|mi|ni|num** [auch: *fe*...], das, -s, ...na (Sprachw.: weibliches Hauptwort, z. B. „die Erde") **Fe|mi|nis|mus,** der; - (Richtung der Frauenbewegung, die ein neues Selbstverständnis der Frau anstrebt); **Fe|mi|ni|stin,** die; -, -nen (Vertreterin des Feminismus); **fe|mi|ni|stisch**

Fen|chel, der; -s (eine Heilpflanze); **Fen|chel|tee**

Fen|ster, das; -s, -; **Fen|ster‿bank** (*Mehrz.* ...bänke), **...la|den** (*Mehrz.* ...läden, selten: ...laden); **fen|sterln** (südd., österr. für: die Geliebte nachts [am od. durchs Fenster] besuchen); **Fen|ster‿platz, ...put|zer, ...rah|men, ...schei|be**

Fe|ri|en [...*iᵉn*] (*Mehrz.;* zusammenhängende Freizeiten im Schulleben; Urlaub, Freizeit); die großen Ferien; **Fe|ri|en|rei|se**

Fer|kel, das; -s, -; **Fer|kel|lei; fer|keln**

Fer|ment, das; -s, -e (den Stoffwechsel fördernde organ. Verbindung)

fern; ferne Länder; von nah und fern; von fern, von fern her; das Ferne suchen; *Verhältnisw.* mit *Wemf.:* - der Heimat; - allem Trubel; **fern|ab; Fern|amt; fern|blei|ben; fer|ne** (geh. u. dichter.); von - [her]; **Fer|ne,** die; -, -n; **fer|ner;** des -[e]n darlegen; das rangiert unter „ - liefen"!; **fer|ner|hin** [auch: *färnᵉrhin*]; **fer|ners** (ugs. für: ferner); **Fern|fah|rer; fern|ge|lenkt; Fern|ge|spräch; fern|ge|steu|ert;** -e Raketen; **Fern|glas** (*Mehrz.* ...gläser); **fern|hal|ten; Fern|hei|zung; fern|ko|pie|ren; Fern‿kurs, ...licht; fern|lie|gend; Fern|mel|de|amt; fern|münd|lich** (für: telefonisch); **fern|öst|lich; Fern‿ruf, ...schrei|ben, ...schrei|ber; Fern|seh‿an|ten|ne, ...ap|pa|rat; fern|se|hen; Fern|se|hen,** das; -s; **Fern|se|her** (Fernsehgerät; Fernsehteilnehmer); **Fern|seh‿ge|rät, ...ka|me|ra, ...pro|gramm, ...sen|der, ...spiel, ...zu|schau|er; fern|sich|tig; Fern|sprech‿amt, ...an|schluß, ...ap|pa|rat; Fern|spre|cher; Fern|sprech‿ge|bühr, ...teil|neh|mer; Fern‿stu|di|um, ...un|ter|richt, ...ver|kehr**

Fer|se, die; -, -n (Hacken), **Fer|sen|geld,** in: - geben (ugs. für: fliehen)

fer|tig; - sein, werden
◇ fertiggestellt, beendet, vollendet, erledigt

fer|tig|brin|gen (vollbringen); **Fer|tig‿bau** (*Mehrz.* ...bauten), **...bau|wei|se; fer|tig|be|kom|men; fer|ti|gen; Fer|tig|haus; Fer|tig|keit; fer|tig‿ma|chen** (ugs. auch für: körperlich oder moralisch erledigen), **...stel|len**

Fes, der; -[es], -[e] (rote Filzkappe)

fesch [*fäsch*] (ugs. für: schick, flott, schneidig)

[1]**Fes|sel,** die; -, -n (Teil des Beines)

[2]**Fes|sel,** die; -, -n (Band); **Fes|sel|bal|lon; fes|sel|frei; fes|seln; fes|selnd**

fest; -e Kosten; -er Wohnsitz

Fest, das; -[e]s, -e
◇ Feier, Festlichkeit, Festivität, Fete (ugs.), Party

Fest|akt

fest|an|ge|stellt; ein festangestellter Beamter

Fest|an|spra|che

fest|backen [*Trenn.:* ...bak|ken] (ankleben); der Stein backt fest

fest|bei|ßen, sich (sich intensiv u. ausdauernd mit etwas beschäftigen)

Fest‿bei|trag, ...be|leuch|tung

fest|bin|den; fest|blei|ben (nicht nachgeben)

Fe|ste, die; -, -n

Fest|es|sen
◇ Essen, Bankett, Festmahl, Gastmahl (geh.), Galadiner

fest|fah|ren; sich -; **fest|ge|fügt**

Fest‿ge|wand, ...got|tes|dienst

fest|ha|ken; sich -; **fest|hal|ten;** sich an jmdm. -

fe|sti|gen
◇ stützen, konsolidieren, stabilisieren, stärken

Fe|stig|keit, die; -

Fe|sti|val [*fäßtⁱwᵉl* u. *fäßtiwal*], das; -s, -s (Musikfest, Festspiel)

fest|klam|mern; sich -; **fest|kle|ben**

Fest|land (*Mehrz.* ...länder); **fest|län|disch**

fest|le|gen (auch für: anordnen); sich - (sich binden)

fest|lich; Fest|lich|keit

fest|ma|chen (auch für: vereinbaren)

Fest|mahl

Fest|me|ter (1 cbm fester Holzmasse, im Gegensatz zu Raummeter; Abk.: fm)

fest|na|geln (ugs. auch für: jmdn. auf etwas festlegen); **fest|nä|hen; Fest|nah|me,** die; -, -n; **fest|neh|men** (verhaften); einen Dieb -; **Fest|preis** (staatl. od. vertragl. festgelegter Preis)

Fest‿pro|gramm, ...re|de, ...red|ner

fest|ren|nen, sich; **fest|sau|gen;** sich -; **fest|schnal|len; fest|schrei|ben;** (durch einen Vertrag o. ä. vorläufig festlegen)

Fest|schrift

fest|set|zen (auch für: gefangennehmen); **Fest|set|zung; fest|sit|zen** (ugs. auch für: nicht mehr weiterkönnen); wir sitzen fest

Fest|spiel; Fest|spiel|haus

fest|ste|hen; fest steht, daß ...; **fest|ste|hend** (sicher, gewiß); fester stehend, am festesten stehend

fest|stel|len; er hat es eindeutig festgestellt
◇ die Feststellung machen, konstatieren, erkennen, sehen
Fest|stel|lung
Fest|tag; fest|täg|lich; Fest|tags|klei|dung
Fe|stung; Fe|stungs|wall
fest|ver|zins|lich; -e Wertpapiere
Fest‿vor|stel|lung, ...zelt
fest|zie|hen
Fest|zug
◇ Umzug, Zug
Fe|te [auch: *fät*[e]], die; -, -n (ugs. für: Fest)
Fe|tisch, der; -[e]s, -e (magischer Gegenstand; ein zum Gott erklärter Gegenstand)
fett; -er Boden; **Fett,** das; -[e]s, -e; **fett|arm; Fett‿au|ge, ...creme; fet|ten; Fett|fleck; fett|ge|druckt; fet|tig; Fett|lei|big|keit,** die; -; **Fett|näpf|chen;** nur noch in: bei jmdm. ins - treten (jmds. Unwillen erregen); **Fett|schicht; fett|trie|fend**
Fe|tus, der; - u. -ses, -se u. ...ten (Leibesfrucht vom 3. Monat an)
Fetz|chen; fet|zen; Fet|zen, der; -s, -; **fet|zig** (ugs. für: schwungvoll, mitreißend, temperamentvoll)
feucht; - werden; **feucht|fröh|lich** (fröhlich beim Zechen); **Feuch|tig|keit,** die; -; **Feuch|tig|keits‿ge|halt** (der), **...mes|ser** (der); **feucht|warm**
feu|dal (das Lehnswesen betreffend; Lehns...; vornehm, großartig; reaktionär); **Feu|dal|herr|schaft; Feu|da|lis|mus,** der; - (feudale Gesellschafts- u. Wirtschaftsordnung)
Feu|del, der; -s, - (niederd. für: Scheuerlappen)
Feu|er, das; -s, -; offenes -; **feu|er‿be|stän|dig, ...fest, ...ge|fähr|lich; Feu|er‿ha|ken, ...herd, ...holz** (das; -es), **...lei|ter** (die), **...lö|scher, ...mel|der; feu|ern; feu|er|rot; Feu|ers|brunst; Feu|er‿stuhl** (ugs. für: Motorrad), **...ver|si|che|rung, ...waf|fe, ...wehr; Feu|er|wehr‿au|to, ...mann** (*Mehrz.* ...männer u. ...leute); **Feu|er|werk; Feu|er|werks|kör|per**
Feuil|le|ton [*föj*[e]*tong*, auch: *föj*[e]*tong*], das; -s, -s (Zeitungsw.: literarischer Unterhaltungsteil; im Plauderton geschriebener Aufsatz); **Feuil|le|to|nist,** der; -en, -en; **feuil|le|to|ni|stisch**
feu|rig; -e Kohlen auf jmds. Haupt sammeln (ihn beschämen)
[1]**Fez** [*feß*] vgl. Fes
[2]**Fez,** der; -es (ugs. für: Spaß, Vergnügen)
Fia|ker, der; -s, - (österr. für: leichte Lohnkutsche, Lohnkutscher)
Fi|as|ko, das; -s, -s (Mißerfolg; Zusammenbruch)
Fi|bel, die; -, -n (erstes Lesebuch, Abc-Buch; Elementarlehrbuch)
Fi|ber, die; -, -n (Faser)
Fiche [*fisch*], das od. der; -s, -s (Filmkarte mit Mikrokopien)
Fich|te, die; -, -n (Nadelbaum); **Fich|ten‿holz, ...na|del**
ficken [*Trenn.:* fik|ken] (derb für: Geschlechtsverkehr ausüben)
fi|del („treu"; ugs. für: lustig, heiter)
Fi|di|bus, der; - u. -ses, - u. -se (gefalteter Papierstreifen als [Pfeifen]anzünder)
Fie|ber, das; -s, (selten:) -; **Fie|ber|an|fall; fie|ber|frei; fie|ber|haft; Fie|ber|hit|ze; fie|bern; Fie|ber|ther|mo|me|ter; fieb|rig**
Fie|del, die; -, -n (ugs. für: Geige)
fie|pen (Jägerspr. von Rehkitz u. Rehgeiß, auch allg. für: einen schwachen, hohen Ton geben)
fies (ugs. für: ekelhaft)
Fie|sta, die; -, -s ([span.] Volksfest)
FIFA, Fi|fa, die; - (Internationaler Fußballverband)
fif|ty-fif|ty [*fifti fifti*] („fünfzig-fünfzig"; ugs. für: halbpart)
figh|ten [*fait*[e]*n*] (Boxen: hart u. draufgängerisch kämpfen)
Fi|gur, die; -, -en
◇ Statur, Wuchs, Gestalt, Körperbau
Fi|gür|chen; fi|gu|rie|ren (in Erscheinung treten; Musik: eine Melodie ausschmücken); **fi|gu|riert** (gemustert; Musik: ausgeschmückt); **fi|gür|lich**
Fik|ti|on [*...zion*], die; -, -en (Erdichtung; Annahme; Unterstellung); **fik|tiv** (erdichtet; angenommen, nur gedacht)
Fi|let [*file*], das; -s, -s (Netzstoff; Lenden-, Rückenstück); **Fi|let|ar|beit; Fi|let|steak**
Fi|lia|le, die; -, -n (Zweiggeschäft, -stelle)
Fi|li|gran, das; -s, -e (eine aus feinem Draht geflochtene Zierarbeit); **Fi|li|gran|ar|beit**
Fi|li|us, der; -, ...lii [*...li-i*] u. ...usse (scherzh. für: Sohn)
Film, der; -[e]s, -e; **Fil|me|ma|cher** (Regisseur [u. Drehbuchautor]); **Film‿fe|sti|val, ...fest|spie|le** *(Mehrz.)*, **...ka|me|ra, ...pro|du|zent, ...schau|spie|ler, ...star** (*Mehrz.* ...stars), **...vor|füh|rer**
Fi|lou [*filu*], der; -s, -s (scherzh. für: Spitzbube; Schlaukopf)
Fil|ter, der od. (Technik meist:) das; -s, -; **fil|tern; Fil|ter|pa|pier; Fil|ter|zi|ga|ret|te; fil|trie|ren** (filtern)
Filz, der; -es, -e (ugs. auch: Geizhals; österr. auch: unausgeschmolzenes Fett); **fil|zen** (ugs. auch für: nach [verbotenen] Gegenständen durchsuchen); **Filz|hut,** der; **fil|zig; Filz‿laus, ...pan|tof|fel**
Fim|mel, der; -s, - (ugs. für: Schrulle)

fi|nal (den Schluß bildend; den Zweck bezeichnend); **Fi|na|le,** das; -s - (auch: -s); (Schlußteil; Musik: Schlußstück, -satz; Sport: Endrunde, Endspiel); **Fi|na|list,** der; -en, -en (Endrundenteilnehmer)
Fi|nanz, die; -, -en (Geldwesen; Gesamtheit der Geld- und Bankfachleute); **Fi|nanz|amt; Fi|nan|zen,** die (*Mehrz.* Geldwesen; Staatsvermögen; Vermögenslage); **fi|nan|zi|ell; Fi|nan|zier** [*finanzie*], der; -s, -s (Finanz-, Geldmann); **fi|nan|zie|ren; Fi|nan|zie|rung; fi|nanz|kräf|tig; Fi|nanz-kri|se, ...la|ge, ...mi|ni|ster**
fin|den; fand (fände), gefunden
◇ entdecken, stoßen auf, ausfindig machen, aufstöbern, auftreiben (ugs.)
Fin|der; Fin|der|lohn; fin|dig; -er Kopf; **Find|ling**
Fi|nes|se, die; -, -n (Feinheit; Kniff)
Fin|ger, der; -s, -; (ugs.:) jmdn. um den kleinen - wickeln; lange, krumme - machen (ugs. für: stehlen); **Fin|ger|abdruck** (*Mehrz.* ...drücke); **fin|ger|dick; Fin|ger-fer|tig|keit, ...hut** (der), **...kup|pe** (Fingerspitze); **Fin|ger|ling; fin|gern; Fin|ger-na|gel, ...ring, ...spit|zen|ge|fühl** (das; -[e]s)
fin|gie|ren (erdichten; vortäuschen; unterstellen)
Fi|nish [*finisch*], das; -s, -s (letzter Schliff; Vollendung; Sport: Ende, Endkampf)
Fink, der; -en, -en (ein Vogel)
[1]**Fin|ne,** die; -, -n (Jugendform der Bandwürmer; Hautkrankheit); [2]**Fin|ne,** die; -, -n (Rückenflosse von Hai u. Wal; zugespitzte Seite des Handhammers)
Finn|wal
fin|ster; finst[e]rer, -ste; ein -er Blick; (ugs.:) eine -e Kneipe; im finstern tappen (ungewiß sein), a b e r: wir tappten lange im Finstern (in der Dunkelheit)
Fin|ster|nis, die; -, -se
◇ Dunkel, Dunkelheit, Düsternis, Nacht
Fin|te, die; -, -n (Scheinhieb; Vorwand, Ausflucht); **fin|ten|reich**
Fir|le|fanz, der; -es, -e (ugs. für: Flitterkram; Torheit; Possen)
firm (fest, sicher, [in einem Fachgebiet] beschlagen)
Fir|ma, die; -, ...men
Fir|ma|ment, das; -[e]s, -e
fir|men (die Firmung erteilen)
Fir|men-in|ha|ber, ...schild, das, **...zei|chen; fir|mie|ren** ([den Geschäfts-, Handelsnamen] unterzeichnen; einen Geschäfts-, Handelsnamen führen)
Firm|ling (der zu Firmende); **Fir|mung** (kath. Sakrament)
Firn, der; -[e]s, -e („vorjähriger" Schnee, Altschnee); **fir|nig**
Fir|nis, der; -ses, -se (trocknender Schutzanstrich); **fir|nis|sen**
Firn|schnee
First, der; -[e]s, -e
First La|dy [*fö'ßt le'di*], die; - -, - -s (Frau eines Staatsoberhauptes)
First|zie|gel
Fisch, der; -[e]s, -e; faule -e (ugs. für: Ausreden); kleine -e (ugs. für: Kleinigkeiten); frische Fische; **fisch|äu|gig; Fisch-bein** (das; -[e]s), **...be|steck, ...bra|te|rei, ...brat|kü|che** (Gaststätte für Fischgerichte); **fi|schen; Fi|scher; Fi|scher|boot; Fi|sche|rei; Fisch-ge|richt, ...grä|ten|mu|ster; fi|schig; Fisch|grün|de,** die (*Mehrz.*)
Fi|si|ma|ten|ten, die (*Mehrz.;* ugs. für: leere Ausflüchte)
fis|ka|lisch (dem Fiskus gehörend; staatlich; staatseigen); **Fis|kus,** der; -, (selten:) ...ken u. -se (Staat[sbehörde])
Fi|stel, die; -, -n (Med.: anormaler röhrenförmiger Kanal, der ein Organ mit der Körperoberfläche od. einem anderen Organ verbindet); **fi|steln** (mit Kopfstimme sprechen); **Fi|stel|stim|me**
fit, fitter, fitteste (tauglich; Sport: in Form, [höchst]leistungsfähig); sich - halten; ein fitter Bursche
◇ gesund, leistungsfähig, [gut] in Form (ugs.)
Fit|neß, die; - (gute körperliche Gesamtverfassung, Bestform)
Fit|tich, der; -[e]s, -e (geh. für: Flügel)
Fitz|chen („Fädchen"; Kleinigkeit)
fix („fest"; sicher; ugs. für: gewandt); -e Idee (Zwangsvorstellung; törichte Einbildung); -er Preis (fester Preis); -e Kosten; - und fertig; **Fi|xa|tiv,** das; -s, -e [*...we*] (Fixiermittel); **fi|xen** (ugs. für: sich Drogen einspritzen); **Fi|xer** (ugs. für: jmd., der sich Drogen einspritzt); **Fi|xier|bad; fi|xie|ren; Fi|xie|rung; Fi|xig|keit** (ugs. für: Gewandtheit); **Fix-ko|sten** (fixe Kosten), **...stern** (scheinbar unbeweglicher Stern); **Fi|xum,** das; -s, ...xa („Festes"; festes Einkommen)
Fjord, der; -[e]s, -e (schmale Meeresbucht mit Steilküsten)
FKK = Freikörperkultur
flach; ein -es Dach; auf dem -en Land[e] (außerhalb der Stadt) wohnen
◇ eben, plan, platt, ohne Erhebungen
Flä|che, die; -, -n; **flä|chen|haft; Flä|chen|in|halt; flach|fal|len** (ugs. für: sich erübrigen); **flä|chig; Flach|land** (*Mehrz.* ...länder)
Flachs, der; -es (Faserpflanze); **flachs|blond; flach|sen** (ugs. für: necken, spotten, scherzen, hänseln, frotzeln, ärgern, veralbern [ugs.])
Flach|zan|ge
Flacker|feu|er[1]**; flackern**[1]

---
[1] *Trenn.:* ...k|k...

Fla|den, der; -s, - (flacher Kuchen; Kot)
Flag|ge, die; -, -n; **flag|gen; Flagg-schiff**
Flair [*flär*], das; - (Fluidum, Atmosphäre, gewisses Etwas)
Flak, die; -, - (auch: -s) (Kurzw. für: Flugzeugabwehrkanone; Flugabwehrartillerie); **Flak|bat|te|rie**
Fla|kon [*flakong*], das od. der; -s, -s ([Riech]fläschchen)
flam|bie|ren (Speisen mit Alkohol übergießen u. brennend auftragen)
Fla|men|co [*...ko*], der; -[s], -s (andalus. [Tanz]lied; Tanz)
Fla|min|go [*...minggo*], der; -s, -s (Wasserwatvogel)
Flämm|chen; Flam|me, die; -, -n; **flam|men; Flam|men_meer, ...tod, ...wer|fer**
Flam|me|ri, der; -[s], -s (kalte Süßspeise)
Fla|nell, der; -s, -e (ein Gewebe); **Fla-nell|an|zug**
fla|nie|ren (müßig umherschlendern)
Flan|ke, die; -, -n; **flan|ken; Flan|ken-an|griff; flan|kie|ren**
Flansch, der; -[e]s, -e (Verbindungsansatz an Rohren, Maschinenteilen usw.); **flan-schen** (mit einem Flansch versehen)
Flaps, der; -es, -e (ugs. für: Flegel); **flap-sig** (ugs.)
Fläsch|chen, Fläsch|lein
Fla|sche, die; -, -n
◇ Buddel (ugs.), Pulle (ugs.), Ballon
Fla|schen_bier, ...bür|ste; fla|schen-grün; Fla|schen_hals, ...öff|ner, ...post, ...zug
flat|ter|haft; Flat|ter|haf|tig|keit; flat|te|rig; flat|tern; flatt|rig
flau (ugs. für: schlecht, übel)
Flaum, der; -[e]s (weiche Bauchfedern; erster Bartwuchs); **Flaum|fe|der; flau-mig; flaum|weich**
Flausch, der; -[e]s, -e (weiches Wollgewebe); **flau|schig; Flau|se,** die; -, -n (meist *Mehrz.;* ugs. für: Ausflucht; törichter Einfall)
Flau|te, die; -, -n (Windstille; übertr. für: Unbelebtheit [z. B. im Geschäftsleben])
flä|zen, sich (sich hinlümmeln)
Flech|te, die; -, -n (Pflanze; Hautausschlag; Zopf); **flech|ten;** flocht (flöchte), geflochten; flicht!; du flichtst (ugs.: flichst) **Flech|ter; Flecht|werk**
Fleck, der; -[e]s, -e u. **[1]Flecken[1],** der; -s, -; der blinde Fleck (im Auge); **[2]Flecken[1],** der; -s, - (größeres Dorf); **flecken|los[1]; Flecken|was|ser[1]; Fleckerl[1],** das; -s, -n (österr. für: Speise aus quadratisch geschnittenem Nudelteig); **Fleck|fie|ber,** das; -s; **fleckig[1]; Fleck|ty|phus**

[1] *Trenn.:* ...k|k...

Fled|de|rer; fled|dern (Gaunerspr. für: [Leichen] ausplündern)
Fle|der_maus, ...wisch
Fleet, das; -[e]s, -e (niederd. für: Kanal)
Fle|gel, der; -s, -; **Fle|gel|lei; fle|gel-haft; Fle|gel|jah|re,** die *(Mehrz.);* **fle-geln;** sich -
fle|hen; fle|hent|lich
Fleisch, das; -[e]s; **Fleisch|brü|he; Flei|scher; Flei|sche|rei; Flei|scher-mei|ster; Flei|sches|lust; Fleisch-ex|trakt; fleisch|far|ben, fleisch-far|big; fleisch|fres|send;** -e Pflanzen; **Fleisch_ge|richt, ...hau|er** (österr. für: Fleischer), **...haue|rei** (österr. für: Fleischerei); **flei|schig; Fleisch|klöß|chen; fleisch|lich;** -e Lüste; **fleisch|los; Fleisch_ma|schi-ne** (österr. für: Fleischwolf), **...sa|lat, ...wer|dung** (Menschwerdung, Verkörperung), **...wun|de, ...wurst**
Fleiß, der; -es; **Fleiß|ar|beit**
flei|ßig
◇ arbeitsam, eifrig, emsig, rührig
flek|tie|ren (Sprachw.: ein Wort beugen, deklinieren, konjugieren)
flen|nen (ugs. für: weinen)
flet|schen (die Zähne zeigen)
Fleu|rop [auch: *flörop*], die; - (internationale Blumengeschenkvermittlung)
fle|xi|bel (biegsam, geschmeidig; veränderlich; Sprachw.: beugbar); ...i|ble Wörter; **Fle|xi|bi|li|tät,** die (Biegsamkeit); **Fle|xi|on** (Beugung; Sprachw.: Deklination od. Konjugation)
Flick|ar|beit; flicken[1]; Flicken[1], der; -s, -; **Flick|werk,** das; -[e]s
Flie|der, der; -s, - (Zierstrauch; landsch. für: schwarzer Holunder); **Flie|der|bee-re; flie|der_far|ben** od. **...far|big**
Flie|ge, die; -, -n; **flie|gen;** flog (flöge), geflogen; fliegende Blätter, fliegende Hitze, fliegende Untertasse; **Flie|gen_fen-ster, ...ge|wicht** (Körpergewichtsklasse in der Schwerathletik), **...pilz; Flie-ger; Flie|ger|alarm; flie|ge|risch**
flie|hen; floh (flöhe), geflohen
◇ flüchten, die Flucht ergreifen, türmen (ugs.), ausreißen, weglaufen
Flieh|kraft (für: Zentrifugalkraft)
Flie|se, die; -, -n (Wand- od. Bodenplatte); **Flie|sen|le|ger**
Fließ|band, das (*Mehrz.* ...bänder)
flie|ßen; floß (flösse), geflossen
◇ strömen, fluten, wogen, rinnen, sich ergießen
Flim|mer|ki|ste (ugs. für: Fernsehgerät); **flim|mern**
flink; Flink|heit, die; -
Flin|te, die; -, -n (Schrotgewehr); **Flin-ten|ku|gel**

[1] *Trenn.:* ...k|k...

Flip, der; -s, -s (ein alkohol. Mixgetränk)
Flip|per, der; -s, - (Spielautomat); **flippern**
flir|ren (flimmern)
Flirt [*flört,* auch: *flirt*], der; -[e]s, -s (Liebelei; harmloses, kokettes Spiel mit der Liebe); **flir|ten** [*flörten,* auch: *flirten*]
Flitt|chen (ugs. für: leichtes Mädchen, Dirne)
Flit|ter, der; -s, -; **flit|tern** (glänzen); **Flit|ter‿werk, ...wo|chen** *(Mehrz.)*
flit|zen (ugs. für: [wie ein Pfeil] sausen, eilen); **Flit|zer** (ugs. für: kleines, schnelles Auto)
floa|ten [*flouten*] (den Wechselkurs freigeben); **Floa|ting,** das; -s
Flocke[1], die; -, -n; **flockig**[1]
Floh, der; -[e]s, Flö|he; **flö|hen; Floh‿markt** (Trödelmarkt), **...zir|kus**
Flo|ka|ti, der; -s, -s (Teppich aus langen Wollfäden)
Flom, der; -[e]s u. **Flo|men,** der; -s (nordd. für: Bauch- u. Nierenfett [des Schweines])
Flop, der; -s, -s (Mißerfolg)
Flop|py disk, die; - -, - -s (als Datenspeicher dienende Magnetplatte)
Flor, der; -s, -e u. (selten:) Flöre (dünnes Gewebe; samtartige Oberfläche eines Gewebes); **Flo|ra,** die; -, Floren (Pflanzenwelt [eines Gebietes])
Flo|ren|ti|ner; - Hut; **flo|ren|ti|nisch**
Flo|rett, das; -[e]s, -e
flo|rie|ren (blühen, [geschäftlich] vorankommen; gedeihen); **Flo|rist,** der; -en, -en (Erforscher einer Flora; Blumenbinder); **Flo|ri|stin,** die; -, -nen; **flo|ri|stisch; Flos|kel,** die; -, -n („Blümchen"; [inhaltsarme] Redensart); **flos|kel|haft**
Floß, das; -es, Flöße (Wasserfahrzeug); **flöß|bar; Flos|se,** die; -, -n; **flö|ßen;** du flößt (flößest); **Flö|ßer; Floß|platz**
Flö|te, die; -, -n; **flö|ten; Flö|ten|blä|ser**
flö|ten|ge|hen (ugs. für: verlorengehen)
Flö|ten‿spiel (das; -[e]s), **...ton** (*Mehrz.* ...töne); **Flö|tist,** der; -en, -en (Flötenspieler)
flott (ungebunden, leicht; flink); **Flot|te,** die; -, -n; **Flot|til|le** [auch: *flotilje*], die; -, -n (Verband kleiner Kriegsschiffe); **flott|ma|chen;** er hat das Schiff flottgemacht; **flott|weg** (ugs. für: in einem weg)
Flöz, das; -es, -e (abbaubare Nutzschicht, vor allem Kohle)
Fluch, der; -[e]s, Flüche; **fluch|be|la|den; flu|chen; Flu|cher**
[1]**Flucht** [zu: fliegen], die; -, -en (Fluchtlinie, Richtung, Gerade)

[1] *Trenn.:* ...k|k...

[2]**Flucht** [zu: fliehen], die; -, -en; **flucht|ar|tig; flüch|ten;** sich -; **Flucht|hel|fer; flüch|tig; Flüch|tig|keit; Flüch|tig|keits|feh|ler; Flücht|ling**
Flucht|li|nie
flucht|ver|däch|tig; Flucht|weg
fluch|wür|dig
Flug, der; -[e]s, Flüge; im -e; **Flug‿ab|wehr, ...bahn; flug|be|reit; Flug|blatt; Flü|gel,** der; -s, -; **flü|gel|lahm; Flü|gel|schlag; Flü|gel|tür; Flug|gast** (*Mehrz.* ...gäste); **flüg|ge; Flug‿ge|sell|schaft, ...ha|fen, ...leh|rer, ...loch, ...platz, ...post, ...rei|se; flugs** (schnell, sogleich); **Flug‿ver|kehr, ...zeug** (das; -[e]s, -e); **Flug|zeug‿bau** (der; -[e]s), **...ent|füh|rung, ...füh|rer, ...trä|ger**
Flui|dum, das; -s, ...da (von einer Person od. Sache ausströmende Wirkung); **Fluk|tua|ti|on** [*...zion*], die; -, -en (Schwanken, Schwankung); **fluk|tu|ie|ren**
Flun|der, die; -, -n (ein Fisch)
Flun|ke|rei (kleine Lüge); **flun|kern**
Flunsch, der; -[e]s, -e (niederd. u. mitteld. für: [verdrießlich od. zum Weinen] verzogener Mund)
Flu|or, das; -s (chem. Grundstoff; Zeichen: F); **fluo|res|zie|ren;** fluoreszierender Stoff (Leuchtstoff)
[1]**Flur,** die; -, -en (nutzbare Landfläche; Feldflur); [2]**Flur,** der; -[e]s, -e (Hausflur); **Flur‿be|rei|ni|gung, ...scha|den**
Flu|se, die; -, -n (landsch. für: Fadenrest, Fadenende)
Fluß, der; Flusses, Flüsse
◇ Wasserlauf, Strom, fließendes Gewässer
fluß|ab[|wärts]; Fluß|arm; fluß|auf[|wärts]; Fluß|bett (*Mehrz.* ...betten, seltener: ...bette); **flüs|sig;** -e (verfügbare) Gelder; **Flüs|sig|keit; flüs|sig|ma|chen;** Geld -; **Fluß|lauf; Flüß|lein; Fluß‿pferd, ...schiffahrt** [*Trenn.:* ...schiff|fahrt], **...ufer**
flü|stern
◇ wispern, tuscheln, hauchen, mit gedämpfter Stimme sprechen
Flü|ster‿pro|pa|gan|da, ...stim|me
Flut, die; -, -en; **flu|ten; Flut|licht**
flut|schen (ugs. für: gut vorankommen, -gehen); es flutscht
Flut‿wel|le, ...zeit
fö|de|ral (föderativ); **Fö|de|ra|lis|mus,** der; - ([Streben nach] Selbständigkeit der Länder innerhalb eines Staatsganzen); **fö|de|ra|li|stisch; Fö|de|ra|ti|on** [*...zion*], die; -, -en (loser [Staaten]bund); **fö|de|ra|tiv** (bundesmäßig); **fö|de|riert** (verbündet)
foh|len (ein Fohlen zur Welt bringen); **Foh|len,** das; -s, -
Föhn, der; -[e]s, -e (warmer, trockener Fallwind); **föh|nig**

Föh|re, die; -, -n (Kiefer)
Fo|kus, der; -, - u. -se (Brennpunkt; Krankheitsherd)
Fol|ge, die; -, -n; Folge leisten; zur Folge haben; **Fol|ge|er|schei|nung; fol|gen;** er ist mir gefolgt (nachgekommen); er hat mir gefolgt (Gehorsam geleistet); **fol|gend;** folgende [Seite] (Abk.: f.); folgende [Seiten] (Abk.: ff.); der -e (der Reihe nach); -es (dieses); das -e (dieses); im -en, in -em (weiter unten); im Folgenden (in den nachstehenden Ausführungen); der Folgende (der einem andern Nachfolgende); das Folgende (das später Erwähnte, Geschehende); aus, in, mit, nach, von dem Folgenden (den folgenden Ausführungen); **fol|gen|der|ma|ßen, fol|ge|rich|tig**
fol|gern
◇ schließen, den Schluß ziehen, ableiten aus
Fol|ge|rung; Fol|ge|zeit; folg|lich; folg|sam
Fo|li|ant, der; -en, -en (Buch in Folio); **Fo|lie** [*...ie*], die; -, -n (dünnes [Metall]blatt; Prägeblatt; Hintergrund); **Fo|lio,** das; -s, Folien [*...ien*] u. -s (Halbbogengröße [nur *Einz.;* Buchformat]); in -; **Fo|lio|band,** der
Folk|lo|re [*folklore*, auch: *folk...*], die; - (Volksüberlieferungen; Volkskunde); **folk|lo|ri|stisch**
Fol|ter, die; -, -n; **Fol|ter|bank** (*Mehrz.* ...bänke); **Fol|te|rer; Fol|ter|kam|mer; fol|tern; Fol|te|rung**
Fön Ⓦⓩ, der; -[e]s, -e (elektr. Heißlufttrockner)
Fond [*fong*], der; -s, -s (Hintergrund eines Gemäldes od. einer Bühne; Rücksitz im Wagen)
Fon|dant [*fongdang*], der (österr.: das); -s, -s (Zuckerwerk)
Fonds [*fong*], der; - [*fong(ß)*], - [*fongß*] (Bestand, Geldmittel)
Fon|due [*fongdü*, schweiz.: *fongdü*], das; -s, -s od. die; -, -s ([west]schweiz. Käsegericht)
fö|nen (mit dem Fön trocknen)
Fon|tä|ne, die; -, -n ([Spring]brunnen); **Fon|ta|nel|le,** die; -, -n (Knochenlücke am kindlichen Schädel)
fop|pen; Fop|per; Fop|pe|rei
for|cie|ren [*forßiren*] (mit Gewalt beschleunigen, vorantreiben; steigern); **for|ciert** (auch: gezwungen, unnatürlich)
För|de, die; -, -n (niederd. für: schmale, lange Meeresbucht)
För|de|rer; För|de|rin, die; -, -nen
for|dern
för|dern
◇ begünstigen, protegieren, lancieren, aufbauen, sich verwenden für, befürworten
För|der‿schacht, ...turm
For|de|rung
För|de|rung; För|de|rungs|maß|nah|me; För|der|werk
Fo|rel|le, die; -, -n (ein Fisch); **Fo|rel|len|zucht**
For|ke, die; -, -n (nordd. für: Heu-, Mistgabel)
Form, die; -, -en; in - sein; **for|mal** (auf die Form bezüglich; förmlich; unlebendig, äußerlich); **For|ma|li|en** [*...ien*] (*Mehrz.;* Äußerlichkeiten); **For|ma|lis|mus,** der; -, ...men ([übertriebene] Berücksichtigung von Äußerlichkeiten; Überbetonung des rein Formalen); **For|ma|list,** der; -en, -en; **for|ma|li|stisch; For|ma|li|tät,** die; -, -en; **for|ma|li|ter** (förmlich, in aller Form); **for|mal|ju|ri|stisch**
For|mat, das; -[e]s, -e
◇ Größe, Gestalt, Kaliber (ugs.)
For|ma|ti|on [*...zion*], die; -, -en; **form|bar; Form|bar|keit,** die; -; **form|be|stän|dig; For|mel,** die; -, -n; **For|mel-1-Wa|gen** [- *ainß* -] (ein Rennwagen); **for|mel|haft; for|mell** (förmlich, die Formen [peinlich] beobachtend; äußerlich; zum Schein vorgenommen)
for|men
◇ gestalten, bilden, Gestalt/Form geben, modellieren, ausformen
For|men|leh|re (Teil der Sprachlehre u. der Musiklehre); **for|men|reich; For|men|reich|tum,** der; -s; **Form‿feh|ler, ...ge|stal|tung; for|mie|ren; Form|kri|se** (Sportspr.); **förm|lich; Förm|lich|keit; form|los; Form|sa|che; form|schön**
For|mu|lar, das; -s, -e
◇ Formblatt, Vordruck
for|mu|lie|ren
◇ ausdrücken, in Worte fassen/kleiden, in sprachliche Form bringen
For|mung; form|voll|en|det
forsch (schneidig, kühn)
for|schen; For|scher; For|schung; For|schungs‿auf|trag, ...rei|sen|de, ...zen|trum
Forst, der; -[e]s, -e[n]; **Forst|amt; För|ster; forst|lich**
For|sy|thie [*forsüzie;* auch: *...tie;* österr.: *forsizie*], die; -, -n (ein Zierstrauch)
fort; - sein; in einem -
Fort [*for*], das; -s, -s (Festungswerk)
fort|ab; fort|an
Fort|be|stand, der; -[e]s; **fort|be|ste|hen**
fort|be|we|gen; sich -; **Fort|be|we|gung**
fort|bil|den; sich -; **Fort|bil|dung**
fort|blei|ben
fort|brin|gen
Fort|dau|er; fort|dau|ernd

for|te (Musik: stark, laut; Abk.: f); **For|te,** das; -s, -s u. ...ti
fort|ent|wickeln [*Trenn.:* ...wik|keln]; sich -
fort|fah|ren
◇ fortsetzen, weiterfahren, weitermachen
fort|fal|len
fort|flie|gen
fort|füh|ren; Fort|füh|rung
Fort|gang, der; -[e]s; **fort|ge|hen**
fort|ge|schrit|ten; Fort|ge|schrit|te|ne, der u. die; -n, -n
fort|ge|setzt
for|tis|si|mo (Musik: sehr stark, sehr laut; Abk.: ff); **For|tis|si|mo,** das; -s, -s u. ...mi
fort|ja|gen
fort|kom|men; Fort|kom|men, das; -s
fort|lau|fen; fort|lau|fend
fort|le|ben
fort|pflan|zen; Fort|pflan|zung
fort|rei|ßen; jmdn. mit sich -
fort|ren|nen
fort|schaf|fen
◇ wegschaffen, forträumen, entfernen, aus dem Weg räumen, beseitigen
fort|schicken [*Trenn.:* ...schik|ken]
fort|schrei|ten; Fort|schritt; fort|schritt|lich; Fort|schritt|lich|keit, die; -; **fort|schritts|gläu|big**
fort|set|zen; Fort|set|zung
fort|steh|len, sich
fort|wäh|rend
fort|wer|fen
fort|zie|hen
Fo|rum, das; -s, ...ren, ...ra u. -s (altröm. Marktplatz; Gericht; Öffentlichkeit); **Fo|rums|dis|kus|si|on**
fos|sil (versteinert; vorweltlich); **Fos|sil,** das; -s, -ien [...*iᵉn*] (meist *Mehrz.;* Rest von Tieren od. Pflanzen)
¹Fo|to[1], das; -s, -s (schweiz.: die; -, -s; kurz für: Lichtbild); **²Fo|to,** der; -, -s (ugs. kurz für: Fotoapparat); **Fo|to‿al|bum, ...ap|pa|rat; fo|to|gen** (zum Fotografieren od. Filmen geeignet, bildwirksam); **Fo|to|graf,** der; -en, -en; **Fo|to|gra|fie,** die; -, ...ien
fo|to|gra|fie|ren
◇ eine Aufnahme/Fotografie/ein Foto/Bild machen, aufnehmen, knipsen (ugs.), einen Schnappschuß machen
fo|to|gra|fisch; Fo|to|ko|pie (Lichtbildabzug von Schriften, Dokumenten u. a.); **fo|to|ko|pie|ren; Fo|to‿mo|dell** (jmd., der für Fotoaufnahmen Modell steht), **...mon|ta|ge** (Zusammenstellung verschiedener Bildausschnitte zu einem Gesamtbild), **...re|por|ter**
Fö|tus vgl. Fetus

[1] Vgl. die nicht eindeutschend geschriebenen Stichwörter photo..., Photo...

foul [*faul*] (Sport: regelwidrig); **Foul,** das; -s, -s (Regelverstoß); **fou|len** [*faulᵉn*] (Sport; sich regelwidrig verhalten); **Foul|spiel** [*faul...*], das; -[e]s (regelwidriges Spielen)
Fox, der; -[es], -e (Kurzform von: Foxterrier, Foxtrott); **Fox|ter|ri|er** [...*iᵉr*] (Hunderasse); **Fox|trott,** der; -[e]s, -e u. -s („Fuchsschritt"; ein Tanz)
Foy|er [*foaje*], das; -s, -s (Vor-, Wandelhalle [im Theater])
Fracht, die; -, -en; **Fracht|brief; Frach|ter** (Frachtschiff); **fracht|frei; Fracht‿gut, ...schiff**
Frack, der; -[e]s, Fräcke u. -s; **Frack‿hemd, ...we|ste**
Fra|ge, die; -, -n; in - kommen; **Fra|ge‿bo|gen, ...für|wort**
fra|gen; fragte, gefragt
◇ eine Frage stellen, sich erkundigen, Erkundigungen einziehen, interviewen, verhören, aushorchen, mit Fragen überschütten, ausquetschen (ugs.), ausforschen, auf den Busch klopfen (ugs.)
Fra|ger; Fra|ge|rei; Fra|ge‿satz, ...stun|de (im Parlament); **Fra|ge-und-Ant|wort-Spiel; Fra|ge|zei|chen; frag|lich; frag|los** (sicher, bestimmt)
Frag|ment, das; -[e]s, -e
◇ Bruchstück, Torso
frag|men|ta|risch
frag|wür|dig; Frag|wür|dig|keit
frais[e] [*fräs*] (erdbeerfarben)
Frak|ti|on [...*zion*], die; -, -en; **frak|tio|nell; Frak|ti|ons‿vor|sit|zen|de, ...zwang; Frak|tur,** die; -, -en (Knochenbruch; dt. Schrift, Bruchschrift); **Frak|tur|schrift**
Franc [*frang*], der; -, -s [*frang*] (Währungseinheit; Abk.: fr, *Mehrz.* frs); 100 -; franz. Franc (Abk.: FFF); belg. Franc (Abk.: bfr., *Mehrz.* bfrs)
frank (frei, offen); - und frei
Fran|ken, der; -s, - (schweiz. Währungseinheit; Abk.: Fr, sFR; im dt. Bankwesen: sfr *Mehrz.* sfrs); vgl. Franc
Frank|fur|ter, die; -, -; meist *Mehrz.* (Frankfurter Würstchen)
fran|kie|ren; Fran|kier|ma|schi|ne; fran|ko (frei [die Transportkosten werden vom Absender bezahlt]); - Basel; - dort
fran|ko|phil (franzosenfreundlich)
Fran|se, die; -, -n; **fran|sen; fran|sig**
Franz|brannt|wein
Fran|zis|ka|ner, der; -s, - (Angehöriger eines Mönchsordens); **Fran|zis|ka|ne|rin,** die; -, -nen; **Fran|zis|ka|ner|or|den,** der; -s
fran|zö|sisch; in französischem Wortlaut; auf französisch, in französisch (in französischem Text, Wortlaut); der Red-

ner hat französisch (nicht deutsch) gesprochen; -e Broschur; die Französische Revolution (1789–1794); **Fran|zö|sisch,** das; -[s] (Sprache); mein, dein, sein Französisch ist schlecht; er kann, lehrt, lernt, schreibt, spricht, versteht [kein, nicht, gut, schlecht] Französisch; **Fran|zö|si|sche,** das; -n (die französische Sprache); er hat aus dem Deutschen ins Französische übersetzt

frap|pant (überraschend; befremdend)

Frä|se, die; -, -n; **frä|sen; Fräs|ma|schi|ne**

Fraß, der; -es, -e

Fra|ter, der; -s, Fra|tres ([Ordens]bruder); **fra|ter|ni|sie|ren** (sich verbrüdern); **Fra|tres** (*Mehrz.* von: Frater)

Fratz, der; -es (österr.: -en), -e u. (österr. nur:) -en; (ungezogenes Kind; schelmisches Mädchen); **Frat|ze,** die; -, -n (verzerrtes Gesicht); **frat|zen|haft**

Frau, die; -, -en

◇ weibliches Wesen, Dame, Weib, Weibsperson (abwertend), Frauensperson (veralt.), Frauenzimmer (veralt.), Weibsbild (derb), Weibsstück (derb)

Frau|chen; Frau|en‿arzt, ...be|we|gung (die; -), **...eman|zi|pa|ti|on, ...haus,** das (Haus, das von ihren Männern mißhandelte Frauen aufnimmt), **...held, ...lei|den, ...recht|le|rin** (die; -, -nen), **...schuh,** der; -[e]s (Name verschiedener Pflanzen); **Frau|ens|per|son; Fräu|lein,** das; -s, - (ugs. auch: -s); - Müllers Adresse; **frau|lich**

Freak [*frik*], der; -s, -s (Nichtangepaßter; Fan)

frech

◇ ungezogen, unartig, unverschämt

Frech‿dachs, ...heit

Free|sie [*fresi*[e]], die; -, -n (eine Zierpflanze)

Fre|gat|te, die; -, -n (ein Kriegsschiff); **Fre|gat|ten|ka|pi|tän**

frei; der -e Fall; der -e Wille; -e Fahrt; -e Liebe; -e Marktwirtschaft; -e Berufe; -e Wahlen; -es Geleit; jmdm. -e Hand, -es Spiel lassen; jmdn. auf -en Fuß setzen; im Freien; ins Freie gehen; frei sein, werden, bleiben; **Frei|bad; frei|be|kom|men;** eine Stunde, die Arme freibekommen; **frei|be|ruf|lich; Frei|be|trag; Frei|bier,** das; -[e]s; **frei|blei|bend** (Kaufmannsspr.: ohne Verbindlichkeit, ohne Verpflichtung); das Angebot ist -; **Frei|brief; Frei|den|ker; frei|den|ke|risch**

frei|en; Frei|er; Frei|ers|fü|ße *Mehrz.*, nur in: auf -n gehen

Frei‿ex|em|plar, ...frau; frei|ge|ben

frei|ge|big

◇ großzügig, generös, nobel, splendid, gebefreudig, spendabel (ugs.)

Frei|ge|big|keit; Frei‿ge|he|ge, ...geist (*Mehrz.* ...geister); **Frei|ha|fen; frei|hal|ten;** ich werde dich - (für dich bezahlen); die Einfahrt muß freigehalten werden; **Frei|han|del,** der; -s; **frei|hän|dig; Frei|heit; frei|heit|lich; Frei|heits‿be|rau|bung, ...drang, ...ent|zug, ...krieg; frei|heits|lie|bend; Frei|heits|stra|fe; frei|her|aus; Frei|herr; Frei|in** (Freifräulein), die; -, -nen; **Frei|kar|te; frei|kau|fen** (durch ein Lösegeld befreien); **frei|kom|men** (loskommen); **Frei|kör|per|kul|tur** (Abk.: FKK); **frei|las|sen** (einen Gefangenen); **Frei‿las|sung, ...lauf; frei|lau|fen,** sich (beim Fußballspiel); **frei|le|bend; frei|le|gen** (entblößen; deckende Schicht entfernen)

frei|lich

Frei|licht‿büh|ne, ...mu|se|um; frei|ma|chen (Postw.); ein paar Tage - (Urlaub machen); sich - (Zeit nehmen); **Frei|mar|ke; Frei|mau|rer; Frei|mau|re|rei,** die; -; **frei|mau|re|risch; Frei|mut,** der; **frei|mü|tig; Frei|platz; frei|pres|sen** (die Freilassung [von Gefangenen] durch Geiselnahme o.ä. erzwingen); **frei|re|li|gi|ös; frei|schaf|fend;** der freischaffende Künstler; **frei|schwim|men,** sich (die Schwimmprüfung ablegen); **Frei|schwim|mer; frei|spre|chen** (von Schuld); **Frei‿spre|chung, ...spruch, ...staat** (*Mehrz.* ...staaten), **...statt** od. **...stät|te; frei|ste|hen;** das soll dir - (gestattet sein); ein freistehendes (leeres) Haus; **frei|stel|len** (erlauben); jmdm. etwas -; **Frei|stoß** (beim Fußball); [in]direkter -; **Frei|stun|de**

Frei|tag, der; -[e]s, -e; der Stille Freitag (Karfreitag); **frei|tags**

Frei‿tisch, ...tod (Selbstmord); **frei|tra|gend; Frei‿trep|pe, ...übung, ...wild; frei|wil|lig; Frei‿zei|chen, ...zeit; Frei|zeit|ge|stal|tung; frei|zü|gig; Frei|zü|gig|keit,** die; -

fremd; fremd|ar|tig; [1]**Frem|de,** der u. die; -n, -n; [2]**Frem|de** (Ausland), die; -; in der -; **Frem|den‿füh|rer, ...heim, ...ver|kehr, ...zim|mer; fremd|ge|hen** (ugs. für: untreu sein); **Fremd‿heit** (Fremdsein), **...herr|schaft, ...kör|per; fremd|län|disch; Fremd|ling; Fremd|spra|che; fremd|spra|chig** (eine fremde Sprache sprechend); **fremd|sprach|lich** (auf eine fremde Sprache bezüglich); **Fremd|wort** (*Mehrz.* ...wörter); **Fremd|wör|ter|buch**

fre|ne|tisch (rasend); -er Beifall

fre|quen|tie|ren (häufig besuchen); **Fre|quenz,** die; -, -en (Besuch, Besucherzahl, Verkehrsdichte; Schwingungszahl)

Fres|ko, das; -s, ...ken („frisch"; Malerei auf feuchtem Kalkputz)

Fres|sa|li|en [...*iᵉn*] (*Mehrz.;* scherzh. für: Eßwaren); **Fres|se,** die; -, -n (derb für: Mund, Maul); **fres|sen;** fraß (fräße), gefressen; friß!; **Fres|sen,** das; -s; **Fres|ser**

Freu|de, die; -, -n; [in] Freud und Leid; **Freu|den‿fest, ...feu|er, ...haus, ...mäd|chen** (geh. verhüllend für: Dirne); **freu|den|reich; Freu|den‿ruf, ...tanz, ...trä|ne; freu|de|strah|lend; freu|dig;** ein -es Ereignis; **freud|los**

freu|en; ich freue mich über das Geschenk; alle freuen sich auf die Ferien; meine Frau und ich würden sich -

◇ Freude haben an, froh sein über, Freudensprünge machen, sich freuen wie ein Schneekönig

Freund, der; -[e]s, -e; jemandes - bleiben; gut - sein; **Freund|chen** (meist [scherzh.] drohend als Anrede); **Freun|des|kreis; Freun|din,** die; -, -nen; **freund|lich; freund|li|cher|wei|se; Freund|lich|keit; Freund|schaft; freund|schaft|lich**

fre|vel; frevler Mut; **Fre|vel,** der; -s, -; **fre|vel|haft; fre|veln; fre|vent|lich; Frev|ler; Frev|le|rin,** die; -, -nen; **frev|le|risch**

Frie|de, der; -ns, -n (älter, geh. für: Frieden); [in] Fried und Freud; **Frie|den,** der; -s, -; **Frie|dens‿for|schung, ...kon|fe|renz, ...lie|be, ...no|bel|preis, ...pfei|fe, ...rich|ter, ...schluß; Frie|den[s]‿stif|ter, ...stö|rer; Frie|dens‿tau|be, ...ver|hand|lun|gen** (*Mehrz.*), **...ver|trag**

fried|fer|tig

◇ friedlich, verträglich

Fried|hof

◇ Kirchhof, Gottesacker (dichter.), Gräberfeld

Fried|hofs|mau|er;

fried|lich; fried|lie|bend

frie|ren; fror (fröre), gefroren; ich friere an den Füßen; mich friert an den Füßen (nicht: an die Füße); mir od. mich frieren die Füße

◇ frösteln, eine Gänsehaut bekommen/haben, vor Kälte zittern/schlottern, bibbern (ugs.), jmdm. ist es kalt

Fries, der; -es, -e (Gesimsstreifen, Verzierung; ein Gewebe)

fri|gid, fri|gi|de ([gefühls]kalt, kühl; geschlechtlich nicht hingabefähig); **Fri|gi|di|tät,** die; - (Med.: geschlechtl. Empfindungslosigkeit [von Frauen])

Fri|ka|del|le, die; -, -n; **Fri|kan|del|le,** die; -, -n (Schnitte aus gedämpftem Fleisch); **Fri|kas|see,** das; -s, -s; **fri|kas|sie|ren**

frisch; etwas - halten; sich - machen; auf -er Tat ertappen; der frisch gebackene Kuchen; **frisch|auf!; Fri|sche,** die; -; **frisch-fröh|lich; Frisch|ge|mü|se; Frisch|hal|te|packung** [*Trenn.:* ...pak|kung]; **Frisch|kost; Frisch|ling** (Junges vom Wildschwein); **Frisch|milch; frisch|weg; Frisch|zel|le; Frisch|zel|len‿be|hand|lung, ...the|ra|pie**

Fri|seur [...*sör*], der; -s, -e; **Fri|seu|rin** [...*sörin*] (bes. österr. für: Friseuse), die; -, -nen; **Fri|seur|sa|lon; Fri|seu|se** [...*sösᵉ*], die; -, -n; **fri|sie|ren** (ugs. auch: herrichten, putzen); **Fri|sör** usw. (eindeutschend für: Friseur usw.)

Frist, die; -, -en; **fri|sten; frist‿ge|mäß, ...los;** -e Entlassung

Fri|sur, die; -, -en

◇ Haartracht, Haarschnitt

Fri|teu|se [...*tösᵉ*], die; -, -n (elektr. Gerät zum Fritieren); **fri|tie|ren;** Fleisch, Kartoffeln - (in schwimmendem Fett braun braten); **Fri|tü|re,** die; -, -n (heißes Ausbackfett; die darin gebackene Speise)

fri|vol [...*wol*] (leichtfertig; schlüpfrig); **Fri|vo|li|tät,** die; -, -en

froh; -en Sinnes; -es Ereignis, aber: die Frohe Botschaft (Evangelium); **froh|ge|launt; froh|ge|mut; fröh|lich; Fröh|lich|keit,** die; -; **froh|locken** [*Trenn.:* ...lok|ken]; **Froh|sinn,** der; -[e]s; **froh|sin|nig**

fromm; frommer od. frömmer, frommste od. frömmste

◇ religiös, gläubig, gottesfürchtig, orthodox, kirchlich [eingestellt], bigott (abwertend)

From|me, der; -n (veralt. für: Ertrag; Nutzen); noch gebräuchlich in: zu Nutz und -n; **Fröm|me|lei; fröm|meln** (sich fromm zeigen); **from|men** (nutzen); es frommt ihm nicht; **Fromm|heit,** die; -; **Fröm|mig|keit,** die; -; **frömm|le|risch**

Fron, die; -, -en (dem [Lehns]herrn zu leistende Arbeit; Herrendienst); **Fron‿ar|beit** (schweiz. auch: unbezahlte Arbeit für Gemeinde, Genossenschaft, Verein), **...dienst** (Dienst für den [Lehns]herrn); **fro|nen** (Frondienste leisten); **frö|nen** ([einer Leidenschaft] huldigen); **Fron|leich|nam,** der; -[e]s („des Herrn Leib"; kath. Fest); **Fron|leich|nams|pro|zes|si|on**

Front, die; -, -en; - machen (sich widersetzen); **fron|tal; Fron|tal|an|griff; Front|an|trieb**

Fron|vogt

Frosch, der; -[e]s, Frösche; **Frosch|laich; Frösch|lein; Frosch‿mann** (*Mehrz.* ...männer), **...per|spek|ti|ve, ...schen|kel**

Frost, der; -[e]s, Fröste

◇ Kälte, Minustemperaturen, Hundekälte (ugs.), Eiseskälte

Frost|auf|bruch; frö|ste|lig; frö|steln; mich fröstelt; **fro|sten; Fro|ster,** der; -s, - (Tiefkühlteil einer Kühlvorrichtung); **Frost|ge|fahr; fro|stig; Frost‿scha|den, ...schutz**
Frot|tee, das od. der; -[s], -s (Gewebe mit noppiger Oberfläche); **frot|tie|ren; Frot|tier|tuch** (*Mehrz.* ...tücher)
frot|zeln (ugs. für: necken, aufziehen)
Frucht, die; -, Früchte; **frucht|bar; Frucht|bar|keit,** die; -; **frucht|brin|gend; Frücht|chen; Früch|te|brot,** das; -[e]s; **fruch|ten;** es fruchtet (nutzt) nichts; **fruch|tig** (z. B. vom Wein); **Frucht|kno|ten; frucht|los; Frucht|pres|se; frucht|reich; Frucht‿saft, ...zucker** [*Trenn.:* ...zuk|ker]
fru|gal (mäßig, einfach)
früh; -er Winter; eine -e Sorte Äpfel; zum, mit dem, am früh[e]sten; morgen früh
◇ zeitig, am frühen Morgen, vor Tag
früh|auf; von -; **Früh‿auf|ste|her, ...beet; Frü|he,** die; -; in der -; **frü|her; frü|hest|mög|lich;** zum -en Termin; **Früh‿ge|burt, ...jahr; Früh|jahrs‿an|fang, ...mü|dig|keit; Früh|ling,** der; -s, -e; **Früh|lings|an|fang; früh|ling[s]|haft; früh|mor|gens, früh|reif; Früh‿schop|pen, ...sport, ...stück; früh|stücken** [*Trenn.:* ...stük|ken]; **Früh|stücks‿brot, ...pau|se; früh|zei|tig**
Frust, der; -[e]s (ugs. für: Frustration; Frustriertsein); **Fru|stra|ti|on** [...*zion*], die; -, -en (Psych.: Erlebnis der Enttäuschung u. Zurücksetzung); **fru|strie|ren** (enttäuschen)
Fuchs, der; -es, Füchse; **Fuchs|bau** (*Mehrz.* ...baue); **fuch|sen;** sich - (ugs. für: sich ärgern)
Fuch|sie [...*i*[e]], die; -, -n (eine Zierpflanze)
fuch|sig (fuchsrot; fuchswild); **Füch|sin,** die; -, -nen; **Fuchs|jagd; Füchs|lein; Fuchs‿loch, ...pelz; fuchs|rot; Fuchs|schwanz; fuchs[|teu|fels]|wild**
Fuch|tel, die; -, -n (Stock; strenge Zucht; österr. ugs. für: zänkische Frau); **fuch|teln**
Fu|der, das; -s, - (Wagenladung, Fuhre; Hohlmaß für Wein)
Fuff|zi|ger, der; -s, - (ugs. für: Fünfzigpfennigstück); ein falscher - (unaufrichtiger Mensch)
Fug, der, nur noch in: mit - und Recht
[1]**Fu|ge,** die; -, -n (Furche, Nute)
[2]**Fu|ge,** die; -, -n (mehrstimmiges Tonstück mit bestimmtem Aufbau)
fu|gen ([1]Fugen ziehen); **fü|gen;** sich -; **Fu|gen-s,** das; -, -; **füg|lich; füg|sam; Füg|sam|keit,** die; -; **Fu|gung; Fü|gung**

fühl|bar
füh|len
◇ empfinden, [ver]spüren, ergriffen werden von, zu spüren bekommen
Füh|ler; fühl|los; Füh|lung|nah|me, die; -
Fuh|re, die; -, -n
füh|ren; Buch -; **Füh|rer; Füh|re|rin,** die; -, -nen; **füh|rer|los; Füh|rer‿schein, ...stand; füh|rig; Füh|rung; Füh|rungs‿an|spruch, ...spit|ze, ...tor** (Sportspr.), **...zeug|nis**
Fuhr‿un|ter|neh|mer, ...werk; fuhr|wer|ken
Fül|le, die; -; in Hülle u. -; **fül|len; Fül|ler; Füll[fe|der|]hal|ter; fül|lig; Füll|sel,** das; -s, -; **Fül|lung**
ful|mi|nant (glänzend, mitreißend, großartig, ausgezeichnet)
fum|meln (ugs. für: sich [unsachgemäß] an etwas zu schaffen machen; reibend putzen)
Fund, der; -[e]s, -e
Fun|da|ment, das; -[e]s, -e; **fun|da|men|tal** (grundlegend; schwerwiegend); **Fun|da|men|ta|list,** der; -en, -en (jmd., der [kompromißlos] an seinen [polit.] Grundsätzen festhält)
Fund‿amt (österr.), **...bü|ro, ...gru|be**
fun|die|ren ([be]gründen; mit [den nötigen] Mitteln versehen); **fun|diert** ([fest] begründet; Kaufmannsspr.: durch Grundbesitz gedeckt, sicher[gestellt])
fün|dig (Bergmannsspr.: ergiebig, reich); - werden; **Fund|ort** (der; -[e]s, -e), **...sa|che, ...stät|te, ...stel|le**
Fun|dus, der; -, - (Grund u. Boden, Grundstück; Grundlage; Bestand)
fünf; die - Sinne; die ersten -; wir sind heute zu fünfen od. zu fünft; fünf gerade sein lassen (ugs. für: etwas nicht so genau nehmen); **Fünf,** die; -, -en (Zahl); eine - würfeln, schreiben; **Fünf|eck; Fün|fer; fün|fer|lei; Fün|fer|rei|he;** in -n; **Fünf|fa|che,** das; -n; **Fünf|fran|ken|stück, Fünf|frank|stück; fünf|hun|dert; Fünf|kampf; Fünf|ling; fünf|mal; Fünf|mark|stück; Fünf|pfen|nig|stück; fünf|stel|lig; fünft; Fünf|ta|ge|wo|che; fünf|tau|send; fünf|te;** der fünfte (der Reihe nach); der Fünfte (der Leistung nach); die - Kolonne; **fünf|tel; Fünf|tel,** das (schweiz. meist: der); -s, -; **fünf|tens; fünf|und|zwan|zig; fünf|zehn; fünf|zig;** er ist - Jahre alt; **Fünf|zig,** die; -, -en (Zahl); der Mensch über -; **Fünf|zi|ger,** der; -s, - (ugs. für: Fünfzigpfennigstück); **Fünf|zig|mark|schein**
fun|gie|ren (ein Amt verrichten, verwalten; tätig, wirksam sein)
Funk, der; -s (Rundfunk[wesen], drahtlose Telegrafie); **Funk‿ama|teur, ...aus-**

stel|lung, ...bild; Fünk|chen; Funke, der; -ns, -n; **fun|keln; fun|kel|nagel|neu** (ugs.); **fun|ken** (durch Funk übermitteln; ugs. auch für: funktionieren); **Fun|ken,** der; -s, - (häufig übertr. für: Funke); **Fun|ken|flug; fun|ken-sprü|hend; Fun|ker; Funk|haus; Funk-kol|leg, ...lot|te|rie, ...meß-ge|rät, ...pei|lung, ...spruch, ...stil-le, ...stö|rung, ...strei|fe, ...ta|xi, ...tech|nik**

Funk|ti|on [*...zion*], die; -, -en (Verrichtung; Geltung); in, außer - (im, außer Dienst, Betrieb); **Funk|tio|när,** der; -s, -e; **funk|tio|nell** (auf die Funktion bezüglich; wirksam); -e Erkrankung; **funk-tio|nie|ren; funk|ti|ons|tüch|tig**

Funk-turm, ...ver|bin|dung

Fun|sel, Fun|zel, die; -, -n (ugs. für: schlecht brennende Lampe)

für; was - ein Kleid möchten Sie kaufen?; *Verhältnisw.* mit *Wenf.;* ein für allemal; für und wider, aber: das Für und [das] Wider

für|baß (veralt. für: weiter); - schreiten

Für|bit|te

Fur|che, die; -, -n; **fur|chig**

Furcht, die; -; **furcht|bar; furcht|ein-flö|ßend;** ein -es Äußere[s]; **fürch|ten; fürch|ter|lich; furcht|er|re|gend; furcht|los; Furcht|lo|sig|keit,** die; -; **furcht|sam; Furcht|sam|keit,** die; -

für|der|hin (veralt. für: in Zukunft)

für|ein|an|der; füreinander (für sich gegenseitig) einstehen

Fu|rie [*...iᵉ*], die, -, -n (wütendes Weib; nur *Einz.:* Wut)

Fur|nier, das; -s, -e (dünnes Deckblatt aus Holz od. Kunststoff); **fur|nie|ren**

Fu|ro|re, die; - od. das; -s („rasender" Beifall; Leidenschaft[lichkeit]); - machen (ugs. für: Aufsehen erregen; Beifall erringen)

fürs (für das); - erste

Für|sor|ge, die; -; **Für|sor|ge|er|zie-hung; Für|sor|ger** (Beamter im Dienst der Fürsorge); **Für|sor|ge|rin,** die; -, -nen; **für|sorg|lich** (pfleglich, liebevoll)

Für|spra|che; Für|spre|cher

Fürst, der; -en, -en; **Fürst|bi|schof; Für|sten|tum; Für|stin,** die; -, -nen; **fürst|lich**

Furt, die; -, -en

Fu|run|kel, der (auch: das); -s, -; **Fu|run-ku|lo|se,** die; -, -n

für|wahr (veralt.)

Für|wort (für: Pronomen; *Mehrz.* ...wörter); **für|wört|lich**

Furz, der; -es, Fürze (derb für: abgehende Blähung); **fur|zen**

Fu|sel, der; -s, - (ugs. für: schlechter Branntwein)

fü|si|lie|ren (standrechtlich erschießen)

Fu|si|on, die; -, -en (Verschmelzung, Zusammenschluß [großer Unternehmen]); **fu|sio|nie|ren**

Fuß, der; -es, Füße u. (bei Berechnungen:) -; drei - lang; zu - gehen; zu Füßen fallen; einen - breit; **Fuß|ball;** - spielen; **Fuß|bal|ler; Fuß|ball|mei|ster-schaft; Fuß|ball|spie|len,** das; -s; **Fuß|ball|spie|ler; Fuß|bo|den** (*Mehrz.* ...böden); **Fuß|breit,** der; -, - (Maß); keinen - weichen; **Füß|chen**

Fus|sel, die; -, -n, auch: der; -s, -n (Fädchen, Faserstückchen); **fus|se|lig; fus-seln;** der Stoff fusselt

fu|ßen; auf einem Vertrag -; **Fuß|en|de; Fuß|fall; fuß|fäl|lig; Fuß|gän|ger; Fuß|gän|ger-über|weg, ...zo|ne; ...fü|ßig** (z. B. vierfüßig)

fuß|lig, fus|se|lig

Fuß-marsch, der, **...no|te, ...soh|le; Fuß|[s]tap|fen,** der; -s, -; **Fuß|volk**

fut|sch (ugs. für: weg, verloren)

[1]Fut|ter, das; -s (Nahrung [der Tiere])

[2]Fut|ter, das; -s, - (innere Stoffschicht der Oberbekleidung); **Fut|te|ral,** das; -s, -e ([Schutz]hülle, Überzug; Behälter)

Fut|ter|mit|tel; fut|tern (scherzh. für: essen); **[1]füt|tern** (Tiere)

[2]füt|tern (Futterstoff einlegen); **Fut|ter-stoff**

Fut|ter|trog; Füt|te|rung

Fu|tur, das; -s, -e (Sprachw.: Zukunftsform, Zukunft); **fu|tu|ri|stisch; Fu|tu-ro|lo|ge,** der; -n, -n (Zukunftsforscher); **Fu|tu|ro|lo|gie,** die; - (Zukunftsforschung); **fu|tu|ro|lo|gisch**

G (Buchstabe); das G; des G, die G

g, G, das; -, - (Tonbezeichnung)

Ga|bar|dine [*gabardin,* auch: *gabardin*], der; -s (auch: die; -; ein Gewebe)

Ga|be, die; -, -n

◇ Geschenk, Präsent, Almosen, Spende

gä|be vgl. gang

Ga|bel, die; -, -n; **Gä|bel|chen; Ga|bel-früh|stück; ga|be|lig; ga|beln; Ga-bel|stap|ler; Ga|be|lung**

Ga|ben|tisch

Gacke|lei[1]; gackeln[1]; gackern[1]; gack|sen

gaf|fen; Gaf|fer; Gaf|fe|rei

[1] *Trenn.:* ...k|k...

Gag [*gäg*], der; -s, -s (bildwirksamer, witziger Einfall)
Ga|ge [*gasche*], die; -, -n (Bezahlung, Gehalt [von Künstlern])
gäh|nen; Gäh|ne|rei
Ga|la [auch: *gala*], die; - (Kleiderpracht; Festkleid); **Ga|la|vor|stel|lung** (im Theater)
ga|lak|tisch (zur Galaxis gehörend, sie betreffend)
Ga|lan, der; -s, -e ([vornehm auftretender] Liebhaber); **ga|lant** (höflich, ritterlich; rücksichtsvoll; aufmerksam); **Ga|lan|te|rie|wa|ren,** die (*Mehrz.;* veralt. für: Schmuck-, Kurzwaren)
Ga|la|xie, die; -, ...xien (Astron.: großes Sternsystem); **Ga|la|xis,** die; -, ...xien ([nur *Einz.:*] die Milchstraße; selten für: Galaxie)
Ga|lee|re, die; -, -n (mittelalterl. Ruderkriegsschiff); **Ga|lee|ren|skla|ve**
Ga|le|rie, die; -, ...ien; **Ga|le|rist,** der; -en, -en (Galeriebesitzer, -leiter); **Ga|le|ri|stin,** die; -, -nen
Gal|gen, der; -s, -; **Gal|gen‿frist, ...humor** (der; -s), **...vo|gel**
Ga|li|ons|fi|gur
Gall|ap|fel
Gal|le, die; -, -n; **gal|le[n]|bit|ter; Gal|len‿bla|se, ...stein**
Gal|lert [auch: *...lärt*], das; -[e]s, -e u. (österr. nur:) **Gal|ler|te** [auch: *galerte*], die; -, -n (elastisch-steife Masse aus eingedickten pflanzl. u. tier. Säften); **gal|lert|ar|tig** [auch, österr. nur: *...lärt...*]
gal|lig (Galle enthaltend)
Gal|lo|ne, die; -, -n (engl.-amerik. Hohlmaß)
Ga|lopp, der; -s, -s u. -e; **ga|lop|pie|ren; Ga|lopp|ren|nen**
Ga|lo|sche, die; -, -n (Überschuh)
gal|va|ni|sie|ren (durch Elektrolyse mit Metall überziehen)
Ga|ma|sche, die; -, -n
Gam|be, die; -, -n (Viola da gamba)
gam|me|lig (ugs. für: verkommen; verdorben, faulig); **gam|meln** (ugs.); **Gamm|ler; Gamm|le|rin,** die; -, -nen
Gams, der u. die, (Jägerspr. u. landsch.:) das; -, -en (insbesondere Jägerspr. u. landsch. für: Gemse); **Gams|bart**
gang; - und gäbe (landsch., bes. schweiz. auch: gäng u. gäbe); **Gang,** der; -[e]s, Gänge; im -[e] sein; in - bringen; **Gang|art; gang|bar; Gän|gel|band,** das; -[e]s; **gän|geln; gän|gig; Gang|schal|tung**
Gang|ster [*gängßter*], der; -s, - (Schwerverbrecher); **Gang|ster|metho|de**
Gang|way [*gängwei*], die; -, -s (Laufgang zum Besteigen eines Schiffes od. Flugzeuges)
Ga|no|ve [*...we*], der; -n, -n (Gaunerspr.: Gauner, Spitzbube, Dieb); **Ga|no|ven|spra|che**
Gans, die; -, Gänse; **Gans|bra|ten** (südd., österr. für: Gänsebraten); **Gäns|chen; Gän|se‿blüm|chen, ...bra|ten, ...füß|chen** (ugs. für: Anführungsstrich), **...haut, ...klein** (das; -s); **Gan|ser** (südd., österr. für: Gänserich); **Gän|se|rich,** der; -s, -e; **Gän|se|schmalz; Gan|ter** (niederd. für: Gänserich)
ganz; [in] ganz Europa; ganze Zahlen (Math.); ganz und gar; etwas wieder ganz machen; im ganzen [gesehen]; im großen [und] ganzen; aufs Ganze gehen; als Ganzes gesehen; das große Ganze
◇ vollständig, restlos, total (ugs.) · gänzlich, ganz und gar, völlig, voll und ganz, vollkommen (ugs.), von Grund auf/aus, in jeder Hinsicht/Beziehung
Gän|ze, die; - (Geschlossenheit, Gesamtheit); zur - (bes. österr. für: ganz, vollständig); **Ganz|heit,** die; - (gesamtes Wesen); **ganz|heit|lich; ganz|jäh|rig** (während des ganzen Jahres); **ganz|lei|nen** (aus reinem Leinen); **gänz|lich; ganz|tä|gig** (während des ganzen Tages)
[1]**gar** (bereit, vollständig, fertiggekocht; südd., österr. ugs. für: zu Ende); das Fleisch ist erst halb gar; gar kochen; [2]**gar** (ganz, sehr, sogar); ganz und gar, gar kein, gar nicht, gar nichts; gar sehr
Ga|ra|ge [*garasche*], die; -, -n; **ga|ra|gie|ren** (österr. u. schweiz. neben: [Wagen] einstellen)
Ga|rant, der; -en, -en; **Ga|ran|tie,** die; -, ...ien; **ga|ran|tie|ren; Ga|ran|tie|schein**
Gar|aus, der, nur in: jmdm. den - machen
Gar|be, die; -, -n
Gar|de, die; -, -n; **Gar|de|re|gi|ment**
Gar|de|ro|be, die; -, -n; **Gar|de|ro|ben|frau; Gar|de|ro|bie|re** [*...biäre*], die; -, -n (Garderobenfrau)
Gar|di|ne, die; -, -n; **Gar|di|nen‿pre|digt** (ugs.), **...stan|ge**
Gar|dist, der; -en, -en (Soldat der Garde)
ga|ren (gar kochen)
gä|ren; gor (auch: gärte [göre]); gegoren (auch: gegärt)
gar|ge|kocht; -es Fleisch, aber: das Fleisch ist gar gekocht
gar kein
Garn, das; -[e]s, -e
gar nicht; gar nichts
gar|nie|ren (einfassen; mit Zubehör versehen; schmücken); **Gar|nie|rung; Garni|son,** die; -, -en; **Gar|ni|tur,** die; -, -en
gar|stig; Gar|stig|keit
Gär|stoff
Gar|ten, der; -s, Gärten; **Gar|ten‿ar|beit, ...bau** (der; -[e]s), **...fest, ...haus, ...lo|kal, ...par|ty, ...zaun; Gärt|lein;**

Gärt|ner; Gärt|ne|rei; Gärt|ne|rin, die, -, -nen; **gärt|ne|risch; gärt|nern**
Gä|rung; Gä|rungs|pro|zeß
Gar|zeit
Gas, das; -es, -e; - geben; **Gas|ba|de-ofen; gas|för|mig; Gas‿hahn, ...herd, ...ko|cher, ...mas|ke; Ga-so|me|ter,** der; -s, - (Gasbehälter); **Gas|pe|dal**
Gäß|chen; Gas|se, die; -, -n (enge, schmale Straße; österr. auch für: Straße); **Gas|sen|jun|ge; Gas|si,** in: Gassi gehen (ugs. für: mit dem Hund auf die Straße [Gasse] gehen)
Gast, der; -es, Gäste u. (Seemannsspr. für bestimmte Matrosen:) -en
◇ Besuch, Besucher
Gast|ar|bei|ter, Gä|ste|buch; gast-frei; gast|freund|lich; Gast‿ge|ber, ...haus; ga|stie|ren (Theater: Gastrolle geben; bildl.: nur vorübergehend anwesend sein); **gast|lich; Gast|lich|keit; Gast|mahl** (*Mehrz.* ...mähler u. -e)
Ga|stri|tis, die; -, ...itiden (Med.: Magenschleimhautentzündung); **Ga|stro|nom,** der; -en, -en (Gastwirt); **Ga|stro|no-mie,** die; - (Gaststättengewerbe; feine Kochkunst); **ga|stro|no|misch; Ga-stro|sko|pie,** die; -, ...ien (Med.: Magenspiegelung); **ga|stro|sko|pie|ren** (Med.)
Gast|spiel
Gast|stät|te
◇ Lokal, Restaurant, Gasthaus, [Gast]wirtschaft, Wirtshaus, Kantine, Mensa, Imbißstube
Gast‿stu|be, ...wirt|schaft
Gas‿ver|gif|tung, ...werk, ...zäh|ler
Gat|te, der; -n, -n; **gat|ten,** sich; **Gat-ten‿lie|be, ...wahl**
Gat|ter, das; -s, - (Gitter, [Holz]zaun)
Gat|tin, die; -, -nen; **Gat|tung**
Gau, der (landsch.: das); -[e]s, -e
Gau|di, das; -s (südd. auch, österr. nur: die; -; ugs. für: Ausgelassenheit, Spaß)
Gau|ke|lei; gau|keln; Gauk|ler; Gauk|le|rei; Gauk|le|rin, die; -, -nen; **gauk|le|risch**
Gaul, der; -[e]s, Gäule
Gau|men, der; -s, -; **Gau|men‿freu|de, ...kit|zel**
Gau|ner, der; -s, -; **Gau|ner|ban|de; Gau|ne|rei; gau|ne|risch; gau|nern; Gau|ner|spra|che**
Ga|ze [*gas^e*], die; -, -n (durchsichtiges Gewebe; Verbandmull)
Ga|zel|le, die; -, -n (Antilopenart)
Ga|zet|te [auch: *gasät^e*], die; -, -n (veralt., noch abschätzig für: Zeitung)
Ge|äch|ze das; -s (Stöhnen)
ge|ädert; das Blatt ist schön -
Ge|al|be|re, das; -s
ge|ar|tet; das Kind ist gut -
Ge|äst, das; -[e]s (Astwerk)

Ge|bäck, das; -[e]s, -e
Ge|bal|ge, das; -s (Prügelei)
Ge|bälk, das; -[e]s
Ge|bär|de, die; -, -n; **ge|bär|den,** sich; **ge|ba|ren,** sich (sich verhalten, sich benehmen); **Ge|ba|ren,** das; -s
ge|bä|ren; gebar (gebäre); geboren
◇ zur Welt bringen (geh.), ein Kind bekommen/(ugs. auch:) kriegen, niederkommen (geh.), entbunden werden, entbinden
Ge|bär|mut|ter, die; -, (selten:) ...mütter
ge|bauch|pin|selt (ugs. für: geehrt, geschmeichelt)
Ge|bäu|de, das; -s, -
Ge|bein, das; -[e]s, -e
Ge|bell, das; -[e]s u. **Ge|bel|le,** das; -s
ge|ben; gab (gäbe), gegeben; gib!
◇ [dar]reichen (geh.), langen (ugs.), in die Hand drücken (ugs.), zuteil werden lassen (geh.) · existieren, vorkommen, bestehen, vorhanden sein
Ge|ber; Ge|ber|lau|ne; in -
Ge|bet, das; -[e]s, -e; **Ge|bet|buch**
Ge|biet, das; -[e]s, -e; **ge|bie|ten; ge-bie|tend; Ge|bie|ter; Ge|bie|te|rin,** die; -, -nen; **ge|bie|te|risch**
Ge|bil|de, das; -s, -
ge|bil|det
◇ studiert, gelehrt, kenntnisreich, belesen
Ge|bim|mel, das; -s
Ge|bir|ge, das; -s, -; **ge|bir|gig; Ge-birg|ler; Ge|birgs|bach**
Ge|biß, das; Gebisses, Gebisse
Ge|blä|se, das; -s, - (Vorrichtung zum Verdichten u. Bewegen von Gasen)
Ge|blö|del, das; -s (ugs.)
ge|blümt, (österr.:) **ge|blumt**
Ge|blüt, das; -[e]s
ge|bo|ren (Abk.: geb.; Zeichen: *); sie ist eine geborene Schulz
ge|bor|gen; hier fühle ich mich -; **Ge-bor|gen|heit,** die; -
Ge|bot, das; -[e]s, -e; zu -[e] stehen
ge|brannt; -er Kalk
Ge|bräu, das; -[e]s, -e
Ge|brauch, der; -[e]s, (für Sitte, Verfahrensweise auch *Mehrz.:*) Gebräuche; **ge-brau|chen** (benutzen; fälschlich für: brauchen, nötig haben); **ge|bräuch-lich; Ge|brauchs|an|wei|sung; ge-brauchs|fer|tig; Ge|braucht|wa|gen**
Ge|braus, Ge|brau|se, das; ...ses
ge|bre|chen (geh. für: fehlen, mangeln); es gebricht mir an [einer Sache]; **Ge|bre-chen,** das; -s, -; **ge|brech|lich; Ge-brech|lich|keit,** die; -
Ge|brü|der *(Mehrz.)*
Ge|brüll, das; -[e]s
Ge|brumm, das; -[e]s u. **Ge|brum|me,** das; -s
Ge|bühr, die; -, -en; nach, über -; **ge-büh|ren;** etwas gebührt ihm (kommt ihm

zu); es gebührt sich nicht, dies zu tun; **ge|büh|rend;** er erhielt die -e (entsprechende) Antwort; **ge|büh|ren|frei; Ge|büh|ren|ord|nung; ge|büh|ren|pflich|tig; Ge|büh|ren|vi|gnet|te** (für die Autobahnbenutzung [in der Schweiz])
ge|bun|den; -e Rede (Verse); **Ge|bun|den|heit,** die; -
Ge|burt, die; -, -en
◇ Niederkunft, Entbindung, freudiges Ereignis
Ge|bur|ten|kon|trol|le, ge|bür|tig; Ge|burts‿hel|fer, ...tag
Ge|büsch, das; -[e]s, -e
Geck, der; -en, -en
Ge|dächt|nis, das; -ses, -se
◇ Gedenken, Andenken, Angedenken (geh.)
Ge|dächt|nis‿fei|er, ...schwund; Ge|dan|ke, (selten:) **Ge|dan|ken,** der; ...kens, ...ken; **Ge|dan|ken|gang; ge|dan|ken|los; Ge|dan|ken|lo|sig|keit; Ge|dan|ken|strich**
ge|dan|ken|voll
◇ nachdenklich, versonnen, [in Gedanken] versunken, gedankenverloren
Ge|därm, das; -[e]s, -e
Ge|deck, das; -[e]s, -e
Ge|deih, der, nur in: auf - und Verderb; **ge|dei|hen;** gedieh, gediehen; **ge|deih|lich**
ge|den|ken; mit *Wesf.:* gedenket unser!; **Ge|den|ken,** das; -s
Ge|dicht, das; -[e]s, -e
ge|die|gen; -es (reines) Gold; ein -er (zuverlässiger) Charakter
Ge|döns, das; -es (landsch. für: Aufheben, Getue); viel - um etwas machen
Ge|drän|ge, das; -s; **Ge|drän|gel** (ugs.), das; -s; **ge|drängt;** -e Übersicht
Ge|dröhn, das; -[e]s
ge|drückt; seine Stimmung ist -
ge|drun|gen; eine -e (untersetzte) Gestalt
Ge|duld, die; -; **ge|dul|den,** sich; **ge|dul|dig; Ge|dulds‿fa|den** (nur in: jmdm. reißt der Geduldsfaden), **...pro|be; Ge|duld[s]|spiel**
ge|dun|sen; ein -es Gesicht
ge|eig|net; die -en Mittel
Geest, die; -, -en (hochgelegenes, trockenes Land im Küstengebiet)
Ge|fahr, die; -, -en; - laufen; **ge|fahr|brin|gend; ge|fähr|den; Ge|fähr|dung,** die; -, -en
Ge|fah|ren|herd
ge|fähr|lich
◇ gewagt, riskant, gefahrvoll
Ge|fähr|lich|keit; ge|fahr|los
Ge|fährt, das; -[e]s, -e (Wagen); **Ge|fähr|te,** der; -n, -n (Begleiter); **Ge|fähr|tin,** die; -, -nen
ge|fahr|voll
Ge|fäl|le, das; -s, -

ge|fal|len; es hat mir -; sich etwas - lassen
◇ zusagen, behagen (geh.), sympathisch sein, imponieren, angetan haben
[1]Ge|fal|len, der; -s, -; jmdm. einen Gefallen, etwas zu Gefallen tun; **[2]Ge|fal|len,** das; -s; [kein] - an etwas finden; **Ge|fal|le|ne,** der u. die; -n, -n; **ge|fäl|lig; Ge|fäl|lig|keit; ge|fäl|ligst; ge|fall|süch|tig**
ge|fan|gen; Ge|fan|ge|ne, der u. die; -n, -n; **Ge|fan|ge|nen|la|ger; ge|fan|gen|hal|ten; Ge|fan|gen|nah|me,** die; -; **ge|fan|gen|neh|men; Ge|fan|gen|schaft,** die; -; **ge|fan|gen|set|zen; Ge|fäng|nis,** das; -ses, -se
Ge|fa|sel, das; -s
Ge|fäß, das; -es, -e
ge|faßt; auf alles - sein
Ge|fecht, das; -[e]s, -e; **ge|fechts|be|reit; Ge|fechts|stand**
Ge|fie|der, das; -s, -; **ge|fie|dert;** -e (mit Federn versehene) Pfeile
Ge|fil|de (dicht. für: Felder), das; -s, -
ge|flammt; -e Muster
Ge|flecht, das; -[e]s, -e
ge|fleckt; rot und weiß -
Ge|flen|ne, das; -s (ugs. für: andauerndes Weinen)
ge|flis|sent|lich
Ge|flü|gel, das; -s; **ge|flü|gelt;** -es Wort (oft angeführter Ausspruch u. Ausdruck; *Mehrz.:* -e Worte)
Ge|fol|ge, das; -s, (selten:) -; im - von
ge|frä|ßig
Ge|frei|te, der; -n, -n
ge|frie|ren; Ge|frier|fleisch; ge|frier|ge|trock|net; Ge|frier|punkt; Ge|fro|re|ne, Ge|fror|ne, das; -n (südd., österr. für: [Speise]eis)
Ge|fü|ge, das; -s, -; **ge|fü|gig**
Ge|fühl, das; -[e]s, -e
◇ Empfindung, Empfinden, Spürsinn, Gespür
ge|fühl|los; ge|fühls‿arm, ...be|tont; Ge|fühls|du|se|lei
ge|fühls|mä|ßig
◇ triebmäßig, intuitiv (geh.), instinktiv
ge|fühl|voll
ge|füh|rig (vom Schnee: für das Skilaufen günstig)
ge|ge|ben; es ist das -e, aber: er nahm das Gegebene gern; **ge|ge|be|nen|falls**
ge|gen; *Verhältnisw.* mit *Wenf.:* er rannte - das Tor; **Ge|gen‿an|griff, ...be|such, ...be|weis**
Ge|gend, die; -, -en
ge|gen|ein|an|der; gegeneinander (einer gegen den anderen) kämpfen
Ge|gen‿fahr|bahn, ...ge|wicht, ge|gen|läu|fig; Ge|gen|lei|stung; Ge|gen|licht|auf|nah|me (Fotogr.); **Ge|gen‿mit|tel, ...pol, ...pro|be; Ge|gen|satz**

ge|gen|sätz|lich
◇ widersprüchlich, entgegengesetzt, konträr, kontradiktorisch (geh.), adversativ (geh.), antagonistisch (geh.)
Ge|gen|sätz|lich|keit; ge|gen|sei|tig; Ge|gen|sei|tig|keit, die; -; **Ge|gen-spie|ler**
Ge|gen|stand; ge|gen|ständ|lich (sachlich, anschaulich, klar); **ge|gen-stands|los** (keiner Berücksichtigung wert)
Ge|gen‿stim|me, ...stück
Ge|gen|teil, das; -[e]s, -e; im -; ins - umschlagen; **ge|gen|tei|lig**
ge|gen|über; *Umstandsw.:* Mannheim liegt - von Ludwigshafen; *Verhältnisw.* mit *Wemf.:* - dem Haus, (auch:) dem Haus -; **Ge|gen|über,** das; -s, -; **ge-gen|über‿stel|len, ...tre|ten**
Ge|gen‿ver|kehr, ...vor|schlag
Ge|gen|wart, die; -; **ge|gen|wär|tig** [auch: *...wär...*]; **ge|gen|warts|be|zo-gen; Ge|gen|warts|form; ge|gen-warts‿fremd, ...nah** od. **...na|he**
Ge|gen‿wehr (die), **...wind**
ge|gen|zeich|nen (seine Gegenunterschrift geben); **Ge|gen|zug**
Geg|ner
◇ Kontrahent, Widersacher, Antagonist (geh.), Feind
geg|ne|risch; Geg|ner|schaft, die; -
ge|go|ren; der Saft ist -
Ge|ha|be, das; -s (Ziererei; eigenwilliges Benehmen); **ge|ha|ben,** sich; gehab[e] dich wohl!; **Ge|ha|ben,** das; -s
Ge|hack|te, das; -n (Hackfleisch)
[1]**Ge|halt,** das; -[e]s, Gehälter (Besoldung)
◇ Lohn, Bezahlung, Vergütung, Entgelt, Einkommen, Einkünfte, Bezüge, [Wehr]sold, Heuer, Gage, Honorar
[2]**Ge|halt,** der; -[e]s, -e (Inhalt; Wert); **ge-halt|arm; ge|hal|ten;** - (verpflichtet) sein; **ge|halt|los; Ge|halts‿emp|fän-ger, ...er|hö|hung; ge|halt|voll**
ge|han|di|kapt [*...händikäpt*] (behindert, gehemmt, benachteiligt)
Ge|hän|ge, das; -s, -
ge|har|nischt; ein -er (scharfer) Protest
ge|häs|sig; Ge|häs|sig|keit
Ge|häu|se, das; -s, -
geh|be|hin|dert
ge|hef|tet; die Akten sind -
Ge|he|ge, das; -s, -
ge|heim; das muß geheim bleiben; **Ge-heim‿ab|kom|men, ...bund** (der); **Ge|heim|bün|de|lei; Ge|heim-‿dienst, ...fach; ge|heim|hal|ten; Ge|heim|hal|tung; Ge|heim|nis,** das; -ses, -se; **Ge|heim|nis‿krä|mer, ...trä-ger; Ge|heim|nis|tue|rei,** die; -; **ge-heim|nis|voll; Ge|heim‿po|li|zei, ...schrift, ...sen|der; Ge|heim|tue-rei,** die; -
Ge|heiß, das; -es; auf sein -
ge|hemmt
ge|hen; ging, gegangen; geh[e]!; geht's! (südd., österr.: Ausdruck der Ablehnung, des Unwillens); baden gehen, schlafen gehen; **Ge|hen** (Sportart), das, -s; 20-km-Gehen; **ge|hen|las|sen** (in Ruhe lassen); er hat ihn gehenlassen; sich - (sich vernachlässigen, zwanglos verhalten); er hat sich gehenlassen, (seltener:) gehengelassen; **Ge|her**
Ge|het|ze, das; -s
ge|heu|er; das kommt mir nicht - vor
Ge|heul, das; -[e]s
Ge|hil|fe, der; -n, -n; **Ge|hil|fen|brief; Ge|hil|fin,** die; -, -nen
Ge|hirn, das; -[e]s, -e; **Ge|hirn‿er-schüt|te|rung, ...schlag**
gehl (mdal. für: gelb)
ge|ho|ben; -e Sprache
Ge|höft [auch: *...höft*], das; -[e]s, -e
Ge|hölz, das; -es, -e; **Ge|hol|ze,** das; -s (Sport: rücksichtsloses u. stümperhaftes Spielen)
Ge|hör, das; -[e]s; - finden
ge|hor|chen; du mußt ihm -; der Not gehorchend
◇ gehorsam sein, folgen, auf jmdn. hören, spuren, parieren (ugs.), nach jmds. Pfeife tanzen (ugs.), Folge leisten (geh.)
ge|hö|ren; das Haus gehört mir; ich gehöre zur Familie; **Ge|hör|gang,** der; **ge|hö|rig;** er hat -en Respekt; **ge|hör-los**
Ge|hörn, das; -[e]s, -e; **ge|hörnt**
ge|hor|sam; Ge|hor|sam, der; -s; **Ge-hor|sam|keit,** die; -; **Ge|hor|sams-pflicht**
Ge|hör|sinn, der; -[e]s
Geh‿rock, ...steig, ...weg
Gei|er, der; -s, -
Gei|fer, der; -s; **gei|fern**
Gei|ge, die; -, -n; **gei|gen; Gei|gen-‿bau|er** (der; -s, -), **...bo|gen; Gei|ger** (Geigenspieler)
Gei|ger|zäh|ler (Gerät zum Nachweis radioaktiver Strahlen)
geil; gei|len; Geil|heit, die; -
Gei|sel, die; -, -n; (selten:) der; -s, -; -n stellen; **Gei|sel|nah|me,** die; -, -n
Gei|sha [*gescha*], die; -, -s (jap. Gesellschafterin, Tänzerin)
Geiß, die; -, -en (südd., österr., schweiz. für: Ziege); **Geiß|bock**
Gei|ßel, die; -, -n (Peitsche; Treibstekken); **gei|ßeln**
Geiß|lein (junge Geiß)
Geist, der; -[e]s, (für: Gespenst, kluger Mensch *Mehrz.:*) -er u. (für: Weingeist usw. *Mehrz.:*) -e; **Gei|ster|bahn; Gei-ster|fah|rer** (jmd., der auf der Autobahn in der falschen Richtung fährt); **gei-ster|haft; Gei|ster|hand;** wie von -;

gei|stern; es geistert; **Gei|ster|stun|de; gei|stes|ab|we|send; Gei|stes_blitz, ...ga|ben** *(Mehrz.)*, **...ge|gen|wart; gei|stes|ge|gen|wär|tig**
gei|stes|krank
◇ geistesgestört, wahnsinnig, umnachtet (dicht.), irr[e], irrsinnig, schwachsinnig, idiotisch, blöd[e], verrückt
Gei|stes_krank|heit, ...wis|sen|schaf|ten *(Mehrz.)*; **Gei|stes|zu|stand; gei|stig;** -e Getränke; -e Nahrung; -es Eigentum; **gei|stig-see|lisch; geist|lich; Geist|li|che,** der; -n, -n; **Geist|lich|keit,** die; -; **geist|los**
geist|reich
◇ geistvoll, witzig, einfallsreich, schlagfertig
geist|voll
Geiz, der; -es; **gei|zen; Geiz|hals; gei|zig; Geiz|kra|gen**
Ge|jam|mer, das; -s
Ge|ki|cher, das; -s
Ge|kläff, das; -[e]s
Ge|klim|per, das; -s
Ge|klirr, das; -[e]s u. **Ge|klir|re,** das; -s
ge|knickt
ge|konnt; sein Spiel war, wirkte sehr -; **Ge|konnt|heit,** die; -
Ge|krächze, das; -s
ge|kränkt
◇ beleidigt, verletzt, verschnupft (ugs.), pikiert, eingeschnappt · **gekränkt sein** schmollen, die beleidigte Leberwurst spielen (ugs.)
Ge|kreisch, das; -[e]s u. **Ge|krei|sche,** das; -s
Ge|krit|zel, das; -s
Ge|krö|se, das; -s, -
ge|kün|stelt; ein -es Benehmen
Gel, das; -s, -e (gallertartige Substanz; Gelatine)
Ge|läch|ter, das; -s, -
ge|lack|mei|ert (ugs. für: angeführt); **Ge|lack|mei|er|te,** der u. die; -n, -n
ge|la|den (ugs. für: wütend)
Ge|la|ge, das; -s, -
ge|lähmt; Ge|lähm|te, der u. die; -n, -n
Ge|län|de, das; -s, -; **ge|län|de|gän|gig; Ge|län|de|lauf**
Ge|län|der, das; -s, -
Ge|län|de|sport, der; -[e]s
ge|lan|gen; in jmds. Hände -
ge|las|sen; etw. - hinnehmen; **Ge|las|sen|heit,** die; -
Ge|la|ti|ne [~~sche~~...], die; - ([Knochen]leim, Gallert)
ge|läu|fig
ge|launt; er ist gut gelaunt
Ge|läut, das; -[e]s, -e u. **Ge|läu|te,** das; -s, -
gelb; gelbe Rüben (südd. für: Mohrrüben), das gelbe Trikot (des Spitzenreiters im Radsport); **Gelb,** das; -s, - u. (ugs.) -s (gelbe Farbe); bei Gelb ist die Kreuzung zu räumen; ein Kleid in -; **gelb|braun; Gel|be,** das; -n; **gelb|lich; Gelb|licht,** das; -[e]s; **Gelb|sucht,** die; -
Geld, das; -[e]s, -er
◇ [Geld]mittel, Kleingeld (ugs.), Pinke[pinke] (ugs.), Moneten (ugs.), Piepen (ugs.) · Kapital, Vermögen, Reichtum
Geld_au|to|mat, ...beu|tel, ...bör|se, ...ge|ber; geld|gie|rig; Geld_mit|tel *(Mehrz.)*; **...schein, ...schrank, ...stra|fe, ...stück**
ge|leckt; das Zimmer sieht aus wie - (ugs. für: sehr sauber)
Ge|lee [~~schele~~] das od. der; -s, -s
Ge|le|ge, das; -s, -
ge|le|gen; das kommt mir sehr - (zur rechten Zeit); ich werde zu -er Zeit wiederkommen; **Ge|le|gen|heit; Ge|le|gen|heits_ar|beit, ...kauf; ge|le|gent|lich**
ge|leh|rig; Ge|leh|rig|keit, die; -; **ge|lehr|sam; Ge|lehr|sam|keit,** die; -; **ge|lehrt;** ein -er Mann; das Buch ist mir zu -; **Ge|lehr|te,** der u. die; -n, -n
Ge|leit, das; -[e]s, -e; **ge|lei|ten; Ge|leit_schutz, ...zug**
Ge|lenk, das; -[e]s, -e; **Ge|lenk|ent|zün|dung; ge|len|kig, Ge|len|kig|keit,** die; -
ge|lernt; ein -er Maurer
Ge|lich|ter, das; -s
Ge|lieb|te, der u. die; -n, -n
ge|lie|fert (ugs. für: verloren, ruiniert)
ge|lie|ren [~~schelir^en~~] (zu Gelee werden)
ge|lind, ge|lin|de; ein gelinder (milder) Regen
ge|lin|gen; gelang (gelänge), gelungen
◇ glücken, gutgehen, wunschgemäß verlaufen, nach Wunsch gehen, glattgehen (ugs.), klappen (ugs.)
Ge|lin|gen, das; -s
gel|len; es gellte; gegellt
ge|lo|ben; jmdm. etwas - (versprechen); **Ge|löb|nis,** das; -ses, -se
ge|lockt; sein Haar ist -
ge|löscht; -er Kalk
ge|löst; Ge|löst|heit, die; -
gelt? [„es gelte!"] (bes. südd. u. österr. für: nicht wahr?); **gel|ten;** galt (gölte, gälte), gegolten; - lassen; geltend machen; das gilt nicht; **Gel|tung; Gel|tungs_be|dürf|nis** (das; -ses), **...be|reich** (der); **...sucht** (die; -)
Ge|lüb|de, das; -s, -
Ge|lüst, das; -[e]s, -e u. **Ge|lü|ste,** das; -s, -; **ge|lü|sten;** es gelüstet mich
ge|mach; Ge|mach, das; -[e]s, ...mächer; **ge|mäch|lich** [auch: *g^emäch*...]
Ge|mahl, der; -[e]s, -e; **Ge|mah|lin,** die; -, -nen
Ge|mäl|de, das; -s, -; **Ge|mäl|de_aus|stel|lung, ...ga|le|rie**

Ge|mar|kung
ge|ma|sert; -es Holz
ge|mäß; eine seinen Fähigkeiten -e Stellung; *Verhältnisw.* mit *Wemf.:* dem Befehl -; - Artikel 1 des Grundgesetzes
◇ laut, nach, entsprechend
Ge|mäß, das; -es, -e (veralt. für: Gefäß zum Messen); **ge|mä|ßigt;** -e Zone (Meteor.)
Ge|mäu|er, das; -s, -
ge|mein
◇ niederträchtig, infam, niedrig, schäbig, schmutzig, feige, schändlich, schmählich
Ge|mein|be|sitz; Ge|mein|de, die; -, -n; **ge|mein|de|ei|gen; Ge|mein|de-‿rat** (*Mehrz.* ...räte), **...schwe|ster, ...ver|wal|tung, ...zen|trum; ge|meind|lich; Ge|mein|ei|gen|tum; ge|mein|ge|fähr|lich; Ge|mein|gut,** das; -[e]s; **Ge|mein|heit; ge|mein|hin; Ge|mein|nutz; ge|mein|nüt|zig; ge|mein|sam; Ge|mein|sam|keit; Ge|mein|schaft; ge|mein|schaft|lich; ge|mein|ver|ständ|lich; Ge|mein|wohl**
Ge|men|ge, das; -s, -
ge|mes|sen; in -er Haltung
Ge|met|zel, das; -s, -
Ge|misch, das; -[e]s, -e; **ge|mischt;** aus Sand u. Zement -; -e Gefühle; -es Doppel (Sportspr.); **ge|mischt|spra|chig; Ge|mischt|wa|ren|hand|lung**
Gem|me, die; -, -n (geschnittener Edelstein)
Gems|bock; Gem|se, die; -, -n
Ge|mur|mel, das; -s
Ge|mü|se, das; -s, - (krautige Nutzpflanzen; Gericht daraus); **Ge|mü|se‿beet, ...händ|ler**
Ge|müt, das; -[e]s, -er; zu Gemüte führen
ge|müt|lich
◇ behaglich, heimelig, anheimelnd
Ge|müt|lich|keit, die; -; **ge|müts|arm; Ge|müts‿art, ...be|we|gung; ge|müts|krank; Ge|müts‿mensch, ...ru|he, ...zu|stand; ge|müt|voll**
gen (dicht. für: gegen); - Himmel
Gen, das; -s, -e (meist *Mehrz.;* Erbfaktor)
ge|narbt; -es Leder
ge|nä|schig (naschhaft)
ge|nau; auf das, aufs -[e]ste; genau[e]stens; nichts Genaues; etwas - nehmen; **ge|nau|ge|nom|men,** aber: er hat es genau genommen; **Ge|nau|ig|keit; ge|nau|so**
Gen|darm, der; -en, -en [*sehan*..., auch: *sehang*...]; **Gen|dar|me|rie,** die; -, ...ien
ge|nehm; ge|neh|mi|gen; Ge|neh|mi|gung
ge|neigt; er ist -, die Stelle anzunehmen; der -e Leser; das Gelände ist leicht -
Ge|ne|ra (*Mehrz.* von: Genus)
Ge|ne|ral, der; -s, -e u. ...räle; **Ge|ne|ral|di|rek|tor; Ge|ne|ral|feld|mar|schall; ge|ne|ra|li|sie|ren** (verallgemeinern); **Ge|ne|ral‿kon|su|lat, ...ma|jor, ...pro|be, ...stab, ...streik; ge|ne|ral|über|ho|len;** den Wagen - lassen; der Wagen wurde generalüberholt; **Ge|ne|ral|ver|tre|ter**
Ge|ne|ra|ti|on [...*zion*], die; -, -en; **Ge|ne|ra|ti|ons‿kon|flikt, ...wech|sel; Ge|ne|ra|tor,** der; -s, ...oren (Erzeuger für Energie u. Energieträger [Gas]); **ge|ne|rell**
ge|ne|sen; genas (genäse), genesen; **Ge|ne|sen|de,** der u. die; -n, -n; **Ge|ne|sung; Ge|ne|sungs|heim**
Ge|ne|tik, die; - (Vererbungslehre); **ge|ne|tisch** (erblich bedingt; die Vererbung betreffend)
Ge|ne|ver [*sehenew*[e]*r* od. *gene*...], der; -s, - (Wacholderbranntwein)
ge|ni|al; ge|nia|lisch (nach Art eines Genies); **Ge|nia|li|tät,** die; -
Ge|nick, das; -[e]s, -e; **Ge|nick‿schuß, ...star|re**
Ge|nie [*sehe*...], das; -s, -s (höchste schöpferische Geisteskraft; höchstbegabter, schöpferischer Mensch)
ge|nie|ren [*sehe*...]; sich -; **ge|nier|lich** (ugs. für: lästig, störend; schüchtern)
ge|nieß|bar; Ge|nieß|bar|keit, die; -; **ge|nie|ßen;** genoß (genösse), genossen; **Ge|nie|ßer; ge|nie|ße|risch**
Ge|ni|ta|li|en [...*i*[e]*n*], die (*Mehrz.;* Med. für: Geschlechtsorgane)
Ge|ni|tiv [auch: *ge*..., od.: *genitif*], der; -s, -e [...*w*[e]] (Sprachw.: Wesfall, 2. Fall); **Ge|ni|us,** der; - (schöpferische Kraft eines Menschen)
Ge|nos|se, der; -n, -n; **Ge|nos|sen|schaft; ge|nos|sen|schaft|lich; Ge|nos|sen|schafts|bank** (*Mehrz.* ...banken); **Ge|nos|sin,** die; -, -nen
Gen|re [*sehangr*], das; -s, -s (Art, Gattung; Wesen); **Gen|re|bild** (Bild aus dem täglichen Leben)
Gen|tech|no|lo|gie (Technologie der Erforschung und Manipulation der Gene)
Gentle|man [*dsehäntlm*[e]*n*], der; -s, ...men (Mann von Lebensart u. Charakter [mit tadellosen Umgangsformen]); **Gentle|man's** od. **Gentle|men's Agree|ment** [*dsehäntlm*[e]*ns* [e]*grim*[e]*nt*], das; - -, - -s (diplomat. Übereinkunft ohne formalen Vertrag; Abkommen auf Treu u. Glauben)
ge|nug; - u. übergenug; - Gutes, Gutes -; - des Guten; von etwas - haben; **Ge|nü|ge,** die; -; - tun, leisten; zur -; **ge|nü|gen;** dies genügt für unsere Zwecke; **ge|nü|gend; ge|nüg|sam** (anspruchslos); **Ge|nüg|sam|keit,** die; -; **Ge|nug|tu|ung**
Ge|nus, das; -, Genera (Gattung, Art; Sprachw.: grammatisches Geschlecht)

Ge|nuß, der; Genusses, Genüsse; **genuß|freu|dig; ge|nüß|lich; Ge|nuß-mit|tel; Ge|nuß|sucht,** die; -; **ge-nuß‿süch|tig, ...voll**

Geo|graph, der; -en, -en; **Geo|gra-phie,** die; -; **geo|gra|phisch; Geo|lo-ge,** der; -n, -n; **Geo|lo|gie,** die; - (Lehre von Entstehung u. Bau der Erde); **geo-lo|gisch; Geo|me|trie,** die; -, ...ien (ein Zweig der Mathematik); **geo|me-trisch;** -er Ort; -es Mittel

ge|ord|net; in -en Verhältnissen leben

Ge|päck, das; -[e]s; **Ge|päck‿ab|fer|ti-gung, ...auf|be|wah|rung, ...netz, ...schal|ter, ...schein, ...wa|gen**

Ge|pard, der; -s, -e (ein Raubtier)

ge|pflegt; ein -es Äußere[s]; **Ge|pflegt-heit,** die; -; **Ge|pflo|gen|heit** (Gewohnheit)

Ge|plän|kel, das; -s, -

Ge|plät|scher, das; -s

Ge|prä|ge, das; -s

Ge|prän|ge, das; -s

ge|punk|tet; -er Stoff

Ger, der; -[e]s, -e (Wurfspieß)

ge|ra|de[1]; eine - Zahl; fünf - sein lassen; - darum; der Weg ist - (ändert die Richtung nicht); er wohnt mir - (direkt) gegenüber; er hat ihn - (genau) in das Auge getroffen; er hat es - (soeben) getan; **Ge|ra|de**[1], die; -n, -n (gerade Linie); vier -[n]; **ge|ra|de-aus**[1]; - gehen; er geht - (in unveränderter Richtung); **ge|ra|de|bie|gen**[1] (in gerade Form bringen; ugs. für: einrenken); **ge-ra|de|hal|ten**[1], sich (sich ungebeugt halten); **ge|ra|de|her|aus**[1]; etwas - sagen; **ge|ra|de[n]|wegs**[1]; **ge|ra|de|rich-ten**[1] (in gerade Lage bringen); **ge|ra|de-sit|zen**[1] (aufrecht sitzen); **ge|ra|de|so**[1]; **ge|ra|de|ste|hen**[1] (aufrecht stehen; die Konsequenzen auf sich nehmen); **ge|ra-de|wegs**[1]; **ge|ra|de|zu**[1]; - gehen; - sein; **Ge|rad|heit**[1], die; -; **ge|rad|li-nig**[1]

ge|ram|melt (ugs.); der Saal war - voll (übervoll)

Ge|ran|gel, das; -s

Ge|ra|nie [...i^e], die; -, -n (Storchschnabel; Zierstaude)

Ge|ran|ke (Rankenwerk), das; -s

Ge|rät, das; -[e]s, -e; **ge|ra|ten;** es gerät [mir]; ich gerate außer mich (auch: mir) vor Freude; es ist das geratenste (am besten); **Ge|rä|te|schup|pen; Ge|rä|te-tur|nen; Ge|ra|te|wohl** [auch: *g^erát^e-wol*], das; aufs - (auf gut Glück); **Ge|rät-schaf|ten,** die *(Mehrz.)*

Ge|räu|cher|te, das; -n

Ge|rau|fe, das; -s

ge|raum; -e (längere) Zeit; **ge|räu|mig**

Ge|rau|ne, das; -s

Ge|räusch, das; -[e]s, -e; **ge|räusch-arm; Ge|rau|sche,** das; -s; **ge-räusch|emp|find|lich; Ge|räusch-ku|lis|se; ge|räusch|los; ge|räusch-voll**

ger|ben („gar" machen); **Ger|ber**

Ger|be|ra, die; -, -s (eine Schnittblume)

Ger|be|rei; Ger|ber|lo|he; Gerb‿säu-re, ...stoff; Ger|bung

ge|recht; jmdm. - werden; **Ge|rech|te,** der u. die; -n -n; **Ge|rech|tig|keit,** die; -; **Ge|rech|tig|keits|sinn**

Ge|re|de, das; -s

ge|rei|chen; jmdm. zur Ehre -

ge|reizt; in -er Stimmung; **Ge|reizt-heit,** die; -

Ge|ren|ne, das; -s

ge|reu|en; es gereut mich

Ge|richt, das; -[e]s, -e; **ge|richt|lich;** -e Medizin; **Ge|richts‿hof, ...me|di|zin; ge|richts|no|to|risch** (Rechtsspr.: vom Gericht zur Kenntnis genommen; gerichtskundig); **Ge|richts‿saal, ...voll-zie|her**

ge|rie|ben (auch ugs. für: schlau); ein -er Bursche

ge|ring; ein geringes (wenig) tun; nicht im geringsten (gar nicht); kein Geringerer als ...; Vornehme u. Geringe; **ge|ring|fü-gig; Ge|ring|fü|gig|keit; ge|ring-schät|zen** (verachten); **ge|ring|schät-zig; Ge|ring|schät|zung,** die; -

ge|rin|nen; Ge|rinn|sel, das; -s, -; **Ge-rin|nung,** die; -

Ge|rip|pe, das; -s, -; **ge|rippt**

ge|ris|sen; er ist ein -er Bursche; **Ge|ris-sen|heit,** die; -

ger|ma|nisch; -e Kunst; **ger|ma|ni|sie-ren** (eindeutschen); **Ger|ma|nist,** der; -en, -en (Wissenschaftler auf dem Gebiet der Germanistik); **Ger|ma|ni|stik,** die; - (deutsche [auch: germanische] Sprach- u. Literaturwissenschaft); **ger|ma|ni-stisch**

gern, ger|ne; lieber, am liebsten; jmdn. - haben, mögen; etwas - tun; gar zu gern; allzugern; ein gerngesehener Gast; **Ger-ne|groß,** der; -, -e

Ge|röll, das; -[e]s, -e; **Ge|röll|hal|de**

Ge|ron|to|lo|gie (Alternsforschung) die; -

Ge|rö|ste|te [auch: *...rö...*] *Mehrz.* (südd., österr. für: Bratkartoffeln)

Ger|ste, die; -, (fachspr.:) -n; **Ger|sten-‿korn** (das; auch: Vereiterung einer Drüse am Augenlid; *Mehrz.* ...körner), **...saft** (der; -[e]s; scherzh. für: Bier)

Ger|te, die; -, -n; **ger|ten|schlank**

Ge|ruch, der; -[e]s, Gerüche

◇ Duft, Gestank, Wohlgeruch (geh.), Aroma, Bukett

[1] In der Umgangssprache wendet man häufig die verkürzte Form „grad...", „Grad..." an.

ge|ruch|los; ge|ruch[s]|frei; Geruchs‿or|gan, ...sinn (der; -[e]s)
Ge|rücht, das; -[e]s, -e
◇ Ondit (geh.), Fama (geh.), Sage, Hörensagen, Flüsterpropaganda, Latrinenparole (derb)
ge|rücht|wei|se
ge|ru|hen (sich geneigt zeigen, sich bereit finden); **ge|ruh|sam; Ge|ruh|samkeit,** die; -
Ge|rüm|pel (Abfall, Wertloses), das; -s
Ge|rüst, das; -[e]s, -e
ge|rüt|telt; ein - Maß; - voll
ge|sal|zen; Ge|sal|ze|ne, das; -n
ge|sam|melt; -e Aufmerksamkeit
ge|samt; im -en (zusammengenommen); **Ge|samt,** das; -s; im -; **Ge|samt|ausga|be; ge|samt|deutsch;** -e Fragen; **Ge|samt|ein|druck; Ge|samt‿heit** (die; -), **...schu|le**
Ge|sand|te, der; -n, -n; **Ge|sand|tenpo|sten; Ge|sand|tin,** die; -, -nen; **Gesandt|schaft; Ge|sandt|schafts|rat** (*Mehrz.* ...räte)
Ge|sang, der; -[e]s, Gesänge; **ge|sangar|tig; Ge|sang|buch; ge|sang|lich; Ge|sang‿un|ter|richt, ...ver|ein**
Ge|säß, das; -es, -e
◇ Hintern, Hinterteil (ugs.), Allerwertester (ugs.), Po[po] (ugs.), Podex (ugs.), verlängerter Rücken, Arsch (derb)
Ge|säß|ta|sche
Ge|schä|dig|te, der u. die; -n, -n
Ge|schäft, das; -[e]s, -e; -e halber, (auch:) geschäftehalber; **Ge|schäf|tema|cher; Ge|schäf|te|ma|che|rei; ge|schäf|tig; Ge|schäf|tig|keit,** die; -; **Ge|schaftl|hu|ber,** der; -s, - (mdal. für: übertrieben geschäftiger, wichtigtuerischer Mensch); **ge|schäft|lich; Geschäfts‿ab|schluß, ...brief, ...frau; ge|schäfts|fä|hig; Ge|schäfts‿freund, ...in|ha|ber, ...jahr; geschäfts|kun|dig; Ge|schäfts‿la|ge, ...lei|tung, ...mann** (*Mehrz.* ...leute u. ...männer); **ge|schäfts|mä|ßig; Geschäfts‿ord|nung, ...rei|se, ...stelle, ...stra|ße; ge|schäfts‿tüch|tig, ...un|fä|hig**
ge|scheckt; ein -es Pferd
ge|sche|hen; geschah (geschähe), geschehen
◇ sich ereignen, sich zutragen, sich begeben, vorgehen, sich abspielen, vorfallen, passieren (ugs.)
Ge|sche|hen, das; -s, -; **Ge|scheh|nis,** das; -ses, -se
ge|scheit; Ge|scheit|heit, die; -, (selten:) -en
Ge|schenk, das; -[e]s, -e; **Ge|schenkar|ti|kel; ge|schenk|wei|se**
ge|schert (bayr., österr. ugs. für: ungeschlacht, grob, dumm); **Ge|scher|te,** der; -n, -n (bayr., österr. ugs. für: Tölpel, Landbewohner)
Ge|schich|te, die; -, -n; **Ge|schichten|buch** (Buch mit Geschichten [Erzählungen]); **ge|schicht|lich; Geschichts‿buch** (Buch mit Geschichtsdarstellungen), **...for|scher, ...wissen|schaft**
Ge|schick, das; -[e]s, (für: Schicksal auch *Mehrz.*:) -e; **Ge|schick|lich|keit; geschickt;** ein -er Arzt
ge|schie|den (Eherecht)
Ge|schimp|fe, das; -s
Ge|schirr, das; -[e]s, -e; **Ge|schirr‿spül|ma|schi|ne** (die), **...tuch** (*Mehrz.* ...tücher)
ge|schla|gen; eine -e Stunde
ge|schlämmt; -e Kreide
Ge|schlecht, das; -[e]s, -er; **Geschlech|ter|fol|ge; ge|schlechtlich;** -e Fortpflanzung; **Ge|schlechtlich|keit,** die; -; **Ge|schlechts‿akt, ...be|stim|mung; ge|schlechtskrank; ge|schlecht[s]|los; Geschlechts‿or|gan, ...rei|fe, ...verkehr** (der; -[e]s), **...wort** (*Mehrz.* ...wörter)
ge|schlif|fen; Ge|schlif|fen|heit, die; -, (selten:) -en
Ge|schlin|ge, das; -s, - (Herz, Lunge, Leber bei Schlachttieren)
ge|schlos|sen; -e Gesellschaft; **Geschlos|sen|heit,** die; -
Ge|schmack, der; -[e]s, Geschmäcke u. (scherzh.:) Geschmäcker; **ge|schmackbil|dend; ge|schmackig** [*Trenn.:* ...akkig] (österr. für: wohlschmeckend; nett, auch: kitschig); **ge|schmack|lich**
ge|schmack|los
◇ geschmackswidrig, stillos, stilwidrig, kitschig
Ge|schmack|lo|sig|keit; ge|schmacksbil|dend; Ge|schmack[s]|sa|che; Ge|schmacks|ver|ir|rung
ge|schmack|voll
◇ kultiviert, adrett, elegant, apart, gefällig
Ge|schmei|de, das; -s, -; **ge|schmeidig; Ge|schmei|dig|keit,** die; -
Ge|schmeiß, das; -es (Kot von Raubvögeln; ekelerregende Brut von Gewürm usw. [auch übertr. ugs. von Personen])
Ge|schmet|ter, das; -s
Ge|schmier, das; -[e]s u. **Ge|schmie|re,** das; -s
Ge|schnat|ter, das; -s
ge|schnie|gelt; - und gebügelt
Ge|schöpf, das; -[e]s, -e
Ge|schoß, das; Geschosses, Geschosse
◇ Stock[werk], Etage
ge|schraubt (ugs. für: gekünstelt und schwülstig wirkend); **Ge|schraubtheit,** die; -
Ge|schrei, das; -s

Ge|schrei|b|sel, das; -s
Ge|schütz, das; -es, -e; **Ge|schütz₋feu|er, ...rohr**
Ge|schwa|der, das; -s, - (Verband von Kriegsschiffen od. Flugzeugen)
Ge|schwa|fel, das; -s
Ge|schwätz, das; -es; **ge|schwät|zig; Ge|schwät|zig|keit,** die; -
ge|schweift; -e Tischbeine
ge|schwei|ge [denn] (noch viel weniger)
ge|schwind
Ge|schwin|dig|keit
◇ Schnelligkeit, Eile, Hast, Tempo, Rasanz, Karacho (ugs.)
Ge|schwin|dig|keits|be|gren|zung; Ge|schwind|schritt, der, nur in: im -
Ge|schwi|ster, das; -s, (im allg. Sprachgebrauch nur *Mehrz.*:) - (bes. naturwissenschaftlich u. statistisch für: eines der Geschwister [Bruder od. Schwester]); **ge|schwi|ster|lich**
ge|schwol|len; ein -er Stil
ge|schwo|ren; ein -er Feind des Alkohols; **Ge|schwo|re|ne,** der u. die; -n, -n
Ge|schwulst, die; -, Geschwülste
ge|schwun|gen; eine -e Linie
Ge|schwür, das; -[e]s, -e; **Ge|schwür|bil|dung; ge|schwü|rig**
Ge|sei|re, das; -s (unnützes Gerede)
Ge|selch|te, das; -n (bayr., österr. für: geräuchertes Fleisch)
Ge|sel|le, der; -n, -n; **ge|sel|len;** sich -
ge|sel|lig
◇ soziabel, kontaktfähig, kontaktfreudig, umgänglich, extravertiert
Ge|sel|lig|keit, die; -; **Ge|sell|schaft;** - mit beschränkter Haftung (Abk.: GmbH); **Ge|sell|schaf|ter; Ge|sell|schaf|te|rin,** die; -, -nen; **ge|sell|schaft|lich; Ge|sell|schafts|an|zug; ge|sell|schafts|fä|hig; Ge|sell|schafts₋form, ...ord|nung**
Ge|setz, das; -es, -e; **Ge|set|zes|kraft,** die; -; **ge|setz|ge|bend;** -e Gewalt; **Ge|setz|ge|ber; ge|setz|ge|be|risch; Ge|setz|ge|bung; ge|setz|lich;** -e Erbfolge; **Ge|setz|lich|keit; ge|setz|los; Ge|setz|lo|sig|keit; ge|setz|mä|ßig; Ge|setz|mä|ßig|keit**
ge|setzt; -, [daß] ...; - den Fall, [daß]
ge|setz|wid|rig
◇ ungesetzlich, illegitim, illegal, kriminell, unzulässig, unerlaubt, verboten
Ge|sicht, das; -[e]s, -er u. (für: Erscheinung *Mehrz.*:) -e; sein - wahren
◇ Angesicht (geh.), Antlitz (dicht.), Physiognomie (geh.), Visage, Fratze, Fresse (derb)
Ge|sichts₋aus|druck, ...far|be, ...feld
Ge|sichts|punkt
◇ Blickpunkt, Blickwinkel, Perspektive, Aspekt
Ge|sichts|win|kel
Ge|sims, das; -es, -e
Ge|sin|de, das; -s, -
Ge|sin|del, das; -s
◇ Pack, Bagage, Brut, Geschmeiß, Sippschaft, Gesocks, Kroppzeug, Abschaum, Plebs
ge|sinnt (von einer bestimmten Gesinnung); **Ge|sin|nung; Ge|sin|nungs|ge|nos|se; ge|sin|nungs|los; Ge|sin|nungs|lo|sig|keit,** die; -; **Ge|sin|nungs|lump** (ugs.); **ge|sin|nungs|mä|ßig; Ge|sin|nungs|wan|del**
ge|sit|tet; Ge|sit|tung, die; -
Ge|socks, das; - (derb für: Gesindel)
Ge|söff, das; -[e]s, -e (derb für: schlechtes Getränk)
ge|son|dert; - verpacken
ge|son|nen (willens); - sein, etwas zu tun; vgl.: gesinnt
ge|sot|ten; Ge|sot|te|ne, das; -n
ge|spal|ten
Ge|spann, das; -[e]s, -e (Zugtiere)
ge|spannt; Ge|spannt|heit, die; -
ge|spa|ßig (bayr. u. österr. für: spaßig, lustig)
Ge|spenst, das; -[e]s, -er; **Ge|spen|ster|furcht; ge|spen|ster|haft; ge|spen|stern; ge|spen|stig, ge|spen|stisch**
Ge|spie|le, der; -n, -n (Spielgenosse der Jugend); **Ge|spie|lin,** die; -, -nen
Ge|spinst, das; -[e]s, -e
[1]**Ge|spons,** der; -es, -e (nur noch scherzh. für: Bräutigam; Gatte); [2]**Ge|spons,** das; -es, -e (nur noch scherzh. für: Braut; Gattin)
Ge|spött, das; -[e]s; zum -[e] werden
Ge|spräch, das; -[e]s, -e; Gespräch am runden Tisch
◇ Unterhaltung, Konversation, Geplauder, Plauderei, Smalltalk (geh.), Aussprache, Verhandlung, Besprechung
ge|sprä|chig
◇ mitteilsam, redselig, geschwätzig, redefreudig
Ge|sprä|chig|keit, die; -; **Ge|sprächs|part|ner; ge|sprächs|wei|se**
ge|spreizt; -e Flügel; -e (gezierte) Reden; **Ge|spreizt|heit**
ge|spren|kelt; das Fell dieses Tieres ist -
Ge|spritz|te, der; -n, -n (bes. bayr. u. österr. für: Wein mit Sodawasser)
Ge|spür, das; -s
Ge|sta|de, das; -s, -
Ge|stalt, die; -, -en
◇ Figur, Wuchs, Statur, Körper
ge|stalt|bar; ge|stal|ten; ge|stal|ten|reich; Ge|stal|ter; Ge|stal|te|rin, die; -, -nen; **ge|stal|te|risch; ge|stalt|haft; ...ge|stal|tig** (z. B. vielgestaltig); **ge|stalt|los; Ge|stal|tung; Ge|stal|tungs|kraft**

Ge|stam|mel, das; -s
ge|stan|den; ein -er (südd. ugs. für: gesetzter) Mann
ge|stän|dig; Ge|ständ|nis, das; -ses, -se
Ge|stän|ge, das; -s, -
Ge|stank, der; -[e]s
Ge|sta|po = Geheime Staatspolizei (nationalsoz.)
ge|stat|ten
Ge|ste [auch: *ge*...], die; -, -n (Gebärde)
Ge|steck, das; -[e]s, -e (bayr., österr. für: Hutschmuck [aus Federn od. Gamsbart])
ge|ste|hen
◇ bekennen, beichten, eine Beichte ablegen, ein Geständnis ablegen/machen, zugeben
Ge|ste|hungs|ko|sten, die *(Mehrz.)*
Ge|stein, das; -[e]s, -e, **Ge|steins‿art, ...block** (*Mehrz.* ...blöcke)
Ge|stell, das; -[e]s, -e; **Ge|stel|lung; Ge|stel|lungs|be|fehl**
ge|stern; - abend; bis -; die Mode von -; **Ge|stern,** das; - (die Vergangenheit)
ge|stie|felt; - u. gespornt (bereit, fertig) sein
Ge|stik [auch: *ge*...], die; - (Gesamtheit der Gesten als Ausdruck des Seelischen); **ge|sti|ku|lie|ren**
Ge|stirn, das; -[e]s, -e, **ge|stirnt;** der -e Himmel
Ge|stö|ber, das; -s, -
ge|stockt; -e Milch (südd. u. österr. für: Dickmilch)
Ge|stöhn, das; -[e]s u. **Ge|stöh|ne,** das; -s
Ge|sträuch, das; -[e]s, -e
ge|streckt; -er Galopp
ge|streift; das Kleid ist weiß u. rot -
ge|streng
gest|rig; mein gestriger Brief
ge|stromt (gefleckt, streifig ohne scharfe Abgrenzung); eine -e Dogge
Ge|strüpp, das; -[e]s, -e
Ge|stühl, das; -[e]s, -e
Ge|stüt, das; -[e]s, -e; **Ge|stüt|pferd**
Ge|such, das; -[e]s, -e
◇ Antrag, Eingabe, Petition, Bittschrift
ge|sucht; eine -e Ausdrucksweise
ge|sund; gesünder (weniger üblich: gesunder), gesündeste (weniger üblich: gesundeste); gesund sein; jmdn. gesund schreiben
◇ **gesund machen;** heilen, wiederherstellen, [aus]kurieren; **gesund werden;** genesen (geh.), gesunden, wieder auf die Beine/auf den Damm kommen (ugs.), auf dem Wege der Besserung sein, sich aufrappeln (ugs.); **gesund sein;** wohlauf/fit/mobil/in Form/auf dem Posten (ugs.) sein
ge|sund|be|ten; jmdn. -; **Ge|sund‿be|ten** (das; -s), **...brun|nen** (Heilquelle); **ge|sun|den; Ge|sund|heit,** die; -; **ge|sund|heit|lich; Ge|sund|heits|amt; ge|sund|heits|hal|ber; Ge|sund|heits|pfle|ge,** die; -; **ge|sund|heits|schä|di|gend; Ge|sund|heits‿we|sen** (das; -s), **...zeug|nis, ...zu|stand** (der; -[e]s); **ge|sund|ma|chen,** sich (ugs. für: sich bereichern); **ge|sund|sto|ßen,** sich (ugs.); **Ge|sun|dung,** die; -
Ge|tä|fel, das; -s (Tafelwerk, Täfelung); **ge|tä|felt**
Ge|tier, das; -[e]s
ge|ti|gert (geflammt)
Ge|tö|se, das; -s; **Ge|to|se,** das; -s
ge|tra|gen; eine -e Redeweise
Ge|tram|pel, das; -s
Ge|tränk, das; -[e]s, -e
◇ Trank (geh.), Trunk (geh.), Drink, Trinkbares, Gesöff (derb), Gebräu, Plörre, Brühe
Ge|trän|ke‿au|to|mat, ...kar|te, ...steu|er, die
ge|trau|en, sich
Ge|trei|de, das; -s, -; **Ge|trei|de‿an|bau, ...ern|te, ...han|del**
ge|trennt; - schreiben, - lebend; **Ge|trennt|schrei|bung**
ge|treu; Ge|treue, der u. die; -n, -n; **ge|treu|lich**
Ge|trie|be, das; -s, -; **ge|trie|ben;** -e Arbeit; **Ge|trie|be|über|set|zung**
ge|trost; ge|trö|sten, sich
Get|to, das; -s, -s (abgesondertes [jüd.] Wohnviertel)
Ge|tue, das; -s
Ge|tüm|mel, das; -s, -
ge|tüp|felt, ge|tupft; ein -er Stoff
Ge|tu|schel, das; -s
ge|übt; Ge|übt|heit, die; -
Ge|vat|ter, der; -s u. (älter:) -n, -n; **Ge|vat|te|rin,** die; -, -nen; **Ge|vat|ter|schaft**
Ge|viert, das, -[e]s, -e (Rechteck, bes. Quadrat); **ge|vier|teilt**
Ge|wächs, das; -es, -e; **ge|wach|sen;** jmdm., einer Sache - sein; **Ge|wächs|haus**
ge|wachst (mit Wachs geglättet)
ge|wagt; Ge|wagt|heit
ge|wählt; er drückt sich - aus
ge|wahr; eine[r] Sache - werden
Ge|währ, die; - (Bürgschaft, Sicherheit)
ge|wah|ren (bemerken, erkennen)
ge|wäh|ren (bewilligen); **ge|währ|lei|sten; Ge|währ|lei|stung**
Ge|wahr|sam (Haft, Obhut), der; -s, -e
Ge|währs|mann (*Mehrz.* ...männer u. ...leute)
Ge|walt, die; -, -en; **Ge|walt|an|wen|dung**
ge|wal|tig
◇ mächtig, enorm, ungeheuer, kolossal[isch], titanisch, gigantisch, monumental, groß

ge|walt|los; Ge|walt|lo|sig|keit, die; -; **Ge|walt‿marsch, ...maß|nah|me; ge|walt|sam; Ge|walt|streich; ge|walt|tä|tig; Ge|walt|tä|tig|keit; Ge|walt|ver|zicht**
Ge|wand, das; -[e]s, ...wänder
ge|wandt; ein -er Mann
◇ weltgewandt, weltläufig, weltmännisch, urban (geh.); geschliffen
Ge|wandt|heit, die; -
Ge|wan|dung
ge|wär|tig; eines Zwischenfalls -; **ge|wär|ti|gen;** zu - haben
Ge|wäsch, das; -[e]s (ugs. für: Geschwätz)
Ge|wäs|ser, das; -s, -
Ge|we|be, das; -s, -; **Ge|we|be|er|kran|kung; ge|we|be|scho|nend** (den Stoff schonend); **Ge|webs|trans|plan|ta|ti|on**
ge|weckt; ein -er (kluger) Junge
Gewehr, das; -[e]s, -e; **Ge|wehr|lauf**
Ge|weih, das; -[e]s, -e
Ge|wer|be, das; -s, -; **Ge|wer|be‿auf|sicht, ...be|trieb, ...frei|heit, ...in|spek|tor, ...ord|nung, ...schein, ...steu|er** (die); **ge|wer|be|trei|bend; Ge|wer|be|trei|ben|de,** der u. die; -n, -n; **ge|werb|lich; ge|werbs|mä|ßig; Ge|werbs|zweig**
Ge|werk|schaft; Ge|werk|schaf|ter, Ge|werk|schaft|ler; ge|werk|schaft|lich; Ge|werk|schafts‿bund (der), **...funk|tio|när, ...mit|glied**
Ge|wicht, das; -[e]s, -e; **Ge|wicht|he|ber** (Schwerathlet); **ge|wich|tig; Ge|wich|tig|keit,** die; -; **Ge|wichts‿an|ga|be, ...klas|se, ...ver|lust**
ge|wieft (ugs. für: schlau, gerissen)
ge|wiegt (ugs. für: schlau, durchtrieben)
Ge|wie|her, das; -s
ge|willt (gesonnen)
Ge|wim|mel, das; -s
Ge|wim|mer, das; -s
Ge|win|de, das; -s, -; **Ge|win|de‿boh|rer, ...schnei|der**
Ge|winn, der; -[e]s, -e
Ge|winn|an|teil
◇ Dividende, Reingewinn, Tantieme
Ge|winn|be|tei|li|gung; ge|winn|brin|gend; ge|win|nen; gewann (gewönne, gewänne), gewonnen; **ge|win|nend; Ge|win|ner; Ge|winn‿span|ne, ...sucht** (die; -); **ge|winn|süch|tig**
Ge|win|sel, das; -s
ge|wirkt; -er Stoff
Ge|wirr, das; -[e]s, -e
ge|wiß; ein gewisses Etwas
Ge|wis|sen, das; -s, -
ge|wis|sen|haft
◇ genau, gründlich, eigen, minuziös
Ge|wis|sen|haf|tig|keit, die; -; **ge|wis|sen|los**
Ge|wis|sen|lo|sig|keit, die; -
◇ Skrupellosigkeit, Bedenkenlosigkeit
Ge|wis|sens|biß (meist *Mehrz.*); **Ge|wis|sens‿ent|schei|dung, ...fra|ge, ...frei|heit** (die; -), **...kon|flikt; ge|wis|ser|ma|ßen; Ge|wiß|heit; ge|wiß|lich**
Ge|wit|ter, das; -s, -; **ge|wit|tern;** es gewittert; **Ge|wit|ter‿re|gen, ...wol|ke; ge|witt|rig**
ge|witzt; ein -er (schlauer) Bursche; **Ge|witzt|heit,** die; -
ge|wo|gen (zugetan); er ist mir -; **Ge|wo|gen|heit,** die; -
ge|wöh|nen; sich an eine Sache -; **Ge|wohn|heit; ge|wohn|heits|mä|ßig; Ge|wohn|heits‿mensch** (der; -en, -en), **...recht**
ge|wöhn|lich; für - (meist)
◇ gemein, unflätig, ausfallend, ordinär, vulgär, pöbelhaft, proletenhaft
ge|wohnt (durch [zufällige] Gewohnheit mit etwas vertraut); ich bin schwere Arbeit -; die -e Arbeit; jung -, alt getan; **ge|wöhnt** (durch [bewußte] Gewöhnung mit etwas vertraut); ich habe mich an diese Arbeit -; **Ge|wöh|nung**
Ge|wöl|be, das; -s, -; **Ge|wöl|be‿bo|gen, ...pfei|ler**
Ge|wölk, das; -[e]s
Ge|wöl|le, das; -s, - (von Raubvögeln herausgewürgte unverdauliche Nahrungsreste)
Ge|wühl, das; -[e]s
ge|wür|felt; -e Stoffe
Ge|würm, das; -[e]s, -e
Ge|würz, das; -es, -e; **ge|wür|zig; Ge|würz‿gur|ke, ...nel|ke**
Gey|sir [*gai*...], der; -s, -e (in bestimmten Zeitabständen springende heiße Quelle)
ge|zackt; der Felsgipfel ist -
ge|zahnt, ge|zähnt; -es Blatt
Ge|zänk, das; -[e]s
ge|zeich|net
Ge|zei|ten, die (*Mehrz.;* Wechsel von Ebbe u. Flut)
ge|zielt; -e Werbung; - fragen
ge|zie|men, sich; es geziemt sich für ihn; **ge|zie|mend**
ge|ziert; Ge|ziert|heit
Ge|zirp, das; -[e]s
Ge|zisch, Ge|zi|sche, das; ...sch[e]s; **Ge|zi|schel,** das; -s
Ge|zücht, das; -[e]s, -e (verächtl. für: Kreatur, Gesindel)
Ge|zweig, das; -[e]s
Ge|zwit|scher, das; -s
ge|zwun|ge|ner|ma|ßen
GG = Grundgesetz
Ghet|to vgl. Getto
Ghost|wri|ter [*go^ußtrait^er*], der; -s, - (Autor, der für eine andere Person schreibt und nicht als Verfasser genannt wird)

Gib|bon, der; -s, -s (ein Affe)
Gicht, die; -; **Gicht|an|fall; gich|tig, gich|tisch; Gicht|kno|ten; gichtkrank**
Gickel [*Trenn.:* Gik|kel], der; -s, - (mitteld. für: Hahn)
gicks (ugs.); weder - noch gacks sagen
Gie|bel, der; -s, -; **Gie|bel‿dach, ...fenster, ...wand**
gie|pern (nordd. ugs. für: gieren); nach etwas -; **giep|rig**
Gier, die; -; **gie|ren** (gierig sein); **gierig; Gie|rig|keit,** die; -
Gieß|bach; gie|ßen; goß (gösse), gegossen; **Gie|ßer; Gie|ße|rei; Gieß‿form, ...kan|ne**
Gift, das; -[e]s, -e; **gif|ten** (ugs. für: ärgern); es giftet mich; **Gift|gas; giftgrün; gif|tig; Gif|tig|keit,** die; -; **Gift‿mi|sche|rin** (die; -, -nen), **...mord, ...nu|del** (scherzh.: [schlechte] Zigarre u. Zigarette; zänkischer Mensch), **...pflanze, ...schlan|ge, ...schrank, ...zahn**
Gig, das; -s, -s (leichter Einspänner; Sportruderboot; leichtes Beiboot)
Gi|gant, der; -en, -en (Riese); **gi|gantisch**
Gi|go|lo [~~sch~~i..., auch: ~~sch~~i...], der; -s, -s (Eintänzer; ugs. für: Hausfreund, ausgehaltener Mann)
Gil|de, die; -, -n; **Gil|de|haus**
Gim|pel, der; -s, - (Singvogel)
Gin [*d~~sch~~in*], der; -s, -s (engl. Wacholderbranntwein)
Gink|go [*gingko*], **Gink|jo** [*gingkjo*], der; -s, -s (in Japan u. China heimischer Zierbaum)
Gin|seng [auch: ~~sch~~in...], der; -s, -s (ostasiat. Pflanze mit heilkräftiger Wurzel)
Gin|ster, der; -s, - (ein Strauch)
Gip|fel, der; -s, - (schweiz. auch für: Hörnchen, Kipfel); **Gip|fel‿kon|ferenz, ...kreuz; gip|feln; Gip|fel‿punkt, ...tref|fen**
Gips, der; -es, -e; **Gips‿ab|druck** (*Mehrz.* ...abdrücke), **...bü|ste; gipsen; Gip|ser; gip|sern** (aus Gips; gipsartig); **Gips|ver|band**
Gi|raf|fe [südd., österr.: ~~sch~~i...], die; -, -n (ein Steppenhuftier)
Girl [*gö'l*], das; -s, -s (Mädchen; weibl. Mitglied einer Tanztruppe)
Gir|lan|de, die; -, -n ([bandförmiges Laub- od. Blumen]gewinde)
Gir|litz, der; -es, -e (Singvogel)
Gi|ro [~~sch~~*iro*], das; -s, -s (österr. auch: Giri) („Kreis"; Überweisung im bargeldlosen Zahlungsverkehr); **Gi|ro‿bank** (*Mehrz.* ...banken), **...kas|se, ...kon|to**
gir|ren; die Taube girrt
Gischt, der; -[e]s (auch: die; -) (Schaum; Sprühwasser, aufschäumende See); **gischt|sprü|hend**
Gi|tar|re, die; -, -n (ein Saiteninstrument); **Gi|tar|ren|spie|ler; Gi|tar|rist,** der; -en, -en
Git|ter, das; -s, -; **Git|ter‿bett|chen, ...fen|ster, ...stab, ...tor**
Glace [*glaß;* schweiz.: *glaße*], die; -, -s [*glaß;*], (schweiz.:) -n (glänzender Überzug [Zuckerguß]; Gelee aus Fleischsaft; schweiz. für: Speiseeis, Gefrorenes); **Gla|cé** [*glaße*], der; -[s], -s (glänzendes Gewebe); **Gla|cé|hand|schuh**
Gla|dio|le, die; -, -n (Schwertliliengewächs)
Gla|mour|girl [*gläm^ergö'l*], das; -s, -s (Reklame-, Filmschönheit)
Glanz, der; -es; **glän|zen; glän|zend; Glanz|lei|stung; glanz|los; Glanznum|mer**
Glanz|punkt (Höhepunkt)
◇ Glanznummer, Glanzstück, Zugnummer, Attraktion, Clou, Schlager
glanz|voll
Glas, das; -es, Gläser; zwei - Bier; ein - voll; **Glas|au|ge; Gläs|chen; Gla|ser; Gla|se|rei; glä|sern** (aus Glas); **Glasfa|ser; glas|hart; Glas|haus; glasie|ren** (mit Glasur versehen); **gla|sig; glas|klar; Glas‿per|le, ...schei|be, ...split|ter; Gla|sur,** die; -, -en (glasiger Überzug, Schmelz; Zucker-, Schokoladenguß); **Glas‿vi|tri|ne, ...wand; glas|wei|se; Glas|wol|le**
glatt; -er (auch: glätter), -este (auch: glätteste)
◇ rutschig, schlüpfrig, glitschig
Glät|te, die; -, -n; **Glatt|eis; glät|ten; glatt|ge|hen** (ugs. für: ohne Hindernis vonstatten gehen); **glatt|ho|beln; glatt‿käm|men, ...le|gen, ...machen** (ausgleichen; ugs. für: bezahlen); **glatt|strei|chen; glatt|weg; glattzie|hen**
Glat|ze, die; -, -n; **Glatz|kopf**
Glau|be, der; -ns, (selten:) -n; **glau|ben;** er wollte mich - machen, daß ...; **Glauben,** der; -s, (selten:) - (seltener für: Glaube); **Glau|bens‿be|kennt|nis, ...ei|fer, ...ge|mein|schaft, ...sache; glaub|haft; gläu|big; Gläu|bige,** der u. die; -n, -n; **Gläu|bi|ger,** der; -s, - (jmd., der berechtigt ist, von einem Schuldner eine Leistung zu fordern); **Gläu|bi|ger|ver|samm|lung; glaublich;** kaum -; **glaub|wür|dig**
Glau|kom, das; -s, -e (grüner Star [Augenkrankheit])
gleich; der, die, das gleiche; gleich und gleich gesellt sich gern; die Kinder waren gleich groß; die Wörter werden gleich geschrieben; er soll gleich kommen; Gleiches mit Gleichem vergelten
◇ sogleich, sofort, unverzüglich, ohne Aufschub, alsbald, unmittelbar, auf der Stel-

le, umgehend, prompt, auf Anhieb (ugs.), postwendend · übereinstimmend
gleich|al|te|rig, gleich|alt|rig; Gleich|be|rech|ti|gung, die; -; **gleich|blei|ben,** sich (unverändert bleiben); ich bleibe mir gleich
glei|chen; glich, geglichen (gleich sein; gleichmachen)
◇ gleich sein, ähneln, ähnlich sein/sehen, nach jmdm. kommen/arten/geraten, etwas gemeinsam haben
glei|cher|ma|ßen; gleich|falls; gleich‿för|mig, ...ge|stimmt; Gleich|ge|wicht, das; -[e]s, -e; **Gleich|ge|wichts|sinn; gleich|gül|tig; Gleich|heit; Gleich|heits‿prin|zip, ...zei|chen; gleich|kom|men** (entsprechen); das war einer Kampfansage gleichgekommen; **gleich|ma|chen** (angleichen); dem Erdboden -; **Gleich|ma|che|rei; gleich|mä|ßig; Gleich|mut,** der; -[e]s u. (selten:) die; -; **Gleich|nis,** das; -ses, -se; **gleich|sam; gleich|schal|ten** (einheitlich durchführen); **gleich|schenk|lig; Gleich|schritt; gleich|se|hen** (ähnlich sehen); **gleich|sei|tig; gleich|set|zen; Gleich|stand,** der; -[e]s; **gleich|ste|hen** (gleich sein); **gleich|stel|len** (gleichmachen); **Gleich|stel|lung; Gleich|strom; gleich|tun** (erreichen); es jmdm. -; **Glei|chung; gleich|viel;** gleichviel[,] ob/wenn/wo; **gleich|wer|tig; gleich|wie; gleich|wink|lig; gleich|wohl; gleich|zei|tig; Gleich|zei|tig|keit; gleich|zie|hen** (in gleicher Weise handeln)
Gleis, das; -es, -e u. Ge|lei|se, das; -s, -; **Gleis|an|schluß**
glei|ßen (glänzen, glitzern)
Gleit‿bahn, ...boot
glei|ten; glitt, geglitten
◇ rutschen, ausgleiten, ausrutschen, ausglitschen (ugs.), schlittern
Gleit‿flä|che, ...flug, ...schie|ne, ...schutz; gleit|si|cher
Glen|check [*glăntschäk*], der; -[s], -s (ein Gewebe)
Glet|scher, der; -s, -; **Glet|scher‿bach, ...brand** (der; -[e]s), **...feld, ...spal|te, ...zun|ge**
Glied, das; -[e]s, -er
glie|dern
◇ aufgliedern, untergliedern, klassifizieren, unterteilen, segmentieren, staffeln, auffächern, differenzieren, [an]ordnen
Glie|der|pup|pe; Glie|de|rung; Glied|ma|ße, die; -, -n (meist *Mehrz.*)
glim|men; es glomm (auch: glimmte [glömme]), geglommen (auch: geglimmt), **Glim|mer,** der; -s, - (ein Mineral); **glim|mern; Glimm|sten|gel** (scherzh. für: Zigarre und Zigarette)

glimpf|lich
glit|schig, glitsch|rig
Glit|zer, der; -s, -; **glit|zern**
glo|bal (auf die gesamte Erde bezüglich; umfassend; allgemein); **Glo|bal|sum|me; Glo|be|trot|ter** [*globᵉtr...*, auch: *globtr...*], der; -s, - (Weltenbummler); **Glo|bus,** der; - u. ...busses, ...busse u. (seltener:) ...ben (Nachbildung der Erde od. der Himmelskugel)
Glöck|chen
Glocke[1], die; -, -n
◇ Klingel, Schelle, Bimmel (ugs.), Gong
Glocken|blu|me[1]; **glocken|för|mig**[1]; **Glocken**[1]**‿ge|läut, ...gie|ße|rei; glocken|hell**[1]; **Glocken**[1]**‿klang, ...rock, ...spiel, ...turm; glockig**[1]
[1]**Glo|ria** (Ruhm, Ehre); meist in: mit Glanz und - (iron.); [2]**Glo|ria,** das; -s (Lobgesang in der kath. Messe); **Glo|ri|en|schein; glo|ri|fi|zie|ren; Glo|ri|fi|zie|rung; Glo|rio|le,** die; -, -n (Heiligenschein)
glo|sen (mdal. für: glühen, glimmen)
Glos|se, die; -, -n (spöttische [Rand]bemerkung, auch als polemische feuilletonistische Kurzform); **glos|sie|ren**
Glotz|au|ge (ugs.); **glotz|äu|gig** (ugs.); **glot|zen** (ugs.)
Glück, das; -[e]s; **Glück auf!** (Bergmannsgruß); **glück|brin|gend**
Glucke[1], die; -, -n; **glucken**[1]
glücken[1]
gluckern[1]
glück|haft
glück|lich
◇ froh, [glück]selig, euphorisch, zufrieden, heiter, vergnügt
glück|li|cher|wei|se; Glück|sa|che (seltener für: Glückssache); **glück|se|lig; Glück|se|lig|keit,** die; -, (selten:) -en
gluck|sen
Glücks‿fall (der), **...kind, ...pfen|nig, ...pilz, ...sa|che** (die; -), **...spiel, ...stern** (der; -s); **glück|strah|lend; Glücks|zahl; glück|ver|hei|ßend; Glück|wunsch**
Glu|co|se [*...ko...*], die; - (Chemie: Traubenzucker)
Glüh|bir|ne; glü|hen; glüh|heiß; Glüh‿lam|pe, ...wein, ...würm|chen
Glupsch|au|ge; meist *Mehrz.* (nordd.); **glup|schen** nordd. (starr blicken)
Glut, die; -, -en; **glut|äu|gig; Glut|hit|ze**
Gly|kol, das; -s, -e (ein Frostschutz- und Lösungsmittel)
Gly|ze|rin (chem. fachspr.: Gly|ce|rin [*...ze...*]), das; -s (dreiwertiger Alkohol);

[1] *Trenn.:* ...k|k...

Gly|zi|nie [...*ie*], die; -, -n (ein Kletterstrauch)
Gna|de, die; -, -n; **Gna|den‿akt, ...brot** (das; -[e]s), **...frist, ...ge|such; gna|den|los; Gna|den|weg; gnä|dig**
Gneis, der; -es, -e (ein Gestein)
Gnom, der; -en, -en (Kobold; Zwerg); **gno|men|haft** (in der Art eines Gnomen)
Gnu, das; -s, -s (ein Steppenhuftier)
Goal [*gol*], das; -s, -s (veralt., aber noch österr. u. schweiz. für: Tor [beim Fußball])
Go|be|lin [...*läng*], der; -s, -s (Wandteppich mit eingewirkten Bildern)
Gockel [*Trenn.:* Gok|kel], der; -s, - (bes. südd. für: Hahn)
goe|thesch, goe|thisch [*gö...*] (nach Art Goethes; nach Goethe benannt)
Go-go-Girl [*gogogö'l*], das; -s, -s (Vortänzerin in Tanzlokalen)
Go-in [*gou in*], das; -s, -s (unbefugtes [gewaltsames] Eindringen demonstrierender Gruppen, meist um eine Diskussion zu erzwingen)
Go-Kart [*gou...*], der; -[s], -s (niedriger, unverkleideter kleiner Sportrennwagen)
Gold, das; -[e]s (chem. Grundstoff, Edelmetall; Zeichen: Au); **gold|ähn|lich; Gold‿am|mer** (ein Singvogel), **...am|sel, ...bar|ren, ...barsch; gold|blond; Gold‿bro|kat, ...bron|ze; gol|den;** die -e Hochzeit; das Goldene Buch (Ehrenbuch); das Goldene Zeitalter; **gold‿far|ben, ...far|big; Gold‿fa|san, ...fisch; gold|gelb; Gold‿grä|ber, ...gru|be; gol|dig; Gold‿klum|pen, ...le|gie|rung, ...me|dail|le, ...mi|ne, ...mün|ze, ...pa|pier, ...par|mä|ne** (eine Apfelsorte; die; -, -n), **...re|gen** (ein Strauch, Baum), **...re|ser|ve; gold|rich|tig** (ugs.); **Gold‿schmied, ...schnitt, ...waa|ge, ...zahn**
[1]**Golf,** der; -[e]s, -e (größere Meeresbucht)
[2]**Golf,** das; -s (ein Rasenspiel); - spielen; **Gol|fer,** der; -s, - (Golfspieler); **Golf‿platz, ...schlä|ger**
Go|li|ath, der; -s, -s (riesiger Mensch)
Gon|del, die; -, -n (schmales Ruderboot; Korb am Luftballon od. Kabine am Luftschiff); **gon|deln** (ugs. für: [gemächlich] fahren); **Gon|do|lie|re,** der; -, ...ri (Gondelführer)
Gong, der (selten: das); -s, -s; **gon|gen;** es gongt; **Gong|schlag**
gön|nen
Gön|ner
◇ Förderer, Geldgeber, Mäzen, Sponsor
gön|ner|haft; Gön|ner|mie|ne
Go|no|kok|kus, der; -, ...kken (eine Bakterienart); **Go|nor|rhö, Go|nor|rhöe,** die; -, ...rrhöen (Tripper); **go|nor|rho|isch**

good bye! [*gud bai*] (leb[t] wohl!)
Good|will [*gudwil*], der; -s (Ansehen)
Gör, das; -[e]s, -en u. **Gö|re,** die; -, -n ([kleines] Kind; ungezogenes Mädchen)
Gor|gon|zo|la, der; -s, -s (mit Schimmel durchsetzter ital. Weichkäse)
Go|ril|la, der; -s, -s (größter Menschenaffe; ugs. für: Leibwächter)
Go|sche, die; -, -n (landsch. für: Mund, Maul)
Gos|se, die; -, -n
Go|tik, die; - (Kunststil vom 12. bis 15. Jh.; Zeit des got. Stils); **go|tisch** (im Stil der Gotik)
Gott, der; -es, *Mehrz.:* Götter; um -es willen; - sei Dank!; weiß -!; Gott[,] der Herr[,] hat ...; grüß [dich] Gott!; **Göt|ter|bild; got|ter|ge|ben; Göt|ter|spei|se** (auch: eine Süßspeise), **Got|tes‿acker** [*Trenn.:* ...ak|ker], **...an|be|te|rin** (Heuschreckenart), **...dienst; got|tes|fürch|tig; Got|tes|haus; got|tes|lä|ster|lich; Got|tes‿lä|ste|rung, ...sohn** (der; -[e]s), **...ur|teil; gott‿ge|fäl|lig, ...gläu|big; Gott|heit; Göt|tin,** die; -, -nen; **gött|lich;** die -e Gnade; sie sah einfach - aus; **Gött|lich|keit,** die; -; **gott|los;** -este; **Gott|lo|se,** der u. die; -n, -n; **Gott|lo|sig|keit; gott|se|lig; Gott|se|lig|keit,** die; -; **gotts‿er|bärm|lich, ...jäm|mer|lich; Gott|va|ter,** der; -s (meist ohne Geschlechtsw.); **gott|ver|las|sen; Gott|ver|trau|en; gott|voll; Göt|ze,** der; -n, -n (Abgott); **Göt|zen‿bild, ...dienst**
Gou|da|kä|se [*gauda...*]
Gour|met [*gurmä*], der; -s, -s (Feinschmecker)
Gou|ver|nan|te [*guw...*], die; -, -n (veralt. für: Erzieherin); **Gou|ver|neur** [...*nör*], der; -s, -e (Statthalter)
Grab, das; -[e]s, Gräber; zu -e tragen
◇ Grube, Gruft, Ruhestatt, Ruhestätte
gra|ben; grub (grübe), gegraben; **Gra|ben,** der; -s, Gräben; **Grä|ber|feld; Gra|bes‿käl|te, ...stil|le; Grab‿ge|sang, ...hü|gel, ...mal** (*Mehrz.:* ...mäler, gehoben: ...male), **...re|de, ...stät|te, ...stein**
Gracht, die; -, -en (Wassergraben, Kanal[straße] in Holland)
Grad, der; -[e]s, -e (Temperatureinheit; Einheit für Winkel; Zeichen: °); es ist heute einige - wärmer; ein Winkel von 30°; eine Temperatur von +7 °C (auch noch: +7° C)
gra|de (ugs. für: gerade)
Grad|mes|ser, der; **gra|du|ell** (grad-, stufenweise, allmählich); **Gra|du|ier|te,** der u. die; -n, -n (jmd., der einen akademischen Grad besitzt); **Gra|du|ie|rung; Grad|un|ter|schied; grad|wei|se**
Graf, der; -en, -en; **Gra|fen|ti|tel**

Gra|fik usw. (eindeutschende Schreibung von: Graphik usw.)
Grä|fin, die; -, -nen; **gräf|lich,** im Titel: Gräflich; **Graf|schaft**
Gra|ham|brot
gram; jmdm. - sein; **Gram,** der; -[e]s; **grä|men,** sich; **gram|er|füllt,** aber: von Gram erfüllt: **gräm|lich**
Gramm, das; -s, -e (Zeichen: g); 2 -; **Gram|ma|tik,** die; -, -en; **gram|ma|ti|ka|lisch; Gram|ma|ti|ker; gram|ma|tisch**
Gram|mo|phon Ⓦ, das; -s, -e (Schallplattenspieler)
gram|voll
[1]**Gra|nat,** der; -[e]s, -e (kleines Krebstier, Garnelenart)
[2]**Gra|nat,** der; -[e]s, -e (österr.: der; -en, -en) (ein Halbedelstein)
Gra|nat‿ap|fel (Frucht des Granatbaumes), **...baum** (immergrüner Baum des Orients); **Gra|na|te,** die; -, -n; **Gra|nat‿split|ter, ...trich|ter, ...wer|fer**
Grand [*grang*, ugs. auch: *grang*], der; -s, -s („Großspiel" beim Skat); [einen] - spielen; **Grand|ho|tel** [*grang*...]; **gran|di|os** (großartig, überwältigend); -este; **Grand Old Man** [*gränd oᵘld män*], der; - - -, - - Men (älteste auf einem Gebiet bedeutende männliche Persönlichkeit); **Grand Prix** [*grang pri*], der; - - (fr. Bez. für: „großer Preis"); **Grand|sei|gneur** [*grangßänjör*], der; -s, -s u. -e („vornehmer Herr")
Gra|nit, der; -s, -e (ein Gestein); **gra|nit|ar|tig; Gra|nit|block** (*Mehrz.* ...blök|ke); **gra|ni|ten** (aus Granit)
Gran|ne, die; -, -n (Ährenborste); **gran|nig**
gran|tig (landsch. für: übellaunig)
Gra|nu|lat, das; -[e]s, -e (Substanz in Körnchenform)
Grape|fruit [*grépfrut*, engl. Ausspr.: *gréⁱpfrut*], die; -, -s (eine Zitrusfrucht)
Gra|phik[1], die; -, (für Einzelblatt auch *Mehrz.:*) -en (Sammelbezeichnung für Holzschnitt, Kupferstich, Lithographie u. Handzeichnung); **Gra|phi|ker**[1]**; gra|phisch**[1]**;** -e Darstellung (Schaubild); -es Gewerbe; **Gra|phit,** der; -s, -e (ein Mineral); **gra|phit|grau; Gra|pho|lo|ge,** der; -n, -n; **Gra|pho|lo|gie,** die; - (Lehre von der Deutung der Handschrift als Ausdruck des Charakters)
grap|schen (ugs. für: schnell nach etwas greifen; österr. ugs. für: stehlen)
Gras, das; -es, Gräser; **Gras|flä|che; gras|grün; Gras‿halm, ...hüp|fer** (ugs. für: Heuschrecke), **...mücke** [*Trenn.:* ...mük|ke] (die; -, -n; Singvogel)
gras|sie|ren (sich ausbreiten; wüten [von Seuchen])
gräß|lich; Gräß|lich|keit
Grat, der; -[e]s, -e (Kante; Bergkamm[linie]; Schneide); **Grä|te,** die; -, -n (Fischknochen); **grä|ten|los**
Gra|ti|fi|ka|ti|on [*...zion*], die; -, -en ([freiwillige] Vergütung, Entschädigung, [Sonder]zuwendung, Ehrengabe)
gra|tis; - und franko
Grät|sche, die; -, -n (eine Turnübung); **grät|schen** ([die Beine] seitwärts spreizen)
Gra|tu|lant, der; -en, -en; **Gra|tu|la|ti|on** [*...zion*], die; -, -en
gra|tu|lie|ren
◇ beglückwünschen, Glück wünschen (geh.), [seine] Glückwünsche übermitteln/überbringen/darbringen (geh.)
grau; der -e Alltag; - in - malen; **Grau,** das; -s, - u. (ugs.:) -s (graue Farbe); ein Anzug in -; **grau|blau; Grau|brot**
[1]**grau|en** (Furcht haben); mir (seltener: mich) graut [es] vor dir
[2]**grau|en** (allmählich hell, dunkel werden; dämmern); der Morgen graut
Grau|en, das; -s (Schauder, Furcht); **grau|en|er|re|gend; grau|en|haft; grau|en|voll**
grau|len (sich fürchten); es grault mir; (ugs.:) ich graule mich
gräu|lich, (auch:) **grau|lich** [zu: grau]; **grau|me|liert;** das -e Haar
Grau|pe, die; -, -n (meist *Mehrz.:* [Getreide]korn); **Grau|pel,** die; -, -n (meist *Mehrz.;* Hagelkorn); **grau|peln; Grau|pel|schau|er; Grau|pen|sup|pe**
Graus, der; -es (Schrecken); o -!
grau|sam; Grau|sam|keit; grau|sen (sich fürchten); mir (mich) grauste; sich -; **Grau|sen,** das; -s; **grau|sig** (grauenerregend, gräßlich); **graus|lich** (bes. österr. für: unangenehm, häßlich)
Gra|veur [*...wör*], der; -s, -e (Metall-, Steinschneider, Stecher); **gra|vie|ren** [*...wirᵉn*] ([in Metall, Stein] [ein]schneiden)
gra|vie|rend (erschwerend; belastend); **Gra|vi|ta|ti|on** [*...zion*], die; - (Schwerkraft, Anziehungskraft); **gra|vi|tä|tisch** (würdevoll)
Gra|zie [*...iᵉ*] (Anmut), die; -, -n; meist *Mehrz.* (eine der 3 röm. Göttinnen der Anmut; scherzh. für: anmutige, hübsche junge Dame)
gra|zil (schlank, geschmeidig)
gra|zi|ös (anmutig)
Green|horn [*grin...*], das; -s, -s (engl. Bez. für: Grünschnabel, Neuling)
gre|go|ria|nisch, aber: der Gregorianische Kalender
Greif, der; -[e]s u. -en, -en (Fabeltier [Vogel]; auch: Greifvogel)

[1] Häufig in eindeutschender Schreibung: Grafik, Grafiker, grafisch.

greif|bar; grei|fen; griff, gegriffen; um sich -; zum Greifen nahe; **Grei|fer**
grei|nen (ugs. für: weinen)
Greis, der; -es, -e; **Grei|sin,** die; -, -nen
grell; grellrot usw.
Gre|mi|um, das; -s, ...ien [...*iᵉn*] (Gemeinschaft, Körperschaft)
Gre|na|dier, der; -s, -e (Infanterist)
Gre|na|di|ne, die; - (Saft aus Granatäpfeln)
Gren|ze, die; -, -n; **gren|zen; gren|zenlos; Grenz‿fall** (der), **...gän|ger, ...über|tritt, ...ver|kehr**
Greu|el, der; -s, -; **Greu|el|tat; greulich**
Grie|be, die; -, -n (ausgebratener Speckwürfel); **Grie|ben‿fett** (das; -[e]s), **...wurst**
Grie|che, der; -n, -n; **grie|chisch**
grie|nen (ugs. für: spöttisch lächeln, grinsen)
Gries|gram, der; -[e]s, -e; **gries|gräm|mig**
Grieß, der; -es, -e; **Grieß|brei**
Griff, der; -[e]s, -e
◇ Handgriff, Henkel, Bügel, Knauf
griff|be|reit
Grif|fel, der; -s, -
griffest [*Trenn.:* griff|fest]; **grif|fig**
Grill, der; -s, -s (Bratrost)
[1]Gril|le, die; -, -n (Laune); **[2]Gril|le,** die; -, -n (ein Insekt)
gril|len (auf dem Grill braten)
Gri|mas|se, die; -, -n (Fratze)
grim|mig; Grim|mig|keit, die; -
Grind, der; -[e]s, -e (Schorf)
grin|sen
grip|pal = grippös; **Grip|pe,** die; -, -n (eine Infektionskrankheit); **Grip|pe‿epi|de|mie, ...vi|rus, ...wel|le; grippös** (Med.: grippeartig)
Grips, der; -es, -e (ugs. für: Verstand, Auffassungsgabe)
grob; gröber, gröbste; **Grob|heit; Grobi|an,** der; -[e]s, -e (grober Mensch)
Grog, der; -s, -s (heißes Getränk aus Rum [Arrak od. Weinbrand], Zucker u. Wasser); **grog|gy** [*...gi*] (Boxsport: schwer angeschlagen; auch allg. für: zerschlagen, erschöpft)
gröl|len (ugs. für: schreien, lärmen)
Groll, der; -[e]s; **grol|len**
Gros [*gro*], das; - [*gro(ß)*], - [*groß*] (Hauptmasse [des Heeres]); **Gro|schen,** der; -s, - (österr. Münze; Abk.: g [100 Groschen = 1 Schilling]; ugs. für: dt. Zehnpfennigstück); **Gro|schen|heft**
groß; größer, größte; großenteils, größer[e]nteils, größtenteils; im großen [und] ganzen; groß und klein (jedermann); die großen Ferien; etwas Großes; Otto der Große (Abk.: d. Gr.), *Wesf.:* Ottos des Großen
◇ weit, ausgedehnt, geräumig · hochgewachsen, von hohem Wuchs (geh.), stattlich, hochaufgeschossen, riesenhaft (ugs.), riesig, baumlang (ugs.), hünenhaft
groß|ar|tig; Groß|buch|sta|be; Größe, die; -, -n; **Groß‿el|tern** *(Mehrz.),* **...en|kel; Grö|ßen|wahn; grö|ßenwahn|sin|nig; grö|ßer;** vgl. groß; **Groß‿grund|be|sitz, ...han|del, ...händ|ler, ...her|zog, ...hirn, ...indu|stri|el|le**
Gros|sist (Großhändler)
groß|jäh|rig (volljährig); **Groß|jäh|rigkeit,** die; -; **Groß|kop|fe|te,** (bes. bayr., österr.:) **Groß|kop|fer|te,** der; -n, -n (ugs. abschätzig für: einflußreiche Persönlichkeit); **groß|ma|chen;** sich - (ugs. für: sich rühmen, prahlen); **Großmacht; Groß|manns|sucht,** die; -; **Groß|mut** (die; -); **groß|mü|tig; Groß|mut|ter** (*Mehrz.* ...mütter); **Groß|rei|ne|ma|chen,** das; -s; **großschrei|ben** (ugs. für: hochhalten, besonders schätzen); aber: **groß schrei|ben** (mit großem Anfangsbuchstaben schreiben); **Groß|schrei|bung; Groß‿stadt, ...städ|ter; größ|te;** vgl. groß; **Groß|teil,** der; **größ|ten|teils; größt|mög|lich,** dafür besser: möglichst groß; falsch: größtmöglichst; **groß|tun** (prahlen); **Groß|va|ter; groß|zie|hen** (Lebewesen aufziehen); **groß|zü|gig**
gro|tesk (wunderlich, grillenhaft; überspannt, verzerrt); **Gro|tes|ke,** die; -, -n (phantastische Erzählung; ins Verzerrte gesteigerter Ausdruckstanz)
Grot|te, die; -, -n
Grou|pie [*grupi*], das; -s, -s (weiblicher Fan, der engen Kontakt mit seinem Idol sucht; zu einer Gruppe im Underground gehörendes Mädchen)
Grüb|chen; Gru|be, die; -, -n
Grü|be|lei; grü|beln
Gru|ben‿ar|bei|ter, ...un|glück
grüb|le|risch
Gruft, die; -, Grüfte
grün; er ist mir nicht grün (ugs. für: gewogen); am grünen Tisch; die grüne Minna (ugs. für: Polizeiauto); dasselbe in Grün (ugs. für: [fast] genau dasselbe); der Grüne Donnerstag; **Grün,** das; -s, - (ugs.: -s) (grüne Farbe); bei Grün darf man die Straße überqueren; **Grün|an|la|ge** (meist *Mehrz.*)
Grund, der; -[e]s, Gründe; im Grunde; auf Grund[1] [dessen, von]; **Grund‿besitz, ...buch, ...ei|gen|tum, ...eis; grün|deln** (von Enten: Nahrung unter Wasser suchen)
grün|den; gegründet (Abk.: gegr.); er gründete seine Hoffnung auf ihre Aussa-

[1] Häufig auch schon: aufgrund.

ge; seine Ideen sind auf diese/(auch:) dieser Überzeugung gegründet
◇ begründen, konstituieren, einrichten, etablieren, errichten, instituieren, stiften
Grün|der; grund|falsch; Grund|ge|setz (Statut); Grundgesetz für die Bundesrepublik Deutschland vom 23. Mai 1949 (Abk.: GG); **grun|die|ren** (Grundfarbe auftragen); **Grund|la|ge; grund|le|gend; gründ|lich; Gründ|lich|keit,** die; -; **grund|los; Grund|nah|rungs|mit|tel**
Grün|don|ners|tag
Grund‿recht, ...satz; grund|sätz|lich; Grund|schu|le, ...stein, ...stück; Grund und Bo|den, der; - - -s; **Grün|dung; Grund‿was|ser** (*Mehrz.* ...wasser), **...zahl** (für: Kardinalzahl)
[1]**Grü|ne,** das; -n; Fahrt ins -; [2]**Grü|ne,** der u. die; -n, -n (meist *Mehrz.;* Angehörige[r] einer Gruppierung der Umweltschützer); **grü|nen** (grün werden); **Grün‿flä|che, ...kern** (Suppeneinlage), **...kohl** (der; -[e]s), **...schna|bel** (ugs. für: unreifer Mensch)
grun|zen
Grün|zeug
Grup|pe, die; -, -n
◇ Ansammlung, Haufe[n], Schar
Grup|pen‿bild, ...füh|rer, ...sex, ...the|ra|pie; grup|pie|ren; Grup|pie|rung;
Grus, der; -es, -e (verwittertes Gestein; zerbröckelte Kohle)
Gru|sel‿film, ...ge|schich|te; gru|se|lig, grus|lig (Furcht erregend); **Gru|sel|mär|chen; gru|seln;** mir od. mich gruselt's; **grus|lig** vgl. gruselig
Gruß, der; -es, Grüße; **grü|ßen;** grüß [dich] Gott! grüß Gott sagen
Grüt|ze, die; -, -n
G-Sai|te [*ge*...] (Musik)
gucken[1]**;** vgl. auch: kucken; **Guck|fen|ster; Guck|in|die|luft;** Hans -; **Guck|loch**
Gue|ril|la [*geril(j)a*], die; -, -s (Kleinkrieg) u. der; -[s], -s (meist *Mehrz.*) (Angehöriger einer Einheit, die einen Guerillakrieg führt); **Gue|ril|la|krieg**
Gu|gel|hopf (schweiz.: svw. Gugelhupf); **Gu|gel|hupf,** der; -[e]s, -e (südd., österr. u. seltener schweiz. für: Napfkuchen)
Guil|lo|ti|ne [*giljo*..., auch: *gijotine*], die; -, -n (Fallbeil)
Gu|lasch, das (auch: der, österr. nur: das); -[e]s, -e (österr. nur so) u. -s; **Gu|lasch‿ka|no|ne** (scherzh. für: Feldküche), **...sup|pe**
Gul|den, der; -s, - (niederl. Münzeinheit; Abk.: hfl)

---
[1]*Trenn.:* ...k|k...

Gul|ly, der (auch: das); -s, -s (in die Fahrbahndecke eingelassener, abgedeckter Abflußschacht)
gül|tig; Gül|tig|keit, die; -
Gum|mi, das (auch, österr. nur: der); -s, -[s], (Radiergummi:) der; -s, -s; **gum|mie|ren** (mit Gummi bestreichen); **Gum|mi‿lö|sung** (ein Klebstoff), **...pa|ra|graph,** der; -en, -en (unbestimmt formulierte Gesetzesvorschrift), **...soh|le, ...stie|fel**
Gunst, die -; zu seinen Gunsten, aber: zugunsten der Armen; **gün|stig; Günst|ling**
Gur|gel, die; -, -n; **gur|geln**
Gur|ke, die; -, -n; **Gur|ken|sa|lat**
gur|ren; die Taube gurrt
Gurt, der; -[e]s, -e; **Gür|tel,** der; -s, -; **Gür|tel‿li|nie, ...rei|fen**
Guß, der; Gusses, Güsse; **Guß|ei|sen**
Gu|sto, der; -s, -s (veralt. für: Geschmack, Geschmacksrichtung; Neigung)
gut; besser (vgl. d.), beste (vgl. d.); guten Abend sagen; im guten sagen; jenseits von Gut und Böse; des Guten zuviel tun; etwas Gutes; alles Gute; **Gut,** das; -[e]s, Güter; zugute halten; **Gut|ach|ten,** das; -s, -; **Gut|ach|ter; gut|ar|tig; gut|aus|se|hend; gut|bür|ger|lich; Gut|dün|ken,** das; -s; nach [seinem] -; **Gü|te,** die; -; **Gu|te|nacht|kuß; Gü|ter‿bahn|hof, ...zug; gut|ge|hen** (sich in einem angenehmen Zustand befinden; ein gutes Ende nehmen); das ist zum Glück noch einmal gutgegangen; aber: **gut ge|hen;** die Bücher werden gut gehen (gut abgesetzt werden); **gut|ge|hend;** ein -es Geschäft; **gut‿ge|launt, ...ge|meint**
gut|gläu|big
◇ vertrauensselig, vertrauensvoll, guten Glaubens, naiv, leichtgläubig, dumm
gut|ha|ben; (Kaufmannsspr.: zu fordern haben); du hast bei mir noch 10 DM gut; aber: **gut ha|ben;** er hat es zu Hause gut gehabt; **Gut|ha|ben,** das; -s, -; **gut|hei|ßen** (billigen); **gut|her|zig**
gü|tig
◇ herzlich, warmherzig, grundgütig, [herzens]gut, barmherzig, gnädig, mild
güt|lich; etwas - regeln; sich - tun; **gut|ma|chen** (auf gütlichem Wege erledigen, in Ordnung bringen; erwerben, Vorteil erringen); aber: **gut ma|chen** (gut ausführen); er hat seine Sache gut gemacht; **gut|mü|tig; Gut|mü|tig|keit,** die; -, (selten:) -en; **Guts|be|sit|zer; Gut|schein; gut|schrei|ben** (anrechnen); wir werden Ihnen den Betrag -; wir werden den Betrag auf Ihr Konto/(seltener:) auf Ihrem Konto -; **Gut|schrift** (Eintragung einer Summe als Guthaben); **gut sein** (freundlich gesinnt sein); jmdm. - -; **Gut|sel,** das; -s, - (landsch. für: Bon-

bon); **Guts‿herr, ...hof; gut|si|tu|iert** (in guten Verhältnissen lebend, wohlhabend); **gut|tun** (wohltun); die Wärme hat dem Kranken gutgetan; **gut|un|ter|rich|tet; gut wer|den;** das wird schon - -; **gut|wil|lig**

Gym|na|si|al|leh|rer; Gym|na|si|ast, der; -en, -en (Schüler eines Gymnasiums); **Gym|na|si|um,** das; -s, ...ien [...*iᵉn*] (in Deutschland, Österreich u. der Schweiz: Form der höheren Schule); **Gym|na|stik,** die; -

Gy|nä|ko|lo|ge, der; -n, -n (Frauenarzt); **Gy|nä|ko|lo|gie,** die; - (Frauenheilkunde); **gy|nä|ko|lo|gisch**

H

H (Buchstabe); das H; des H, die H

h, H, das; -, - (Tonbezeichnung)

ha! [oder: *ha*]; haha!

Haar, das; -[e]s, -e; vgl. aber: Härchen; **Haar|aus|fall; haa|ren;** sich -; der Hund hat sich gehaart; **Haa|res|brei|te,** die; -; um -; **Haar|far|be, haar|ge|nau; haar|scharf; Haar|spray; haar|sträu|bend; Haar‿teil** (das), **...wuchs|mit|tel**

Ha|be, die; -; vgl. Hab und Gut

ha|ben; hatte (hätte), gehabt; ich habe auf dem Tisch Blumen stehen (nicht: ... zu stehen)

◇ besitzen, sein eigen nennen, verfügen über, versehen/ausgestattet sein mit

Ha|ben, das; -s, -; [das] Soll und [das] -; **Ha|be|nichts,** der; - u. -es, -e; **Ha|ben|sei|te** (eines Kontos)

Hab|gier, die; -

◇ Habsucht, Unersättlichkeit, Raffgier, Gewinnsucht, Geldgier

hab|gie|rig

◇ habsüchtig, raffgierig, gewinnsüchtig, geldgierig, raffig (landsch.)

hab|haft; des Diebes - werden

Ha|bicht, der; -s, -e

Ha|bi|li|ta|ti|on [...*zion*], die; -, -en (Erwerb der Lehrberechtigung an Hochschulen); **ha|bi|li|tie|ren,** sich (die Lehrberechtigung an Hochschulen erwerben)

Hab|se|lig|keit, die; -, -en; meist *Mehrz.* (Besitztum); **Hab|sucht,** die; -; **hab|süch|tig; Hab und Gut,** das; - - -[e]s

hach!

Hach|se, (südd.:) Ha|xe, die; -, -n (unteres Bein von Kalb od. Schwein)

Hack‿beil, ...bra|ten

¹Hacke¹, die, -, -n u. Hacken¹ der; -s, - (Ferse)

²Hacke¹, die; -, -n (ein Werkzeug); **hak|ken** (hauen)

Hacken¹ vgl. ¹Hacke

Hacke|pe|ter¹, der; -s, - (nordd. für: ein Gericht aus Gehacktem); **Hacker** [*Trenn.:* Hak|ker] (auch für: jmd., der ständig neue Computerprogramme ausarbeitet oder ausprobiert oder sich mit seinem Heimcomputer Zugang zu fremden Computersystemen zu verschaffen sucht); **Hack|fleisch; Häck|sel,** das od. der; -s (Schnittstroh)

Ha|der, der; -s (Zank, Streit); **ha|dern**

Ha|des, der; - (Unterwelt)

Ha|fen, der; -s, Häfen (Lande-, Ruheplatz); **Ha|fen‿ar|bei|ter, ...rund|fahrt, ...stadt, ...vier|tel**

Ha|fer, der; -s, (fachspr.:) -; **Ha|fer‿brei, ...flocken¹** *(Mehrz.)*

Haff, das; -[e]s, -s od. -e (durch Nehrungen vom Meer abgetrennte Küstenbucht)

Haft, die; - (Gewahrsam); **Haft|be|fehl; haf|ten; haf|ten|blei|ben; haft|fä|hig; Häft|ling; Haft|pflicht; Haft|pflicht|ver|si|che|rung; Haf|tung**

Ha|ge|but|te, die; -, -n

Ha|gel, der; -s; **ha|geln;** es hagelt

ha|ger; Ha|ger|keit, die; -

Ha|ge|stolz, der; -es, -e ([alter] Junggeselle)

ha|ha!, ha|ha|ha!

Hä|her, der; -s, - (ein Rabenvogel)

Hahn, der; -[e]s, Hähne (in der Technik auch: -en); **Hähn|chen; Hah|nen|fuß** (auch [nur *Einz.*]: Wiesenblume); **Hahn|rei,** der; -[e]s, -e (betrogener Ehemann)

Hai, der; -[e]s, -e (ein Raubfisch); **Hai|fisch**

Hain, der; -[e]s, -e (dicht.: Wald, Lustwäldchen); **Hain|bu|che** (ein Baum)

Häk|chen (kleiner Haken); **hä|keln; Hä|kel|na|del; ha|ken; Ha|ken,** der; -s, -; **Ha|ken|kreuz**

halb; es ist halb eins; ein halbes Brot; alle halbe[n] Jahre; vor zwei und einer halben Stunde; zwei und ein halber Monat; einhalb Dutzend (neben: ein halbes Dutzend); einen Halben (Schoppen); das ist nichts Halbes und nichts Ganzes; **Halb|dun|kel; Hal|be,** der, die, das; -n, -n; **hal|be|hal|be;** [mit jemandem] - machen (ugs. für: teilen); **hal|ber;** *Verhältnisw.* mit *Wesf.:* gewisser Umstände -; **Halb|fi|na|le** (Sport); **hal|bie|ren; Halb|in|sel; halb|jäh|rig** (ein halbes Jahr alt, ein halbes Jahr dauernd); **halb|jähr|lich** (jedes Halbjahr wiederkehrend, alle halben Jahre); **Halb‿kreis, ...ku|gel; halb|links;** er spielt halblinks; **halb|mast** (als Zeichen der Trauer); [Flagge] - hissen; **Halb|mond; halb|of|fen;** die halboffene Tür; **halb|part** (zu gleichen Teilen); - machen (teilen); **Halb|pen|si|on,** die; - (Wohnung mit Frühstück u. einer warmen Mahlzeit); **halb|rechts;** er spielt halbrechts; **Halb_schlaf, ...schuh, ...schwer|ge|wicht** (Körpergewichtsklasse in der Schwerathletik); **halb|staat|lich;** ein -er Betrieb; **Halb|star|ke,** der; -n, -n; **Halb|tags|ar|beit; halb|voll;** ein halbvolles Glas; **Halb_wahr|heit, ...wai|se; halb|wegs; Halb_werts|zeit, ...wis|sen; Halb|wüch|si|ge,** der; -n, -n; **Halb|zeit**

Hal|de, die; -, -n

Hälf|te, die; -, -n; bessere - (scherzh. für: Ehefrau, -mann); **hälf|ten**

[1]**Half|ter,** der od. das; -s, - (Zaum ohne Gebiß)

[2]**Half|ter,** die; -, -n, auch: das; -s, - (Pistolentasche [am Sattel])

half|tern (das [1]Halfter anlegen)

Hall, der; -[e]s, -e

Hal|le, die;-, -n

hal|le|lu|ja!; Hal|le|lu|ja, das; -s, -s (liturg. Freudengesang)

hal|len (schallen)

Hal|len_bad, ...hand|ball

Hal|lig, die; -, -en (kleine nordfries. Insel im Wattenmeer)

Hal|li|masch, der; -[e]s, -e (ein Pilz)

hal|lo! [auch: *halo*]; **Hal|lo** [auch: *halo*], das; -s, -s; mit großem -

Hal|lu|zi|na|ti|on [*...zion*], die; -, -en (Sinnestäuschung)

Halm, der; -[e]s, -e

Hal|ma, das; -s (ein Brettspiel)

Hals, der; -es, Hälse; **Hals|ab|schnei|der; Hals|ket|te; Hals-Na|sen-Oh|ren-Arzt** (Abk.: HNO-Arzt); **Hals|schlag|ader; hals|star|rig; Hals|tuch** (*Mehrz.* ...tücher); **Hals über Kopf; Hals- und Bein|bruch!** (ugs.)

[1]**halt** (landsch. für: eben, wohl, ja, schon)

[2]**halt!;** halt!; **Halt,** der; -[e]s, -e; keinen - haben; **halt|bar; Halt|bar|keit,** die; -

hal|ten; hielt, gehalten; an sich -
◇ ansehen als/für, betrachten als, erachten für (geh.), beurteilen, auffassen, verstehen als (geh.), empfinden · anhalten, stoppen, stehenbleiben, zum Stehen/Stillstand kommen

Hal|te|punkt

Hal|te|rung (Haltevorrichtung)

Hal|te_stel|le, ...ver|bot (amtl.: Haltverbot); **halt|los;** -este; **Halt|lo|sig|keit,** die; -; **halt|ma|chen;** ich mache halt; **Hal|tung; Halt|ver|bot** vgl. Halteverbot

Hal|lun|ke, der; -n, -n (Schuft, Spitzbube)

Ham|bur|ger [auch: *hämbö'gᵉr*], der; -s, - (aufgeschnittenes, weiches Brötchen mit Hackfleisch und Zutaten)

hä|misch; -ste

Ham|mel, der; -s, - u. Hämmel; **Ham|mel|bein;** jmdm. die -e langziehen (ugs. für: jmdn. heftig tadeln; drillen); **Ham|mel_bra|ten, ...sprung** (parlamentar. Abstimmungsverfahren)

Ham|mer, der; -s, Hämmer (ein Werkzeug); **Häm|mer|chen; häm|mern; Ham|mer|wer|fen,** das; -s

Ham|mond|or|gel [*hämᵉnd...*] (elektroakustische Orgel)

Hä|mo|glo|bin, das; -s (roter Blutfarbstoff; Zeichen: Hb); **Hä|mor|rhoi|de,** die; -, -n (meist *Mehrz.*) (aus krankhaft erweiterten Mastdarmvenen gebildeter Knoten)

Ham|pel|mann (*Mehrz.* ...männer); **ham|peln** (zappeln)

Ham|ster, der; -s, - (ein Nagetier); **Ham|ste|rer** (Mensch, der [gesetzwidrig] Vorräte aufhäuft); **ham|stern**

Hand, die; -, Hände; an Hand (jetzt häufig: anhand) von Unterlagen; das ist nicht von der Hand zu weisen (ist möglich); eine Hand voll Muscheln; **Hand|ar|beit; hand|ar|bei|ten;** gehandarbeitet; vgl. aber: handgearbeitet; **Hand|ball; Hand_bal|ler** (Handballspieler), **...be|we|gung; hand|breit;** ein handbreiter Saum; **Hand|breit,** die; -, -; eine Handbreit; **Hand|brem|se; Händ|chen; Hän|de_druck** (*Mehrz.* ...drücke), **...klat|schen** (das; -s)

[1]**Han|del,** der; -s (Kaufgeschäft); - treiben; [2]**Han|del,** der; -s, Händel (Streit)

han|deln; es handelt sich um ...; er handelt mit/(in der Kaufmannsspr. auch:) in Textilien; **Han|deln,** das; -s; **Han|dels_ab|kom|men, ...bi|lanz; han|dels_ei|nig** od. **...eins; Han|dels|ha|fen, ...kam|mer, ...ma|ri|ne, ...schiff, ...schu|le, ...span|ne; han|dels|üb|lich; Han|dels|ver|trag**

Hän|de|rin|gen, das; -s; **hän|de|rin|gend; Hän|de|wa|schen,** das; -s; **Hand|fer|tig|keit; hand|fest; Hand_feu|er|waf|fe, ...flä|che; hand|ge|ar|bei|tet;** ein -es Möbelstück; **Hand_ge|men|ge, ...ge|päck; hand|ge|schrie|ben, Hand|gra|na|te; hand|greif|lich;** - werden; **Hand|griff; hand|groß;** ein -er Fleck; ein zwei Hand großer Fleck; **Hand|ha|be,** die; -, -n; **hand|ha|ben;** das ist schwer zu handhaben; **Hand|ha|bung**

Han|di|kap [*händikäp*], das; -s, -s (Benachteiligung, Behinderung; Sport: [Wettkampf mit] Ausgleichsvorgabe); **han|di|ka|pen** [*...käpᵉn*]; gehandikapt

Hand-in-Hand-Ar|bei|ten, das; -s; **Hand_kä|se, ...kuß, ...lan|ger, ...lauf** (an Treppengeländern)

Händ|ler

Hand|le|se|kunst, die; -; **hand|lich**

Hand|lung; Hand|lungs_ab|lauf, ...be|voll|mäch|tig|te (der u. die), **...rei|sen|de, ...wei|se** (die)
Hand_schel|le (Fessel; meist *Mehrz.*), **...schlag, ...schrift; hand|schrift|lich; Hand_schuh;** ein Paar -e, **...spie|gel, ...streich, ...ta|sche, ...tuch** (*Mehrz.* ...tücher); **Hand|um|dre|hen,** das; -s; im - (schnell [u. mühelos]); **Hand|voll,** die; -, -; **Hand_werk, ...wer|ker; Hand|werks_be|trieb, ...zeug; Hand_zei|chen, ...zet|tel**
ha|ne|bü|chen (ugs. für: derb, grob, unerhört)
Hanf, der; -[e]s (eine Faserpflanze); **Hänf|ling** (eine Finkenart); **Hanf|sa|me[n]**
Hang, der; -[e]s, Hänge; ein steiler -; einen - zur Übertreibung haben
Han|gar [auch: *...gar*], der; -s, -s ([Flugzeug]halle)
Hän|ge_bauch, ...brücke [*Trenn.:* ...brük|ke], **...lam|pe; han|geln** (Turnen); **Hän|ge|mat|te;** [1]**hän|gen;** hing, gehangen; der Rock hing an der Wand; die Wäsche hat auf der Leine gehangen; mit Hängen und Würgen (ugs. für: mit Müh und Not); [2]**hän|gen;** hängte, gehängt; ich hängte den Rock an die Wand; sie hat die Wäsche auf die Leine gehängt; **hän|gen|blei|ben;** er ist an einem Nagel hängengeblieben; von dem Gelernten ist wenig hängengeblieben; **hän|gen|las|sen** (vergessen); er hat seinen Hut hängenlassen; aber: **hän|gen las|sen;** kann ich meinen Hut hier hängen lassen?; **Hän|ger** (eine Mantelform; auch für: [Fahrzeug]anhänger)
Han|se, die; - (mittelalterl. niederd. Kaufmanns- u. Städtebund); **Han|se|at,** der; -en, -en (Hansestädter); **han|sea|tisch**
Hän|se|lei; hän|seln (necken)
Han|se|stadt; han|se|städ|tisch
Hans|wurst [auch: *hanß...*], der; -[e]s, -e (scherzh. auch: ...würste)
Han|tel, die; -, -n (Handturngerät)
han|tie|ren (umgehen mit ...)
ha|pern; es hapert (geht nicht vonstatten; fehlt [an])
Häpp|chen; Hap|pen, der; -s, -; **hap|pig** (gierig; ungewöhnlich stark)
Hap|py-End, (österr. auch:) Hap|py|end [*häpi änd*], das; -[s], -s (guter Ausgang)
Här|chen [zu: Haar]
Hard|top [*ha'd...*], das od. der; -s, -s (abnehmbares Kraftwagenverdeck; Sportwagen mit abnehmbarem Verdeck); **Hard|ware** [*ha'd"ä'*], die; -, -s (Datenverarbeitung: die apparativen [„harten"] Bestandteile der Anlage; Ggs.: Software)
Ha|rem, der; -s, -s (von Frauen bewohnter Teil des islam. Hauses; auch die Frauen darin)
Har|fe, die; -, -n; **Har|fe|nist,** der; -en, -en (Harfenspieler)
Har|ke, die; -, -n (nordd. für: Rechen); **har|ken** (rechen)
Har|le|kin [*hạrlekin*], der; -s, -e (Hanswurst; Narrengestalt)
Harm, der; -[e]s; **här|men,** sich; **harm|los; Harm|lo|sig|keit**
Har|mo|nie, die; -, ...ien; **har|mo|nie|ren; Har|mo|ni|ka,** die; -, -s u. ...ken (ein Musikinstrument); **har|mo|nisch; Har|mo|ni|um,** das; -s, ...ien [*...iᵉn*] od. -s (Tasteninstrument)
Harn, der; -[e]s, -e; **Harn|bla|se; har|nen**
Har|nisch, der; -[e]s, -e ([Brust]panzer); jmdn. in - (in Wut) bringen
Har|pu|ne, die; -, -n (Wurfspeer [für den Walfang])
har|ren
Harsch, der; -[e]s (hartgefrorener Schnee)
hart; härter, härteste; hart auf hart; **Här|te,** die; -, -n; **Här|te_aus|gleich, ...fall** (der); **här|ten;** sich -; **hart|ge|brannt; hart|ge|kocht; Hart|geld,** das; -[e]s; **hart|ge|sot|ten;** -er Sünder; **hart|her|zig; Hart|kä|se; hart|näckig** [*Trenn.:* ...näk|kig]; **Hart|näckig|keit** [*Trenn.:* ...näk|kig...], die; -
Harz, das; -es, -e (Stoffwechselprodukt einiger Pflanzen); **har|zen** (Harz ausscheiden)
Hasch, das; -s (ugs. für: Haschisch)
Ha|schee, das; -s, -s (Gericht aus feinem Hackfleisch)
[1]**ha|schen** (fangen)
[2]**ha|schen** (ugs. für: Haschisch rauchen)
Ha|schen, das; -s; - spielen
Häs|chen
Hä|scher (veralt. für: Gerichtsdiener)
ha|schie|ren (Haschee machen)
Ha|schisch, das; - (ein Rauschgift)
Ha|se, der; -n, -n; falscher Hase (Hackbraten)
Ha|sel, die; -, -n (ein Strauch); **Ha|sel_busch, ...maus, ...nuß**
Ha|sen_bra|ten, ...fuß, ...klein (das; -s; [Gericht aus] Innereien, Kopf u. Vorderläufen des Hasen), **...pfef|fer** (Hasenklein); **ha|sen|rein; Ha|sen|schar|te**
Haß, der; Hasses; - auf/gegen jmdn. schüren; **has|sen; haß|er|füllt; häß|lich; Häß|lich|keit; Haß|lie|be**
Hast, die; -; **ha|sten; ha|stig**
hät|scheln
hat|schi!, hat|zi! [auch: *hat...*] (das Niesen nachahmend)
Häub|chen; Hau|be, die; -, -n
Hau|bit|ze, die; -, -n (Flach- u. Steilfeuergeschütz)
Hauch, der; -[e]s, (selten:) -e; **hauch|dünn; hau|chen; hauch|zart**

Hau|de|gen (alter, erprobter Krieger)
Haue, die; - (ugs. für: Hiebe); - kriegen; **hau|en;** haute (für: „mit dem Säbel, Schwert schlagen, im Kampfe verwunden“ u. gehoben: hieb), gehauen (landsch.: gehaut); er hat ihm (auch: ihn) ins Gesicht gehauen; **Hau|er** (Bergmann mit abgeschlossener Ausbildung)
Häuf|chen; Hau|fen, der; -s, -; zuhauf; **häu|fen;** sich -; **hau|fen|wei|se; häu|fig; Häu|fig|keit,** die; -, (selten:) -en
Haupt, das; -[e]s, Häupter; **haupt|amt|lich; Haupt‿bahn|hof** (Abk.: Hbf.), **...be|ruf; haupt|be|ruf|lich; Haupt|dar|stel|ler; Haup|tes|län|ge;** um -; **Haupt‿fach, ...film, ...ge|bäu|de; Häupt|ling; Haupt‿mann** (*Mehrz.* ...leute), **...sa|che; haupt|säch|lich; Haupt‿satz, ...schu|le, ...stadt** (Abk.: Hptst.); **...stra|ße, ...teil** (der); **Haupt- und Staats|ak|ti|on; Haupt‿ver|kehrs|stra|ße** (die), **...ver|samm|lung, ...wort** (für: Substantiv; *Mehrz.* ...wörter)
hau ruck!, ho ruck!; **Hau|ruck,** das; -s; mit einem kräftigen -
Haus, das; -es, Häuser; außer Haus; zu, nach Hause (auch: Haus), von zu Haus[e] (ugs.)
◇ Gebäude, Anwesen (geh.), Bau[werk], Eigenheim, Villa
Haus|an|ge|stell|te, die
◇ Dienstmädchen, [Haus]mädchen, Haushilfe, dienstbarer Geist
Haus‿arzt, ...auf|ga|be; haus|backen [*Trenn.:* ...bak|ken]; **Haus‿bau** (*Mehrz.* ...bauten), **...be|set|zer** (jmd., der widerrechtlich in ein leerstehendes Haus einzieht), **...be|set|zung, ...be|sit|zer, ...be|woh|ner; Häus|chen,** das; -s, - u. Häuserchen); **hau|sen; Häu|ser‿block** (*Mehrz.* ...blocks), **...meer; Haus‿flur** (der), **...frau; haus|ge|macht;** -e Nudeln; **Haus|halt,** der; -[e]s, -e; **haus|hal|ten;** hielt haus, hausgehalten; **Haus|häl|te|rin,** die; -, -nen; **Haus|halt[s]‿geld, ...hilfe, ...jahr; Haus|herr; haus|hoch;** haushohe Wellen; **hau|sie|ren** (von Haus zu Haus Handel treiben); **Hau|sie|rer; Häus|ler** (Tagelöhner mit kleinem Grundbesitz); **häus|lich; Haus|ma|cher‿art** (die; -; nach -), **...wurst; Haus|manns|kost; Haus‿mar|ke, ...putz, ...rat** (der; -[e]s), **...schuh**
Hausse [*hoß^(e)*], die; -, -n ([starkes] Steigen der Börsenkurse od. Preise)
Haus‿stand (der; -[e]s), **...tier, ...tür**
Haut, die; -, Häute; zum Aus-der-Haut-Fahren; **Haut‿arzt, ...aus|schlag, Häut|chen; Haut|creme; häu|ten;** sich -; **haut|eng;** -es Kleid; **Haut‿far|be, ...krank|heit; haut|nah**

Ha|xe, die; -, -n (südd. Schreibung von: Hachse)
Ha|zi|en|da, die; -, -s (auch ...den) (südamerik. Farm)
he; heda!
Head|line [*hädlain*], die; -, -s (Schlagzeile; Überschrift)
Hea|ring [*hiring*], das; -[s], -s (öffentliche, parlamentarische Anhörung)
Heb|am|me, die; -, -n
He|bel, der; -s, -; **He|bel‿arm, ...griff; he|ben;** hob (höbe), gehoben
he|brä|isch; -e Schrift
He|chel, die; -, -n; **he|cheln**
Hecht, der; -[e]s, -e; **hech|ten** (ugs. für: einen Hechtsprung machen); **Hecht|sprung**
Heck, das; -[e]s, -e od. -s (Schiffshinterteil); **Heck|an|trieb; Hecke**[1], die; -, -n (Umzäunung aus Sträuchern); **Hecken|ro|se**[1]
Heck|meck, der; -s (ugs. für: Geschwätz, Unsinn)
Heck|mo|tor
he|da!
Heer, das; -[e]s, -e; **Hee|res‿be|richt, ...lei|tung; Hee|res|zug,** Heer|zug; **Heer‿füh|rer, ...la|ger** (*Mehrz.* ...lager); **Heer|zug,** Hee|res|zug
He|fe, die; -, -n; **He|fe‿**(veralt., aber noch landsch.: Hefen‿)**ku|chen, ...teig**
Heft, das; -[e]s, -e; **hef|ten;** geheftet (Abk.: geh.); die Akten wurden geheftet; **Hef|ter** (Mappe zum Abheften); **Heft‿fa|den, ...garn**
hef|tig; Hef|tig|keit
Heft‿klam|mer, ...pfla|ster
He|ge, die; - (alle Maßnahmen zur Pflege u. zum Schutz des Wildes)
He|ge|mo|nie, die; -, ...ien ([staatliche] Vorherrschaft)
he|gen
Hehl, das (auch: der); kein (auch: keinen) - daraus machen; **heh|len; Heh|ler; Heh|le|rei**
hehr (erhaben; heilig)
hei; heia|po|peia!, eia|po|peia!; **hei|da!** [auch: *haida*]
[1]**Hei|de,** der; -n, -n (Nichtchrist; Nichtjude; der Ungetaufte, auch: Religionslose)
[2]**Hei|de,** die; -, -n (sandiges, unbebautes Land; Heidekraut); **Hei|de|kraut,** das; -[e]s; **Hei|del|bee|re**
Hei|den‿tum (das; -s), **...volk**
hei|di! [auch: *haidi*] (niederd. für: lustig!; schnell!)
heid|nisch
Heid|schnucke[1] (Schaf einer bestimmten Rasse)
hei|kel (südd. u. österr. auch für: wählerisch [beim Essen]); ...k|le Fragen

---
[1] *Trenn.:* ...k|k...

heil
◇ ganz, unbeschädigt, unverletzt, unversehrt
Heil, das; -[e]s; Ski -!; **Heil|land,** der; -[e]s, -e; **Heil|an|stalt; heil|bar; Heil|butt,** der; -[e]s, -e (ein Fisch); **hei|len; Heil|er|de; heil|froh; Heil|gym|na|stik; hei|lig** (Abk.: hl.); das heilige Abendmahl; der Heilige Abend; **Hei|lig|abend; Hei|li|ge,** der u. die; -n, -n; **hei|li|gen; Hei|li|gen‿bild, ...schein; Hei|lig|geist|kir|che; hei|lig|hal|ten** (feiern); **Hei|lig|keit,** die; -; Seine - (der Papst); **hei|lig|spre|chen** (zum od. zur Heiligen erklären); **Hei|lig|tum; heil|kräf|tig; Heil|kun|de,** die; -, -n; **heil|kun|dig; heil|los; Heil‿pflan|ze, ...prak|ti|ker; Heils|ar|mee** (die; -); **Hei|lung; Hei|lungs|pro|zeß**
Heim, das; -[e]s, -e; **Heim|ar|beit**
Hei|mat, die; -, (selten:) -en
◇ Geburtsland, [Herkunfts]land, Heimatland, Vaterland
Hei|mat‿ha|fen, ...kun|de (die; -), **...land** (*Mehrz.* ...länder); **hei|mat|lich; hei|mat|los; Hei|mat‿stadt, ...ver|trie|be|ne; heim|be|ge|ben,** sich; **heim|be|glei|ten; heim|brin|gen; Heim|chen** (eine Grille); **Heim|com|pu|ter; hei|me|lig** (anheimelnd); **heim|fah|ren; Heim|fahrt; heim|füh|ren; Heim|gang,** der; -[e]s; **heim|ge|gan|gen; heim|ge|hen; hei|misch; Heim|kehr,** die; -; **heim|keh|ren; Heim‿keh|rer, ...lei|ter** (der); **heim|leuch|ten;** jmdm. - (ugs. für: derb abfertigen)
heim|lich
◇ im geheimen, [ins]geheim, im stillen, unbemerkt, latent, verstohlen, klammheimlich (ugs.)
Heim|lich‿keit, ...tu|er; heim|lich|tun (geheimnisvoll tun); er hat sehr heimlichgetan; aber: **heim|lich tun;** er hat es heimlich getan; **heim|rei|sen; heim|su|chen;** er wurde vom Unglück schwer heimgesucht; **Heim‿su|chung, ...tücke**[1]; **heim|tückisch**[1]; **Heim‿weg** (der; -[e]s), **...weh** (das; -s); **Heim|wer|ker** (jmd., der handwerkliche Arbeiten zu Hause selbst macht; Bastler); **heim|zah|len;** jmdm. etwas -
Hei|ni, der; -s, -s (ugs. für: einfältiger Mensch); ein doofer -
Hein|zel|männ|chen (hilfreicher Hausgeist)
Hei|rat, die; -, -en
hei|ra|ten
◇ sich verheiraten, ehelichen, sich verehelichen, sich vermählen (geh.), freien (landsch.), heimführen (dicht.), sich beweiben, unter die Haube kommen (ugs.), in den Ehestand treten (Amtsd.), eine Ehe eingehen (geh.), in den Hafen der Ehe einlaufen, den Bund fürs Leben schließen (geh.), Hochzeit machen/halten/feiern
Hei|rats‿an|trag, ...an|zei|ge, ...schwind|ler, ...ver|mitt|ler
hei|sa!, heißa!
hei|schen (geh., dicht.: fordern)
hei|ser; Hei|ser|keit, die; -, (selten:) -en
heiß; -er, -este; am -esten; jmdm. die Hölle heiß machen (ugs. für: jmdm. Angst machen); ein heißes Eisen (ugs. für: eine schwierige Angelegenheit); heißer Draht ([telefon.] Direktverbindung für schnelle Entscheidungen)
hei|ßa!, hei|sa!; **hei|ßas|sa!**
Heiß|be|hand|lung; heiß|blü|tig
hei|ßen (befehlen; nennen; einen Namen tragen); hieß, geheißen
heiß|er|sehnt; heiß|ge|liebt; Heiß|hun|ger; heiß|hung|rig; Heiß|man|gel, die; **heiß|um|strit|ten**
hei|ter
Hei|ter|keit, die; -
◇ Fröhlichkeit, Frohsinn (geh.), Freude, Vergnügtheit, gute Laune, blendende Laune, Lustigkeit, Ausgelassenheit
Hei|ter|keits|er|folg
hei|zen; Hei|zer; Heiz‿gas, ...kis|sen, ...kör|per, ...öl; Hei|zung
Hekt|ar [auch: *häk*...], das (auch: der); -s, -e (100 Ar; Zeichen: ha)
Hek|tik, die; - (fieberhafte Aufregung, nervöses Getriebe); **hek|tisch**
hek|to|gra|phie|ren (vervielfältigen); **Hek|to|li|ter** [auch: *häk*...] (100 l; Zeichen: hl)
hel|lau! (Fastnachtsruf)
Held, der; -en, -en; **hel|den|haft; Hel|den‿mut, ...tat, ...tod, ...tum** (das; -s); **Hel|din,** die; -, -nen
hel|fen; half (hülfe, selten: hälfe), geholfen; hilf!; sich zu - wissen
◇ beistehen, Beistand leisten, zur Seite stehen (geh.); unterstützen, unter die Arme greifen (ugs.), behilflich sein, Hilfe leisten, Hilfe bringen, zu Hilfe kommen/eilen (geh.), zur Hand gehen, Hand anlegen
Hel|fer
◇ Gehilfe, Beistand, Assistent, Adjutant, Hilfskraft
Hel|fers|hel|fer
He|li|ko|pter, der; -s, - (Hubschrauber)
He|li|um, das; -s (chem. Grundstoff, Edelgas; Zeichen: He)
hell
◇ licht (geh.), klar
hell|auf; - begeistert; **hell|blau; hell|blond; hell|dun|kel; hel|le** (landsch. für: aufgeweckt, gewitzt); [1]**Hel|le,** die; - (Helligkeit); [2]**Hel|le,** das; -n, (ugs. für: [ein Glas] helles Bier *Mehrz.*:) -n; 3 Helle

[1]*Trenn.:* ...k|k...

Hel|ler, der; -s, - (ehem. Münze); auf - u. Pfennig
hell|hö|rig (feinhörig; auch: schalldurchlässig); **hellicht** [*Trenn.:* hell|licht]; es ist -er Tag; **Hel|lig|keit,** die; -; **hel|li|la** [*Trenn.:* hell|li...]; **hell|se|hen** (nur in der Grundform gebräuchlich); **Hell|se|her; hell|wach**
Helm, der; -[e]s, -e (Kopfschutz; Turmdach)
hem!, hm!; **hem, hem!;** hm, hm!
Hemd, das; -[e]s, -en; **Hemd|blu|se; Hem|den|knopf; Hem|den|matz** (ugs. für: Kind im Hemd); **Hemds|är|mel** (meist *Mehrz.*); **hemds|är|me|lig**
He|mi|sphä|re, die; -, -n ([Erd]halbkugel)
hem|men; Hemm|nis, das; -ses, -se; **Hemm|schuh; Hem|mung**
hem|mungs|los
◇ zügellos, ungezügelt, unkontrolliert
Hendl, das; -s, -n (österr. für: [junges] Huhn; Back-, Brathuhn)
Hengst, der; -es, -e
Hen|kel, der; -s, -; **Hen|kel|krug**
hen|ken; Hen|ker; Hen|kers‿beil, ...mahl[|zeit] (letzte Mahlzeit)
Hen|ne, die; -, -n
He|pa|ti|tis, die; -, ...itiden (Med.: Leberentzündung)
her (Bewegung auf den Sprechenden zu); her zu mir!; hin und her!; vgl. hin
her|ab; her|ab|hän|gen; her|ab|las|sen; sich -; **Her|ab|las|sung; her|ab|se|hen;** auf jemanden -; **her|ab|set|zen; Her|ab|set|zung; her|ab|wür|di|gen; Her|ab|wür|di|gung**
He|ral|dik, die; - (Wappenkunde)
her|an; her|an|bil|den; her|an|fah|ren; her|an|ma|chen, sich (ugs. für: sich [mit einer bestimmten Absicht] nähern; beginnen); **her|an|rei|fen** (allmählich reif werden); **her|an|ta|sten,** sich; **her|an|wach|sen; Her|an|wach|sen|de,** der u. die; -n, -n; **her|an|wa|gen,** sich
her|auf; her|auf|be|schwö|ren; her|auf|zie|hen
her|aus; her|aus|be|kom|men; her|aus|fin|den; her|aus|for|dern
Her|aus|for|de|rung
◇ Provokation, Brüskierung
Her|aus|ga|be, die; -; **her|aus|ge|ben; Her|aus|ge|ber** (Abk.: Hg. u. Hrsg.); **her|aus|ge|ge|ben** (Abk.: hg. u. hrsg.); - von; **her|aus|ge|hen;** du mußt mehr aus dir -; **her|aus|ha|ben** (ugs. für: etw. gelöst haben); **her|aus|hal|ten;** sich -; **[1]her|aus|hän|gen;** vgl. [1]hängen; **[2]her|aus|hän|gen;** vgl. [2]hängen; **her|aus|kom|men;** es wird nichts dabei herauskommen; **her|aus|neh|men;** sich etwas -; **her|aus|rei|ßen; her|aus|rücken** [*Trenn.:* ...rük|ken]; mit der Sprache - (ugs.); **her|aus|stel|len;** es hat sich herausgestellt, daß ...; die Rede stellte sich als übler Angriff heraus; **her|aus|wach|sen**
herb
her|bei; her|bei|las|sen, sich; **her|bei|zi|tie|ren** (ugs.)
her|be|mü|hen; sich -
Her|ber|ge, die; -, -n
Herb|heit, die; -
her|bit|ten; er hat ihn hergebeten
her|brin|gen
Herbst, der; -[e]s, -e; **Herbst|an|fang; Herbst|blu|me; herb|steln** (österr. nur so), **herb|sten** (auch für: Trauben ernten); **Herbst|fe|ri|en** *(Mehrz.)*; **herbst|lich; Herbst|ling** (ein Pilz); **Herbst‿ne|bel, ...sturm, ...tag; Herbst|zeit|lo|se,** die; -, -en
Herd, der; -[e]s, -e
Her|de, die; -, -n
◇ Rudel, Meute, Schwarm
Her|den‿tier, ...trieb (der; -[e]s)
Herd‿feu|er, ...plat|te
her|ein; „Herein!" rufen; **her|ein|bre|chen; her|ein|brin|gen; her|ein|fah|ren; her|ein|fal|len; her|ein|kom|men; her|ein|las|sen; her|ein|le|gen; her|ein|plat|zen; her|ein|schlei|chen;** sich -; **her|ein|schnei|en** (ugs. für: unvermutet hereinkommen); **her|ein|spa|zie|ren**
her|fah|ren; Her|fahrt
her|fal|len; über jmdn. -
Her|gang
her|ge|ben; sich -
her|ge|hen; hinter jmdm. -; es ist hoch hergegangen
her|ge|hö|ren
her|ge|lau|fen; Her|ge|lau|fe|ne, der u. die; -n, -n
her|ha|ben (ugs.); ich frage mich, wo sie das wohl herhat
her|hal|ten (büßen)
her|hö|ren; alle mal -!
her|ho|len; das ist weit hergeholt
He|ring, der; -s, -e (ein Fisch; Zeltpflock); **He|rings‿fi|let, ...sa|lat**
her|kom|men
her|kömm|lich
◇ althergebracht, traditionell, konventionell, überkommen, überliefert
Her|kunft, die; -, (selten:) ...künfte
her|lau|fen; hinter jmdm. -
her|lei|hen (österr. für: verleihen)
her|lei|ten; sich -
her|ma|chen; sich über etwas -
[1]Her|me|lin, das; -s, -e (großes Wiesel); **[2]Her|me|lin,** der; -s, -e (ein Pelz)
her|me|tisch ([luft- u. wasser]dicht)
her|neh|men (ugs.)
her|nie|der

He|ro|in, das; -s (ein Rauschgift); **he|ro|isch** (heldenmütig, erhaben); **He|ro|is|mus,** der; -
Herr, der; -n (selten: -en), -en; mein -!; meine -en!; **Herr|chen**
Her|rei|se
Her|ren˯abend, ...aus|stat|ter, ...dop|pel (Sportspr.), **...ein|zel** (Sportspr.); **her|ren|los; Herr|gott,** der; -s; **Herr|gotts|frü|he,** die; -; in aller -
her|rich|ten; etwas - lassen
Her|rin, die; -, -nen; **her|risch; herr|je!, herr|je|mi|ne!; herr|lich; Herr|lich|keit; Herr|schaft; herr|schaft|lich; Herr|schafts˯an|spruch, ...form, ...wis|sen** (als Machtmittel genutztes [anderen nicht zugängliches] Wissen); **herr|schen;** sie herrschte über ein großes Land *(Wenf.),* aber: strenger Frost herrschte über der Taiga *(Wemf.);* **Herr|scher; Herrsch|sucht,** die; -; **herrsch|süch|tig**
her|rüh|ren
her|schau|en (ugs.); da schau her!
her|stel|len; Her|stel|ler; Her|stel|ler˯be|trieb, ...fir|ma; Her|stel|lung
her|über
her|um; her|um|är|gern, sich; **her|um|drücken** [*Trenn.:* ...drük|ken], sich (ugs.); **her|um|kom|men;** nicht darum -; **her|um|krie|gen** (ugs. für: umstimmen); **her|um|lau|fen; her|um|lun|gern** (ugs.); **her|um|schla|gen,** sich; **her|um|sit|zen; her|um|stö|bern**
her|um|trei|ben, sich
◇ umherstreifen, herumstreifen (ugs.), umherschweifen, herumstreichen, gammeln (ugs.), herumstrolchen (ugs.), herumstromern, [herum]vagabundieren, [herum]zigeunern
her|un|ter; her|un|ter|ge|kom|men (armselig; verkommen); **her|un|ter|hän|gen;** vgl. [1]hängen; **her|un|ter|krem|peln;** die Ärmel -; **her|un|ter|las|sen; her|un|ter|ma|chen** (ugs. für: abwerten, schlechtmachen; ausschelten); **her|un|ter|sein** (ugs. für: abgearbeitet, elend sein); **her|un|ter|spie|len** (ugs. für: nicht so wichtig nehmen)
her|vor; her|vor|bre|chen; her|vor|ge|hen; her|vor|he|ben; her|vor|keh|ren
her|vor|ra|gend
◇ ausgezeichnet, vorzüglich, [vor]trefflich, gut, ideal (ugs.), prima (ugs.), herrlich, exzellent (geh.), picobello (ugs.)
her|vor|tun, sich; er hat sich als Klassenbester hervorgetan
Her|weg
Herz, das; -ens, *Wemf.* -en, *Mehrz.* -en (Med. auch: des Herzes, am Herz, die Herze); von -en kommen; **herz|al|ler|liebst; Herz˯al|ler|lieb|ste, ...an|fall, ...blut; Herz|chen**
Her|zens˯be|dürf|nis, ...bre|cher; her|zens|gut; Her|zens˯gü|te, ...lust (nach -), **...wunsch; herz˯er|freu|end, ...er|grei|fend; Herz|feh|ler; herz˯för|mig, ...haft; Herz|haf|tig|keit,** die; -
her|zie|hen; er ist über ihn hergezogen (ugs.: hat schlecht von ihm gesprochen)
her|zig; Herz˯in|farkt, ...kam|mer, ...kir|sche, ...klap|pen|feh|ler, ...klop|fen (das; -s); **herz|krank; Herz|kranz|ge|fäß; herz|lich;** aufs, auf das -ste; **Herz|lich|keit; herz|los; Herz|lo|sig|keit; Herz˯mas|sa|ge, ...mit|tel,** (das); **...mus|kel**
Her|zog, der; -[e]s, ...zöge (auch: -e); **Her|zo|gin,** die; -, -nen; **Her|zog|tum**
Herz˯pa|ti|ent, ...schlag, ...schritt|ma|cher, ...schwä|che; herz|stär|kend; Herz˯still|stand, ...trans|plan|ta|ti|on
her|zu
Herz|ver|pflan|zung; herz|zer|rei|ßend
he|te|ro|gen (andersgeartet, ungleichartig, fremdstoffig); **He|te|ro|se|xua|li|tät,** die; - (auf das andere Geschlecht gerichtetes Empfinden im Ggs. zur Homosexualität); **he|te|ro|se|xu|ell**
Het|ze, die; -, -n; **het|zen**
Het|zer
◇ Aufwiegler, Aufhetzer, Demagoge
Het|ze|rei; Hetz˯jagd, ...re|de
Heu, das; -[e]s; **Heu|bo|den**
Heu|che|lei; heu|cheln; Heuch|ler; heuch|le|risch; Heuch|ler|mie|ne
heu|en (landsch. für: Heu machen)
heu|er (südd., österr., schweiz. für: in diesem Jahre)
Heu|er, die; -, -n (Löhnung, bes. der Schiffsmannschaft; Anmusterungsvertrag)
Heu˯ern|te, ...fie|ber (das; -s), **...ga|bel**
Heul|bo|je; heu|len; Heu|ler; Heul˯krampf, ...su|se (Schimpfwort)
Heu|ri|ge, der; -n, -n (bes. österr. für: junger Wein)
Heu˯schnup|fen, ...schrecke [*Trenn.:* ...schrek|ke] (die; -, -n; ein Insekt)
heu|te; - abend; - morgen; - mittag; die Frau von -; **Heu|te,** das; - (die Gegenwart); **heu|tig; heut|zu|ta|ge**
He|xa|eder, das; -s, - (Sechsflächner, Würfel)
He|xe, die; -, -n; **he|xen; He|xen˯jagd, ...kes|sel, ...mei|ster, ...schuß, ...tanz, ...ver|bren|nung; He|xer; He|xe|rei**
Hi|bis|kus, der; -, ...ken (Eibisch)
Hick|hack, der u. das; -s, -s (ugs. für:

Streiterei; törichtes, zermürbendes Hinundhergerede)
Hieb, der; -[e]s, -e; **hieb|fest;** hieb- und stichfest
hier; - und da; **hier|an** [auch: *hiran, hiran*]
Hier|ar|chie [*hi-er...*], die; -, ...ien (Rangordnung)
hier|auf [auch: *hirauf, hirauf*]; **hier|aus** [auch: *hiraus, hiraus*]; **hier|be|hal|ten** (behalten, nicht weglassen); **hier|bei**[1] [auch: *hirbai, hirbai*]; **hier|blei|ben; hier|durch**[1] [auch: *hirdurch, hirdurch*]; **hier|für**[1] [auch: *hirfür, hirfür*]; **hier|her**[1] [auch: *hirher, hirher*]; **hier|her|ge|hö|rend, hier|her|ge|hö|rig; hier|her|kom|men; hier|hin** [auch: *hirhin, hirhin*]; **hier|in** [auch: *hirin, hirin*]; **hier|las|sen; hier|mit**[1] [auch: *hirmit, hirmit*]
Hie|ro|gly|phe, die; -, -n (Bilderschriftzeichen; übertr. für: rätselhaftes Schriftzeichen)
hier|sein (zugegen sein); **Hier|sein,** das; -s; **hier|über** [auch: *hirüb^er, hirüb^er*]; **hie[r] und da; hier|von**[1] [auch: *hirfon, hirfon*]; **hier|zu**[1] [auch: *hirzu, hirzu*]; **hier|zu|lan|de**[1] [auch: *hir...*]
hie|sig; Hie|si|ge, der u. die; -n, -n
hie|ven [*...f^en*] (Seemannsspr.: eine Last auf- od. einziehen, hochstemmen)
Hi-Fi [*haifi,* auch: *haifai*] = High-Fidelity
high [*hai*] (in gehobener Stimmung nach dem Genuß von Rauschgift); **High-Fi|de|li|ty** [*haifidäliti,* auch: *...fai...*] (Gütebez. für hohe Wiedergabetreue bei Schallplatten u. elektroakustischen Geräten); **High-So|cie|ty** [*haiß^eßai^eti*], die; -, - (die gute Gesellschaft, die große Welt); **High-Tech** [*haitäk*], der; -[s] (Spitzentechnologie; moderner Stil der Innenarchitektur)
Hil|fe, die; -, -n; jmdm. zu - kommen; die Erste Hilfe (bei Verletzungen usw.); **Hil|fe‿lei|stung, ...ruf; Hil|fe|stel|lung; hil|fe|su|chend; hilf|los; Hilf|lo|sig|keit,** die; -; **hilf|reich; Hilfs|ar|bei|ter; hilfs|be|reit; Hilfs‿be|reit|schaft** (die; -), **...kraft** (die); **...mit|tel** (das), **...schu|le, ...zeit|wort**
Him|bee|re; Him|beer‿geist (der; -[e]s; ein Trinkbranntwein), **...saft** (der; -[e]s)
Him|mel, der; -s, -; um [des] -s willen; **him|mel|angst;** es ist mir -; **Him|mel|bett; him|mel|blau; Him|mel|fahrt; Him|mel|fahrts‿na|se, ...tag; him|mel|hoch; Him|mel|reich; him|mel|schrei|end; Him|mels‿kör|per, ...rich|tung; Him|mel[s]‿schlüs|sel** (der, auch: das; Schlüsselblume), **...stür|mer; him|mel|wärts; himm|lisch;** -ste

[1] Die Formen ohne „r" gelten in Norddeutschland als veraltend, in Süddeutschland, Österr. u. der Schweiz sind sie noch in Gebrauch

hin (Bewegung vom Sprechenden weg); bis zur Mauer hin
hin|ab; hin|ab‿fah|ren, ...stei|gen, ...stür|zen (sich -)
hin|ar|bei|ten; auf eine Sache -
hin|auf; hin|auf‿ge|hen, ...klet|tern, ...rei|chen, ...stei|gen, ...zie|hen (sich -)
hin|aus; hin|aus‿beu|gen, sich, **...ekeln** (ugs.), **...fah|ren, ...ge|hen, ...kom|pli|men|tie|ren, ...lau|fen** (aufs gleiche -), **...schmei|ßen** (ugs.), **...wa|gen,** sich, **...wol|len** (zu hoch -), **...zö|gern**
Hin|blick; in od. im - auf
hin|brin|gen
hin|der|lich
hin|dern
◇ verhindern, abhalten, verwehren (geh.), entgegenwirken, vereiteln, beeinträchtigen, blockieren
Hin|der|nis, das; -ses, -se; **Hin|der|nis‿lauf, ...ren|nen; Hin|de|rungs|grund**
hin|deu|ten
hin|durch
hin|ein; hin|ein‿fal|len, ...flüch|ten (sich -), **...ge|hen, ...ge|ra|ten** (in etwas -), **...re|den, ...schlit|tern** (ugs.), **...stei|gern, ...ver|set|zen** (sich -)
hin|fah|ren; Hin|fahrt
hin|fal|len
hin|fäl|lig
◇ gebrechlich, verfallen, elend, kachektisch, klapprig (ugs.)
Hin|fäl|lig|keit, die; -
Hin|ga|be, die; -; **hin|ga|be|fä|hig; hin|ge|ben; Hin|ge|bung; hin|ge|bungs|voll**
hin|ge|gen
hin|ge|hen
hin|ge|hö|ren
hin|ge|ris|sen (ugs. für: begeistert)
hin|ge|zo|gen; sich - fühlen
hin|hän|gen; vgl. [2]hängen
hin|hal|ten; hinhaltend antworten
hin|hau|en (ugs. für: zutreffen, in Ordnung gehen); sich - (ugs. für: sich schlafen legen)
hin|hor|chen
Hin|ke‿bein, ...fuß
hin|ken
◇ lahmen, humpeln (ugs.), gehbehindert sein
hin|krie|gen (ugs.)
hin|läng|lich
hin|neh|men; er nahm es als/wie selbstverständlich hin
Hin|rei|se; hin|rei|sen
hin|rei|ßen; sich - lassen; **hin|rei|ßend**

hin|rich|ten; Hin|rich|tung
hin|sa|gen; das war nur so hingesagt
hin|schau|en
hin|schicken [*Trenn.:* ...ik|ken]
hin|schla|gen; er ist lang hingeschlagen
hin|schlep|pen; sich -
hin|se|hen
hin|sein (ugs. für: völlig kaputt sein; tot sein; hingerissen sein)
hin|set|zen, sich -
hin|sicht|lich; *Verhältnisw.* mit *Wesf.:* - des Briefes; hochspr. mit *Wemf.,* wenn der *Wesf.* nicht erkennbar ist: - Angeboten und Preisen
hin|sie|chen
Hin|spiel (Sportstr.; Ggs.: Rückspiel)
hin|stel|len; sich -
hint|an|stel|len
hin|ten; hin|ten|drauf (ugs.); **hin|ten|her|um**
hin|ter; *Verhältnisw.* mit *Wemf.* u. *Wenf.:* - dem Zaun stehen, aber: - den Zaun stellen
Hin|ter‿ach|se, ...an|sicht, ...aus|gang
Hin|ter|blie|be|ne, der u. die; -n, -n
hin|ter|brin|gen (heimlich melden)
hin|ter|drein
hin|ter|ein|an|der; hin|ter|ein|an|der|schal|ten
Hin|ter|ein|gang
hin|ter|fot|zig (ugs. für: hinterlistig, heimtückisch)
hin|ter|fra|gen (nach den Hintergründen von etw. fragen)
Hin|ter|ge|dan|ke
hin|ter|ge|hen (täuschen, betrügen); hintergangen
Hin|ter|grund; hin|ter|grün|dig
hin|ter|ha|ken
Hin|ter|halt, der; -[e]s, -e; **hin|ter|häl|tig; Hin|ter|häl|tig|keit**
hin|ter|her [auch: *hin...*]
◇ nachher, später, danach, dann, [hieran] anschließend · rückblickend, retrospektiv
Hin|ter|hof
Hin|ter|kopf
Hin|ter|land, das; -[e]s
hin|ter|las|sen (zurücklassen, vererben); **Hin|ter|las|sen|schaft; Hin|ter|las|sung**
hin|ter|le|gen (als Pfand usw.)
Hin|ter|list; hin|ter|li|stig
Hin|ter|mann (*Mehrz.* ...männer)
Hin|tern, der; -s, - (ugs. für: Gesäß)
Hin|ter|rad
hin|ter|rücks
Hin|ter|sinn, der; -[e]s (geheime Nebenbedeutung); **hin|ter|sin|nig**
Hin|ter‿teil (das; Gesäß), **...tref|fen** (ins - kommen)
hin|ter|trei|ben (vereiteln)
Hin|ter|trep|pe
Hin|ter|tür
Hin|ter|wäld|ler
hin|ter|zie|hen (unterschlagen)
hin|tre|ten; vor jmdn. -
hin|über; - sein (ugs. für: verbraucht, verdorben, gestorben sein)
Hin und Her, das; - - -
hin|un|ter
hin|wärts
hin|weg
Hin|weg
hin|weg‿set|zen (sich darüber -), **...täu|schen, ...trö|sten**
Hin|weis, der; -es, -e
◇ Tip, Ratschlag, Fingerzeig, Wink
hin|wei|sen
hin|wen|den; sich -; **Hin|wen|dung**
hin|wer|fen; sich -
hin|zie|hen (verzögern)
hin|zie|len; auf Erfolg -
hin|zu
hin|zu‿fü|gen, ...kom|men; hinzu kommt, daß ...
Hi|obs|bot|schaft, die; -, -en (Unglücksbotschaft)
hipp, hipp, hurra!
Hip|pie [*hipi*], der; -s, -s (Jugendlicher, der sich zu einer antibürgerlichen, pazifistischen Lebensform bekennt)
Hirn, das; -[e]s, -e; **Hirn|ge|spinst; hirn|ris|sig** (ugs. für: unsinnig); **hirn|ver|brannt** (ugs. für: unsinnig)
Hirsch, der; -[e]s, -e; **Hirsch‿ge|weih, ...kä|fer, ...kalb, ...kuh**
Hir|se, die; -, (fachspr.:) -n
Hirt, der; -en, -en; **Hir|ten‿amt, ...brief** (bischöfl. Rundschreiben)
his|sen ([Flagge, Segel] hochziehen)
Hi|stör|chen (Geschichtchen); **Hi|sto|rie** [...*i*[e]], die; -, -n ([Welt]geschichte; früher auch: Erzählung, Bericht, Kunde); **Hi|sto|ri|ker** (Geschichtsforscher); **hi|sto|risch**
Hit, der; -[s], -s (ugs. für: erfolgreiches Musikstück, Spitzenschlager); **Hit|pa|ra|de**
Hit|ze, die; -; **hit|ze‿be|stän|dig, ...frei; Hit|ze|frei,** das; -; Hitzefrei od. hitzefrei haben, bekommen; *aber nur groß:* Hitzefrei erteilen; kein Hitzefrei haben, bekommen; **Hit|ze|wel|le; hit|zig; Hitz|kopf; hitz|köp|fig; Hitz|schlag**
hm!, hem!; **hm, hm!,** hem, hem!
ho!; ho|ho!; ho ruck!
Hob|by, das; -s, -s (Steckenpferd; Liebhaberei)
Ho|bel, der; -s, -; **Ho|bel|bank** (*Mehrz.* ...bänke); **ho|beln**
hoch; höher, höchst; auf hoher See; die Hohen Tauern
Hoch, das; -s, -s (Hochruf; Meteor.: Gebiet hohen Luftdrucks)

Hoch|ach|tung; hoch|ach|tungs-voll; Hoch|adel; hoch|ak|tu|ell; Hoch‿al|tar, ...amt; hoch|an|stän-dig; hoch|ar|bei|ten, sich -

Hoch|bau (*Mehrz.* ...bauten); **hoch|be-gabt; hoch‿bei|nig, ...be|tagt; Hoch|be|trieb,** der; -[e]s; **hoch|be-zahlt; Hoch|blü|te,** die; -; **Hoch|burg**

hoch|deutsch; hoch|do|tiert; Hoch-druck, der; -[e]s, (für: Erzeugnis im Hochdruckverfahren auch *Mehrz.:*) ...drucke

Hoch|ebe|ne; hoch|emp|find|lich; hoch|er|freut

hoch|fah|ren; hoch|fein; Hoch|fi-nanz, die; -; **hoch|flie|gen** (in die Höhe fliegen; auffliegen); **hoch|flie|gend; Hoch|form**

hoch|ge|bil|det; Hoch|ge|bir|ge; hoch|ge|ehrt; Hoch|ge|fühl; hoch-ge|hen (ugs. auch für: aufbrausen); **hoch|ge|le|gen;** höher gelegen, auch: höhergelegen, am höchsten gelegen, auch höchstgelegen; das höchstgelegene (falsch: höchstgelegenste) Solbad; **hoch-ge|mut; Hoch|ge|nuß; hoch‿ge-schlos|sen, ...ge|spannt; hoch|ge-steckt;** -e Ziele; **hoch|ge|stellt;** höhergestellt, höchstgestellt; **hoch|ge|sto-chen** (ugs. für: eingebildet); **hoch‿ge-wach|sen, ...ge|züch|tet**

Hoch|glanz; hoch|glän|zend; hoch-gra|dig

hoch|hackig [*Trenn.:* ...hak|kig]; **hoch-hal|ten**

Hoch|haus

◇ Wohnsilo, Wolkenkratzer (ugs.), Turmhaus

hoch|he|ben; hoch|herr|schaft|lich; hoch|her|zig

hoch|‿in|tel|li|gent, ...in|ter|es|sant

hoch|ja|gen (in die Höhe jagen)

hoch|kant; hoch|ka|rä|tig; hoch-kom|men (ugs.); **Hoch|kon|junk|tur; hoch|krem|peln; Hoch|kul|tur**

Hoch|land (*Mehrz.* ...länder, auch: ...lande); **hoch|le|ben;** jmdn. - lassen; **hoch|le|gen; Hoch|lei|stung; Hoch-lei|stungs‿mo|tor, ...sport; hoch-mo|dern**

Hoch‿moor, ...mut; hoch|mü|tig; Hoch|mü|tig|keit, die; -

hoch|nä|sig; hoch|neh|men (ugs. für: übervorteilen; hänseln, necken)

Hoch|ofen

hoch|päp|peln (ugs.); **Hoch|par|terre; hoch|pro|zen|tig**

hoch|qua|li|fi|ziert

hoch|räd|rig; hoch|rap|peln, sich (ugs.); **Hoch‿rech|nung, ...re|li|ef; hoch|rot; Hoch|ruf**

Hoch|sai|son; Hoch|schät|zung (die; -); **hoch|schla|gen; hoch-schrecken;** schreckte od. schrak hoch, hochgeschreckt; **Hoch‿schu|le, ...schü|ler; Hoch|see|fi|sche|rei; Hoch|si|cher|heits|trakt** (besonders ausbruchsicherer Teil bestimmter Strafvollzugsanstalten); **Hoch‿sitz** (Weidw.), **...som|mer, ...span|nung; Hoch-span|nungs|lei|tung; hoch|spie|len; Hoch|spra|che; hoch|sprach|lich; Hoch|sprung**

höchst; auf das höchste/aufs höchste (sehr) überrascht sein; den Sinn auf das Höchste/aufs Höchste richten

Hoch|sta|pe|lei; hoch|sta|peln; Hoch|stap|ler

Höchst|bie|ten|de, der u. die; -n, -n

hoch|ste|hend; höherstehend, höchststehend

höch|stens; Höchst‿fall, ...form, ...ge|schwin|dig|keit, ...grenze; Hoch|stim|mung; Höchst‿lei-stung, ...maß, das; **höchst|mög-lich,** dafür besser: möglichst hoch; falsch: höchstmöglichst; **höchst|per-sön|lich; Hoch|stra|ße; höchst-wahr|schein|lich**

hoch|tou|rig [...*tur*...]; **hoch|tra|bend; hoch|trei|ben**

hoch|ver|ehrt; Hoch‿ver|rat, ...ver-rä|ter

Hoch‿wald, ...was|ser (*Mehrz.* ...wasser); **hoch|wer|fen; hoch|wer|tig; hoch|wirk|sam; hoch|wohl|ge|bo-ren; Hoch|wür|den**

[1]Hoch|zeit (Feier der Eheschließung); **[2]Hoch|zeit** (Fest, Glanz, Hochstand); **Hoch|zeits‿fei|er, ...ge|schenk, ...rei|se, ...tag; hoch|zie|hen**

Hocke[1], die; -, -n (eine Turnübung); **hocken[1];** sich -; **Hocker[1]** (Schemel)

Höcker[1], der; -s, - (Buckel)

Hockey[1] [*hoki*], das; -s (eine Sportart)

Ho|de, der; -n, -n od. die; -, -n u. **Ho|den,** der; -s, - (Samendrüse)

Hof, der; -[e]s, Höfe; **Hof|da|me; hof-fä|hig**

Hof|fart, die; - (Hochmut)

hof|fen; hof|fent|lich; Hoff|nung; Hoffnung[en] auf jmdn., etw. setzen; **hoff|nungs|los; Hoff|nungs|lo|sig-keit,** die; -; **hoff|nungs|voll**

hof|hal|ten; Hof‿hal|tung, ...hund; ho|fie|ren (den Hof machen); jmdn. -; **hö|fisch; Hof|knicks**

höf|lich

◇ galant, aufmerksam, zuvorkommend, taktvoll

Höf|lich|keit; Höf|lich|keits‿be-such, ...flos|kel

Hof‿narr, ...pre|di|ger, ...rat (*Mehrz.* ...räte), **...schau|spie|ler, ...staat** (der;

---

[1] *Trenn.:* ...k|k...

-s), **...thea|ter, ...tor** (das), **...tür**

ho|he; der hohe Berg; das Hohe Haus (Parlament); **Hö|he,** die; -, -n

Ho|heit; Ho|heits_ge|biet, ...ge|wäs|ser *(Mehrz.)*

Hö|hen_an|ga|be, ...flug, ...krank|heit, ...la|ge, ...luft (die; -), **...mes|ser** (der), **...son|ne** (als (Wz): Ultraviolettlampe)

Ho|he|prie|ster, der; Hohenpriesters, Hohenpriester

Hö|he|punkt

hö|her; -e Gewalt; höhere Schule (Gymnasium), aber: Höhere Handelsschule in Stuttgart; **hö|her|ge|stellt** vgl. hochgestellt; **hö|her|stu|fen**

hohl; Höh|le, die; -, -n; **Höh|len_bär, ...be|woh|ner, ...for|schung, ...mensch; Hohl_ku|gel, ...maß,** das, **...raum, ...saum, ...spie|gel; hohl|wan|dig; Hohl|weg**

Hohn, der; -[e]s; **höh|nen; höh|nisch; hohn|la|chen;** ich hohnlache/ich lache hohn; jmdm. -; **hohn|spre|chen;** jmdm. -

Hö|ker (Kleinhändler); **hö|kern**

Ho|kus|po|kus, der; - (Zauberformel der Taschenspieler, Gaukelei; Blendwerk)

hold; hold|se|lig; Hold|se|lig|keit, die; -

ho|len (abholen); etwas - lassen

Höl|le, die; -, (selten:) -n; **Höl|len_angst, ...fahrt, ...ma|schi|ne, ...spek|ta|kel; höl|lisch**

Holm, der; -[e]s, -e (Griffstange des Barrens, Längsstange der Leiter)

Ho|lo|caust, der; -, -s (durch Verwüstung, Zerstörung, [Massen]vernichtung gekennzeichnetes Geschehen)

hol|p|rig; Holp|rig|keit

hol|ter|die|pol|ter!

hol|über! (Ruf an den Fährmann)

Ho|lun|der, der; -s, - (ein Strauch)

Holz, das; -es, Hölzer; **Holz_ap|fel, ...bein, ...bock, ...bo|den; hol|zen; höl|zern** (aus Holz); **Holz_fäl|ler, ...haus; hol|zig; Holz_klotz, ...koh|le, ...pflock, ...scheit, ...schnit|zer, ...schuh, ...sta|pel, ...stoß, ...trep|pe; holz|ver|ar|bei|tend; holz|ver|klei|det; Holz_weg, ...wol|le** (die; -), **...wurm**

Ho|mo, der; -s, -s (ugs. für: Homosexueller); **ho|mo|gen** (gleichartig, gleichgeartet; gleichstoffig); **ho|mo|ge|ni|sie|ren** (innig vermischen)

Ho|möo|pa|thie, die; - (ein Heilverfahren); **ho|möo|pa|thisch**

ho|mo|phil (svw. homosexuell); **Ho|mo|phi|lie,** die; - (svw. Homosexualität); **ho|mo|phon; Ho|mo|pho|nie,** die; - (Kompositionsstil mit nur einer führenden Melodiestimme)

Ho|mo sa|pi|ens [- *...pi-änß*], der; - - (wissenschaftl. Bez. für den vernunftbegabten Menschen)

Ho|mo|se|xua|li|tät, die; - (gleichgeschlechtliche Liebe [bes. des Mannes])

ho|mo|se|xu|ell

◇ invertiert (Med.), homophil, homoerotisch, schwul (ugs.), andersherum, von der anderen Fakultät, vom anderen Ufer

Ho|nig, der; -s, (für: Honigsorten *Mehrz.:*) -e; **Ho|nig_bie|ne, ...ku|chen; ho|nig|süß**

Ho|no|rar, das; -s, -e (Vergütung [für Arbeitsleistung in freien Berufen]); **Ho|no|rar|pro|fes|sor; ho|no|rie|ren** (bezahlen; vergüten)

Hop|fen, der; -s, - (eine Kletterpflanze; Bierzusatz)

hop|peln; hopp|la!; hops; - (ugs. für: verloren) gehen; **hop|sa! hop|sa|la!, hop|sa|sa!; hop|sen; Hop|ser**

Hör|ap|pa|rat; hör|bar; hor|chen

[1]**Hor|de,** die; -, -n (Flechtwerk; Lattengestell; Rost, Sieb zum Dörren [von Obst, Gemüse usw.])

[2]**Hor|de,** die; -, -n ([ungezügelte, wilde Kriegs]schar)

hö|ren; ich habe sie nicht kommen hören/gehört

◇ vernehmen (geh.), verstehen, horchen, lauschen, die Ohren aufsperren · erfahren, gehorchen

Hö|ren|sa|gen, das, nur in: er weiß es vom -; **Hö|rer; Hör_feh|ler, ...funk** (für: Rundfunk im Ggs. zum Fernsehen), **...ge|rät**

hö|rig; Hö|ri|ge, der u. die; -n, -n; **Hö|rig|keit,** die; -

Ho|ri|zont, der; -[e]s, -e (scheinbare Begrenzungslinie zwischen Himmel u. Erde); **ho|ri|zon|tal** (waagerecht); **Ho|ri|zon|ta|le,** die; -, -n; zwei Horizontale[n]

Hor|mon, das; -s, -e (Drüsenstoff; körpereigener Wirkstoff); **hor|mo|nal, hor|mo|nell; Hor|mon_be|hand|lung, ...haus|halt, ...prä|pa|rat**

Horn, das; -[e]s, Hörner u. (Hornarten:) -e; **Hörn|chen; Hör|ner|schlit|ten; Horn|haut; hor|nig**

Hor|nis|se [auch: *hor...*], die; -, -n (eine Wespenart)

Ho|ro|skop, das; -s, -e

hor|rend (schauderhaft; schrecklich; übermäßig); **hor|ri|bel** (grauenerregend; furchtbar)

Hör|rohr

Hor|ror, der; -s (Schauder, Abscheu)

Hör|saal

Hors|d'œu|vre [*ordöwr(e)*, auch: *or...*], das; -s, -s [*ordöwr(e)*] (Vorspeise)

Hör|spiel

Horst, der; -[e]s, -e (Raubvogelnest; Strauchwerk)

Hort, der; -[e]s, -e; **hor|ten** ([Geld usw.] aufhäufen)
Hor|ten|sie [...i^e], die; -, -n (ein Zierstrauch)
Hör|wei|te; in -
Hös|chen; Ho|se, die; -, -n; **Ho|sen‿an|zug, ...bund** (der; -[e]s, ...bünde), **...matz, ...schei|ßer** (derb für: ängstlicher Mensch), **...ta|sche, ...trä|ger** (meist *Mehrz.*)
ho|si|an|na! (Gebets- u. Freudenruf)
Hos|pi|tal, das; -s, -e u. ...täler (früher: Kranken-, Armenhaus, Altersheim); **hos|pi|tie|ren** (als Gast [in Schulen] zuhören); **Hos|piz,** das; -es (Beherbergungsbetrieb [mit christl. Hausordnung])
Ho|stess, (eingedeutscht auch:) **Ho|steß** [*hoßtäß* u. *hoßtäß*], die; -, ...tessen (Begleiterin, Betreuerin, Führerin [auf einer Ausstellung]; Auskunftsdame)
Ho|stie [...i^e], die; -, -n (Abendmahlsbrot)
Hot dog, das; - -s, - -s (heißes Würstchen in aufgeschnittenem Brötchen)
Ho|tel, das; -s, -s; **Ho|tel gar|ni** [*hotäl garni*], das; - -, -s -s [*hotäl garni*] (Hotel, das neben der Übernachtung nur Frühstück anbietet); **Ho|tel|zim|mer**
Hub, der; -[e]s, Hube (Weglänge eines Kolbens usw.)
hü|ben; - und drüben
Hub|raum; Hub|raum|steu|er, die
hübsch; Hübsch|heit, die; -
Hub|schrau|ber
Hucke[1], die; -, -n (niederd., ostmitteld. für: Rückenlast); **hucke|pack**[1]; - tragen
Hu|de|lei; hu|de|lig; hu|deln (nachlässig handeln)
Huf, der; -[e]s, -e; **Huf‿ei|sen, ...lat|tich** (Unkraut u. Heilpflanze), **...na|gel, ...schmied**
Hüf|te, die; -, -n; **Hüft‿ge|lenk, ...gür|tel, ...hal|ter, ...kno|chen, ...lei|den**
Hü|gel, der; -s, -; **hü|ge|lig; Hü|gel‿ket|te, ...land** (*Mehrz.* ...länder)
Huhn, das; -[e]s, Hühner
◇ Henne, Hinkel (landsch.), Glucke
Hühn|chen; Hüh|ner‿au|ge, ...brü|he, ...ei, ...fri|kas|see, ...hund
hui!, aber: im Hui, in einem Hui
Huld, die; -; **hul|di|gen; Hul|di|gung**
Hül|le, die; -, -n; **hül|len; hül|len|los**
Hül|se, die; -, -n (Kapsel[frucht]); **Hül|sen|frucht**
hu|man (menschlich; menschenfreundlich); **Hu|ma|nis|mus,** der; - (Bildungsideal der gr.-röm. Antike; Humanität); **hu|ma|ni|stisch;** -es Gymnasium; **hu|ma|ni|tär** (menschenfreundlich; wohltätig); **Hu|ma|ni|tät,** die; - (hohe Gesittung; humane Gesinnung)
Hum|bug, der; -s (Schwindel; Unsinn)

[1] *Trenn.:* ...k|k...

Hum|mel, die; -, -n (eine Bienenart)
Hum|mer, der; -s, - (ein Krebs)
Hu|mor, der; -s, (selten:) -e ([gute] Laune); **hu|mo|rig** (launig, mit Humor); **Hu|mo|rist,** der; -en, -en (jmd., der mit Humor schreibt, spricht, vorträgt usw.); **hu|mo|ri|stisch; hu|mor|los; Hu|mor|lo|sig|keit; hu|mor|voll**
hum|peln
Hum|pen, der; -s, -
Hu|mus, der; - (fruchtbarer Bodenbestandteil, organ. Substanz im Boden)
Hund, der; -[e]s, -e (Bergmannsspr. auch: Förderwagen)
◇ Köter, Promenadenmischung (ugs.), Töle (derb), Kläffer (ugs.), Wauwau
Hun|de‿art, ...biß; hun|de|elend (ugs. für: sehr elend); **Hun|de|hüt|te; hun|de|kalt** (ugs. für: sehr kalt); **Hun|de‿käl|te** (ugs.), **...ku|chen; hun|de|mü|de** (ugs. für: sehr müde)
hun|dert; hundert Menschen; bis hundert zählen; viele, mehrere hundert; hundert und aberhundert; einhundert, hundert[und]fünfzig; Tempo hundert (für: hundert Stundenkilometer); ein paar Hundert; die Hundert erreichen; viele, mehrere Hunderte; ein halbes Hundert; viele Hunderte, zu Hunderten; der Protest einiger Hunderte; der Protest Hunderter; Hunderte Jugendliche/Jugendlicher; Hunderte von Jugendlichen; [1]**Hun|dert,** die; -, -en (Zahl); [2]**Hun|dert,** das; -s, -e; [vier] vom Hundert (Abk.: v. H., p. c.; Zeichen: %); **Hun|der|ter,** der; -s, -; **hun|der|ter|lei; hun|dert|fach; Hun|dert|fa|che,** das; -n; **hun|dert|jäh|rig; hun|dert|mal; Hun|dert‿mark|schein, ...me|ter|lauf; hun|dert|pro|zen|tig; Hun|dert|schaft; hun|dert|ste; Hun|dert|stel,** das (schweiz. meist: der); -s, -; **Hun|dert|stel|se|kun|de; hun|dert|tau|send; hun|dert|[und|]ein[s]**
Hun|de‿sa|lon, ...steu|er, die, **...wet|ter** (das; -s; ugs. für: sehr schlechtes Wetter), **...zucht; Hün|din,** die; -, -nen; **hün|disch; hunds‿föt|tisch, ...ge|mein, ...mi|se|ra|bel**
Hü|ne, der; -n, -n; **hü|nen|haft**
Hun|ger, der; -s; vor - sterben
◇ Appetit, Eßlust, Bärenhunger, Riesenhunger, Kohldampf
Hun|ger‿kur, ...lei|der (ugs. für: armer Schlucker), **...lohn; hun|gern; Hun|gers|not; Hun|ger|streik; hung|rig**
Hu|pe, die; -, -n (Signalhorn); **hu|pen**
hüp|fen; Hüp|fer (kleiner Sprung)
Hup‿kon|zert
Hür|de, die; -, -n ([mit] Flechtwerk [eingeschlossener Raum]; Hindernis beim Hürdenlauf); **Hür|den|lauf**
Hu|re, die; -, -n; **hu|ren; Hu|ren‿bock**

(Schimpfwort), **...sohn** (Schimpfwort); **Hu|re|rei**

hur|ra! [auch: *hu*...]; hurra schreien; **Hur|ra** [auch: *hu*...], das; -s, -s

Hur|ri|kan [engl. Ausspr.: *harikᵉn*], der; -s, -e u. (bei engl. Ausspr.:) -s (Wirbelsturm in Mittelamerika)

hur|tig; Hur|tig|keit, die; -

husch!; hu|schen

hü|steln; hu|sten; Hu|sten, der; -s, (selten:) -; **Hu|sten‿an|fall, ...bon|bon, ...mit|tel** (das), **...reiz**

¹Hut, der; -[e]s, Hüte (Kopfbedeckung); **²Hut,** die; - (Schutz, Aufsicht); auf der - sein; **hü|ten;** sich -; **Hü|ter; Hut‿kof|fer, ...krem|pe, ...schach|tel, ...schnur;** das geht [jmdm.] über die - (ugs. für: das geht [jmdm.] zu weit)

Hüt|te, die; -, -n; **Hüt|ten‿ar|bei|ter, ...werk, ...we|sen** (das; -s)

hut|ze|lig, hutz|lig (dürr, welk; alt)

Hyä|ne, die; -, -n (ein Raubtier)

Hya|zinth, der; -[e]s, -e (ein Edelstein); **Hya|zin|the,** die; -, -n (eine Zwiebelpflanze)

Hy|dra, die; -, ...dren (ein Süßwasserpolyp)

Hy|drant, der; -en, -en (Anschluß an die Wasserleitung, Zapfstelle); **Hy|drau|lik,** die; - (Lehre von der Bewegung der Flüssigkeiten); **hy|drau|lisch** (mit Flüssigkeitsdruck arbeitend, mit Wasserantrieb)

Hy|dro|kul|tur, die; - (Pflanzenzucht in Nährlösungen ohne Erde)

Hy|gie|ne, die; - (Gesundheitslehre, -fürsorge, -pflege); **hy|gie|nisch**

Hy|gro|me|ter, das; -s, - (Luftfeuchtigkeitsmesser)

Hym|ne, die; -, -n (Festgesang; christl. Lobgesang; Weihelied)

Hy|per|bel, die; -, -n (Math.: Kegelschnitt)

hy|per|kor|rekt (überkorrekt); **hy|per|kri|tisch** (überstreng, tadelsüchtig)

hy|per|mo|dern (übermodern, übertrieben neuzeitlich)

hy|per|sen|si|bel

Hyp|no|se, die; -, -n (schlafähnl. Bewußtseinszustand, Zwangsschlaf); **Hyp|no|ti|seur** [...*sör*], der; -s, -e (die Hypnose Bewirkender); **hyp|no|ti|sie|ren** (in Hypnose versetzen)

Hy|po|chon|der [...*ch*...], der; -s, - (eingebildeter Kranker); **Hy|po|chon|drie,** die; - (Einbildung, krank zu sein)

Hy|po|thek, die; -, -en (im Grundbuch eingetragenes Pfandrecht an einem Grundstück; übertr. für: ständige Belastung); **Hy|po|the|se,** die; -, -n ([unbewiesene] wissenschaftl. Annahme)

Hy|ste|rie, die; -, ...ien (abnorme seel. Verhaltensweise); **Hy|ste|ri|ker; hy|ste|risch**

I

I (Buchstabe); das I; des I, die I; der Punkt auf dem i

ibe|risch (die Pyrenäenhalbinsel betreffend)

ich; Ich, das; -[s], -[s]; mein anderes -; **ich|be|zo|gen; Ich|form,** die; -; **Ich|ge|fühl; Ich|sucht,** die; -; **ich|süch|tig**

ide|al (nur in der Vorstellung existierend; der Idee entsprechend; musterhaft, vollkommen); **Ide|al,** das; -s, -e (dem Geiste vorschwebendes Muster der Vollkommenheit; Vor-, Wunschbild); **Ide|al‿bild, ...fall,** der, **...fi|gur; idea|li|sie|ren** (der Idee od. dem Ideal annähern; verklären); **Idea|lis|mus,** der; -, ...men (Wissenschaft von den Ideen; Überordnung der Gedanken-, Vorstellungswelt über die wirkliche [nur *Einz.*]; streben nach Verwirklichung von Idealen); **Idea|list,** der; -en, -en; **idea|li|stisch; Ide|al‿vor|stel|lung, ...zu|stand; Idee,** die; -, Ideen ([Ur]begriff, Urbild; [Leit-, Grund]gedanke; Einfall, Plan); eine - (ugs. auch für: eine Kleinigkeit); **ide|ell** (nur gedacht, geistig); **ide|en|los; ide|en|reich**

Iden|ti|fi|ka|ti|on [...*zion*], die; -, -en (Gleichsetzung, Feststellung der Identität); **iden|ti|fi|zie|ren** (einander gleichsetzen; [die Persönlichkeit] feststellen; etwas genau wiedererkennen); sich -; **iden|tisch** ([ein und] derselbe; übereinstimmend; völlig gleich); **Iden|ti|tät,** die; - (Wesenseinheit; völlige Gleichheit)

Ideo|lo|gie, die; -, ...ien (polit. Grundvorstellung; Weltanschauung; oft abwertend); **ideo|lo|gisch**

Idi|ot, der; -en, -en; **idio|ten|haft; Idio|ten|hü|gel** (ugs. scherzh. für: Hügel, an dem Anfänger im Skifahren üben); **idio|ten|si|cher** (ugs. für: so, daß niemand etwas falsch machen kann); **idio|tisch**

Idol, das; -s, -e (Götzenbild; Abgott; Publikumsliebling, Schwarm)

Idyll, das; -s, -e (Bereich, Zustand eines friedl. und einfachen, meist ländl. Lebens); **idyl|lisch** (das Idyll betreffend; ländlich; friedlich; einfach)

Igel, der; -s, -; **Igel|fisch**

Iglu, der od. das; -s, -s (runde Schneehütte der Eskimos)

Igno|rant, der; -en, -en („Nichtwisser";

Dummkopf); **Igno|ranz,** die; - (Unwissenheit, Dummheit)
igno|rie|ren (nicht wissen [wollen], absichtlich übersehen)
◇ nicht beachten, keine Beachtung schenken, wie Luft behandeln (ugs.), übersehen, hinwegsehen, keines Blickes würdigen, schneiden (ugs.), links liegenlassen (ugs.), nicht [mehr] ansehen/anschauen (ugs.)
ihm; ihn; ih|nen[1]
ihr[1]**, ih|re, ihr;** ihres, ihrem, ihren, ihrer; **ih|re**[1]**,** ih|ri|ge[1]; **ih|rer|seits**[1]**; ih|res|glei|chen**[1]**; ih|ret|we|gen**[1]**; ih|ret|wil|len**[1]**;** um -; **ih|ri|ge**[1]
Ike|ba|na, das; -[s] (die japanische Kunst des Blumensteckens)
Iko|ne, die; -, -n (Kultbild der Ostkirche)
il|le|gal [auch: *...al*] (ungesetzlich; unrechtmäßig); **Il|le|ga|li|tät** [auch: *il...*], die; -, -en; **il|le|gi|tim** [auch: *...im*] (ungesetzlich; unecht; unehelich); **Il|le|gi|ti|mi|tät** [auch: *il...*], die; -
il|loy|al [*iloajal,* auch: *...al*] (unehrlich; gesetzwidrig; übelgesinnt); **Il|loya|li|tät** [auch: *il...*], die; -, -en
il|lu|mi|nie|ren (festlich erleuchten; bunt ausmalen); **Il|lu|mi|nie|rung,** die; -, -en (Festbeleuchtung)
Il|lu|si|on, die; -, -en (auf Wünschen beruhende Einbildung, Wahn, Sinnestäuschung); **il|lu|so|risch** (nur in der Illusion bestehend; eingebildet, trügerisch)
Il|lu|stra|ti|on [*...zion*], die; -, -en (Erläuterung, Bildbeigabe, Bebilderung); **Il|lu|stra|tor,** der; -s, ...oren (Erläuterer [durch Bilder]; Künstler, der ein Buch mit Bildern schmückt); **il|lu|strie|ren** ([durch Bilder] erläutern; [ein Buch] mit Bildern schmücken; bebildern); **il|lu|striert; Il|lu|strier|te,** die; -n, -n
Il|tis, der; Iltisses, Iltisse (ein Raubtier; Pelz)
im (in dem); - Grunde [genommen]
Image [*imidsch*], das; -[s], -s [*...dschis*] (vorgefaßtes, festumrissenes Vorstellungsbild von einer Einzelperson od. einer Gruppe; Persönlichkeits-, Charakterbild); **ima|gi|när** (nur in der Vorstellung bestehend; scheinbar)
im all|ge|mei|nen
im Auf|trag, im Auf|tra|ge
im Be|griff, im Be|grif|fe; - - sein
im be|son|de|ren
Im|biß, der; Imbisses, Imbisse; **Im|biß-hal|le, ...stand, ...stu|be**
im Durch|schnitt
im Fall od. **Fal|le[,] daß**
im Grun|de; - - genommen
Imi|ta|ti|on [*...zion*], die; -, -en ([minderwertige] Nachahmung); **imi|tie|ren; imi|tiert** (nachgeahmt, künstlich, unecht)
im Jah|re (Abk.: i. J.)
Im|ker, der; -s, - (Bienenzüchter); **Im|ke|rei** (Bienenzucht; Bienenzüchterei)
Im|ma|tri|ku|la|ti|on [*...zion*], die; -, -en (Einschreibung in die Liste der Studierenden, Aufnahme an einer Hochschule; **im|ma|tri|ku|lie|ren**
im|mens (unermeßlich [groß])
im|mer; - wieder; für -; **im|mer|fort; im|mer|grün; Im|mer|grün,** das; -s, -e (eine Pflanze); **im|mer|hin; im|mer|wäh|rend; im|mer|zu** (fortwährend)
Im|mi|grant, der; -en, -en (Einwanderer); **im|mi|grie|ren**
Im|mis|si|on, die; -, -en (Einwirkung auf ein Nachbargrundstück [durch Gase, Dämpfe, Rauch u. a.])
Im|mo|bi|lie [*...ie*], die; -, -n; meist *Mehrz.* (Grundstück, Grundbesitz); **Im|mo|bi|li|en|händ|ler**
im|mun (unempfänglich [für Krankheit], gefeit; unter Rechtsschutz stehend; unempfindlich); **im|mu|ni|sie|ren** (unempfänglich machen [für Krankheit], feien); **Im|mu|ni|sie|rung,** die; -, -en; **Im|mu|ni|tät,** die; - (Unempfindlichkeit gegenüber Krankheitserregern; Persönlichkeitsschutz der Abgeordneten in der Öffentlichkeit)
im nach|hin|ein (bes. österr.: nachträglich, hinterher)
Im|pe|ra|tiv [auch: *...tif*], der; -s, -e [*...we*] (Sprachw.: Befehlsform, z. B. „lauf!, lauft!")
Im|per|fekt [auch: *...fäkt*], das; -s, -e (Sprachw.: erste Vergangenheit)
Im|pe|ria|lis|mus, der; - (Ausdehnungs-, Machterweiterungsdrang der Großmächte); **Im|pe|ria|list,** der; -en, -en; **im|pe|ria|li|stisch; Im|pe|ri|um,** das; -s, ...ien [*...ien*] (Kaiserreich; Weltreich)
im|per|ti|nent (frech, unverschämt)
imp|fen; Impf|ling; Impf‿pflicht, ...schein, ...stoff; Imp|fung; Impf-zwang, der; -[e]s
im|po|nie|ren (Achtung einflößen, [großen] Eindruck machen)
Im|port, der; -[e]s, -e (Einfuhr); **Im|por|te,** die; -, -n; meist *Mehrz.* (Importware); **Im|por|teur** [*...tör*], der; -s, -e ([Waren]einführer im Großhandel); **Im|port-ge|schäft, ...han|del; im|por|tie|ren**
im|po|sant (eindrucksvoll; großartig)
im|po|tent [auch: *...tänt*] ([geschlechtlich] unvermögend); **Im|po|tenz** [auch: *...tänz*], die; -, -en
im|prä|gnie|ren (feste Stoffe mit Flüssigkeiten zum Schutz vor Wasser, Zerfall u. a. durchtränken; mit Kohlensäure sättigen); **Im|prä|gnie|rung,** die; -, -en

[1] Als Anrede stets groß geschrieben.

Im|pres|si|on, die; -, -en (Eindruck; Empfindung; Sinneswahrnehmung)
Im|pres|sum, das; -, ...ssen (Verlags-, Redaktions- u. Druckvermerk in Büchern, Zeitungen, Zeitschriften)
Im|pro|vi|sa|ti|on [...*wisazion*], die; -, -en (Stegreifdichtung, -rede usw.; unvorbereitetes Handeln; Schnell...); **im|pro|vi|sie|ren** (etwas aus dem Stegreif tun)
Im|puls, der; -es, -e (Antrieb; Anregung; [An]stoß; Anreiz)
im|stan|de; - sein
im üb|ri|gen
im vor|aus [auch: - *forauß*]
[1]**in;** *Verhältnisw.* mit *Wemf.* u. *Wenf.:* ich gehe in dem (im) Garten auf und ab, aber: ich gehe in den Garten; im (in dem); ins (in das)
[2]**in;** - sein (ugs. für: dazugehören; zeitgemäß, modern sein)
in|ak|zep|ta|bel (unannehmbar)
In|an|griff|nah|me, die; -
In|an|spruch|nah|me, die; -
In|au|gen|schein|nah|me, die; -
in bar
In|be|griff, der; -[e]s (Gesamtheit; die unter einem Begriff gefaßten Einzelheiten; Höchstes)
In|be|sitz|nah|me, die; -, -n
In|be|trieb‿nah|me (die; -, -n), **...setzung**
in be|zug
In|brunst, die; -; **in|brün|stig**
in|dem; er diktierte den Brief, indem (während) er im Zimmer umherging
in|des, in|des|sen
In|dex, der; -[es], -e u. ...dizes [...*zeß*] (alphabet. Namen-, Sachverzeichnis; Liste verbotener Bücher; statistische Meßziffer)
In|dia|ner, der; -s, - (Angehöriger der Urbevölkerung Amerikas); **In|dia|ner‿buch, ...ge|schich|te**
In|dienst|stel|lung
in|dif|fe|rent [auch: ...*änt*] (unbestimmt, gleichgültig, teilnahmslos; wirkungslos)
In|di|ka|ti|on [...*zion*], die; -, -en (Merkmal; Med.: Heilanzeige); **In|di|ka|tiv** [auch ...*tif*], der; -s, -e [...*w*[e]] (Sprachw.: Wirklichkeitsform)
in|di|rekt [auch: ...*äkt*] (mittelbar; auf Umwegen; abhängig; nicht geradezu)
in|dis|kret [auch: ...*kret*] (nicht verschwiegen; taktlos; zudringlich); **In|dis|kre|ti|on** [...*zion*, auch: *in*...], die; -, -en (Vertrauensbruch; Taktlosigkeit)
in|dis|ku|ta|bel [auch: ...*ab*[e]*l*] (nicht der Erörterung wert); ...ble Vorschläge
In|di|vi|dua|lis|mus, der; - ([betonte] Zurückhaltung eines Menschen gegenüber der Gemeinschaft); **In|di|vi|dua|list,** der; -en, -en; **in|di|vi|dua|li|stisch** (nur das Individuum berücksichtigend; das Besondere, Eigentümliche betonend); **in|di|vi|du|ell** (dem Individuum eigentümlich; vereinzelt; besonders geartet); **In|di|vi|du|um** [...*u-um*], das; -s, ...duen [...*u*[e]*n*] (Einzelwesen, einzelne Person; verächtl. für: Kerl, Lump)
In|diz, das; -es, -ien [...*i*[e]*n*] (meist *Mehrz.;* Anzeichen, Verdacht erregender Umstand); **In|di|zes** (*Mehrz.* von: Index); **In|di|zi|en‿be|weis** (auf zwingenden Anzeichen und Umständen beruhender Beweis), **...ket|te, ...pro|zeß**
In|dok|tri|na|ti|on [...*zion*], die, -, -en ([ideologische] Beeinflussung); **in|dok|tri|nie|ren**
in|du|stria|li|sie|ren (Industrie auf- od. ausbauen); **In|du|stria|li|sie|rung,** die; -; **In|du|strie,** die; -, ...ien; **In|du|strie‿an|la|ge, ...be|trieb, ...er|zeug|nis, ...ge|biet, ...ge|werk|schaft** (Abk.: IG), **...kauf|mann, ...land, ...land|schaft; in|du|stri|ell** (die Industrie betreffend); **In|du|stri|el|le,** der; -n, -n (Inhaber eines Industriebetriebes); **In|du|strie‿ma|gnat, ...pro|dukt, ...staat, ...stadt, ...un|ter|neh|men, ...zweig**
in|ein|an|der; die Fäden haben sich ineinander (sich gegenseitig) verschlungen; **In|ein|an|der|grei|fen,** das; -s
in eins; in eins setzen (gleichsetzen); **In|eins|set|zung**
in|fam (niederträchtig, schändlich); **In|fa|mie,** die; -, ...ien
In|fan|te|rie|re|gi|ment (Abk.: IR.); **In|fan|te|rist,** der; -en, -en (Fußsoldat); **in|fan|te|ri|stisch; in|fan|til** (kindlich; unentwickelt, unreif); **In|fan|ti|li|tät,** die; -, -en
In|farkt, der; -[e]s, -e (Med.: Absterben eines Gewebeteils infolge Verschlusses von Arterien)
In|fek|ti|on [...*zion*], die; -, -en (Ansteckung durch Krankheitserreger); **In|fek|ti|ons‿ge|fahr, ...herd, ...krank|heit**
in|fer|na|lisch (höllisch; teuflisch); **In|fer|no,** das; -s (Hölle)
in|fil|trie|ren (eindringen; durchtränken)
in|fi|nit [auch: ...*nit*] (Sprachw.: unbestimmt); **In|fi|ni|tiv** [auch: ...*tif*], der; -s, -e [...*w*[e]] (Sprachw.: Grundform [des Zeitwortes], z. B. „erwachen")
in fla|gran|ti (auf frischer Tat); - - ertappen
In|fla|ti|on [...*zion*], die; -, -en (übermäßige Ausgabe von Zahlungsmitteln; Geldentwertung; übertr. auch: Überangebot); **in|fla|tio|när, in|fla|to|risch** (die Inflation betreffend; Inflation bewirkend)
in|fol|ge; *Verhältnisw.* mit *Wesf.:* - des schlechten Wetters; *Umstandsw.:* - von Massenunfällen kam es zu Staus; **in|fol|ge|des|sen**

In|for|mand, der; -en, -en (eine Person, die informiert wird); **In|for|mant,** der; -en, -en (eine Person, die informiert); **In|for|ma|tik,** die; - (Wissenschaft von der elektronischen Datenverarbeitung); **In|for|ma|ti|on** [...*zion*], die; -, -en (Auskunft; Nachricht); **In|for|ma|ti|ons-aus|tausch, ...be|dürf|nis, ...bü|ro, ...ma|te|ri|al, ...quel|le; in|for|ma|tiv** (belehrend; Auskunft gebend; aufschlußreich); **in|for|mell** [auch: ...*mäl*] (aufklärend; ohne Formalitäten); **in|for|mie|ren** (Auskunft geben; benachrichtigen); sich - (sich unterrichten, Auskünfte, Erkundigungen einziehen)

in Fra|ge; - - kommen, stehen, stellen

In|fra|rot (unsichtbare Wärmestrahlen, die im Spektrum zwischen dem roten Licht u. den kürzesten Radiowellen liegen); **In|fra|rot|hei|zung; In|fra-struk|tur,** die; -, -en (wirtschaftlich-organisatorischer Unterbau einer hochentwickelten Wirtschaft; Sammelbezeichnung für milit. Anlagen)

In|fu|si|on, die; -, -en (Eingießung; Med.: Einfließenlassen)

In|gang-hal|tung (die; -), **...set|zung** (die; -)

In|ge|nieur [*inscheniör*], der; -s, -e (Abk.: Ing.); **In|ge|nieur-aka|de|mie, ...be-ruf, ...bü|ro; In|ge|nieu|rin,** die; -, -nen; **In|ge|nieur|schu|le**

In|gre|di|enz, die; -, -en (meist *Mehrz.;* Zutat; Bestandteil)

In|grimm, der; -[e]s; **in|grim|mig**

Ing|wer, der; -s (eine Gewürzpflanze)

In|ha|ber; In|ha|be|rin, die; -, -nen

in|haf|tie|ren (in Haft nehmen); **In|haf-tie|rung; In|haft|nah|me,** die; -, -n

in|ha|lie|ren ([zerstäubte] Heilmittel einatmen; ugs. für: [beim Zigarettenrauchen] den Rauch [in die Lunge] einziehen)

In|halt; in|halt|lich; In|halts|an|ga-be; in|halt[s]-arm, ...los, ...schwer; In|halts-über|sicht, ...ver|zeich|nis; in|halt[s]|voll

in|hu|man [auch: ...*an*] (unmenschlich; rücksichtslos); **In|hu|ma|ni|tät** [auch: *in*...], die; -, -en

In|itia|le [*inizial*(*e*)], die; -, -n (großer [durch Verzierung u. Farbe ausgezeichneter] Anfangsbuchstabe); **in|itia|tiv** (die Initiative ergreifend; rührig); - werden; **In|itia|ti|ve** [...*we*], die; -, -n (erste tätige Anregung zu einer Handlung; auch das Recht dazu; Entschlußkraft, Unternehmungsgeist; schweiz. auch für: Volksbegehren); die - ergreifen; **In|itia|tor,** der; -s, ...oren (Urheber; Anreger; Anstifter)

In|jek|ti|on [...*zion*], die; -, -en (Med.: Einspritzung); **in|ji|zie|ren** (einspritzen)

In|kas|so, das; -s, -s od. (österr. nur:) ...ssi (Einziehung von Geldforderungen)

In|kauf|nah|me, die; -

in|klu|si|ve [...*we*] (einschließlich, inbegriffen; Abk.: inkl.); *Verhältnisw.* mit *Wesf.:* - des Verpackungsmaterials; auch ungebeugt: - Porto; mit *Wemf.,* wenn der *Wesf.* nicht erkennbar ist: - Getränken

in|ko|gni|to („unerkannt“; unter fremdem Namen); - reisen

in|kom|pe|tent [auch: ...*änt*] (nicht zuständig, nicht befugt); **In|kom|pe|tenz** [auch: ...*änz*], die -, -en

in|kon|se|quent [auch: ...*änt*] (folgewidrig; widersprüchlich; wankelmütig; unbeständig); **In|kon|se|quenz** [auch: ...*änz*], die; -, -en

in|kor|rekt [auch: ...*äkt*] (unrichtig; fehlerhaft [im Benehmen]; unzulässig); **In-kor|rekt|heit** [auch: ...*äkt*...]

in Kraft; vgl. Kraft; **In|kraft|set|zung; In|kraft|tre|ten,** das; -s (eines Gesetzes)

In|ku|ba|ti|ons|zeit (Zeit von der Infektion bis zum Ausbruch einer Krankheit)

In|land, das; -[e]s; **In|land|eis; In|län-der,** der; **In|län|de|rin,** die; -, -nen; **In|lands-markt, ...nach|fra|ge, ...preis, ...rei|se**

In|lett, das; -[e]s, -e (Baumwollstoff [für Federbetten u. -kissen])

in|lie|gend

in me|mo|ri|am (zum Gedächtnis)

in|mit|ten (geh.); *Verhältnisw.* mit *Wesf.:* - des Sees

in|ne|ha|ben; er hat dieses Amt innegehabt

in|nen; von, nach -; - und außen; **In|nen-an|ten|ne, ...ar|chi|tekt, ...ar|chi-tek|tur, ...auf|nah|me, ...aus|stat-tung, ...hof, ...le|ben, ...mi|ni|ster, ...mi|ni|ste|ri|um, ...po|li|tik; in|nen-po|li|tisch; In|nen|raum**

In|nen|stadt

◇ Stadtmitte, Stadtkern, Altstadt, [Stadt]-zentrum, City

in|ner-be|trieb|lich, ...deutsch; in-ne|re; innerste; zuinnerst; die -e Medizin; -e Angelegenheiten eines Staates; **In-ne|re,** das; ...r[e]n; mein ganzes -s; eine Kutsche mit weißem -m/(seltener:) -n; das Ministerium des Innern; **In|ne|rei,** die; -, -en (meist *Mehrz.;* eßbares Tiereingeweide); **in|ner|halb;** *Verhältnisw.* mit *Wesf.:* - eines Jahres, zweier Jahre; mit *Wemf.,* wenn der *Wesf.* nicht erkennbar ist: - vier Jahren, vier Tagen; *Umstandsw.:* - von Berlin; - von drei Jahren; **in|ner|lich; In|ner|lich|keit,** die; -; **in-ner|par|tei|lich; In|ner|ste,** das; -n

in|ne|sein; er ist dieses Erlebnis innegewesen, aber: ehe er dessen inne ist, war; **in|ne|wer|den;** sie ist dieses Erlebnisses innegeworden, aber: ehe er dessen inne wurde; **in|ne|woh|nen**

in|nig; In|nig|keit, die; -; **in|nig|lich; in|nigst**

In|no|va|ti|on [*...wazion*], die; -, -en (Entwicklung neuer Ideen, Techniken, Produkte o. ä.)

In|nung; In|nungs|mei|ster

in|of|fi|zi|ell [auch: *...äl*] (nichtamtlich; außerdienstlich; auch: vertraulich)

in pet|to; etwas - - (ugs. für: im Sinne, bereit) haben

in punc|to (hinsichtlich)

In|put, das; -s, -s (EDV: in eine Datenverarbeitungsanlage eingegebene Daten)

In|qui|si|ti|on [*...zion*], die; -, -en (früheres kath. Ketzergericht; [strenge] Untersuchung); **in|qui|si|to|risch**

ins (in das)

In|sas|se, der; -n, -n

ins|be|son|de|re, ins|be|sond|re

In|schrift

In|sekt, das; -[e]s, -en (Kerbtier); **In|sek|ten‿be|kämp|fung; in|sek|ten|fres|send; In|sek|ten‿fres|ser, ...stich, ...ver|til|gungs|mit|tel**

In|sel, die; -, -n

◇ Eiland, Atoll, Hallig, Schäre, Au[e], Klippe, Riff

In|sel‿be|woh|ner, ...grup|pe, ...la|ge (die; -), **...land** (*Mehrz.* ...länder)

In|se|mi|na|ti|on [*...zion*], die; -, -en (künstliche Befruchtung)

In|se|rat, das; -[e]s, -e (Anzeige [in Zeitungen usw.]); **In|se|ra|ten|teil,** der; **In|se|rent,** der; -en, -en (Aufgeber eines Inserates); **in|se|rie|ren** (ein Inserat aufgeben)

ins|ge|heim; ins|ge|samt

In|si|der [*inßaid^er*], der; -s, - (jmd., der interne Kenntnisse von etwas besitzt, Eingeweihter)

In|si|gni|en [*...i^en*] (*Mehrz.;* Kennzeichen staatl. od. ständischer Macht u. Würde)

in|so|fern

in|sol|vent [auch: *insolwänt*] (zahlungsunfähig); **In|sol|venz** [auch: *insolwänz*], die; -, -en

in|so|weit [auch: *insoweit*]

in spe [*- ßpe*] (zukünftig)

In|spek|ti|on [*...zion*], die; -, -en (Prüfung, Kontrolle, Besichtigung, Aufsicht; Behördenstelle, der die Aufsicht obliegt; Aufsichts-, Prüfstelle); **In|spek|ti|ons‿fahrt, ...gang** (der), **...rei|se; In|spek|tor,** der; -s, ...oren (Aufseher, Vorsteher, Verwalter; Verwaltungsbeamter)

In|spi|ra|ti|on [*zion*], die; -, -en (Eingebung; Erleuchtung; Beeinflussung); **in|spi|rie|ren**

in|spi|zie|ren (be[auf]sichtigen); **In|spi|zie|rung,** die; -, -en

In|stal|la|teur [*...tör*], der; -s, -e (Einrichter u. Prüfer von techn. Anlagen [Heizung, Wasser, Gas]); **In|stal|la|ti|on** [*...zion*], die; -, -en (Einrichtung, Einbau, Anlage, Anschluß [von techn. Anlagen]); **in|stal|lie|ren**

in|stand|be|set|zen (ein leerstehendes Haus besetzen u. wieder bewohnbar machen); **In|stand‿be|set|zer, ...be|set|zung**

in|stand hal|ten; er hat den Garten gut instand gehalten; **In|stand|hal|tung; In|stand|hal|tungs|ko|sten** (*Mehrz.*)

in|stän|dig (eindringlich; flehentlich); **In|stän|dig|keit,** die; -

in|stand set|zen; eine Maschine instand setzen; der instand zu setzende/instandzusetzende Motor; **In|stand|set|zung**

In|stanz, die; -, -en (zuständige Stelle bei Behörden od. Gerichten; Dienstweg)

In|stinkt, der; -[e]s, -e (angeborene Verhaltensweise; sicheres Gefühl); **In|stinkt|hand|lung; in|stink|tiv** (trieb-, gefühlsmäßig); **in|stinkt|los; In|stinkt|lo|sig|keit**

In|sti|tut, das; -[e]s, -e (Unternehmen; Bildungs-, Forschungsanstalt); **In|sti|tu|ti|on** [*...zion*], die; -, -en (Einrichtung; Stiftung)

In|struk|ti|on [*...zion*], die; -, -en (Anleitung; [Dienst]anweisung); **in|struk|tiv** (lehrreich)

In|stru|ment, das; -[e]s, -e; **In|stru|men|tal|mu|sik; In|stru|men|ten‿bau, ...kun|de**

in|sze|nie|ren (eine Bühnenaufführung vorbereiten); **In|sze|nie|rung,** die; -, -en

in|takt (unversehrt, unberührt); **In|takt|heit,** die; -; **In|takt|sein,** das; -s

in|te|ger (unbescholten; unversehrt); **in|te|gral** (ein Ganzes ausmachend); **In|te|gral,** das; -s, -e (Math.: Zeichen: ∫); **In|te|gral‿helm** (Sturzhelm), **...rech|nung; in|te|grie|ren** (ergänzen; zusammenschließen [in ein übergeordnetes Ganzes]); **in|te|grie|rend** (unerläßlich, notwendig, wesentlich); **In|te|gri|tät,** die; - (Unversehrtheit, Unbescholtenheit)

In|tel|lekt, der; -[e]s (Verstand; Erkenntnis-, Denkvermögen); **in|tel|lek|tu|ell** (den Intellekt betreffend; [einseitig] verstandesmäßig; geistig); **In|tel|lek|tu|el|le,** der u. die; -n, -n ([einseitiger] Verstandesmensch; geistig Geschulte[r]); **in|tel|li|gent** (verständig; klug, begabt); **In|tel|li|genz,** die; -, -en (besondere geistige Fähigkeit, Klugheit; in der *Einz.* auch: Schicht der wissenschaftl. Gebildeten); **In|tel|li|genz‿prü|fung** (Eignungsprüfung), **...quo|ti|ent** (Zahlenwert aus dem Verhältnis der bei jmdm. vorhandenen zu der seinem Alter angemessenen Intelligenz; Abk.: IQ), **...test**

In|ten|dant, der; -en, -en (Leiter eines Theaters, eines Rundfunk- od. Fernsehsenders)

In|ten|si|tät, die; -, (selten:) -en (Stärke, Kraft; Wirksamkeit); **in|ten|siv** (eindringlich; kräftig; gründlich; durchdringend); **in|ten|si|vie|ren** [...*wir*ᵉ*n*] (verstärken, steigern); **In|ten|si|vie|rung,** die; -, -en; **In|ten|siv‿pfle|ge, ...sta|ti|on**

In|ten|ti|on [...*zion*], die; -, -en (Absicht; Plan; Vorhaben)

In|ter|ci|ty-Zug [...*ßiti*...] (schneller, zwischen bestimmten Großstädten eingesetzter Eisenbahnzug; Abk.: IC)

in|ter|es|sant

◇ anregend, ansprechend, spannend, fesselnd, reizvoll, ergreifend, lehrreich, instruktiv, aufschlußreich, bemerkenswert, beachtenswert, wissenswert, markant

in|ter|es|san|ter|wei|se; In|ter|es|se, das; -s, -n; - an, für etwas haben; **in|ter|es|se|hal|ber; in|ter|es|se|los; In|ter|es|se|lo|sig|keit,** die; -; **In|ter|es|sen‿be|reich, ...ge|biet, ...ge|gen|satz, ...ge|mein|schaft** (Zweckverband), **...sphä|re** (Einflußgebiet); **In|ter|es|sent,** der; -en, -en, **In|ter|es|sen‿ver|band, ...ver|tre|tung; in|ter|es|sie|ren** (Teilnahme erwecken); jmdn. an, für etw. -; sich - (Anteil nehmen, Sinn haben) für ...; **in|ter|es|siert** (Anteil nehmend; beteiligt); er ist an diesem Buch - (nicht: er interessiert sich an diesem Buch); **In|ter|es|siert|heit,** die; -

In|te|rieur [*ängteriör*], das; -s, -s u. -e (Ausstattung eines Innenraumes; einen Innenraum darstellendes Bild)

In|ter|jek|ti|on [...*zion*], die; -, -en (Sprachw.: Ausrufe-, Empfindungswort, z. B. „au", „bäh")

in|ter|kon|ti|nen|tal (Erdteile verbindend); **In|ter|kon|ti|nen|tal|ra|ke|te**

In|ter|mez|zo, das; -s, -s u. ...zzi (Zwischenspiel, -fall)

in|tern (nur die inneren, eigenen Verhältnisse angehend; vertraulich; [von Schülern:] im Internat wohnend); **In|ter|nat,** das; -[e]s, -e (Schule mit Wohnung und Verpflegung)

in|ter|na|tio|nal [...*nazional*] (zwischenstaatlich, nicht national begrenzt); -e Vereinbarung, Internationales Rotes Kreuz

in|ter|nie|ren (in staatl. Gewahrsam, in Haft nehmen; Kranke isolieren); **In|ter|nier|te,** der u. die; -n, -n; **In|ter|nie|rung,** die; -, -en; **In|ter|nie|rungs|la|ger; In|ter|nist,** der; -en, -en (Facharzt für innere Krankheiten)

In|ter|pret, der; -en, -en (Vortragender; Deuter); **In|ter|pre|ta|ti|on** [...*zion*], die; -, -en; **in|ter|pre|tie|ren**

In|ter|punk|ti|on [...*zion*], die; - (Zeichensetzung); **In|ter|punk|ti|ons‿re|gel, ...zei|chen** (Satzzeichen)

In|ter|vall [...*wal*], das; -s, -e (Zeitabstand, Zeitspanne, Zwischenraum; Frist; Abstand [zwischen zwei Tönen])

in|ter|ve|nie|ren (dazwischentreten; vermitteln; sich einmischen); **In|ter|ven|ti|on** [...*zion*], die; -, -en (Vermittlung; staatl. Einmischung in die Angelegenheiten eines fremden Staates)

In|ter|view [...*wju*, auch: *in*...], das; -s, -s (Unterredung [von Reportern] mit [führenden] Persönlichkeiten über Tagesfragen usw.; Befragung); **in|ter|view|en** [...*wju*...]; **In|ter|view|er** [...*wju*...], der; -s, -

In|ter|zo|nen‿han|del, ...ver|kehr, ...zug

In|thro|ni|sa|ti|on [...*zion*], die; -, -en (Thronerhebung, feierliche Einsetzung); **in|thro|ni|sie|ren; In|thro|ni|sie|rung,** die; -, -en

in|tim (vertraut; innig; gemütlich; das Geschlechtsleben betreffend); **In|tim‿be|reich, ...hy|gie|ne; In|ti|mi|tät** [zu: intim], die; -, -en; **In|tim|sphä|re,** die; - (vertraut-persönlicher Bereich)

in|to|le|rant [auch: ...*ant*] (unduldsam); **In|to|le|ranz** [auch: ...*anz*], die; -, -en

In|to|na|ti|on [...*zion*], die; -, -en (Musik: An-, Abstimmen; Sprachw.: Veränderung des Tones nach Höhe u. Stärke beim Sprechen von Silben oder ganzen Sätzen, Tongebung); **in|to|nie|ren** (anstimmen)

in|tra|mus|ku|lär (ins Innere des Muskels hinein [von Injektionen])

in|tran|si|tiv [auch: ...*if*] (Sprachw.: nicht zum persönlichen Passiv fähig; nichtzielend)

in|tra|ve|nös [...*we*...] (Med.: im Innern, ins Innere der Vene)

In|tri|gant, der; -en, -en; **In|tri|ge,** die; -, -n (Ränke[spiel]); **In|tri|gen‿spiel, ...wirt|schaft; in|tri|gie|ren**

in|tro|ver|tiert (nach innen gewandt)

In|tui|ti|on [...*zion*], die; -, -en (unmittelbare ganzheitl. Sinneswahrnehmung; unmittelbare, ohne Reflexion entstandene Erkenntnis des Wesens eines Gegenstandes); **in|tui|tiv**

in|tus (inwendig, innen); etwas - haben (ugs. für: etwas im Magen haben od. etwas begriffen haben)

in|va|lid (österr. nur so), **in|va|li|de** ([durch Verwundung od. Unfall] dienst-, arbeitsunfähig); **In|va|li|de,** der; -n, -n (Dienst-, Arbeitsunfähiger); zwei -n; **In|va|li|den‿ren|te, ...ver|si|che|rung** (die; -); **in|va|li|di|sie|ren** (jmdn. zum Invaliden erklären; jmdm. eine Alters- od. Arbeitsunfähigkeitsrente gewähren); **In|va|li|di|tät,** die; - (Erwerbs-, Dienst-, Arbeitsunfähigkeit)

In|va|si|on [...*wa*...], die; -, -en ([feindlicher] Einfall)

In|ven|tar [...*wän*...], das; -s, -e (Einrichtungsgegenstände eines Unternehmens; Vermögensverzeichnis; Nachlaßverzeichnis); **in|ven|ta|ri|sie|ren** (Bestand aufnehmen); **In|ven|ta|ri|sie|rung,** die; -, -en; **In|ven|tur,** die; -, -en (Wirtsch.: Bestandsaufnahme des Vermögens eines Unternehmens)

in|ve|stie|ren [...*wä*...] (in ein Amt einweisen; [Kapital] anlegen); sein Kapital in ein/einem Unternehmen -; **In|ve|stie|rung,** die; -, -en; **In|ve|sti|ti|on** [*inwäßtizion*], die; -, -en (langfristige [Kapital]anlage); **In|ve|sti|ti|ons|gü|ter,** die (*Mehrz.;* Güter, die zur Produktionsausrüstung gehören); **In|ve|sti|ti|ons|hil|fe; In|vest|ment** [*inwäßt*...], das; -s, -s (engl. Bez. für: Investition); **In|vest|ment‿fonds** (Effektenbestand einer Kapitalanlagegesellschaft), **...pa|pier** od. **...zer|ti|fi|kat**

in vi|no ve|ri|tas [- *wino we*...] („im Wein [ist] Wahrheit")

in|wen|dig; in- u. auswendig

in|wie|fern

in|wie|weit

In|zest, der; -[e]s, -e (Blutschande); **In|zest|hem|mung; in|ze|stu|ös** (blutschänderisch)

In|zucht, die; -

in|zwi|schen

◇ in der Zwischenzeit, indessen, währenddessen, währenddem, unterdessen, mittlerweile, einstweilen, zwischenzeitlich

Ion, das; -s, -en (elektr. geladenes atomares od. molekulares Teilchen)

I-Punkt, der; -[e]s, -e

IQ [*i-ku,* auch: *ai-kju*], der; -s, -s (= Intelligenzquotient)

ir|den (aus „Erde"); -e Ware; **ir|disch**

ir|gend; wenn irgend möglich; irgend so ein Bettler

Iris, die; -, - (Regenbogen; Regenbogenhaut im Auge; Schwertlilie)

Iro|nie, die; -, ...ien ([versteckter, feiner] Spott, Spöttelei); **iro|nisch**

irr, ir|re (vgl. d.)

ir|ra|tio|nal [auch: *irazional*] (verstandesmäßig nicht faßbar; vernunftwidrig; unberechenbar)

ir|re, irr; irr[e] sein, werden; **[1]Ir|re,** die; -; in die - gehen; **[2]Ir|re,** der u. die; -n, -n

ir|re|al [auch: ...*al*] (unwirklich); **Ir|rea|li|tät** [auch: *ir*...], die; -, -en (Unwirklichkeit)

ir|re|füh|ren; Ir|re|füh|rung; ir|re|ge|hen

ir|re|gu|lär [auch: ...*är*] (unregelmäßig, ungesetzmäßig)

ir|re|lei|ten

ir|re|le|vant [auch: ...*want*] (unerheblich, belanglos); **Ir|re|le|vanz** [auch: ...*anz*], die; -, -en

ir|re|ma|chen; er hat mich irregemacht

ir|ren; sich -

◇ sich täuschen, sich verrechnen, auf dem Holzweg sein

Ir|ren‿an|stalt, ...arzt, ...haus

ir|re|pa|ra|bel [auch: ...*abel*] (unersetzlich, nicht wiederherstellbar)

ir|re|re|den; ir|re sein; Ir|re|sein, das; -s

ir|re|ver|si|bel [...*wär*...] (nicht umkehrbar, nicht rückgängig zu machen)

ir|re wer|den; Ir|re|wer|den, das; -s; **Irr‿fahrt, ...gar|ten, ...glau|be[n]; irr|gläu|big; ir|rig; ir|ri|ger|wei|se**

Ir|ri|ta|ti|on [...*zion*], die; -, -en (Reiz, Erregung); **ir|ri|tie|ren** ([auf]reizen, erregen, beirren, stören, unsicher machen)

Irr‿läu|fer (falsch beförderter Gegenstand), **...leh|re, ...licht** (*Mehrz.* -er), **...sinn** (der; -[e]s); **irr|sin|nig; Irr|tum,** der; -s, ...tümer; **irr|tüm|lich; irr|tüm|li|cher|wei|se; Irr‿weg, ...wisch** (Irrlicht; sehr lebhafter Mensch); **irr|wit|zig**

Is|chi|as [*iß-chiaß*[1]], der, auch: das, fachspr. auch: die; - (Hüftweh)

Is|lam [auch: ...*lam*], der; -s (Lehre Mohammeds)

Iso|la|ti|on [...*zion*], die; - ([politische u.a.] Absonderung; Abkapselung; [Ab]dämmung, Sperrung); **Iso|la|tor,** der; -s, ...oren (Stoff, der Energieströme schlecht od. gar nicht leitet; Nichtleiter); **Iso|lier|band,** das (*Mehrz.* ...bänder); **iso|lie|ren** (absondern, abkapseln; getrennt halten; [ab]dichten, [ab]dämmen, sperren); **Iso|lier‿ma|te|ri|al, ...schicht, ...sta|ti|on; iso|liert** (auch für: vereinsamt); **Iso|liert|heit,** die; -; **Iso|lie|rung,** die; -

Ist-Auf|kom|men, das; -s, - (der tatsächliche [Steuer]ertrag)

ita|lie|nisch; italienischer Salat; vgl. deutsch; **Ita|lie|nisch,** das; -[s]; vgl. Deutsch; **Ita|lie|ni|sche,** das; -n; vgl. Deutsche, das

I-Tüp|fel|chen

J

J [*jot,* österr.: *je*] (Buchstabe); das J; des J, die J

ja; ja und nein sagen; jawohl; ja freilich; zu allem ja und amen sagen (ugs.); mit

[1] Oft auch: *ischiaß.*

[einem] Ja antworten; mit Ja oder [mit] Nein stimmen
◇ jawohl, gewiß, sicher, freilich, allerdings, natürlich, selbstverständlich, sehr wohl, gern[e], durchaus, okay (ugs.)
Jacht, (Seemannsspr. auch:) Yacht, die; -, -en ([luxuriös eingerichtetes] Schiff für Sport- u. Vergnügungsfahrten, auch: Segelboot); **Jacht|klub**
Jacke[1], die; -, -n; **Jacken‿kleid**[1], **...tasche; Jacket|kro|ne**[1] [*dsehäkit...*] (Porzellanmantelkrone, Zahnkronenersatz); **Jackett**[1] [*seha...*], das, -s, -e u. -s (Jacke von Herrenanzügen); **Jackettasche**[1] [*Trenn.:* Jackett|ta|sche[1]]
Ja|de, der (auch: die); - (ein Mineral; blaßgrüner Schmuckstein); **ja|de|grün**
Jagd, die; -, -en, **jagd|bar; Jagd‿auf|se|her, ...beu|te, ...ei|fer, ...fie|ber, ...flie|ger, ...flug|zeug, ...ge|wehr, ...grün|de** (*Mehrz.;* die ewigen -), **...horn** (*Mehrz.* ...hörner), **...hund, ...hüt|te; jagd|lich; Jagd‿mes|ser** (das), **...re|vier, ...zeit; ja|gen; Jä|ger; Jä|ge|rei,** die; - (Ausübung der Jagd; Gesamtheit der Jäger); **Jä|ger‿la|tein, ...mei|ster, ...spra|che**
Ja|gu|ar, der; -s, -e (ein Raubtier)
jäh; Jä|heit, die; -; **jäh|lings**
Jahr, das; -[e]s, -e; im -[e]; zwei, viele -e lang; er ist über (mehr als) 14 -e alt; **jahraus, jahr|ein; Jahr|buch; Jährchen; jah|re|lang; jäh|ren,** sich; **Jahres‿abon|ne|ment, ...ab|schluß, ...bei|trag, ...ein|kom|men, ...en|de, ...frist** (innerhalb -), **...ring** (meist *Mehrz.*), **...tag, ...ur|laub, ...wechsel, ...zahl, ...zeit; jah|res|zeit|lich; Jahr|gang** (der; Abk.: Jg.; *Mehrz.* ...gänge; Abk.: Jgg.); **Jahr|hun|dert** (das; Abk.: Jh.); **jahr|hun|der|te‿alt, ...lang; Jahr|hun|dert‿fei|er, ...wein, ...wen|de; jähr|lich** (jedes Jahr wiederkehrend); **Jahr|markt; Jahr|markts|bu|de; Jahr‿mil|lio|nen** (*Mehrz.*), **...tau|send** (das); **Jahrzehnt,** das; -[e]s, -e; **jahr|zehn|te|lang**
Jäh|zorn; jäh|zor|nig
Ja|lou|set|te [*schalu...*], die; -, -n (Jalousie aus Leichtmetall- od. Kunststofflamellen); **Ja|lou|sie** [*schalu...*], die; -, ...ien (Rolladen)
Jam|mer, der; -s; **Jam|mer‿bild, ...gestalt, ...lap|pen** (ugs.); **jäm|mer|lich; Jäm|mer|lich|keit; Jäm|mer|ling; Jam|mer|mie|ne; jam|mern; jammer|scha|de; Jam|mer|tal,** das; -[e]s
Jän|ner, der; -[s], - (österr., seltener auch südd., schweiz. für: Januar); **Ja|nu|ar,** der; -[s], -e (erster Monat im Jahr; Abk.: Jan.)

[1] *Trenn.:* ...k|k...

jap|sen (ugs. für: nach Luft schnappen); du japst (japsest); **Jap|ser**
Jar|gon [*schargong*], der; -s, -s ([saloppe] Sondersprache einer Berufsgruppe od. Gesellschaftsschicht)
Ja|sa|ger
Jas|min, der; -s, -e (Zierstrauch mit stark duftenden Blüten)
jä|ten
Jau|che, die; -, -n; **jau|chen; Jauche[n]‿faß, ...gru|be, ...wa|gen**
jauch|zen; Jauch|zer
jau|len (klagend winseln, heulen)
ja|wohl
Ja|wort (*Mehrz.* ...worte)
Jazz [*dsehäß,* auch *jaz*], der; - (zeitgenöss. Musikstil, der sich aus der Volksmusik der amerik. Neger entwickelt hat); **Jazzband** [*dsehäsbänd*], die (Jazzkapelle); **Jazz‿fe|sti|val, ...ka|pel|le, ...kel|ler, ...trom|pe|te**
je; seit je; je drei; je beschäftigten Arbeiter
Jeans [*dsehins*] *Mehrz.* od. die; -, - ([salopp] Hose im Stil der Blue jeans)
je|den|falls; je|der, jede, jedes; zu - Stunde, Zeit; auf jeden Fall; alles und jedes (alles ohne Ausnahme); **je|dermann; je|der|zeit** (immer); **je|desmal**
je|doch
Jeep ⓦ [*dsehip*], der; -s, -s (Geländewagen mit Vierradantrieb)
jeg|li|cher (veraltend für: jeder)
je|her [auch: *jeher*]; von -
Je|län|ger|je|lie|ber, das; -s, - (Geißblatt)
je|mals
je|mand; *Wesf.* -[e]s, *Wemf.* -em (auch: -), *Wenf.* -en (auch -); irgend jemand; ein gewisser Jemand
je|mi|ne! (ugs.)
je nach|dem; je nachdem[,] ob/wie
je|ner, jene, jenes; jener war es
jen|sei|tig[1]; **Jen|sei|tig|keit**[1], die; -; **jen|seits**[1]; *Verhältnisw.* mit *Wesf.:* - des Flusses; *Umstandsw.:* - vom Wald; **Jenseits**[1], das; -; **Jen|seits|glau|be**[1]
Jer|sey [*dsehö'si*], der; -[s], -s (eine Stoffart; für Trikot des Sportlers: das; -s, -s)
Je|su|it, der; -en, -en (Mitglied des Jesuitenordens); **je|sui|tisch; Je|sus People** [*dsehiseßpipl*] (*Mehrz.;* Angehörige der Jesusbewegung der Jugend)
Jet [*dsehät*], der; -[s], -s (ugs. für: Düsenflugzeug); **Jet-set** [*dsehätßät*], der, -s (eine Gruppe reicher, den Tagesmoden folgender Menschen, die, um immer „dabeizusein“, ständig [mit dem Jet] reisen); **jet|ten** [*dsehäten*] (mit dem Jet fliegen)
jet|zig

[1] Auch: *jän...*

jetzt; bis -
◇ gegenwärtig, zur Zeit, im Augenblick, im Moment, momentan, augenblicklich, nun[mehr], [so]eben, derzeit
Jetzt, das; - (Gegenwart, Neuzeit); **Jetzt‿mensch, ...zeit** (die; -)
je|wei|lig; je|weils
Jiu-Jit|su [*dschiu-dschitßu*], das; -[s] (jap. Kunst der Selbstverteidigung)
Job [*dschob*], der; -s, -s ([Gelegenheits]arbeit, Stelle); **job|ben** [*dschobᵉn*] (ugs. für: einen Job ausüben); **Job|sha|ring** [*...schäring*], das; -[s] (Teilung eines Arbeitsplatzes)
Joch, das; -[e]s, -e; **Joch|bein**
Jockei [*Trenn.:* Jok|kei] [*dschoke,* engl. Ausspr.: *dschoki,* ugs. auch *dschokai, jokai*], der; -s, -s (berufsmäßiger Rennreiter); **Jockey** vgl. Jockei
Jod, das; -[e]s (chem. Grundstoff; Nichtmetall; Zeichen: J)
jo|deln; Jod|ler
Jod|tink|tur, die; - ([Wund]desinfektionsmittel)
Jo|ga, Yo|ga, der od. das; -[s] (ind. philosoph. System)
Jog|ging [*dscho...*], das; -[s] (Lauftraining in mäßigem Tempo)
Jo|ghurt, der u. (bes. österr.:) das; -[s] (bes. österr. auch: die; -), -[s] (gegorene Milch)
Jo|gi, der; -s, -s (Anhänger des Joga)
Jo|han|nis‿bee|re, ...feu|er, ...kä|fer, ...tag (am 24. Juni); **Jo|han|ni|ter,** der; -s, - (Angehöriger eines geistl. Ritterordens)
joh|len
Joint [*dscheunt*], der; -s, -s (Zigarette, deren Tabak Haschisch od. Marihuana enthält)
Jo|ker [auch: *dscho...*], der; -s, - (eine Spielkarte)
Jo|kus, der; -s, -se (ugs. für: Scherz, Spaß)
Jol|le, die; -, -n (kleines [einmastiges] Boot)
Jon|gleur [*schongglör*], der; -s, -e (Geschicklichkeitskünstler); **jon|glie|ren**
Jop|pe, die; -, -n (Jacke)
Jot, das; -, - (Buchstabe); **Jo|ta,** das; -[s], -s (gr. Buchstabe: *I, ι*); kein - (nicht das geringste)
Joule [*dschul,* auch: *dschaul*], das; -[s], - (Physik: Maßeinheit für die Energie; Zeichen: J)
Jour|nail|le [*schurnaljᵉ*], die; - (gewissenlos u. hetzerisch arbeitende Tagespresse); **Jour|nal** [*schurnal*], das; -s, -e (Tagebuch in der Buchhaltung; Zeitschrift gehobener Art, bes. auf dem Gebiet der Mode); **Jour|na|list,** der; -en, -en (Zeitungs-, Tagesschriftsteller); **Jour|na|li|stin,** die; -, -nen; **jour|na|li|stisch;** **Jour|nal|num|mer** (im kaufmänn. od. behördl. Tagebuch)
jo|vi|al [*...wi...*, österr. auch: *schowi...*] (froh, heiter; leutselig, gönnerhaft); **Jo|via|li|tät,** die; -
jr., jun. = junior
Ju|bel, der; -s; **Ju|bel‿fei|er, ...jahr;** alle -e (ugs. für: ganz selten)
ju|beln
◇ jauchzen, jubilieren, juchzen, einen Freudenschrei ausstoßen
Ju|bel|ruf; Ju|bi|lar, der; -s, -e; **Ju|bi|lä|um,** das; -s, ...äen; **Ju|bi|lä|ums‿aus|ga|be, ...fei|er; ju|bi|lie|ren** (jubeln; auch: ein Jubiläum feiern)
juch|he!
Juch|ten, der od. das; - (feines, wasserdichtes Leder); **Juch|ten|le|der**
juch|zen (Nebenform von: jauchzen); **Juch|zer**
jucken[1]; es juckt mich [am Arm]; die Hand juckt mir od. mich; es juckt mir od. mich in den Fingern (ugs. für: es drängt mich), dir eine Ohrfeige zu geben; **Juck‿pul|ver, ...reiz**
Ju|do [österr. meist: *dsch...*], das; -[s] (sportl. Ausübung des Jiu-Jitsu); **Ju|do|griff; Ju|do|ka,** der; -s, -s (Judosportler)
Ju|gend, die; -; **Ju|gend‿be|kannt|schaft, ...be|we|gung, ...bild, ...er|in|ne|rung; ju|gend|frei** (Prädikat für Filme); **Ju|gend‿freund, ...freun|din, ...für|sor|ge; ju|gend|ge|fähr|dend; Ju|gend‿grup|pe, ...her|ber|ge, ...kri|mi|na|li|tät** (die; -); **ju|gend|lich; Ju|gend|li|che,** der u. die; -n -n; **Ju|gend|lich|keit,** die; -; **Ju|gend‿lie|be, ...li|te|ra|tur, ...or|ga|ni|sa|ti|on, ...pfar|rer, ...rich|ter, ...schutz, ...stil** (der; -[e]s), **...sün|de, ...vor|stel|lung, ...zen|trum**
Juice [*dschuß*], der od. das; -s, -s [*...ßis*] (Obst- od. Gemüsesaft)
Ju|li, der; -[s], -s (der siebte Monat im Jahr)
Jum|bo, der; -s, -s u. **Jum|bo-Jet** (Großraumdüsenflugzeug)
jun., jr. = junior
jung; jung und alt (jedermann); Streit zwischen Jung[en] und Alt[en] (jüngerer und älterer Generation); mein Jüngster; er ist nicht mehr der Jüngste
◇ jugendlich, juvenil, jünger, unfertig, kindlich
Jung‿aka|de|mi|ker, ...brun|nen
[1]Jun|ge, der; -n, -n (ugs. auch: Jungs u. -ns)
◇ Knabe, Bub, Bübchen, Bürschchen, Bengel, Kerlchen
[2]Jun|ge, das; -n, -n; **Jün|gel|chen** (oft

[1] *Trenn.:* ...k|k...

abschätzig); **Jun|gen|ge|sicht; jun|gen|haft; Jun|gen|haf|tig|keit,** die; -; **Jun|gen_klas|se, ...schu|le, ...streich; Jün|ger,** der; -s, -; **Jung|fer,** die, -, -n; **jüng|fer|lich; Jung|fern_fahrt** (erste Fahrt, bes. die eines neuerbauten Schiffes), **...flug; jung|fern|haft; Jung|fern_häut|chen, ...re|de; Jung|frau; jung|frau|en|haft; jung|fräu|lich; Jung|fräu|lich|keit,** die; -; **Jung|ge|sel|le; Jung|ge|sel|len_bu|de** (ugs.), **...da|sein, ...woh|nung; Jung|ge|sel|lin,** die; -, -nen; **Jung_holz, ...leh|rer**

Jüng|ling
◇ Bursch[e], Jugendlicher, Twen, Heranwachsender, Halbwüchsiger, junger Mann

Jüng|lings|al|ter, das; -s; **jüng|ling[s]|haft; Jung|so|zia|list** (Angehöriger einer Nachwuchsorganisation der SPD; Kurzw.: Juso); **jüng|ste;** der Jüngste Tag; **Jung_tier, ...ver|hei|ra|te|te, ...vo|gel, ...wäh|ler**

Ju|ni, der; -[s], -s (der sechste Monat des Jahres); **Ju|ni|kä|fer**

ju|ni|or (jünger, hinter Namen: der Jüngere; Abk.: jr. u. jun.); Karl Meyer junior; **Ju|ni|or,** der; -s, ...oren (Sohn [im Verhältnis zum Vater]; Mode: Jugendlicher; Sport: Jungsportler zwischen 18 u. 23 Jahren); **Ju|ni|or|chef,** der; -s, -s (Sohn des Geschäftsinhabers); **Ju|nio|ren_mei|ster|schaft, ...ren|nen** (Sport); **Ju|ni|or|part|ner**

Jun|ker, der; -s, -

Junk|tim, das; -s, -s (Verbindung polit. Maßnahmen, z. B. Gesetzesvorlagen, zur gleichzeitigen Erledigung)

Jun|ta [span. Ausspr.: *chunta*], die -, ...ten (Regierungsausschuß, bes. in Südamerika)

Ju|ra (*Mehrz.* von: Jus)

Ju|rist, der; -en, -en (Rechtskundiger)
◇ Rechtsgelehrter, Advokat, Justitiar, Rechtsbeistand, [Rechts]anwalt, Notar, Richter, Staatsanwalt

Ju|ri|sten|deutsch, das; -[s]; **Ju|ri|ste|rei,** die; - (oft abschätzig für: Rechtswissenschaft, Rechtsprechung); **ju|ri|stisch; Ju|ror,** der; -s, ...oren (Mitglied einer Jury); **Ju|ry** [*schuri*, *auch: schüri;* fr. Ausspr.: *schüri;* engl. Ausspr.: *dschuᵉri*], die; -, -s (Preisgericht; Schwurgericht [bes. USA]); **Jus** [österr.: *juß*], das; -, Jura (Recht, Rechtswissenschaft); Jura (die Rechte) studieren

Ju|so, der; -s, -s (Kurzw. für: Jungsozialist)

just (veraltend für: eben, gerade; recht); **ju|stie|ren** (genau einstellen, einpassen, ausrichten); **Ju|sti|ti|ar,** der; -s, -e (Rechtsbeistand)

Ju|stiz, die; - (Gerechtigkeit; Rechtspflege)
◇ Rechtsprechung, Rechtswesen, Gerichtsbarkeit, Jurisdiktion

Ju|stiz_be|am|te, ...irr|tum, ...mi|ni|ster, ...mi|ni|ste|ri|um, ...mord (Verurteilung eines Unschuldigen zum Tode)

Ju|te, die; - (Faserpflanze u. deren Faser)

[1]**Ju|wel,** der od. das; -s, -en (ein Edelstein; Schmuckstück); [2]**Ju|wel,** das; -s, -e (etwas Wertvolles, besonders hoch Gehaltenes, auch von Personen); **Ju|we|len|dieb|stahl; Ju|we|lier,** der; -s, -e (Goldschmied; Schmuckhändler); **Ju|we|lier|ge|schäft**

Jux, der; -es, -e (ugs. für: Scherz, Spaß)

K

Vgl. auch **C** und **Z**

K (Buchstabe); das K; des K, die K

Ka|ba|le, die; -, -n (veralt. für: Intrige, Ränke, böses Spiel)

Ka|ba|rett [österr.: *...re*], das; -s, -e od. -s (Kleinkunstbühne); **Ka|ba|ret|tist,** der; -en, -en (Künstler an einer Kleinkunstbühne); **ka|ba|ret|ti|stisch**

Ka|bäus|chen (westmitteld. für: kleines Haus od. Zimmer)

Kab|bel|lei (bes. nordd. für: Zankerei, Streit); **kab|beln,** sich (bes. nordd. für: zanken, streiten)

Ka|bel, das; -s, - (Tau; isolierte elektr. Leitung; Kabelnachricht); **Ka|bel_an|schluß** (Anschluß an ein Kabel, bes. ans Netz des Kabelfernsehens); **...fern|se|hen** (Übertragung von Fernsehsendungen mit Hilfe von Kabeln)

Ka|bel|jau, der; -s, -e u. -s (ein Fisch)

ka|beln ([über See] drahten); **Ka|bel_nach|richt, ...schuh** (Elektrotechnik), **...wort** (*Mehrz.* ...wörter)

Ka|bi|ne, die; -, -n (Schlaf-, Wohnkammer auf Schiffen; Zelle [in Badeanstalten usw.]; Abteil); **Ka|bi|nett,** das; -s, -e (Gesamtheit der Minister; kleinerer Museumsraum; Geheimkanzlei); **Ka|bi|netts_be|schluß, ...bil|dung, ...mit|glied, ...sit|zung; Ka|bi|nett|wein** (edler Wein)

Ka|brio, das; -[s], -s (Kurzform von: Kabriolett); **Ka|brio|lett** [österr.: *...le*], das; -s, -s (Pkw mit zurückklappbarem Verdeck; früher: leichter, zweirädriger Wagen)

Ka|chel, die; -, -n; **ka|cheln; Ka|chelofen**

Kacke [*Trenn.:* Kak|ke], die; - (derb für: Kot); **kacken** [*Trenn.:* kak|ken] (derb); **Kacker** [*Trenn.:* Kak|ker] (derbes Schimpfwort)

Ka|da|ver [...*wᵉr*], der; -s, - (toter [Tier]-körper, Aas)

Ka|der, der (schweiz.: das); -s, - (erfahrener Stamm [eines Heeres, einer Sportmannschaft])

Ka|dett, der; -en, -en (Zögling einer für Offiziersanwärter bestimmten Erziehungsanstalt); **Ka|det|ten‿an|stalt, ...schu|le**

Ka|di, der; -s, -s (ugs. für: Richter)

Kä|fer, der; -s, -

Kaff, das; -s, -s u. -e (ugs. für: Dorf, armselige Ortschaft)

Kaf|fee [auch, österr. nur: *kafe*], der; -s, -s (Kaffeestrauch, Kaffeebohnen; Getränk)
◇ Mokka, Espresso, Cappuccino

Kaf|fee‿baum, ...boh|ne; kaf|feebraun; Kaf|fee-Ern|te, Kaf|fee-Ersatz; Kaf|fee|fil|ter; Kaf|fee|haus (österr. für: Café); **Kaf|fee‿kan|ne, ...kränz|chen, ...ma|schi|ne, ...mühle, ...satz, ...ser|vice, ...tan|te** (scherzh.)

Kaf|fer, der; -s, - (ugs. für: dummer, blöder Kerl)

Kä|fig, der; -s, -e

Kaf|tan, der; -s, -e (langes Obergewand der orthodoxen Juden; ugs. für: langes, weites Kleidungsstück)

kahl; - werden; **kahl|fres|sen; Kahlkopf; kahl|köp|fig; Kahl|köp|figkeit,** die; -; **kahl|sche|ren; Kahlschlag** (abgeholztes Waldstück); **kahlschla|gen**

Kahn, der; -[e]s, Kähne; **Kahn|fahrt**

Kai [österr.: *ke*], der; -s, -e u. -s (gemauertes Ufer, Uferstraße zum Beladen u. Entladen von Schiffen); **Kai|mau|er**

Kai|ser, der; -s, -; **Kai|se|rin,** die; -, -nen; **Kai|ser|kro|ne** (auch: eine Zierpflanze); **kai|ser|lich; Kai|ser‿reich, ...schmar|ren** (österr., auch südd. für: in kleine Stücke zerstoßener Eierkuchen, oft mit Rosinen), **...schnitt** (Entbindung durch einen operativen Schnitt); **Kaiser|tum,** das; -s

Ka|jak, der (seltener: das); -s, -s (einsitziges Männerboot der Eskimos; Sportpaddelboot); **Ka|jak‿ei|ner, ...zwei|er**

Ka|jü|te, die; -, -n (Wohn-, Aufenthaltsraum auf Schiffen)

Ka|ka|du [österr.: ...*du*], der; -s, -s (ein Papagei)

Ka|kao [auch: ...*kau*], der; -s, (für Kakaosorte auch *Mehrz.:*) -s (eine tropische Frucht; Getränk); **Ka|kao‿baum, ...boh|ne, ...pul|ver**

Ka|ker|lak, der; -s, u. -en, -en (Schabe [Insekt]; [lichtscheuer] Albino)

Kak|tee, die; -, -n u. **Kak|tus,** der; - (ugs. u. österr. auch: -ses), ...teen (ugs. auch: -se) (eine Pflanze)

Ka|la|mi|tät, die; -, -en ([schlimme] Verlegenheit, Übelstand, Notlage)

Ka|lau|er, der; -s, - (ugs. für: alter, nicht sehr geistreicher [Wort]witz)

Kalb, das; -[e]s, Kälber; **kal|ben** (ein Kalb werfen); **Kalb|fleisch, Kalbs‿bra|ten, ...bries** od. **...bries|chen, ...brust; Kalb[s]|fell** (früher auch für: Trommel); **Kalbs‿fri|kas|see, ...hachse** (vgl. Hachse); **Kalb[s]|le|der; Kalbs‿milch** (Brieschen), **...nie|renbra|ten, ...nuß** (kugelförmiges Stück der Kalbskeule), **...schnit|zel**

Kal|dau|ne, die; -, -n (meist *Mehrz.*) (gereinigter u. gebrühter Magen von frisch geschlachteten Wiederkäuern)

Ka|lei|do|skop, das; -s, -e (optisches Spielzeug)

ka|len|da|risch (nach dem Kalender); **Ka|len|da|ri|um,** das; -s, ...ien [...*iᵉn*] (Kalender; Verzeichnis kirchl. Fest- u. Gedenktage); **Ka|len|der,** der; -s, -; **Ka|len|der‿block** (*Mehrz.* ...blocks), **...jahr, ...mo|nat**

Ka|le|sche, die; -, -n (leichte vierrädrige Kutsche)

Kal|fak|ter, der; -s, - u. **Kal|fak|tor,** der; -s, ...oren (jmd., der allerlei Hilfsdienste verrichtet, bes. im Gefängnis; landsch. für: Schmeichler, Aushorcher)

Ka|li, das; -s, -s (Sammelbez. für Kalisalze [wichtige Ätz- u. Düngemittel])

Ka|li|ber, das; -s, - (lichte Weite von Rohren; Durchmesser; auch: Meßgerät; übertr. ugs. für: Art, Schlag)

Ka|li|um, das; -s (chem. Grundstoff, Metall; Zeichen: K)

Kalk, der; -[e]s, -e; **Kalk‿bo|den, ...bren|ner; kal|ken; Kalk|gru|be; kalk|hal|tig; kal|kig; Kalk‿man|gel, ...stein**

Kal|kül, das, auch: der; -s, -e ([Be]rechnung, Überschlag); **Kal|ku|la|ti|on** [...*zion*], die; -, -en (Ermittlung der Kosten, [Kosten]voranschlag); **kal|ku|lieren** ([be]rechnen; veranschlagen, überlegen)

Kalk|was|ser, das; -s; **kalk|weiß**

Kal|la, die; -, -s (eine Zierpflanze)

Ka|lo|rie, die; -, ...ien (Grammkalorie; physikal. Maßeinheit für die Wärmemenge; auch: Maßeinheit für den Energieumsatz des Körpers; Zeichen: cal); **ka|lori|en|arm; Ka|lo|ri|en|ge|halt**

kalt; kalte Ente (ein Getränk); kalter Krieg
◇ kühl, frisch, frostig, eisig

kalt|blei|ben (sich nicht erregen); **Kalt-**

blü|ter (Zool.); **kalt|blü|tig; Kalt|blü|tig|keit,** die; -
Käl|te, die; -
◇ Kühle, Frische, Frost
Käl|te-ein|bruch, ...grad, ...tech|nik, ...wel|le; Kalt|front (Meteor.); **kalt|her|zig; Kalt|her|zig|keit,** die; -; **kalt|lä|chelnd; kalt|las|sen;** (ugs. für: nicht beeindrucken); **Kalt|luft** (Meteor.); **kalt|ma|chen** (ugs. für: ermorden); **Kalt-mam|sell,** die; -, -en u. -s (Köchin für kalte Speisen), **...scha|le** (kalte süße Suppe); **kalt|schnäu|zig; Kalt|schnäu|zig|keit,** die; -; **kalt|stel|len** (ugs. für: aus einflußreicher Stellung bringen, einflußlos machen)
Kal|zi|um, (fachspr. nur:) Cal|ci|um, das; -s (chem. Grundstoff, Metall; Zeichen: Ca)
Ka|mel, das; -[e]s, -e (ein Huftier); **Ka|mel|haar**
Ka|me|lie, die; -, -n (Zierpflanze mit zartfarbigen Blüten)
Ka|mel|len *(Mehrz.);* olle - (ugs. für: alte Geschichten; Altbekanntes)
Ka|me|ra, die; -, -s
Ka|me|rad, der; -en, -en; **Ka|me|ra|den-dieb|stahl, ...hil|fe; Ka|me|rad|schaft; ka|me|rad|schaft|lich; Ka|me|rad|schaft|lich|keit,** die; -; **Ka|me|rad|schafts|geist**
Ka|me|ra-ein|stel|lung, ...füh|rung, ...mann (*Mehrz.* ...männer u. ...leute), **...ver|schluß**
Ka|mil|le, die; -, -n (eine Heilpflanze)
Ka|min, der (schweiz.: das); -s, -e (offene Feuerung; landsch. für: Schornstein; Alpinistik: steile, enge Felsenspalte); **Ka|min-fe|ger** (landsch.), **...feu|er, ...keh|rer** (landsch.), **...kleid** (langes Kleid aus Wollstoff)
Kamm, der; -[e]s, Kämme; **käm|men**
Kam|mer, die; -, -n; **Kam|mer|die|ner; Kam|mer-jä|ger, ...mu|sik, ...or|che|ster, ...sän|ger, ...spiel** (in einem kleinen Theater aufgeführtes Stück mit wenigen Rollen), **...spie|le** (*Mehrz.;* kleines Theater), **...ton** (der; -[e]s; Normalton zum Einstimmen der Instrumente), **...zo|fe**
Kamm|garn; Kamm|garn|spin|ne|rei; Kamm|la|ge
Kam|pa|gne [*...panje*], die; -, -n (Presse-, Wahlfeldzug; polit. Aktion; Wirtsch.: Hauptbetriebszeit)
Kam|pa|ni|le, der; -, - (freistehender Glockenturm [in Italien])
Käm|pe, der; -n, -n (dicht. für: Kämpfer, Krieger)
Kampf, der; -[e]s, Kämpfe
◇ Krieg, Schlacht, Gefecht, Treffen, Fehde, Streit, kriegerische Auseinandersetzungen

Kampf-ab|stim|mung, ...an|sa|ge, ...bahn (für: Stadion)
kämp|fen
◇ streiten, aneinandergeraten, sich zanken
Kamp|fer, der; -s (ein Heilmittel)
Kämp|fer (Kämpfender); **Kämp|fe|rin,** die; -, -nen; **kämp|fe|risch** (mutig, heldenhaft); **Kämp|fer|na|tur; kampf|fä|hig; Kampf-fä|hig|keit** (die; -), **...flug|zeug, ...ge|fähr|te, ...geist, ...grup|pe, ...hahn, ...hand|lung** (meist *Mehrz.*), **...kraft, ...lärm; kampf|los; Kampf-lust, ...pau|se, ...platz, ...rich|ter; kampf|un|fä|hig; Kampf|un|fä|hig|keit,** die; -
kam|pie|ren ([im Freien] lagern; ugs. für: wohnen, hausen)
Ka|na|di|er [*...i^e^r*], der; -s, - (offenes Sportboot)
Ka|nail|le [*kanalje*], die; -, -n (schurkischer Mensch)
Ka|na|ke, der; -n, -n (Eingeborener der Südseeinseln; Ausspr. meist [*kanak^e^*]: ugs. abschätzig für: ausländischer Arbeitnehmer)
Ka|nal, der; -s, ...näle (*Einz.* auch für: Ärmelkanal); **Ka|nal|bau** (*Mehrz.* ...bauten); **Ka|na|li|sa|ti|on** [*...zion*], die; -, -en (Anlage zur Ableitung der Abwässer); **ka|na|li|sie|ren** (eine Kanalisation bauen; Flüsse zu Kanälen ausbauen; übertr.: in eine bestimmte Richtung lenken); **Ka|na|li|sie|rung** (System von Kanälen; Ausbau zu Kanälen)
Ka|na|pee [österr. auch: *...pe*], das; -s, -s (veraltend für: Sitzsofa, Ruhebett)
Kan|da|re, die; -, -n (Gebißstange des Pferdes); jmdn. an die - nehmen (jmdn. streng behandeln)
Kan|de|la|ber, der; -s, - (Standleuchte; Laternenträger)
Kan|di|dat, der; -en, -en (in der Prüfung Stehender; [Amts]bewerber, Anwärter; Abk.: cand.); **Kan|di|da|ten|li|ste; Kan|di|da|tur,** die; -, -en (Bewerbung [um ein Amt, einen Parlamentssitz usw.]); **kan|di|die|ren** (sich [um ein Amt usw.] bewerben)
kan|die|ren ([Früchte] durch Zuckern haltbar machen); **Kan|dis,** der; - u. **Kan|dis|zucker** [*Trenn.:* ...zuk|ker] (an Fäden auskristallisierter Zucker)
Kän|gu|ruh [*kängg...*], das; -s, -s (ein Beuteltier)
Ka|nin, das; -s, -e (Kaninchenfell)
Ka|nin|chen
◇ Karnickel, Stallhase (landsch.)
Ka|ni|ster, der; -s, - (tragbarer Behälter für Flüssigkeiten)
Kann-Be|stim|mung
Känn|chen
Kan|ne, die; -, -n
◇ Krug, Karaffe, Kruke (nordd.)

Kan|ne|gie|ßer (polit. Schwätzer); **kan|ne|gie|ßern; kan|nen|wei|se;** das Öl wurde - abgegeben
Kan|ni|ba|le, der; -n, -n (Menschenfresser; übertr.: roher, ungesitteter Mensch); **kan|ni|ba|lisch; Kan|ni|ba|lis|mus,** der; - (Menschenfresserei; übertr.: unmenschliche Roheit; Zool.: Verzehren der Artgenossen)
Kann-Vor|schrift
Ka|non, der; -s, -s (Maßstab, Richtschnur; Regel; Auswahl; Kettengesang; Liste der kirchl. anerkannten bibl. Schriften)
Ka|no|na|de, die; -, -n ([anhaltendes] Geschützfeuer; Trommelfeuer); **Ka|no|ne,** die; -, -n (Geschütz; ugs. für: Sportgröße, bedeutender Könner); **Ka|no|nen‿boot, ...ku|gel, ...öf|chen, ...rohr, ...schlag** (Feuerwerkskörper); **...schuß; Ka|no|nier,** der; -s, -e (Soldat der Geschützbedienung)
Kan|ta|te, die; -, -n (mehrteiliges, instrumentalbegleitetes Gesangsstück für eine Solostimme oder Solo- und Chorstimmen)
Kan|te, die; -, -n; **kan|ten** (mit Kanten versehen, rechtwinklig behauen; auf die Kante stellen); **Kan|ten,** der; -s, - (nordd. für: Brotrinde; Anschnitt od. Endstück eines Brotes); **Kant|ha|ken** (ein Werkzeug); (ugs.:) jmdn. beim - kriegen; **Kant|holz; kan|tig**
Kan|ti|ne, die; -, -n (Speisesaal in Betrieben, Kasernen o. ä.); **Kan|ti|nen‿essen, ...wirt**
Kan|ton, der; -s, -e (Schweiz: Bundesland; Abk.: Kt.; Frankreich u. Belgien: Bezirk, Kreis); **kan|to|nal** (den Kanton betreffend); **Kan|tons‿ge|richt, ...rat** (*Mehrz.* ...räte), **...schu|le** (von der Kantonsregierung verwaltete Schule), **...spital**
Kan|tor, der; -s, ...oren (Leiter des Kirchenchores, Organist); **Kan|to|rei,** die; -, -en (kleine Singgemeinschaft; ev. Kirchenchor)
Ka|nu [auch, österr. nur: *kanu*], das; -s, -s (ausgehöhlter Baumstamm als Boot; heute zusammenfassende Bez. für: Kajak u. Kanadier)
Ka|nü|le, die; -, -n (Röhrchen; Hohlnadel)
Ka|nu|te, der; -n, -n (Sport: Kanufahrer)
Kan|zel, die; -, -n
kan|ze|ro|gen (krebserzeugend)
Kanz|lei, die; -, -en (bes. südd., österr., schweiz. für: Büro); **Kanz|lei‿aus|druck, ...be|am|te, ...spra|che** (die; -), **...stil** (der; -[e]s); **Kanz|ler; Kanz|ler|kan|di|dat; Kanz|ler|schaft,** die; -; **Kanz|list,** der; -en, -en (Schreiber, Angestellter in einer Kanzlei)

Kap, das; -s, -s (Vorgebirge)
Ka|paun, der; -s, -e ([verschnittener] Masthahn)
Ka|pa|zi|tät, die; -, -en (Aufnahmefähigkeit, Fassungskraft, -vermögen; auch: hervorragender Fachmann)
Ka|pel|le, die; -, -n (kleiner kirchl. Raum; Orchester); **Ka|pell|mei|ster**
Ka|per, die; -, -n (meist *Mehrz.*) ([in Essig eingemachte] Blütenknospe des Kapernstrauches)
ka|pern; Ka|pe|rung
ka|pie|ren (ugs. für: fassen, begreifen, verstehen)
ka|pi|tal (hauptsächlich; vorzüglich, besonders); **Ka|pi|tal,** das; -s, -e u. -ien [...*iᵉn*]; **Ka|pi|tal|an|la|ge; Ka|pi|ta|le,** die; -, -n (veralt. für: Hauptstadt); **Ka|pi|tal‿er|hö|hung, ...feh|ler** (besonders schwerer Fehler); **ka|pi|ta|li|sie|ren; Ka|pi|ta|li|sie|rung; Ka|pi|ta|lis|mus,** der; - (Wirtschafts- u. Gesellschaftsordnung, deren treibende Kraft das Gewinnstreben einzelner ist); **Ka|pi|ta|list,** der; -en, -en (oft abschätzig: Vertreter des Kapitalismus); **ka|pi|ta|li|stisch; ka|pi|tal|kräf|tig; Ka|pi|tal‿markt, ...ver|bre|chen** (schweres Verbrechen), **...zins** (*Mehrz.* ...zinsen)
Ka|pi|tän, der; -s, -e; **Ka|pi|täns‿ka|jü|te, ...pa|tent**
Ka|pi|tel, das; -s, - ([Haupt]stück, Abschnitt [Abk.: Kap.]; geistl. Körperschaft [von Domherren, Mönchen])
Ka|pi|tell, das; -s, -e (oberer Säulen-, Pfeilerabschluß)
Ka|pi|tel|über|schrift
Ka|pi|tu|la|ti|on [...*zion*], die; -, -en (Übergabe [einer Truppe od. einer Festung]); **ka|pi|tu|lie|ren**
Ka|plan, der; -s, ...pläne (kath. Hilfsgeistlicher)
Ka|pok, der; -s (Samenfaser des Kapokbaumes, Füllmaterial)
ka|po|res (ugs. für: entzwei); - sein
Ka|pott|hut, der
Kap|pe, die; -, -n
kap|pen (ab-, beschneiden; abhauen)
Kap|pen|abend (ein Faschingsvergnügen)
Kap|pes, der; - (landsch. für: Weißkohl)
Käp|pi, das; -s, -s („Käppchen“; [Soldaten]mütze)
Kapp|naht (eine doppelt genähte Naht)
Ka|prio|le, die; -, -n (närrischer Luftsprung; toller Einfall [meist *Mehrz.*]; besonderer Sprung im Reitsport)
ka|pri|zie|ren, sich (eigensinnig auf etwas bestehen); **ka|pri|zi|ös** (launenhaft, eigenwillig)
Kap|sel, die; -, -n; **kap|sel|för|mig**
ka|putt (ugs. für: verloren [im Spiel]; entzwei, zerbrochen; matt); - sein; **ka|putt-**

ge|hen; ka|putt|la|chen, sich; **ka-putt|ma|chen;** sich -; **ka|putt|schla-gen**

Ka|pu|ze, die; -, -n (Kopf u. Hals einhüllendes Kleidungsstück); **Ka|pu|zi|ner,** der; -s, - (Angehöriger eines kath. Ordens); **Ka|pu|zi|ner‿af|fe, ...kres|se, ...mönch, ...or|den** (der; -s, Abk.: O.[F.] M.Cap.)

Ka|ra|bi|ner, der; -s, - (kurzes Gewehr; österr. auch für: Karabinerhaken); **Ka-ra|bi|ner|ha|ken** (federnder Verschlußhaken); **Ka|ra|bi|nie|re,** der; -[s], ...ri (it. Gendarm)

Ka|ra|cho [...*cho*], das; -; (ugs. meist in:) mit - (mit großer Geschwindigkeit)

Ka|raf|fe, die; -, -n ([geschliffene] bauchige Glasflasche [mit Glasstöpsel])

Ka|ram|bo|la|ge [...*asche*], die; -, -n (Billardspiel: Treffer [Anstoßen des Spielballes an die beiden anderen Bälle]; übertr. ugs. für: Zusammenstoß; Streit); **ka-ram|bo|lie|ren** (Billardspiel: mit dem Spielball die beiden anderen Bälle treffen; übertr. ugs. für: zusammenstoßen)

Ka|ra|mel, der; -s (gebrannter Zucker); **ka|ra|me|li|sie|ren** (Zucker[lösungen] trocken erhitzen; Karamel zusetzen); **Ka-ra|mel|le,** die; -, -n (meist *Mehrz.;* Bonbon mit Zusatz aus Milch[produkten]); **Ka|ra|mel|pud|ding**

Ka|rat, das; -[e]s, -e (Gewichtseinheit von Edelsteinen; Maß der Feinheit einer Goldlegierung)

Ka|ra|te, das; -[s] (System waffenloser Selbstverteidigung); **Ka|ra|te|ka,** der; -s, -s (Karatekämpfer)

Ka|ra|wa|ne, die; -, -n (Reisegesellschaft im Orient); **Ka|ra|wa|nen‿han|del, ...stra|ße**

Kar|bid, (chem. fachspr.:) Car|bid, das; -[e]s, -e (Verbindung aus Kohlenstoff u. einem Metall od. Bor od. Silicium); **Kar-bid|lam|pe; Kar|bo|li|ne|um,** das; -s (Teerprodukt, Imprägnierungs- und Schädlingsbekämpfungsmittel); **Kar|bo-na|de,** die; -, -n (bes. österr. für: gebratenes Rippenstück); **Kar|bo|nat,** das; -[e]s, -e (kohlensaures Salz); **Kar|bun|kel,** der; -s, - (Häufung dicht beieinander liegender Furunkel)

Kar|da|mom, der od. das; -s, -e[n] (scharfes Gewürz aus den Samen von Ingwergewächsen)

Kar|dan‿an|trieb, ...ge|lenk (Verbindungsstück zweier Wellen, das Kraftübertragung unter wechselnden Winkeln ermöglicht); **kar|da|nisch;** -e Aufhängung (Vorrichtung, die Schwankungen der aufgehängten Körper ausschließt)

Kar|di|nal, der; -s, ...äle (Titel der höchsten kath. Würdenträger nach dem Papst); **Kar|di|nal‿feh|ler, ...fra|ge, ...pro|blem, ...punkt; Kar|di|nals-‿hut, ...kol|le|gi|um; Kar|di|nal‿tu-gend, ...zahl** (Grundzahl, z.B. „null, eins, zwei“)

Ka|renz, die; -, -en (Wartezeit, Sperrfrist); **Ka|renz‿frist, ...zeit**

Kar|fi|ol, der; -s (südd., österr. für: Blumenkohl)

Kar|frei|tag („Klagefreitag“; Freitag vor Ostern)

Kar|fun|kel, der; -s, - (Edelstein)

karg

◇ kärglich, dürftig, ärmlich, arm, armselig, spärlich, kümmerlich

Karg|heit, die; -; **kärg|lich; Kärg|lich-keit,** die; -

ka|riert (gewürfelt, gekästelt)

Ka|ri|es [...*iäß*], die; - (Knochenfraß, bes. Zahnfäule)

Ka|ri|ka|tur, die; -, -en (Zerr-, Spottbild, Fratze); **Ka|ri|ka|tu|rist,** der; -en, -en (Karikaturenzeichner); **ka|ri|ka|tu|ri-stisch; ka|ri|kie|ren** (zur Karikatur machen, als Karikatur darstellen)

ka|ri|ös (von Karies befallen); kariöse Zähne

Ka|ri|tas, die; - ([Nächsten]liebe; Wohltätigkeit); **ka|ri|ta|tiv** (mildtätig; Wohltätigkeits...)

Kar|me|sin, Kar|min, das; -s (roter Farbstoff); **kar|me|sin|rot, kar|min-rot**

Kar|ne|val [...*wal*], der; -s, -e u. -s (Fastnacht[fest]); **Kar|ne|va|list,** der; -en, -en; **kar|ne|va|li|stisch; Kar|ne|vals-‿ge|sell|schaft, ...prinz, ...tru|bel, ...zug**

Kar|nickel [*Trenn.:* ...nik|kel], das; -s, - (landsch. für: Kaninchen; ugs. auch für: Sündenbock)

Ka|ro, das; -s, -s (Raute, [auf der Spitze stehendes] Viereck; eine Spielkartenfarbe)

Ka|ros|se, die; -, -n (Prunkwagen; Staatskutsche); **Ka|ros|se|rie,** die; -, ...ien (Wagenoberbau, -aufbau [von Kraftwagen])

Ka|ro|tin, (fachspr. nur:) Ca|ro|tin, das; -s (pflanzl. Farbstoff, z.B. in Karotten); **Ka|rot|te,** die; -, -n (eine Mohrrübenart)

Karp|fen, der; -s, - (ein Fisch); **Karp-fen‿teich, ...zucht**

Kar|re, die; -, -n u. (österr. nur:) Kar|ren, der; -s, -

Kar|ree, das; -s, -s (Viereck; Gruppe von vier; bes. österr. für: Rippenstück)

kar|ren (etwas mit einer Karre befördern); **Kar|ren** vgl. Karre

Kar|rie|re [...*iäre*], die; -, -n ([bedeutende, erfolgreiche] Laufbahn); **Kar|rie|re|ma-cher; Kar|rie|rist,** der; -en, -en (rücksichtsloser Karrieremacher); **kar|rie|ri-stisch** (nach Art eines Karrieristen)

Kar|sams|tag (Samstag vor Ostern)
Karst, der; -[e]s, -e (Geol.: Gesamtheit der in löslichen Gesteinen [Kalk, Gips] entstehenden Oberflächenformen); **Karst|höh|le; kar|stig**
Kar|tät|sche, die; -, -n (veraltetes, mit Bleikugeln gefülltes Artilleriegeschoß)
Kar|tau|se, die; -, -n (Kartäuserkloster); **Kar|täu|ser,** der; -s, - (Angehöriger eines kath. Einsiedlerordens; ein Kräuterlikör)
Kärt|chen; Kar|te, die; -, -n; **Kar|tei** (Zettelkasten); **Kar|tell,** das; -s, -e (Interessenvereinigung in der Industrie); **kar|ten** (ugs. für: Karten spielen); **Kar|ten-le|gen** (das; -s), **...le|ge|rin, ...spiel, ...[vor|]ver|kauf**
Kar|tof|fel, die; -, -n
◇ Erdapfel (landsch.)
Kar|töf|fel|chen
Kar|to|graph, der; -en, -en (Landkartenzeichner; wissenschaftl. Bearbeiter einer Karte); **kar|to|gra|phisch**
Kar|ton [*...tong,* auch dt. Ausspr.: *...ton*], der; -s, -s u. (seltener, bei dt. Ausspr. u. österr. auch:) -e ([leichte] Pappe, Steifpapier; Kasten, Hülle od. Schachtel aus [leichter] Pappe; Vorzeichnung zu einem [Wand]gemälde); 5 Karton[s] Seife; **Kar|to|na|gen-fa|brik; kar|to|niert** (in Pappband gebunden)
Ka|rus|sell, das; -s, -s u. -e (sich drehende, der Belustigung von Kindern dienende Vorrichtung mit kleinen Pferden, Fahrrädern u. a., bes. auf Jahrmärkten)
◇ Reitschule (landsch.), Ringelspiel (österr.)
Kar|wo|che (Woche vor Ostern)
Kar|zer, der; -s, - (früher für: Schul-, Hochschulgefängnis; verschärfter Arrest)
Kar|zi|nom, das; -s, -e (Med.: Krebs[geschwulst]; Abk.: Ca [Carcinoma])
Ka|sack, der; -s, -e (dreiviertellanges Frauenobergewand)
Ka|sa|tschok, der; -s, -s (russ. Volkstanz)
Ka|schem|me, die; -, -n (Verbrecherkneipe; schlechte Schenke)
ka|schen (ugs. für: ergreifen, verhaften)
Käs|chen
ka|schie|ren (verdecken, verbergen)
Kasch|mir, das; -s, -e (ein Gewebe)
Kä|se, der; -s, -; **Kä|se|rei** (Betrieb für Käseherstellung; auch: Käseherstellung)
Ka|ser|ne, die; -, -n; **ka|ser|nie|ren** (in Kasernen unterbringen)
kä|se|weiß (ugs. für: sehr bleich); **kä|sig**
Ka|si|no, das; -s, -s (Gesellschaftshaus; Offiziersheim; Speiseraum)
Kas|ka|de, die; -, -n ([künstlicher] stufenförmiger Wasserfall)
kas|ko|ver|si|chert; Kas|ko|ver|si|che|rung (Versicherung gegen Schäden an Transportmitteln)
Kas|per, der; -s, - (ugs. für: alberner Kerl); **Kas|per|le,** das od. der; -s, -; **Kas|per|le|thea|ter; kas|pern** (ugs. für: sich wie ein Kasper benehmen)
Kas|sa, die; -, Kassen (in Österreich gebrauchte it. Form von: Kasse)
Kas|san|dra|ruf (unheilverkündende Warnung)
Kas|se, die; -, -n (Geldkasten, -vorrat; Zahlraum, -schalter; Bargeld; ugs. für: Krankenkasse); **Kas|sen|sturz** (Feststellung des Kassenbestandes)
Kas|se|rol|le, die; -, -n (Schmortopf, -pfanne)
Kas|set|te, die; -, -n (Kästchen für Wertsachen; Bauw.: vertieftes Feld [in der Zimmerdecke]; Schutzhülle für Bücher u. a.; Fotogr.: lichtdichter Behälter für Platten u. Filme im Aufnahmegerät; Behälter für Bild-Ton-Aufzeichnungen); **Kas|set|ten|re|cor|der**
Kas|si|ber, der; -s, - (Gaunerspr.: heiml. Schreiben [meist in Geheimschrift] von Gefangenen u. an Gefangene)
Kas|sier, der; -s, -e (österr., südd. häufig für: Kassierer)
kas|sie|ren (Geld einnehmen; [Münzen] für ungültig erklären)
◇ einkassieren, einnehmen, einziehen, eintreiben, erheben, heben (landsch.)
Kas|sie|rer
Ka|sta|gnet|te [*kaßtanjät*[e]], die; -, -n (Handklapper)
Ka|sta|nie [*...i*[e]], die; -, -n (ein Baum u. die Frucht)
Ka|ste, die; -, -n ([ind.] Stand; sich streng abschließende Gesellschaftsschicht)
ka|stei|en; sich - (sich Entbehrungen auferlegen; kirchl. auch: sich durch Schläge züchtigen, sich Bußübungen auferlegen); **Ka|stei|ung**
Ka|stell, das; -s, -e (fester Platz, Burg, Schloß); **Ka|stel|lan,** der; -s, -e (Aufsichtsbeamter in Schlössern u. öffentlichen Gebäuden)
Ka|sten, der; -s, Kästen u. (heute selten:) - (südd., österr., schweiz. auch für: Schrank)
Ka|sten|geist (der; -[e]s; Standesdünkel)
Ka|stra|ti|on [*...zion*], die; -, -en
◇ Entmannung, Verschneidung, Sterilisation, Sterilisierung
ka|strie|ren; Ka|strie|rung
Ka|sus, der; -, - [*kasuß*] (Fall [auch in der Sprachw.]; Vorkommnis)
Ka|ta|falk, der; -s, -e (schwarz verhängtes Gerüst für den Sarg bei Trauerfeiern)
Ka|ta|kom|be, die; -, -n (meist *Mehrz.*) (unterird. Begräbnisstätte)
Ka|ta|log, der; -[e]s, -e (Verzeichnis [von Bildern, Büchern, Waren usw.]); **ka|ta|lo|gi|sie|ren** ([nach bestimmten Regeln] in einen Katalog aufnehmen)

Ka|ta|ly|sa|tor, der; -s, ...oren (Stoff, der eine Reaktion auslöst od. in ihrem Verlauf bestimmt; Gerät zur Abgasreinigung); **Ka|ta|ly|sa|tor|au|to; ka|ta|ly|sie|ren** (eine chem. Reaktion auslösen, verlangsamen od. beschleunigen)

Ka|ta|ma|ran, der; -s, -e (schnelles, offenes Segelboot mit doppeltem Rumpf)

Ka|ta|pult, der od. das; -[e]s, -e (Wurf-, Schleudermaschine im Altertum; Flugzeugschleuder zum Starten von Flugzeugen); **ka|ta|pul|tie|ren** ([ab]schleudern); sich -

Ka|tarrh, der; -s, -e (Schleimhautentzündung); **ka|tar|rha|lisch**

Ka|ta|ster, der (österr. nur so) od. das; -s, - (amtl. Verzeichnis der Grundstücksverhältnisse, Grundbuch)

ka|ta|stro|phal (verhängnisvoll; niederschmetternd; entsetzlich); **Ka|ta|stro|phe,** die; -, -n (entscheidende Wendung [zum Schlimmen]; Unglück[sfall]; Verhängnis; Zusammenbruch); **Ka|ta|stro|phen‿alarm, ...ein|satz, ...schutz**

Ka|te, die; -, -n (niederd. für: Kleinbauernhaus)

Ka|te|che|se, die; -, -n (Religionsunterricht); **Ka|te|chet,** der; -en, -en (Religionslehrer, insbes. für die kirchl. Christenlehre außerhalb der Schule); **Ka|te|chis|mus,** der; -, ...men (Lehrbuch in Frage u. Antwort, bes. der christl. Religion)

Ka|te|go|rie, die; -, ...ien (Klasse; Gattung; Begriffs-, Anschauungsform); **ka|te|go|risch** (einfach aussagend; unbedingt gültig; widerspruchslos)

Ka|ter, der; -s, - (männl. Katze; ugs. für: Folge übermäßigen Alkoholgenusses)

Ka|the|der, das (auch:) der, -s, - (Pult, Kanzel; Lehrstelle [eines Hochschullehrers]); **Ka|the|der|blü|te** (ungewollt komischer Ausdruck eines Lehrers); **Ka|the|dra|le,** die; -, -n (bischöfl. Hauptkirche)

Ka|the|te, die; -, -n (eine der beiden Seiten im rechtwinkligen Dreieck, die die Schenkel des rechten Winkels bilden)

Ka|the|ter, der; -s, - (med. Röhrchen)

Ka|tho|de[1]**,** die; -, -n (negative Elektrode, Minuspol)

Ka|tho|lik, der; -en, -en (Anhänger der kath. Kirche u. Glaubenslehre); **ka|tho|lisch** (allgemein, umfassend; die kath. Kirche betreffend; Abk.: kath.); **Ka|tho|li|zis|mus,** der; - (Geist u. Lehre des kath. Glaubens)

Ka|to|de vgl. Kathode

ka|to|nisch; -e Strenge (unnachgiebige Strenge)

Kat|tun, der; -s, -e (feinfädiges, leinwandbindiges Gewebe aus Baumwolle od. Chemiefasern); **kat|tu|nen;** -er Stoff

katz|bal|gen, sich (ugs.); ich katzbalge mich; **Katz|bal|ge|rei; katz|buckeln** [*Trenn.:* ...buk|keln] (ugs. für: unterwürfig schmeicheln); **Kätz|chen**

Kat|ze, die; -, -n; für die Katz (ugs. für: umsonst)

◇ Mieze, Miezekatze (ugs.), Miez (ugs.), Dachhase (scherzh.)

Kat|zel|ma|cher (bes. südd., österr. abschätzig für: Italiener)

Kat|zen|au|ge (auch: Halbedelstein; Rückstrahler); **kat|zen|freund|lich** (ugs. für: heuchlerisch freundlich); **Katzen|zun|gen** (*Mehrz.;* Schokoladentäfelchen)

kau|der|welsch; - sprechen (verworrenes Deutsch sprechen, radebrechen); **Kau|der|welsch,** das; -[s]

kau|en

◇ beißen, knabbern, nagen, mümmeln (ugs.)

kau|ern (hocken)

Kauf, der; -[e]s, Käufe; in - nehmen

◇ Erwerb, Anschaffung, Ankauf

kau|fen

◇ erwerben, anschaffen, erstehen, sich etwas zulegen, ankaufen, einkaufen

kau|fens|wert; Käu|fer; Kauf|frau (weibl. Kaufmann); **Kauf‿haus, ...kraft; käuf|lich; Kauf|mann** (*Mehrz.* ...leute); **kauf|män|nisch;** -es Rechnen

Kau|gum|mi, der; -s, -[s]

Kaul|quap|pe, die, -, -n (Froschlarve)

kaum; das ist - glaublich; er war - hinausgegangen, da kam ...

kau|sal (ursächlich zusammenhängend; begründend); **Kau|sa|li|tät,** die; -, -en (Ursächlichkeit); **Kau|sal|zu|sam|men|hang**

Kau|ta|bak

Kau|tel, die; -, -en (Vorsichtsmaßregel; Vorbehalt)

Kau|ti|on [*...zion*], die; -, -en (Haftsumme, Bürgschaft, Sicherheit[sleistung]); **Kau|ti|ons|sum|me**

Kau|tschuk, der; -s, -e (Milchsaft des Kautschukbaumes; Rohstoff für Gummiherstellung)

Kau|werk|zeu|ge, die *(Mehrz.)*

Kauz, der; -es, Käuze; **Käuz|chen; kau|zig**

Ka|va|lier [*...wa...*], der; -s, -e; **Ka|va|liers|de|likt; Ka|va|lier[s]|start** (scharfes Anfahren eines Autofahrers); **Ka|val|le|rie** [auch: *ka...*], die; -, ...ien (Reiterei; Reitertruppe); **Ka|val|le|rist** [auch: *ka...*], der; -en, -en

Ka|vi|ar [*...wi...*], der; -s, -e (Rogen des Störs); **Ka|vi|ar|bröt|chen**

Ka|zi|ke, der; -n, -n (Häuptling bei den

---
[1] In der Fachsprache auch: Katode.

süd- u. mittelamerik. Indianern; auch: indian. Ortsvorsteher)
Keb|se, die; -, -n (Nebenfrau); **Kebs-ehe, ...weib**
keck
Keck|heit; keck|lich (veralt.)
Keep-smi|ling [*kipßmail...*], das; - (das „Immer-Lächeln"; [zur Schau getragene] optimistische Lebensanschauung)
Ke|fir, der; -s (aus Kuhmilch gewonnenes gegorenes Getränk)
Ke|gel, der; -s, -; mit Kind und Kegel (eigtl.: uneheliches Kind); **Ke|gel-bahn; ke|gel|för|mig; ke|geln; ke-gel|schie|ben;** ich schiebe Kegel; weil ich Kegel schob; ich habe Kegel geschoben; um Kegel zu schieben; **Ke|gel-schnitt; Keg|ler**
Kehl|chen; Keh|le, die; -, -n; **keh|lig; Kehl|kopf**
Kehr|aus, der; -; **Kehr|be|sen**
Keh|re, die; -, -n (Wendekurve; turnerische Übung); [1]**keh|ren** (umwenden; ugs. für: sich nicht um etwas kümmern); ich kehre mich nicht an das Gerede der Leute (falsch: an dem Gerede)
[2]**keh|ren** (fegen); **Keh|richt,** der, auch: das; -s; **Kehr|ma|schi|ne**
Kehr|sei|te; kehrt!; rechtsum kehrt!; **kehrt|ma|chen** (umkehren); **Kehr-wert** (für: reziproker Wert)
kei|fen; Kei|fe|rei
Keil, der; -[e]s, -e; **Kei|le,** die; - (ugs. für: Prügel); - kriegen; **kei|len** (ugs. für: stoßen; anwerben); sich - (ugs. für: sich prügeln); **Kei|ler** (Eber); **Kei|le|rei** (ugs. für: Prügelei); **Keil-rie|men, ...schrift**
Keim, der; -[e]s, -e; **kei|men**
keim|frei
◇ steril, aseptisch
Keim|zel|le
kein, -e, -, *Mehrz.* -e; - and[e]rer; auf -en Fall; -er, -e, -[e]s von beiden; **kei|ner|lei; kei|nes|falls; kei|nes|wegs; kein-mal**
Keks, der od. das; - u. -es, - u. -e (österr.: das; -, -[e]) (kleines, trockenes Dauergebäck)
Kelch, der; -[e]s, -e
Ke|lim, der; -[s], -[s] (oriental. Teppich)
Kel|le, die; -, -n
Kel|ler, der; -s, -; **Kel|ler|as|sel; Kel|le-rei; Kel|ler-ge|schoß, ...kind; Kell-ner,** der; -s, -; **Kell|ne|rin,** die; -, -nen
Kel|te, der; -n, -n (Angehöriger eines indogerman. Volkes)
Kel|ter, die; -n, -n (Weinpresse); **Kel|te-rei; kel|tern**
kel|tisch; Kel|tisch, das; -[s]
Ke|me|na|te, die; -, -n ([Frauen]gemach einer Burg)
Ken|do, das; -[s] (japanische Form des Fechtens mit Bambusstäbchen)
ken|nen; kannte (kennte [selten]), gekannt
ken|nen|ler|nen; ich lerne kennen; ich habe ihn kennengelernt; kennenzulernen; jmdn. kennen- u. liebenlernen
◇ vorgestellt werden, bekannt gemacht werden
Ken|ner; Ken|ner-blick, ...mie|ne; kennt|lich; - machen; **Kennt|nis,** die; -, -se; von etwas - nehmen; **Kenn-wort** (*Mehrz.* ...wörter), **...zahl, ...zei|chen; kenn|zeich|nen**
kenn|zeich|nend
◇ bezeichnend, unverkennbar, typisch, charakteristisch
Ken|taur vgl. Zentaur
ken|tern (umkippen [von Schiffen]); das Boot ist gekentert
Ke|ra|mik, die; -, (für Erzeugnis der [Kunst]töpferei auch *Mehrz.:*) -en ([Kunst]töpferei)
Ke|ra|tin, das; -s, -e (Hornstoff in Haut, Haar und Nägeln)
Ker|be, die; -, -n (Einschnitt)
Ker|bel, der; -s (eine Gewürzpflanze); **Ker|bel|kraut,** das; -[e]s
Kerb|holz, fast nur noch in: etwas auf dem - haben (ugs. für: etwas angestellt, verbrochen haben)
Ker|ker, der; -s, - (österr., sonst veralt. für: Zuchthaus); **Ker|ker-mei|ster, ...stra|fe**
Kerl, der; -s, (selten:) -es, -e (ugs. u. verächtl. auch: -s); **Kerl|chen**
Kern, der; -[e]s, -e; **Kern-ener|gie** (Atomenergie), **...ge|häu|se; kern|ge-sund; ker|nig; Kern|kraft|werk; kern|los; Kern-obst, ...phy|sik** (Lehre von den Atomkernen u. -kernreaktionen), **...waf|fen,** die *(Mehrz.)*
Ke|ro|sin, das; -s (als Treibstoff bes. für Flugzeug- u. Raketentriebwerke verwendeter Petroleumanteil des Erdöls)
Ker|ze, die; -, -n; **ker|zen|ge|ra|de**[1]
keß (ugs. für: dreist; draufgängerisch; frech; schneidig; flott)
Kes|sel, der; -s, -; **Kes|sel-stein, ...trei|ben**
Keß|heit
Ketch|up, Catch|up [*kätschap,* engl. Aussprache: *kätsch*[e]*p*], der od. das; -[s], -s (pikante Würztunke)
Ket|te, die; -, -n (zusammenhängende Glieder aus Metall u. a.; Weberei: in der Längsrichtung verlaufende Fäden); **ket-teln** ([kettenähnlich] verbinden); **ket-ten; Ket|ten-rau|cher, ...re|ak|ti|on**
Ket|zer; Ket|ze|rei
ket|ze|risch
◇ häretisch, sektiererisch, heterodox, irrgläubig

[1] Vgl. die Anmerkung zu „gerade".

Ket|zer|ver|fol|gung
keu|chen; Keuch|hu|sten
Keu|le, die; -, -n; **keu|len|för|mig; Keu|len_gym|na|stik, ...schwin|gen** (das; -s)
Keusch|heit, die; -; **Keusch|heits_ge-lüb|de, ...gür|tel**
Key|bord [*kibo'd*], das; -s, -s (elektronisch verstärktes Tasteninstrument)
Kfz = Kraftfahrzeug; **Kfz-Fah|rer**
Kha|ki, der; - (gelbbrauner Stoff [für die Tropenuniform])
Khan, der; -[e]s, -e (mongol.-türk. Herrschertitel)
Kib|buz, der; -, ...uzim od. -e (Gemeinschaftssiedlung in Israel)
Ki|cher|erb|se
ki|chern
Kick, der; -[s], -s (ugs. für: Tritt, Stoß [beim Fußball]); **kicken**[1] (Sport: „stoßen"; Fußballspielen [meist abwertend]); **Kicker**[1], der; -s, -[s] (Fußballspieler [oft abwertend])
kid|nap|pen [*kidnäp^en*] (entführen, bes. Kinder); **Kid|nap|per,** der; -s, - („Kindesräuber", Entführer)
Kie|bitz, der; -es, -e (ein Vogel)
kie|bit|zen (ugs. für: zuschauen beim [Karten-, Schach]spiel); du kiebitzt
¹Kie|fer, die; -, -n (ein Nadelbaum)
²Kie|fer, der; -s, - (ein Schädelknochen); **Kie|fer|höh|le**
Kie|fern_wald, ...zap|fen
Kie|ker; jmdn. auf dem - haben (ugs. für: jmdn. streng beobachten; an jmdm. großes Interesse haben; jmdn. nicht leiden können)
Kiel, der; -[e]s, -e (Grundbalken der Wasserfahrzeuge); **Kiel|boot; kiel|oben;** - liegen
Kie|me, die; -, -n (Atmungsorgan der im Wasser lebenden Tiere); **Kie|men|spal-te**
Kien, der; -[e]s (harzreiches [Kiefern]holz); **Kien_ap|fel, ...span**
Kies, der; -es, (für Geröll auch *Mehrz.:*) -e (Gaunerspr.: Geld); **Kie|sel,** der; -s, -; **Kie|sel|stein**
kie|sen (geh. für: wählen)
Kies_gru|be, ...weg
Kiez, der; -es, -e (landsch. für: Stadt-, Ortsteil; Prostitutionsviertel)
kif|fen (Haschisch od. Marihuana rauchen); **Kif|fer**
ki|ke|ri|ki!
kil|le|kil|le; - machen (ugs. für: unterm Kinn streicheln)
kil|len (ugs. für: töten); **Kil|ler** (ugs. für: Totschläger, Mörder); **Kil|ler|sa|tel|lit** (Satellit, der Flugkörper im All zerstören soll)

[1]*Trenn.:* ...k|k...

Ki|lo, das; -s, -[s] (Kurzform für: Kilogramm); **Ki|lo|gramm** (1 000 g; Zeichen: kg)
Ki|lo|hertz (1 000 Hertz; Zeichen: kHz)
Ki|lo|ka|lo|rie (1 000 Kalorien; Zeichen: kcal)
Ki|lo|me|ter, der (1 000 m; Zeichen: km); 80 Kilometer je Stunde (Abk.: km/h, km/st); **Ki|lo|me|ter|geld; ki|lo|me-ter|lang**
Ki|lo|volt (1 000 Volt; Zeichen: kV)
Ki|lo|watt (1 000 Watt; Zeichen: kW)
Kilt, der; -[e]s, -s (Knierock der Bergschotten)
Kim|me, die; -, -n (Einschnitt; Kerbe; Teil der Visiereinrichtung)
Ki|mo|no, der; -s, -s [auch: *ki...* od. *ki...*] (weitärmeliges jap. Gewand)
Kind, das; -[e]s, -er; sich bei einem lieb - machen (einschmeicheln)
◇ Kleinkind, Baby, Kleines, Säugling, Knirps, Wicht
Kind|bett, das; -[e]s; **Kind|chen,** das; -s, - u. Kinderchen; **Kin|de|rei; kin-der|freund|lich; Kin|der_gar|ten, ...gärt|ne|rin, ...la|den** (nicht autoritär geleiteter Kindergarten), **...läh|mung; kin|der|leicht; Kin|der|lo|sig|keit,** die; -; **kin|der|reich; Kin|der|stu|be; Kin|des|al|ter; Kind|heit,** die; -
kin|disch
◇ albern, läppisch, infantil
kind|lich
Ki|ne|ma|thek, die; -, -en (Filmarchiv); **Ki|ne|ma|to|graph,** der; -en, -en (Bez. für den ersten Apparat zur Aufnahme u. Wiedergabe bewegter Bilder; daraus die Kurzform: Kino); **Ki|ne|tik,** die; - (Lehre von den nicht im Gleichgewicht seienden Kräften); **ki|ne|tisch** (bewegend, die Bewegung betreffend); kinetische Energie
King-size [*...ßais*], die (auch: das); - (Großformat, Überlänge [von Zigaretten])
Kin|ker|litz|chen, die (*Mehrz.;* ugs. für: Albernheiten)
Kinn, das; -[e]s, -e; **Kinn|ha|ken**
Ki|no (Lichtspieltheater), das; -s, -s; vgl. Kinematograph; **Ki|no_be|sit|zer, ...pro|gramm; Kin|topp,** der od. das; -s, -s u. ...töppe (ugs. für: Kino, Film)
Ki|osk [auch: *...oßk*], der; -[e]s, -e (oriental. Gartenhaus; Verkaufshäuschen [für Zeitungen, Erfrischungen usw.])
Kip|pe, die; -, -n (Spitze, Kante; Turnübung; ugs. für: Zigarettenstummel); **kip|pen; Kipp_fen|ster, ...schal|ter**
Kir|che, die; -, -n
◇ Gotteshaus, Kapelle, Münster, Dom, Kathedrale, Basilika
Kir|chen_jahr, ...mu|sik, ...staat (der; -[e]s), **...steu|er** (die); **Kirch|hof;**

kirch|lich; Kirch‿turm, ...weih (die; -, -en)
kir|re (ugs. für: zutraulich, zahm); jmdn. - machen
Kirsch der; -[e]s, - (ein Branntwein); **Kirsch|baum; Kir|sche,** die; -, -n; **kirsch|rot;** - färben; **Kirsch|was|ser,** das; -s, - (ein Branntwein)
Kis|met, das; -s (unabwendbares Schicksal, Los [im Islam])
Kiß|chen; Kis|sen, das; -s, -; **Kis|sen-schlacht** (ugs. scherzh. für: Hinundherwerfen von Kissen)
Ki|ste, die; -, -n; **ki|sten|wei|se**
Kitsch, der; -[e]s (süßlich-sentimentale, geschmacklose Kunst)
◇ Schund, Schmarren (ugs.)
kit|schig
Kitt, der; -[e]s, -e
Kitt|chen, das; -s, - (ugs. für: Gefängnis)
Kit|tel, der; -s, -; **Kit|tel|schür|ze**
kit|ten
Kitz, das; -es, -e u. **Kit|ze,** die; -, -n (Junges von Reh, Gemse, Ziege); **Kitz|chen**
Kit|zel, der; -s; **kit|ze|lig, kitz|lig**
kit|zeln
◇ krabbeln (ugs.), kraulen
Kitz|ler (für: Klitoris)
Ki|wi, die; -, -s (exotische Frucht mit grünlichem Fruchtfleisch)
Kla|bau|ter|mann, der; -[e]s, ...männer (ein Schiffskobold)
klack!; klacken [*Trenn.:* klak|ken] (klack machen); **klacks!; Klacks,** der; -es, -e (ugs. für: kleine Menge; klatschendes Geräusch)
Klad|de, die; -, -n (erste Niederschrift; Geschäftsbuch; Heft)
klad|de|ra|datsch! [auch: *...datsch*] (krach!); **Klad|de|ra|datsch** [auch: *...datsch*], der; -[e]s, -e (Krach; übertr. ugs. für: Zusammenbruch, Mißerfolg)
klaf|fen; kläf|fen; Kläf|fer
Klaf|ter, der od. das; -s, - (seltener:) die; -, -n (Längen-, Raummaß)
Kla|ge, die; -, -n
kla|gen; gegen jmdn. -; über etw. -
◇ jammern, lamentieren, wehklagen (geh.), barmen (ugs.)
Klä|ger
kläg|lich
◇ erbärmlich, jämmerlich
Kla|mauk, der; -s (ugs. für: Lärm; Ulk)
klamm (eng, knapp; feucht; steif [vor Kälte]); **Klam|mer,** die; -, -n; **klammern; klamm|heim|lich** (ugs. für: ganz heimlich)
Kla|mot|te, die; -, -n (ugs. für: [Ziegel]brocken; minderwertiges Stück; [alte] Kleidungsstücke [meist *Mehrz.*])
Klamp|fe, die; -, -n (veralt. für: Gitarre)
klang!; kling, klang!; **Klang,** der; -[e]s, Klänge

klapp!; Klap|pe, die; -, -n (österr. auch: Nebenstelle eines Telefonanschlusses, svw. Apparat); **klap|pen; Klap|per,** die; -, -n; **klap|pe|rig,** klapp|rig; **klappern; klapp|rig,** klap|pe|rig
klaps!; Klaps; der; -es, -e; **Kläpschen; klap|sen; Klaps|müh|le** (ugs. für: Irrenanstalt)
klar; ins -e kommen; im -en sein; klar sein
◇ exakt, genau, präzise, eindeutig, deutlich, unmißverständlich
Kla|re, der; -n, -n (Schnaps); einen -n trinken
Klär|an|la|ge; klä|ren
klar|ge|hen (ugs. für: reibungslos ablaufen)
Klar|heit, die; -
Kla|ri|net|te, die; -, -n (ein Holzblasinstrument); **Kla|ri|net|tist,** der; -en, -en (Klarinettenbläser)
klar|kom|men (ugs. für: zurechtkommen); **klar|le|gen** (erklären); **klar|machen** (deutlich machen; [Holz] zerkleinern; [Schiff] fahr-, gefechtsbereit machen); **Klär|schlamm; klar|se|hen** (in einer Sache); **Klar|sicht|fo|lie; klarstel|len** (Irrtümer beseitigen); **Klarstel|lung; Klar|text,** der (entzifferter [dechiffrierter] Text); **Klä|rung; klarwer|den** (verständlich werden, einsehen)
klas|se (ugs. für: hervorragend, großartig); **Klas|se** (Abk.: Kl.), die; -, -n; etwas ist [ganz große] - (ugs. für: etwas ist großartig); **Klas|se|ment** [*...mang*], das; -s, -s (Reihenfolge, Einteilung, Ordnung); **klas|sen|los;** -e Gesellschaft; **Klassen‿lot|te|rie, ...zim|mer; klas|si|fi-zie|ren; Klas|si|fi|zie|rung** (Einteilung, Einordnung; Sonderung [in Klassen]); **Klas|sik,** die; - (Epoche kultureller Gipfelleistungen u. ihre mustergültigen Werke); **Klas|si|ker** (maßgebender Künstler od. Schriftsteller [bes. der antiken u. der dt. Klassik]); **klas|sisch** (mustergültig; vorbildlich; die Klassik betreffend; von Zeugen: vollgültig; typisch, bezeichnend; herkömmlich, traditionell); **Klas|si|zis|mus,** der; - (die Klassik nachahmende Stilrichtung; bes.: Stil um 1800); **klas|si|zi|stisch**
klatsch!
Klatsch, der; -[e]s, -e (ugs. auch für: Rederei, Geschwätz)
◇ Tratsch, Gerede, Gemunkel
Klatsch|ba|se; klat|schen; Beifall -; **Klatsch|mohn; klatsch|naß** (ugs. für: völlig durchnäßt); **Klatsch|sucht,** die; -
klau|ben (sondern; mit Mühe heraussuchen, -bekommen; österr. allgem. für: pflücken, sammeln)
Klaue, die; -, -n; **klau|en** (ugs. für: steh-

len); **Klau|en|seu|che,** die; -; Maul- u. Klauenseuche
Klau|se, die; -, -n (enger Raum, Klosterzelle, Einsiedelei; Engpaß)
Klau|sel, die; -, -n (Nebenbestimmung; Einschränkung, Vorbehalt)
Klaus|ner (Bewohner einer Klause)
Klau|stro|pho|bie, die; -, ...ien (krankhafte Angst in geschlossenen Räumen); **Klau|sur,** die; -, -en (abgeschlossener Bereich im Kloster; schriftliche Prüfungsarbeit unter Aufsicht)
Kla|via|tur [...*wi*...], die; -, -en (Tasten [eines Klaviers], Tastbrett); **Kla|vier** [...*wir*], das; -s, -e; - spielen; **kla|vie|ren** (ugs. für: herumfingern an etwas); **Kla|vierkon|zert**
kle|ben; kle|ben|blei|ben (ugs. auch für: sitzenbleiben [in der Schule]); **Kleber** (auch: Bestandteil des Getreideeiweißes); **kleb|rig; Kleb|stoff**
kleckern [*Trenn.:* ...ek|k...] (ugs. für: beim Essen od. Trinken Flecke machen, sich beschmutzen); **Klecks,** der; -es, -e; **kleck|sen** (Kleckse machen)
Klee, der; -s, Kleearten od. -sorten; **Kleeblatt**
Kleid, das; -[e]s, -er (schweiz. auch: Herrenanzug)
◇ Gewand, Fähnchen (ugs.), Fummel (ugs.)
Kleid|chen, das; -s, - u. Kleiderchen; **klei|den; Klei|der‿bad, ...schrank; kleid|sam**
Klei|dung
◇ Bekleidung, Kleider, Gewandung, Dreß, Klamotten (ugs.), Sachen (ugs.), Zeug (ugs.), Montur (ugs.), Kluft (ugs.)
Klei|dungs|stück
Kleie, die; -, -n (Mühlenabfallprodukt)
klein; ein klein wenig; bis ins kleinste (sehr eingehend); etw. im kleinen verkaufen; klein beigeben (nachgeben); klein (mit kleinen Anfangsbuchstaben) schreiben; der Kleine Bär; vom Kleinen aufs Große schließen; etwas, nichts, viel, wenig Kleines
◇ winzig, kleinwinzig (ugs.), kleinwüchsig, zu kurz geraten (ugs.), lütt (landsch.) · gering, minimal, unbedeutend, nicht nennenswert, unerheblich
Klein das; -s; (z.B. von Gänsen, Hasen, Kohlen), **klein|bür|ger|lich; Klei|ne,** der, die, das; -n, -n (kleines Kind); **Klein‿for|mat, ...geld** (das, -[e]s); **klein|gläu|big; Klein|gläu|big|keit,** die; -; **klein|hacken** [*Trenn.:* ...hak|ken] (zerkleinern); **klein|her|zig**
Klei|nig|keit
◇ Bagatelle, Lappalie, Kleinkram, Kinkerlitzchen, kleine Fische (ugs.)
klein|ka|riert (auch übertr. für: engherzig, -stirnig); **Klein‿kind, ...kram** (der; -[e]s); **klein|krie|gen** (ugs. für: zerkleinern; aufbrauchen; gefügig machen); **klein|laut; klein|lich; Klein|lichkeit; klein|ma|chen** (zerkleinern; ugs. für: aufbrauchen, durchbringen; wechseln; erniedrigen); **Klein|mut** (der; -[e]s); **klein|mü|tig; Klein|od,** das; -[e]s, (für: Kostbarkeit *Mehrz.:*) -e, (für: Schmuckstück *Mehrz.:*) ...odien [...*i*[e]*n*]; **klein|schrei|ben** (ugs.: für unwichtig erachten); Demokratie wird in diesem Betrieb kleingeschrieben; **Klein‿schreibung, ...stadt; kleinst|mög|lich**
Klei|ster, der; -s, -; **klei|stern**
Kle|ma|tis [auch: ...*atiß*], die; -, - (Waldrebe, Kletterpflanze)
Kle|men|ti|ne, die; -, -n (kernlose Sorte der Mandarine)
Klem|me, die; -, -n; **klem|men**
Klemp|ner (Blechschmied)
◇ Spengler, Flaschner (landsch.), Blechner (landsch.)
Klemp|ne|rei; klemp|nern (Klempner sein, spielen)
Klep|per, der; -s, - (ugs. für: ausgemergeltes Pferd)
Klep|to|ma|nie, die; - (krankhafter Stehltrieb); **klep|to|ma|nisch**
kle|ri|kal (die Geistlichkeit betreffend; [streng] kirchlich [gesinnt]); **Kle|ri|ker** (kath. Geistlicher); **Kle|rus,** der; - (kath. Geistlichkeit, Priesterschaft)
Klet|te, die; -, -n
Klet|te|rei; Klet|te|rer; Klet|ter‿max (der; -es, -e) od. **...ma|xe** (der; -n, -n; ugs. für: Einsteigdieb, Fassadenkletterer); **klet|tern; Klet|ter‿ro|se, ...stan|ge**
Klett|ver|schluß (Haftverschluß)
klicken [*Trenn.:* ...k|k...] (einen dünnen, kurzen Ton geben)
Klicks, der; -es, -e (Schnalzlaut)
Kli|ent, der; -en, -en (im Altertum: Schutzbefohlener; heute: Auftraggeber [eines Rechtsanwaltes])
Kli|ma, das; -s, -s u. ...mate (Gesamtheit der meteorol. Erscheinungen in einem best. Gebiet); **Kli|ma|an|la|ge; Klimak|te|ri|um,** das; -s (Med.: Wechseljahre); **kli|ma|ti|sie|ren** (Temperatur u. Luftfeuchtigkeit in geschlossenen Räumen auf bestimmte konstante Werte bringen)
klim|men (klettern); klomm (auch: klimmte, [klömme]), geklommen (auch: geklimmt); **Klimm|zug** (eine turnerische Übung)
klim|pern (klingen lassen; ugs. für: [schlecht] auf dem Klavier spielen)
kling!
Klin|ge, die; -, -n
Klin|gel, die; -, -n; **klin|geln**
klin|gen; klang (klänge), geklungen

Kli|nik, die; - (für: Krankenanstalt auch *Mehrz.*) -en ([Spezial]krankenhaus; Unterricht am Krankenbett); **kli|nisch**
Klin|ke, die; -, -n; **klin|ken**
Klin|ker, der; -s, - (bes. hart gebrannter Ziegel); **Klin|ker|bau** (Bau aus Klinkern; *Mehrz.* ...bauten)
Kli|no|mo|bil, das; -s, -e (Notarztwagen mit klinischer Ausrüstung)
klipp!; klipp u. klar (ugs. für: ganz deutlich)
Klipp, der; -s, -s (Klemme; Schmuckstück zum Festklemmen bes. am Ohr)
Klip|pe, die; -, -n
Klips, der; -es, -e (Schmuckstück zum Festklemmen bes. am Ohr)
klir|ren
Kli|schee, das; -s, -s (Druck-, Bildstock; Abklatsch); **Kli|schee|vor|stel|lung**
Kli|stier, das; -s, -e (Einlauf); **kli|stieren** (einen Einlauf geben)
Kli|to|ris, die; -, - u. ..orides (Med.: schwellfähiges weibl. Geschlechtsorgan, Kitzler)
klitsch!; Klit|sche (ugs. für: [ärmliches] Landgut); **klitsch|naß** (ugs. für: völlig durchnäßt)
klit|ze|klein (ugs. für: sehr klein)
Klo, das; -s, -s (ugs. Kurzform von: Klosett)
Kloa|ke, die; -, -n ([unterirdischer] Abzugskanal; Senkgrube)
Klo|ben, der; -s, - (Eisenhaken; gespaltenes Holzstück; auch für: unhöflicher Mensch); **klo|big**
klo|nen (durch künstlich herbeigeführte ungeschlechtliche Vermehrung genetisch identische Kopien von Lebewesen herstellen)
klö|nen (niederd. für: gemütlich plaudern; schwatzen)
klop|fen; Klop|fer
Klöp|pel, der; -s, -; **Klöp|pe|lei; klöppeln; Klöpp|le|rin,** die; -, -nen; **Klops,** der; -es, -e (Fleischkloß); Königsberger Klopse
Klo|sett, das; -s, -e u. -s
Kloß, der; -es, Klöße; **Kloß|brü|he; Klöß|chen**
Klo|ster, das; -s, Klöster
◇ Abtei, Stift, Konvent
Klo|ster|bru|der; klö|ster|lich
Klotz, der; -es, Klötze (ugs.: Klötzer); **Klötz|chen; klot|zen;** -, nicht kleckern (ugs. für: nicht kleinlich arbeiten, sondern etwas Richtiges hinstellen); **klotzig** (ugs. auch für: sehr viel)
Klub, der; -s, -s ([geschlossene] Vereinigung, auch deren Räume); **Klub|gar|nitur** (Gruppe von [gepolsterten] Sitzmöbeln)
[1]Kluft, die; -, -en (ugs. für: [alte] Kleidung; Uniform)
[2]Kluft, die; -, Klüfte (Spalte)
klug; klüger, klügste; es ist das klügste ... (am klügsten); wer ist der Klügste?
◇ gescheit, intelligent, aufgeweckt, scharfsinnig
Klü|ge|lei; klü|geln; klu|ger|wei|se; Klug|heit, die; -
Klümp|chen; klum|pen; der Pudding klumpt; sich - (sich [in Klumpen] ballen)
Klum|pen, der; -s, -
◇ Brocken, Block, Klotz, Batzen, Knollen (ugs.), Bollen (ugs.)
Klump|fuß; klump|fü|ßig
Klün|gel, der; -s, - (verächtl. für: Gruppe, die Vettern-, Parteiwirtschaft betreibt; Sippschaft, Clique)
knab|bern
Kna|be, der; -n, -n; **kna|ben|haft; Knäb|lein**
knack!; Knack, der; -[e]s, -e (mäßiger Knall); **Knäcke|brot**[1]**; knacken**[1] (aufbrechen; lösen; [beim Betreten] einen Laut geben); **knackig**[1]**; knacks!; Knacks,** der; -es, -e (ugs. für: Schaden); **Knack|wurst**
Knall, der; -[e]s, -e; **knal|len; Knall|effekt** (ugs. für: große Überraschung); **knall|hart** (ugs. für: sehr hart); **knal|lig**
knapp; - sein, sitzen
Knap|pe, der; -n, -n (Edelknabe; Bergmann)
knapp|hal|ten (jmdm. wenig geben); **Knapp|heit,** die; -
knap|sen (ugs. für: geizen; eingeschränkt leben)
Knar|re, die; -, -n (Kinderspielzeug; ugs. für: Gewehr); **knar|ren**
Knast, der; -[e]s, Knäste (auch: -e) (ugs. für: Freiheitsstrafe, Gefängnis)
knat|tern
Knäu|el, der od. das; -s, -
Knauf, der; -[e]s, Knäufe
knau|se|rig, knaus|rig (ugs.); **knau|sern** (ugs. für: sparsam, geizig sein; sparsam mit etwas umgehen); mit dem Geld -; **knaus|rig,** knau|se|rig
knaut|schen (knittern); **Knautsch-lack, ...zo|ne** (Kfz)
Kne|bel, der; -s, -; **kne|beln; Kne|belung**
Knecht, der; -[e]s, -e; **knech|ten; Knecht Ru|precht,** der; - -[e]s, - -e; **Knecht|schaft,** die; -
knei|fen; kniff, gekniffen
◇ zwicken, zwacken, petzen (landsch.)
Kneif|zan|ge
Knei|pe, die; -, -n (ugs. für: [einfaches] Lokal mit Alkoholausschank)
kneip|pen (nach dem Verfahren des kath. Geistlichen u. Heilkundigen Kneipp eine Wasserkur machen); **Kneipp|kur**

[1] *Trenn.:* ...k|k...

knet|bar; kne|ten; Knet|mas|se

Knick, der; -[e]s, -e (nicht völliger Bruch); **Knicke|bein**[1] (Eierlikör [als Füllung in Pralinen u. ä.]); **knicken**[1]

Knicker|bocker[1] [auch in engl.Ausspr.: *nik^er...*] (*Mehrz.;* halblange Pumphose)

knicke|rig[1], **knick|rig** (ugs.); **knikkern** (ugs. für: geizig sein)

knicks!; Knicks, der; -es, -e; **knicksen**

Knie, das; -s, - [*kni^e*, auch: *kni*]; auf den Knien liegen; **Knie|beu|ge; Kniebund[|ho|se]; Knie|fall,** der; **kniehoch;** der Schnee liegt -

knien [*knin*, auch: *kni^en*]; kniete, gekniet ◇ sich hinknien, niederknien, auf den Knien liegen

Knie|strumpf

Kniff, der, -[e]s, -e; **Knif|fe|lei** (Schwierigkeit); **knif|fe|lig, kniff|lig**

Knig|ge, der; -[s], - (Buch über Umgangsformen)

knips!, Knips, der; -es, -e; **knip|sen**

Knirps, der; -es, -e (auch: ⓦ zusammenschiebbarer Schirm)

knir|schen

kni|stern

Knit|tel|vers

Knit|ter, der; -s, -; **knit|tern**

kno|beln ([aus]losen; würfeln; lange nachdenken)

Knob|lauch [*kno...* u. *kno...*], der; -[e]s (eine Gewürz- u. Heilpflanze); **Knoblauch|ze|he**

Knö|chel, der; -s, -; **Knö|chel|chen; Kno|chen,** der; -s, -; **Kno|chen‿bau** (der; -[e]s), **...mark** (das); **kno|chentrocken** [*Trenn.:* ...trok|ken] (ugs. für: sehr trocken); **knö|che|rig,** knöch|rig (aus Knochen; knochenartig); **knöchern** (aus Knochen); **knöch|rig** vgl. knöcherig

knock|out [*nok-aut*] (nach einem Niederschlag im Boxkampf kampfunfähig; Abk.: k.o.); **Knock|out,** der; -[s], -s (Niederschlag u. Kampfunfähigkeit im Boxkampf; Abk.: K.o.)

Knö|del, der; -s, - (bes. südd., österr. für: Kloß)

Knöll|chen; Knol|le; die; -, -n u. **Knollen,** der; -s, -; **Knol|len|blät|ter|pilz**

Knopf, der; -[e]s, Knöpfe (österr. ugs. auch für: Knoten); **Knöpf|chen; knöpfen; Knopf|loch**

Knor|pel, der; -s, -; **knor|pe|lig**

Knösp|chen; Knos|pe, die; -, -n; **knos|pen; knos|pig**

Knöt|chen; kno|ten; Kno|ten, der; -s, - (auch: Marke an der Logleine, Seemeile je Stunde [Zeichen: kn]); **Kno|tenpunkt**

---

[1] *Trenn.:* ...k|k...

Know-how [*no^uhau*], das; -[s] (Wissen um die praktische Verwirklichung einer Sache)

knül|len (zerknittern)

Knül|ler (ugs. für: [journalist.] Schlager, publikumswirksame Neuheit)

knüp|fen; Knüpf|tep|pich

Knüp|pel, der; -s, -; **knüp|pel|dick** (ugs. für: sehr schlimm); **knüp|peln; Knüppel|schal|tung**

knur|ren; knur|rig; ein -er Mensch

knus|pe|rig, knusp|rig; knus|pern

Knu|te, die; -, -n (Lederpeitsche; Symbol grausamer Unterdrückung)

knut|schen (ugs. für: heftig liebkosen)

k. o. = knockout; jmdn. k. o. schlagen; **K. o.,** der; -[s], -[s] = Knockout; er siegte durch K. o.; **K. o.-Schlag**

ko|alie|ren; Ko|ali|ti|on [*...zion*], die; -, -en (Vereinigung, Bündnis; Zusammenschluß [von Staaten]); kleine, große Koalition; **Ko|ali|ti|ons|frei|heit**

Ko|balt, das; -s (chem. Grundstoff, Metall; Zeichen: Co); **ko|balt|blau**

Ko|ben, der; -s, - (Verschlag; Käfig, Stall)

Ko|bold, der; -[e]s, -e (neckischer Geist); **ko|bold|haft**

Ko|bolz, der, nur noch in: - schießen (Purzelbaum schlagen); **ko|bol|zen**

Ko|bra, die; -, -s (Brillenschlange)

Koch, der; -[e]s, Köche ◇ Küchenchef, Küchenbulle (ugs.), Smutje (Seemannsspr.)

ko|chen

Kö|cher, der; -s, - (Behälter für Pfeile)

Kö|chin, die; -, -nen; **Koch|kunst**

Kode, (i. d. Technik meist:) Code [*kot*], der; -s, -s (System verabredeter Zeichen; Schlüssel zu Geheimschriften)

Kö|der, der; -s, - (Lockmittel); **kö|dern**

Ko|dex, der; -es u. -, -e u. ...dizes (Handschriftensammlung; Gesetzbuch, Gesetzessammlung)

Ko|edu|ka|ti|on [*...zion*], die; - (Gemeinschaftserziehung beider Geschlechter in Schulen u. Internaten)

Ko|exi|stenz [auch: *ko...*], die; -, -en (gleichzeitiges Vorhandensein mehrerer Dinge od. mehrerer Eigenschaften am selben Ding; friedl. Nebeneinanderbestehen von Staaten mit verschiedenen Gesellschafts- u. Wirtschaftssystemen); **koexi|stie|ren**

Kof|fe|in, das; -s (Wirkstoff von Kaffee u. Tee)

Kof|fer, der; -s, -; **Köf|fer|chen; Kof|fer‿ra|dio, ...raum**

Ko|gnak [*konjak*], der; -s, -s (volkstüml. für: Schnaps, Weinbrand)

ko|hä|rent (zusammenhängend); **Ko|hä|renz,** die; -

Kohl, der; -[e]s, -e (ein Gemüse) ◇ Kraut, Kappes (landsch.)

Kohl|dampf, der; -[e]s (Soldatenspr. u. ugs. für: Hunger); - schieben
Kohle, die; -, -n; **koh|len** (nicht mit voller Flamme brennen, schwelen); **Kohle[n]|hy|drat** (zucker- od. stärkeartige chem. Verbindung); **Koh|len‿säu|re** (die; -), **...stoff** (der; -[e]s; chem. Grundstoff; Zeichen: C); **Köh|ler**
Kohl|mei|se (ein Vogel)
Kohl|ra|be (für: Kolkrabe); **kohl|raben|schwarz**
Kohl|ra|bi, der; -[s], -[s] (eine Pflanze)
Ko|in|zi|denz, die; - (Zusammentreffen zweier Ereignisse)
ko|itie|ren (Med.: den Koitus vollziehen)
◇ mit jmdm. schlafen, sich lieben, mit jmdm. ins Bett gehen, intime Beziehungen haben, ein Abenteuer haben, bumsen (derb), ficken (derb), vögeln (derb)
Ko|itus, der; -, - [*kó-ituß*] (Med.: Geschlechtsakt)
◇ [Geschlechts]verkehr, Intimverkehr, Beischlaf, Kopulation
Ko|je, die; -, -n (Schlafstelle [auf Schiffen]; Ausstellungsstand)
Ko|jo|te, der; -n, -n (nordamerikanischer Präriewolf; Schimpfwort)
Ko|ka|in, das; -s (ein Betäubungsmittel; Rauschgift)
Ko|kar|de, die; -, -n (Abzeichen, Hoheitszeichen an Uniformmützen)
ko|ken (Koks herstellen); **Ko|ke|rei** (Koksgewinnung, -werk)
ko|kett (eitel, gefallsüchtig); **ko|ket|tieren**
Ko|kon [*...kong*, österr.: *...kon*], der; -s, -s (Hülle der Insektenpuppen); **Ko|kon|faser**
Ko|kos‿mat|te, ...nuß
Ko|kot|te, die; -, -n (Dirne, Halbweltdame)
Koks, der; -es, -e (ein Brennstoff)
Ko|la, die; - (Kolanuß; Samen des Kolastrauches)
Kol|ben, der; -s, -
Kol|cho|se, die; -, -n (landwirtschaftl. Produktionsgenossenschaft in der Sowjetunion)
Ko|li|bak|te|ri|en (*Mehrz.;* Darmbakterien)
Ko|li|bri, der; -s, -s (ein Vogel)
Ko|lik [auch: *kolik*], die; -, -en (anfallartige heftige Leibschmerzen)
◇ Leibweh, Bauchschmerzen, Bauchweh (ugs.), Bauchgrimmen (ugs.)
Kolk|ra|be
kol|la|bie|ren (Med.: einen Kollaps erleiden)
Kol|la|bo|ra|teur [*...tör*], der; -s, -e (mit dem Feind Zusammenarbeitender); **Kol|la|bo|ra|ti|on** [*...zion*], die; -, -en; **kol|la|bo|rie|ren** (mitarbeiten; mit dem Feind zusammenarbeiten)

Kol|la|gen, das; -s, -e (leimartiges Eiweiß des Bindegewebes)
Kol|laps [auch: *...lapß*], der; -es, -e (plötzlicher Schwächeanfall)
Kol|leg, das; -s, -s u. -ien [*...iᵉn*] (akadem. Vorlesung; auch für: Kollegium)
Kol|le|ge, der; -n, -n
◇ Arbeitskamerad, Mitarbeiter, Kumpel (ugs.) · Genosse
kol|le|gi|al; Kol|le|gia|li|tät, die; -; **Kol|le|gi|um,** das; -s, ...ien [*...iᵉn*] (Amtsgenossenschaft; Behörde; Lehrkörper; veralt. für: Kolleg)
Kol|lek|te, die; -, -n (Einsammeln freiwilliger Gaben, Sammlung bei u. nach dem Gottesdienst; liturg. Gebet)
◇ Spende, Spendenaktion
Kol|lek|ti|on [*...zion*], die; -, -en ([Muster]sammlung [von Waren], Auswahl); **kol|lek|tiv** (gemeinsam, gemeinschaftlich, gruppenweise, umfassend); **Kol|lek|tiv,** das; -s, -e [*...wᵉ*], (auch:) -s (Arbeits- u. Produktionsgemeinschaft, bes. in der sowjet. Wirtschaft)
kol|li|die|ren (zusammenstoßen, sich überschneiden)
Kol|lier [*...ie*], das; -s, -s (Halsschmuck)
Kol|li|si|on, die; -, -en (Zusammenstoß; Widerstreit der Pflichten)
Kol|lo|qui|um [auch: *...lo...*], das; -s, ...ien [*...iᵉn*] ([wissenschaftl.] Unterhaltung; österr. auch: kleine Einzelprüfung an der Universität)
Köl|nisch|was|ser [auch: *...waßᵉr*], das; -s, **Köl|nisch Was|ser,** das; - -s
ko|lo|ni|al (die Kolonie[n] betreffend; zu Kolonien gehörend; aus Kolonien stammend); **Ko|lo|nia|lis|mus,** der; - (auf Erwerb u. Ausbau von Kolonien ausgerichtete Politik eines Staates); **Ko|lo|nie,** die; -, ...ien ([durch Gewalt angeeignete] auswärtige Besitzung eines Staates)
Ko|lon|na|de (Säulengang, -halle); **Ko|lon|ne,** die; -, -n
Ko|lo|pho|ni|um, das; -s (ein Harzprodukt)
Ko|lo|ra|tur, die; -, -en (Musik: Gesangsverzierung; Läufer, Triller); **Ko|lo|ra|tur|so|pran; ko|lo|rie|ren** (färben; aus-, bemalen); **Ko|lo|rie|rung; Ko|lo|rit,** [auch: *...it*], das; -[e]s, -e (Farb[en]gebung, Farbwirkung)
Ko|loß, der; ...losses, ...losse (Riesenstandbild; Riese, Ungetüm); **ko|los|sal** (riesig, gewaltig, Riesen...; übergroß)
Kol|por|ta|ge [*...taschᵉ*, österr.: *...tasch*], die, -, -n (veralt. für: Hausier-, Wanderhandel mit Büchern; auch: Verbreitung von Gerüchten); **Kol|por|teur** [*...tör*], der; -s, -e (Verbreiter von Gerüchten); **kol|por|tie|ren**
Ko|lum|ne, die; -, -n („Säule"; senkrechte Reihe; Spalte; [Druck]seite); **Ko|lum-**

nist (Journalist, dem ständig eine bestimmte Spalte einer Zeitung zur Verfügung steht)
Ko|ma, das; -s, -s u. -ta (tiefe Bewußtlosigkeit)
Kom|bi, der; -[s], -s (kombinierter Liefer- u. Personenwagen); **Kom|bi|na|ti|on** [...*zion*], die; -, -en (berechnende Verbindung; Vermutung; Vereinigung; Zusammenstellung von Kleidungsstücken, sportl. Disziplinen, Farben u. a.; Sport: planmäßiges, flüssiges Zusammenspiel); **kom|bi|nie|ren** (vereinigen, zusammenstellen; berechnen; vermuten; Sport u. Spiele: planmäßig zusammenspielen)
Kom|bü|se, die; -, -n (Schiffsküche)
Ko|met, der; -en, -en (Schweif-, Haarstern)
Kom|fort [*komfor,* auch: *komfort*], der; -s; **kom|for|ta|bel**
Ko|mik, die; - (Kunst, das Komische darzustellen); **Ko|mi|ker; ko|misch** (possenhaft; belustigend, zum Lachen reizend; sonderbar, wunderlich, seltsam)
Ko|mi|tee, das; -s, -s (leitender Ausschuß)
Kom|ma, das; -s, -s u. -ta (Beistrich; Musik: Kleinintervall)
Kom|man|dant, der; -en, -en (Befehlshaber einer Festung, eines Schiffes usw.); **Kom|man|dan|tur,** die; -, -en (Dienstgebäude eines Kommandanten; Befehlshaberamt); **Kom|man|deur** [...*dör*], der; -s, -e (Befehlshaber einer Truppenabteilung); **kom|man|die|ren**
Kom|man|dit|ge|sell|schaft (bestimmte Form der Handelsgesellschaft; Abk.: KG)
Kom|man|do, das; -s, -s (österr. auch: ...den)
kom|men; kam (käme), gekommen
◇ sich nähern, herankommen, ankommen, anrücken, im Anzug sein, erscheinen, sich einfinden, sich einstellen, eintreffen, aufkreuzen (ugs.), eintrudeln (ugs.)
Kom|men, das; -s; das - und Gehen
Kom|men|tar, der; -s, -e (Erläuterung[sschrift], Auslegung; ugs. für: Bemerkung); **Kom|men|ta|tor,** der; -s, ...oren (Kommentarverfasser); **kommen|tie|ren**
Kom|merz, der; -es (Wirtschaft, Handel u. Verkehr); **kom|mer|zia|li|sie|ren** (kommerziellen Interessen unterordnen)
Kom|mi|li|to|ne, der; -n, -n (Studentenspr.: Studiengenosse)
Kom|miß, der; ...misses (ugs. für: [aktiver] Soldatenstand, Heer); **Kom|missar,** der; -s, -e ([vom Staat] Beauftragter; Dienstbez., z. B. Polizeikommissar); **Kom|mis|sa|ri|at,** das; -[e]s, -e (Amt[szimmer] eines Kommissars; österr. für: Polizeidienststelle); **kom|mis|sarisch** (beauftragt); **Kom|mis|si|on,** die; -, -en (Ausschuß [von Beauftragten]; Auftrag; Handel für fremde Rechnung)
kom|mod (landsch. u. österr. für: bequem, angenehm); **Kom|mo|de,** die; -, -n
kom|mu|nal (die Gemeinde betreffend, Gemeinde..., gemeindeeigen); **Kom|mune,** die; -, -n (Stadt- oder Landgemeinde; Wohngemeinschaft linksgerichteter junger Leute); **Kom|mu|ni|kant,** der; -en, -en (Teilnehmer beim Empfang des Altarsakramentes); **Kom|mu|ni|ka|ti|on** [...*zion*], die; -, -en (Mitteilung; Verständigung, zwischenmenschlicher Verkehr); **kom|mu|ni|ka|tiv** (mitteilsam; die Verständigung, Kommunikation betreffend); **Kom|mu|ni|on,** die; -, -en („Gemeinschaft"; Empfang des Altarsakramentes); **Kom|mu|ni|on|kind; Kom|mu|ni|qué** [...*münike,* auch: ...*munike*], das; -s, -s (Denkschrift od. [regierungs]amtliche Mitteilung); **Kom|mu|nis|mus,** der; -; **Kom|mu|nist,** der; -en, -en; **kom|mu|ni|stisch;** das Kommunistische Manifest; **kom|mu|ni|zie|ren** (zur Kommunion gehen; sich verständigen, miteinander sprechen; in Verbindung stehen)
Ko|mö|di|ant, der; -en, -en (meist geringschätzig für: Schauspieler)
Ko|mö|die [...*ie*], die; -, -n
◇ Lustspiel, Posse, Farce, Schwank, Burleske
Kom|pa|gnon [...*panjong, kompanjong,* auch: *kompanjong*], der, -s, -s (Kaufmannsspr.: [Geschäfts]teilhaber; Mitinhaber)
kom|pakt (gedrungen; dicht; fest); **Kom|pakt|heit,** die; -; **Kom|paktschall|plat|te** (kleine Schallplatte, die mit Hilfe eines Laserstrahls abgespielt wird)
Kom|pa|nie, die; -, ...ien (Truppenabteilung; Kaufmannsspr. veralt. für: [Handels]gesellschaft; Abk.: Komp., in Firmen meist: Co., seltener: Cie.)
Kom|pa|ra|tiv [auch: ...*tif*], der; -s, -e [...*we*], (Sprachw.: erste Steigerungsstufe, z. B. „schöner")
Kom|par|se, der; -n, -n (Statist)
Kom|paß, der; ...passes, ...passe (Gerät zur Bestimmung der Himmelsrichtung)
kom|pa|ti|bel (vereinbar, zusammenpassend); kompatible Ämter; **Kom|pa|ti|bili|tät,** die; - (Vereinbarkeit)
Kom|pen|di|um, das; -s, ...ien [...*ien*] (Abriß, kurzes Lehrbuch) **Kom|pen|sa|ti|on** [...*zion*], die; -, -en (Ausgleich[ung], Entschädigung); **kom|pen|sie|ren** (gegeneinander ausgleichen)
kom|pe|tent (zuständig, maßgebend, befugt); **Kom|pe|tenz,** die; -, -en (Zuständigkeit)

kom|ple|men|tär (sich gegenseitig ergänzend)
kom|plett (vollständig, abgeschlossen); **kom|plet|tie|ren** (vervollständigen; auffüllen)
kom|plex (zusammengefaßt, umfassend; vielfältig verflochten); **Kom|plex,** der; -es, -e (Zusammenfassung; Inbegriff; Vereinigung, Gruppe; gefühlsbetonte Vorstellungsverknüpfung); **Kom|pli|ka|ti|on** [...*zion*], die; -, -en (Verwicklung; Erschwerung)
Kom|pli|ment, das; -[e]s, -e (Höflichkeitsbezeigung, Gruß; Artigkeit; Schmeichelei)
Kom|pli|ze, der; -n, -n (Mitschuldiger; Mittäter)
◇ Helfershelfer, Eingeweihter, Kumpan (ugs.), Spießgeselle
kom|pli|ziert (beschwerlich, schwierig, umständlich)
Kom|plott, das (ugs. auch: der); -[e]s, -e (heimlicher Anschlag, Verschwörung
Kom|po|nen|te, die; -, -n (Teil-, Seitenkraft; Bestandteil eines Ganzen); **kom|po|nie|ren** („zusammensetzen"; ein Kunstwerk aufbauen, gestalten; Musik: vertonen); **Kom|po|nist,** der; -en, -en (Tondichter, -setzer, Vertoner); **Kom|po|si|ti|on** [...*zion*], die; -, -en (Zusammensetzung; Aufbau u. Gestaltung eines Kunstwerkes; Musik: das Komponieren; Tonschöpfung); **Kom|post,** der; -[e]s, -e (Dünger); **kom|po|stie|ren** (zu Kompost verarbeiten); **Kom|pott,** das; -[e]s, -e (gekochtes Obst)
Kom|pres|se, die; -, -n (feuchter Umschlag); **Kom|pres|si|on,** die; -, -en (Zusammenpressung; Verdichtung); **kom|pri|mie|ren** (zusammenpressen; verdichten); **kom|pri|miert**
Kom|pro|miß, der (selten: das); ...misses, ...misse (Übereinkunft; Ausgleich); **kom|pro|mit|tie|ren** (bloßstellen)
Kom|pu|ter vgl. Computer
Kon|den|sa|ti|on [...*zion*], die; -, -en (Verdichtung; Verflüssigung); **Kon|den|sa|tor,** der; -s, ...oren („Verdichter"; Gerät zum Speichern von Elektrizität); **kon|den|sie|ren** (verdichten, eindicken; verflüssigen); **Kon|dens|milch, ...was|ser** (das; -s, ...wasser u. ...wässer)
Kon|di|ti|on [...*zion*], die; -, -en (Bedingung; [Gesamt]zustand; veralt. für: Stelle, Dienst); **Kon|di|ti|ons|schwä|che**
Kon|di|tor, der; -s, ...oren; **Kon|di|to|rei; Kon|di|tor|mei|ster**
Kon|do|lenz, die; -, -en (Beileid[sbezeigung])
kon|do|lie|ren; jmdm. -
◇ jmdm. sein Beileid aussprechen/ausdrücken/bezeigen, jmdm. seine Teilnahme aussprechen/ausdrücken/bezeigen

Kon|dom, das od. der; -s, -e (selten:) -s (Präservativ)
Kon|fekt, das; -[e]s, -e (Zuckerwerk; südd., schweiz., österr. auch für: Teegebäck); **Kon|fek|ti|on** [...*zion*], die; -, -en (industrielle „Anfertigung" [von Kleidern]; [Handel mit] Fertigkleidung; Bekleidungsindustrie); **kon|fek|tio|nie|ren** (fabrikmäßig herstellen)
Kon|fe|renz, die; -, -en
◇ Besprechung, Beratung, Sitzung, Symposion
Kon|fe|renz|schal|tung (telefonische Schaltung für mehr als zwei Personen); **kon|fe|rie|ren** (eine Konferenz abhalten; als Conférencier sprechen)
Kon|fes|si|on, die; -, -en ([Glaubens]bekenntnis; [christl.] Bekenntnisgruppe); **kon|fes|sio|nell** (zu einer Konfession gehörend); **Kon|fes|si|ons|schu|le** (Bekenntnisschule)
Kon|fet|ti (*Mehrz.*), heute meist: das; -[s] (bunte Papierblättchen, die bes. bei Faschingsveranstaltungen geworfen werden)
Kon|fir|mand, der; -en, -en; **Kon|fir|ma|ti|on** [...*zion*], die; -, -en (Einsegnung); **kon|fir|mie|ren**
kon|fis|zie|ren
Kon|fi|tü|re, die; -, -n (Marmelade mit noch erkennbaren Obststücken)
Kon|flikt, der; -[e]s, -e („Zusammenstoß"; Zwiespalt, [Wider]streit)
Kon|fö|de|ra|ti|on [...*zion*], die; -, -en („Bündnis"; [Staaten]bund)
kon|form (einig, übereinstimmend); - gehen (einiggehen, übereinstimmen); **Kon|for|mis|mus,** der; - ([Geistes]haltung, die [stets] um Anpassung bemüht ist); **Kon|for|mist,** der; -en, -en (Vertreter des Konformismus)
Kon|fron|ta|ti|on [...*zion*], die; -, -en (Gegenüberstellung [von Angeklagten u. Zeugen]; [polit.] Auseinandersetzung); **kon|fron|tie|ren;** mit jmdm. konfrontiert werden; sich jmdm. konfrontiert sehen
kon|fus (verwirrt, verworren, wirr [im Kopf]); **Kon|fu|si|on,** die; -, -en (Verwirrung)
kon|ge|ni|al (geistesverwandt; geistig ebenbürtig); **Kon|ge|nia|li|tät,** die; -
Kon|glo|me|rat, das; -[e]s, -e (Sedimentgestein; Gemisch)
Kon|greß, der; ...gresses, ...gresse ([größere] fachl. od. polit. Versammlung)
kon|gru|ent (übereinstimmend, dekkungsgleich); **Kon|gru|enz,** die; -, (selten:) -en (Übereinstimmung)
Kö|nig, der; -[e]s, -e; die Heiligen Drei -e; **Kö|ni|gin,** die; -, -nen; **Kö|ni|gin|mut|ter** (*Mehrz.* ...mütter); **kö|nig|lich;** das königliche Spiel (Schach); Königliche

Hoheit (Anrede eines Kronprinzen); **kö|nigs|blau; Kö|nigs_blau, ...ker|ze** (eine Heil- u. Zierpflanze); **Kö|nig|tum**
ko|nisch (kegelförmig)
Kon|ju|ga|ti|on [...*zion*], die; -, -en (Sprachw.: Beugung des Zeitwortes); **kon|ju|gie|ren** ([Zeitwort] beugen); **Kon|junk|ti|on** [...*zion*], die; -, -en (Sprachw.: Bindewort, z. B. „und, oder"; Astron.: Stellung zweier Gestirne im gleichen Längengrad); **Kon|junk|tiv** [auch: ...*tif*], der; -s, -e [...*w*[e]] (Sprachw.: Möglichkeitsform; Abk.: Konj.); **Kon|junk|tur,** die; -, -en (wirtschaftl. Gesamtlage von bestimmter Entwicklungstendenz); **kon|junk|tu|rell**
kon|kav (hohl, vertieft, nach innen gewölbt)
Kon|kla|ve [...*w*[e]], das; -s, -n (Versammlung[sort] der Kardinäle zur Papstwahl)
Kon|kor|danz, die; -, -en (Übereinstimmung); **Kon|kor|dat,** das; -[e]s, -e (Vertrag zwischen Staat u. kath. Kirche; schweiz. für: Vertrag zwischen Kantonen)
kon|kret (körperlich, gegenständlich, sinnfällig, anschaubar, greifbar); **kon|kre|ti|sie|ren** (konkret machen; verdeutlichen; [im einzelnen] ausführen)
Kon|ku|bi|nat, das; -[e]s, -e (Rechtsspr.: eheähnliche Gemeinschaft ohne Eheschließung); **Kon|ku|bi|ne,** die; -, -n (veralt. für: im Konkubinat lebende Frau)
Kon|kur|rent; Kon|kur|ren|tin, die; -, -nen; **Kon|kur|renz,** die; -, -en (Wettbewerb; Rivalität, Gegnerschaft); **kon|kur|rie|ren** (wetteifern; miteinander in Wettbewerb stehen; zusammentreffen [von mehreren strafrechtl. Tatbeständen]); **Kon|kurs,** der; -es, -e („Zusammenlauf" [der Gläubiger]; Zahlungseinstellung, -unfähigkeit)
kön|nen; konnte (könnte), gekonnt; ich habe das nicht glauben können; **Kön|nen,** das; -s; **Kön|ner**
Kon|nex, der; -es, -e (Zusammenhang, Verbindung)
Kon|rek|tor, der; -s, ...oren (Vertreter des Rektors)
Kon|sens, der; -es, -e (Zustimmung; Übereinstimmung)
kon|se|quent (folgerichtig; bestimmt; beharrlich, zielbewußt); **Kon|se|quenz,** die; -, -en (Folgerichtigkeit; Beharrlichkeit; Zielstrebigkeit; Folge[rung])
kon|ser|va|tiv; Kon|ser|va|ti|ve [...*iw*[e]], der u. die; -n, -n (jmd., der am Hergebrachten festhält; Anhänger[in] einer konservativen Partei); **Kon|ser|va|to|ri|um,** das; -s, ...ien [...*i*[e]*n*] (Musik[hoch]schule); **Kon|ser|ve** [...*w*[e]], die; -, -n (haltbar gemachtes Nahrungs- od. Genußmittel; Dauerware; auf Tonband, Schallplatte Festgehaltenes); **kon|ser|vie|ren** (einmachen; haltbar machen; auf Tonband, Schallplatte festhalten); **Kon|ser|vie|rung**
Kon|si|stenz, die; - (Beschaffenheit eines Stoffs)
Kon|si|sto|ri|al|rat (*Mehrz.* ...räte; Titel)
Kon|so|le, die; -, -n (Kragstein; Wandbrett; Träger für Gegenstände des Kunsthandwerks); **kon|so|li|die|ren** (sichern, festigen); **Kon|so|li|die|rung**
Kon|so|nant, der; -en, -en (Sprachw.: „Mitlaut", z. B. p, k)
Kon|sor|ten (*Mehrz.;* abwertend für: Mittäter; Mitangeklagte)
Kon|spi|ra|ti|on [...*zion*], die; -, -en (Verschwörung); **kon|spi|ra|tiv** (verschwörerisch); **kon|spi|rie|ren** (sich verschwören; eine Verschwörung anzetteln)
kon|stant (beharrlich, fest[stehend], ständig, unveränderlich, stet[ig]); **Kon|stan|te,** die; -[n], -n (unveränderbare Größe); **kon|sta|tie|ren** (feststellen)
Kon|stel|la|ti|on [...*zion*], die; -, -en (Stellung der Gestirne zueinander; Zusammentreffen von Umständen; Lage)
kon|ster|niert (bestürzt, betroffen)
kon|sti|tu|ie|ren (einsetzen, festsetzen, gründen); sich - (zusammentreten [zur Beschlußfassung]); **Kon|sti|tu|ti|on** [...*zion*], die; - (Verfassung [eines Staates, einer Gesellschaft], Grundgesetz; Beschaffenheit, Verfassung des [menschl.] Körpers); **kon|sti|tu|tiv** (bestimmend, grundlegend)
kon|stru|ie|ren; Kon|struk|teur [...*tör*], der; -s, -e (Erbauer, Erfinder, Gestalter); **Kon|struk|ti|on** [...*zion*], die; -, -en; **kon|struk|tiv** (die Konstruktion betreffend; folgerichtig; aufbauend)
Kon|sul, der; -s, -n (höchster Beamter der röm. Republik; heute: Vertreter eines Staates zur Wahrnehmung seiner [wirtschaftl.] Interessen in einem anderen Staat); **kon|su|la|risch; Kon|su|lat,** das; -[e]s, -e (Amt[sgebäude] eines Konsuls); **Kon|sul|ta|ti|on** [...*zion*], die; -, -en (Befragung, bes. eines Arztes); **kon|sul|tie|ren** ([den Arzt] befragen; zu Rate ziehen)
Kon|sum, der; -s (Verbrauch); **Kon|su|ment,** der; -en, -en (Verbraucher; Käufer); **Kon|sum|ge|nos|sen|schaft** (Verbrauchergenossenschaft); **kon|su|mie|ren** (verbrauchen; verzehren)
Kon|takt, der; -[e]s, -e (Berührung, Kommunikation, Verbindung); **Kon|takt|ar|mut; kon|tak|tie|ren** (Kontakt aufnehmen; Kontakte vermitteln); **Kon|takt|lin|se**
Kon|ter, der; -s, - (Sport: aus der Verteidigung geführter Gegenschlag); **Kon|ter|ad|mi|ral** (Flaggoffizier); **Kon|ter|ban|de,** die; - (Schmuggelware; Bann-

ware); **kon|tern** (Sport: den Gegner im Angriff durch gezielte Gegenschläge abfangen; durch eine Gegenaktion abwehren); **Kon|ter|re|vo|lu|ti|on** (Gegenrevolution)

Kon|text, der; -[e]s, -e (Textzusammenhang)

Kon|ti (*Mehrz.* von: Konto)

Kon|ti|nent [auch: *kon...*], der; -[e]s, -e (Festland; Erdteil); **kon|ti|nen|tal**

Kon|tin|gent [*...ngg...*], das; -[e]s, -e (Anteil; [Pflicht]beitrag; [Höchst]betrag; [Höchst]menge; Zahl der [von Einzelstaaten] zu stellenden Truppen); **kon|tin|gen|tie|ren** (das Kontingent festsetzen; [vorsorglich] ein-, zuteilen)

kon|ti|nu|ier|lich (stetig, fortdauernd, unaufhörlich, durchlaufend); **Kon|ti|nui|tät** [*...nui...*], die; - (lückenloser Zusammenhang, Stetigkeit, Fortdauer)

Kon|to, das; -s, ...ten (auch: -s u. ...ti) (Rechnung; Aufstellung über Forderungen u. Schulden); **Kon|tor,** das; -s, -e (Geschäftsraum eines Kaufmanns); **Kon|to|rist,** der; -en, -en

kon|tra (gegen, entgegengesetzt); **Kontra,** das; -s, -s (Kartenspiel: Gegenansage); jmdm. - geben; **Kon|tra|baß** (Baßgeige)

Kon|tra|hent, der; -en, -en (Vertragspartner; Gegner)

Kon|tra|in|di|ka|ti|on [*...zion*], die; -, -en (Med.: Gegenanzeige)

Kon|trakt, der; -[e]s, -e (Vertrag, Abmachung); **Kon|trak|ti|on** [*...zion*], die; -, -en (Zusammenziehung; Einschnürung; Schrumpfung)

kon|trär (gegensätzlich; widrig); **Kontrast,** der; -[e]s, -e ([starker] Gegensatz; auffallender Unterschied, bes. von Farben); **kon|tra|stie|ren** (sich unterscheiden, sich abheben, abstechen, einen [starken] Gegensatz bilden); **kon|tra|stiv** (gegensätzlich; vergleichend)

Kon|trol|le, die; -, -n; **Kon|trol|leur** [*...lör*], der; -s, -e (Aufsichtsbeamter, Prüfer); **kon|trol|lie|ren**

kon|tro|vers [*...wärß*] (streitig, bestritten); **Kon|tro|ver|se,** die; -, -n ([wissenschaftl.] Streit[frage])

Kon|tur, die; -, -en, in der Kunst auch: der, -s, -en (meist *Mehrz.;* Umriß[linie]; andeutende Linie[nführung]); **kon|tu|rie|ren** (die äußeren Umrisse ziehen; umreißen; andeuten)

Kon|vent [*...wänt*], der; -[e]s, -e (Versammlung, bes. von Mönchen); **Konven|ti|on** [*...zion*], die; -, -en (Übereinkunft, Abkommen; Herkommen, Brauch, Förmlichkeit); **Kon|ven|tio|nal|stra|fe** (Vertragsstrafe); **kon|ven|tio|nell** (herkömmlich, üblich; förmlich)

kon|ver|gent [*...wär...*] (sich zuneigend, zusammenlaufend); **Kon|ver|genz,** die; -, -en (Annäherung, Übereinstimmung); **kon|ver|gie|ren**

Kon|ver|sa|ti|on [*...wärsazion*], die; -, -en (gesellige Unterhaltung, Plauderei); **Kon|ver|sa|ti|ons|le|xi|kon**

kon|ver|tie|ren (umwandeln; umdeuten; umformen, umkehren; ändern; den Glauben wechseln); **Kon|ver|tit,** der; -en, -en (zu einem anderen Glauben Übergetretener)

kon|vex [*...wäkß*] (erhaben, nach außen gewölbt)

Kon|vikt [*...wikt*], das; -[e]s, -e (Wohnheim für katholische Theologiestudenten)

Kon|voi [*konweu,* auch: *konweu*], der; -s, -s (Geleitzug, bes. bei Schiffen)

Kon|vo|lut [*...wo...*], das; -[e]s, -e (Bündel von Schriftstücken, Drucksachen o. ä.; Sammelband)

kon|ze|die|ren (geh. für: zugestehen, erlauben)

Kon|zen|trat, das; -[e]s, -e (angereicherter Stoff, hochprozentige Lösung; hochprozentiger [Pflanzen-, Frucht]auszug); **Kon|zen|tra|ti|on** [*...zion*], die; -, -en (Gruppierung [um einen Mittelpunkt]; Zusammenziehung [von Truppen]; [geistige] Sammlung, Aufmerksamkeit); **Kon|zen|tra|ti|ons|la|ger** (Abk.: KZ); **kon|zen|trie|ren** ([Truppen] zusammenziehen, vereinigen; Chemie: anreichern, gehaltreich machen); sich - (sich [geistig] sammeln); **kon|zen|triert** (Chemie: angereichert, gehaltreich; übertr. für: gesammelt, aufmerksam); **kon|zen|trisch** (mit gemeinsamem Mittelpunkt); konzentrische Kreise

Kon|zept, das; -[e]s, -e (Entwurf; erste Fassung, Rohschrift); **Kon|zep|ti|on** [*...zion*], die; - (Empfängnis; [künstlerischer] Einfall; Entwurf eines Werkes)

Kon|zern, der; -s, -e (Zusammenschluß wirtsch. Unternehmen)

Kon|zert, das; -[e]s, -e; **kon|zer|tant** (konzertmäßig); eine konzertante Aufführung; **kon|zer|tie|ren** (ein Konzert geben; veralt.: besprechen, abstimmen); eine konzertierte Aktion (bes. Wirtschaftspolitik: gemeinsam zwischen Partnern abgestimmtes Handeln)

Kon|zes|si|on, die; -, -en (Zugeständnis; behördl. Genehmigung)

Kon|zil, das; -s, -e u. -ien [*...ien*] ([Kirchen]versammlung); **kon|zi|li|ant** (versöhnlich, umgänglich, verbindlich)

kon|zi|pie|ren (verfassen, entwerfen; Med.: empfangen, schwanger werden)

Ko|ope|ra|ti|on [*...zion*], die; - (Zusammenarbeit, Zusammenwirken); **ko|ope|rie|ren** (zusammenwirken, -arbeiten)

Ko|or|di|na|ti|on [*...zion*], die; -; **ko|or-**

di|nie|ren (in ein Gefüge einbauen; aufeinander abstimmen; nebeneinanderstellen)
Kö|per, der; -s, - (ein Gewebe); **Kö|perbin|dung**
Kopf, der; -[e]s, Köpfe; von Kopf bis Fuß
◇ Haupt, Schädel, Rübe (ugs.), Birne (ugs.), Dez (ugs.)
Kopf|be|deckung [*Trenn.:* ...dek|kung], die; -, -en
◇ Hut, Mütze, Kappe, Deckel (ugs.)
Köpf|chen; köp|fen; Kopf_hö|rer, ...jä|ger, ...rech|nen (das; -s); **kopfste|hen;** er steht kopf; **Kopf|steinpfla|ster; kopf|über; Kopf|zer|brechen** (das; -s; viel -)
Ko|pie [österr.: *kopi^e*], die; -, ...ien [...*i^en*, österr.: *kopi^en*] (Abschrift; Abdruck; Nachbildung; Film: Abzug); **ko|pie|ren** (eine Kopie anfertigen); **Ko|pier|ge|rät**
Ko|pi|lot (zweiter Flugzeugführer; zweiter Fahrer)
[1]**Kop|pel,** die; -, -n (Riemen; durch Riemen verbundene Tiere; Verbundenes; eingezäunte Weide); [2]**Kop|pel,** das; -s, - u. (österr.:) die; -, -n (Leibriemen); **koppeln** (verbinden)
Ko|pra, die; - (zerkleinerte u. getrocknete Kokosnußkerne)
Ko|pro|duk|ti|on [...*zion*], die; -, -en (Gemeinschaftsherstellung [beim Film]); **kopro|du|zie|ren**
Ko|pu|la|ti|on [...*zion*], die; - (Biol.: Befruchtung); **ko|pu|lie|ren**
Ko|ral|le, die; -, -n (Nesseltier oder Schmuckstein aus seinem Skelett); **Koral|len|riff**
Ko|ran, der; -s, -e (das heilige Buch des Islams)
Korb, der; -[e]s, Körbe; **Korb|ball|spiel; Körb|chen**
Kord, der; -[e]s, -e (geripptes Gewebe); **Kord|an|zug**
Kor|del, die; -, -n (südwestd. für: Schnur)
Kor|don [...*dong*, österr.: ...*don*], der; -s, -s u. (österr.:) -e (Postenkette, Absperrung; Ordensband; Spalierbaum)
Kord|samt
Ko|ri|an|der, der; -s, (selten:) - (Gewürzpflanze)
Ko|rin|the, die; -, -n (kleine Rosinenart)
Kork, der; -[e]s, -e (Rinde der Korkeiche; Nebenform von: Korken); **Kor|ken,** der; -s, - (Stöpsel aus Kork); **Kor|kenzie|her**
Kor|mo|ran [österr.: *kor...*], der; -s, -e (ein pelikanartiger Vogel)
[1]**Korn,** das; -[e]s, Körner u. (für Getreidearten *Mehrz.:*) -e; [2]**Korn,** das; -[e]s, (selten:) -e (Teil der Visiereinrichtung); [3]**Korn,** der; -[e]s, - (ugs. für: Kornbranntwein); **Korn|blu|me; korn|blu|menblau; Körn|chen**
Kor|nel|kir|sche, die; -, -n (ein Zierstrauch)
Kör|ner (Werkzeug[maschinenteil])
Kor|nett, das; -[e]s, -e u. -s (ein Blechblasinstrument); **Kor|net|tist,** der; -en, en (Kornettspieler)
Ko|ro|na, die; -, ...nen („Kranz", „Krone"; Heiligenschein in der Kunst; Strahlenkranz [um die Sonne]; ugs. für: [fröhliche] Runde, [Zuhörer]kreis; auch für: Horde)
Kör|per, der; -s, -; **Kör|per|be|hin|derte,** der u. die; -n, -n; **kör|per|lich; Körper|schaft; kör|per|schaft|lich**
Kor|po|ra|ti|on [...*zion*], die; -, -en (Körperschaft, Innung, Personenvielheit mit Rechtsfähigkeit; Studentenverbindung); **Korps** [*kor*], das; - [*korß*], - [*korß*] (Heeresabteilung; student. Verbindung); **korpu|lent** (beleibt); **Kor|pu|lenz,** die; - (Beleibtheit); **Kor|pus,** der; -, ...pusse (massiver Teil eines Möbels; ugs. scherzh. für: Körper)
Kor|re|fe|rat, das; -[e]s, -e (zweiter Bericht, Nebenbericht); **Kor|re|fe|rent,** der; -en, -en (zweiter Referent, Mitgutachter)
kor|rekt; kor|rek|ter|wei|se; Korrekt|heit, die; -; **Kor|rek|tur,** die; -, -en (Berichtigung [des Schriftsatzes], Verbesserung)
Kor|re|la|ti|on [...*zion*], die; -, -en (Wechselbeziehung); **kor|re|lie|ren**
kor|re|pe|tie|ren (Musik: mit jmdm. eine Gesangspartie vom Klavier aus einüben); **Kor|re|pe|ti|tor** (Einüber)
Kor|re|spon|dent, der; -en, -en (auswärtiger, fest engagierter [Zeitungs]berichterstatter; Bearbeiter des kaufmänn. Schriftwechsels); **Kor|re|spon|denz,** die; -, -en (Briefverkehr, -wechsel; ausgewählter u. bearbeiteter Stoff für Zeitungen; veraltend für: Übereinstimmung); **kor|respon|die|ren** (im Briefverkehr stehen; übereinstimmen)
Kor|ri|dor, der; -s, -e ([Wohnungs]flur, Gang; schmaler Gebietsstreifen); **Kor|ridor|tür**
kor|ri|gie|ren (berichtigen; verbessern)
kor|ro|die|ren (angreifen, zerstören; der Korrosion unterliegen); **Kor|ro|si|on** (Zernagung, Anfressung, Zerstörung usw.)
kor|rupt ([moralisch] verdorben; bestechlich); **Kor|rup|ti|on** [...*zion*], die; - ([Sitten]verfall, -verderbnis; Bestechlichkeit; Bestechung)
Kor|se|lett, das; -[e]s, -e u. -s (bequemes, leichtes Korsett); **Kor|sett,** das; -[e]s, -e u. -s (Mieder, Schnürleibchen); **Korsett|stan|ge**
Kor|vet|te [...*wät^e*], die; -, -n (leichtes [Segel]kriegsschiff)

Ko|ry|phäe, die; -, -n (bedeutende Persönlichkeit, hervorragender Gelehrter, Künstler usw.)
ko|scher (tauglich, sauber, bes. im Hinblick auf die Speisegesetze der Juden; rein, in Ordnung)
ko|sen; Ko|se|na|me
Ko|si|nus, der; -, - u. -se (Seitenverhältnis im Dreieck; Zeichen: cos)
Kos|me|tik, die; - (Schönheitspflege); **Kos|me|ti|ke|rin,** die; -, -nen; **Kosme|ti|kum,** das; -s, ...ka (Schönheitsmittel); **kos|me|tisch**
kos|misch (im Kosmos; das Weltall betreffend; All...); **Kos|mo|lo|gie,** die; -, ...ien (Lehre von der Welt, bes. ihrer Entstehung); **Kos|mo|naut,** der; -en, -en (Weltraumfahrer); **Kos|mo|nau|tik,** die; -; **Kos|mo|po|lit,** der; -en, -en (Weltbürger); **Kos|mos,** der; - (Weltall, Weltordnung)
Kost, die; -
kost|bar; Kost|bar|keit
[1]**ko|sten** (schmecken)
[2]**ko|sten** (wert sein); **Ko|sten** *(Mehrz.);* auf seine -
ko|sten|los
◇ gratis, umsonst, unentgeltlich, frei
ko|sten|pflich|tig
Kost‿gän|ger, ...geld
köst|lich; Köst|lich|keit
Kost|pro|be
kost|spie|lig; Kost|spie|lig|keit, die; -
Ko|stüm, das; -s, -e; **ko|stü|mie|ren,** sich (sich [ver]kleiden)
Kot, der; -[e]s
Ko|tan|gens, der; -, - (Seitenverhältnis im Dreieck; Zeichen: cot, cotg, ctg)
Ko|tau, der; -s, -s (demütige Ehrerweisung); - machen
Ko|te|lett, das; -[e]s, -s u. (selten:) -e („Rippchen"; Rippenstück); **Ko|te|letten** *(Mehrz.;* Backenbart)
Kö|ter, der; -s, - (verächtlich für: Hund)
Kot|flü|gel; ko|tig
[1]**Kot|ze,** die; -, -n (landsch. für: wollene Decke, Wollzeug; wollener Umhang)
[2]**Kot|ze,** die; - (derb für: Erbrochenes); **kot|zen** (derb: sich übergeben); **kotz‿jäm|mer|lich, ...übel** (derb)
Krab|be, die; -, -n (Krebs; ugs. für: Kind, junges Mädchen); **krab|beln** (ugs. für: sich kriechend fortbewegen; kitzeln; jukken)
krach!; Krach, der; -[e]s, -e u. -s (ugs. auch: Kräche [Streitigkeiten]); mit Ach und - (mit Müh und Not)
kra|chen
◇ knallen, einen Knall geben, knattern, böllern, donnern
kra|chig; Krach|le|der|ne, die; -n, -n (bayr. für: kurze Lederhose); **krächzen; Krach|zer** (ugs. für: gekrächzter Laut; scherzh.: Mensch, der heiser, rauh spricht)
Krad, das; -[e]s, Kräder ([bes. bei Militär u. Polizei] Kurzform für: Kraftrad)
kraft; *Verhältnisw.* mit *Wesf.:* - meines Wortes; **Kraft,** die; -, Kräfte; in - treten, sein, bleiben; **Kraft‿aus|druck, ...brühe, ...fah|rer, ...fahr|zeug** (Abk.: Kfz); **kräf|tig; kräf|ti|gen**
kraft|los
◇ entkräftet, matt, ermattet, schlapp
Kraft‿rad (Kurzform: Krad), **...stoff, ...werk**
Krä|gel|chen; Kra|gen, der; -s, - (südd., österr. u. schweiz. auch: Krägen)
Krä|he, die; -n, -n; **krä|hen; Krä|henfü|ße** *(Mehrz.;* ugs. für: Fältchen in den Augenwinkeln; unleserlich gekritzelte Schrift)
Kra|kau|er, die; -, - (eine Art Plockwurst)
Kra|ke, der; -n, -n (Riesentintenfisch; sagenhaftes Seeungeheuer)
Kra|keel, der; -s (ugs. für: Lärm u. Streit; Unruhe); **kra|kee|len** (ugs.)
Kra|kel, der; -s, - (ugs. für: schwer leserliches Schriftzeichen); **Kra|ke|lei; krake|lig, krak|lig** (ugs.); **kra|keln** (ugs.)
Kra|ko|wi|ak, der; -s, -s (polnischer Nationaltanz)
Kral, der; -s, -e (Runddorf afrik. Stämme)
Kral|le, die; -, -n; **kral|len** (mit den Krallen zufassen; ugs. für: unerlaubt wegnehmen)
Kram, der; -[e]s; **kra|men** (ugs. für: durchsuchen; aufräumen); **Krä|mer** (veralt., aber noch landsch. für: Kleinhändler); **Kram|la|den** (abwertend für: kleiner Laden)
Kram|mets|vo|gel (mdal. für: Wacholderdrossel)
Kram|pe, die; -, -n (U-förmig gebogener Metallhaken)
Krampf, der; -[e]s, Krämpfe; **Krampfader; kramp|fen;** sich -; **krampf|haft**
Kram|pus, der; - u. -ses, -se (österr. für: Knecht Ruprecht)
Kran, der; -[e]s, Kräne (fachspr. auch: Krane; Hebevorrichtung); **Kran|füh|rer**
Kra|nich, der; -s, -e (ein Sumpfvogel)
krank; kränker, kränkste; - sein, liegen
◇ unwohl, unpäßlich, indisponiert, leidend, bettlägerig, malad[e] (landsch.) · **krank werden,** erkranken, eine Krankheit bekommen, sich infizieren, sich etwas holen, etwas ausbrüten · **krank sein,** leiden, darniederliegen, das Bett hüten, auf der Nase liegen (ugs.), nicht auf der Höhe/dem Damm/dem Posten sein (ugs.)
Kran|ke, der u. die; -n, -n; **krän|keln**
krän|ken
◇ verletzen, beleidigen, treffen, jmdn. vor den Kopf stoßen, jmdm. auf den Schlips treten (ugs.)

Kran|ken|haus
◇ Krankenanstalt, Klinik, Hospital, Spital, Sanatorium
Kran|ken‿schwe|ster, ...ver|si|che|rung, ...wa|gen; krank|fei|ern (ugs. für: der Arbeit fernbleiben, ohne ernstlich krank zu sein; landsch. für: arbeitsunfähig sein); er hat gestern krankgefeiert; **krank|haft**
Krank|heit
◇ Leiden, Übel, Erkrankung, Siechtum, Gebrechen, Unpäßlichkeit, Unwohlsein
kränk|lich; krank|ma|chen (svw. krankfeiern); **Krän|kung**
Kranz, der; -es, Kränze; **Kränz|chen; krän|zen** (dafür häufiger: bekränzen); **Kranz|nie|der|le|gung**
Krap|fen, der; -s, - (Gebäck)
kraß (ungewöhnlich; scharf; grell); **Kraß|heit**
Kra|ter, der; -s, - (Mündungsöffnung eines feuerspeienden Berges; Abgrund); **Kra|ter|land|schaft**
kratz|bür|stig (widerspenstig); **Krät|ze,** die; - (Hautkrankheit)
krat|zen
◇ schaben, scharren, schürfen, schrammen
Krat|zer (ugs. für: Schramme); **Kratz|fuß** (iron. für: übertriebene Verbeugung); **krat|zig**
Kraul, das; -[s] (Schwimmstil); [1]**krau|len** (im Kraulstil schwimmen)
[2]**krau|len** (mit den Fingerspitzen zart kratzen, sanft streicheln)
Krau|ler; Kraul|staf|fel
kraus; Krau|se, die; -, -n; **Kräu|sel|krepp; kräu|seln; Kraus|kopf**
Kraut, das; -[e]s, Kräuter (südd., österr. *Einz.* auch für: Kohl); **Kräu|ter** (*Mehrz.;* Gewürz- und Heilpflanzen)
Kra|wall, der; -s, -e (Aufruhr; Lärm; Unruhe); **Kra|wall|ma|cher**
Kra|wat|te, die; -, -n ([Selbst]binder, Schlips); **Kra|wat|ten|na|del**
kra|xeln (ugs. für: mühsam steigen; klettern)
Krea|ti|on [...*zion*], die; -, -en (Modeschöpfung; Erschaffung); **krea|tiv** (schöpferisch); **Krea|ti|vi|tät,** die; - (das Schöpferische, Schöpfungskraft); **Krea|tiv|ur|laub** (Urlaub, in dem man eine künstlerische Tätigkeit erlernt od. ausübt); **Krea|tur,** die; -, -en (Lebewesen, Geschöpf; Wicht, gehorsames Werkzeug); **krea|tür|lich**
[1]**Krebs,** der; -es, -e (Krebstier); [2]**Krebs,** der; -es, (für Krebsarten *Mehrz.:*) -e (bösartige Geschwulst)
kre|den|zen ([ein Getränk] feierlich anbieten, darreichen, einschenken); **Kre|dit,** der; -[e]s, -e (Fähigkeit u. Bereitschaft, Verbindlichkeiten ordnungsgemäß u. zum richtigen Zeitpunkt zu begleichen; [Ruf der] Zahlungsfähigkeit; befristet zur Verfügung gestellter Geldbetrag od. Gegenstand; übertr. für: Glaubwürdigkeit); **kre|dit|wür|dig; Kre|do,** das; -s, -s („ich glaube"; Glaubensbekenntnis)
kre|gel (bes. nordd. für: gesund, munter)
Krei|de, die; -, -n; **krei|de|bleich**
kre|ie|ren ([er]schaffen; etwas erstmals herausbringen od. darstellen); **Kre|ie|rung**
Kreis, der; -es, -e (auch: Verwaltungsgebiet); **Kreis‿arzt, ...bahn**
krei|schen
Krei|sel, der; -s, -; **krei|sen; kreis|frei;** eine -e Stadt; **Kreis|lauf; Kreis|lauf|stö|rung**
krei|ßen (in Geburtswehen liegen); **Krei|ßen|de,** die; -n, -n; **Kreiß|saal** (Entbindungsraum im Krankenhaus)
Kreis‿stadt, ...um|fang, ...ver|kehr
Krem, die; -, -s, ugs. auch: der; -s, -e od. -s (feine [schaumige] Süßspeise; seltener auch für: Hautsalbe); vgl. auch: Creme
Kre|ma|to|ri|um, das; -s, ...ien [...*i*e*n*] (Einäscherungshalle)
kre|mig [zu: Krem]
Krem|pe, die; -, -n ([Hut]rand); **krem|peln** (die Krempe aufschlagen)
kre|pie|ren (platzen, zerspringen [von Sprenggeschossen]; derb für: verenden)
Krepp, der; -s, -s u. -e (krauses Gewebe); **Kreppa|pier** [*Trenn.:* Krepp|pa...]
Kres|se, die; -, -n (Name verschiedener Salat- u. Gewürzpflanzen)
Kre|thi und Ple|thi (*Mehrz.;* gemischte Gesellschaft, allerlei Gesindel)
Kre|tin [...*täng*], der; -s, -s (Schwachsinniger); **Kre|ti|nis|mus,** der; - (Med.)
Kreuz, das; -es, -e; das Rote Kreuz; **kreu|zen** (über Kreuz legen; paaren; Seemannsspr.: im Zickzackkurs fahren); sich - (sich überschneiden); **Kreu|zer** (ehem. Münze; Kriegsschiff, größere Segeljacht); **Kreu|zes|zei|chen,** Kreuzzei|chen; **Kreuz‿fah|rer, ...feu|er; kreuz|fi|del** (ugs.); **Kreuz|gang; kreu|zi|gen; Kreu|zi|gung; Kreuz|ot|ter,** die; **kreuz und quer; Kreu|zung; kreu|zungs|frei; Kreuz|ver|hör; Kreuz|wort|rät|sel; Kreuz|zei|chen,** Kreu|zes|zei|chen; **Kreuz|zug**
Kre|vet|te [...*wät*e], die; -, -n (Garnelenart)
krib|be|lig, kribb|lig (ugs. für: ungeduldig, gereizt); **krib|beln** (ugs. für: prickeln, jucken; wimmeln)
Krickel|kra|kel[1], das; -s, - (ugs. für: unleserliche Schrift)
Kricket[1], das; - (ein Ballspiel)
krie|chen; kroch (kröche), gekrochen
◇ krabbeln, krauchen (landsch.), robben

---
[1] *Trenn.:* ...k|k...

Krie|cher (verächtl.); **krie|che|risch** (verächtl.); **Kriech|spur** (Verkehrsw.)
Krieg, der; -[e]s, -e; **krie|gen** (ugs. für: erhalten, bekommen); **Krie|ger; Krie|ger|denk|mal** (*Mehrz.:* ...mäler); **krie|ge|risch; krieg|füh|rend; Kriegs|be|schä|dig|te,** der u. die; -n, -n; **Kriegs|dienst|ver|wei|ge|rer; Kriegs‿fuß** (auf [dem] - mit jmdm. stehen), **...ge|fan|ge|ne, ...ge|fan|gen|schaft**
Kri|mi [auch *kri...*], der; -[s], -[s] (ugs. für: Kriminalroman, -film); **kri|mi|nal** (Verbrechen, schwere Vergehen, das Strafrecht, das Strafverfahren betreffend); **Kri|mi|nal|be|am|te; Kri|mi|na|le,** der; -n, -n (ugs. für: Kriminalbeamte); er ist ein Kriminaler; **kri|mi|na|li|sie|ren** (etwas als kriminell hinstellen); **Kri|mi|na|list,** der; -en, -en (Kriminalpolizist; Strafrechtslehrer); **Kri|mi|na|li|tät,** die; -; **Kri|mi|nal|po|li|zei** (Kurzw.: Kripo); **kri|mi|nell; Kri|mi|nel|le,** der; -n, -n (straffällig Gewordener)
Krims|krams, der; -[es] (ugs. für: durcheinanderliegendes, wertloses Zeug)
Krin|gel, der; -s, - (ugs. für: [kleiner, gezeichneter] Kreis; auch: [Zucker]gebäck); **krin|geln** (ugs. für: Kreise zeichnen; Kreise ziehen); sich - (ugs. für: sich [vor Vergnügen] wälzen)
Kri|no|li|ne, die; -, -n (Reifrock)
Kri|po = Kriminalpolizei
Krip|pe, die; -, -n; **Krip|pen|spiel** (Weihnachtsspiel)
Kri|se, Kri|sis, die; -, Krisen; **kri|seln;** es kriselt; **Kri|sen|herd; Kri|sis** vgl. Krise
[1]**Kri|stall,** der; -s, -e (fester, regelmäßig geformter, von ebenen Flächen begrenzter Körper); [2]**Kri|stall,** das; -s (geschliffenes Glas); **Kri|ställ|chen; kri|stal|len** (aus, von Kristall[glas]; kristallklar, wie Kristall); **Kri|stall|glas** (*Mehrz.* ...gläser); **kri|stall|klar**
Kri|te|ri|um, das; -s, ...ien [*...i^e n*] (Prüfstein; unterscheidendes Merkmal, Kennzeichen); **Kri|tik,** die; -, -en
Kri|ti|ker
◇ Besprecher, Rezensent, Kommentator
kri|tisch ([wissenschaftl., künstler.] streng beurteilend, prüfend, wissenschaftl. verfahrend; oft für: anspruchsvoll; die Wendung [zum Guten od. Schlimmen] bringend; gefährlich, bedenklich); **kri|ti|sie|ren; Krit|te|lei; krit|teln** (kleinlich, mäkelnd urteilen; tadeln); **Kritt|ler**
Krit|ze|lei; krit|zeln
Krocket [*krok^e t,* auch: *krokät*], das; -s [*Trenn.:* Krok|ket] (ein Rasenspiel)
Kro|kant, der; -s (mit Zucker überzogene Mandeln od. Nüsse; auch Kleingebäck)
Kro|ket|te, die; -, -n (meist *Mehrz.;* gebackenes längliches Klößchen [aus Kartoffelbrei, Fisch, Fleisch u. dgl.])
Kro|ko|dil, das; -s, -e (ein Kriechtier); **Kro|ko|dils|trä|ne** (heuchlerische Träne)
Kro|kus, der; -, - u. -se (eine Zierpflanze)
Krön|chen; [1]**Kro|ne,** die; -, -n (Kopfschmuck usw.); [2]**Kro|ne** (dän., isländ., norweg., schwed., tschech. Münzeinheit); **krö|nen; Kro|nen|kor|ken, Kron|kor|ken; Kron‿leuch|ter, ...prinz, ...prin|zes|sin; Krö|nung; Kron|zeu|ge** (Hauptzeuge)
Kropf, der; -[e]s, Kröpfe; **krop|fig; Kropf|tau|be**
kroß (nordwestd. für: knusperig, scharf gebacken; spröde, brüchig)
Krö|sus, der; -, auch: -sses, -se (sehr reicher Mann)
Krö|te, die; -, -n; **Krö|ten** (*Mehrz.;* ugs. für: Geld)
Krücke [*Trenn.:* ...k|k...], die; -, -n; **Krück|stock** (*Mehrz.* ...stöcke)
krud, kru|de (rauh, grob, roh)
[1]**Krug,** der; -[e]s, Krüge (ein Gefäß)
[2]**Krug,** der; -[e]s, Krüge (landsch., bes. nordd. für: Schenke)
Kru|me, die; -, -n; **Krü|mel,** der; -s, - (kleine Krume); **krü|me|lig; krü|meln**
krumm; krummer (landsch.: krümmer), krummste (landsch.: krümmste); **krumm|bei|nig; krüm|men;** sich -; **Krumm|holz** (von Natur gebogenes Holz); **krumm|la|chen,** sich; (ugs. für: heftig lachen); **krumm|neh|men** (ugs. für: übelnehmen)
krump|fen (einlaufen [von Stoffen]); **krumpf‿echt, ...frei**
Krüp|pel, der; -s, -
Kru|ste, die; -, -n; **Kru|sten|tier**
Kru|zi|fix [auch: *kru...*], das; -es, -e (Darstellung des gekreuzigten Christus, Kreuzbild); **Kru|zi|fi|xus** (Christus am Kreuz), der; -
Kryp|ta, die; -, ...ten (Gruft, unterirdischer Kirchen-, Kapellenraum); **Kryp|ton** [auch: *...on*], das; -s (chem. Grundstoff, Edelgas)
Kü|bel, der; -s, -; **Kü|bel|wa|gen**
Ku|ben (*Mehrz.* von: Kubus); **Ku|bik|de|zi|me|ter** (Zeichen cdm od. dm^3); **Ku|bik|me|ter** (Festmeter; Zeichen: cbm od. m^3); **Ku|bik|zen|ti|me|ter** (Zeichen: ccm od. cm^3); **ku|bisch** (würfelförmig; in der dritten Potenz befindlich); **Ku|bis|mus,** der; - (Malstil, der in kubischen Formen gestaltet); **Ku|bus,** der; -, Kuben (Würfel; dritte Potenz)
Kü|che, die; -, -n
Ku|chen, der; -s, -
Kü|chen‿chef, ...hil|fe, ...la|tein (scherzh.: schlechtes Latein)
Kü|chen|schel|le, die; -, -n (eine Anemone)
Ku|chen|teig

Kü|chen|zet|tel
[1]**Küch|lein** (Küken)
[2]**Küch|lein** (kleine Küche)
[3]**Küch|lein** (kleiner Kuchen)
kucken[1] (nordd. für: gucken)
Kücken[1] (österr. für: Küken)
kuckuck[1]**; Kuckuck**[1]**,** der; -s, -e; **Kuckucks**[1]**‿ei, ...uhr**
Kud|del|mud|del, der od. das; -s (ugs. für: Durcheinander, Wirrwarr)
Ku|fe, die; -, -n (Gleitschiene [eines Schlittens])
Kü|fer (südwestd. u. schweiz. für: Böttcher; auch: Kellermeister)
Ku|gel, die; -, -n; **Ku|gel|blitz; Kü|gelchen; Ku|gel|ge|lenk; ku|ge|lig,** kuglig; **Ku|gel|la|ger; ku|geln;** sich -; **Kugel‿schrei|ber, ...sto|ßen** (das; -s); **kug|lig,** ku|ge|lig
Kuh, die; -, Kühe; **Kuh‿han|del** (ugs. für: unsauberes Geschäft), **...haut;** das geht auf keine - (ugs.: das ist unerhört)
kühl; Kühl|an|la|ge
Ku|hle, die; -, -n (ugs. für: Grube, Loch)
Küh|le, die; -; **küh|len; Küh|ler** (Kühlvorrichtung); **Küh|ler|hau|be; Kühl‿schrank, ...turm; Küh|lung,** die; -
Kuh‿milch, ...mist
kühn; Kühn|heit
ku|jo|nie|ren (veraltend für: verächtlich behandeln; quälen)
Kü|ken, (österr.:) Kücken[1], das; -s, - (Küchlein, das Junge des Huhnes; kleines Mädchen)
Ku|ku|ruz, der; -[es] (bes. österr. für: Mais)
ku|lant (gefällig, entgegenkommend, großzügig [im Geschäftsverkehr]); **Kulanz,** die; -
Ku|li, der; -s, -s (Tagelöhner in [Süd]ostasien; ausgenutzter, ausgebeuteter Arbeiter)
ku|li|na|risch (auf die [feine] Küche, die Kochkunst bezüglich)
Ku|lis|se, die; -, -n (Theater: Seiten-, Schiebewand)
Kul|mi|na|ti|on [*...zion*], die; - (Erreichung des Höhe-, Scheitel-, Gipfelpunktes); **kul|mi|nie|ren** (Höhepunkt erreichen, gipfeln)
Kult, der; -[e]s, -e u. Kul|tus, der; -, Kulte („Pflege"; [Gottes]dienst; Verehrung, Hingabe); **Kult|film** (von einem bestimmten Publikum immer wieder besuchter, als bes. eindrucksvoll geltender Film); **kul|tisch; kul|ti|vie|ren** ([Land] bearbeiten, urbar machen; [aus]bilden; sorgsam pflegen); **kul|ti|viert** (gesittet; hochgebildet); **Kul|tur,** die; -, -en; **Kul|tur|beu|tel** (ugs. für: Beutel für Toilettenartikel); **kul|tu|rell; Kul|tur‿ge|schich|te** (die; -), **...re|vo|lu|ti|on** (sozialistische Revolution auf dem Gebiet der Kultur); **Kul|tus** vgl. Kult; **Kul|tus|mi|ni|ste|ri|um**
Küm|mel, der; -s, - (Gewürzkraut; Branntwein); **Küm|mel|tür|ke** (veralt. Schimpfwort; noch abschätzig für: türkischer Gastarbeiter)
Kum|mer, der; -s; **küm|mer|lich; Küm|mer|ling** (landsch. für: schwächlicher Mensch; Zool.: schwächliches Tier); [1]**küm|mern** (in der Entwicklung zurückbleiben); [2]**küm|mern;** sich -
Kum|pan, der; -s, -e (ugs. für: Kamerad, Gefährte; meist abfällig für: Helfer); **Kum|pa|nei; Kum|pel,** der; -s, - u. (ugs.:) -s (Bergmann; ugs. auch für: Arbeitskamerad)
Ku|mu|la|ti|on [*...zion*], die; -, -en (Anhäufung); **ku|mu|lie|ren** (anhäufen); sich -
kund; - und zu wissen tun; [1]**Kun|de,** die; -, -n (Kenntnis, Lehre; Botschaft; österr. auch für: Käufer, Kundschaft)
[2]**Kun|de,** der; -n, -n
◇ Abnehmer, Interessent, Auftraggeber, Klient
Kund|ga|be, die; -; **kund|ge|ben;** gab kund, kundgegeben; sich -; **Kund|gebung; kun|dig**
kün|di|gen; jmdm. [etw.] -
◇ gehen (ugs.), demissionieren, zurücktreten, den Abschied nehmen, die Arbeit hinschmeißen (ugs.) · entlassen, fortschicken, den Laufpaß geben, davonjagen, schassen (ugs.), rauswerfen (ugs.), rausschmeißen (ugs.), feuern (ugs.)
Kün|di|gung
◇ Rücktritt, Austritt, Ausscheiden, Demission · Entlassung, Hinauswurf (ugs.), Rausschmiß (ugs.)
Kun|din, die; -, -nen (Käuferin); **Kundschaft; Kund|schaf|ter; kund|tun;** tut kund, kundgetan; sich -
künf|tig; künf|tig|hin
Kunst, die; -, Künste; **Kün|ste|lei; künsteln; Kunst‿fa|ser, ...ge|schich|te** (die; -), **...ge|wer|be** (das; -s); **Künstler; Künst|le|rin,** die; -, -nen; **künstle|risch; Künst|ler|pech** (ugs.); **künst|lich;** -e Atmung; **Kunst|stoff; kunst|stop|fen** (nur in der Grundform u. im 2. Mittelwort gebräuchlich); kunstgestopft; **Kunst‿stück, ...werk**
kun|ter|bunt (durcheinander, gemischt); **Kun|ter|bunt,** das; -s
Ku|pee, das; -s, -s (eindeutschend für: Coupé)
Kup|fer, das; -s, - (kurz für: Kupferstich; nur *Einz.:* chem. Grundstoff, Metall; Zeichen: Cu); **Kup|fer|mün|ze; kup|fern** (aus Kupfer); **Kup|fer|stich; Kup|fer|stich|ka|bi|nett**

[1]*Trenn.:* ...k|k...

ku|pie|ren ([Ohren, Schwanz bei Hunden oder Pferden] stutzen; Med.: [Krankheit] im Entstehen unterdrücken)
Ku|pon [*...pong*, österr.: *...pon*], der; -s, -s (eindeutschend für: Coupon; Stoffabschnitt, Renten-, Zinsschein)
Kup|pe, die; -, -n
Kup|pel, die; -, -n; **Kup|pel|bau** (*Mehrz.* ...bauten)
Kup|pe|lei (eigennützige od. gewohnheitsmäßige Begünstigung der Ausübung von Unzucht); **kup|peln** (verbinden; ugs. für: zur Ehe zusammenbringen)
kup|pen (die Kuppe abhauen)
Kupp|ler; Kupp|le|rin, die; -, -nen; **Kupp|lung; Kupp|lungs|pe|dal**
Kur, die; -, -en (Heilverfahren; [Heil]behandlung, Pflege)
Kür, die; -, -en (Wahl; Wahlübung beim Turnen und im Sport)
Ku|ra|re, das; -[s] (indianisches Pfeilgift)
Kü|ras|sier, der; -s, -e (früher für: Panzerreiter; schwerer Reiter)
Ku|ra|tor, der; -s, ...oren (Verwalter einer Stiftung; Vertreter des Staates in der Universitätsverwaltung; österr. auch: Treuhänder); **Ku|ra|to|ri|um,** das; -s, ...ien [*...iᵉn*] (Aufsichtsbehörde)
Kur|bel, die; -, -n; **kur|beln**
Kür|bis, der; -ses, -se (eine Kletter- od. Kriechpflanze)
ku|ren (eine Kur machen)
kü|ren (geh. für: wählen); kürte (seltener: kor [köre]), gekürt (seltener: gekoren)
Kur|fürst; kur|fürst|lich
Ku|rie [*...riᵉ*], die; - (päpstliche Zentralbehörde)
Ku|rier, der; -s, -e
ku|rie|ren (ärztlich behandeln; heilen)
ku|ri|os (seltsam, sonderbar); **Ku|rio|si|tät; Ku|rio|sum,** das; -s, ...sa
Kur|kon|zert
Kür|lauf; Kür|lau|fen, das; -s (Sport)
Kur|mit|tel|haus; Kur‿ort (der; -[e]s, -e), **...pfu|scher**
Kur|prinz (Erbprinz eines Kurfürstentums); **kur|prinz|lich**
Kur|rent|schrift (veralt. für: Schreibschrift; österr. für: deutsche, gotische Schrift)
Kurs, der; -es, -e; **Kurs|buch**
Kur|schat|ten (ugs. scherzh. für: Person, die sich während eines Kuraufenthaltes einem Kurgast des anderen Geschlechts anschließt)
Kürsch|ner (Pelzverarbeiter)
kur|sie|ren (umlaufen, im Umlauf sein); **kur|siv** (laufend, schräg); **Kur|sivschrift; kur|so|risch** (fortlaufend, rasch durchlaufend, hintereinander); **Kur|sus,** der; -, Kurse (Lehrgang, zusammenhängende Vorträge; auch: Gesamtheit der Lehrgangsteilnehmer)
Kur|ta|xe
Kur|ti|sa|ne, die; -, -n (früher für: Geliebte am Fürstenhof; Halbweltdame)
Kur|ve [*...wᵉ* od. *...fᵉ*], die; -, -n (krumme Linie, Krümmung; Bogen[linie]; [gekrümmte] Bahn; Flugbahn); **kur|ven** [*...wᵉn* od. *...fᵉn*]; gekurvt
kurz; kürzer, kürzeste; zu - kommen; - entschlossen; den kürzer[e]n ziehen; sich kurz fassen; etw. auf das/aufs kürzeste (sehr kurz) erläutern; etw. des kürzeren darlegen; binnen, in, seit, vor kurzem
◇ knapp, gedrängt, komprimiert, lakonisch, lapidar
Kurz|ar|beit, die; -; **kurz|ar|bei|ten** (aus Betriebsgründen eine kürzere Arbeitszeit einhalten); **Kur|ze,** der; -n, -n (ugs. für: kleines Glas Branntwein; Kurzschluß); **Kür|ze,** die; -, in -; **Kür|zel,** das; -s, - (festgelegtes [kurzschriftl.] Abkürzungszeichen); **kür|zen;** du kürzt
kur|zer|hand
◇ kurz entschlossen, schnell, ohne zu zögern
kurz|hal|ten (ugs. für: in der Freiheit beschränken)
kürz|lich
◇ neulich, letztens, unlängst, vor kurzem, jüngst (geh.)
kurz|schlie|ßen; Kurz‿schluß, ...schrift (Stenographie); **kurz|sichtig; Kurz|strecken|lauf** [*Trenn.:* ...strek|ken...]; **kurz|tre|ten** (mit kleinen Schritten marschieren; langsamer arbeiten); **Kurz|wa|ren|hand|lung; Kurzweil,** die; -
kurz|wei|lig
◇ unterhaltend, unterhaltsam, abwechslungsreich
Kurz|wel|len|sen|der
kusch! (Befehl an den Hund: leg dich still nieder!); vgl. kuschen; **ku|scheln,** sich (sich anschmiegen); **ku|schen** (vom Hund: sich lautlos hinlegen; ugs. auch für: stillschweigen, den Mund halten)
Ku|si|ne (eindeutschende Schreibung für: Cousine)
Kuß, der; Kusses, Küsse; **Küß|chen**
küs|sen; du küßt; er küßte ihr die Hand; er küßte sie auf die Schulter
◇ einen Kuß geben, busseln (landsch.), schnäbeln (scherzh.)
Kuß|hand
Kü|ste, die; -, -n; **Kü|sten|fah|rer** (Schiff)
Kü|ster (Kirchendiener)
Kutsch|bock; Kut|sche, die; -, -n
◇ Droschke, Kalesche, Landauer, Fiaker (österr.)
Kut|scher; kut|schie|ren
Kut|te, die; -, -n
Kut|tel, die; -, -n (meist *Mehrz.;* südd., österr., schweiz. für: Kaldaune)

Kut|ter, der; -s, - (einmastiges Segelfahrzeug)
Ku|vert [*...wer, ...wär,* auch: *...wärt*], das; -s u. (bei dt. Ausspr.:) -[e]s, -s u. (bei dt. Ausspr.:) -e ([Brief]umschlag; [Tafel]gedeck für eine Person); **Ku|ver|tü|re,** die; -, -n ([Schokoladen]überzug)
Kwaß, der; - u. Kwasses (alkoholisches Getränk aus gegorenem Brot u. a.)
Ky|ber|ne|tik, die; - (zusammenfassende Bez. für eine Forschungsrichtung, die vergleichende Betrachtungen über Steuerungs- u. Regelungsvorgänge in der Technik anstellt); **Ky|ber|ne|ti|ker; ky|ber|ne|tisch**
Ky|rie elei|son! [*...rie* -], **Ky|ri|e|leis!** („Herr, erbarme dich!"); **Ky|rie|elei|son,** das; -s, -s (Bittruf)
ky|ril|lisch [*kü...*]; -e Schrift
KZ = Konzentrationslager

L

L (Buchstabe); das L; des L, die L
Lab, das; -[e]s, -e (Ferment im [Kälber]magen)
La|be, die; - (dicht.); **la|ben;** sich -
La|bel [*le'bel*], das; -s, -s (Klebeetikett; Schallplattenetikett, -firma)
la|bern (ugs. für: schwatzen, unaufhörlich u. einfältig reden)
la|bi|al (die Lippen betreffend)
la|bil (schwankend; veränderlich, unsicher); **La|bi|li|tät,** die; -
Lab|kraut, das; -[e]s (eine Pflanzengattung)
La|bor [österr., schweiz. auch: *la...*], das; -s, -s (auch:) -e (Kurzform von: Laboratorium); **La|bo|rant,** der; -en, -en (Laborgehilfe); **La|bo|ran|tin,** die; -, -nen; **La|bo|ra|to|ri|um,** das; -s, ...ien [*...i'n*] (Arbeitsstätte; [bes. chem.] Versuchsraum; Forschungsstätte; Kurzform: Labor); **la|bo|rie|ren** (sich abmühen mit ...; leiden an ...)
Lab|sal, das; -[e]s, -e (österr. auch: die; -, -e)
La|by|rinth, das; -[e]s, -e (Irrgang, -garten; Wirrsal, Durcheinander; Med.: inneres Ohr)
¹La|che, die; -, -n (ugs. für: Gelächter)
²La|che [auch: *la...*], die; -, -n (Pfütze)
lä|cheln
la|chen; er hat gut -
◇ lächeln, schmunzeln, strahlen, kichern, in Gelächter ausbrechen, herausplatzen (ugs.), [los]prusten (ugs.), wiehern (ugs.)
La|chen, das; -s; **lä|cher|lich, Lach-gas, ...mö|we**
Lachs, der; -es, -e (ein Fisch)
Lack, der; -[e]s, -e
Lackel[1], der; -s, - (südd., österr. ugs. für: grober, auch unbeholfener, tölpelhafter Mensch)
lacken[1] (seltener für: lackieren); **lackie|ren**[1] (mit Lack versehen; ugs. für: anführen; übervorteilen)
Lack|mus, der od. das; - (chemisches Reagens); **Lack|mus|pa|pier**
Läd|chen (kleine Lade; kleiner Laden); **La|de,** die; -, -n
¹la|den (aufladen); du lädst, er lädt; lud (lüde), geladen
◇ beladen, volladen, befrachten, vollpacken, bepacken
²la|den (zum Kommen auffordern); lud, geladen
La|den, der; -s, Läden
◇ Geschäft, Boutique, Basar, Supermarkt, Kaufhaus, Warenhaus
La|den-hü|ter (schlecht absetzbare Ware), **...schwen|gel** (abschätzig für: junger Verkäufer), **...toch|ter** (schweiz. für: Ladenmädchen, Verkäuferin)
La|de|platz; La|der (Auflader)
lä|die|ren (verletzen; beschädigen); **Lä|die|rung**
La|dung
La|dy [*le'di*], die; -, -s (auch: ...dies) [*le'dis*] (Titel der engl. adligen Frau; selten: Dame); **la|dy|like** [*le'dilaik*] (nach Art einer Lady; vornehm)
La|fet|te, die; -, -n (Untergestell der Geschütze)
Laf|fe, der; -n, -n (ugs. für: Geck)
La|ge, die; -, -n; zu etw. in der - sein
◇ Situation, Konstellation, Stand, Zustand, Stadium
La|ger, das; -s, - u. (Kaufmannsspr. für: Warenvorräte:) Läger; **La|ger-bier, ...feu|er; La|ge|rist,** der; -en, -en (Lagerverwalter)
la|gern; sich -
◇ ablagern, ablegen, deponieren, aufbewahren
La|ger|statt (geh. für: Bett, Lager)
La|gu|ne, die; -, -n (durch Nehrung vom Meer abgeschnürter flacher Meeresteil)
lahm; lah|men (lahm gehen); **läh|men** (lahm machen); **lahm|le|gen; Läh|mung**
Laib, der; -[e]s, -e; ein Laib Brot, Käse
Laich, der; -[e]s, -e (Eier von Wassertieren); **lai|chen** (Laich absetzen)
Laie, der; -n, -n (Nichtpriester; Nichtfachmann); **Lai|en-bru|der, ...rich|ter**

---
[1] *Trenn.:* ...k|k...

Lais|ser-faire [*läßefär*], das; - (das Gewähren-, Treibenlassen)
La|kai, der; -en, -en (Kriecher; früher für: herrschaftl. Diener [in Livree])
La|ke, die; -, -n (Salzlösung zum Einlegen von Fisch, Fleisch)
La|ken, das; -s, - (niederd., mitteld. für: Bettuch; Tuch)
la|ko|nisch (auch für: kurz u. treffend)
La|krit|ze, die; -, -n (Süßholzwurzel; eingedickter Süßholzsaft)
lal|la (ugs.); es ging ihm so - (einigermaßen)
lal|len
[1]**La|ma,** das; -s, -s (südamerik. Kamelart; ein Gewebe)
[2]**La|ma,** der; -[s], -s (buddhist. Priester od. Mönch in Tibet u. der Mongolei)
Lambs|wool [*lämßʷul*], die; - (zarte Lamm-, Schafswolle)
la|mé [*lame*] (mit Lamé durchwirkt); **Lamé,** der; -s, -s (Gewebe aus Metallfäden, die mit [Kunst]seide übersponnen sind); **La|mel|le,** die; -, -n (Streifen, dünnes Blättchen; Blatt unter dem Hut von Blätterpilzen)
la|men|tie|ren (ugs. für: laut klagen, jammern); **La|men|to,** das; -s, -s (ugs. für: Gejammer; Musik: Klagelied)
La|met|ta, das; -s (Metallfäden [als Christbaumschmuck])
Lamm, das; -[e]s, Lämmer; **Lämmchen; lam|men** ([von Schafen] Junge gebären); **Läm|mer|wol|ke** (meist *Mehrz.*); **lamm|fromm** (ugs.)
Lämp|chen (kleine Lampe)
Lam|pe, die; -, -n
◇ Leuchte, Lüster, Kronleuchter, Laterne, Lampion
Lam|pen|fie|ber; Lam|pi|on [*...piong, lampiong,* auch: *lampiong,* österr.: *...jon*], der (seltener: das); -s, -s ([Papier]laterne)
lan|cie|ren [*langßirᵉn*] (in Gang bringen, in Umlauf setzen; auf einen vorteilhaften Platz stellen)
Land, das; -[e]s, Länder u. (dicht.:) Lande; außer Landes
Land|au|er (viersitziger Wagen)
land|auf; -, landab (überall)
land|aus; -, landein (überall); **Ländchen,** das, -s, -; **Lan|de|bahn**
lan|den; er ist sicher gelandet; er hat das Flugzeug sicher gelandet
◇ niedergehen, aufsetzen
län|den (landsch. für: landen; aus dem Wasser holen, an Land bringen); **Landen|ge; Län|de|rei|en** *(Mehrz.)*; **Län|der‿kampf** (Sportspr.), **...kun|de** (die; -; Wissenschaftsfach), **...spiel** (Sportspr.); **Lan|des‿be|am|te, ...bi|schof, ...gren|ze, ...haupt|stadt, ...re|gie|rung; Land|fah|rer; land|fein** (Seemannsspr.); sich - machen;
Land|flucht, die; - (Abwanderung der ländl. Bevölkerung in die [Groß]städte); **Land|frie|dens|bruch,** der; **Land‿gericht** (Abk.: LG), **...jä|ger** (eine bes. Dauerwurst), **...kar|te, ...kreis; land|läu|fig; Länd|ler** (ländl. Tanz); **ländlich; Land‿nah|me** (die; -; hist.: Inbesitznahme von Land durch ein Volk), **...rat** (*Mehrz.* ...räte), **...rat|te** (Seemannsspr. spött. für: Nichtseemann)
Land|ro|ver ⓦ [*ländroᵘwᵉr*], der; -s, -e (geländegängiges Kraftfahrzeug mit Allradantrieb)
Land|schaft; land|schaft|lich; Land|schul|heim; Land|ser (ugs. für: Soldat); **Land|sitz; Lands‿mann** (*Mehrz.:* ...leute; Landes-, Heimatgenosse), **...män|nin** (die; -, -nen); **lands|männisch; Land‿stra|ße, ...strei|cher, ...tag; Land|tags|ab|ge|ord|ne|te; Lan|dung; Land|wirt|schaft; land|wirt|schaft|lich;** -e Nutzfläche
lang; länger, längste; über kurz od. lang; zehn Meter lang; sich des langen und breiten (umständlich)/des länger[e]n und breiter[e]n über etw. äußern; das Lange und das Kurze von der Sache ist ...; vgl. lange; **lang‿är|me|lig** od. **...ärm|lig**
lan|ge, lang; länger, am längsten; lang anhaltender Beifall; es ist lange her
◇ lang, länger, einige Zeit
Län|ge, die; -, -n; **län|ge|lang** (ugs. für: der Länge nach); - hinfallen
lan|gen (ugs. für: ausreichen; [nach etwas] greifen)
län|gen (länger machen); **Län|gen|grad; län|ger|fri|stig**
Lan|get|te, die; -, -n (Randstickerei als Abschluß)
Lan|ge|wei|le, Lang|wei|le, die; aus - u. Langerweile; **Lang|fin|ger** (ugs. für: Dieb); **lang|fin|ge|rig; lang‿fri|stig, ...ge|hegt; Lang|lauf** (Sportspr.); **lang‿le|big, ...le|gen,** sich (ugs. für: schlafen gehen); **läng|lich; Lang|mut,** die; -; **Lang|ohr,** das; -[e]s, -en (scherzh. für: Hase; Esel); **längs;** *Umstandsw.:* etwas - trennen; *Verhältnisw.* mit *Wesf.:* - des Weges, gelegentl. mit *Wemf.:* - dem Wege
lang|sam; -er Walzer
Lang|spiel|plat|te (Abk.: LP)
längst
◇ seit langem, von langer Hand, lange [vorher]
Lang|strecken‿bom|ber [*Trenn.:* ...strek|ken...], **...lauf**
Lan|gu|ste, die; -, -n (ein Krebs)
Lang|wei|le vgl. Langeweile
lang|wei|len; sich -
◇ Langeweile haben, jmdn. anöden
Lang|wei|ler (ugs. für: langweiliger Mensch)

lang|wei|lig
◇ öde, trostlos, trist, gleichförmig, eintönig, ermüdend, fade
Lang|wei|le; lang|wie|rig; lang|ziehen, nur in: jmdm. die Hammelbeine - (ugs. für: jmdn. heftig tadeln), die Ohren - (jmdn. [an den Ohren ziehend] strafen)
La|no|lin, das; -s (Wollfett, bes. als Salbengrundlage)
Lan|ze, die; -, -n; **Lan|zet|te,** die; -, -n (chirurg. Instrument); **Lan|zett|fisch; lan|zett|för|mig**
la|pi|dar (kraftvoll, wuchtig; einfach, elementar; kurz u. bündig); **La|pis|la|zu|li,** der; - (Lasurstein)
Lap|pa|lie [...*i*[e]], die; -, -n (Kleinigkeit; Nichtigkeit); **Läpp|chen** (kleiner Lappen); **Lap|pen,** der; -s, -; **lap|pig**
läp|pisch
Lap|sus, der; -, - [*lápßuß*] ([geringfügiger] Fehler, Versehen); **Lap|sus lin|guae** [- ...*guä*], der; - -, - - (Sichversprechen)
Lär|che, die; -, -n (ein Nadelbaum)
lar|go (Musik: breit, langsam); **Lar|go,** das; -s, -s (auch: ...ghi [...*gi*])
la|ri|fa|ri! (ugs. für: Geschwätz!, Unsinn!); **La|ri|fa|ri,** das; -s
Lärm, der; -s (seltener: -es)
◇ Krach, Radau, Spektakel, Getöse
lär|men
lar|moy|ant [...*moajant*] (geh. für: weinerlich; rührselig)
Lärm|wall (neben Autostraßen)
Lar|ve [*larf*[e]], die; -, -n (Gespenst, Maske; oft spött. od. verächtl. für: Gesicht; Zool.: Jugendstadium bestimmter Tiere)
lasch (ugs. für: schlaff, lässig)
La|sche, die; -, -n (ein Verbindungsstück)
La|ser [meist *le*[i]*s*[e]*r*], der; -s, - (Physik: Gerät zur Verstärkung von Licht od. zur Erzeugung eines scharf gebündelten Lichtstrahles); **La|ser|strahl**
la|sie|ren (mit Lasur versehen)
las|sen; ließ, gelassen; ich habe es gelassen (unterlassen); ich habe dich rufen lassen
läs|sig; Läs|sig|keit; läß|lich ([leichter] verzeihlich); -e Sünde
Las|so, das (österr. nur so) od. der; -s, -s (Wurfschlinge)
Last, die; -, -en; zu meinen -en
◇ Bürde, Belastung, Joch (geh.)
la|sten; La|sten|aus|gleich (Abk.: LA); [1]**La|ster,** der; -s, - (ugs. für: Lastkraftwagen)
[2]**La|ster,** das; -s, -; **la|ster|haft; La|ster|haf|tig|keit; lä|ster|lich; Lä|ster|maul** (ugs. für: jmd., der viel lästert); **lä|stern**
La|stex, das; - ([Gewebe aus] Gummifäden, die mit Kunstseiden- od. Chemiefasern umsponnen sind); **La|stex|ho|se**
lä|stig; Lä|stig|keit

Last|kraft|wa|gen (Abk.: Lkw, auch: LKW)
last, not least [*laßt not lißt*] („als letzter [letztes], nicht Geringster [Geringstes]"; zuletzt der Stelle, aber nicht dem Werte nach; nicht zu vergessen)
Last‿schrift (Buchhaltung), **...wa|gen** (Lastkraftwagen), **...zug**
La|sur, die; -en (durchsichtige Lack-, Farbschicht); **La|sur|stein**
las|ziv (schlüpfrig [in sittl. Beziehung]); **Las|zi|vi|tät** [...*wi*...], die; -
La|tein, das; -s; **la|tei|nisch;** -e Schrift
la|tent (versteckt, verborgen; ruhend; gebunden, aufgespeichert); **La|tenz,** die; -
la|te|ral (seitlich)
La|ter|ne, die; -, -n (Architektur auch: turmartiger Aufsatz); **La|ter|nen|ga|rage** (ugs.)
La|tex, der; -, ...tizes [...*zeß*] (Kautschukmilch)
la|ti|ni|sie|ren (in lat. Sprachform bringen; der lat. Sprachart angleichen); **La|ti|num,** das; -s ([Ergänzungs]prüfung im Lateinischen); das kleine, große -
La|tri|ne, die; -, -n (Abort, Senkgrube); **La|tri|nen|pa|ro|le** (ugs.)
Lat|sche, die; -, -n (Krummholzkiefer, Legföhre)
lat|schen (ugs. für: nachlässig, schleppend gehen)
Lat|schen|kie|fer, die
Lat|te, die; -, -n; **Lat|ten|zaun**
Latz, der; -es, Lätze (österr. auch: Latze) (Kleidungsteil [z. B. Brustlatz]); **Lätzchen; Latz|ho|se**
lau
Laub, das; -[e]s; **Laub|baum**
Lau|be, die; -, -n; **Lau|ben‿gang,** der, **...ko|lo|nie**
Laub‿frosch, ...sä|ge, ...wald
Lauch, der; -[e]s, -e (eine Zwiebelpflanze)
Lau|da|tio [...*zio*], die; -, ...iones (Lob[rede])
Lau|er, die; -; auf der - sein, liegen; **lauern**
Lauf, der; -[e]s, Läufe; im Laufe der Zeit; 100-m-Lauf
Lauf|bahn
◇ Karriere, Werdegang
lau|fen; lief, gelaufen
◇ gehen, marschieren, schreiten, rennen, flitzen
lau|fend (Abk.: lfd.); -en Monats; am -en Band; auf dem -en sein, bleiben, halten; **lau|fen|las|sen** (ugs. für: lossagen, freigeben), ich habe sie laufenlassen (seltener: laufengelassen); **Läu|fer; Lauf|feu|er; läu|fig** (von der Hündin: brünstig); **Lauf‿ma|sche, ...paß** (nur in ugs.: jmdm. den - geben), **...zet|tel**
Lau|ge, die; -, -n (alkal. [wässerige] Lösung; Auszug); **lau|gen**

Lau|ne, die; -, -n; **lau|nen** (veralt. für: launenhaft sein); gut gelaunt; **lau|nenhaft; lau|nig** (witzig)
lau|nisch
◇ launenhaft, wetterwendisch, unberechenbar
Laus, die; -, Läuse
Laus|bub (scherzh.); **laus|bü|bisch**
lau|schen; Lau|scher (Lauschender; Jägerspr.: Ohr des Haarwildes); **lauschig** (traulich)
Lau|se‿ben|gel od. **...jun|ge; lau|sen;** du laust; **lau|sig** (ugs. auch für: äußerst; viel; schlecht); -e Zeiten
[1]**laut;** etwas - werden lassen
◇ lautstark, ohrenbetäubend, überlaut · vernehmlich, hörbar, vernehmbar
[2]**laut** (Abk.: lt.); *Verhältnisw.* mit *Wesf.*, auch mit *Wemf.:* laut [des] amtlichen Nachweises, auch: laut amtlichem Nachweis; in der *Einz.* auch ungebeugt: laut Befehl, in der *Mehrz.* aber mit *Wemf.:* laut Berichten; **Laut,** der; -[e]s, -e; - geben
Lau|te, die; -, -n (ein Saiteninstrument)
lau|ten (tönen, klingen)
läu|ten ([von Glocken] klingen; Glocken zum Klingen bringen); es läutet
◇ klingeln, schellen (landsch.), bimmeln (ugs.)
[1]**lau|ter** (rein, ungemischt; ungetrübt); [2]**lau|ter** (nur, nichts als; viel); - Wasser; **läu|tern; Läu|te|rung**
laut|hals (aus voller Kehle); **laut|lich; Laut‿spre|cher, ...stär|ke**
lau|warm
La|va [*...wa*], die; -, Laven (feurigflüssiger Schmelzfluß aus Vulkanen u. das daraus entstandene Gestein); **La|va|strom; Laven** (*Mehrz.* von: Lava)
La|ven|del [*...wändᵉl*], der; -s, - (Heil- u. Gewürzpflanze, die zur Gewinnung eines ätherischen Öles benutzt wird)
la|vie|ren [*...wirᵉn*] (mit Geschick Schwierigkeiten überwinden; sich durch Schwierigkeiten hindurchwinden)
La|voir [*lawoar*], das; -s, -s (österr., sonst veralt. für: Waschbecken)
La|wi|ne, die; -, -n
lax (schlaff, lässig; locker, lau [von Sitten]); **Lax|heit** (Schlaffheit; Lässigkeit)
Lay|out [*leⁱaut* od. *...aut*], das; -s, -s ([Entwurf einer] Text- u. Bildgestaltung); **Layou|ter** (Gestalter eines Layouts, Entwurfsgrafiker)
La|za|rett, das; -[e]s, -e; **La|za|rett‿schiff, ...zug**
lea|sen [*lisᵉn*] (mieten, pachten); ein Auto -; **Lea|sing** [*lising*], das; -s, -s (Vermietung von [Investitions]gütern; moderne Industriefinanzierungsform)
Le|be|da|me; Le|be|hoch, das; -s, -s; er rief ein herzliches Lebehoch

le|ben; leben und leben lassen
◇ existieren, [am Leben] sein, ein Leben haben/führen, ein Dasein führen, jmdn. geben
Le|ben, das; -s, -; am - bleiben
◇ Existenz, Dasein
le|bend|ge|bä|rend; Le|bend|gewicht; le|ben|dig; Le|ben|dig|keit, die; -; **Le|bens‿abend, ...en|de** (das; -s), **...ge|fahr, ...ge|fähr|te, ...größe; le|bens‿lang** (auf -), **...läng|lich** (zu „lebenslänglich" verurteilt werden); **Le|bens|lauf**
Le|bens|mit|tel, das (meist *Mehrz.*)
◇ Nahrungsmittel, Fressalien (ugs.)
le|bens|mü|de; Le|bens‿ret|tungsme|dail|le, ...un|ter|halt, ...ver|siche|rung, ...wan|del, ...zeit (auf -)
Le|ber, die; -, -n; **Le|ber‿blüm|chen** (eine Anemonenart), **...fleck, ...kä|se** (bes. südd. u. österr.: ein Fleischgericht), **...tran**
Le|be|we|sen; Le|be|wohl, das; -[e]s, -e u. -s; jmdm. Lebewohl sagen
leb|haft
◇ dynamisch, temperamentvoll, vital, lebendig, quecksilbrig, wild
Leb|haf|tig|keit, die; -
Leb|ku|chen
leb|los; Leb|lo|sig|keit, die; -
Leb|tag (ugs.); ich denke mein - daran
Leb|zei|ten *(Mehrz.);* zu seinen -
lech|zen; du lechzt
leck (Seemannsspr.: undicht); **Leck,** das; -[e]s, -s (Seemannsspr.: undichte Stelle [bei Schiffen, an Gefäßen, Kraftmaschinen u. a.])
[1]**lecken**[1] (Seemannsspr.: leck sein)
[2]**lecken**[1] (mit der Zunge berühren); **lecker**[1] (wohlschmeckend)
Lecker|bis|sen[1]
◇ Delikatesse, Köstlichkeit
Lecke|rei[1] (Leckerbissen); **Leckermaul**[1] (ugs. für: jmd., der gern Süßigkeiten ißt)
Le|der, das; -s, -: **Le|der‿haut** (Schicht der menschlichen u. tierischen Haut), **...ho|se; le|de|rig,** led|rig (lederartig); [1]**le|dern** (mit einem Lederlappen putzen, abreiben); [2]**le|dern** (aus Leder; zäh, langweilig)
le|dig; - sein; jmdn. seiner Sünden - sprechen; **Le|di|ge,** der u. die; -n, -n; **le|diglich**
led|rig vgl. lederig
Lee, die; - (Seemannsspr.: die dem Wind abgekehrte Seite; Ggs.: Luv)
leer; Lee|re, die; -; **lee|ren** (leer machen); sich -; **Leer|lauf; leer|ste|hend** (unbesetzt); -e Wohnung; **Leer|ta|ste** (bei der Schreibmaschine); **Lee|rung**

[1]*Trenn.:* ...k|k...

Lef|ze, die; -, -n (Lippe bei Tieren)
le|gal (gesetzlich, gesetzmäßig); **le|ga|li|sie|ren** (gesetzlich machen); **Le|ga|li|tät,** die; - (Gesetzlichkeit, Rechtsgültigkeit)
Leg|asthe|nie, die; -, ...ien (Med.: Schwäche beim Lesen od. Schreiben von Wörtern od. Texten); **Leg|asthe|ni|ker** (jmd., der an Legasthenie leidet)
Le|gat, das; -[e]s, -e (Zuwendung durch letztwillige Verfügung, Vermächtnis)
le|ga|to (Musik: gebunden)
le|gen; gelegt; sich -
le|gen|där (legendenhaft; unwahrscheinlich); **Le|gen|de,** die; -, -n ([Heiligen]erzählung; [fromme] Sage; Zeichenerklärung [auf Karten usw.])
le|ger [...*schär*] (ungezwungen)
le|gie|ren (verschmelzen, [Suppen, Tunken] mit Eigelb anrühren, binden); **Le|gie|rung** ([Metall]mischung, Verschmelzung)
Le|gi|on, die; -, -en (röm. Heereseinheit; in der Neuzeit für: Freiwilligentruppe, Söldnerschar; große Menge); **Le|gio|när,** der; -s, -e (Mitglied einer Legion, bes. der französischen Fremdenlegion)
Le|gis|la|ti|ve [...*w*[e]], die, -, -n (gesetzgebende Versammlung, Gewalt); **Le|gis|la|tur|pe|ri|ode** (Amtsdauer einer Volksvertretung); **le|gi|tim** (gesetzlich; rechtmäßig; als ehelich anerkannt; begründet)
Le|gu|an [auch: *le*...], der; -s, -e (tropische Baumeidechse)
Leg|war|mer [*lägwå'm*[e]*r*], der; -s, -[s] (langer Wollstrumpf ohne Füßling)
Le|hen, das; -s, - (hist.); **Le|hens|we|sen,** Lehns|we|sen, das; -s (hist.)
Lehm, der; -[e]s, -e; **leh|mig**
Leh|ne, die; -, -n; **leh|nen;** sich -
Lehns|we|sen, Le|hens|we|sen, das; -s (hist.)
[1]**Leh|re,** die; -n (Unterricht, Unterweisung; Wissenschaft)
◇ Theorie, These, Doktrin
[2]**Leh|re,** die; -, -n (Meßwerkzeug; Muster, Modell)
leh|ren (unterweisen); jmdn. (auch: jmdm.) etwas -; er hat ihn reiten gelehrt
◇ unterrichten, unterweisen (geh.), instruieren, Unterricht geben, beibringen (ugs.)
Leh|rer
◇ Erzieher, Lehrkraft (Amtsdt.), Pädagoge, Schulmann, Schulmeister (veralt.), Pauker (ugs.)
Leh|re|rin, die; -, -nen; **Leh|rer‿kol|le|gi|um, ...zim|mer**
Lehr‿gang (der), **...geld; lehr|haft; Lehr|ling** (Auszubildende[r]), **lehr|reich; Lehr‿satz, ...stel|le, ...stuhl**
Leib, der; -[e]s, -er (Körper; veralt. auch für: Leben)
◇ Bauch, Unterleib, Wanst (ugs.), Abdomen
Leib|chen (auch: Kleidungsstück, österr. für: Unterhemd, Trikot); **Leib|ei|ge|ne**[1], der u. die; -n, -n; **Leib|ei|gen|schaft,** die; -; **lei|ben,** nur in: wie er leibt u. lebt; **Lei|bes‿er|zie|hung, ...kraft** (aus Leibeskräften); **leib|haf|tig**[2]; **Leib|haf|ti|ge**[2], der; -n (Teufel); **leib|lich** (auch für: dinglich); **Leib‿ren|te** (lebenslängliche Rente), **...wäch|ter**
Lei|che, die; -, -n; **Lei|chen‿be|gäng|nis, ...be|schau|er, ...bit|ter|mie|ne** (ugs. für: düsterer, grimmiger Gesichtsausdruck), **...fled|de|rer** (Gaunerspr.: Ausplünderer toter od. schlafender Menschen), **...schmaus** (ugs.); **Leich|nam,** der; -[e]s, -e
leicht; -es Heizöl; -e Musik; es ist mir ein leichtes (sehr leicht); es wäre das leichteste (am leichtesten); das Leichte in ihren Bewegungen, es ist nichts Leichtes/etwas Leichtes; **Leicht|ath|le|tik; leicht|ent|zünd|lich;** ein leichtentzündlicher Stoff; **leicht|fal|len** (keine Anstrengung erfordern); die Arbeit ist ihm leichtgefallen; **leicht|fer|tig; Leicht|fer|tig|keit; leicht|fü|ßig; Leicht|ge|wicht** (Körpergewichtsklasse in der Schwerathletik); **leicht‿gläu|big, ...her|zig, ...hin; Leich|tig|keit; Leicht|in|du|strie; leicht|ma|chen;** (wenig Mühe machen); du hast es dir leichtgemacht; **leicht|neh|men** (nicht ernst nehmen); **Leicht|sinn** (der; -[e]s); **leicht|sin|nig; leicht|ver|dau|lich**
leid; leid sein, tun, werden
Leid, das; -[e]s; Leid tragen
◇ Pein, Qual, Schmerz, Gram (geh.), Kummer, Sorge, Jammer
Lei|de|form (Passiv); **lei|den;** litt, gelitten; Not -; **Lei|den,** das, -s, - (für: Krankheit); **lei|dend; Lei|den|de,** der u. die; -n, -n
Lei|den|schaft
◇ Verlangen, Passion, Begier, Begehren
lei|den|schaft|lich; Lei|dens|ge|nos|se
lei|der; - Gottes
lei|dig (unangenehm)
leid|lich (gerade noch ausreichend)
leid|tra|gend; Leid|tra|gen|de, der u. die; -n, -n; **leid|voll; Leid|we|sen,** das; -s; zu meinem - (Bedauern)
Lei|er, die; -, -n (ein Saiteninstrument); **Lei|er|ka|sten; lei|ern**
lei|hen; lieh, geliehen
◇ borgen, ausleihen, ausborgen, entleihen, pumpen · einen Kredit aufnehmen, eine Anleihe machen

---
[1] Auch: *laip-ai...*
[2] Auch: *laip...*

Leih-ga|be, ...mut|ter (Frau, die das Kind einer anderen Frau austrägt)
leih|wei|se
◇ als Leihgabe, geliehen, auf Kredit, auf Pump (ugs.)
Leim, der; -[e]s, -e
◇ Klebstoff, Kleister
lei|men
Lein, der; -[e]s, -e (Flachs); **Lei|ne,** die; -, -n (Strick); **lei|nen** (aus Leinen); **Leinen,** das; -s, -; **Lei|ne|we|ber,** Lein|weber; **Lein-pfad, ...sa|men, ...tuch** (*Mehrz.* ...tücher; südd., westd., österr., schweiz. für: Bettuch), **...wand** (die; -); **Lein|we|ber,** Lei|ne|we|ber
leis, lei|se; leise (geringe) Zweifel; nicht im leistesten (durchaus nicht) zweifeln; **lei|se** vgl. leis; **Lei|se|tre|ter**
Lei|ste, die; -, -n
lei|sten; Lei|sten, der; -s, -
Lei|sten-beu|ge, ...bruch (der)
Lei|stung; lei|stungs|fä|hig; Leistungs-kraft (die); **...sport, ...vermö|gen** (das; -s)
Leit|ar|ti|kel (Stellungnahme der Zeitung zu aktuellen Fragen); **lei|ten; Lei|tende,** der u. die; -n, -n; **[1]Lei|ter,** der
[2]Lei|ter, die; -, -n (ein Steiggerät); **Leiter-spros|se, ...wa|gen**
Leit-fa|den, ...mo|tiv; Lei|tung; Leitungs|was|ser (*Mehrz.* ...wässer)
Lek|ti|on [...*zion*], die; -, -en (Unterricht[sstunde]; Lernabschnitt, Aufgabe; Zurechtweisung [nur Einz.]); **Lek|tor,** der; -s, -oren (Lehrer für praktische Übungen [in neueren Sprachen usw.] an einer Hochschule; Verlagsw.: wissenschaftl. Mitarbeiter zur Begutachtung der bei einem Verlag eingehenden Manuskripte); **Lek|tü|re,** die; -, -n (Lesen [nur *Einz.*]; Lesestoff)
Lem|ming, der; -s, -e (Wühlmaus der nördlichen Zone)
Len|de, die; -, -n; **len|den|lahm**
lenk|bar; len|ken; Len|ker; Lenkrad; Lenk|rad|schloß
Lenz, der; -es, -e [auch für: Jahre] (dicht. für: Frühjahr, Frühling)
Leo|pard, der; -en, -en („Löwenpanther", asiat. u. afrik. Großkatze)
Le|po|rel|lo|al|bum (harmonikaartig zusammenzufaltende Bilderreihe)
Le|pra, die; - (Aussatz); **le|pros, le|prös** (aussätzig); -e Kranke
lep|to|som (schmal-, schlankwüchsig); -er Typ; **Lep|to|so|me,** der u. die; -n, -n (Schmalgebaute[r])
Ler|che, die; -, -n (ein Vogel)
lern|eif|rig
ler|nen; lesen -; ich habe gelernt
◇ erlernen, aufnehmen, sich etwas zu eigen machen, sich etwas aneignen, pauken (ugs.), büffeln (ugs.), ochsen (ugs.)
Lern|mit|tel, das (Hilfsmittel für den Lernenden)
Les|bie|rin [...*bi*[e]...], die; -, -nen; **lesbisch;** -e Liebe (Homosexualität bei Frauen)
Le|se, die; -, -n (Weinlese); **Le|se-buch, ...hun|ger**
le|sen; las (läse), gelesen; lies!
◇ durchlesen, überlesen, überfliegen, studieren, schmökern in
le|sens|wert; Le|ser; Le|se|rat|te (ugs. für: leidenschaftliche[r] Leser[in]); **Le|ser-brief, ...kreis; le|ser|lich; Le|ser|lich|keit,** die; -; **Le|se-saal** (*Mehrz.* ...säle), **...stoff, ...zei|chen, ...zir|kel; Le|sung**
le|tal (Med.: tödlich)
Le|thar|gie, die; - (Schlafsucht; Trägheit, Teilnahms-, Interesselosigkeit): **le|thargisch**
Let|kiss, der; - (ein Tanz)
Let|ter, die; -, -n (Druckbuchstabe)
Lett|ner, der; -s, - (Schranke zwischen Chor u. Langhaus in mittelalterl. Kirchen)
letz|te; das letzte Stündlein; der Letzte Wille (Testament); letzten Endes; die zwei letzten Tage des Urlaubs; die letzten (vergangenen) zwei Tage; bis ins letzte; das ist das letzte, was ...; bis zum letzten (ganz und gar); den letzten beißen die Hunde; sein Letztes [her]geben; der Letzte des Monats; die Ersten werden die Letzten sein; **letz|tens; letz|te|re** (der, die, das letzte von zweien); der letztere; letzterer; **Letzt|ge|nann|te,** der u. die; -n, -n; **letzt|lich; letzt|mög|lich; letzt|wil|lig;** -e Verfügung
Leu, der; -en, -en (geh. für: Löwe)
Leuch|te, die; -, -n
leuch|ten
◇ strahlen, scheinen, schimmern, flimmern, blitzen, blinken
leuch|tend; leuchtendblaue Augen; **Leuch|ter; Leucht-far|be, ...re|klame, ...turm**
leug|nen; Leug|ner; Leug|nung
Leuk|ämie, die; -, ...ien („Weißblütigkeit", Blutkrebs); **leuk|ämisch** (an Leukämie leidend); **Leu|ko|plast**Ⓦⓩ, das; -[e]s, -e (Heftpflaster); **Leu|ko|zyt,** der; -en, -en (meist *Mehrz.;* Med.: weißes Blutkörperchen)
Leu|mund, der; -[e]s (Ruf); **Leu|mundszeug|nis**
Leut|chen *(Mehrz.);* **Leu|te** *(Mehrz.)*
Leut|nant, der; -s, -s (selten: -e; unterster Offiziersgrad)
leut|se|lig; Leut|se|lig|keit
Le|vi|ten [...*wi*...] *(Mehrz.);* jmdm. die -en lesen (ugs. für: [ernste] Vorhaltungen machen)
Lev|ko|je [*läf*...], die; -, -n (eine Pflanze)

Lex, die; -, Leges (Gesetz; Gesetzesantrag); - Heinze
Le|xi|ko|graph, der; -en, -en (Verfasser eines Wörterbuches od. Lexikons); **Le|xi|kon,** das; -s, ...ka (auch:) ...ken (alphabetisch geordnetes allgemeines Nachschlagewerk; auch für: Wörterbuch)
Le|zi|thin, das; -s (Nervenstärkungsmittel)
lfd. J., lfd. M. = laufendes Jahr u. laufenden Jahres, laufender Monat u. laufenden Monats
Li|ai|son [*liäsong*], die; -, -s ([nicht standesgemäße] Verbindung; Liebesverhältnis, Liebschaft)
Lia|ne, die; -, -n (meist *Mehrz.;* eine Schlingpflanze)
Li|bel|le, die; -, -n („kleine Waage"; Teil der Wasserwaage; Insekt, Wasserjungfer)
li|be|ral (vorurteilslos; freiheitlich, freisinnig); **Li|be|ra|le,** der u. die; -n, -n (Anhänger des Liberalismus); **li|be|ra|li|sie|ren** (in liberalem Geiste gestalten, bes. die Wirtschaft); **Li|be|ra|lis|mus,** der; - (Denkrichtung, die das Individuum aus religiösen, polit. u. wirtschaftl. Bindungen zu lösen sucht); **Li|be|ro,** der; -s, -s (Fußball: nicht mit Spezialaufgaben betrauter freier Verteidiger, der sich in den Angriff einschalten kann)
Li|bi|do [auch: *li*...], die; - (Begierde, Trieb, Geschlechtstrieb)
Li|bret|tist, der; -en, -en (Verfasser von Librettos); **Li|bret|to,** das; -s, -s u. ...tti (Text[buch] von Opern, Operetten usw.)
licht; ein lichter Wald; -e Weite (Abstand von Wand zu Wand bei einer Röhre u. a.); **Licht,** das; -[e]s, -er (auch Jägerspr.: Augen des Schalenwildes); **Licht‿bild** (Fotografie), **...blick, ...druck** (*Mehrz.* ...drucke); **Lich|te,** die; - (Weite); **¹lich|ten** (licht machen); der Wald wird gelichtet; das Dunkel lichtet sich
²lich|ten (Seemannsspr.: leicht machen, anheben); den Anker -
Lich|ter|baum (Weihnachtsbaum); **lich|ter|loh; Licht‿ge|schwin|dig|keit** (die; -), **...ge|stalt; licht|grau; Licht‿hu|pe, ...jahr** (astron. Längeneinheit); **Licht|meß** (kath. Fest); Mariä Lichtmeß; **Licht[|putz]|sche|re; Licht‿spiel** (veralt. für: Film); **Licht|spiel|thea|ter; Lich|tung**
Lid, das; -[e]s, -er (Augendeckel)
Li|do, der; -s, -s (auch:) Lidi („Ufer"; Nehrung, bes. die bei Venedig)
lieb; sich bei jmdm. lieb Kind machen; der liebe Gott; es ist mir das liebste (sehr lieb), am liebsten (sehr lieb); viel, nichts Liebes; mein Lieber, meine Liebe, mein Liebes; [Kirche] Zu Unsrer Lieben Frau[en]
◇ teuer (geh.), wert (veralt.), nett, liebenswert, sympathisch
lieb|äu|geln; er hat mit diesem Plan geliebäugelt
◇ mit dem Gedanken spielen, gern haben/machen wollen
Lieb|chen
Lie|be, die; -, (ugs. für: Liebschaft *Mehrz.:*) -n; - zu Frau und Kindern, zur Heimat
◇ Eros, Erotik, Sex, Sexualität
lie|be|die|nern (unterwürfig schmeicheln)
Lie|be|lei
◇ Flirt, [Liebes]abenteuer, [Liebes]erlebnis, Liebschaft, Affäre
lie|ben
◇ liebhaben, gern haben, zugetan sein, mögen, begehren (geh.), jmdm. gut sein, an jmdn. sein Herz verschenken/hängen
Lie|ben|de, der u. die; -, -n; **lie|bens‿wert, ...wür|dig; lie|ber** vgl. gern; **Lie|bes‿dienst, ...müh** od. **...mü|he; lie|be|voll; lieb|ge|win|nen; lieb|ge|wor|den;** eine liebgewordene Gewohnheit; **lieb|ha|ben; Lieb|ha|ber**
Lieb|ha|be|rei
◇ Hobby, Steckenpferd, Lieblingsbeschäftigung
lieb|ko|sen [auch: *lip*...]; er hat liebkost (auch: geliebkost); **Lieb|ko|sung** [auch: *lip*...]; **lieb|lich**
Lieb|ling
◇ Schwarm, Schatz, Darling, Augapfel
lieb|los; Lieb|reiz, der; -es; **lieb|rei|zend; Lieb|schaft; Lieb|ste,** der u. die; -n -n
Lieb|stöckel [*Trenn.:* ...stök|kel], das od. der; -s, - (eine Heil- u. Gewürzpflanze)
Lied, das; -[e]s, -er (Gedicht; Gesang); **Lie|der|abend**
Lie|der|jan, der; -[e]s, -e (ugs. für: liederlicher, unordentlicher Mensch); **lie|der|lich; Lie|der|lich|keit**
Lie|fe|rant, der; -en, -en (Lieferer); **Lie|fe|rer**
lie|fern
◇ zustellen, bringen, anliefern
Lie|fe|rung; Lie|fer|wa|gen
Lie|ge, die; -, -n
◇ Couch, Sofa, Chaiselongue, Kanapee (veralt.), Diwan
lie|gen; lag (läge), gelegen; ich habe zwanzig Flaschen Wein im Keller liegen; **lie|gen|blei|ben;** die Brille ist liegengeblieben; **lie|gend;** -e Güter; **lie|gen|las|sen** (vergessen, nicht beachten); **Lie|gen|schaft** (Grundbesitz); **Lie|ge‿statt** (die; -, ...stätten), **...stütz** (der; -es, -e)
Lift, der; -[e]s, -e u. -s (Fahrstuhl, Aufzug); **Lift|boy** [*...beu*]; **lif|ten** (heben, stemmen; eine kosmetische Operation zur Straffung der Haut bes. im Gesicht durchführen)

Li|ga, die; -, ...gen (Bund, Bündnis; Sport: Bez. einer Wettkampfklasse)
Light-Show [*laitscho"*], die; -, -s (Show mit besonderen Lichteffekten)
Li|gist, der; -en, -en (Angehöriger einer Liga)
Li|gu|ster, der; -s, - (Ölbaumgewächs mit weißen Blütenrispen)
li|ie|ren (eng verbinden); sich -
Li|kör, der; -s, -e (süßer Branntwein)
li|la (fliederblau; ugs. für: mittelmäßig); ein lila Kleid; **Li|la,** das; -s, - (ugs.:) -s (ein fliederblauer Farbton); die Farbe Lila; Kostüme in Lila; **li|la|far|ben; Li-lak,** der; -s, -s (span. Flieder)
Li|lie [*...i^e*], die; -, -n (stark duftende Gartenpflanze in vielen Spielarten); **li|li|en-weiß**
Li|li|pu|ta|ner (kleiner Mensch; Zwerg)
Lim|bur|ger, der; -s, - (ein Käse)
Li|me|rick, der; -[s], -s (fünfzeiliges Gedicht ironischen, grotesk-komischen od. unsinnigen Inhalts)
Li|mit, das; -s, -s u. -e (Grenze, Begrenzung; Kaufmannsspr.: Preisgrenze, äußerster Preis); **li|mi|ted** [*limitid*] (in engl. u. amerik. Firmennamen: „mit beschränkter Haftung"); **li|mi|tie|ren** ([den Preis] begrenzen; beschränken)
Li|mo [auch: *li...*], die (auch: das); -, -[s] (ugs. Kurzform für: Limonade); **Li|mo-na|de,** die; -, -n; **Li|mo|ne,** die; -, -n (dickschalige Zitrone)
Li|mou|si|ne [*...mu...*], die; -, -n (geschlossener Pkw, auch mit Schiebedach)
lind; ein -er Regen
Lin|de, die; -, -n; **Lin|den|blü|ten|tee**
lin|dern; Lin|de|rung
lind|grün
Lind|wurm (Drache)
Li|ne|al, das; -s, -e; **li|ne|ar** (geradlinig; auf gerader Linie verlaufend)
Lin|gui|stik, die; - (Sprachwissenschaft, -vergleichung)
Li|nie [*...i^e*], die; -, -n; - halten (Druckw.); absteigende, aufsteigende Linie (Genealogie); **Li|ni|en‿flug|zeug, ...rich|ter; li|ni|en|treu** (einer politischen Ideologie genau u. engstirnig folgend); **li|nie|ren** (österr. nur so), **li|ni|ie|ren** (mit Linien versehen; Linien ziehen); **Li|nie|rung** (österr. nur so), **Li|ni|ie|rung**
link; linker Hand; [1]**Lin|ke,** der u. die; -n, -n (ugs. für: Angehörige[r] einer linksstehenden Partei od. Gruppe); [2]**Lin|ke,** die; -n, -n (linke Hand; linke Seite; Politik: Bez. für linksstehende Parteien, auch für die linksstehende Gruppe einer Partei); **lin|kisch; links;** *Umstandsw.:* - von mir; - vom Eingang; von - nach rechts; *Verhältnisw.* mit *Wesf.:* - der Straße; - des Rheins; **Links|ab|bie|ger** (Verkehrsw.); **Links|au|ßen,** der; -, - (Sportspr.); **Links‿ex|tre|mist, ...hän-der; links‿hän|dig, ...her|um; Links-in|tel|lek|tu|el|le; links|ra|di|kal; Links-rechts-Kom|bi|na|ti|on** (Boxen); **links|um** [auch: *linkß-um*]; - kehrt! (milit. Kommando)
Lin|nen, das; -s, - (dicht.: Leinen)
Lin|ole|um [*...le-um,* österr. auch: *...leum*], das; -s (ein Fußbodenbelag); **Lin|ol|schnitt** (ein graph. Verfahren u. dessen Ergebnis)
Lin|se, die; -, -n; **lin|sen** (ugs. für: schauen, scharf äugen, blinzeln)
Li|piz|za|ner, der; -s, - (Pferd einer bestimmten Rasse)
Lip|pe, die; -, -n; **Lip|pen‿be|kennt-nis, ...stift,** der
li|quid, li|qui|de (flüssig; fällig; verfügbar); -e Gelder; **Li|qui|da|ti|on** [*...zion*], die; -, -en (Kostenrechnung, Abrechnung freier Berufe; Auseinandersetzung; Auflösung [eines Geschäftes]); **li|qui|de** vgl. liquid; **li|qui|die|ren** ([eine Forderung] in Rechnung stellen; [Verein, Gesellschaft, Geschäft] auflösen; Sachwerte in Geld umwandeln; einen Konflikt beilegen; jmdn. beseitigen)
Li|ra, die; -, Lire (it. Münzeinheit)
lis|peln
List, die; -, -en
◇ Intrige, Winkelzug, Ränkespiel
Li|ste, die; -, -n; die schwarze -; **li|sten** (in Listenform bringen); **Li|sten‿preis, ...wahl**
li|stig; Li|stig|keit, die; -
Li|ta|nei, die; -, -en (Wechsel-, Bittgebet; eintöniges Gerede; endlose Aufzählung)
Li|ter [auch: *lit^er*], der (schweiz. amtlich nur so) od. das; -s, - (1 Kubikdezimeter; Zeichen: l)
li|te|ra|risch (schriftstellerisch, das [schöne] Schrifttum betreffend); **Li|te|rat,** der; -en, -en (oft abschätzig für: Schriftsteller); **Li|te|ra|tur,** die; -, -en; **Li|te|ra-tur‿ge|schich|te, ...wis|sen|schaft**
Lit|faß|säu|le (Anschlagsäule)
Li|tho, das; -s, -s (Kurzform für: Lithographie, Kunstblatt in Steindruck); **Li|tho-gra|phie**[1], die; -, ...ien (Steinzeichnung; Herstellung von Platten für den Steindruck [nur *Einz.*]; Kunstblatt in Steindruck); **li|tho|gra|phisch**[1]
Li|tur|gie, die; -, ...ien (der amtlich od. gewohnheitsrechtlich geregelte öffentl. Gottesdienst); **li|tur|gisch;** -e Gewänder
Lit|ze, die; -, -n
live [*laif*] (von Rundfunk- u. Fernsehübertragungen: direkt, original); etwas - übertragen; **Live-Sen|dung** [*laif...*] (Rundfunk- od. Fernsehsendung, die bei der

[1] Auch eindeutschend: Lithografie usw.

Aufnahme direkt übertragen wird; Originalübertragung)

Li|vree [...*wre*], die; -, ...een (uniformartige Dienerkleidung); **li|vriert** (in Livree [gehend])

Li|zenz, die; -, -en ([behördl.] Erlaubnis, Genehmigung); **Li|zenz|spie|ler** (Sport, bes. Fußball: Sportler mit der Lizenz eines Verbandes, der als Angestellter eines Vereins feste monatliche Bezüge erhält)

Lkw, (auch:) **LKW,** der; -[s], -s (selten: -) = Lastkraftwagen

Lob, das; -[e]s; - spenden

Lob|by [*lobi*], die; -, -s od. Lobbies [*lóbis*] (Wandelhalle im [engl. od. amerik.] Parlament; auch für: Gesamtheit der Lobbyisten); **Lob|by|ist,** der; -en, -en (jmd., der Abgeordnete für seine Interessen zu gewinnen sucht)

lo|ben

◇ belobigen, Lob spenden/zollen, des Lobes voll sein über, sich in Lobreden/Lobesworten ergehen, jmdn. in den Himmel heben (ugs.), rühmen, feiern, [lob]preisen

lo|bens|wert; Lo|bes|hym|ne; Lob|hu|de|lei (abschätzig); **lob|hu|deln** (abschätzig für: übertrieben loben); **löb|lich; lob|prei|sen;** lobpreiste und lobpries, gelobpreist u. lobgepriesen; **lob|sin|gen**

Loch, das; -[e]s, Löcher; **lo|chen; Lo|cher** (Gerät zum Lochen; Person, die Lochkarten locht); **lö|che|rig,** löch|rig; **Loch|kar|te; löch|rig,** lö|che|rig; **Loch|sticke|rei**[1]

Löck|chen; Locke[1]**,** die; -, -n; [1]**locken**[1] (lockig machen)

[2]**locken**[1] (anlocken)

Locken[1]**‿kopf, ...wickel**[1] od. **...wick|ler**

locker[1]**; locker|las|sen**[1] (ugs. für: nachgeben); er hat nicht lockergelassen; **locker|ma|chen**[1] (ugs. für: ausgeben); er hat viel Geld lockergemacht; **lockern**[1]

lockig[1]

Lock‿spit|zel, ...vo|gel

Lo|den, der; -s, - (ein Wollgewebe)

lo|dern

Löf|fel, der; -s, -; **löf|feln**

Log|arith|men|ta|fel; Log|arith|mus, der; -, ...men (math. Größe; Zeichen: log)

Log|buch (Schiffstagebuch)

Lo|ge [*losch*[e]], die; -, -n (Pförtnerraum; Theaterraum; [geheime] Gesellschaft); **Lo|gen|bru|der** (Freimaurer)

Log|gia [*lodscha* od. *lodschja*], die; -, ...ien [...*i*[e]*n*] („Laube"; halboffene Bogenhalle; nach einer Seite offener, überdeckter Raum am Haus)

lo|gie|ren [*loschir*[e]*n*] ([vorübergehend] wohnen)

Lo|gik, die; - (Denklehre; folgerichtiges Denken)

Lo|gis [*loschi*], das; - [*loschi(ß)*], - [*loschiß*] (Wohnung, Bleibe)

lo|gisch (folgerichtig; denkrichtig; denknotwendig; ugs. für: natürlich, selbstverständlich, klar); **Lo|go|pä|de,** der; -n, -n (Med., Psych.: Sprachheilkundiger); **Lo|go|pä|die,** die; - (Sprachheilkunde)

Lo|he, die; -, -n (Glut, Flamme)

Lohn, der; -[e]s, Löhne; **Lohn|emp|fän|ger; loh|nen;** es lohnt die, der Mühe nicht; sich -; **loh|nens|wert; Lohn‿grup|pe, ...steu|er** (die); **...steu|er|kar|te, ...tü|te**

Loi|pe, die; -, -n (Skisport: Langlaufspur, -bahn)

Lok, die; -, -s (Kurzform von: Lokomotive)

lo|kal (örtlich; örtlich beschränkt); **Lokal,** das; -[e]s, -e (Örtlichkeit; [Gast]wirtschaft); **Lo|kal|an|äs|the|sie** (Med.: örtl. Betäubung); **lo|ka|li|sie|ren; Lo|ka|li|tät,** die; -, -en (Örtlichkeit; Raum); **Lo|kal‿ko|lo|rit, ...pa|trio|tis|mus**

Lok|füh|rer (Kurzform von: Lokomotivführer); **Lo|ko|mo|ti|ve** [...*tiw*[e], auch: ...*tif*[e]], die; -, -n (Kurzform: Lok); **Lo|ko|mo|tiv|füh|rer** (Kurzform: Lokführer);

Lo|kus, der; - u. -ses, - u. -se (ugs. für: Abort)

Lom|bard [auch: *lombart*], der od. das; -[e]s, -e (Kredit gegen Verpfändung beweglicher Sachen)

Long|drink (mit Soda, Eiswasser o. ä. verlängerter Drink)

Lon|ge [*longsch*[e]], die; -, -n (Reitsport: sehr lange Leine, mit der ein Pferd geführt wird); **lon|gie|ren** [*longschir*[e]*n*] (Reitsport: ein Pferd an der Longe laufen lassen)

long|line [...*lain*] (Tennis: an der Seitenlinie entlang); einen Ball - spielen

Look [*luk*], der; -s, -s (bestimmtes Aussehen [in bezug auf die Mode gebraucht])

Loo|ping [*lup*...], der (auch: das); -s, -s (senkrechter Schleifenflug, Überschlagrolle)

Lor|beer, der; -s, -en (ein Baum; Gewürz); **Lor|beer|kranz**

Lord, der; -s, -s (hoher engl. Adelstitel)

Lo|re, die; -, -n (offener Eisenbahngüterwagen, Feldbahnwagen)

Lor|gnet|te [*lornjät*[e]], die; -, -n (Stielbrille); **Lor|gnon** [*lornjong*], das; -s, -s (Stielglas, -brille)

Lo|ri, der; -s, -s (ein Papagei)

los, lo|se; das lose Blatt; eine lose Zunge haben (leichtfertig reden); hier ist nichts los (ugs. für: hier geht nichts vor)

Los, das; -es, -e; das Große -

los|bre|chen; ein Unwetter brach los

[1]**lö|schen;** einen Brand löschen

---

[1] *Trenn.:* ...k|k...

[2]**lö|schen** (Seemannsspr.: ausladen)
Lösch₋fahr|zeug, ...pa|pier
lo|se vgl. los
Lö|se|geld
los|ei|sen (ugs. für: mit Mühe freimachen, abspenstig machen); sich -
lo|sen (das Los ziehen); du lost
lö|sen (auch für: befreien)
◇ sich lösen, sich ablösen, abgehen, abfallen, abblättern, abspringen
los|ge|hen (ugs. auch für: anfangen)
los|kom|men; von etwas, einer Person -
los|las|sen; den Hund von der Kette loslassen
los|le|gen (ugs. für: sich ins Zeug legen; beginnen)
lös|lich; Lös|lich|keit, die; -
los|lö|sen; sich von etwas -
los|ma|chen; mach los! (ugs. für: beeile dich!)
los|rei|ßen; sich von etwas -
Löß, der; Lösses, Lösse (Ablagerung der Eiszeit)
los|sa|gen; sich von etwas -
los|spre|chen (von Schuld)
los|steu|ern; auf ein Ziel -
[1]**Lo|sung** (Erkennungswort; Wahl-, Leitspruch)
◇ Parole, Kennwort, Losungswort
[2]**Lo|sung** (Jägerspr.: Kot des Wildes u. des Hundes)
Lö|sung; Lö|sungs|mit|tel, das
Lo|sungs|wort, das (*Mehrz.* ...worte)
los|wer|den; etwas - (von etwas befreit werden; ugs. für: etwas verkaufen)
los|zie|hen; gegen jmdn. - (ugs. für: gehässig von ihm reden)
Lot, das; -[e]s, -e (Vorrichtung zum Messen der Wassertiefe u. zur Bestimmung der Senkrechten; [Münz]gewicht; Hohlmaß); **lo|ten** (senkrechte Richtung bestimmen; Wassertiefe messen; Flughöhe bestimmen)
lö|ten (durch Lötmetall verbinden); **Löt|fu|ge**
Lo|ti|on [*...zion;* engl. Aussprache: *loᵘschᵉn*], die; -, -en u. (bei engl. Aussprache:) -s (flüssiges Hautpflegemittel)
Löt|kol|ben
Lo|tos, der; -, - (Wasserrose)
lot|recht; Lot|rech|te, die; -n, -n
Lot|se, der; -n, -n; **lot|sen;** du lotst
Lot|te|rie, die; -, ...ien (Los-, Glücksspiel, Verlosung)
lot|te|rig, lott|rig (ugs. für: unordentlich); **Lot|ter|le|ben**
Lot|to, das; -s, -s (Zahlenlotterie; Gesellschaftsspiel); **Lot|to|zah|len** *(Mehrz.)*
lott|rig vgl. lotterig
Lö|we, der; -n, -n; **Lö|wen₋an|teil** (ugs. für: Hauptanteil), **...maul** (das; -[e]s; eine Gartenblume), **...zahn** (der; -[e]s; eine Wiesenblume); **Lö|win,** die; -, -nen

loy|al [*loajal*] (gesetzlich, regierungstreu; rechtlich; anständig, redlich); **Loya|li|tät,** die; -
LSD = Lysergsäurediäthylamid (ein Rauschgift)
Luchs, der; -es, -e (ein Raubtier)
Lücke[1], die; -, -n; **Lücken|bü|ßer**[1] (ugs. für: Ersatzmann); **lücken|haft**[1]; **lücken|los**[1]
Lu|de, der; -n, -n (Gaunerspr.: Zuhälter)
Lu|der, das; -s, - (Jägerspr.: Köder, Aas [auch als Schimpfwort]); **Lu|der|le|ben,** das; -s
Lu|es, die; - (Syphilis)
Luft, die; -, Lüfte
◇ Atmosphäre, Äther (geh.)
Luft₋bal|lon, ...brücke [*Trenn.:* ...brükke]; **Lüft|chen; luft|dicht;** - verschließen; **Luft|druck** (der; -[e]s); **lüf|ten; Luft₋fahrt, ...fil|ter, ...ge|wehr**
luf|tig
◇ zugig, windig, böig, auffrischend
Luf|ti|kus, der; - (auch: -ses), -se (scherzh. für: oberflächlicher Mensch); **Luft|kur|ort** (der; -[e]s, ...orte); **Luft₋linie, ...post, ...schiff, ...schloß, ...schutz, ...schutz|kel|ler; Lüftung; Luft|ver|schmut|zung**
Lug, der; -[e]s (Lüge); [mit] - und Trug
Lü|ge, die; -, -n; jmdn. Lügen strafen (der Unwahrheit überführen)
◇ Unwahrheit, Märchen, Schwindel (ugs.), Geflunker (ugs.), Flunkerei (ugs.)
lü|gen; log (löge), gelogen
◇ nicht die Wahrheit/die Unwahrheit sagen, nicht bei der Wahrheit bleiben, es mit der Wahrheit nicht so genau nehmen, schwindeln (ugs.), flunkern (ugs.)
Lü|gen|bold, der; -[e]s, -e (abschätzig); **Lü|gen₋de|tek|tor** (Gerät zur Feststellung unterdrückter affektiver Regungen), **...ge|we|be; Lüg|ner; lüg|ne|risch**
Lu|ke, die; -, -n (kleines Dach- od. Kellerfenster; Öffnung im Deck od. in der Wand des Schiffes)
lu|kra|tiv (gewinnbringend)
lu|kul|lisch (üppig, schwelgerisch); -es Mahl
Lu|latsch, der; -[e]s, -e (ugs. für: langer Bengel)
lul|len (volkstüml. für: leise singen); das Kind in den Schlaf -
Lum|ba|go, die; - (Med.: Schmerzen in der Lendenwirbelgegend; Hexenschuß)
Lüm|mel, der; -s, -; **lüm|mel|haft; lümmeln,** sich (ugs.)
Lump, der; -en, -en (schlechter Mensch; verächtl. für: Kerl); **Lum|pa|zi|va|ga|bun|dus** [*...wa...*], der; -, -se u. ...di (Landstreicher); **lum|pen;** sich nicht - lassen (ugs.: freigebig sein; Geld ausge-

[1]*Trenn.:* ...k|k...

ben); **Lum|pen,** der; -s, - (Lappen); **Lum|pen‿pack,** das, **...samm|ler**

Lunch [*lan(t)sch*], der; -[es] od. -s, -e[s] od. -s (engl. Bezeichnung für das um Mittag eingenommene Gabelfrühstück); **lun-chen** [*lan(t)sch^{e}n*]; **Lunch|zeit**

Lun|ge, die; -, -n; eiserne -; **Lun|gen‿ent|zün|dung, ...zug**

lun|gern (ugs.)

Lun|te, die; -, -n (Zündmittel; Jägerspr.: Schwanz des Fuchses); - riechen (ugs. für: Gefahr wittern)

Lu|pe, die; -, -n (Vergrößerungsglas); **lu-pen|rein** (von Edelsteinen: sehr rein; ganz ohne Mängel; übertr. für: einwandfrei, hundertprozentig)

Lu|pi|ne, die; -, -n (eine Futter-, Zierpflanze)

Lurch, der; -[e]s, -e (Amphibie)

Lust, die; -, Lüste; - haben; - an einer Sache haben, finden; keine - zum Aufstehen haben; hast du - auf Gänsebraten?

◇ Vergnügen, Freude, Glück, Wonne

Lust|bar|keit (veraltend)

Lü|ster, der; -s, - (Kronleuchter; Glanzüberzug auf Glas-, Ton-, Porzellanwaren; glänzendes Gewebe)

lü|stern; er hat -e Augen; der Mann ist -; **Lü|stern|heit**

Lust‿ge|winn, ...greis

lu|stig

◇ fröhlich, vergnügt, froh, heiter, munter, aufgeräumt, fidel, aufgekratzt (ugs.)

Lu|stig|keit, die; -; **Lüst|ling; lust|los; Lust‿mör|der, ...spiel; lust|wan-deln;** er ist gelustwandelt

lu|the|risch [veralt. od. zur Kennzeichnung einer stark orthodoxen Auffassung noch: *luterisch*]; -e Kirche

lut|schen (ugs.); **Lut|scher**

Luv [*luf*], die; - (Seemannsspr.: die dem Wind zugekehrte Seite; Ggs.: Lee); **Luv-sei|te**

Lux, das; -, - (Physik: Einheit der Beleuchtungsstärke)

Lu|xa|ti|on [*...zion*], die; -, -en (Med.: Verrenkung)

lu|xu|ri|ös; Lu|xus, der; - (Verschwendung, Prunksucht); **Lu|xus‿ar|ti|kel, ...steu|er** (die)

lym|pha|tisch (auf Lymphe oder Lymphknoten bezüglich, sie betreffend); **Lymph|drü|se** (fälschlich für: Lymphknoten); **Lym|phe,** die; -, -n (weißliche Flüssigkeit in Gewebe u. Blut; Impfstoff); **Lymph|kno|ten**

lyn|chen [*lünch^{e}n,* auch: *linch^{e}n*] (ungesetzliche Volksjustiz ausüben); er wurde gelyncht; **Lynch‿ju|stiz, ...mord**

Lyo|ner [*lion^{e}r*], die; - (Kurzform von: Lyoner Wurst); **Lyo|ner Wurst**

Ly|ra, die; -, ...ren (ein altgr. Saiteninstrument; Leier); **Ly|rik,** die; - ([liedmäßige] Dichtung); **Ly|ri|ker** (lyrischer Dichter); **ly|risch** (der persönlichen Stimmung u. dem Erleben unmittelbaren Ausdruck gebend; gefühl-, stimmungsvoll; liedartig); -es Drama

Ly|ze|um, das; -s, ...een (veralt. für: höhere Lehranstalt für Mädchen)

M

M (Buchstabe); das M; des M, die M

µ = Mikro..., vgl. ^{2}Mikrometer

Mä|an|der, der; -s, - (starke Flußwindung; Zierband); **mä|an|drisch**

Maar, das; -[e]s, -e (kraterförmige Senke)

Maat, der; -[e]s, -e u. -en (mdal.: Genosse; Seemannsspr.: Schiffsmann; Unteroffizier auf Schiffen)

mach|bar; Ma|che, die; - (ugs.); **ma-chen;** gemacht; **Ma|chen|schaft,** die; -, -en (meist *Mehrz.*); **Ma|cher** (ugs. für: Person, die etwas zustande bringt, etwas in die Tat umsetzt)

Ma|che|te, die; -, -n (Buschmesser)

Ma|chis|mo [*matschißmo*], der; -[s] (übersteigertes Männlichkeitsgefühl [in Lateinamerika]); **Ma|cho** [*matscho*], der; -s, -s (sich betont männlich gebender Mann)

Macht, die; -, Mächte; alles in unserer Macht Stehende; **Macht|block** (*Mehrz.* ...blöcke, seltener: ...blocks); **Macht|ha-ber; mäch|tig; macht|los; Macht-wort** (*Mehrz.* ...worte)

Mach|werk (schlechte Leistung; Wertloses)

Macker [*Trenn.:* Mak|ker] (ugs. für: Kamerad, Freund, Kumpel)

Ma|dam, die; -, -s u. -en (ugs. für: Hausherrin; die Gnädige; scherzh. für: [dickliche, behäbige] Frau)

Mäd|chen

◇ Mädel, Mägdlein (geh.), Girl (ugs.), Kleine (ugs.), Teenager

mäd|chen|haft; Mäd|chen‿han|del, ...na|me

Ma|de (Insektenlarve), die; -, -n

made in Ger|ma|ny [*me^{i}d in dschö^{r}m^{e}ni*] („hergestellt in Deutschland"; ein Warenstempel)

Ma|dei|ra [*...dera*], **Ma|de|ra,** der; -s, -s (auf Madeira gewachsener Süßwein)

ma|dig; jmdm. etwas - machen (ugs. für: verleiden)

Ma|don|na, die; -, ...nnen (Maria, die Gottesmutter [nur *Einz.*]; Mariendarstellung [mit Jesuskind])

Ma|dri|gal, das; -s, -e ([Hirten]lied; mehrstimmiges Gesangstück)
Mae|stro [*maäß...*], der; -s, -s (auch:) ...stri („Meister“)
Ma|fia, (auch:) **Maf|fia,** die; -, -s (Geheimbund [in Sizilien])
Ma|ga|zin, das; -s, -e
Magd, die; -, Mägde
Ma|gen, der; -s, Mägen (auch: -); **Ma|gen|bit|ter** (der; -s, -; ein Branntwein); **Ma|gen‿ge|schwür, ...ver|stim|mung**
ma|ger
◇ hager, dürr, knochig, spillerig (ugs.)
Ma|ger|sucht, die; -
Ma|gie, die; - (Zauber-, Geheimkunst); **Ma|gi|er** [*...iᵉr*] (Zauberer); **ma|gisch;** -es Auge; -es Quadrat
Ma|gi|ster, der; -s, - („Meister“; akadem. Grad); Magister Artium (akadem. Grad; Abk.: M. A.)
Ma|gi|strat, der; -[e]s, -e (Stadtverwaltung, -behörde)
Ma|gnat, der; -en, -en (Grundbesitzer, Großindustrieller)
Ma|gnet, der; -[e]s u. -en, -e[n]; **Ma|gnet‿band** (das; *Mehrz.* ...bänder), **...feld; ma|gne|tisch;** -e Feldstärke; -er Pol; **ma|gne|ti|sie|ren** (magnetisch machen; Med.: durch magnetische Kraft behandeln); **Ma|gne|tis|mus,** der; - (Gesamtheit der magnetischen Erscheinungen; Heilverfahren)
Ma|gni|fi|kat [*mag...*], das; -[s], -s (Lobgesang der Maria); **Ma|gni|fi|zenz,** die; -, -en (Titel für Hochschulrektoren u. a.)
Ma|gno|lie [*...iᵉ*], die; -, -n (ein Zierbaum)
mäh!; mäh schreien
Ma|ha|go|ni, das; -s (ein Edelholz); **Ma|ha|go|ni|mö|bel**
Ma|ha|ra|dscha, der; -s, -s (ind. Großfürst)
Mäh|dre|scher; [1]**mä|hen** ([Gras] schneiden)
[2]**mä|hen** (ugs. für: mäh schreien)
Mä|her
Mahl, das; -[e]s, Mähler u. -e (Gastmahl)
mah|len (Korn u. a.); **Mahl|zahn**
Mahl|zeit; gesegnete Mahlzeit!
Mäh|ma|schi|ne
Mäh|ne, die; -, -n
mah|nen
◇ ermahnen, anhalten, erinnern
Mahn‿mal (*Mehrz.* ...male, selten: ...mäler), **...schrei|ben; Mah|nung**
Mahr, der; -[e]s, -e (quälendes Nachtgespenst, [1]Alp)
Mäh|re, die; -, -n ([elendes] Pferd)
Mai, der; -[e]s u. - (dicht. gelegentl. noch: -en), -e (der fünfte Monat des Jahres); **Mai‿an|dacht** (kath.), **...baum** (dicht. auch: Maien...), **...bow|le, ...fei|er, ...glöck|chen** (eine Blume), **...kä|fer**
Mais, der; -es, (für: Maisarten auch *Mehrz.*:) -e; **Mais‿brei, ...brot**
Maisch, der; -[e]s, -e u. **Mai|sche,** die; -, -n (Mischung, bes. bei der Bierherstellung)
mais|gelb; Mais|kol|ben
Mai|so|nette, (nach fr. Schreibung auch:) **Mai|son|nette** [*mäsonät*], die; -, -s (zweistöckige Wohnung in einem [Hoch]haus)
Ma|je|stät, die; - (als Titel u. Anrede von Kaisern u. Königen auch *Mehrz.*:) -en (Herrlichkeit, Erhabenheit); Seine -; **ma|je|stä|tisch** (herrlich, erhaben)
Ma|jo|li|ka, die; -, -en (Töpferware mit Zinnglasur)
Ma|jo|nä|se (eindeutschend für: Mayonnaise)
Ma|jor, der; -s, -e (unterster Stabsoffizier)
Ma|jo|ran [auch: *...ran*], der; -s, -e (ein[e] Gewürz[pflanze])
ma|jo|ri|sie|ren (überstimmen, durch Stimmenmehrheit zwingen); **Ma|jo|ri|tät,** die; -, -en ([Stimmen]mehrheit)
ma|ka|ber (totenähnlich; unheimlich; schaudererregend; frivol); ma|ka|bres Aussehen
Ma|kel, der; -s, - ([Schand]fleck; Schande); **ma|kel|los; Ma|kel|lo|sig|keit,** die; -
ma|keln (Vermittlergeschäfte machen); **mä|keln** (ugs. für: etwas [am Essen usw.] auszusetzen haben, nörgeln)
Make-up [*meⁱk-ap*], das; -s, -s (kosmetische Pflege)
Mak|ka|ro|ni (*Mehrz.;* röhrenförmige Nudeln)
Mak|ler (Geschäftsvermittler)
Ma|ko, die; -, -s od. der od. das; -[s], -s (ägypt. Baumwolle)
Ma|kre|le, die; -, -n (ein Fisch)
Ma|kro|kos|mos [auch: *makro...*], der; - (die große Welt, Weltall; Ggs.: Mikrokosmos)
Ma|kro|ne, die; -, -n (ein Gebäck)
Ma|ku|la|tur, die; -, -en (beim Druck schadhaft gewordene u. fehlerhafte Bogen, Fehldruck; Altpapier; Abfall)
mal; acht mal zwei (mit Ziffern [u. Zeichen]: 8 mal 2, 8 × 2 od. 8 · 2); mal (ugs. für: einmal; komm mal her!); [1]**Mal,** das; -[e]s, -e; zum ersten Mal[e]; [2]**Mal,** das; -[e]s, -e u. Mäler (Zeichen, Fleck; Denk-, Merkmal; Sport: Ablaufstelle usw.)
Ma|la|chit [*...chit*], der; -s, -e (ein Mineral); **ma|la|chit|grün**
ma|lad, ma|la|de (ugs. für: krank, unpäßlich)
Ma|la|ga, der; -s, -s (ein Süßwein)
Ma|lai|se [*maläsᵉ*], die; -, -n (Übelkeit, Übelbefinden; Mißstimmung, -behagen)
Ma|la|ria, die; - (Sumpf-, Wechselfieber); **Ma|la|ria|er|re|ger**

Mal|buch
Ma|le|fiz|kerl
ma|len (Bilder usw.)
◇ zeichnen, pinseln (ugs.), klecksen (ugs.)
Ma|ler
Ma|le|rei
◇ Bild, Gemälde, Aquarell
ma|le|risch
Mal|heur [*malör*], das; -s, -e u. -s (veralt. für: Unglück, Unfall; ugs. für: Pech; Mißgeschick)
ma|li|gne (Med.: bösartig)
ma|li|zi|ös (boshaft, hämisch)
mal|neh|men (Math.: vervielfältigen)
ma|lo|chen [auch: *...lo...*] (ugs. für: schwer arbeiten, schuften)
mal|trä|tie|ren (mißhandeln, quälen); **Mal|trä|tie|rung**
Mal|ve [*...we*], die; -, -n (eine Zier-, Heilpflanze); **mal|ven|far|big**
Malz, das; -es; **Malz_bier, ...bon|bon, ...kaf|fee**
Ma|ma [Kinderspr. u. ugs. auch: *mama*], die; -, -s; **Ma|ma|chen**
Mam|bo, der; -[s], -s (mäßig schneller Tanz im 4/4-Takt)
Mam|mo|gra|phie, die; -, ...ien (Med.: Röntgenuntersuchung der weiblichen Brust)
Mam|mon, der; -s (abschätzig für: Reichtum; Geld)
Mam|mut, das; -s, -e u. -s (Elefant einer ausgestorbenen Art); **Mam|mut|baum**
mamp|fen (ugs. für: mit vollen Backen kauen)
man; *Wemf.* einem, *Wenf.* einen; man kann nicht wissen, was einem zustoßen wird
Ma|nage|ment [*mänidsehmᵉnt*], das; -s, -s (Leitung eines Unternehmens [bes. in den USA]); **ma|na|gen** [*mänidschᵉn*] (ugs. für: leiten, unternehmen; zustande bringen); **Ma|na|ger** [*mänidschᵉr*], der; -s, - (Leiter [eines großen Unternehmens]; Betreuer [eines Berufssportlers]); **Ma|na|ger|krank|heit**
manch; -er, -e, -es; manches Mal; manch böses Wort, manches böse Wort
man|chen|orts; man|cher|lei; man|cher|orts
Man|che|ster [*mäntschäßtᵉr* od. *manschäßtᵉr*], der; -s (ein Gewebe)
manch|mal
◇ gelegentlich, ab und zu, ab und an, hin und wieder, dann und wann, von Zeit zu Zeit, mitunter, zuweilen, bisweilen, zuzeiten
Man|da|la, das; -[s], -s (Bild als Meditationshilfe)
Man|dant, der; -en, -en (Auftraggeber; Vollmachtgeber [bes. eines Rechtsanwaltes])
Man|da|rin, der; -s, -e (europ. Bez. früherer hoher chin. Beamter); **Man|da|ri|ne,** die; -, -n (kleine apfelsinenähnliche Frucht)
Man|dat, das; -[e]s, -e (Auftrag, Vollmacht; Sitz im Parlament; in Treuhand von einem Staat verwaltetes Gebiet)
Man|del, die; -, -n (Frucht; Drüse); **man|del|äu|gig; Man|del|ent|zün|dung**
Man|do|li|ne, die; -, -n (ein Saiteninstrument)
Ma|ne|ge [*manescheᵉ*], die; -, -n (runde Vorführfläche od. Reitbahn im Zirkus)
Man|gan [*...nggan*], das; -s (chem. Grundstoff, Metall; Zeichen: Mn)
Man|ge, die; -, -n (südd., schweiz. für: Mangel); [1]**Man|gel,** die; -, -n ([Wäsche]rolle)
[2]**Man|gel,** der; -s (für: Fehler auch *Mehrz.:*) Mängel (das Fehlen)
◇ Schwäche, Lücke, Nachteil, Fehler
man|gel|haft
◇ unzulänglich, unzureichend, unbefriedigend
Man|gel|haf|tig|keit, die; -; **Man|gel|krank|heit;** [1]**man|geln** (nicht [ausreichend] vorhanden sein)
[2]**man|geln** ([Wäsche] rollen)
man|gels; *Verhältnisw.* mit *Wesf.:* - des nötigen Geldes, - eindeutiger Beweise; in der *Mehrz.* mit *Wemf.,* wenn der *Wesf.* nicht erkennbar ist: - Beweisen; in der *Einz.* oft schon ungebeugt: Freispruch - Beweis
Man|gel|wä|sche
Man|go [*...nggo*], die; -, ...onen od. -s (tropische Frucht)
Man|gro|ve [*manggrowᵉ*], die; -, -n (tropischer immergrüner Laubwald in Meeresbuchten u. Flußmündungen)
Ma|nie, die; -, ...ien (Sucht; Besessenheit; Leidenschaft; Liebhaberei; Raserei, Wahnsinn)
Ma|nier, die; - (Art u. Weise, Eigenart, Stil; Unnatur, Künstelei); **Ma|nie|ren** (*Mehrz.;* Umgangsformen, [gutes] Benehmen); **ma|nie|riert** (gekünstelt, unnatürlich); **ma|nier|lich** (gesittet; fein; wohlerzogen)
ma|ni|fest (handgreiflich, offenbar, deutlich); **Ma|ni|fest,** das; -es, -e (öffentl. Erklärung, Kundgebung); das Kommunistische -; **Ma|ni|fe|sta|ti|on** [*...zion*], die; -, -en (Offenbarwerden; Rechtsw.: Offenlegung; Bekundung; Med.: Erkennbarwerden [von Krankheiten]); **ma|ni|fe|stie|ren** (offenbaren; kundgeben, bekunden)
Ma|ni|kü|re, die; -, -n (Handpflege; Handpflegerin); **ma|ni|kü|ren;** manikürt
Ma|ni|pu|la|ti|on [*...zion*], die; -, -en (Hand-, Kunstgriff; Verfahren; meist

Mehrz.: Machenschaft); **ma|ni|pu|la|tiv; ma|ni|pu|lier|bar; Ma|ni|pu|lier|bar|keit,** die; -; **ma|ni|pu|lie|ren**
ma|nisch (tobsüchtig, an Manie leidend)
Man|ko, das; -s, -s (Fehlbetrag; Ausfall; Mangel)
Mann, der; -[e]s, Männer u. (dicht. für Lehnsleute, ritterl. Dienstleute od. scherzh.:) -en; vier - hoch (ugs.); er ist -s genug
◇ Mannsperson, Mannsbild (ugs.), Kerl (ugs.), Junge (ugs.)
Man|na, das; -[s] od. die; - (legendäres [vom Himmel gefallenes] Brot der Israeliten)
mann|bar; Mann|bar|keit, die; -; **Männ|chen; Män|ne** (Koseform zu: Mann)
Man|ne|quin [*man^e^käng*], das (selten: der); -s, -s (Vorführdame; veralt. für: Gliederpuppe)
Män|ner‿chor (der), **...fang** (meist nur in: auf - ausgehen); **Män|ner|treu,** die; -, - (Name verschiedener Pflanzen); **mann|haft; Mann|haf|tig|keit,** die; -
man|nig|fach; man|nig|fal|tig; Man|nig|fal|tig|keit, die; -
männ|lich; -es Hauptwort (für: Maskulinum)
◇ maskulin, viril (geh.)
Männ|lich|keit, die; -; **Manns|bild** (ugs., oft abschätzig)
Mann|schaft
◇ Team, Crew, Equipe, Truppe
mann|schaft|lich; manns|hoch; Manns|hö|he; in -
Ma|no|me|ter, das; -s, - (Druckmesser)
Ma|nö|ver [...*w^e^r*], das; -s, - (größere Truppen-, Flottenübung; Bewegung, die mit einem Schiff ausgeführt wird; Kunstgriff, Scheinmaßnahme); **ma|nö|vrie|ren** (Manöver vornehmen; geschickt zu Werke gehen)
Man|sar|de, die; -, -n (Dachgeschoß, -zimmer)
Mansch, der; -es (ugs. für: schlechtes Wetter, Schneewasser; Suppe, wässeriges Essen u.a.); **man|schen** (ugs. für: mischen; im Wasser planschen)
Man|schet|te, die; -, -n (Ärmelaufschlag; Papierkrause für Blumentöpfe; unerlaubter Würgegriff beim Ringkampf); Manschetten haben (ugs. für: Angst haben)
Man|tel, der; -s, Mäntel; **Män|tel|chen**
Ma|nu|al, das; -s, -e (Handklaviatur der Orgel); **ma|nu|ell** (mit der Hand; Hand...); **Ma|nu|fak|tur,** die; -, -en (veralt. für: Handarbeit; früher: gewerblicher Großbetrieb mit Handarbeit); **Ma|nu|skript,** das; -[e]s, -e (handschriftliche oder maschinenschriftliche Ausarbeitung; Urschrift; Satzvorlage)

Mao|is|mus, der; - (kommunist. Ideologie in der chin. Ausprägung von Mao Tse-tung); **Mao|ist,** der; -en, -en (Anhänger des Maoismus)
Mäpp|chen; Map|pe, die; -, -n
Mär, die; -, Mären (veralt., heute noch scherzh. für: Nachricht; Sage)
Ma|ra|bu, der; -s, -s (ein Storchvogel)
Ma|ras|chi|no [*maraßkino*], der; -s, -s (ein Kirschlikör)
Ma|ra|thon|lauf [auch: *mar*...] (leichtathletischer Wettlauf über 42,2 km)
Mär|chen; mär|chen|haft
Mar|der, der; -s, -; **Mar|der|fell**
Mar|ga|ri|ne, die; -
Mar|ge [*marsch^e^*], die; -, -n (Spielraum, Spanne zwischen zwei Preisen)
Mar|ge|ri|te, die; -, -n (eine Wiesenblume)
Mar|gi|na|lie [...*li^e^*], die; -, -n (Randbemerkung in einem Buch, einer Handschrift)
Ma|ri|en‿bild, ...kä|fer
Ma|ri|hua|na [mexikan. Ausspr.: ...*ehuana*], das; -s (ein Rauschgift)
Ma|ril|le, die; -, -n (bes. österr.: Aprikose)
Ma|ri|na|de, die; -, -n (Würztunke; Salatsoße; eingelegter Fisch); **Ma|ri|ne,** die; -, -n (Seewesen eines Staates; Flottenwesen; Kriegsflotte, Flotte); **ma|ri|ne|blau** (dunkelblau); **ma|ri|nie|ren** (in Marinade einlegen)
Ma|rio|net|te, die; -, -n (Gliederpuppe; willenloser Mensch als Werkzeug anderer)
ma|ri|tim (das Meer, das Seewesen betreffend; Meer[es]..., See...); -es Klima
[1]**Mark,** die; -, *Mehrz.:* - u. Markstücke (ugs. scherzh.: Märker) (Währungseinheit; Abk.: M); Bundesrepublik Deutschland: Deutsche Mark (Abk.: DM); DDR: Mark der Deutschen Demokratischen Republik (Abk.: M)
[2]**Mark,** die; -, -en (Grenzland)
[3]**Mark,** das; -[e]s (Med., Bot.; übertr. für: Inneres, das Beste einer Sache)
mar|kant (bezeichnend; auffallend; ausgeprägt; scharf geschnitten [von Gesichtszügen]); **Mar|ke,** die; -, -n (Zeichen; Handels-, Waren-, Wertzeichen); **Mar|ken‿ar|ti|kel, ...zei|chen**
mark|er|schüt|ternd
Mar|ke|ten|de|rin, die; -, -nen (hist.: Händlerin bei der Feldtruppe)
Mar|ke|ting [*ma'k^e^*...], das; -s (Wirtsch.: Ausrichtung der Teilbereiche eines Unternehmens auf das absatzpolit. Ziel u. die Verbesserung der Absatzmöglichkeiten)
mar|kie|ren (be-, kennzeichnen; eine Rolle o.ä. [bei der Probe] nur andeuten; ugs. für: vortäuschen; so tun, als ob); **Mar|kie|rung**

mar|kig; Mar|kig|keit, die; -
mär|kisch (aus der ²Mark stammend, sie betreffend)
Mar|ki|se, die; -, -n ([leinenes] Sonnendach, Schutzdach, -vorhang)
Mark|kno|chen
Mark|stück
Markt, der; -[e]s, Märkte; zu -e tragen; **mark|ten** (abhandeln, feilschen); **Markt|wirt|schaft** (Wirtschaftssystem mit freiem Wettbewerb); freie -; soziale -
Mar|me|la|de, die; -, -n (Obst-, Fruchtmus); **Mar|me|la|de[n]|glas**
Mar|mor, der; -s, -e (Gesteinsart); **Marmor|ku|chen; mar|morn** (aus Marmor)
ma|rod; -este (österr. ugs. für: leicht krank); **ma|ro|de** (veralt., aber noch mdal. für: ermattet, erschöpft)
¹Ma|ro|ne, die; -, -n u. ...ni; (geröstete eßbare Kastanie); **²Ma|ro|ne,** die; -, -n (ein Pilz); **Ma|ro|ni,** die; -, - (bes. österr.: svw. ¹Marone)
Ma|rot|te, die; -, -n (Schrulle, wunderliche Neigung, Grille)
Mar|quis [...*ki*], der; - [...*ki(ß)*], - [...*kiß*] („Markgraf"; fr. Titel); **Mar|qui|se,** die; -, -n („Markgräfin"; fr. Titel)
marsch!; vorwärts marsch!; **¹Marsch,** der; -[e]s, Märsche
²Marsch, die; -, -en (vor Küsten angeschwemmter fruchtbarer Boden)
Mar|schall, der; -s, ...schälle („Pferdeknecht"; hohe milit. Würde; Haushofmeister)
mar|schie|ren
Marsch|land (*Mehrz.* ...länder; svw. ²Marsch)
Mar|seil|lai|se [*marßäjäs*ᵉ], die; - (fr. Revolutionslied, dann Nationalhymne)
Mars‿mensch, ...son|de
Mar|ter, die; -, -n; **Mar|ter|in|stru|ment; mar|tern; Mar|ter|pfahl; Mar|te|rung**
mar|tia|lisch [...*zi*...] (kriegerisch; grimmig; verwegen)
Mar|tin-Horn Ⓦ vgl. Martinshorn
Mar|ti|ni, das; - (Martinstag)
Mar|tins‿gans, ...horn (als Ⓦ: Martin-Horn; *Mehrz.* ...hörner), **...tag** (11. Nov.)
Mär|ty|rer, der; -s, - (Blutzeuge, Glaubensheld); **Mar|ty|ri|um,** das; -s, ...ien [...*i*ᵉ*n*] (Opfertod, schweres Leiden [um des Glaubens od. der Überzeugung willen])
Mar|xis|mus, der; - (die von Marx u. Engels begründete Theorie des Sozialismus); **Mar|xist,** der; -en, -en; **mar|xi|stisch**
März, der; -[es] (dicht. auch noch: -en), -e [nach dem röm. Kriegsgott Mars] (dritter Monat im Jahr, Frühlingsmonat)
Mar|zi|pan [auch, österr. nur: *mar*...], das (österr., sonst selten: der); -s, -e (Süßware aus Mandeln u. Zucker)
märz|lich; März‿nacht, ...re|vo|lu|ti|on (1848), **...son|ne**
Ma|sche, die; -, -n (Schlinge; ugs. für: großartige Sache; Lösung; Trick); **Maschen|draht** (Drahtgeflecht)
Ma|schi|ne, die; -, -n; **ma|schi|nell** (maschinenmäßig [hergestellt]); **Maschi|nen‿bau** (der; -[e]s), **...ge|wehr** (Abk.: MG); **Ma|schi|ne[n]|schreiben** (das; -s); **Ma|schi|ne|rie,** die; -, ...ien (maschinelle Einrichtung; Getriebe); **ma|schi|ne|schrei|ben;** ich schreibe Maschine; maschinegeschrieben; **Ma|schi|nist,** der; -en, -en (Maschinenmeister)
ma|sern; Ma|sern (*Mehrz.;* eine Kinderkrankheit); **Ma|se|rung** (Zeichnung des Holzes)
Mas|ke, die; -, -n (künstl. Hohlgesichtsform; Verkleidung; kostümierte Person); **Mas|ken|ball; mas|ken|haft; Maske|ra|de,** die; -, -n (Verkleidung; Kostüm-, Maskenfest; Mummenschanz); **mas|kie|ren** ([mit einer Maske] unkenntlich machen; verkleiden; verbergen, verdecken); **Mas|kie|rung**
Mas|kott|chen (glückbringender Talisman, Anhänger; Puppe u.a. [als Amulett])
mas|ku|lin [auch: *ma*...] (männlich); **Mas|ku|li|num** [auch: ...*linum*], das; -s, ...na (Sprachw.: männliches Hauptwort, z.B. „der Wagen")
Ma|so|chis|mus [...*chiß*...], der; - (geschlechtliche Erregung durch Erduldung von Mißhandlungen); **Ma|so|chist,** der; -en, -en; **ma|so|chi|stisch**
¹Maß [zu: messen], das; -es, -e; jmdm. ein hohes Maß an/von Vertrauen entgegenbringen; **²Maß,** die; -, -[e] (bayr. u. österr.: ein Flüssigkeitsmaß); 2 Maß Bier
Mas|sa|ge [...*asch*ᵉ], die; -, -n (Kneten; Knetkur)
Mas|sa|ker, das; -s, - (Gemetzel); **massa|krie|ren** (niedermetzeln); **Mas|sakrie|rung**
Ma|ße, die; -, -n (veralt. für: Mäßigkeit; Art u. Weise); vgl. Maßen
Mas|se, die; -, -n
Mas|sel, der; -s (ugs. für: unerwartetes Glück); - haben
Ma|ßen (vgl. Maße); über alle -
mas|sen|haft; Mas|sen|me|di|um, das; -s, ...dien [...*di*ᵉ*n*] (meist *Mehrz.*); **mas|sen|wei|se**
Mas|seur [...*ßör*], der; -s, -e (die Massage Ausübender); **Mas|seu|rin** [...*ßör*...], die; -, -nen; **Mas|seu|se** [...*ßös*ᵉ], die; -, -n
Maß|ga|be, die; - (Amtsdt. für: Bestimmung); **maß|ge|bend**

maß|geb|lich
◇ entscheidend, ausschlaggebend, bestimmend, wegweisend, normativ
maß|hal|ten; er hält maß
[1]**mas|sie|ren** (Truppen zusammenziehen)
[2]**mas|sie|ren** (Massage ausüben, kneten)
mä|ßig
◇ mittelmäßig, durchschnittlich, mittel (ugs.), mittelprächtig (ugs.)
mas|sig
mä|ßi|gen; sich -; **Mä|ßig|keit,** die; -; **Mä|ßi|gung**
mas|siv (schwer; voll [nicht hohl]; fest, dauerhaft; roh, grob); **Mas|siv,** das; -s, -e [...*w*[e]] (Gebirgsstock); **Mas|si|vi|tät,** die; -
maß|los; Maß|lo|sig|keit; Maß|nah|me, die; -, -n; **Maß|neh|men,** das; -s; **Maß|re|gel; maß|re|geln;** maßregelte, gemaßregelt; um zu maßregeln; **Maß|re|ge|lung, Maß|reg|lung; Maß|stab; maß|stäb|lich; maß|stab[s]|ge|recht, ...ge|treu; maß|voll**
[1]**Mast,** der; -[e]s, -en (auch: -e; Mastbaum)
[2]**Mast,** die; -, -en (Mästung)
Mast|darm; mä|sten
Ma|stur|ba|ti|on [...*zion*], die; -, -en (geschlechtl. Selbstbefriedigung); **ma|stur|bie|ren**
Ma|ta|dor, der; -s, -e (Hauptkämpfer im Stierkampf; hervorragender Mann)
Match [*mätsch*], das; (auch: der); -[e]s, -s (auch: -e; Wettkampf, -spiel); **Match|ball,** der (bes. Tennis: spielentscheidender Ball, Punkt)
Ma|te, der; - (ein Tee)
Ma|te|ri|al, das; -s, ...ien [...*i*[e]*n*]; **ma|te|ria|li|sie|ren;** sich -; **Ma|te|ria|lis|mus,** der; - (philos. Anschauung, die alles Wirkliche auf Kräfte od. Bedingungen der Materie zurückführt; Streben nach bloßem Lebensgenuß); **Ma|te|ria|list,** der; -en, -en; **ma|te|ria|li|stisch; Ma|te|rie** [...*i*[e]], die; -, (für Stoff; Inhalt; Gegenstand [einer Untersuchung] auch *Mehrz.:*) -n (philos.: Urstoff; die außerhalb unseres Bewußtseins vorhandene Wirklichkeit); **ma|te|ri|ell** (stofflich, körperlich; sachlich; handgreiflich, greifbar; auf Gewinn eingestellt; genußsüchtig)
Ma|the|ma|tik [österr.: ...*matik*], die; - (Wissenschaft von den Raum- u. Zahlengrößen); **Ma|the|ma|ti|ker; ma|the|ma|tisch;** -e Logik; ein -es Problem
Ma|ti|nee [auch: *ma*...], die; -, ...een (künstler. Morgenunterhaltung; Frühvorstellung)
Mat|jes|he|ring (junger Hering)
Ma|trat|ze, die; -, -n (Bettpolster; Sprungmatte beim Turnen; Uferabdekkung aus Weidengeflecht)
Mä|tres|se, die; -, -n (Geliebte [eines Fürsten])
Ma|tri|ar|chat, das; -[e]s (Gesellschaftsordnung, in der die Frau die bevorzugte Stellung innehat)
Ma|tri|ze, die; -, -n (Druckw.: Hohlform; Folie zur Herstellung von Vervielfältigungen)
Ma|tro|ne, die; -, -n (ältere, ehrwürdige Frau, Greisin)
Ma|tro|se, der; -n, -n
matsch (ugs. für: völlig verloren; schlapp, erschöpft); [1]**Matsch,** der; -[e]s, -e (gänzlicher Verlust des Spieles)
[2]**Matsch,** der; -[e]s (ugs. für: weiche Masse; nasser Straßenschmutz); **mat|schig** (ugs.)
matt (schwach; kraftlos; glanzlos, stumpf); jmdn. - setzen (kampf-, handlungsunfähig machen); **Matt,** das; -s, -s
[1]**Mat|te,** die; -, -n (Decke, Unterlage; Bodenbelag)
[2]**Mat|te,** die; -, -n (dicht. für: Weide [in den Alpen]; schweiz.: Wiese)
Matt|heit, die; -; **mat|tie|ren** (matt, glanzlos machen); **Mat|tie|rung; Mat|tig|keit,** die; -; **Matt|schei|be;** - haben (übertr. ugs. für: begriffsstutzig, benommen, benebelt sein)
Ma|tu|ra, die; - (österr. u. schweiz. für: Reifeprüfung, Abitur)
Matz, der; -es, -e u. Mätze (scherzh.; meist in Zusammensetzungen, z. B. Hosenmatz); **Mätz|chen;** - machen (ugs. für: Ausflüchte machen, sich sträuben)
Mat|ze, die; -, -n u. **Mat|zen,** der; -s, - (ungesäuertes Passahbrot der Juden)
mau (ugs. für: schlecht; dürftig), nur in: das ist -; mir ist -
Mau|er, die; -, -n; **Mau|er|blüm|chen** (Mädchen, das auf Bällen usw. nicht od. wenig zum Tanzen aufgefordert wird); **mau|ern**
Maul, das; -[e]s, Mäuler; **Maul|af|fen** *Mehrz.;* - feilhalten (ugs. für: mit offenem Mund dastehen u. nichts tun)
Maul|beer|baum; Maul|bee|re
mau|len (ugs. für: murren, schmollen, widersprechen)
Maul|esel (Kreuzung aus Pferdehengst u. Eselstute)
maul|faul (ugs.); **Maul|held** (ugs.), **...korb, ...schel|le** (ugs.), **...sper|re** (ugs.), **...ta|sche** (meist *Mehrz.;* schwäb. Pastetchen aus Nudelteig)
Maul|tier (Kreuzung aus Eselhengst u. Pferdestute)
Maul- und Klau|en|seu|che
Maul|wurf, der; -[e]s, ...würfe (ein Säugetier; Pelz)
Mau|rer
Maus, die; -, Mäuse; **Mäus|chen; mäus|chen|still; Mau|se|fal|le,** (sel-

tener:) **Mäu|se|fal|le; Mau|se|loch,** (seltener:) **Mäu|se|loch; mau|sen** (ugs. scherzh. für: stehlen; landsch. für: Mäuse fangen)
Mau|ser, die; - (jährlicher Ausfall u. Ersatz der Federn bei Vögeln); **mau|sern,** sich; **Mau|se|rung**
mau|se|tot (ugs.); **maus|grau**
mau|sig („nach der Mauser"); sich - machen (ugs. für: übermütig sein)
Mau|so|le|um, das; -s, ...een (prächtiges Grabmal)
Maut, die; -, -en (veralt. für: Zoll; bayr., österr. für: Gebühren für Straßen- u. Brückenbenutzung)
mauve [*mow*] (malvenfarbig)
ma|xi (von Röcken, Kleidern od. Mänteln: knöchellang); - tragen; **Ma|xi|ma** (*Mehrz.* von: Maximum); **ma|xi|mal** (sehr groß, größt..., höchst...); **Ma|xi|me,** die; -, -n (allgemeiner Grundsatz, Hauptgrundsatz); **Ma|xi|mum,** das; -s, ...ma („das Höchste"; Höchstwert, -maß); **Ma|xi|sin|gle,** die (Single von der Größe einer Langspielplatte für längere Stükke der Popmusik)
Ma|yon|nai|se [*majonäse*], die; -, -n (dickflüssige Tunke aus Eigelb u. Öl)
Mä|zen, der; -s, -e (Kunstfreund; freigebiger Gönner)
Ma|zur|ka [*masurka*], die; -, ...ken u. -s (polnischer Nationaltanz)
M. d. B., MdB = Mitglied des Bundestages
Me|cha|nik, die; -, -en (nur *Einz.:* Lehre von den Kräften u. Bewegungen; für: Getriebe, Trieb-, Räderwerk auch *Mehrz.*); **Me|cha|ni|ker; me|cha|nisch** (den Gesetzen der Mechanik entsprechend; maschinemäßig; unwillkürlich, gewohnheitsmäßig; gedankenlos); **me|cha|ni|sie|ren** (auf mechanischen Ablauf umstellen); **Me|cha|nis|mus,** der; -, ...men (alles maschinenmäßig vor sich Gehende; [Trieb]werk; [selbsttätiger] Ablauf; Zusammenhang)
Mecke|rei[1]; **Mecke|rer**[1] (ugs. für: Nörgler u. Besserwisser); **Mecker|fritze**[1] (ugs. abschätzig); **meckern**[1] (ugs.)
Me|dail|le [*...dalje*, österr.: *...dailje*], die; -, -n (Denk-, Schaumünze), **Me|dail|lon** [*...daljong*], das; -s, -s (große Schaumünze; Bildkapsel; Rundbild[chen]; Kunstwiss.: rundes oder ovales Relief; Gastr.: Fleischschnitte)
Me|di|en (*Mehrz.* von: Medium)
Me|di|ka|ment, das; -[e]s, -e (Heilmittel)
◇ Arznei, Arzneimittel, Mittel, Medizin, Präparat, Pharmakon
me|di|ka|men|tös
Me|di|ta|ti|on [*...zion*], die; -, -en (Nachdenken; sinnende Betrachtung; religiöse Versenkung); **me|di|tie|ren** (nachdenken; sinnend betrachten; sich versenken)
Me|di|um, das; -s, ...ien [*...ien*] („Mitte"; Mittel[glied]; Mittler[in], Mittelsperson [bes. beim Spiritismus]; Kommunikationsmittel)
Me|di|zin, die; -, -en (Heilkunde; Heilmittel, Arznei); **Me|di|zin|ball** (großer, schwerer, nicht elastischer Lederball); **Me|di|zi|ner** (Arzt; auch: Medizinstudent); **me|di|zi|nisch** (heilkundlich); **Me|di|zin|mann** (*Mehrz.* ...männer)
Meer, das; -[e]s, -e;
◇ die See, Ozean, der große Teich (ugs.)
Meer|bu|sen; Mee|res‿grund (der; -[e]s), **...spie|gel** (der; -s)
Meer|ret|tich (eine Heil- u. Gewürzpflanze)
Meer|schaum, der; -[e]s; **Meer-schaum|pfei|fe; Meer‿schwein-chen, ...was|ser** (das; -s)
Mee|ting [*mit...*], das; -s, -s („[Zusammen]treffen"; Versammlung; Sportveranstaltung in kleinerem Rahmen)
Me|ga|phon, das; -s, -e (Sprachrohr)
Me|ga|ton|ne (das Millionenfache einer Tonne)
Mehl, das; -[e]s, (für Mehlsorte *Mehrz.*:) -e; **Mehl‿schwit|ze** (Einbrenne, gebranntes Mehl), **...tau** (der; durch bestimmte Pilze hervorgerufene Pflanzenkrankheit)
mehr; - oder weniger (minder); **Mehr,** das; -[s] (auch: Mehrheit); **meh|re|re** (einige; eine Anzahl); **meh|re|res; meh|rer|lei**
mehr|fach
◇ mehrmals, verschiedentlich, vielfach, wiederholt, oft, öfters, des öfteren, oftmals, häufig
Mehr|fa|che, das; -n; **Mehr|heit; mehr|heit|lich; mehr|heits|fä|hig;** eine -e Partei, Gesetzesvorlage; **mehr-jäh|rig; mehr|ma|lig; mehr|mals; mehr‿sil|big, ...spra|chig, ...stim-mig; Meh|rung; Mehr|wert; Mehr-wert|steu|er,** die; **mehr|wö|chig; Mehr|zahl; Mehr|zweck|ge|rät**
mei|den
Mei|le, die; -, -n (ein Längenmaß); **Mei-len|stein** (veralt.); **mei|len|weit**
Mei|ler, der; -s, - (zum Verkohlen bestimmter Holzstoß)
mein; mei|ne
Mein|eid („Falsch"eid); **mein|ei|dig; Mein|ei|dig|keit,** die; -
mei|nen; ich meine es gut mit ihm
◇ der Meinung/Ansicht sein, glauben, denken, finden
mei|ner (*Wesf.* des Fürwortes „ich"); **mei|ner|seits; mei|nes|glei|chen; mei|nes|teils; mei|net|hal|ben; mei-**

[1] *Trenn.:* ...k|k...

net|we|gen; mei|net|wil|len; um -; **mei|ni|ge**
Mei|nung; Mei|nungs‿for|schung, ...frei|heit (die; -), **...ver|schie|den|heit**
Mei|se, die; -, -n (ein Vogel)
Mei|ßel, der; -s, -; **mei|ßeln**
meist; - kommt er zu spät; **meist|bie|tend; Meist|bie|ten|de,** der u. die; -n, -n; **mei|ste;** in den -n Fällen; am -n; die meisten glauben, daß ...; das meiste ist mir bekannt; **mei|stens; mei|sten|teils**
Mei|ster
mei|ster|haft
◇ meisterlich, perfekt, vollkommen, vollendet, bravourös
Mei|ster|haf|tig|keit, die; -; **mei|ster|lich; mei|stern; Mei|ster|schaft; Mei|ster|werk**
Meist|ge|bot; meist‿ge|bräuch|lich, ...ge|kauft
Me|lan|cho|lie [*...langkoli*], die; -, ...ien (Trübsinn, Schwermut); **Me|lan|cho|li|ker; me|lan|cho|lisch**
Me|lan|ge [*...langsch^e*, österr. *...langsch*], die; -, -en (Mischung, Gemengsel; österr. für: Milchkaffee)
Me|las|se, die; -, -n (Rückstand bei der Zuckergewinnung)
mel|den
◇ vermelden, zur Meldung bringen (Papierdt.), berichten, in Kenntnis setzen, unterrichten, Mitteilung machen
Mel|de|pflicht; polizeiliche -; **mel|de|pflich|tig;** -e Krankheit; **Mel|der; Mel|dung**
me|lie|ren (mischen; sprenkeln); **me|liert** (scheckig, gescheckt; gesprenkelt)
Me|lis|se, die; -, -n (eine Heil- u. Gewürzpflanze)
mel|ken; du melkst (auch noch: du milkst); melkte (auch noch: molk [mölke]), gemolken (auch schon: gemelkt); melke! (auch noch: milk!); **Mel|ker; Melk|ma|schi|ne**
Me|lo|die, die; -, ...ien ([Sing]weise; abgeschlossene u. geordnete Folge von Tönen); **Me|lo|dik,** die; - (Lehre von der Melodie); **me|lo|di|ös; me|lo|disch** (wohllautend)
Me|lo|ne, die; -, -n (großes Kürbisgewächs wärmerer Gebiete [zahlreiche Arten]; ugs. scherzhaft für: runder steifer Hut)
Mel|tau, der (Blattlaushonig, Honigtau)
Mem|bran, die; -, -en und (seltener) **Mem|bra|ne,** die; -, -n (gespanntes Häutchen; Schwingblatt)
Mem|me, die; -, -n (ugs. verächtl. für: Feigling)
Me|moi|ren [*...moar^en*], die (*Mehrz.;* Denkwürdigkeiten; Lebenserinnerungen); **Me|mo|ran|dum,** das; -s, ...den u. ...da („Erwähnenswertes"; Denkschrift); **me|mo|rie|ren** (auswendig lernen)
Me|na|ge|rie, die; -, ...ien (Sammlung lebender [wilder] Tiere in Käfigen)
Me|ne|te|kel, das; -s (Warnungsruf)
Men|ge, die; -, -n
◇ Anzahl, Zahl, Masse, Unmasse, Unzahl, Vielzahl · Masse, Volk
men|gen (mischen)
Men|gen|leh|re (die; -); **men|gen|mä|ßig** (für: quantitativ)
Men|hir, der; -s, -e (vorgeschichtliche Steinsäule)
Me|nin|gi|tis [*...inggi...*], die; -, ...itiden (Med.: Hirnhautentzündung)
Me|nis|kus, der; -, ...ken („Möndchen"; gekrümmte Oberfläche einer Flüssigkeit in engem Rohr; Linse; Zwischenknorpel im Kniegelenk); **Me|nis|kus|riß** (Sportverletzung)
Men|ni|ge, die; - (rote Malerfarbe, bes. als Rostschutzmittel)
Men|no|nit, der; -en, -en (Angehöriger einer evangelischen Freikirche)
Me|no|pau|se, die; -, -n (Med.: Aufhören der Regel in den Wechseljahren der Frau)
Men|sa, die; -, -s u. ...sen (Mittags„tisch" für Studenten; Altarplatte); **Men|sa|es|sen**
[1]**Mensch,** der; -en, -en
◇ Person, Persönlichkeit, Homo sapiens (geh.), Individuum, Erdenbürger
[2]**Mensch,** das; -[e]s, -er (verächtl. für: [verdorbene] Frau, Dirne); **Men|schen|freund; men|schen|freund|lich; Men|schen‿ge|den|ken** (seit -), **...hand** (von -), **...kennt|nis** (die; -), **...le|ben; men|schen‿leer, ...mög|lich;** er hat das -e (alles) getan, **...scheu; Men|schen‿scheu, ...see|le** (keine -); **Men|schens|kind!** (ugs. Ausruf); **men|schen|un|wür|dig; Men|schen|wür|de; men|schen|wür|dig**
Mensch|heit, die; -
◇ Menschengeschlecht, Erdbevölkerung, menschliche Gesellschaft
mensch|heit|lich
mensch|lich
◇ human, humanitär, menschenfreundlich, philantropisch (geh.)
Mensch|lich|keit, die; -; **Mensch|wer|dung,** die; -
Men|strua|ti|on [*...zion*], die; -, -en (Monatsblutung)
◇ Periode, Regel, [kritische] Tage
men|stru|ie|ren
Men|sur, die; -, -en („Maß"; Fechterabstand; stud. Zweikampf; Zeitmaß der Noten)
men|tal (geistig; in Gedanken, heimlich);

Men|ta|li|tät, die; -, -en (Denk-, Anschauungs-, Auffassungsweise; Sinnes-, Geistesart)
Men|thol, das; -s (Bestandteil des Pfefferminzöls)
Men|tor, der; -s, ...oren (Erzieher; Ratgeber)
Me|nü, das; -s, -s (Speisenfolge); **Me|nu|ett,** das; -[e]s, -e (auch:) -s (ein Tanz)
mer|ci! [*märßi*] (Dank!, danke!)
Me|ri|di|an, der; -s, -e (Mittags-, Längenkreis)
Me|rin|ge, die; -, -n (Gebäck aus Eischnee und Zucker)
Me|ri|no, der; -s, -s (Schaf einer bestimmten Rasse)
mer|kan|til (kaufmännisch)
merk|bar
mer|ken
◇ spüren, wittern (ugs.), riechen (ugs.), mitbekommen (ugs.), jmdm. bewußt werden, jmdm. zum Bewußtsein kommen
Mer|ker (ugs. spött. für: jmd., der alles bemerkt); **merk|lich**
Merk|mal (*Mehrz.* ...male)
◇ Kennzeichen, Kriterium (geh.), Charakteristikum (geh.)
merk|wür|dig; merk|wür|di|ger|wei|se; Merk|wür|dig|keit, die; -, -en
Mes|al|li|ance [*mesaljangß*], die; -, -n (Mißheirat; übertr. für: unglückliche Verbindung)
me|schug|ge (ugs. für: verrückt)
Mes|ner (landsch. für: Kirchen-, Meßdiener)
Meß|band, das (*Mehrz.* ...bänder); **meß|bar; Meß|bar|keit,** die; -
Meß|die|ner; Mes|se, die; -, -n (kath. Hauptgottesdienst; Chorwerk; Großmarkt, Ausstellung); **Mes|se‿ge|län|de, ...hal|le**
mes|sen; maß (mäße), gemessen; miß!
◇ vermessen, ausmessen, abmessen, eine Messung vornehmen
[1]**Mes|ser,** der [zu: messen] (Messender, Meßgerät; nur als 2. Bestandteil in Zusammensetzungen, z. B. in: Fiebermesser)
[2]**Mes|ser,** das; -s, - (ein Schneidwerkzeug); **Mes|ser‿bänk|chen, ...held** (abwertend); **mes|ser|scharf; Mes|ser|ste|che|rei; Mes|ser|stich**
Mes|sing, das; -s (Kupfer-Zink-Legierung); **Mes|sing|draht; mes|sin|gen** (aus Messing); messing[e]ne Platte
Meß|op|fer (kath. Hauptgottesdienst)
Meß|schnur (*Mehrz.* ...schnüre); **Mes|sung; Meß|zy|lin|der** (Maß-, Standglas)
Me|sti|ze, der; -n, -n (Nachkomme eines weißen u. eines indianischen Elternteils)
Met, der; -[e]s (gegorener Honigsaft)
Me|tall, das; -s, -e; **Me|tal|le|gie|rung** [*Trenn.:* ...tall|le...]; **me|tal|len** (aus Metall); **Me|tal|ler** (ugs. Kurzw. für: Metallarbeiter); **me|tall|hal|tig; me|tal|lic** [*...lik*] (metallisch schimmernd [lackiert]); **Me|tall|in|du|strie; me|tal|lisch** (metallartig); **Me|tall|kun|de,** die; -; **me|tall|ver|ar|bei|tend**
Me|ta|mor|pho|se, die; -, -n (meist *Mehrz.;* Umgestaltung, Verwandlung); **Me|ta|pher,** die; -, -n (Sprachw.: Wort mit übertragener Bedeutung, bildliche Wendung, z. B. „Haupt der Familie"); **Me|ta|pho|rik,** die; - (Verbildlichung, Übertragung in eine Metapher); **me|ta|pho|risch** (bildlich, im übertragenen Sinne [gebraucht]); **Me|ta|phy|sik** (philos. Lehre von den letzten Gründen u. Zusammenhängen des Seins); **Me|ta|sta|se,** die; -, -n (Med.: Tochtergeschwulst)
Me|te|or, der (fachspr.: das); -s, -e (Feuerkugel, Sternschnuppe); **Me|teo|rit,** der; -s, -e (Meteorstein); **Me|teo|ro|lo|ge,** der; -n, -n; **Me|teo|ro|lo|gie,** die; - (Lehre von Wetter u. Klima); **me|teo|ro|lo|gisch;** -e Station (Wetterwarte)
Me|ter, der (schweiz. amtlich nur so) od. das; -s, - (Längenmaß; Zeichen: m); eine Länge von zehn Metern, (auch:) Meter; **me|ter|dick; me|ter|hoch; me|ter|lang; Me|ter‿maß** (das), **...wa|re; me|ter|wei|se; me|ter|weit**
Me|than, das; -s (Gruben-, Sumpfgas)
Me|tho|de, die; -, -n (Verfahren; Absicht; planmäßiges Vorgehen); **Me|tho|dik,** die; -, -en ([Lehr]anweisung, -kunde; Vortrags-, Unterrichtslehre); **Me|tho|di|ker** (planmäßig Verfahrender; Begründer einer Forschungsrichtung); **me|tho|disch** (planmäßig: überlegt, durchdacht); **Me|tho|dist,** der; -en, -en (Angehöriger einer ev. Erweckungsbewegung)
Me|tier [*...tie*], das; -s, -s (jmds. berufliche Aufgabe)
Me|tra, Me|tren (*Mehrz.* von: Metrum); **Me|trik,** die; -, -en (Verswissenschaft, -lehre; Musik: Lehre vom Takt); **me|trisch** (die Verslehre, das Versmaß betreffend; in Versen abgefaßt; nach dem Meter)
Me|tro [auch: *me...*], die; -, -s (Untergrundbahn bes. in Paris u. Moskau)
Me|tro|nom, das; -s, -e (Musik: Taktmesser)
Me|tro|po|le, die; -, -n („Mutterstadt"; Hauptstadt, -sitz)
Me|trum, das; -s, ...tren u. (älter:) ...tra (Versmaß; Musik: Takt)
Mett, das; -[e]s (landsch. für: gehacktes Schweinefleisch)
Met|te, die; -, -n (nächtl. Gottesdienst; nächtl. Gebet)
Met|teur [*...tör*], der; -s, -e (Druckw.: Schriftsetzer, der den Umbruch herstellt)

Mett|wurst
Met|ze, die; -, -n (veralt. für: Dirne)
Met|ze|lei (ugs.); **met|zeln** (veralt., aber noch mdal. für: schlachten; ungeschickt schneiden)
Metz|ger (westmitteld., südd., schweiz. für: Fleischer); **Metz|ge|rei** (westmitteld., südd., schweiz.); **Metz|ger|meister**
Meu|chel‿mord, ...mör|der; meucheln; Meuch|ler; meuch|le|risch; meuch|lings
Meu|te, die; -, -n (Jägerspr.: Anzahl der Hunde; übertr. abwertend für: wilde Rotte); **Meu|te|rei; Meu|te|rer; meutern**
Mez|zo|so|pran [auch: *...pran*] (mittlere Frauenstimme; Sängerin der mittleren Stimmlage)
mi|au!; mi|au|en; die Katze hat miaut
mich (*Wenf.* des Fürwortes „ich")
Mi|chel, der; -s, - (Spottname des Deutschen); deutscher -
micke|rig [*Trenn.:* mik|ke...], **mick|rig** (ugs. für: schwach, zurückgeblieben)
Micky|maus [*Trenn.:* Mik|ky...], die; - (eine Trickfilm- und Comicfigur)
mi|di [auch: *midi*] (von der Rocklänge; dreiviertellang); - tragen
Mid|life-cri|sis [*midlaifkraißiß*], die; - (Krise in der Mitte des Lebens)
Mie|der, das; -s, -
◇ Korsett, Korsage, Korselett, Hüfthalter, Schnürleib (veralt.)
Mie|der|wa|ren *(Mehrz.)*
Mief, der; -[e]s (ugs. für: schlechte Luft); **mie|fen** (ugs.)
Mie|ne, die; -, -n (Gesichtsausdruck)
Mie|nen|spiel
◇ Mimik, [Gesichts]ausdruck, Miene
mies (ugs. für: häßlich, übel, schlecht, unangenehm); **Mie|se|pe|ter,** der; -s, - (ugs. für: stets unzufriedener Mensch); **mie|se‿pe|te|rig** od. **...pe|trig** (ugs.); **Mie|sig|keit,** die; -; **Mies|ma|cher** (ugs. abwertend für: Schwarzseher); **Mies|ma|che|rei** (ugs.)
Mies|mu|schel (Pfahlmuschel)
[1]**Mie|te,** die; -, -n (gegen Frost gesicherte Grube u.a. zur Aufbewahrung von Feldfrüchten)
[2]**Mie|te,** die; -, -n (Geldbetrag für Wohnung u.a.); **mie|ten;** eine Wohnung -; **Mie|ter; Mie|ter|schutz; miet|frei; Miets‿haus, ...ka|ser|ne** (abwertend für: großes Mietshaus); **Mie|tung; Miet‿ver|trag, ...woh|nung**
Mie|ze, die; -, -n (Kosename für: Katze); **Mie|ze|kat|ze**
Mi|grä|ne, die; -, -n ([halb-, einseitiger] heftiger Kopfschmerz)
Mi|ka|do, das; -s, -s (Geschicklichkeitsspiel mit Holzstäbchen)
Mi|kro|be, die; -, -n (kleinstes, meist einzelliges Lebewesen);
Mi|kro|com|pu|ter (in extrem verkleinerter Bauweise hergestellter Computer); **Mi|kro|fiche** [*mikrofisch*], das od. der; -s, -s (Mikrofilm mit Mikrokopien); **Mi|kro|film; Mi|kro|fon** (eindeutschend für: Mikrophon); **Mi|kro|kos|mos** [auch: *mikro...*], der; - („die kleine Welt"; Welt im kleinen; Ggs.: Makrokosmos); [1]**Mi|kro|me|ter,** das; -s, - (Feinmeßgerät); [2]**Mi|kro|me|ter,** der od. das; -s, - (ein millionstel Meter; Zeichen: μm); **Mi|kro|phon,** (auch:) Mi|kro|fon, das; -s, -e (Schallumwandler); **Mi|kro|skop,** das; -s, -e (optisches Vergrößerungsgerät); **mi|kro|sko|pisch** (nur durch das Mikroskop erkennbar; verschwindend klein)
Mil|be, die; -, -n (ein Spinnentier)
Milch, die; -, (fachspr.:) -en; **Milch‿flasche, ...ge|sicht** (spött. für: unreifer, junger Bursche); **mil|chig; Milch|ling** (ein Pilz); **Milch|mäd|chen|rechnung** (ugs. für: auf Trugschlüssen beruhende Rechnung); **Milch|mann** (*Mehrz.* ...männer)
mild, mil|de
◇ sanft, zart, sacht, lind, leicht, behutsam
Mil|de, die; -; **mil|dern; Mil|de|rung; mild|tä|tig; Mild|tä|tig|keit,** die; -
Mi|lieu [*...liö*], das; -s, -s (Lebensumstände, Umwelt)
mi|li|tant (kämpferisch); [1]**Mi|li|tär,** der; -s, -s (höherer Offizier); [2]**Mi|li|tär,** das; -s (Soldatenstand; Heerwesen, Wehrmacht); **mi|li|tä|risch; mi|li|ta|ri|sieren** (milit. Anlagen errichten, Truppen aufstellen); **Mi|li|ta|ris|mus,** der; - (Vorherrschen milit. Gesinnung); **Mi|li|ta|rist,** der; -en, -en; **mi|li|ta|ri|stisch; Mi|li|tär|pflicht** (die; -); **mi|li|tär|pflich|tig; Mi|li|ta|ry** [*milit^eri*], die; -, -s (reitsportliche Vielseitigkeitsprüfung); **Mi|liz,** die; -, -en (kurz ausgebildete Truppen, Bürgerwehr, Volksheer u. dgl. [im Gegensatz zum stehenden Heer])
Mil|le, das; -, - (Tausend; Zeichen M; ugs. für: tausend Mark); -; **Mil|li|ar|där,** der; -s, -e (Besitzer eines Vermögens von mindestens einer Milliarde); **Mil|li|ar|de,** die; -, -n (1000 Millionen; Abk.: Md. u. Mrd.) **mil|li|ard|ste; mil|li|ard|stel; Mil|li|ard|stel,** das; -s, -
Mil|li|bar, das; -s, -s (Maßeinheit für den Luftdruck); **Mil|li|gramm** ($^1/_{1000}$ g; Zeichen: mg); **Mil|li|me|ter** ($^1/_{1000}$ m; Zeichen: mm); **Mil|li|me|ter|pa|pier**
Mil|li|on, die; -, -en (1000 mal 1000; Abk.: Mill. u. Mio.); ein[und]dreiviertel -, eine und drei viertel -en; zwei -en fünfhunderttausend; mit 0,8 -en; **Mil|lio|när,** der; -s, -e (Besitzer eines Vermögens

von mindestens einer Million; sehr reicher Mann); **mil|lio|nen|fach; mil|lio|nen|mal; mil|li|on|ste; mil|li|on[s]tel; Mil|li|on|[s]tel,** das; -s, -
Milz, die; -, -en (Organ); **Milz|brand,** der; -[e]s
Mi|me, der; -n, -n (veralt. für: Schauspieler); **mi|men** (veralt. für: als Mime wirken; übertr. ugs. für: so tun, als ob); **Mi|me|sis,** die; -, ...esen (Nachahmung); **Mi|mik,** die; - (Gebärden- u. Mienenspiel [des Schauspielers]); **Mi|mi|kry** [...*kri*], die; - (Zool.: Anpassungsfähigkeit bestimmter Tiere in Farbe oder Form an andere von ihren Feinden gefürchtete Tiere); **mi|misch** (schauspielerisch; mit Gebärden)
Mi|mo|se, die; -, -n (Pflanzengattung; Blüte der Silberakazie); **mi|mo|sen|haft** (zart, fein; empfindlich)
Mi|na|rett, das; -s, -e u. -s (Moscheeturm)
min|der; min|der|be|mit|telt; Min|der|be|mit|tel|te, der u. die; -n, -n; **Min|der|heit; min|der|jäh|rig; Min|der|jäh|ri|ge,** der u. die; -n, -n; **Min|der|jäh|rig|keit,** die; -; **min|dern; Min|de|rung**
min|der|wer|tig
◇ schlecht, billig, miserabel
Min|der|wer|tig|keit; Min|der|wer|tig|keits‿ge|fühl, ...kom|plex; min|de|ste; zum mindesten (wenigsten); nicht das mindeste (gar nichts); nicht im mindesten (gar nicht); **min|de|stens**
Mi|ne, die; -, -n (unterird. Gang; Bergwerk; Sprengkörper[gang]; Kugelschreiber-, Bleistifteinlage)
Mi|ne|ral, das; -s, -e u. ...ien [...*i^e^n*] (anorgan., chem. einheitl. u. natürlich gebildeter Bestandteil der Erdkruste); **mi|ne|ra|lisch; Mi|ne|ral‿öl, ...was|ser** (*Mehrz.* ...wässer)
Mi|ne|stro|ne, die; -, -n (italienische Gemüsesuppe)
mi|ni (von Röcken, Kleidern: äußerst kurz); - tragen; **Mi|nia|tur,** die; -, -en (Anfangsbuchstabe, zierliches Bildchen; Kleinmalerei); **Mi|nia|tur‿aus|ga|be** (kleine[re] Ausgabe), **...bild; Mi|ni|car** [*minika'*], der; -s, -s (Kleintaxi); **Mi|ni|golf** (Miniaturgolfanlage; Kleingolfspiel); **Mi|ni|ma** [auch: *mi*...] (*Mehrz.* von: Minimum); **mi|ni|mal** (sehr klein, niedrigst, winzig); **Mi|ni|mal|for|de|rung; Mi|ni|mum** [auch: *mi*...], das; -s, ...ma („das Geringste, Mindeste"; Untergrenze; Mindestpreis, -maß, -wert, Kleinstmaß); **Mi|ni|rock**
Mi|ni|ster, der; -s, - („Diener, Gehilfe"; einen bestimmten Geschäftsbereich leitendes Regierungsmitglied); **Mi|ni|ste|ri|al|be|am|te; mi|ni|ste|ri|ell** (von einem Minister od. Ministerium ausgehend usw.); **Mi|ni|ste|ri|um,** das; -s, ...ien [...*i^e^n*] (höchste [Verwaltungs]behörde des Staates mit bestimmtem Aufgabenbereich); **Mi|ni|ster|prä|si|dent**
Min|ne, die; - (mhd. Bez. für: Liebe; heute noch altertümelnd scherzh.); **Min|ne|sang; Min|ne|sän|ger**
Mi|no|ri|tät (Minderzahl, Minderheit); **Mi|nu|end,** der; -en, -en (Zahl, von der etwas abgezogen werden soll); **mi|nus** (weniger; Zeichen: – [negativ]); *Umstandsw.:* die Temperatur beträgt - fünf Grad od. fünf Grad -; der Strom fließt von plus nach -; *Verhältnisw.* mit *Wesf.:* dieser Betrag - der üblichen Abzüge; **Mi|nus,** das; -, - (Minder-, Fehlbetrag, Verlust); **Mi|nu|te,** die; -, -n („kleiner Teil"; $^1/_{60}$ Stunde [Zeichen: m, min; Abk.: Min.]); **mi|nu|ti|ös, mi|nu|zi|ös** (peinlich genau; veralt. für: kleinlich)
Min|ze, die; -, -n (Name verschiedener Pflanzenarten)
mir (*Wemf.* des Fürwortes „ich")
Mi|ra|bel|le, die; -, -n (Pflaume einer bestimmten Art)
Mis|an|throp, der; -en, -en (Menschenhasser, -feind)
Misch|ehe (Ehe zwischen Angehörigen verschiedener Religionen, verschiedener christl. Bekenntnisse, verschiedener Volkszugehörigkeit)
mi|schen
◇ vermischen, mengen, vermengen, mixen
Mi|scher; Mi|sche|rei (ugs.); **Misch|far|be; misch|far|ben, misch|far|big; Misch|ling** (Bastard); **Misch|masch,** der; -[e]s, -e (ugs. für: Durcheinander verschiedener Dinge)
Misch|po|ke, die; - (ugs. abwertend für: Verwandtschaft; Gesellschaft)
Mi|schung
◇ Gemisch, Gemenge, Mixtur, Mischmasch (ugs.), Allerlei, Vielerlei, Kunterbunt
mi|se|ra|bel (ugs. für: erbärmlich; nichtswürdig); ...a|bler Kerl; **Mi|se|re,** die; -, -n (Jammer, Not[lage], Elend, Armseligkeit)
Mis|pel, die; -, -n (Obstgehölz, Frucht)
Miß, (in engl. Schreibung:) **Miss,** die; -, Misses [*mißis*] (als Anrede vor dem Eigenn. = Fräulein; engl. Fräulein; Schönheitskönigin, z. B. Miß Australien)
miß|ach|ten
◇ geringachten, nicht ernst nehmen, in den Wind schlagen, unterschätzen, auf die leichte Schulter nehmen (ugs.)
Miß|ach|tung
miß|be|ha|gen; Miß|be|ha|gen; miß|be|hag|lich
miß|bil|den; Miß|bil|dung
miß|bil|li|gen; Miß|bil|li|gung

Miß|brauch; miß|brau|chen; miß-bräuch|lich
mis|sen
Miß|er|folg
Miß|ern|te
Mis|se-tat, ...tä|ter
miß|fal|len; Miß|fal|len, das; -s
Miß|ge|burt
Miß|ge|schick
miß|glücken [*Trenn.:* ...glük|ken]
miß|gön|nen
Miß|griff
Miß|gunst; miß|gün|stig
miß|han|deln
◇ peinigen, quälen, malträtieren, schinden, traktieren, foltern, martern
Miß|hand|lung
Mis|si|on, die; -, -en („Sendung"; Bestimmung, Auftrag, Botschaft, [innere] Aufgabe; Heidenbekehrung; diplomatische Vertretung im Ausland); **Mis|sio-nar,** der; -s, -e (Sendbote; Heidenbekehrer); **mis|sio|na|risch; mis|sio|nie-ren** (eine Glaubenslehre verbreiten); **Mis|sio|nie|rung**
Miß|klang
◇ Disharmonie, Dissonanz
Miß|kre|dit, der; -[e]s (schlechter Ruf; mangelndes Vertrauen); jmdn. in - bringen
miß|lich (unangenehm); **Miß|lich|keit**
miß|lie|big (unbeliebt); **Miß|lie|big-keit**
miß|lin|gen; mißlang (mißlänge), mißlungen; **Miß|lin|gen,** das; -s
Miß|mut; miß|mu|tig
miß|ra|ten (schlecht geraten; selten für: ab-, widerraten)
Miß|stand
Miß|stim|mung
Miß|ton (*Mehrz.* ...töne)
miß|trau|en; Miß|trau|en, das; -s; **miß|trau|isch**
Miß|ver|gnü|gen, das; -s; **miß|ver-gnügt**
Miß|ver|hält|nis
miß|ver|ständ|lich; Miß|ver|ständ-nis; miß|ver|ste|hen
Miß|wahl [zu: Miß]
Miß|wirt|schaft
Mist, der; -[e]s
Mi|stel, die; -, -n (immergrüne Schmarotzerpflanze)
mi|sten
Mist-fink (der; -en [auch: -s], -en; Schimpfwort), **...hau|fen; mi|stig** (landsch. für: schmutzig); **Mist|kä|fer**
Mi|stral, der; -s, -e (kalter Nord[west]-wind in der Provence)
mit; *Verhältnisw.* mit *Wemf.;* mit anderen Worten
Mit|ar|beit
◇ Zusammenwirken, Kooperation

mit|ar|bei|ten; Mit|ar|bei|ter; mit|be-kom|men; mit|be|nut|zen, (bes. südd.:) **mit|be|nüt|zen; Mit-be|nut-zung, ...be|stim|mung** (die; -)
mit|brin|gen; Mit|bring|sel, das; -s, -
Mit|bür|ger
mit|ein|an|der; Mit|ein|an|der [auch: *mit*...], das; -s
Mit|es|ser
mit|fah|ren; Mit|fah|rer
mit|füh|len
◇ mitempfinden, Mitgefühl zeigen, teilnehmen, Anteil nehmen, Teilnahme zeigen
mit|füh|lend
mit|füh|ren
mit|ge|ben
Mit|ge|fühl, das; -[e]s
◇ Mitleid, Erbarmen, Teilnahme, Anteilnahme, Mitempfinden
mit|ge|hen
mit|ge|nom|men; er sah sehr - (ermattet) aus
Mit|gift, die; -, -en (Mitgabe; Aussteuer); **Mit|gift|jä|ger** (abschätzig)
Mit|glied
◇ Glied, Angehöriger, Beteiligter, Mitwirkender
Mit|glied|schaft, die; -, -en; **Mit-glieds|kar|te**
mit|ha|ben; alle Sachen -
mit|hal|ten; mit jmdm. -
mit|hel|fen; Mit|hil|fe, die; -
mit|hin (somit)
mit|hö|ren; am Telefon -
Mit|in|ha|ber
mit|kom|men
mit|kön|nen; mit jmdm. nicht - (ugs. für: nicht konkurrieren können)
mit|krie|gen (ugs.)
mit|lau|fen; Mit|läu|fer
Mit|laut (für: Konsonant)
Mit|leid, das; -[e]s; **Mit|lei|den,** das; -s; **Mit|lei|den|schaft,** nur in: etwas od. jmdn. in - ziehen; **mit|lei|dig; mit-leid[s]-los, ...voll**
mit|ma|chen (ugs.)
Mit|mensch, der
mit|mi|schen (ugs. für: sich aktiv an etwas beteiligen)
mit|müs|sen; auf die Wache -
Mit|nah|me, die; - (Mitnehmen); **mit-neh|men**
mit|nich|ten
◇ keineswegs, niemals, unter keinen Umständen, in keiner Weise, auf keinen Fall
Mi|tra, die; -, ...tren (Bischofsmütze)
mit|re|den
mit|rei|sen; Mit|rei|sen|de
mit|rei|ßen; mit|rei|ßend; eine -e Musik
mit|samt; *Verhältnisw.* mit *Wemf.* (gemeinsam mit): - seinem Eigentum

mit|schlei|fen
mit|schlep|pen
mit|schnei|den (vom Rundf. od. Fernsehen Gesendetes auf Tonband aufnehmen); **Mit|schnitt**
mit|schrei|ben
Mit|schuld; mit|schul|dig
Mit|schü|ler
mit|schwin|gen
mit|sin|gen
mit|spie|len; Mit|spie|ler
Mit|spra|che, die; -; **mit|spre|chen**
Mit|strei|ter
[1]**Mit|tag,** der; -[e]s, -e; zu - essen; heute mittag; [am] Dienstag mittag (an dem bestimmten, einmaligen); [um] 12 Uhr mittags; Dienstag od. dienstags mittags; [2]**Mit|tag,** das; -[e]s (ugs. für: Mittagessen); **Mit|tag|es|sen; mit|täg|lich; mit|tags;** vgl. [1]Mittag
Mit‿tä|ter, ...tä|ter|schaft
Mit|te, die; -, -n; - Dreißig; - Januar; sie wohnt im 3. Stock -
mit|tei|len
◇ äußern, sagen, zum Ausdruck bringen, berichten, erzählen, schildern, darstellen, bekanntmachen, informieren, unterrichten, Mitteilung machen, benachrichtigen, Kenntnis geben, in Kenntnis setzen
mit|teil|sam
Mit|tei|lung
◇ Bekanntmachung, Information, Kundgabe
Mit|tel, das; -s, -
Mit|tel|al|ter, das; -s
mit|tel|bar
Mit|tel|ding
mit|tel|eu|ro|pä|isch; -e Zeit (Abk.: MEZ)
Mit|tel|feld (bes. Sport)
Mit|tel|fin|ger
mit|tel|fri|stig (auf eine mittlere Zeitspanne begrenzt)
Mit|tel|ge|bir|ge
mit|tel|groß
mit|tel|hoch|deutsch
Mit|te-links-Ko|ali|ti|on
Mit|tel|klas|se
mit|tel|los
Mit|tel|maß, das; **mit|tel|mä|ßig; Mit|tel|mä|ßig|keit**
Mit|tel|ohr, das; -[e]s
Mit|tel|punkt
◇ Mitte, Kern, Zentrum, Herz (geh.), Brennpunkt
mit|tels; *Verhältnisw.* mit *Wesf.:* - eines Löffels; besser: mit einem Löffel; - Wasserkraft; in der *Einz.* meist ungebeugt: - Draht, in der *Mehrz.* mit *Wemf.*, da der *Wesf.* nicht erkennbar ist: - Drähten
Mit|tel|schu|le (Realschule)
Mit|tels|mann (Vermittler; *Mehrz.* ...leute od. ...männer)
Mit|tel|stand, der; -[e]s; **mit|tel|stän|disch; Mit|tel|ständ|ler**
Mit|tel|wort (für: Partizip[ium]; *Mehrz.* ...wörter)
mit|ten; mit|ten da|rin; **mit|ten|drein** (ugs. für: mitten hinein); **mit|ten|drin** (ugs. für: mitten darin); **mit|ten|durch** (ugs. für: mitten hindurch)
Mit|ter|nacht; mit|ter|nächt|lich
Mitt|ler (Vermittler; in der *Einz.* auch: Christus); **mitt|le|re;** - Reife (Schulabschluß der Realschule od. der Mittelstufe der höheren Schule)
mitt|ler|wei|le
Mitt|som|mer; Mitt|som|mer|nacht
mit|tun (ugs.); er hat kräftig mitgetan
Mitt|woch, der; -[e]s, -e; **mitt|wochs**
mit|un|ter (zuweilen)
mit|ver|ant|wort|lich; Mit|ver|ant|wor|tung
mit|ver|die|nen; - müssen
Mit|welt, die; -
mit|wir|ken
◇ teilnehmen, mitarbeiten, mitmachen (ugs.), mittun (ugs.), sich beteiligen, mit von der Partie sein (ugs.)
Mit|wir|ken|de, der u. die; -n, -n; **Mit|wir|kung**
Mit|wis|ser
mit|zäh|len
mit|zie|hen
Mixed Pickles [*mixt pikls*], Mix|pickles [*mixpikls*] (*Mehrz.;* in Essig eingemachtes Mischgemüse); **mi|xen** ([Getränke] mischen); **Mi|xer,** der; -s, - (Barmeister, Getränkemischer; Gerät zum Mischen); **Mix|pickles** vgl. Mixed Pickles; **Mix|tur,** die; -, -en (Mischung; mehrere flüssige Bestandteile enthaltende Arznei; bestimmtes Orgelregister)
Mob [*mop*], der; -s (Pöbel)
Mö|bel, das; -s, - (meist *Mehrz.*); **mo|bil** (beweglich, munter; ugs. für: wohlauf; Militär: auf Kriegsstand gebracht); **Mo|bi|le,** das; -s, -s (durch Luftzug in Schwingung geratenes, von der [Zimmer]decke hängendes Gebilde aus Fäden, Stäben u. Figuren); **Mo|bi|li|ar,** das; -s, -e (bewegliche Habe; Hausrat, Möbel); **mo|bi|li|sie|ren** (Militär: auf Kriegsstand bringen; Geld flüssigmachen; ugs. für: in Bewegung setzen); **Mo|bil|ma|chung; mö|blie|ren** ([mit Hausrat] einrichten, ausstatten)
Möch|te|gern, der; -[s], -e (spött.)
Mock|tur|tle|sup|pe [*moktö'tl...*] (unechte Schildkrötensuppe)
mo|dal (die Art u. Weise bezeichnend); **Mo|da|li|tät,** die; -, -en (meist *Mehrz.;* Art u. Weise; Ausführungsart)
Mo|de, die; -, -n („Art u. Weise"; Brauch, Sitte; [Tages-, Zeit]geschmack; Kleidung; Putz); **Mo|de‿aus|druck, ...dich|ter**

[1]**Mo|del,** der; -s, - (Backform; Hohlform für Gußerzeugnisse; erhabene Druckform für Zeugdruck); [2]**Mo|del,** das; -s, -s (Fotomodell); **Mo|dell,** das; -s, -e (Muster, Vorbild, Typ; Entwurf, Nachbildung; nur einmal in dieser Art hergestelltes Kleidungsstück; Person od. Sache als Vorbild für ein Werk der bildenden Kunst; Mannequin); **mo|del|lie|ren** (künstlerisch formen, bilden; ein Modell herstellen); **Mo|dell|kleid**

Mo|de[n]-haus, ...schau

Mo|der, der; -s (Faulendes, Fäulnisstoff)

Mo|de|ra|ti|on [...*zion*], die, -, -en (Rundfunk, Fernsehen: Tätigkeit des Moderators); **Mo|de|ra|tor,** der; -s, ...oren (Rundfunk, Fernsehen: jmd., der eine Sendung moderiert); **mo|de|rie|ren** (Rundfunk, Fernsehen: eine Sendung mit einleitenden u. verbindenden Worten versehen)

mo|de|rig, mod|rig; [1]**mo|dern** (faulen); es modert

[2]**mo|dern** (modisch, der Mode entsprechend; neu[zeitlich], neuartig; Gegenwarts..., Tages...); **mo|der|ni|sie|ren** (modisch machen, erneuern); **mo|di|fi|zie|ren** (geh. für: abwandeln, [ab]ändern); **mo|disch** (in od. nach der Mode)

mod|rig, mo|de|rig

[1]**Mo|dul,** der; -s, -n (Model; Verhältniszahl math. od. techn. Größen; Materialkonstante); [2]**Mo|dul,** das; -s, -e (bes. Elektrotechnik: Bau- od. Schaltungseinheit); **Mo|du|la|ti|on** [...*zion*], die; -, -en (Musik: Übergang in eine andere Tonart; Technik: Änderung, Abwandlung von Frequenzen); **mo|du|lie|ren** (Musik: in eine andere Tonart übergehen; Technik: Frequenzen beeinflussen; abwandeln, ändern)

Mo|dus [auch: *mo*...], der; -, Modi (Art u. Weise; Sprachw.: Aussageweise; ein Begriff der Musik)

Mo|fa, das; -s, -s (Kurzw. für: Motorfahrrad); **mo|feln** (ugs. für: mit dem Mofa fahren)

Mo|ge|lei (ugs. für: [leichte] Betrügerei [beim Spiel]); **mo|geln** (ugs.)

mö|gen; mochte (möchte), gemocht

mög|lich; das mögliche (alles) tun; alles mögliche (viel, allerlei) tun, versuchen; sein möglichstes tun; im Rahmen des Möglichen; alles Mögliche (alle Möglichkeiten) bedenken

◇ durchführbar, ausführbar, denkbar, gangbar · **möglich machen,** ermöglichen, befähigen, in die Lage versetzen

mög|li|cher|wei|se

◇ eventuell, unter Umständen, wenn es geht, vielleicht

Mög|lich|keit; nach -

◇ Gelegenheit, Chance

Mög|lich|keits|form (für: Konjunktiv); **mög|lichst;** - schnell

Mo|gul, der; -s, -n (früher für: Beherrscher eines oriental. Reiches)

Mo|hair [...*hār*], der; -s, -e (Wolle der Angoraziege)

Mohn, der; -[e]s, -e

Mohr, der; -en, -en (veralt. für: Neger)

Möh|re, die; -, -n (Gemüsepflanze)

Moh|ren-kopf (ein Gebäck), **...wäsche** (Versuch, einen Schuldigen als unschuldig hinzustellen)

Mohr|rü|be (eine Gemüsepflanze)

Moi|ré [*moare*], der od. das; -s, -s (Gewebe mit geflammtem Muster)

mo|kant (geh. für: spöttisch)

Mo|kas|sin [auch: *mo*...], der; -s, -s u. -e (lederner Halbschuh der nordamerik. Indianer)

Mo|kick, das; -s, -s (kleines Motorrad)

mo|kie|ren, sich (sich tadelnd od. spöttisch äußern, sich lustig machen)

Mok|ka, der; -s, -s (Kaffee[sorte])

Mo|le, die; -, -n (Hafendamm)

Mo|le|kül, das; -s, -e (kleinste Einheit einer chem. Verbindung)

Mol|ke, die; - (Käsewasser); **Mol|ke|rei**

Moll, das; -, - („weiche" Tonart mit kleiner Terz); a-Moll

mol|lig (ugs. für: behaglich; angenehm warm; dicklich [von Personen])

Mo|loch [auch: *mo*...], der; -s, -e (Macht, die alles verschlingt)

Mo|lo|tow|cock|tail [...*tof*...] (mit Benzin [u. Phosphor] gefüllte Flasche

Mol|ton, der; -s, -s (weiches Baumwollgewebe)

[1]**Mo|ment,** der; -[e]s, -e (Augenblick; Zeit[punkt]; kurze Zeitspanne); [2]**Moment,** das; -[e]s, -e ([ausschlaggebender] Umstand; Merkmal; Gesichtspunkt); **mo|men|tan** (augenblicklich; vorübergehend)

Mon|arch, der; -en, -en (gekröntes Staatsoberhaupt); **Mon|ar|chie,** die; -, ...ien; **Mon|ar|chist,** der; -en, -en (Anhänger der monarchischen Regierungsform)

Mo|nat, der; -[e]s, -e; alle zwei -e; **mo|na|te|lang; mo|na|tig; mo|nat|lich; mo|nat[s]|wei|se**

Mönch, der; -[e]s, -e („allein" Lebender; Angehöriger eines Ordens mit Klosterleben); **mön|chisch**

[1]**Mond,** der; -[e]s, -e (ein Himmelskörper); [2]**Mond,** der; -[e]s, -e (veralt. dicht. für: Monat)

mon|dän (nach Art der großen Welt, von auffälliger Eleganz)

Mond-fin|ster|nis, ...schein

mo|ne|tär (das Geld betreffend, geldlich); **Mo|ne|ten** (*Mehrz.;* „Münzen"; ugs. für: [Bar]geld)

Mon|go|le [*monggol^e*], der; -n, -n (Angehöriger einer Völkergruppe in Asien); **mon|go|lo|id** (den Mongolen ähnlich; Med.: eine bestimmte Form des Schwachsinns aufweisend)
mo|nie|ren (mahnen; rügen)
Mo|ni|tor, der; -s, ...oren („Erinnerer"; Kontrollgerät beim Fernsehen; Strahlennachweis- u. -meßgerät); **Mo|ni|tum,** das; -s, ...ta (geh. für: Beanstandung, Rüge)
mo|no [auch: *mono*] (Kurzwort für: monophon)
mo|no|chrom [*...krom*] (einfarbig)
Mo|no|ga|mie, die; - (Einehe)
Mo|no|gramm, das; -s, -e (Namenszug; Verschlingung der Anfangsbuchstaben eines Namens)
Mo|no|gra|phie, die; -, ...ien (wissenschaftliche Einzeldarstellung)
Mon|okel, das; -s, - (Einglas)
Mo|no|log, der; -s, -e (Selbstgespräch)
mo|no|phon (Tontechnik: einkanalig)
Mo|no|pol, das; -s, -e (das Recht auf Alleinhandel u. -verkauf; Vorrecht; alleiniger Anspruch); **mo|no|po|li|sie|ren** (ein Monopol aufbauen, die Entwicklung von Monopolen vorantreiben); **Mo|no|pol-stel|lung**
Mo|no|the|is|mus, der; - (Glaube an einen einzigen Gott); **Mo|no|the|ist,** der; -en, -en; **mo|no|thei|stisch**
mo|no|ton (eintönig; gleichförmig; ermüdend); **Mo|no|to|nie,** die; -, ...ien
Mon|ster, das; -s, - (Ungeheuer); **Monster...** (riesig, Riesen...); **Mon|ster-film, ...schau**
Mon|stranz, die; -, -en (Gefäß zum Tragen u. Zeigen der geweihten Hostie)
mon|strös (ungeheuerlich; mißgestaltet; ungeheuer aufwendig); **Mon|strum,** das; -s, ...ren u. ...ra (Mißbildung; Ungeheuer; Ungeheuerliches)
Mon|sun, der; -s, -e (jahreszeitlich wechselnder Wind, bes. im Indischen Ozean)
Mon|tag, der; -[e]s, -e
Mon|ta|ge [*montasch^e*, auch: *mongtasch^e*], die; -, -n (Aufstellung [einer Maschine], Auf-, Zusammenbau)
mon|tags
mon|tan (Bergbau u. Hüttenwesen betreffend); **Mon|tan-in|du|strie** (Gesamtheit der bergbaulichen Industrieunternehmen), **...uni|on** (die; -; Europäische Gemeinschaft für Kohle u. Stahl)
Mon|teur [*montör*, auch: *mongtör*], der; -s, -e (Montagefacharbeiter); **Mon|teur-an|zug; mon|tie|ren** [auch: *mong...*] ([eine Maschine, ein Gerüst u.a.] [auf]bauen, aufstellen, zusammenbauen); **Mon-tie|rung; Mon|tur,** die; -, -en (ugs. für: Arbeitsanzug; veralt. für: Dienstkleidung, Uniform)

Mo|nu|ment, das; -[e]s, -e (Denkmal); **mo|nu|men|tal** (denkmalartig; gewaltig; großartig)
Moor, das; -[e]s, -e; **Moor|bad; moor-ba|den** (nur in der Grundform gebräuchlich); **moo|rig**
¹Moos, das; -es, -e u. (für Sumpf usw. *Mehrz.*:) Möser (Pflanzengruppe; bayr., österr., schweiz. auch für: Sumpf, Bruch)
²Moos, das; -es (ugs. u. Studentenspr.: Geld)
Mop, der; -s, -s (Staubbesen mit [ölgetränkten] Fransen)
Mo|ped [*...ät*, auch: *mópet*], das; -s, -s (leichtes Motorrad)
mop|pen (mit dem Mop reinigen)
Mops, der; -es, Möpse (ein Hund); **mop-sen** (ugs. für: stehlen); sich - (ugs. für: sich langweilen; sich ärgern); **mop|sig** (ugs. für: langweilig; dick [von Personen])
Mo|ral, die; -, (selten:) -en (Sittlichkeit; Sittenlehre; sittl. Nutzanwendung)
◇ Ethik, Sitte, Gesittung
mo|ra|lisch (der Moral gemäß; sittlich); **mo|ra|li|sie|ren** (sittl. Betrachtungen anstellen; den Sittenprediger spielen); **Mo|ra|list,** der; -en, -en (Sittenlehrer, -prediger); **Mo|ral|pre|digt** (abschätzig)
Mo|rä|ne, die; -, -n (Gletschergeröll)
Mo|rast, der; -[e]s, -e u. Moräste (sumpfige schwarze Erde, Sumpfland; übertr. für: Sumpf, Schmutz [bes. in sittl. Beziehung]); **mo|ra|stig**
Mo|ra|to|ri|um, das; -s, ...ien [*...i^en*] (vereinbarter Aufschub [einer fälligen Zahlung])
mor|bid (kränklich; morsch)
Mor|chel, die; -, -n (ein Pilz)
Mord, der; -[e]s, -e; **Mord|an|schlag; mor|den**
Mör|der
◇ Meuchelmörder, Raubmörder, Killer (ugs.)
Mör|der|gru|be; aus seinem Herzen keine - machen (ugs. für: mit seiner Meinung nicht zurückhalten); **mör|de|risch** (ugs. für: furchtbar, z. B. -e Kälte); **Mords..., mords...** (ugs. für: sehr groß, gewaltig); **Mords|ar|beit; mords|mä|ßig**
Mo|res (*Mehrz.;* Sitte[n], Anstand); ich will dich - lehren (ugs. drohend)
mor|gen (am folgenden Tage); bis -; - abend; die Technik von - (der nächsten Zukunft); **¹Mor|gen,** der; -s, - (Zeit); guten -! (Gruß); [am] Dienstag morgen (an dem bestimmten, einmaligen); [um] 8 Uhr morgens; Dienstag od. dienstags morgens (unbestimmt, wiederkehrend); **²Mor-gen,** der; -s, - [urspr.: Land, das ein Gespann an einem Morgen pflügen kann] (ein Feldmaß); fünf - Land; **³Mor|gen,** das; -s (die Zukunft); das Heute und das -; **mor|gend|lich** (am Morgen gesche-

hend); **Morgenland,** das; -[e]s (veralt. für: Orient; Land, in dem die Sonne aufgeht)

morgens

◇ am Morgen, früh, in der Frühe (bes. österr.), in aller Frühe, vormittags

morgig; der -e Tag

Moritat, die; -, -en („Mordtat"; Abbildung eines Mordes, Unglücks usw.; Erklärung einer solchen Abbildung durch Bänkelsänger)

Mormone, der; -n, -n (Angehöriger einer nordamerik. Sekte)

Morphium, das; -s (ein Rauschgift; Schmerzlinderungsmittel); **morphiumsüchtig**

morsch

◇ brüchig, mürbe, zerfallen

Morsealphabet (Alphabet für die Telegrafie); **morsen** (den Morseapparat bedienen)

Mörser, der; -s, - (schweres Geschütz; schalenförmiges Gefäß zum Zerkleinern)

Morsezeichen

Mortadella, die; -, -s (it. Zervelatwurst)

Mörtel, der; -s, -; **mörteln**

Mosaik, das; -s, -en (auch:) -e (Bildwerk aus bunten Steinchen; Einlegearbeit; auch übertr. gebraucht)

mosaisch (nach Moses benannt; jüdisch); -es Bekenntnis

Moschee, die; -, ...scheen (mohammedan. Bethaus)

Moschus, der; - (ein Riechstoff)

Möse, die; -, -n (derb für: weibl. Geschlechtsteile)

mosern (ugs. für: nörgeln)

Moses, der; -, - (Seemannsspr.: Beiboot [kleinstes Boot] einer Jacht; spöttisch für: jüngstes Besatzungsmitglied an Bord, Schiffsjunge)

Moskito, der; -s, -s (meist *Mehrz.;* eine Stechmücke); **Moskitonetz**

Moslem, der; -s, -s (Anhänger des Islams, Muselman)

Most, der; -[e]s, -e (unvergorener Frucht-, bes. Traubensaft); **mosten**

Motel [*motᵉl,* auch: *motäl*], das; -s, -s (Hotel an großen Autostraßen, das besonders für die Unterbringung von motorisierten Reisenden bestimmt ist)

Motette, die; -, -n (Kirchengesang[stück])

Motiv, das; -s, -e [...*wᵉ*] ([Beweg]grund, Antrieb, Ursache; Zweck; Leitgedanke; Gegenstand; künstler. Vorwurf; kleinstes musikal. Gebilde); **Motivation,** die; -, -en (Psych.: das Sich-gegenseitig-Bedingen seel. Geschehnisse; die Beweggründe des Willens); **motivieren** [...*wirᵉn*] (etwas begründen; jmdn. anregen); **Moto-Cross,** das; - (Gelände-, Vielseitigkeitsprüfung für Motorradsportler); **Motodrom,** das; -s, -e (Rennstrecke [Rundkurs]); **Motor**[1]**,** der; -s, ...oren („Beweger"; Antriebskraft erzeugende Maschine; übertr. für: vorwärtstreibende Kraft); **Motorboot**[1]**; Motorenlärm; motorisieren** (mit Kraftmaschinen, -fahrzeugen ausstatten)

Motorrad

◇ Kraftrad, Krad, Maschine, Feuerstuhl (ugs.)

Motte, die; -, -n

Motto, das; -s, -s (Denk-, Wahl-, Leitspruch; Kennwort)

motzen (ugs. für: verdrießlich sein, schmollen)

Mousse [*muß*], die; -, -s [*muß*] (schaumige [Schokoladen]süßspeise); **moussieren** (schäumen, aufbrausen)

Möwe, die; -, -n (ein Vogel)

Mucke[2]**,** die; -, -n (ugs. für: Laune; südd. für: Mücke); **Mücke**[2]**,** die; -, -n

Muckefuck[2]**,** der; -s (ugs. für: Kaffee-Ersatz; dünner Kaffee)

mucken[2] (ugs. für: leise murren); **Mukker** (heuchlerischer Frömmler); **mukkerisch; Muckertum**[2]**,** das; -s; **Mucks,** der; -es, -e, (auch:) Muckser, der; -s, - (ugs. für: leiser, halb unterdrückter Laut); **mucksen** (ugs. für: einen Laut geben; eine Bewegung machen); **Muckser** vgl. Mucks; **mucksmäuschenstill** (ugs. für: ganz still)

müde; einer Sache - (überdrüssig) sein

◇ schläfrig, ermüdet, schlafbedürftig, ruhebedürftig, todmüde, übermüdet

Müdigkeit, die; -

Muezzin, der; -s, -s (Gebetsausrufer im Islam)

[1]**Muff,** der; -[e]s (niederd. für: Schimmel [Pilz], Kellerfeuchtigkeit)

[2]**Muff,** der; -[e]s, -e (Handwärmer); **Muffe,** die; -, -n (Rohr-, Ansatzstück)

Muffel, der; -s, - (Jägerspr.: kurze Schnauze; ugs. abschätzig für: brummiger, mürrischer Mensch; jmd., der für etwas nicht zu haben ist); **muffelig,** mufflig (niederd. für: den Mund verziehend; mürrisch); **muffeln** (ugs. für: andauernd kauen; mürrisch sein); [1]**muffig** (landsch. für: mürrisch)

[2]**muffig** (nach Muff [Schimmel] riechend)

mufflig vgl. muffelig

Mufflon, der; -s, -s (Wildschaf)

Mufti, der; -s, -s (islamischer Gesetzeskundiger)

Mühe, die; -, -n; mit Müh und Not

mühelos

◇ ohne Mühe, einfach, leicht, spielend, kinderleicht

---

[1] Auch Betonung auf der zweiten Silbe: Motor (der; -s, -e), Motorboot usw.

[2] *Trenn.:* ...k|k...

mu|hen (muh schreien)
mü|hen, sich; **mü|he|voll; Mü|he|wal|tung**
Müh|le, die; -, -n; **Müh|len-rad** od. Mühl|rad, **...stein** od. Mühl|stein; **Müh|le|spiel**
Müh|sal, die; -, -e; **müh|sam; Müh|sam|keit,** die; -; **müh|se|lig; Müh|se|lig|keit**
Mu|lat|te, der; -n, -n (Mischling zwischen Schwarzen u. Weißen)
Mul|de, die; -, -n; **mul|den|för|mig**
Mu|li, das; -s, -[s] (südd., österr. für: Maulesel)
[1]**Mull,** der; -[e]s, -e (ein feinfädiges, weitmaschiges Baumwollgewebe)
[2]**Mull,** der; -[e]s, -e (eine Humusform)
Müll, der; -[e]s (Abfall; Schutt, Kehricht; Technik: nicht verwertbares Restprodukt, z. B. Atommüll)
Mul|lah, der; -s, -s (Titel von islamischen Geistlichen u. Gelehrten)
Mül|ler; Mül|le|rei
Müll-kip|pe, ...mann (ugs.; *Mehrz.* ...männer od. Mülleute), **...schlucker** [*Trenn.:* ...schluk|ker], **...ton|ne**
mul|mig (ugs. für: bedenklich, faul, z. B. die Sache ist -; übel, unwohl, z. B. mir ist -)
Mul|ti, der; -s, -s (ugs. Kurzwort für: multinationaler Konzern); **mul|ti|la|te|ral** (mehrseitig); -e Verträge; **Mul|ti|mil|lio|när; mul|ti|na|tio|nal** (aus vielen Nationen bestehend; in vielen Staaten vertreten); -e Unternehmen; **mul|ti|pel** (vielfältig); ...i|ple Sklerose (Gehirn- u. Rückenmarkskrankheit); **Mul|ti|ple-choice-Ver|fah|ren** [*maltip[e]l-tscho[i]ß...*] ([Prüfungs]verfahren, bei dem von mehreren vorgegebenen Antworten eine od. mehrere als richtig zu kennzeichnen sind); **Mul|ti|pli|kand,** der; -en, -en (Zahl, die mit einer anderen multipliziert werden soll); **Mul|ti|pli|ka|ti|on** [*...zion*], die; -, -en (Vervielfältigung); **Mul|ti|pli|ka|tor,** der; -s, ...oren (Zahl, mit der eine vorgegebene Zahl multipliziert werden soll); **mul|ti|pli|zie|ren** (vervielfältigen, malnehmen, vervielfachen); **Mul|ti|vi|si|ons|wand** (Projektionswand, auf die mehrere Dias gleichzeitig projiziert werden)
Mu|mie [*...i[e]*], die; -, -n ([durch Einbalsamieren usw.] vor Verwesung geschützter Leichnam); **mu|mi|fi|zie|ren** (einbalsamieren)
Mumm, der; -s (ugs. für: Mut, Schneid)
Mum|mel|greis (ugs. für: alter [zahnloser] Mann); **Müm|mel|mann,** der; -[e]s (niederd. scherzh. für: Hase); **mummeln** (landsch. für: murmeln; behaglich kauen; wie ein Zahnloser kauen); **mümmeln** (fressen [von Hasen, Kaninchen])
Mum|men|schanz, der; -es (Maskenfest)
Mum|pitz, der; -es (ugs. für: Unsinn; Schwindel)
Mumps, der (landsch. auch: die); - (Med.: Ziegenpeter)
Mund, der; -[e]s, Münder (selten auch: Munde u. Münde)
◇ Lippen, Schnute (ugs.) Gosche (ugs.), Maul (ugs.), Schnauze (ugs.)
Mund|art
◇ Dialekt, Idiom
mund|art|lich (Abk.: mdal.)
Mün|del, das (BGB [für beide Geschlechter]: der); -s, - (in der Anwendung auf ein Mädchen selten auch: die; -, -n); **mün|del|si|cher**
mun|den (schmecken); **mün|den;** der Bach mündet in einen See; die Straßen münden alle auf diesen/auf diesem Platz; **mund|faul; Mund|fäu|le** (Geschwüre auf der Mundschleimhaut u. an den Zahnrändern); **mund|ge|recht; Mund|ge|ruch**
mün|dig; Mün|dig|keit, die; -
münd|lich; Münd|lich|keit, die; -; **Mund-raub** (der; -[e]s), **...stück; mund|tot; Mün|dung; Mün|dungs|feu|er; Mund|voll,** der; -, -; einen, zwei, ein paar - [Fleisch u. a.] nehmen; **Mund-vor|rat, ...was|ser** (*Mehrz.:* ...wässer), **...werk** (in festen Wendungen, z. B. ein großes, gutes - haben [ugs. für: tüchtig, viel reden können])
Mu|ni|ti|on [*...zion*], die; -, -en
mun|keln (ugs.)
Mün|ster, das (selten: der); -s, - (Stiftskirche, Dom)
mun|ter; munt[e]rer, -ste
◇ vergnügt, fröhlich, lustig, aufgeräumt, fidel, aufgekratzt (ugs.)
Mun|ter|keit, die; -
Münz|au|to|mat; Mün|ze, die; -, -n (Zahlungsmittel, Geld; Geldprägestätte); **mün|zen; Mün|zen|samm|lung,** Münz|samm|lung; **Münz-fern|spre|cher, ...samm|lung** od. Mün|zen|samm|lung, **...tank**
Mu|rä|ne, die; -, -n (ein Fisch)
mürb, (häufiger:) **mür|be,** -s Gebäck; er hat ihn - gemacht (ugs. für: seinen Widerstand gebrochen); **Mür|be,** die; -; **Mür|be|teig; Mürb|heit**
Murks, der; -es (ugs. für: unordentliche Arbeit; Unangenehmes); **murk|sen** (ugs.); **Murk|ser** (ugs.)
Mur|mel, die; -, -n (landsch. für: Spielkügelchen)
mur|meln
Mur|mel|tier (ein Nagetier)
mur|ren; mür|risch
Mus|ca|det [*müßkadä*], der; -[s], -s (trockener französischer Weißwein)

Mus, das (landsch.: der); -es, -e
Mu|schel, die; -, -n; **Mu|schel|bank** (*Mehrz.* ...bänke)
Mu|se, die; -, -n (eine der [neun] gr. Göttinnen der Künste); die zehnte - (scherzh. für: Kleinkunst, Kabarett); **mu|se|al** (zum, ins Museum gehörend); Museums...); **Mu|se|en** (*Mehrz.* von: Museum)
Mu|sel|man, der; -en, -en (Anhänger des Islams); **mu|sel|ma|nisch; Mu|sel|mann** (eindeutschend veralt. für: Muselman; *Mehrz.* ...männer)
Mu|se|um, das; -s, ...een („Musentempel"; Sammlung); **mu|se|ums|reif**
Mu|si|cal [*mjusikᵉl*], das; -s, -s (populäres Musiktheater[stück], das von operetten- und revuehaften Elementen bestimmt ist)
Mu|sik, die; -, (für Komposition, Musikstück *Mehrz.*:) -en (Tonkunst); **mu|si|ka|lisch** (tonkünstlerisch; musikbegabt, musikliebend); **Mu|si|ka|li|tät,** die; - (musikal. Wirkung; musikal. Empfinden od. Nacherleben); **Mu|si|kant,** der; -en, -en (Musiker, der zum Tanz u. dgl. aufspielt); **Mu|si|kan|ten|kno|chen** (ugs. für: schmerzempfindlicher Ellenbogenknochen); **Mu|sik|box** (Schallplattenapparat in Gaststätten); **mu|sik|lie|bend; mu|sisch** (den Musen geweiht; künstlerisch [durchgebildet, hochbegabt usw.]; auch: die Musik betreffend); **mu|si|zie|ren**
Mus|kat, der; -[e]s, -e (ein Gewürz); **Mus|ka|tel|ler,** der; -s, - (Rebensorte, Wein); **Mus|kat|nuß**
Mus|kel, der; -s, -n; **mus|ke|lig; Mus|kel|ka|ter** (ugs. für: Muskelschmerzen)
Mus|ke|te, die; -, -n (früher für: schwere Handfeuerwaffe); **Mus|ke|tier,** der; -s, -e („Musketenschütze"; veralt. für: Soldat zu Fuß)
mus|ku|lär (auf die Muskeln bezüglich, sie betreffend); **Mus|ku|la|tur,** die; -, -en (Muskelgefüge, starke Muskeln); **mus|ku|lös** (mit starken Muskeln versehen; äußerst kräftig)
Müs|li, das; -s (ein Rohkostgericht)
Muß, das; - (Zwang); es ist ein - (notwendig)
Mu|ße, die; - (freie Zeit)
Mus|se|lin, der; -s, -e (ein Gewebe)
müs|sen; mußte (müßte), gemußt
◇ genötigt sein, gehalten sein, sich genötigt sehen, nicht umhin können, sollen
Mu|ße|stun|de
Muß|hei|rat
mü|ßig; - sein, gehen; **mü|ßi|gen** (veranlassen), nur noch in: sich gemüßigt sehen; **Mü|ßig‿gang** (der; -[e]s), **...gän|ger**
Mus|sprit|ze (ugs. für: Regenschirm)
Mu|stang, der; -s, -s (ein Steppenpferd)
Mu|ster, das; -s, -
◇ Vorlage, Schablone, Paradigma, Beispiel, Exempel · Vorbild, Ideal, Inbegriff
Mu|ster‿ex|em|plar (meist iron.), **...gat|te** (meist iron.); **mu|ster|gül|tig; Mu|ster|gül|tig|keit,** die; -; **mu|ster|haft; Mu|ster|haf|tig|keit,** die; -; **Mu|ster‿kna|be** (iron.), **...kof|fer; mu|stern; Mu|ster‿schü|ler, ...stück** (meist iron.); **Mu|ste|rung**
Mut, der; -[e]s; guten Mut[e]s sein
◇ Tapferkeit, Kühnheit, Beherztheit, Furchtlosigkeit, Unerschrockenheit, Schneid (ugs.), Courage (ugs.)
Mu|ta|ti|on [*...zion*], die; -, -en (Biol.: spontan od. künstlich erzeugte Veränderung im Erbgefüge; Med.: Stimmwechsel)
Müt|chen; an jmdm. sein - kühlen (ugs. für: jmdn. seinen Zorn fühlen lassen)
mu|tig
◇ tapfer, heldenhaft, heldenmütig, heroisch, kühn, beherzt, unerschrocken, furchtlos, couragiert (ugs.)
mut|los
◇ entmutigt, verzagt, kleinmütig, resigniert, geknickt (ugs.)
Mut|lo|sig|keit
mut|ma|ßen (vermuten); **mut|maß|lich; Mut|ma|ßung**
Mut|pro|be
Mutt|chen (landsch. Koseform von: Mutter)
[1]**Mut|ter,** die; -, -n (Schraubenteil)
[2]**Mut|ter,** die; -, Mütter
◇ Mama, Mutti, Mami, Alte (ugs.)
Mut|ter|er|de, die; - (besonders fruchtbare Erde); **Mut|ter Got|tes,** die; - -, (auch:) **Mut|ter|got|tes,** die; -; **Mut|ter‿korn** (*Mehrz.* ...korne), **...ku|chen** (für: Plazenta), **...land** (*Mehrz.* ...länder); **müt|ter|lich; müt|ter|li|cher|seits; Müt|ter|lich|keit,** die; -; **mut|ter|los; Mut|ter|mal** (*Mehrz.* ...male), **Mut|ter|schaft,** die; -; **Mut|ter‿schiff, ...schutz; mut|ter|see|len|al|lein; Mut|ter‿söhn|chen** (verächtl. für: verhätschelter Jugendlicher), **...spra|che, ...tag, ...tier, ...witz** (der; -es); **Mut|ti,** die; -, -s (Koseform von: Mutter)
mut|voll; Mut|wil|le, der; -ns; **mut|wil|lig; Mut|wil|lig|keit**
Müt|ze, die; -, -n; **Müt|zen|schild,** das
My|ria|de, die; -, -n (meist Mehrz.; geh. für: unzählig große Menge)
Myr|rhe, die; -, -n (ein aromat. Harz); **Myr|te,** die; -, -n (immergrüner Baum od. Strauch des Mittelmeergebietes u. Südamerikas); **Myr|ten|kranz**
my|ste|ri|ös (geheimnisvoll; rätselhaft); **My|ste|ri|um,** das; -s, ...ien [*...iᵉn*] (unergründliches Geheimnis [religiöser Art]);

My|stik, die; - (ursprüngl.: Geheimlehre; relig. Richtung, die den Menschen durch Hingabe u. Versenkung zu persönl. Vereinigung mit Gott zu bringen sucht); **my|stisch** (geheimnisvoll; dunkel)
my|thisch (sagenhaft, erdichtet); **My|tho|lo|gie,** die; -, ...ien (wissenschaftl. Behandlung der Götter-, Helden-, Dämonensage; Sagenkunde, Götterlehre); **my|tho|lo|gisch; My|thos,** (älter:) **My|thus,** der; -, ...then (Sage u. Dichtung von Göttern, Helden u. Geistern; die aus den Mythen sprechende Glaubenshaltung; Legendenbildung, Legende)
My|zel, das; -s, -ien [...*iᵉn*] u. **My|ze|li|um,** das; -s, ...lien [...*iᵉn*] (Bot.: Fadengeflecht der Pilze)

N

N (Buchstabe); das N; des N, die N
'n (ugs. für: ein, einen)
na!; na, na!; na ja!; na und?
Na|be, die; -, -n (Mittelhülse des Rades); **Na|bel,** der; -s, -; **Na|bel‿bruch** (der), **...schnur** (*Mehrz.* ...schnüre)
Na|bob, der; -s, -s („Statthalter" in Indien; reicher Mann)
nach; *Umstandsw.:* - und -; - wie vor; *Verhältnisw.* mit *Wemf.:* - ihm; - Hause od. Haus
nach|äf|fen
nach|ah|men
◇ nachmachen, nachäffen (abwertend), imitieren, kopieren
nach|ah|mens|wert; Nach|ah|mer; Nach|ah|mung; Nach|ah|mungs|trieb
Nach|bar, der; -n u. (weniger gebr.:) -s, -n; **Nach|ba|rin,** die; -, -nen; **nach|bar|lich**
nach|be|han|deln; Nach|be|hand|lung
nach|be|stel|len; Nach|be|stel|lung
nach|be|ten; Nach|be|ter
nach|bil|den; Nach|bil|dung
nach|blicken [*Trenn.:* ...blik|ken]
nach Chri|sti Ge|burt (Abk.: n. Chr. G.); **nach|christ|lich; nach Chri|sto, nach Chri|stus** (Abk.: n. Chr.)
nach|da|tie|ren (etwas mit einem früheren, [aber auch:] späteren Datum versehen); **Nach|da|tie|rung**
nach|dem; je -; je -[,] ob ... od. wie ...
nach|den|ken; nach|denk|lich; Nach|denk|lich|keit, die; -
Nach|dich|tung
nach|drän|gen
Nach|druck, der; -[e]s, (Druckwesen:) ...drucke; **nach|drucken** [*Trenn.:* ...druk|ken]; **nach|drück|lich; Nach|drück|lich|keit,** die; -
nach|dun|keln
nach|ei|fern; Nach|ei|fe|rung
nach|ei|len
nach|ein|an|der
nach|emp|fin|den
Na|chen, der; -s, - (landsch. u. dicht. für: Kahn)
Nach|er|be, der
nach|er|le|ben
Nach|ern|te
nach|er|zäh|len; Nach|er|zäh|lung
Nach|fahr, der; -s, -en u. **Nach|fah|re,** der; -n, -n (selten noch für: Nachkomme)
nach|fas|sen
Nach|fol|ge; nach|fol|gen; nach|fol|gend; im -en (weiter unten); wir bitten nachfolgendes (folgendes) zu beachten, aber: das Nachfolgende; **Nach|fol|gen|de,** der u. die; -n, -n; **Nach|fol|ger; Nach|fol|ge|rin,** die; -, -nen
nach|for|dern; Nach|for|de|rung
nach|for|schen; Nach|for|schung
Nach|fra|ge; nach|fra|gen
nach|füh|len; nach|füh|lend
nach|fül|len; Nach|fül|lung
nach|ge|ben
◇ sich fügen, sich beugen, sich ergeben, einen Rückzieher machen (ugs.), klein beigeben (ugs.), den Schwanz einziehen (ugs.)
Nach|ge|bühr (z. B. Strafporto)
Nach|ge|burt
nach|ge|hen; einer Sache -
nach|ge|ra|de
nach|ge|ra|ten; jmdm. -
Nach|ge|schmack, der; -[e]s
nach|gie|big; Nach|gie|big|keit
nach|gie|ßen
nach|gucken [*Trenn.:* ...guk|ken] (ugs.)
Nach|hall; nach|hal|len
nach|hal|tig; Nach|hal|tig|keit, die; -
nach|hän|gen
nach Haus, Hau|se; Nach|hau|se|weg
nach|hel|fen; Nach|hel|fer
nach|her [auch: *náchher*]
Nach|hil|fe; Nach|hil|fe|stun|de
nach|hin|ein; im -
Nach|hol|be|darf; nach|ho|len
Nach|hut, die; -, -en
nach|ja|gen; dem Glück -
Nach|klang; nach|klin|gen
Nach|kom|me, der; -n, -n; **nach|kom|men; Nach|kom|men|schaft; Nach|kömm|ling**
Nach|kriegs|zeit
Nach|kur

Nach|laß, der; ...lasses, ...lasse u. ...lässe;
nach|las|sen
nach|läs|sig
◇ schlampig, schluderig, flüchtig, oberflächlich
Nach|läs|sig|keit; Nach|laß|ver|walter
nach|lau|fen; Nach|läu|fer
nach|le|gen
Nach|le|se; nach|le|sen
nach|lie|fern; Nach|lie|fe|rung
nach|lö|sen
nach|ma|chen (ugs. für: nachahmen)
nach|mes|sen; Nach|mes|sung
Nach|mit|tag; [am] Dienstag nachmittag (an dem bestimmten, einmaligen); [um] 5 Uhr nachmittags; Dienstag od. dienstags nachmittags (unbestimmt, wiederkehrend); **nach|mit|tags**
Nach|nah|me, die; -, -n
Nach|na|me (Familienname)
nach|plap|pern (ugs.)
nach|prü|fen; Nach|prü|fung
nach|rech|nen
Nach|re|de; nach|re|den
Nach|richt, die; -, -en
◇ Mitteilung, Neuigkeit, Meldung, Information, Botschaft, Kunde
nach|richt|lich
nach|rücken [*Trenn.:* ...rük|ken]
Nach|ruf, der; -[e]s, -e; **nach|ru|fen**
nach|sa|gen; jmdm. etwas -
Nach|sai|son
[1]**nach|schaf|fen** (ein Vorbild nachgestalten); [2]**nach|schaf|fen** (nacharbeiten)
nach|schicken [*Trenn.:* ...schik|ken]
Nach|schlag, der; -[e]s, Nachschläge (Musik; ugs. für: zusätzliche Essensportion); **nach|schla|gen;** er ist seinem Vater nachgeschlagen (nachgeartet); er hat in einem Buch nachgeschlagen
nach|schlei|chen
Nach|schlüs|sel
Nach|schrift
Nach|schub, der; -[e]s, Nachschübe
Nach|schuß (Wirtsch.: Einzahlung über die Stammeinlage hinaus; Sportspr.: erneuter Schuß auf das Tor)
nach|se|hen; jmdm. etwas -; **Nach|sehen,** das; -s
nach|sen|den; sandte od. sendete nach, nachgesandt od. nachgesendet; **Nachsen|dung**
nach|set|zen; jmdm. - (jmdn. verfolgen)
Nach|sicht, die; -; **nach|sich|tig**
Nach|sil|be
nach|sit|zen (ugs. für: zur Strafe nach dem Unterricht noch dableiben müssen)
Nach|som|mer
Nach|spann (Film, Fernsehen: Abschluß einer Sendung, eines Films)
Nach|spei|se
Nach|spiel; nach|spie|len
nach|spio|nie|ren (ugs.)
[1]**nächst;** der nächste (erste) beste; am nächsten; fürs nächste; das Nächste u. Beste, was sich ihm bietet; als Nächstes (als nächste Nummer, Sendung usw.);
[2]**nächst** (hinter, gleich nach); *Verhältnisw.* mit *Wemf.:* - ihm; **nächst|besser; nächst|be|ste; Nächst|be|ste,** der u. die u. das; -n, -n; **Näch|ste,** der; -n, -n (Mitmensch)
nach|ste|hen; nach|ste|hend; nachstehendes (folgendes), aber: das Nachstehende muß nachgeprüft werden
nach|stei|gen (ugs. für: folgen)
nach|stel|len; Nach|stel|lung
Näch|sten|lie|be
◇ Agape, Barmherzigkeit, Karitas, Menschenliebe, Humanität
näch|stens; näch|stes Mal; nächst|fol|gend; nächst|hö|her; Nächst|hö|he|re, der u. die u. das; -n, -n;
nächst|lie|gend, dafür besser: möglichst nahe; falsch: nächstliegendst;
Nächst|lie|gen|de, das; -n; **nächst|mög|lich;** zum -en Termin
Nacht, die; -, Nächte; bei, über -; gute - sagen; heute nacht; nachts um 3 [Uhr]/ um 3 Uhr nachts; Dienstag od. dienstags nachts (unbestimmt, wiederkehrend);
Nacht|dienst
Nach|teil, der; **nach|tei|lig**
näch|te|lang; Nacht|es|sen (bes. südd. u. schweiz. für: Abendessen); **Nacht‿eu|le** (übertr. ugs. auch für: jmd., der bis spät in die Nacht hinein aufbleibt),
...frost, ...hemd; Nach|ti|gall, die; -, -en (ein Vogel); **näch|ti|gen** (übernachten)
Nach|tisch, der; -[e]s
nächt|lich; Nacht|lo|kal
Nach|trag, der; -[e]s, ...träge; **nach|tragen;** etw. in einer od. eine Liste -; **nachträg|lich**
nach|trau|ern
nachts; Nacht|schat|ten|ge|wächs; Nacht|schicht; nacht|schla|fend; zu, bei -er Zeit; **Nacht‿schwär|mer** (scherzh. für: jmd., der sich die Nacht über vergnügt), **...strom** (der; -[e]s), **...tisch, ...topf**
nach|tun; es jmdm. -
Nacht‿wa|che, ...wäch|ter; nachtwan|deln; genachtwandelt; **nachtwand|le|risch;** mit -er Sicherheit;
Nacht‿zeit (zur -), **...zug**
nach|voll|zie|hen
Nach|wahl
Nach|we|hen, die *(Mehrz.)*
nach|wei|nen
Nach|weis, der; -es, -e
◇ Beweis, Beweismittel, Rechtfertigung
nach|weis|bar; nach|wei|sen (beweisen); **nach|weis|lich**

Nach|welt, die; -
nach|wer|fen
nach|wie|gen
nach|wir|ken; Nach|wir|kung
Nach|wort (*Mehrz.* ...worte)
Nach|wuchs, der; -es
nach|zah|len; Nach|zah|lung; nach|zäh|len; Nach|zäh|lung
Nach|zei|tig|keit, die; - (Sprachw.)
nach|zie|hen
nach|zot|teln (ugs. für: langsam hinterherkommen)
Nach|zug; Nach|züg|ler
Nacke|dei[1], der; -[e]s, -e u. -s (scherzh. für: nacktes Kind)
Nacken[1], der; -s, -
nackend[1] (landsch. für: nackt); **nackig**[1] (ugs. für: nackt)
nackt
◇ unbekleidet, hüllenlos, bloß, entblößt
Nackt|ba|den, das; -s; **Nackt|frosch** (scherzh. für: nacktes Kind); **Nackt|heit,** die; -; **Nackt|kul|tur,** die
Na|del, die; -, -n; **Na|del‿ar|beit, ...baum, ...holz** (*Mehrz.* ...hölzer), **...kis|sen; na|deln** (von Tannen u. a.: Nadeln verlieren); **Na|del‿öhr, ...strei|fen** (sehr feiner Streifen in Stoffen), **...wald**
Na|gel, der; -s, Nägel; **Na|gel‿bett** (*Mehrz.* ...betten [seltener: ...bette]), **...fei|le; na|gel|fest,** in: niet- u. nagelfest; **Na|gel|lack; na|geln; na|gel|neu** (ugs.); **Na|gel‿pfle|ge, ...pro|be, ...sche|re**
na|gen; Na|ger; Na|ge|tier
nah, [1]na|he; näher, nächst; von nah und fern; von nahem; der Nahe Osten; **Nah|auf|nah|me; [2]na|he;** *Verhältnisw.* mit *Wemf.*: - dem Flusse; **Nä|he,** die; -; in der -; **na|he|brin|gen** (Verständnis erwecken); **na|he|ge|hen** (seelisch ergreifen); **na|he|kom|men** (fast gleichen); **na|he|le|gen** (empfehlen); **na|he|lie|gen** (leicht zu finden sein; leicht verständlich sein); näherliegend, nächstliegend; **na|hen;** sich -
nä|hen
nä|her; des näher[e]n (genauer) auseinandersetzen; alles Nähere; Näheres folgt; **nä|her|brin|gen** (erklären, leichter verständlich machen)
Nä|he|rei; Nä|he|rin, die; -, -nen
nä|her|kom|men (Fühlung bekommen, verstehen lernen); **nä|her|lie|gen** (besser, sinnvoller, vorteilhafter sein); **nä|her|lie|gend; nä|hern,** sich; **nä|her|ste|hen** (vertrauter sein); **nä|her|tre|ten** (vertrauter werden); **Nä|he|rungs|wert; na|he|ste|hen** (befreundet, vertraut, verbunden sein); **na|he|ste|hend;** näherstehend, nächststehend; **na|he|tre|ten** (befreundet, vertraut werden); **na|he|zu**
Näh‿fa|den, ...garn
Nah|kampf
Näh‿ma|schi|ne, ...na|del
Nah|ost (Naher Osten); für, in, nach, über -; **nah|öst|lich**
Nähr‿bo|den, ...creme; näh|ren
nahr|haft
◇ kräftig, kalorienreich, nährend, sättigend
Nähr‿mit|tel (*Mehrz.*), **...stof|fe** (*Mehrz.*)
Nah|rung, die; -
◇ Verpflegung, Proviant, Futter, Kost
Nah|rungs|mit|tel, das; **Nähr|wert**
Näh|sei|de; Naht, die; -, Nähte; **naht|los; Naht|stel|le**
Nah|ver|kehr; nah|ver|wandt
Näh|zeug
Nah|ziel
na|iv (natürlich; unbefangen; kindlich; treuherzig; einfältig, töricht); **Na|i|ve** [...*w*[e]], die; -n, -n (Darstellerin naiver Mädchenrollen); **Na|i|vi|tät** [*na-iwi...*], die; -, -en; **Na|iv|ling** (abschätzig für: gutgläubiger, törichter Mensch)
na ja!
Na|me, der; -ns, -n; **Na|men,** der; -s, - (seltener für: Name); **na|men|los; Na|men|lo|se,** der u. die; -n, -n; **na|mens** (im Namen, im Auftrag [von]; mit Namen); **Na|mens‿schild** (*Mehrz.* ...schilder), **...tag, ...vet|ter; na|ment|lich; nam|haft;** - machen; **näm|lich; näm|li|che;** der, die, das -; er ist noch der - (derselbe)
na|nu!
Na|palm, das; -s (hochwirksamer Füllstoff für Benzinbrandbomben); **Na|palm|bom|be**
Napf, der; -[e]s, Näpfe; **Napf|ku|chen**
Nap|pa, das; - (kurz für: Nappaleder); **Nap|pa|le|der**
Nar|be, die; -, -n; **nar|ben** (Gerberei: [Leder] mit Narben versehen); **nar|big**
Nar|ko|se, die; -, -n (Med.: Betäubung); **Nar|ko|ti|kum,** das; -s, ...ka (Rausch-, Betäubungsmittel); **nar|ko|ti|sie|ren** (betäuben)
Narr, der; -en, -en
◇ Tor, Einfaltspinsel (ugs.), Trottel (ugs.), Simpel (ugs.)
nar|ren; Nar|ren|frei|heit; nar|ren|si|cher; Nar|re|tei; Narr|heit; När|rin, die; -, -nen; **när|risch**
Nar|ziß, der; - u. ...zisses, ...zisse (eitler Selbstbewunderer); **Nar|zis|se,** die; -, -n (eine Zwiebelpflanze); **Nar|ziß|mus,** der; - (geh. für: übertriebene Eitelkeit, Ichbezogenheit, Selbstliebe); **nar|ziß|tisch**

[1] *Trenn.:* ...k|k...

na|sal (durch die Nase gesprochen, genäselt; zur Nase gehörend); **na|sa|lie|ren** (nasal, durch die Nase aussprechen); einen Laut -

na|schen; du naschst (naschest); **Na|sche|rei** (wiederholtes Naschen [nur *Einz.*]; auch für: Näscherei); **Nä|sche|rei** (meist *Mehrz.;* veraltend für: Süßigkeit); **nasch|haft; Nasch|kat|ze**

Na|se, die; -, -n; **na|se|lang** vgl. nase[n]lang; **nä|seln; Na|sen‿bein, ...blu|ten** (das; -s), **...flü|gel; na|se[n]|lang,** nas|lang (ugs.); alle - (jeden Augenblick, kurz hintereinander); **Na|sen‿län|ge, ...spit|ze, ...stü|ber; na|se|rümp|fend; na|se|weis; Na|se|weis,** der; -es, -e; **Nas|horn** (*Mehrz.* ...hörner); **nas|lang** vgl. nase[n]lang

Na|si-go|reng, das; -[e]s, - (indonesisches Reisgericht)

naß; nasser (auch: nässer), nasseste (auch: nässeste)

◇ feucht, klamm, klatschnaß, durchnäßt, [vor Nässe] triefend

Naß, das; Nasses (dicht. für: Wasser)

Nas|sau|er (ugs. für: auf anderer Leute Kosten Lebender; scherzh. für: Regenschauer)

Näs|se, die; -; **näs|seln** (ugs. für: ein wenig naß sein, werden); **näs|sen;** du näßt (nässest); **naß|fest;** -es Papier; **naß|forsch** (ugs. für: bes. forsch, keck, dreist); **naß|kalt**

Na|ti|on [...*zion*], die; -, -en (Staatsvolk)

na|tio|nal; -es Interesse

◇ staatlich, vaterländisch, patriotisch, nationalistisch (abwertend), chauvinistisch (abwertend)

Na|tio|nal‿be|wußt|sein, ...cha|rak|ter, ...elf, ...fei|er|tag, ...flag|ge, ...held, ...hym|ne; Na|tio|na|lis|mus, der; -, ...men (übertriebenes Nationalbewußtsein); **Na|tio|na|list,** der; -en, -en; **na|tio|na|li|stisch; Na|tio|na|li|tät,** die; -, -en (Volkstum; Staatsangehörigkeit; nationale Minderheit); **Na|tio|na|li|tä|ten|staat** (Mehr-, Vielvölkerstaat; *Mehrz.* ...staaten); **Na|tio|nal‿li|te|ra|tur, ...mann|schaft; na|tio|nal|so|zia|li|stisch; Na|tio|nal|spie|ler**

NATO, (auch:) **Na|to** = North Atlantic Treaty Organization [*no'th ᵉtläntik triti oʳgᵉnaiseⁱschᵉn*], die; - (westl. Verteidigungsbündnis)

Na|tri|um, das; -s (chem. Grundstoff, Metall; Zeichen: Na); **Na|tri|um|chlo|rid** [...*klo*...], das; -[e]s, -e (Kochsalz); **Na|tron,** das; -s (ugs. für: doppeltkohlensaures Natrium)

Nat|ter, die; -, -n

Na|tur, die; -, -en; **Na|tu|ral|be|zü|ge** (*Mehrz.;* Sachbezüge); **Na|tu|ra|li|en** [...*iᵉn*] (*Mehrz.;* Natur-, Bodenerzeugnisse); **Na|tu|ra|li|sa|ti|on** [...*zion*], **Na|tu|ra|li|sie|rung,** die; -, -en (Einbürgerung, Aufnahme in den Staatsverband; allmähl. Anpassung von Pflanzen u. Tieren); **na|tu|ra|li|sie|ren; Na|tu|ra|lis|mus,** der; -, ...men (Wirklichkeitstreue, -nähe; europäische Kunstrichtung Ende des 19. Jh.s); **na|tu|ra|li|stisch; na|tur|be|las|sen; Na|tur|bur|sche; Na|tu|rell,** das; -s, -e (Veranlagung; Eigenart; Gemütsart); **Na|tur‿er|eig|nis, ...er|schei|nung; na|tur|far|ben; Na|tur|freund; na|tur‿ge|ge|ben, ...ge|mäß; Na|tur‿ge|schich|te** (die; -), **...ge|setz; na|tur‿ge|treu, ...haft; Na|tur‿heil|kun|de** (die; -), **...ka|ta|stro|phe, ...kun|de** (die; -); **na|tür|lich; na|tur|rein; Na|tur|schutz|ge|biet; na|tur‿trüb, ...ver|bun|den; Na|tur|wis|sen|schaft** (meist *Mehrz.*)

Nau|tik, die; - (Schiffahrtskunde); **nau|tisch**

Na|vel [*nawᵉl,* auch: *neⁱwᵉl*], die; -, -s (Kurzform von Navelorange); **Na|vel|oran|ge** (kernlose Orange, die eine zweite kleine Frucht einschließt)

Na|vi|ga|ti|on [*nawigazion*], die; - (Schiffahrt[skunde]; Schiffs-, Flugzeugführung; Einhaltung des gewählten Kurses); **na|vi|gie|ren** (ein Schiff od. Flugzeug führen)

Na|zi, der; -s, -s (kurz für: Nationalsozialist); **Na|zis|mus,** der; - (kurz für: Nationalsozialismus); **na|zi|stisch** (kurz für: nationalsozialistisch); **Na|zi|zeit**

ne!, nee! (mdal. u. ugs. für: nein!)

'ne (ugs. für: eine); 'nen (ugs. für: einen)

Ne|an|der|ta|ler [nach dem Fundort Neandertal bei Düsseldorf] (vorgeschichtlicher Mensch)

Ne|bel, der; -s, -

◇ Dunst, Dampf, Brodem (geh.)

ne|bel‿grau, ...haft; Ne|bel‿horn (*Mehrz.* ...hörner); **ne|be|lig,** neb|lig; **ne|beln;** es nebelt; **Ne|bel|wand**

ne|ben; *Verhältnisw.* mit *Wemf.* u. *Wenf.:* - dem Hause stehen; - das Haus stellen;

ne|ben|an

ne|ben|bei

◇ nebenher, beiläufig, am Rande

ne|ben|be|ruf|lich; Ne|ben|buh|ler; ne|ben|ein|an|der; Ne|ben|ein|an|der [auch: *neb*...], das; -s; **Ne|ben‿ein|künf|te** *(Mehrz.),* **...fluß; ne|ben|her; ne|ben|her|fah|ren; ne|ben|hin;** etwas - sagen; **Ne|ben‿klä|ger, ...ko|sten** *(Mehrz.),* **...nie|re, ...pro|dukt, ...rol|le, ...sa|che; ne|ben|säch|lich; Ne|ben|säch|lich|keit; Ne|ben|satz** (Sprachw.); **ne|ben|ste|hend;** im nebenstehenden (hierneben), aber: das Nebenstehende; **Ne|ben‿stra|ße, ...ver|dienst** (der), **...wir|kung**

neb|lig, ne|be|lig
nebst; *Verhältnisw.* mit *Wemf.:* - seinem Hunde
ne|bu|los, ne|bu|lös (unklar, verworren, geheimnisvoll)
Ne|ces|saire [*neßäßär*], das; -s, -s („Notwendiges"; [Reise]behältnis für Toiletten-, Nähutensilien u. a.)
necken[1]**; Necke|rei**[1]**; neckisch**[1]
Nef|fe, der; -n, -n
Ne|ga|ti|on [*...zion*], die; -, -en (Verneinung; Verneinungswort); **ne|ga|tiv**[2] (verneinend; ergebnislos; kleiner als Null; Fotogr.; in den Farben gegenüber dem Original vertauscht); **Ne|ga|tiv**[2], das; -s, -e [*...w*[e]] (Fotografie: Gegen-, Kehrbild)
Ne|ger, der; -s, -
◇ Schwarzer, Farbiger, Afrikaner, Mohr (veraltet), Nigger (abwertend)
Ne|ger|kuß (mit Schokolade überzogenes Schaumgebäck)
ne|gie|ren (verneinen; bestreiten)
Ne|gli|gé [*...glische*], das; -s, -s (Hauskleid, Morgenrock)
ne|gro|id (den Negern ähnlich); **Ne|gro Spi|ri|tu|al** [*nigro*[u] *ßpiritju*[e]*l*], das (auch: der); - -s, - -s (geistliches Lied der Neger im Süden der USA)
neh|men; nahm (nähme), genommen; nimm!
◇ sich aneignen, Besitz nehmen/ergreifen von, sich einer Sache bemächtigen, greifen
Neh|rung (Landzunge)
Neid, der; -[e]s
◇ Mißgunst, Scheelsucht, Eifersucht
nei|den; Nei|der; Neid|ham|mel (abwertend für: neidischer Mensch); **neidisch; neid|los**
Nei|ge, die; -, -n; zur - gehen; **nei|gen**
Nei|gung; - zu etwas haben
◇ Strömung, Tendenz, Trend, Entwicklung, Zug · Vorliebe, Hang, Drang, Impetus, Trieb
nein; nein sagen; das Ja und das Nein
◇ mitnichten, keineswegs, keinesfalls, auf keinen Fall, unter keinen Umständen, kommt nicht in Frage, um keinen Preis, niemals, nie [und nimmer], ausgeschlossen, ganz und gar nicht, absolut nicht
Nein|stim|me
Ne|kro|log, der; -[e]s, -e (Nachruf)
Nek|tar, der; -s (ewige Jugend spendender Göttertrank; zuckerhaltige Blütenabsonderung)
Nel|ke, die; -, -n (Blume; Gewürz)
nen|nen; nannte (nennte [selten]), genannt; **nen|nens|wert; Nen|ner; Nenn|form** (für: Grundform, Infinitiv)

[1] *Trenn.:* ...k|k...
[2] Auch: *negatif, neg...* usw.

Neo|fa|schis|mus, der; - (faschistische Bestrebungen nach dem 2. Weltkrieg); **neo|fa|schi|stisch**
Ne|on, das; -s (chem. Grundstoff, Edelgas)
Nepp, der; -s (ugs. für: das Neppen); **nep|pen** (ugs. für: Gäste in Lokalen u. a. übervorteilen)
Nerv [*närf*], der; -s, -en; **Ner|ven‿bün|del** [*närf*[e]*n...*], **...kli|nik, ...ko|stüm** (ugs. scherzh.), **...sa|che** (ugs.), **...sä|ge** (ugs.), **...zu|sam|men|bruch; ner|vig** [*närw...*, auch: *närf...*] (sehnig, kräftig); **nerv|lich** (das Nervensystem betreffend); **ner|vös** [*...wöß*] (nervenschwach; reizbar); **Ner|vo|si|tät,** die; -; **nerv|tö|tend**
Nerz, der; -es, -e (Pelz[tier])
[1]**Nes|sel,** die; -, -n; [2]**Nes|sel,** der; -s, - (kurz für: Nesseltuch); **Nes|sel‿fie|ber, ...sucht** (die; -)
Nest, das; -[e]s, -er
Ne|stel, die; -, -n (landsch. für: Schnur); **ne|steln**
Nest‿flüch|ter (Zool.), **...häk|chen, ...hocker** [*Trenn.:* ...hok|ker]
nett (niedlich, zierlich; freundlich); **net|ter|wei|se** (ugs.); **Net|tig|keit; net|to** (rein, nach Abzug der Verpackung oder der Unkosten); **Net|to|ge|wicht**
Netz, das; -es, -e
neu: neuer, neu[e]ste; aufs neue (wieder, erneut); ein gutes neues Jahr wünschen; auf ein neues (abermals); aus alt wird neu; etw. auf neu trimmen; Altes und Neues; nichts, allerlei Neues; das Neueste, was ich höre; er ist aufs Neue (auf Neuerungen) erpicht
◇ ungebraucht, frisch, [funkel]nagelneu, brandneu (ugs.)
neu|ar|tig; Neu‿auf|la|ge, ...bau (*Mehrz.* ...bauten); **neu|er|dings** (kürzlich; von neuem); **Neue|rer; neu|er|lich** (neulich; von neuem); **neu|er|öff|net; Neu|er|schei|nung; Neue|rung; neu|ge|bo|ren; Neu|ge|bo|re|ne,** das; -n, -n (Säugling); **Neu|gier; Neu|gier|de,** die; -
neu|gie|rig
◇ wißbegierig, interessiert, schaulustig · **neugierig sein,** sich um alles kümmern, herumschnüffeln (ugs.), die Nase in alles stecken
Neu|heit; neu|hoch|deutsch; Neu|ig|keit; Neu|jahr [auch: *neujar*]; **Neu|land,** das; -[e]s; **neu|lich; Neu|ling; neu|mo|disch; Neu|mond,** der; -[e]s
neun, (ugs.:) neu|ne; alle neun[e]!; wir sind zu neunen od. zu neunt; **Neun,** die; -, -en (Ziffer, Zahl); **Neun‿au|ge** (ein Fisch); **Neu|ner** (ugs.); einen - schieben; **neu|ner|lei; neun|fach; neun|hun|dert; neun|mal; neun|mal|klug**

(spött. ugs. für: überklug); **neun|tau|send; neun|te; neun|tel; Neun|tel,** das; -s, -; **neun|tens; Neun|tö|ter** (ein Vogel); **neun|zehn; neun|zig;** er ist - Jahre alt; **Neun|zig,** die; -, -en (Zahl); der Mensch über -

Neur|al|gie, die; -, ...ien (Med.: in Anfällen auftretender Nervenschmerz); **neur|al|gisch; Neu|ro|lo|gie,** die; - (Lehre von den Nerven und ihren Erkrankungen); **Neu|ro|se,** die; -, -n (Med.: nicht organisch bedingtes Nervenleiden); **neu|ro|tisch**

Neu‿schnee, ...sil|ber (eine Legierung); **neu|stens,** neue|stens; **Neu|tö|ner** (Vertreter neuer Musik)

Neu|tra (*Mehrz.* von: Neutrum); **neu|tral; neu|tra|li|sie|ren; Neu|tra|lis|mus,** der; - (Grundsatz der Nichteinmischung in fremde Angelegenheiten [vor allem in der Politik]); **neu|tra|li|stisch; Neu|tra|li|tät,** die; -; **Neu|tron,** das; -s, ...onen (Physik: Elementarteilchen ohne elektrische Ladung); **Neu|tro|nen|bom|be; Neu|trum,** das; -s, ...tra, (auch:) ...ren (Sprachw.: sächliches Hauptwort, z. B. „das Buch")

neu|ver|mählt; Neu‿wahl, ...wert; neu|wer|tig; Neu|zeit, die; -; **neu|zeit|lich**

New|co|mer [*njukam^e r*], der; -s, - (Neuling); **News** [*njus*] (*Mehrz.;* Nachrichten)

nicht; - wahr?; gar -

Nich|te, die; -, -n

Nicht‿ein|hal|tung, ...ge|fal|len (das; -s); bei -

nich|tig; null u. -; **Nich|tig|keit**

Nicht‿me|tal|le, die *(Mehrz.),* **...rau|cher; nicht|ro|stend**

nichts; für -; zu -; gar -; sich - daraus machen; von - kommt -; - anderes, a b e r : - Neues, Gegenteiliges; **Nichts,** das; -; vor dem - stehen; aus dem - auftauchen; jmd. ist ein -

Nicht|schwim|mer; nichts|de|sto|trotz (ugs.); **nichts|de|sto|we|ni|ger; Nichts|nutz,** der; -es, -e; **nichts|nut|zig; nichts|sa|gend** (inhaltslos, ausdruckslos); **Nichts‿tu|er** (ugs.), **...tun** (das; -s); **nichts|wür|dig**

Nicht‿tän|zer, ...zu|tref|fen|de (das; -n) Nichtzutreffendes streichen

[1]**Nickel**[1], der; -s, - (mdal. für: boshaftes Kind); [2]**Nickel**[1], das; -s (chem. Grundstoff, Metall)

nicken[1]; **Nicker**[1] (ugs. für: Schläfchen); **Nicker|chen**[1] (ugs.)

Nicki[1], der; -s, -s (Pullover aus samtartigem Baumwollstoff)

nie; nie mehr, nie wieder

[1]*Trenn.:* ...k|k...

nie|der; nieder mit ihm!

nie|der|beu|gen; sich -

nie|der|drücken[1]

nie|de|re; das niedere Volk; hoch und nieder (jedermann)

Nie|der|gang, der; -[e]s; **nie|der|ge|hen**

nie|der|ge|schla|gen (auch für: traurig)

nie|der|knien; er ist niedergekniet

nie|der|knüp|peln

nie|der|kom|men; Nie|der|kunft, die; -, ...künfte

Nie|der|la|ge

nie|der|las|sen; sich -

◇ sich ansiedeln, sich selbständig machen, sich etablieren, seßhaft werden

Nie|der|las|sung

nie|der|le|gen

Nie|der|schlag, der; -[e]s, ...schläge; **nie|der|schla|gen; Nie|der|schlags|men|ge**

nie|der|schmet|tern

nie|der|schrei|ben; Nie|der|schrift

nie|der|set|zen; ich habe mich niedergesetzt

nie|der|ste

nie|der|strecken [*Trenn.:* ...strek|ken]

Nie|der|tracht, die; -; **nie|der|träch|tig; Nie|der|träch|tig|keit**

Nie|de|rung

nie|der|wer|fen

nied|lich; Nied|lich|keit

nied|rig; niedrige Beweggründe; hoch und niedrig (jedermann)

nie|mals

nie|mand; - anders; **Nie|mand,** der; -[e]s; der böse - (auch für: Teufel); **Nie|mands|land,** das; -[e]s (Kampfgebiet zwischen feindlichen Linien; unerforschtes, herrenloses Land)

Nie|re, die; -, -n; künstliche - (med. Gerät); **nie|ren|för|mig; Nie|ren|stein**

nie|seln (ugs. für: leise regnen)

nie|sen; Nies|pul|ver

Nieß|brauch, der; -[e]s (Nutzungsrecht)

Nies|wurz, die; -, -en (ein Heilkraut)

Niet, der (auch: das); -[e]s, -e (Metallbolzen); [1]**Nie|te,** die; -, -n (nichtfachspr. für: Niet)

[2]**Nie|te,** die; -, -n (Los, das nichts gewonnen hat; Reinfall, Versager)

nie|ten; niet- und na|gel|fest

Nig|ger, der; -s, - (abwertend für: Neger)

Night|club [*naitklab*], der; -s, -s (Nachtlokal, Nachtklub)

Ni|hi|lis|mus, der; - (völlige Verneinung aller Normen und Werte); **Ni|hi|list,** der; -en, -en; **ni|hi|li|stisch**

Ni|ko|laus [auch: *nik...*], der; -, -e, (volkstümlich:) ...läuse (als hl. Nikolaus verkleidete Person; den hl. Nikolaus darstellen-

[1]*Trenn.:* ...k|k...

de Figur); **Ni|ko|laus|tag** [auch: *nik...*] (6. Dezember)
Ni|ko|tin, das; -s (Alkaloid im Tabak); **ni|ko|tin|arm**
Nim|bus, der; -, -se (Heiligenschein, Strahlenkranz; [unverdienter] Ruhmesglanz)
nim|mer (landsch. für: niemals; nicht mehr); nie und -; **Nim|mer|leins|tag** (spött.); **nim|mer|mehr** (landsch. für: niemals); **nim|mer|mü|de; Nim|mer|satt,** der; - u. -[e]s, -e (abwertend für: jmd., der nicht genug bekommen kann); **Nim|mer|wie|der|se|hen,** das; -s; auf - (ugs.)
Nip|pel, der; -s, - (kurzes Rohrstück mit Gewinde)
nip|pen
Nip|pes [*nipeß; nip(ß)*] (*Mehrz.;* kleine Ziergegenstände [aus Porzellan]); **Nipp|sa|chen** (*Mehrz.;* kleine Ziergegenstände)
nir|gend (geh. für: nirgends); **nir|gends; nir|gend[s]|wo; nir|gend[s]|wo|hin**
Nir|wa|na, das; -[s] (im Buddhismus die völlige, selige Ruhe als Endzustand)
Ni|sche, die; -, -n
Niß, die; -, Nisse u. **Nis|se,** die; -, -n (Ei der Laus)
ni|sten; Nist|ka|sten
Ni|trat, das; -[e]s, -e (Salz der Salpetersäure); **Ni|trid,** das; -[e]s, -e (Metall-Stickstoff-Verbindung); **Ni|trit,** das; -s, -e (Salz der salpetrigen Säure); **Ni|tro|gly|ze|rin,** das; -s (Sprengstoff; gefäßerweiterndes Arzneimittel)
Ni|veau [*niwo*], das; -s, -s (waagerechte Fläche; [gleiche] Höhe, Höhenlage; Rang, Stufe, [Bildungs]stand; Gesichtskreis); **ni|vel|lie|ren** (gleichmachen; ebnen; Höhenunterschiede [im Gelände] bestimmen)
Nix, der; -es, -e (germ. Wassergeist); **Ni|xe,** die; -, -n
no|bel (adlig, edel, vornehm; ugs. für: freigebig); no|bler Mensch
No|bel|preis
No|bles|se [*nobläß(e)*], die; -, -n (veralt. für: Adel; adelige, vornehme Welt; veraltend nur *Einz.* für: vornehmes Benehmen); **no|blesse ob|lige** [*nobläß oblisch*] (Adel verpflichtet)
noch; - nicht; - einmal; **noch|mals**
Nockerl[1], das; -s, -n (österr. für: [Suppen]einlage, Klößchen; naives Mädchen)
no fu|ture [*nou fjutscher*] („keine Zukunft"; Schlagwort meist arbeitsloser Jugendlicher)
no iron [*nou airen*] (nicht bügeln, bügelfrei [Hinweis an Kleidungsstücken])
no|lens vo|lens (wohl oder übel)

[1] *Trenn.:* ...k|k...

No|ma|de, der; -n, -n (Umherschweifender; Wanderhirt; Angehöriger eines Hirten-, Wandervolkes)
No|men, das; -s, ...mina (Name; Sprachw.: Nennwort, Hauptwort, z. B. „Haus"; häufig auch für Eigenschaftswort u. andere deklinierbare Wortarten);
No|men|kla|tur, die; -, -en (Zusammenstellung von Fachausdrücken, bes. in Biologie u. Physik); **No|mi|na** (*Mehrz.* von: Nomen); **no|mi|nal** (zum Namen gehörend; zum Nennwert); **No|mi|na|tiv** [auch: *...tif*], der; -s, -e [*...we*] (Sprachw.: Werfall, 1. Fall); **no|mi|nell** ([nur] dem Namen nach [bestehend], vorgeblich; zum Nennwert); **no|mi|nie|ren** (benennen, bezeichnen; ernennen)
No-name-Pro|dukt [*nouneim...*] (neutral verpackte Ware ohne Marken- od. Firmenzeichen)
Non|cha|lance [*nongschalangß*], die; - ([Nach]lässigkeit, formlose Ungezwungenheit); **non|cha|lant** [*...lang,* als Beifügung: *...ant*] ([nach]lässig, formlos, ungezwungen)
Non-food-Ab|tei|lung [*nonfud...*] (Abteilung in Einkaufszentren, in der keine Lebensmittel, sondern andere Gebrauchsgüter verkauft werden)
Non|kon|for|mis|mus, der; - (individualistische Haltung in politischen u. sozialen Fragen); **non|kon|for|mi|stisch**
Non|ne, die; -, -n
Non|plus|ul|tra, das; - („nicht darüber hinaus"; Unübertreffbares, Unvergleichliches)
Non|sens, der; - u. -es (Unsinn; törichtes Gerede)
non|stop (ohne Halt, ohne Pause); - fliegen, spielen; **Non|stop|ki|no** (Kino mit fortlaufenden Vorführungen u. durchgehendem Einlaß)
Nop|pe, die; -, -n (Knoten in Geweben); **nop|pen** (Knoten aus dem Gewebe entfernen, abzupfen)
[1]**Nord** (Himmelsrichtung); bei Ortsnamen: Frankfurt (Nord); [2]**Nord,** der; -[e]s, (selten:) -e (dicht. für: Nordwind); **Norden,** der; -s; das Gewitter kommt aus -; gen Norden; **nor|disch** (den Norden betreffend); -e Kälte; **Nord|kap,** das; -s (nördlichster Punkt Europas); **Nord|län|der,** der; **nord|län|disch; nörd|lich;** die -e Halbkugel; - von Frankfurt; *Verhältnisw.* mit *Wesf.:* [20 km] - der Grenze; **Nord|licht** (*Mehrz.* ...lichter); **Nord|pol,** der; -s; **Nord|sei|te; nord|wärts; Nord|wind**
nör|geln; Nörg|ler
Norm, die; -, -en (Richtschnur, Regel; sittliches Gebot oder Verbot als Grundlage der Rechtsordnung; Größenanweisung der Technik); **nor|mal** (der Norm

entsprechend; üblich, durchschnittlich; geistig gesund); **nor|ma|ler|wei|se; nor|ma|li|sie|ren** (einheitlich gestalten, vereinheitlichen, normen); **nor|ma|tiv** (maßgebend, als Richtschnur dienend); **Norm|blatt**

nor|men (einheitlich festsetzen, gestalten; [Größen] regeln)

◇ normieren, vereinheitlichen, standardisieren

nor|mie|ren (älter für: normen); **Normung** (einheitliche Gestaltung, [Größen]regelung)

Nor|ne, die; -, -n (meist *Mehrz.;* nordische Schicksalgöttin)

Nost|al|gie, die; - (Med.: Heimweh; Sehnsucht); **nost|al|gisch** (heimwehkrank; sehnsuchtsvoll)

Not, die; -, Nöte; in Not sein; Not leiden, aber: not sein, tun, werden; das ist vonnöten

◇ Notlage, Übel, Zwangslage, Bedrängnis, Dilemma, Misere, Verlegenheit, Bredouille (ugs.), Schlamassel (ugs.)

no|ta|be|ne („merke wohl!"; übrigens); **No|tar,** der; -s, -e (Amtsperson zur Beurkundung von Rechtsgeschäften); **No|ta|ri|at,** das; -[e]s, -e (Amt eines Notars); **no|ta|ri|ell** (von einem Notar ausgefertigt und beglaubigt)

Not‿aus|gang, ...be|helf; Not|durft, die; -

not|dürf|tig

◇ schlecht und recht, behelfsmäßig, provisorisch

No|te, die; -, -n; **No|ten** (*Mehrz.;* ugs. für: Musikalien); **No|ten‿bank** (*Mehrz.* ...banken), **...schlüs|sel, ...stän|der**

Not|fall, der; **not|falls; not|ge|drun|gen; Not‿ge|mein|schaft, ...gro|schen; Not|hel|fer;** die Vierzehn - (kath. Heilige)

no|tie|ren (aufzeichnen; vormerken; Kaufmannsspr.: den Kurs eines Papiers, den Preis einer Ware festsetzen)

nö|tig; etwas - haben; das Nötigste

◇ erforderlich, notwendig, unerläßlich, geboten (geh.), unumgänglich, dringlich

nö|ti|gen

◇ zwingen, erpressen

nö|ti|gen|falls; Nö|ti|gung

No|tiz, die; -, -en; **No|tiz|block** (*Mehrz.* ...blocks)

Not|la|ge; not|lan|den; ich notlande, bin notgelandet; um notzulanden; **Not|lan|dung; not|lei|dend**

no|to|risch (offenkundig, allbekannt; berüchtigt)

not|reif; Not|ruf; not|schlach|ten; Not‿sitz, ...stand, ...wehr (die; -); **not|wen|dig** [auch: *notwän...*]; **Not|wen|dig|keit** [auch: *notwän...*]; **Not|zucht,** die; -; **not|züch|ti|gen**

Nou|gat [*nugat*], der (auch: das); -s, -s (Süßware aus Zucker und Nüssen oder Mandeln)

No|vel|le [*nowäle*], die; -, -n (Prosaerzählung; Nachtragsgesetz); **no|vel|lie|ren** (ein Gesetzbuch mit Novellen versehen)

No|vem|ber [*...wäm...*], der; -[s], - (elfter Monat im Jahr; Abk.: Nov.); **no|vem|ber|lich**

No|vi|tät [*nowi...*], die; -, -en (Neuerscheinung; Neuheit [der Mode u. a.]; veralt. für: Neuigkeit); **No|vi|ze,** der; -n, -n u. die; -, -n (Mönch od. Nonne während der Probezeit; Neuling); **No|vum** [*nowum,* auch: *no...*], das; -s, ...va („Neues"; Neuheit; neuhinzukommende Tatsache, die die bisherige Kenntnis oder Lage [eines Streitfalles] ändert)

Nu, der (sehr kurze Zeitspanne); nur in: im -, in einem -

Nu|an|ce [*nüangße*], die; -, -n (Abstufung; feiner Übergang; Feinheit; Ton, [Ab]tönung; Schimmer, Spur, Kleinigkeit); **nu|an|cie|ren** (sehr fein abstufen, differenzieren)

nüch|tern

Nuckel[1], der; -s, - (ugs. für: Schnuller); **nuckeln**[1] (ugs. für: saugen)

Nu|del, die; -, -n; **nu|del|dick** (ugs. für: sehr dick); **Nu|del|holz; nu|deln**

Nu|dis|mus, der; - (Freikörperkultur)

Nug|get [*nagit*], das; -[s], -s (natürlicher Goldklumpen)

nu|kle|ar (den Atomkern betreffend); -e Waffen (Kernwaffen); **Nu|kle|ar|me|di|zin** (Teilgebiet der Strahlenmedizin)

null; - und nichtig; - Fehler haben; - Uhr; - Komma eins (0,1); acht minus acht ist [gleich] -; **[1]Null,** die; -, -en (Ziffer; Nullpunkt; Wertloses); Nummer -; das Ergebnis der Untersuchungen war gleich -; in - Komma nichts; er ist eine reine -; das Thermometer steht auf -; Temperaturen über, unter -; die Stunde -; **[2]Null,** der (auch: das); -[s], -s (Skatspiel: Nullspiel); **null|acht|fünf|zehn,** in Ziffern: 08/15 (ugs. für: wie üblich, durchschnittlich, Allerwelts-); **Null ou|vert** [*- uwär*], der (selten: das); - -, - -s [*- uwärß*] (offenes Nullspiel [beim Skat]); **Null‿punkt** (auf dem -), **...ta|rif** (kostenlose Benutzung der öffentl. Verkehrsmittel)

nu|me|rie|ren (beziffern, [be]nummern); **nu|me|risch** (zahlenmäßig, der Zahl nach; mit Ziffern [verschlüsselt]); **Nu|me|rus** [auch: *nu...*], der; -, ...ri (Zahl; Ebenmaß; Sprachw.: Zahlform des Hauptwortes [Singular, Plural]); **Nu|me|rus clau|sus,** der; - - („geschlossene Zahl"; zahlenmäßig beschränkte Zulassung [zu einem Beruf, bes. zum Studium])

[1] *Trenn.:* ...k|k...

Nu|mis|ma|tik, die; - (Münzkunde)
Num|mer, die; -, -n (Zahl; Abk.: Nr.); - fünf; etwas ist Gesprächsthema - eins; - Sicher (scherzh. für: Gefängnis)
nun; von - an; **nun|mehr**
Nun|ti|us, der; -, ...ien [...*iᵉn*] („Bote"; ständiger Botschafter des Papstes)
nur; - mehr (landsch. für: nur noch)
nu|scheln (ugs. für: undeutlich reden)
Nuß, die; -, Nüsse; **Nuß-knacker** [*Trenn.:* ...knak|ker], **...scha|le** (auch spött. für: kleines Schiff)
Nü|ster [auch: *nü...*], die; -, -n (meist *Mehrz.*)
Nut, die; -, -en (in der Technik nur so) u. **Nu|te,** die; -, -n (Furche, Fuge)
Nu|tria, die; -, -s ([Pelz der] Biberratte)
Nut|te, die; -, -n (derb für: Straßenmädchen)
nutz; zu nichts - sein (südd., österr. für: zu nichts nütze sein); **Nutz,** der (veralt. für: Nutzen); zu Nutz und Frommen; **nutzbar;** - machen; **Nutz|bar|ma|chung; nutz|brin|gend; nüt|ze;** [zu] nichts -; **Nutz|ef|fekt** (Nutzleistung, Wirkungsgrad); **nut|zen;** du nutzt (nutzest) u. (häufiger:) **nüt|zen;** du nützt (nützest); es nützt mir nichts; **Nut|zen,** der; -s; es ist von -
nütz|lich
◇ nutzbringend, förderlich, konstruktiv (geh.), fruchtbar, lohnend, ersprießlich
Nütz|lich|keit, die; -
nutz|los
◇ unnötig, überflüssig, entbehrlich, unnütz
Nutz|nie|ßer; Nutz|pflan|ze; Nutzung
Ny|lon [*nailon*], das; -[s], (für Strumpf auch *Mehrz.*:) -s (haltbare synthet. Textilfaser)
Nym|phe, die; -, -n („Braut, Jungfrau"; gr. Naturgottheit; Zool.: Entwicklungsstufe [der Libelle]); **Nym|pho|ma|nie,** die; - (krankhaft gesteigerter Geschlechtstrieb bei der Frau)

O

O (Buchstabe); das O; des O, die O
o, (alleinstehend:) oh!; o ja!; o weh!; o daß...!; oje!
Ω, ω = Omega
Oa|se, die; -, -n (Wasserstelle in der Wüste)
¹ob; das Ob und Wann
²ob; *Verhältnisw.* mit *Wemf.* (veralt., aber noch mdal. für: oberhalb, über), z. B. - dem Walde, Rothenburg - der Tauber; *Verhältnisw.* mit *Wesf.*, seltener mit *Wemf.* (gehoben für: über, wegen), z. B. ob des Glückes, ob gutem Fang erfreut sein
Ob|acht, die; -; - geben; in - nehmen
Ob|dach, das; -[e]s; **ob|dach|los**
Ob|duk|ti|on [*...zion*], die; -, -en (Med.: Leichenöffnung); **ob|du|zie|ren**
O-Bei|ne *(Mehrz.);* **O-bei|nig**
Obe|lisk, der; -en, -en (freistehender Spitzpfeiler)
oben; nach -; das - Erwähnte; - ohne (ugs. für: busenfrei); **oben|an;** - stehen; **oben|auf;** - schwimmen; **oben|drauf** (ugs.); - liegen; **oben|drein; oben|drüber** (ugs.); **oben|durch; oben|erwähnt** (genannt); der obenerwähnte Dichter; **oben|ge|nannt; oben|herein; oben|hin** (flüchtig); **oben|hinaus;** - wollen; **oben|ste|hend;** im -en (weiter oben)
ober; vgl. obere; **Ober,** der; -s, - (Spielkarte; [Ober]kellner); **Ober-arm, ...arzt, ...auf|sicht, ...be|fehl, ...beklei|dung, ...bür|ger|mei|ster; obere;** -r Stock; die ober[e]n Klassen; **¹Obere,** das; -n (Höheres); **²Obe|re,** der; -n, -n (Vorgesetzter); **Ober|flä|che; oberfläch|lich; ober|gä|rig;** -es Bier; **Ober|ge|schoß; ober|halb;** *Verhältnisw.* mit *Wesf.*: - des Dorfes; *Umstandsw.*: - von Heidelberg; **Ober-hand** (die; -), **...hemd; Obe|rin,** die; -, -nen; **Ober-kie|fer, ...kör|per, ...lauf** (der; -[e]s), **...lip|pe**
Ober|schicht
◇ Elite, Hautevolee, die oberen Zehntausend, die Creme, die Crème de la crème, High-Society, Upper ten, Schickeria
Ober-schu|le, ...schü|ler; oberst; Oberst, der; -en u. -s, -en (seltener: -e); **ober|ste;** oberstes Stockwerk; das Oberste zuunterst kehren; **Ober|ste,** der; -n, -n (Vorgesetzter); **Ober|stüb|chen,** meist in: im - nicht ganz richtig sein (ugs. für: nicht ganz normal sein); **Ober|stufe, ...teil** (das od. der); **Ober|was|ser,** das; -s (auch übertr. ugs. in den Wendungen: - haben, bekommen: im Vorteil sein, in Vorteil kommen)
Ob|frau
ob|gleich
◇ obwohl, obschon, wennschon, wenngleich, wenn auch, wiewohl, obzwar, ungeachtet
Ob|hut, die; -
obig; im -en (weiter oben); der Obige
Ob|jekt, das; -[e]s, -e (Ziel, Gegenstand; Sprachw.: [Sinn-, Fall]ergänzung); **objek|tiv** (gegenständlich; tatsächlich; sachlich); **Ob|jek|tiv,** das; -s, -e [...*wᵉ*]

(bei opt. Instrumenten die dem Gegenstand zugewandte Linse); **ob|jek|ti|vie|ren** (vergegenständlichen); **Ob|jek|ti|vi|tät,** die; - (strenge Sachlichkeit; Vorurteilslosigkeit, Unvoreingenommenheit; objektive Darstellung)
Ob|la|te, die; -, -n (ungeweihte Hostie; dünnes Gebäck; Unterlage für Konfekt)
ob|lie|gen [auch, österr. nur: *opli...*]; es liegt mir ob, (daneben, vor allem südd. u. österr.:) es obliegt mir
ob|li|gat (unerläßlich, erforderlich, unentbehrlich); **ob|li|ga|to|risch** (verpflichtend, bindend, verbindlich, Zwangs...)
Ob‿mann (*Mehrz.* ...männer u. ...leute), **...män|nin**
Oboe, die; -, -n (ein Holzblasinstrument)
Obo|lus, der; -, - u. -se (kleine Münze im alten Griechenland; übertr. für: Scherflein; kleiner Beitrag)
Ob|rig|keit; von -s wegen
Obrist (veralt. für: Oberst)
ob|schon
Ob|ser|va|to|ri|um, das; -s, ...ien [*...iᵉn*] ([astronom., meteorolog., geophysikal.] Beobachtungsstation); **ob|ser|vie|ren** (Amtsspr. für: beobachten, prüfen, untersuchen)
Ob|ses|si|on, die; -, -en (Psych.; Zwangsvorstellung)
ob|skur (dunkel; unbekannt; verdächtig; unbekannter Herkunft)
Obst, das; -[e]s, *(Mehrz.:)* Obstsorten; **Obst|ler, Öbst|ler** (landsch. für: Obsthändler; aus Obst gebrannter Schnaps)
ob|szön (unanständig, schamlos, anstößig, schlüpfrig); **Ob|szö|ni|tät**
Obus, der; Obusses, Obusse (Kurzform von: Oberleitungsomnibus)
ob|wohl; ob|zwar (veraltend)
och! (ugs. für: ach!)
Ochs, der; -en, -en (ugs. u. mdal. für: Ochse); **Och|se,** der; -n, -n; **och|sen** (ugs. für: angestrengt arbeiten); du ochst (ochsest); **Och|sen‿au|ge** (landsch. auch für: Spiegelei), **...tour** (ugs. für: langsame, mühselige Arbeit, [Beamten]laufbahn)
Öchs|le, das; -s, - (Maßeinheit für das spezif. Gewicht des Mostes); 90° -
Ocker[1], der od. das; -s, - (zur Farbenherstellung verwendete Tonerde)
öd, öde
Ode, die; -, -n (feierliches Gedicht)
öd[e]; Öde, die; -, -n
Odem, der; -s (dicht. für: Atem)
Ödem, das; -s, -e (Gewebewassersucht)
oder
Odi|um, das; -s (Haß, Feindschaft; Makel)

[1] *Trenn.:* ...k|k...

Öd|land (*Mehrz.* ...ländereien)
Odys|see, die; -, (für: Irrfahrt auch *Mehrz.*) ...sseen (gr. Heldengedicht; übertr. für: Irrfahrt)
Œu|vre [*öwr*[(e)]], das; -, -s [*öwr*[(e)]] (franz. Bez. für: [Gesamt]werk eines Künstlers)
Ofen, der; -s, Öfen; **Ofen|bank** (*Mehrz.* ...bänke); **ofen|frisch** (frisch aus dem Backofen)
Off, das; - (Fernsehen: das Unsichtbarbleiben des [kommentierenden] Sprechers); im, aus dem - sprechen
of|fen; off[e]ner, -ste; ein offener Brief; Beifall auf offener Bühne; mit offenen Karten spielen (übertr. für: ohne Hintergedanken handeln); ein offener Wein (im Ausschank); - gesagt (frei herausgesagt)
◇ aufgeschlossen, zugänglich, empfänglich · ehrlich, gerade, offenherzig, unverhüllt
of|fen|bar [auch: *...bar*]
◇ offensichtlich, offenkundig, augenscheinlich · **offenbar werden,** sich herausstellen, sich zeigen, sich enthüllen
of|fen|ba|ren; du offenbarst; offenbart (auch noch: geoffenbart); zu -; **Of|fen|ba|rung; Of|fen|ba|rungs|eid; of|fen|blei|ben; of|fen|hal|ten** (vorbehalten; offenstehen lassen); **Of|fen|heit; of|fen|her|zig; of|fen|kun|dig** [auch: *...kun...*]; **of|fen|las|sen; of|fen|le|gen;** er hat die letzten Geheimnisse offengelegt; **of|fen|sicht|lich** [auch: *...sicht...*]
of|fen|siv (angreifend; angriffslustig); **Of|fen|si|ve** [*...wᵉ*], die; -, -n (Angriff)
of|fen|ste|hen (geöffnet sein; freistehen, gestattet sein); **öf|fent|lich;** -e Meinung; -e Hand; **Öf|fent|lich|keit,** die; -
of|fe|rie|ren (anbieten, darbieten); **Of|fer|te,** die; -, -n (Angebot, Anerbieten)
of|fi|zi|ell (amtlich; beglaubigt, verbürgt; feierlich, förmlich); eine -e Verlautbarung; **Of|fi|zier,** der; -s, -e; **of|fi|zi|ös** (halbamtlich, nicht verbürgt); eine -e Nachricht
off limits! (Eintritt verboten!, Sperrzone!)
öff|nen; sich -
◇ aufmachen, aufbrechen, erbrechen, aufbekommen, aufkriegen (ugs.), aufbringen (ugs.), auftun (ugs.)
Öff|nung
Off|set|druck (Gummidruck[verfahren]; *Mehrz.* ...drucke)
O-för|mig (in Form eines lat. O)
oft, öfter, öftest
◇ öfter, oftmals, des öfteren, häufig, wiederholt, mehrfach, vielfach, immer wieder
öf|ter; des öfter[e]n; **öf|ters** (landsch. für: öfter); **oft|ma|lig; oft|mals**
oh!; vgl. o; **oha!**

Oheim, der; -s, -e (veralt. für: Onkel)
Ohm, das; -[s], - (Maßeinheit für den elektr. Widerstand); 4 -
oh|ne; *Verhältnisw.* mit *Wenf.:* ohne ihren Willen; ohne weiteres; ohne Zögern; oben ohne (ugs. für: busenfrei)
◇ außer, ausgenommen, ausschließlich, mit Ausnahme, bis auf, abgesehen von, sonder (geh.)
oh|ne|dies; oh|ne|ein|an|der; - auskommen; **oh|ne|glei|chen**
oh|ne|hin
◇ ohnedies, sowieso, ohne weiteres, eh (landsch.)
Ohn|macht, die; -, -en
ohn|mäch|tig
◇ bewußtlos, besinnungslos · **ohnmächtig werden,** zusammenbrechen, in Ohnmacht fallen, kollabieren, zusammenklappen (ugs.), umkippen (ugs.)
oho!; oh, oh!
Ohr, das; -[e]s, -en; **Öhr,** das; -[e]s, -e (Nadelloch); **Öhr|chen** (kleines Ohr; kleines Öhr); **Oh|ren|beich|te; oh|ren|be|täu|bend; Oh|ren‿krie|cher** (Ohrwurm), **...sau|sen** (das; -s), **...schmalz, ...schmaus** (ugs. für: Genuß für die Ohren), **...schmerz** (meist *Mehrz.*), **...schüt|zer, ...ses|sel, ...zeu|ge**
Ohr|fei|ge
◇ Maulschelle (landsch.), Backpfeife (landsch.), Watsche (landsch.), Backenstreich (veraltet)
ohr|fei|gen; Ohr|fei|gen|ge|sicht (ugs.); **Ohr‿läpp|chen, ...mu|schel, ...ring, ...wurm** (ugs. auch für: leicht eingängige Melodie)
oje!; oje|mi|ne!
o.k., O.K. = okay
Oka|pi, das; -s, -s (kurzhalsige Giraffenart)
okay [*oᵘkéⁱ*] (amerik. für: richtig, in Ordnung); **Okay,** das; -[s], -s; sein - geben
Ok|ka|si|on (veralt. für: Gelegenheit, Anlaß; Kaufmannspr.: Gelegenheitskauf)
ok|kult (verborgen; geheim)
Ok|ku|pa|ti|on [*...zion*], die; -, -en (Besetzung [fremden Gebietes] mit od. ohne Gewalt)
Öko|lo|gie, die; - (Lehre von den Beziehungen der Lebewesen zur Umwelt); **öko|lo|gisch**
Öko|no|mie, die; -, ...ien (Wirtschaftlichkeit, sparsame Lebensführung [nur *Einz.*]; Lehre von der Wirtschaft); **öko|no|misch; Öko|pax|be|we|gung** (Bewegung, die für die Erhaltung der natürlichen Umwelt u. die Bewahrung des Friedens eintritt)
Ok|tan|zahl, die; -, -en (Maßzahl für die Klopffestigkeit der Motorkraftstoffe); **Ok|ta|ve** [*...wᵉ*], die; -, -n (achter Ton [vom Grundton an])
Ok|to|ber, der; -[s], - (zehnter Monat im Jahr; Abk.: Okt.)
ok|troy|ie|ren [*...troajirᵉn*] (aufdrängen, aufzwingen)
oku|lie|ren (Pflanzen durch Okulation veredeln, äugeln)
Öku|me|ne, die; - (die bewohnte Erde; Gesamtheit der Christen); **öku|me|nisch** (allgemein; die ganze bewohnte Erde betreffend, Welt...); -e Bewegung (zwischen- u. überkirchl. Bestrebungen christl. Kirchen u. Konfessionen zur Einigung in Fragen des Glaubens u. der religiösen Arbeit); -es Konzil (allgemeine kath. Kirchenversammlung)
Ok|zi|dent [auch: *...dänt*], der; -s (Abendland; Westen)
Öl, das; -[e]s, -e
Ol|die [*oᵘldi*], der; -s, -s (noch immer od. wieder beliebter alter Schlager); **Old|ti|mer** [*oᵘldtaimᵉr*], der; -s, - (Auto-, Eisenbahn-, Schiffs-, Flugzeugmodell aus der Frühzeit; auch für: langjähriges Mitglied einer Sportmannschaft od. bewährtes Rennpferd; alter Kämpe)
Ole|an|der, der; -s, - (immergrüner Strauch od. Baum, Rosenlorbeer)
ölen; Öl‿far|be, ...göt|ze (ugs. für: verständnislos dreinschauender Mensch); **ölig**
oliv (olivenfarben); **Oliv,** das; -s, - (ugs.: -s); ein Kleid in -; **Oli|ve** [*...wᵉ*, österr.: *...fᵉ*], die; -, -n (Frucht des Ölbaumes); **oliv‿grau, ...grün**
Öl|kri|se
Ol|le, der u. die; -n, -n (landsch. für: Alte)
Öl‿pa|pier, ...pest (Verschmutzung von Meeresküsten durch Rohöl), **...raf|fi|ne|rie, ...sar|di|ne; Ölung;** die Letzte -
Olymp, der; -s (Gebirgsstock in Griechenland; Wohnsitz der Götter; ugs. für: Galerieplatz im Theater); **Olym|pia|de,** die; -, -n (Zeitraum von vier Jahren zwischen zwei Olympischen Spielen; Olympische Spiele); **Olym|pia‿mann|schaft, ...sieg, ...sta|di|on; olym|pisch** (göttlich, himmlisch; die Olympischen Spiele betreffend)
Öl‿zeug, ...zweig
Oma, die; -, -s (Großmutter; ugs. für: alte, ältere Frau)
Om|buds|mann, der; -[e]s, ...männer (jmd., der die Rechte des Bürgers gegenüber den Behörden wahrnimmt)
Ome|ga, das; -[s], -s (gr. Buchstabe [langes O]: *Ω, ω*)
Omel|ett [*oml...*], das; -[e]s, -e u. -s u. (österr., schweiz. nur so:) **Ome|lette** [*...lät*], die; -, -n
◇ Eierkuchen, Pfannkuchen, Eierpfannkuchen; Schmarren (landsch.)
Omen, das; -s, - u. Omina (Vorzeichen; Vorbedeutung)

omi|nös (von schlimmer Vorbedeutung; bedenklich; anrüchig)
Om|ni|bus, der; -ses, -se („für alle"; vielsitziger Kraftverkehrswagen, Personenbeförderungsmittel; Kurzw.: Bus)
Ona|nie, die; - (Selbstbefriedigung); **ona|nie|ren**
On|dit [*ongdi*], das; -, -s („man sagt"; Gerücht); einem - zufolge
On|du|la|ti|on [*...zion*], die; -, -en (das Wellen der Haare mit der Brennschere); **on|du|lie|ren**
On|kel, der; -s, - (ugs., bes. nordd. auch: -s); **On|kel|ehe** (ugs. für: Zusammenleben einer Witwe mit einem Mann, den sie aus Versorgungsgründen nicht heiraten will); **on|kel|haft**
on the rocks [*-dh^e-*] (mit Eiswürfeln); Whisky on the rocks
Onyx, der; -[e]s, -e (ein Halbedelstein)
Opa, der; -s, -s (Großvater; ugs. für: alter, älterer Mann)
opak (fachspr. für: nur durchschimmernd, undurchsichtig)
Opal, der; -s, -e (ein Halbedelstein); **Opal|glas** (*Mehrz.* ...gläser)
Oper, die; -, -n
Ope|ra|teur [*...tör*], der; -s, -e (eine Operation vornehmender Arzt; Kameramann; Filmvorführer); **Ope|ra|ti|on** [*...zion*], die; -, -en (chirurg. Eingriff; [militärische] Unternehmung; Rechenvorgang; Verfahren); **ope|ra|tiv** (auf chirurgischem Wege, durch Operation; planvoll tätig; strategisch)
Ope|ret|te, die; -, -n (heiteres musikal. Bühnenwerk)
ope|rie|ren (einen chirurgischen Eingriff vornehmen; militärische Operationen durchführen; in bestimmter Weise vorgehen; mit etwas arbeiten)
Opern‿arie, ...glas (*Mehrz.* ...gläser), **...gucker** ([*Trenn.:* ...guk|ker] ugs. für: Opernglas); **opern|haft**
Op|fer, das; -s, -; **Op|fer|be|reit|schaft**
op|fern
◇ preisgeben, hergeben, darangeben (geh.), hingeben (geh.)
Op|fer‿sinn (der; -[e]s), **...stock** (*Mehrz.* ...stöcke; in Kirchen aufgestellter Sammelkasten)
Opi|at, das; -[e]s, -e (opiumhaltiges Arzneimittel); **Opi|um,** das; -s (aus dem Milchsaft des Schlafmohnes gewonnenes Betäubungsmittel u. Rauschgift)
Opos|sum, das; -s, -s (Beutelratte mit wertvollem Fell)
Op|po|nent, der; -en, -en (Gegner [im Redestreit]); **op|po|nie|ren** (entgegnen, widersprechen; sich widersetzen; gegenüberstellen); gegen jmdn. od. etw. -
op|por|tun (passend, nützlich, angebracht; zweckmäßig); **Op|por|tu|nis|mus,** der; - (Anpassen an die jeweilige Lage, Handeln nach Zweckmäßigkeit)
Op|por|tu|nist, der; -en, -en
◇ Radfahrer (ugs.), Konjunkturritter (abwertend), Gesinnungslump (abwertend)
Op|po|si|ti|on [*...zion*], die; -, -en; **op|po|si|tio|nell** (gegensätzlich; gegnerisch; zum Widerspruch neigend)
Op|tik, die; -, (selten:) -en (Lehre vom Licht; die Linsen enthaltender Teil eines opt. Gerätes; optischer Eindruck, optische Wirkung); **Op|ti|ker** (Hersteller od. Verkäufer von optischen Geräten)
op|ti|mal (sehr gut, beste, Best...)
Op|ti|mis|mus, der; - (Ggs.: Pessimismus)
◇ Zukunftsglaube, Hoffnungsfreude, Zuversichtlichkeit
Op|ti|mist, der; -en, -en; **op|ti|mi|stisch; Op|ti|mum,** das; -s, ...tima („das Beste"; das Wirksamste; Bestwert; Biol.: beste Lebensbedingungen)
Op|ti|on [*...zion*], die; -, -en (Entscheidungsrecht; Rechtsw.: Voranwartschaft)
op|tisch (Licht..., Augen..., Seh...; die Optik betreffend); -e Täuschung (Augentäuschung)
opu|lent (reich[lich], üppig)
Opus, das; -, Opera ([musikal.] Werk)
Ora|kel, das; -s, - (Ort, an dem Götter geheimnisvolle Weissagungen erteilen; auch: die Weissagung selbst); **ora|keln** (weissagen)
oral (Med.: den Mund betreffend; am Mund gelegen, durch den Mund)
oran|ge [*...angsch^e*] (goldgelb; orangenfarbig); ein - Band; die Bluse ist -; [1]**Oran|ge,** die; -, -n (schweiz., bes. südd. u. österr. für: Apfelsine); [2]**Oran|ge,** das; -, -, (ugs.:) -s (orange Farbe); ein Kleid in leuchtendem -; **Oran|gea|de** [*orangschad^e*], die; -, -n (Getränk aus Orangen- u. Zitronensaft); **Oran|geat** [*orangschat*], das; -s, -e (eingezuckerte Apfelsinenschalen); **oran|gen** [*orangsch^en*]; der Himmel färbt sich -
Orang-Utan, der; -s, -s („Waldmensch"; Menschenaffe)
Ora|to|ri|um, das; -s, ...ien [*...i^en*] (Hauskapelle; opernartiges Musikwerk [meist mit bibl. Inhalt])
Or|bit, der; -s, -s (Umlaufbahn); **or|bi|tal** (den Orbit betreffend)
Or|che|ster [*orkäß...*, auch: *orchäß...*], das; -s, - (Vereinigung einer größeren Zahl von Instrumentalisten; vertiefter Raum vor der Bühne)
Or|chi|dee [*orchide^(e)*], die; -, -n (eine exotische Zierpflanze)
Or|den, der; -s, - (Vereinigung mit bestimmten Regeln; Ehrenzeichen, Auszeichnung); **or|dent|lich;** -es (zuständiges) Gericht; **Or|der,** die; -, -s od. -n (ver-

alt., aber noch mdal. für: Befehl; Kaufmannsspr.: Bestellung, Auftrag); **Or|di|nal|zahl** (Ordnungszahl, z. B. „zweite"); **or|di|när** (gewöhnlich, alltäglich; unfein, unanständig); **Or|di|na|ri|us,** der; -, ...ien [...*iᵉn*] (ordentlicher Professor an einer Hochschule)

ord|nen

◇ Ordnung schaffen, aufräumen, in Ordnung bringen, richten

Ord|ner; Ord|nung; ord|nungs-ge|mäß, ...hal|ber; Ord|nungs-hü|ter (spött. für: Polizist), **...zahl** (für: Ordinalzahl)

Or|gan, das; -s, -e (Sinneswerkzeug, Körperteil; Sinn, Empfindung, Empfänglichkeit; Stimme; Beauftragter; Fach-, Vereinsblatt); **Or|ga|ni|sa|ti|on** [...*zion*], die; -, -en (Anlage, Aufbau, planmäßige Gestaltung; Einrichtung, Gliederung [nur *Einz.*]; Gruppe, Verband mit bestimmten Zielen); **Or|ga|ni|sa|tor,** der; -s, ...oren; **or|ga|ni|sa|to|risch; or|ga|nisch** (belebt, lebendig; auf ein Organ od. auf den Organismus bezüglich, zu ihm gehörend); **or|ga|ni|sie|ren** (auch ugs. für: sich etwas auf nicht ganz redliche Weise verschaffen); **or|ga|ni|siert** (einer polit. od. gewerkschaftl. Organisation angehörend); **Or|ga|nis|mus,** der; -, ...men (Gefüge; einheitliches, gegliedertes [lebendiges] Ganzes [meist *Einz.*]; Lebewesen); **Or|ga|nist,** der; -en, -en (Kirchenmusiker, Orgelspieler); **Or|gan-spen|der, ...ver|pflan|zung**

Or|gas|mus, der; -, ...men (Höhepunkt der geschlechtl. Erregung)

Or|gel, die; -, -n; **Or|gel|pfei|fe** (auch übertr. scherzh. ugs. in der Wendung: wie die -n [der Größe nach])

Or|gie [...*iᵉ*], die; -, -n (ausschweifendes Gelage; Ausschweifung)

Ori|ent [*ori-änt,* auch: *oriänt*], der; -s (die vorder- u. mittelasiat. Länder; östl. Welt; veralt. für: Osten); **ori|en|ta|lisch** (den Orient betreffend, östlich); **ori|en|tie|ren;** sich -; **Ori|en|tie|rungs|sinn,** der; -[e]s

ori|gi|nal (ursprünglich, echt; urschriftlich); **Ori|gi|nal,** das; -s, -e (Urschrift; Urbild, Vorlage; Urtext; eigentümlicher Mensch, Sonderling); **ori|gi|nal|ge|treu; Ori|gi|na|li|tät,** die; -, -en (Selbständigkeit; Ursprünglichkeit [nur *Einz.*]; Besonderheit, wesenhafte Eigentümlichkeit); **ori|gi|nell** (eigenartig, einzigartig; urwüchsig; komisch)

Or|kan, der; -[e]s, -e (stärkster Sturm)

Or|kus, der; - (Unterwelt)

Or|na|ment, das; -[e]s, -e (Verzierung; Verzierungsmotiv)

Or|nat, der; -[e]s, -e (feierl. [kirchl.] Amtstracht)

Or|ni|tho|lo|gie, die; - (Vogelkunde)

¹Ort, der; -[e]s, -e u. (Seemannsspr. u. Math. fachspr.:) Örter (Örtlichkeit; Ortschaft); an - und Stelle; höher[e]n -[e]s

²Ort, das; -[e]s, Örter (Bergmannsspr.: Ende einer Strecke, Arbeitsort); vor -

or|ten (den augenblicklichen Ort, Stand [des Flugzeuges] feststellen)

or|tho|dox (recht-, strenggläubig); **Or|tho|gra|phie,** die; -, ...ien (Rechtschreibung); **Or|tho|pä|de,** der; -n, -n (Facharzt für Orthopädie); **Or|tho|pä|die,** die; - (Lehre und Behandlung von Fehlbildungen und Erkrankungen der Bewegungsorgane)

ört|lich; Ört|lich|keit; Ort|schaft; Orts|ge|spräch (Telefonwesen); **orts|kun|dig; Orts-na|me, ...sinn** (der; -[e]s); **Or|tung** [zu: orten]

Os|car, der; -[s], -[s] (Statuette, die als Filmpreis verliehen wird)

Öse, die; -, -n

¹Ost (Himmelsrichtung); bei Ortsnamen: Frankfurt (Ost); **²Ost,** der; -[e]s, (selten:) -e (dicht. für: Ostwind); **Osten,** der; -s (Himmelsrichtung); gen Osten

osten|ta|tiv (zur Schau gestellt, betont)

Oster-brauch, ...ei, ...fest, ...glocke [*Trenn.:* ...glok|ke], **...ha|se; öster|lich; Oster|marsch,** der; **Ostern,** das; - (Osterfest); - fällt früh; (in Wunschformeln auch als *Mehrz.*:) fröhliche -!

öst|lich; - von Mannheim; *Verhältnisw.* mit *Wesf.*: - des Waldes

Östro|gen, das; -s, -e (ein Hormon)

ost|wärts; Ost|wind

¹Ot|ter, der; -s, - (eine Marderart)

²Ot|ter, die; -, -n (eine Schlange); **Ot|tern|ge|zücht** (bibl.)

Ot|to|mo|tor (Vergasermotor)

out [*aut*] (unzeitgemäß, unmodern); **Out|law** [*autlå*], der; -[s], -s (Geächteter; Verbrecher); **Out|put** [*autput*], der (auch: das); -s, -s (Wirtsch.: Produktion[smenge]; EDV: Arbeitsergebnisse einer Datenverarbeitungsanlage); **Out|si|der** [*autßaidᵉr*], der; -s, - („Außenseiter")

Ou|ver|tü|re [*uwär...*], die; -, -n (Eröffnung; Vorspiel [einer Oper u. a.])

oval [*ow...*] (eirund, länglichrund); **Oval,** das; -s, -e (Ei-, Langrund)

Ova|ti|on [*owazion*], die; -, -en (Huldigung, Beifallskundgebung)

Over|all [*oᵘwᵉrål*], der; -s, -s (Schutz-, Überziehanzug für Mechaniker; einteiliger Anzug)

Ovu|la|ti|on [...*zion*], die; -, -en (Ausstoßung des reifen Eies aus dem Eierstock); **Ovu|la|ti|ons|hem|mer,** der; -s, - (hormonales Empfängnisverhütungsmittel)

Oxer, der; -s, - (Hindernis zwischen Viehweiden; Pferdesport: Hindernis bei Springprüfungen)

Oxid, das; -[e]s, -e, **Oxi|da|ti|on,** die; -, -en usw. (chemisch fachsprachlich für: Oxyd, Oxydation usw.); **Oxyd,** das; -[e]s, -e (Sauerstoffverbindung); **Oxy|da|ti|on, Oxy|die|rung** (Tätigkeit, auch Ergebnis des Oxydierens); **oxy|die|ren** (sich mit Sauerstoff verbinden; Sauerstoff aufnehmen, verbrennen)

Oze|an, der; -s, -e (Weltmeer; Teile des Weltmeeres); **Oze|an|damp|fer; ozea|nisch** (Meeres...; zu Ozeanen gehörend); **Ozea|no|gra|phie,** die; - (Meereskunde)

Oze|lot [auch: *oz*...], der; -s, -e (ein Raubtier Nord- u. Südamerikas; auch Bez. für den Pelz)

Ozon, das (ugs.: der); -s (besondere Form des Sauerstoffs)

P

P (Buchstabe); das P; des P, die P

Π, π = [1]Pi; π = [2]Pi

[1]**paar** (einige); ein paar Male; die - Groschen; [2]**paar** (gleich); -e Zahlen; - oder unpaar; **Paar,** das; -[e]s, -e (zwei zusammengehörende Personen od. Dinge); ein - neue, (selten:) neuer Schuhe; mit zwei - neuen Schuhen, (selten:) neuer Schuhe; **paa|ren;** sich -; **Paar|lauf; paar|lau|fen** (nur in der Grundform u. im 2. Mittelw. gebr.); **paar|mal;** ein -; **Paa|rung; paar|wei|se**

Pace [*pe'ß*], die; - (Gangart des Pferdes; Renntempo)

Pacht, die; -, -en; **pach|ten; Päch|ter; Pacht|ver|trag**

[1]**Pack,** der; -[e]s, -e u. Päcke (Gepacktes; Bündel); [2]**Pack,** das; -[e]s (verächtl. für: Pöbel); **Package|tour**[1] [*päkidsehtur*] (durch ein Reisebüro vorbereitete Reise im eigenen Auto); **Päck|chen; Pack|eis** ([übereinandergeschobenes] Scholleneis in den Polarländern); **packen**[1]; **Packen**[1], der; -s, -; **Packer**[1]; **Pack‿esel** (verächtl. für: jmd., dem alles aufgepackt wird), **...pa|pier; Packung**[1]; **Pack|wa|gen, ...zet|tel**

Päd|ago|ge, der; -n, -n (Erzieher; Lehrer; Erziehungswissenschaftler); **Päd|ago|gik,** die; - (Erziehungslehre, -wissenschaft); **päd|ago|gisch** (erzieherisch)

[1]*Trenn.:* ...k|k...

Pad|del, das; -s, - (freihändig geführtes Ruder mit schmalem Blatt); **Pad|del|boot; pad|deln**

Päd|erast, der; -en, -en (Homosexueller mit einer Vorliebe für Knaben)

Pa|el|la [*paälja*], die; -, -s (span. Reisgericht mit versch. Fleisch- u. Fischsorten, Muscheln u. a.)

paf|fen (ugs. für: [schnell u. stoßweise] rauchen)

Pa|ge [*pasch*[e]], der; -n, -n (früher: Edelknabe; heute: uniformierter junger Diener, Laufbursche); **Pa|gen|kopf**

Pa|go|de, die; -, -n („heiliges Haus“; [buddhist.] Tempel in Indien, China u. Japan)

Pail|let|te [*pajät*[e]], die; -, -n (meist *Mehrz.;* glitzerndes Metallblättchen zum Aufnähen, Flitter)

Pa|ket, das; -[e]s, -e

◇ Päckchen, Pack, Packen, Ballen, Bund, Bündel

Pa|ket|kar|te

Pakt, der; -[e]s, -e (Vertrag, Bündnis); **pak|tie|ren** (Vertrag schließen; gemeinsame Sache machen)

Pa|la|din [auch: *pa*...], der; -s, -e (Angehöriger des Heldenkreises am Hofe Karls d. Gr.; Hofritter; Berater des Fürsten; treuer Gefolgsmann); **Pa|lais** [*palä*], das; - [*paläß*], - [*paläß*] (Palast, Schloß); **Pa|last,** der; -[e]s, Paläste (prachtvolles, schloßartiges Gebäude)

Pa|la|tschin|ke, die; -, -n (meist *Mehrz.;* österr. für: gefüllter Eierkuchen)

Pa|la|ver [...*w*[e]*r*], das; -s, - (Ratsversammlung afrikan. Stämme; übertr. ugs. für: endloses Gerede u. Verhandeln); **pa|la|vern;** sie haben palavert

Pa|laz|zo, der; -s, ...zzi (it. Bez. für: Palast, Stadthaus)

Pa|le|tot [*pal*[e]*to*], der; -s, -s (veralt. für: doppelreihiger Herrenmantel mit Samtkragen; heute allg. für: dreiviertellanger Damen- od. Herrenmantel)

Pa|let|te, die; -, -n (Mischbrett für Farben; genormtes Lademittel für Stückgüter [Eisenbahn]; übertr. für: bunte Mischung)

pa|let|ti, in: alles - (ugs. für: in Ordnung)

Pa|li|sa|de, die; -, -n (Hindernis-, Schanzpfahl)

Pa|li|san|der, der; -s, - (brasil. Holzart)

Palm|art, Pal|men|art; **Pal|ma|rum** (Palmsonntag); **Palm|blatt,** Pal|menblatt; **Pal|me,** die; -, -n; **Pal|men|art;** Palm|art; **Pal|men|blatt;** Palm|blatt; **Pal|men|hain; Pal|men|zweig,** Palmzweig; **Palm‿kätz|chen, ...öl** (das; -[e]s); **Palm|sonn|tag** [auch: *palm*...]; **Palm|zweig,** Pal|men|zweig

Pamp, Pampf, der; -s (landsch. für: dikker Brei [zum Essen])

Pam|pa, die; -, -s (meist *Mehrz.;* ebene, baumlose Grassteppe in Südamerika)
Pam|pe, die; - (landsch. für: Schlamm, Sand- u. Schmutzbrei)
Pam|pel|mu|se [auch: *pamp^elmuse*], die; -, -n (eine Zitrusfrucht)
Pampf vgl. Pamp
Pam|phlet, das; -[e]s, -e (Flug-, Streit-, Schmähschrift)
pam|pig (mdal. für: breiig; übertr. ugs. für: frech)
Pa|na|de, die; -, -n (Weißbrotbrei zur Bereitung von Füllungen)
pa|na|schie|ren (bei einer Wahl seine Stimme für Kandidaten verschiedener Parteien abgeben)
Pan|da, der; -s, -s (asiatischer Kleinbär)
Pa|neel, das; -s, -e (Holztäfelung)
Pa|nier, das; -s, -e (veralt. für: Banner; übertr. für: Wahlspruch)
pa|nie|ren (in Ei u. Semmelbröseln wenden); **Pa|nier|mehl; Pa|nie|rung**
Pa|nik, die; -, -en (plötzl. Schrecken; Massenangst); **pa|nik|ar|tig; Pa|nik-ma|che; pa|nisch** (lähmend); -er Schrecken
Pan|ne, die; -, -n (ugs. für: Unfall, Schaden, Bruch, Störung [bes. bei Fahrzeugen]; Mißgeschick); **Pan|nen|kurs** (Lehrgang zum Beheben von Autopannen)
Pan|op|ti|kum, das; -s, ...ken („Gesamtschau"; Sammlung von Sehenswürdigkeiten; Wachsfigurenschau); **Pan|ora-ma,** das; -s, ...men (Rundblick; Rundgemälde; fotogr. Rundaufnahme); **Pan-ora|ma‿bus, ...spie|gel** (Kfz-Wesen)
pan|schen (ugs. für: mischend verfälschen; mit den Händen od. Füßen im Wasser patschen, planschen); du panschst (panschest); vgl. pantschen; **Pan|scher** (ugs.); **Pan|sche|rei** (ugs.)
Pan|sen, der; -s, - (Magenteil der Wiederkäuer)
Pan|the|is|mus, der; - (Weltanschauung, nach der Gott u. Welt eins sind); **Pan-the|on,** das; -s, -s (Tempel für alle Götter; Ehrentempel)
Pan|ther, der; -s, - (Leopard)
Pan|ti|ne, die; -, -n (Holzschuh, -pantoffel)
Pan|tof|fel, der; -s, -n (Hausschuh); **Pan|tof|fel|blu|me; Pan|tof|fel‿held** (ugs. für: Mann, der von der Ehefrau beherrscht wird), **...ki|no** (ugs. scherzh. für: Fernsehen), **...tier|chen; Pan|to|let-te,** die; -, -n (leichter Sommerschuh ohne Fersenteil)
[1]**Pan|to|mi|me,** die; -, -n (Darstellung einer Szene nur mit Gebärden; stummes Gebärdenspiel); [2]**Pan|to|mi|me,** der; -n, -n (Darsteller einer Pantomime); **pan-to|mi|misch**
pant|schen usw. (Nebenformen von: panschen usw.)
Pan|ty [*pänti*], die; -, ...ties [*päntis*] (Strumpfhose; eigtl.: Miederhöschen)
Pan|zer (Kampffahrzeug; früher: Rüstung, Harnisch; übertr. für: feste Hülle); **Pan|zer‿faust, ...glas, ...hemd** (hist.), **...kreu|zer; pan|zern; Pan|zer-schrank**
Pa|pa [ugs. auch: *papa*], der; -s, -s
Pa|pa|gal|lo, der; -[s], -s u. ...lli (it. [junger] Mann, der erotische Abenteuer mit Touristinnen sucht); **Pa|pa|gei,** der; -en u. -s, -en (seltener: -e); **pa|pa|gei|en-haft; Pa|pa|gei|en|krank|heit,** die; -
Pa|per [*pe^ip^er*], das; -s, -s (Schriftstück; schriftl. Unterlage); **Pa|per|back** [*pe^ip^erbäk*], das; -s, -s („Papierrücken"; kartoniertes Buch, insbes. Taschenbuch)
Pa|pier, das; -s, -e; **Pa|pier|deutsch** (umständliches, geschraubtes, unanschauliches Deutsch); **pa|pie|ren** (aus Papier); papier[e]ner Stil; **Pa|pier‿geld** (das; -[e]s), **...korb, ...krieg** (ugs.); **Pa-pier|ma|ché** [*papiemasche*], das; -s, -s (verformbares Hartpapier); **Pa|pier-‿sche|re, ...schnit|zel, ...ta|schen-tuch, ...ti|ger** (übertr. für: nur dem Schein nach starke Person, Macht); **Pa-pi|ros|sa,** die; - ...ossy (russische Zigarette mit langem hohlem Pappmundstück)
papp; nicht mehr - sagen können (ugs. für: sehr satt sein)
Papp, der; -[e]s, -e (landsch. für: Brei; Kleister); **Papp|band,** der (in Pappe gebundenes Buch); **Papp|deckel,** Pappen|deckel [*Trenn.:* ...dek|kel]; **Pap|pe,** die; -, -n (starker Bogen aus Papiermasse)
Pap|pel, die; -, -n (ein Laubbaum)
pap|peln, päp|peln (landsch. für: [Kind] füttern); **pap|pen** (ugs. für: kleistern, kleben); **Pap|pen|deckel,** Papp|deckel [*Trenn.:* ...dek|kel]
Pap|pen|hei|mer, der; -s, - (Angehöriger des Reiterregiments des dt. Reitergenerals Graf zu Pappenheim); ich kenne meine - (ugs. für: ich kenne diese Leute; ich weiß Bescheid)
Pap|pen|stiel (Stiel der Pappenblume [Löwenzahn]; ugs. für: Wertloses); für einen - bekommen, verkaufen (ugs.)
pap|per|la|papp!
pap|pig; Papp‿ka|me|rad (Figur [meist Polizist] aus Pappe), **...kar|ton; Papp-ma|ché** [*...masche*] vgl. Papiermaché; **Papp|pla|kat**
Pa|pri|ka, der; -s, -[s] (ein Gewürz [nur *Einz.*]; ein Gemüse); **Pa|pri|ka|scho|te**
Papst, der; -[e]s, Päpste (Oberhaupt der kath. Kirche); **päpst|lich**
Pa|pua [auch: *...pua*], der; -[s], -[s] (Eingeborener Neuguineas)

Pa|ra|bel, die; -, -n (Gleichnis[rede]; Kegelschnittkurve); **pa|ra|bo|lisch** (gleichnisweise; parabelförmig gekrümmt); **Pa|ra|bol|spie|gel**

Pa|ra|de, die; -, -n (Truppenschau, prunkvoller Aufmarsch; Reitsport: kürzere Gangart des Pferdes, Anhalten; Fecht- u. Boxsport: Abwehr eines Angriffs; bei Ballspielen: Abwehr durch den Torhüter); **pa|ra|die|ren** (parademäßig vorüberziehen; ein Pferd kurz anhalten; mit etwas prunken)

Pa|ra|dies, das; -es, -e („Garten"; Himmel [nur *Einz.*]; Lustgefilde, Ort der Seligkeit; Portalvorbau an mittelalterl. Kirchen)

◇ [Garten] Eden, Arkadien, Elysium, Gefilde der Seligen

Pa|ra|dies|ap|fel (landsch. für: Tomate; auch: Zierapfel); **pa|ra|die|sisch** (wonnig, himmlisch); **Pa|ra|dies|vo|gel**

Pa|ra|dig|ma, das; -s, ...men, auch: -ta (Muster, Beispiel; Sprachw.: Beugungsmuster)

pa|ra|dox („gegen die allgemeine Geltung gehend"; widersinnig; sonderbar); **Pa|ra|dox,** das; -es, -e (widersinnige Behauptung, eine scheinbar zugleich wahre u. falsche Aussage)

Par|af|fin, das; -s, -e (wachsähnlicher Stoff)

Pa|ra|graph, der; -en, -en ([in Gesetzestexten u. wissenschaftl. Werken] fortlaufend numerierter Absatz, Abschnitt; Zeichen: §, *Mehrz.:* §§); **Pa|ra|gra|phen|rei|ter** (abschätzig für: sich überstreng an Vorschriften haltender Mensch)

par|al|lel (gleichlaufend, gleichgerichtet; genau entsprechend); - schalten (nebenschalten); [mit etwas] - laufen; die Straße verläuft - zum Fluß; **Par|al|le|le,** die; -, -n (Gerade, die zu einer anderen Gerade in gleichem Abstand u. ohne Schnittpunkt verläuft; Vergleich, vergleichbarer Fall); vier -[n]; **Par|al|le|li|tät,** die; - (Eigenschaft zweier paralleler Geraden; Gleichlauf); **Par|al|le|lo|gramm,** das; -s, -e (Viereck mit paarweise parallelen Seiten)

Pa|ra|ly|se, die; -, -n (Lähmung; Endstadium der Syphilis, Gehirnerweichung); **pa|ra|ly|sie|ren** (lähmen; handlungsunfähig, unwirksam machen)

pa|ra|mi|li|tä|risch (halbmilitärisch, militärähnlich)

Pa|ra|noia [*...neua*], die; - (Med.: Geistesgestörtheit); **pa|ra|no|isch** (Med.; der Paranoia ähnlich; wahnhaft; geistesgestört, verwirrt)

Pa|ra|nuß (fettreicher Samen eines trop. Baumes)

Pa|ra|phe, die; -, -n (Namenszug, -zeichen); **pa|ra|phie|ren** (mit dem Namenszug versehen, zeichnen); **Pa|ra|phie|rung**

Pa|ra|phra|se, die; -, -n (verdeutlichende Umschreibung eines Textes); **pa|ra|phra|sie|ren**

Pa|ra|psy|cho|lo|gie, die; - (Psychologie der okkulten seelischen Erscheinungen)

Pa|ra|sit, der; -en, -en (Schmarotzer[pflanze, -tier]); **pa|ra|si|tär** (schmarotzerhaft; durch Schmarotzer hervorgebracht)

pa|rat (bereit; [gebrauchs]fertig); etwas - haben

Pa|ra|ty|phus (Med.: dem Typhus ähnliche Erkrankung)

par avion [- *awiong*] (durch Luftpost)

Pär|chen [zu: Paar]

Par|cours [*parkur*], der; - [*...kur(ß)*], - [*...kurß*] (Reitsport: Hindernisbahn für Springturniere)

par|dauz!

Par|don [*...dong*], der; -s (veralt. für: Verzeihung; Gnade; Nachsicht); - geben; um - bitten; Pardon! (landsch. für: Verzeihung!)

Par|en|the|se, die; -, -n (Redeteil, der außerhalb des eigtl. Satzverbandes steht; Einschaltung; Gedankenstriche; Klammer[zeichen])

par ex|cel|lence [*par äkßälangß*] (vorzugsweise, vor allem andern, schlechthin)

Par|fum [*...föng*], das; -s, -s, **Par|füm,** das; -s, -e u. -s (Duft[stoff]); **Par|fü|me|rie,** die; -, ...ien (Betrieb zur Herstellung oder zum Verkauf von Parfümen); **par|fü|mie|ren** (wohlriechend machen); sich -

pa|ri (Bankw.: zum Nennwert; gleich)

[1]**pa|rie|ren** ([einen Hieb] abwehren; [Pferd] zum Stehen bringen)

[2]**pa|rie|ren** (unbedingt gehorchen)

Pa|ri|ser; pa|ri|se|risch (nach Art des Parisers); **pa|ri|sisch** (von [der Stadt] Paris)

Pa|ri|tät, die; - (Gleichstellung, Gleichberechtigung; Austauschverhältnis zwischen zwei od. mehreren Währungen); **pa|ri|tä|tisch** (gleichgestellt, gleichberechtigt)

Park, der; -s, -s (seltener: -e, schweiz.: Pärke; großer Landschaftsgarten)

◇ [Park]anlage, Grünanlage, Grünfläche, grüne Lunge

Par|ka, die; -, -s od. der; -[s], -s (knielanger, warmer Anorak mit Kapuze)

Park-and-ride-Sy|stem [*pa'k^endraid...*] (eine Form der Verkehrsregelung); **Park|an|la|ge; park|ar|tig; par|ken** (Kraftfahrzeuge abstellen); **Par|ker; Par|kett,** das; -[e]s, -e (im Theater meist vorderer Raum zu ebener Erde; getäfelter Fußboden); **par|ket|tie|ren** (mit getäfeltem Fußboden versehen); **Par|kett-**

sitz; Park‿haus, ...licht, ...lücke [*Trenn:* ...lük|ke]; **Par|ko|me|ter,** das; -s, - (Parkuhr); **Park‿platz, ...uhr**

Par|la|ment, das; -[e]s, -e (Volksvertretung); **Par|la|men|tär,** der; -s, -e (Unterhändler); **Par|la|men|ta|ri|er** [...*i^{e}r*], der; -s, - (Abgeordneter, Mitglied des Parlamentes); **par|la|men|ta|risch** (das Parlament betreffend); **Par|la|men|ta|ris|mus,** der; - (Regierungsform, in der die Regierung dem Parlament verantwortlich ist)

par|lie|ren (spött., bes. mdal. für: eifrig u. schnell sprechen)

Par|me|san|kä|se

Par|odie, die; -, ...ien (komische Umbildung ernster Dichtung; scherzh. Nachahmung); **par|odie|ren; par|odi|stisch**

Par|odon|to|se, die; -, -n (älter:) Pa|ra|den|to|se (Med.: ohne Entzündung verlaufende Erkrankung des Zahnbettes)

Pa|ro|le, die; -, -n (milit. Kennwort; Losung; auch: Wahlspruch)

Part, der; -s, -s (auch: -e) (Anteil; Stimme eines Instrumental- od. Gesangstücks); vgl. halbpart; **Par|tei,** die; -, -en; **Par|tei‿ap|pa|rat, ...buch, ...chef, ...freund, ...füh|rer, ...ge|nos|se; par|tei|isch** (nicht neutral, nicht objektiv); **par|tei|lich** (im Sinne einer polit. Partei, ihr nahestehend); **Par|tei|li|nie; par|tei|los; Par|tei‿mit|glied, ...nah|me** (die; -, -n), **...po|li|tik; par|tei|po|li|tisch; Par|tei‿tag, ...vor|sit|zen|de**

par|terre [...*tär*] (zu ebener Erde); er wohnt -; **Par|terre,** das; -s, -s (Erdgeschoß; Saalplatz im Theater)

Par|tie [...*ti*], die; -, ...ien (Heirat[smöglichkeit]; Abschnitt, Ausschnitt, Teil; einzelne [Gesangs]rolle); **par|ti|ell** [*parzi...*] (teilweise [vorhanden]; einseitig, anteilig); -e Sonnenfinsternis; **Par|ti|kel,** die; -, -n (Physik: [materielles] Teilchen; Sprachw.: unbeugbares Wort, z. B. „dort, in, und"); **par|ti|ku|lar, par|ti|ku|lär** (einen Teil betreffend, einzeln); **Par|ti|ku|la|ris|mus,** der; - (Sonderbestrebungen staatl. Teilgebiete)

Par|ti|san, der; -s u. -en, -en (Widerstandskämpfer im feindl. Hinterland)
◇ Widerstandskämpfer, Guerilla, Freischärler, Heckenschütze (abwertend)

Par|ti|tur, die; -, -en (Zusammenstellung aller zu einem Tonstück gehörenden Stimmen); **Par|ti|zip,** das; -s, -ien (Sprachw.: Mittelwort); **Par|ti|zi|pa|ti|on** [...*zion*], die; -, -en (Teilnahme); **par|ti|zi|pie|ren** (Anteil haben, teilnehmen); **Part|ner,** der; -s, - (Teilhaber; Teilnehmer; Mitspieler; Genosse); **Part|ne|rin,** die; -, -nen; **Part|ner‿land, ...tausch**

par|tout [...*tu*] (ugs. für: durchaus; unbedingt; um jeden Preis)

Par|ty [*pa'ti*], die; -, -s u. Parties [*pa'tis*] (geselliges Beisammensein, zwangloses Hausfest)

Par|ze, die; -, -n (meist *Mehrz.;* röm. Schicksalsgöttin)

Par|zel|le, die; -, -n (vermessenes Grundstück, Baustelle); **par|zel|lie|ren** (Großfläche in Parzellen zerlegen)

Pasch, der; -[e]s, -e u. Päsche (Wurf mit gleicher Augenzahl auf mehreren Würfeln)

Pa|scha, der; -s, -s (früherer oriental. Titel; ugs. für: rücksichtsloser, herrischer Mann)

Pas de deux [*pa d^e dö*], der; - - -, - - - (Tanz od. Ballett für zwei)

Pa|so do|ble, der; - -, - - (ein Tanz)

Pas|pel, die; -, -n (selten: der; -s, -) (schmaler Nahtbesatz bei Kleidungsstükken); **pas|pe|lie|ren** (mit Paspeln versehen); **pas|peln**

Paß, der; Passes, Pässe (Bergübergang; Ausweis; Ballabgabe beim Fußball)

pas|sa|bel (annehmbar; leidlich); ein ...abler Vorschlag; **Pas|sa|ge** [...*sasch^e*], die; -, -n (Durchfahrt, -gang; fortlaufender Teil einer Rede od. eines Textes)

Pas|sa|gier [...*ßaschir*], der; -s, -e
◇ Fahrgast, Reisender

Pas|sah, das; -s (jüd. Fest); **Pas|sah|fest**

Paß|amt

Pas|sant, der; -en, -en (Fußgänger; Vorübergehender)

Pas|sat, der; -[e]s, -e (gleichmäßig wehender Tropenwind)

pas|sé [*paße*] (ugs. für: vorbei, überlebt); das ist -

Pas|se, die; -, -n (Schulterstück)

pas|sen (sinngemäß entsprechen; Kartenspiel: das Spiel abgeben)
◇ gelegen kommen, zupaß kommen (geh.), gerade recht kommen, recht sein

Passe|par|tout [*paßpartu*, schweiz.: *paß...*], das; -s, -s (Umrahmung aus leichter Pappe für Graphiken, Zeichnungen u. a.; veralt. u. schweiz. auch: Dauerkarte; Hauptschlüssel)

Paß‿form, ...fo|to; Paß|hö|he; pas|sier|bar (überschreitbar); **pas|sie|ren** (vorübergehen, -fahren; geschehen; Gastronomie: durchseihen)

Pas|si|on, die; -, -en (Leiden[sgeschichte Christi]; Leidenschaft, Vorliebe); **pas|sio|niert** (leidenschaftlich [für etwas begeistert])

pas|siv [auch: ...*if*] (leidend; untätig; teilnahmslos; still; seltener für: passivisch); **Pas|siv** [auch: ...*if*], das; -s, (selten:) -e [...*w^e*] (Leideform); **Pas|si|va** [...*wa*] (*Mehrz.;* Schulden); **pas|si|visch** [...*iwisch*] (das Passiv betreffend); **Pas|si|vi|tät,** die; - (Teilnahmslosigkeit)

Pas|sus, der; -, - [*páßuß*] (geh. für: Abschnitt, Stelle eines Textes)
Pa|ste, (auch:) Pa|sta, die; -, ...sten (streichbare Masse); **Pa|sta asciut|ta** [*paßta aschuta*], die; - -, ...te ...tte (it. Spaghettigericht); **Pa|stell,** das; -[e]s, -e (mit Pastellfarben gemaltes Bild); **pa|stel|len; Pa|stell|far|be; pa|stell|far|ben**
Pa|ste|te, die; -, -n
Pa|steu|ri|sa|ti|on [*...zion*], die; -, -en (Entkeimung); **pa|steu|ri|sie|ren**
Pa|stil|le, die; -, -n (Kügelchen, Plätzchen, Pille)
Pa|stor [auch: *...or*], der; -s, ...oren (Geistlicher); **pa|sto|ral** (seelsorgerisch; feierlich)
Patch|work [*pätschwö'k*], das; -s, -s (aus vielen [verschiedenfarbigen] kleineren Stücken zusammengesetzter Gegenstand aus Stoff od. Leder)
Pa|te, der; -n, -n (Taufzeuge, auch: Patenkind); **Pa|ten‿geschenk, ...kind**
pa|tent (ugs. für: geschickt, tüchtig, großartig); **Pa|tent,** das; -[e]s, -e (Urkunde über die Berechtigung, eine Erfindung allein zu verwerten; Bestallungsurkunde eines [Schiffs]offiziers); **pa|ten|tie|ren** (durch Erteilung eines Patents schützen)
Pa|ter, der; -s, Patres, (ugs. auch:) - (kath. Ordensgeistlicher); **¹Pa|ter|no|ster,** das; -s, - (Vaterunser); **²Pa|ter|no|ster,** der; -s, - (umlaufender Aufzug)
pa|the|tisch (ausdrucksvoll; feierlich; salbungsvoll); **Pa|tho|lo|gie,** die; - (allgemeine Lehre von den Krankheiten); **pa|tho|lo|gisch** (krankhaft); **Pa|thos,** das; - ([übertriebene] Gefühlserregung; feierliche Ergriffenheit)
Pa|ti|ence [*paßiangß*], die; -, -n (Geduldsspiel mit Karten); **Pa|ti|ent** [*paziänt*], der; -en, -en (Kranker in ärztl. Behandlung)
Pa|tin, die; -, -nen
Pa|ti|na, die; - (grünlicher Überzug auf Kupfer, Edelrost)
Pat|na|reis, der; -es (langkörniger Reis)
Pa|tri|arch, der; -en, -en (Erzvater; Titel einiger Bischöfe); **pa|tri|ar|cha|lisch** (altväterlich); **Pa|tri|ot,** der; -en, -en (vaterländisch Gesinnter)
◇ Nationalist, Chauvinist
pa|trio|tisch; Pa|trio|tis|mus, der; -
Pa|tri|zi|er [*...i^er*], der; -s, - (vornehmer Bürger [im alten Rom]); **pa|tri|zisch**
Pa|tron, der; -s, -e (Schutzherr, Schutzheiliger; meist verächtl.: armseliger od. unliebsamer Mensch); **Pa|tro|ne,** die; -, -n (Geschoß u. Treibladung; Tintenbehälter im Füllfederhalter; Behälter für Kleinbildfilm)
Pa|trouil|le [*patrulj^e*], die; -, -n (Spähtrupp, Streife); **pa|trouil|lie|ren** [*patruljir^en*]

pat|sche|naß, patsch|naß (ugs. für: sehr naß); **Patsch|hand, Patsch|händ|chen** (Kinderspr.)
patt (Schach: zugunfähig); - sein; **Patt,** das; -s, -s
Pat|te, die; -, -n (Taschenklappe)
pat|zen (ugs. für: etwas verderben, ungeschickt tun; klecksen); **Pat|zer** (jmd., der patzt; Fehler); **Pat|ze|rei** (ugs.); **pat|zig** (ugs. für: frech, aufgeblasen, grob)
Pau|ke, die; -, -n; (ugs.:) auf die - hauen (ausgelassen sein); **pau|ken** (ugs. für: angestrengt lernen); **Pau|ker** (Schülerspr. auch für: Lehrer); **Pau|ke|rei** (ugs.)
Paus|backen[1] (*Mehrz.;* landsch. für: dikke Wangen); **paus|backig**[1], **paus|bäckig**[1]
pau|schal (alles zusammen; rund); **Pau|scha|le,** die; -, -n, (seltener:) das; -s, ...lien [*...i^en*] (geschätzte Summe; Gesamtbetrag, -abfindung); **Pausch|be|trag**
¹Pau|se, die; -, -n (Ruhezeit)
◇ Unterbrechung, Rast, Atempause, Verschnaufpause, Ruhepause
²Pau|se, die; -, -n (Durchzeichnung); **pau|sen** (durchzeichnen)
pau|sen|los; Pau|sen|zei|chen; pau|sie|ren (eine Pause machen)
Paus‿pa|pier, ...zeich|nung
Pa|vi|an [*...wi...*], der; -s, -e (ein Affe)
Pa|vil|lon [*pawiljong,* österr.: *...wijong*], der; -s, -s (kleiner frei stehender Bau)
Pa|zi|fik [auch: *pa...*], der; -s (Großer od. Pazifischer Ozean); **pa|zi|fisch; Pa|zi|fis|mus,** der; - (Ablehnung des Krieges aus religiösen od. ethischen Gründen); **Pa|zi|fist,** der; -en, -en; **pa|zi|fi|stisch**
PC = Personalcomputer
Pech, das; -s (seltener: -es), (für: Pecharten *Mehrz.:*) -e; **pech|schwarz** (ugs.); **Pech‿sträh|ne** (ugs. für: Folge von Fällen, in denen man Unglück hat), **...vo|gel** (ugs. für: Mensch, der [häufig] Unglück hat)
Pe|dal, das; -s, -e (Vorrichtung zum Übertragen einer Bewegung mit dem Fuß)
Pe|dant, der; -en, -en (ein in übertriebener Weise genauer, kleinlicher Mensch)
◇ Kleinigkeitskrämer, Haarspalter
Pe|dan|te|rie, die; -, ...ien
◇ Kleinlichkeit, Pingeligkeit (ugs.) · Haarspalterei, Wortklauberei, Spitzfindigkeit, Rabulistik (geh.)
pe|dan|tisch
Ped|dig|rohr (geschältes span. Rohr)
Pe|dell, der; -s, -e (Rektoratsgehilfe einer Hochschule; veralt. für: Hausmeister einer Schule)
Pe|di|kü|re, die; -, -n (Fußpflege; Fußpflegerin); **pe|di|kü|ren**

---
[1] *Trenn.:* ...k|k...

Peelling [*pi...*], das; -s, -s (kosmetische Schälung der [Gesichts]haut)
Peep-Show [*pip-*] (Veranstaltung, bei der man gegen Entgelt durch ein Guckloch eine nackte Frau betrachten kann)
Pelgalsus, der; - (geflügeltes Roß der gr. Sage; Dichterroß)
Pelgel, der; -s, - (Wasserstandsmesser); **Pelgel‿hölhe, ...stand**
Peiles (*Mehrz.;* Schläfenlocken orthodoxer Juden)
peillen (die Himmelsrichtung, Richtung einer Funkstation, Wassertiefe bestimmen)
Pein, die; -; **peilnilgen; Peilnilger; Peilnilgung; peinllich; Peinllichkeit; peinlsam; peinlvoll**
Peitlsche, die; -, -n; **peitlschen**
peljolraltiv (Sprachw.: abwertend, verschlechternd, abschätzig)
Pelkilnelse, der; -n, -n (Hund einer chin. Rasse)
pelkulnilär (geldlich; in Geld bestehend; Geld...)
Pellarlgolnie [*...i^e*], die; -, -n (eine Zierpflanze)
Pellelrilne, die; -, -n ([ärmelloser] Umhang, bes.: Regenmantel)
Pellilkan [auch: *...an*], der; -s, -e (ein Vogel)
Pellle, die; -, -n (landsch. für: dünne Haut, Schale); jmdm. auf die - rücken (ugs. für: jmdm. energisch zusetzen); **pelllen** (landsch. für: schälen); **Pellkarltoflfel**
Pelelmele [*pälmäl*], das; - (Durcheinander, Mischmasch; Süßspeise)
Pelz, der; -es, -e; jmdm. auf den - rücken (jmdn. drängen); **pelzlbelsetzt; pelzig; pelzlgelfütltert; Pelz‿kaplpe, ...kralgen, ...manltel, ...tier**
Pelnallty [*pän^eltì*], der; -[s], -s (Strafstoß [bes. im Eishockey])
PEN-Club, der; -s (internationale Schriftstellervereinigung)
Penldant [*pangdang*], das; -s, -s (Gegen-, Seitenstück; Ergänzung); **Penldel,** das; -s, - (um eine Achse od. einen Punkt frei drehbarer Körper); **penldeln** (schwingen; hin- u. herlaufen); **Pendller**
pelneltrant (durchdringend); **Pelnetranz,** die; -, -en (Aufdringlichkeit)
Penlhollderlgriff [*...ho^uld^er...*], der; -[e]s (Tischtennis: Schlägerhaltung, bei der der Griff zwischen Daumen u. Zeigefinger nach oben zeigt)
pelnilbel (ugs. für: sehr eigen, sorgfältig, genau, empfindlich); ein ...ilbler Mensch
Pelnilcilllin vgl. Penizillin
Pelnis, der; -, -se u. Penes (männl. Glied) ◇ Phallus, Glied, Geschlechtsteil, Gemächt (veralt.), Pimmel (ugs.), Schwanz (derb)

Pelnilzilllin (fachspr. u. österr.:) Pelnilcillin, das; -s, -e (ein antibiotisches Heilmittel)
Penlnäller, der; -s, - (ugs. für: Schüler einer höheren Lehranstalt); **penlnällerhaft**
Pennlbrulder (abwertend für: Landstreicher); [1]**Penlne,** die; -, -n (ugs. für: einfache Herberge)
[2]**Penlne,** die; -, -n (ugs. für: höhere Lehranstalt)
pennen (ugs. für: schlafen); **Penlner** (svw. Pennbruder)
Penlny [*päni*], der; -s, Pennies [*pänis*] (einzelne Stücke) u. Pence [*pänß*] (Wertangabe; engl. Münze)
Penlsilon [*pangsion, pangßion*[1]], die; -, -en (Ruhestand; Kost u. Wohnung; Ruhe-, Witwengehalt; Fremdenheim); **Pensiolnär**[1], der; -s, -e (Ruheständler); **Penlsiolnat**[1], das; -[e]s, -e (Internat, bes. für Mädchen); **penlsiolnielren**[1] (in den Ruhestand versetzen); **Penlsiolnierung**[1]; **Penlsilons**[1]**‿allter, ...anspruch; penlsilonslbelrechltigt**[1]; **Penlsum,** das; -s, ...sen u. ...sa (zugeteilte Aufgabe, Arbeit; Abschnitt)
Penltalgon [auch: *pän...*], das; -s (das auf einem fünfeckigen Grundriß errichtete amerik. Verteidigungsministerium)
Pentlhouse [*pänthauß*], das; -, -s [*...sis*] (exklusive Dachterrassenwohnung über einem Etagenhaus)
Pelnunlzen (*Mehrz.;* ugs. für: Geld)
Pep, der; -[s] (Schwung, Elan); **Pelpelroni** (*Mehrz.;* scharfe, kleine [in Essig eingemachte] Pfefferschoten, auch Paprikaschoten)
Pelpilta, der od. das; -s, -s (kariertes Gewebe)
Peplsin, das; -s, -e (Ferment des Magensaftes; Heilmittel)
per (durch, mit, gegen, für); - Adresse ([Abk.: p. A.], besser: bei); - Bahn (besser: mit der Bahn); - Eilboten (besser: durch Eilboten); - eingeschriebenen Brief (besser: als eingeschriebener Brief)
perldu [*pärdü*] (ugs. für: verloren, weg, auf u. davon)
perlfekt (vollendet, vollkommen; abgemacht); **Perlfekt** [auch: *...fäkt*], das; -[e]s, -e (Sprachw.: Vorgegenwart, zweite Vergangenheit); **Perlfekltilon** [*...zion*], die; -, -en (Vollendung, Vollkommenheit); **perlfekltiolnielren; Perlfektiolnislmus,** der; - (übertriebenes Streben nach Vervollkommnung); **perlfektiolnilstisch** (bis in alle Einzelheiten vollständig, umfassend)
perlfid (österr. nur so), **perlfilde** (treulos;

[1] Südd., österr. meist, schweiz. auch: *pänsion* usw.

hinterlistig, tückisch); **Per|fi|die,** die; -, ...ien

Per|fo|ra|ti|on [...*zion*], die; -, -en (Durchbohrung, Durchlöcherung; Lochung; Reiß-, Trennlinie); **per|fo|rie|ren; Per|fo|rier|ma|schi|ne**

Per|ga|ment, das; -[e]s, -e (bearbeitete Tierhaut; alte Handschrift [auf Tierhaut]); **per|ga|men|ten** (aus Pergament); **Per|ga|ment|pa|pier**

Per|go|la, die; -, ...len (Laubengang)

Pe|ri|ode, die; -, -n (Umlauf[szeit] eines Gestirns, Kreislauf; Zeit[abschnitt, -raum]; Menstruation; Satzgefüge, Glieder-, Großsatz); **pe|ri|odisch** (regelmäßig auftretend, wiederkehrend); **pe|ri|odi|sie|ren** (in Zeitabschnitte einteilen)

pe|ri|pher (am Rande befindlich, Rand...); **Pe|ri|phe|rie,** die; -, ...ien ([Kreis]umfang; Umkreis; Randgebiet [der Großstädte], Stadtrand)

Pe|ri|skop, das; -s, -e (Fernrohr [für Unterseeboote] mit geknicktem Strahlengang); **pe|ri|sko|pisch**

Per|le, die; -, -n

[1]**per|len** (tropfen; Bläschen bilden)
◇ sprudeln, spritzen, schäumen, moussieren

[2]**per|len** (aus Perlen); **per|len‿be|setzt, ...be|stickt; Per|len‿fi|scher, ...ket|te, ...kol|lier, ...tau|cher; Perl|garn; perl|grau; Perl|huhn; per|lig; Perl|mu|schel; Perl|mutt,** das; -s u. **Perl|mut|ter,** das; -s od. die; - (glänzende Innenschicht von Perlmuschel- u. Seeschneckenschalen); **perl|mut|ter|far|ben; Perl|mut|ter|knopf, Perl|mutt|knopf; perl|mut|tern** (aus Perlmutter)

Per|lon Ⓦ, das; -s (eine synthet. Textilfaser); **Per|lon|strumpf**

per|ma|nent (dauernd, anhaltend, ununterbrochen, ständig); **Per|ma|nenz,** die; - (Dauer, Ständigkeit)

per|ni|zi|ös (Med.: bösartig, schlimm); -e Anämie

Per|nod [...*no*], der; -[s], -[s] (ein alkohol. Getränk)

per pe|des (ugs. scherzh. für: zu Fuß)

Per|pen|di|kel, das od. der; -s, - (Uhrpendel; Senk-, Lotrechte)

Per|pe|tu|um mo|bi|le [...*u-um* -], das; -, - -[s] u. ...tua ...bilia (utopische Maschine, die ohne Energieverbrauch dauernd Arbeit leistet)

per|plex (ugs. für: verwirrt, verblüfft; bestürzt); **Per|ple|xi|tät,** die; -, -en (Bestürzung, Verwirrung, Ratlosigkeit)

per pro|cu|ra [- ...*kura*] (in Vollmacht; Abk.: pp., ppa.)

per sal|do (als Rest zum Ausgleich [auf einem Konto])

Per|sen|ning, die; -, -e[n] (Gewebe für Segel, Zelte u. a.)

Per|ser (Bewohner von Persien; Perserteppich)

Per|sia|ner (Karakulschafpelz [früher über Persien gehandelt]); **Per|sia|ner|man|tel**

Per|si|fla|ge [...*flasche*], die; -, -n (Verspottung); **per|si|flie|ren**

Per|si|ko, der; -s, -s (aus Pfirsich- od. Bittermandelkernen bereiteter Likör); **Per|si|pan** [auch: *pär*...], das; -s, -e (Marzipanersatz aus Pfirsich- od. Aprikosenkernen)

per|sisch; -er Teppich

Per|son, die; -, -en (Mensch; Wesen); **Per|so|na in|gra|ta,** die; - - u. **Per|so|na non gra|ta,** die; - - - (unerwünschte Person; Diplomat, dessen [genehmigter] Aufenthalt vom Gastland nicht mehr gewünscht wird); **per|so|nal** (persönlich; Persönlichkeits...); im -en Bereich; **Per|so|nal,** das; -s (Belegschaft, alle Angestellten [eines Betriebes]; Gesinde, Dienerschaft); **Per|so|nal‿aus|weis, ...bü|ro, ...com|pu|ter** (kleiner Computer bes. für den persönlichen Bedarf); **Per|so|na|li|en** [...*iᵉn*] (*Mehrz.;* Angaben über Lebenslauf u. Verhältnisse eines Menschen); **Per|so|nal‿po|li|tik, ...pro|no|men** (Sprachw.: persönliches Fürwort, z. B. „er, wir"), **...uni|on** (Vereinigung mehrerer Ämter in einer Person); **per|so|nell** (das Personal betreffend); **Per|so|nen‿auf|zug, ...kraft|wa|gen** (Abk.: Pkw, auch: PKW), **...scha|den** (Ggs.: Sachschaden), **...stand** (Familienstand); **Per|so|nen‿ver|kehr, ...wa|gen, ...zug; Per|so|ni|fi|ka|ti|on** [...*zion*], die; -, -en, **Per|so|ni|fi|zie|rung** (Verkörperung, Vermenschlichung); **per|so|ni|fi|zie|ren; per|sön|lich** (in [eigener] Person; selbst); -es Eigentum; -es Fürwort; **Per|sön|lich|keit**

Per|spek|ti|ve [...*wᵉ*], die; -, -n (Darstellung von Raumverhältnissen in der ebenen Fläche; Ausblick, Durchblick; Raumsicht; Aussicht [für die Zukunft]); **per|spek|ti|visch** (die Perspektive betreffend); -e Verkürzung

Pe|rücke [*Trenn.:* ...rük|ke], die; -, -n (Haupthaarersatz, Haaraufsatz); **Pe|rücken|ma|cher** [*Trenn.:* ...rük|ken...]

per ul|ti|mo (Bankwesen: am Monatsende [ist Zahlung zu leisten])

per|vers [...*wärß*] ([geschlechtlich] verkehrt [empfindend])
◇ unnatürlich, widernatürlich, abartig

Per|ver|si|on, die; -, -en; **Per|ver|si|tät,** die; -, -en; **per|ver|tie|ren** (vom Normalen abweichen, entarten)

pe|sen (ugs. für: eilen, rennen)

Pe|se|ta, die; -, ...ten (span. Münzeinheit; Abk.: Pta); **Pe|so,** der; -[s], -[s] (südamerik. Münzeinheit)

Pes|sar, das; -s, -e (Med.: Muttermundverschluß zur Empfängnisverhütung)
Pes|si|mis|mus, der; - (seelische Gedrücktheit; Schwarzseherei; Ggs.: Optimismus)
Pes|si|mist, der; -en, -en
◇ Schwarzseher, Defätist, Unheilsprophet, Unke (ugs.)
pes|si|mi|stisch
◇ schwarzseherisch, defätistisch, trübselig, trübe, freudlos
Pest, die; - (eine Seuche); **pest|ar|tig; Pest_beu|le, ...hauch; Pe|sti|lenz,** die; -, -en (Pest, schwere Seuche); **Pe|sti-zid** (ein Schädlingsbekämpfungsmittel)
Pe|tent, der; -en, -en (geh. für: Antrag-, Bittsteller)
Pe|ter|si|lie [...*i*e], die; -, -n (ein Küchenkraut)
Pe|ter|wa|gen (Funkstreifenwagen)
Pe|ti|ti|on [...*zion*], die; -, -en (Bittschrift; Eingabe); **pe|ti|tio|nie|ren; Pe|ti|ti-ons|recht** (Bittrecht, Beschwerderecht)
Pe|tits fours [*p*e*ti fur*] (*Mehrz.;* feine kleine Törtchen)
Pe|tro|che|mie (Wissenschaft von der chem. Zusammensetzung der Gesteine); **pe|tro|che|misch; Pe|tro|che|mie** (auf Erdöl u. Erdgas beruhende techn. Rohstoffgewinnung in der chem. Industrie); **Pe|tro|le|um** [...*leum*], das; -s (Destillationsprodukt des Erdöls, Leuchtöl); **Pe|tro|le|um_ko|cher, ...lam|pe**
Pet|schaft, das; -s, -e (Handstempel zum Siegeln, Siegel); **pe|tschie|ren** (mit einem Petschaft schließen)
Pet|ti|coat [*pätiko*u*t*], der; -s, -s (steifer Taillenunterrock)
Pet|ting, das; -s, -s (sexuelles Liebesspiel ohne eigentlichen Geschlechtsverkehr, bes. unter Jugendlichen)
pet|to vgl. in petto
Pe|tu|nie [...*i*e], die; -, -n (eine Zierpflanze)
[1]**pet|zen** (Schülerspr.: angeben, verraten)
[2]**pet|zen** (landsch. für: zwicken)
peu à peu [*pö a pö*] (nach und nach, allmählich)
Pfad, der; -[e]s, -e; **Pfäd|chen; Pfad-fin|der; pfad|los**
Pfaf|fe, der; -n, -n (abwertend für: Geistlicher)
Pfahl, der; -[e]s, Pfähle; **Pfahl_bau** (*Mehrz.* ...bauten); **pfäh|len**
Pfand, das; -[e]s, Pfänder; **pfänd|bar; Pfän|der|spiel; Pfand_haus, ...lei-he, ...schein; Pfän|dung**
Pfan|ne, die; -, -n; jmdn. in die - hauen (ugs. für: jmdn. erledigen, ausschalten); **Pfann|ku|chen**
Pfarr|amt; Pfar|rei; Pfar|rer; Pfar|re-rin, die; -, -nen; **Pfar|rers|toch|ter; Pfarr|haus**
Pfau, der; -[e]s od. -en, -en (österr. auch: -e) (ein Vogel); **Pfau|en_au|ge, ...rad**
Pfef|fer, der; -s, - (eine Pflanze; Gewürz); **Pfef|fer|ku|chen; Pfef|fer_minz**[1] (Likör; der; -es, -e; Plätzchen: das; -es, -e), **...min|ze**[1], die; - (eine Heil- u. Gewürzpflanze); **Pfef|fer|minz|tee**[1]**; pfef-fern; Pfef|fe|ro|ni,** der; -, - (österr. für: Peperoni)
Pfei|fe, die; -, -n; **pfei|fen;** pfiff, gepfiffen; auf etwas - (ugs. für: an etwas uninteressiert sein); **Pfei|fer**
Pfeil, der; -[e]s, -e
Pfei|ler, der; -s, -
Pfen|nig, der; -[e]s, -e (Münze; Abk.: Pf); **Pfen|nig_ab|satz** (ugs. für: hoher, dünner Absatz bei Damenschuhen), **...be-trag, ...fuch|ser** (ugs. für: Geizhals)
Pferch, der; -[e]s, -e (Einhegung, eingezäunte Fläche); **pfer|chen**
Pferd, das; -[e]s, -e; zu -e
◇ Roß (geh.), Gaul (landsch. od. abwertend), Klepper (abwertend), Mähre (abwertend)
Pfer|de_ap|fel, ...schwanz (auch für eine bestimmte Frisur), **...stär|ke** (techn. Maßeinheit; Abk.: PS)
Pfiff, der; -[e]s, -e
Pfif|fer|ling (ein Pilz; ugs. für: etwas Wertloses); keinen - wert
pfif|fig; Pfif|fig|keit, die; -; **Pfif|fi-kus,** der; - u. -ses, - u. -se (ugs. für: schlauer Mensch)
Pfing|sten, das; -; - fällt früh; (in Wunschformeln auch als *Mehrz.:*) fröhliche -!; **Pfingst|fest**
Pfir|sich, der; -s, -e (Frucht; Pfirsichbaum)
Pflan|ze, die; -, -n; **pflan|zen; Pflan-zen_kost, ...schutz; Pflan|zer; Pflan|zung**
Pfla|ster, das; -s, -; ein teures - (ugs. für: Stadt mit teuren Lebensverhältnissen); **pfla|stern**
Pflau|me, die; -, -n; **pflau|men** (ugs. für: necken, scherzhafte Bemerkungen machen)
Pfle|ge, die; -, -n
◇ Zuwendung, Versorgung, Betreuung, Obhut, [Nest]wärme
Pfle|ge_el|tern, ...fall (der), **...geld, ...heim, ...kind; pfle|ge|leicht; Pfle-ge|mut|ter**
pfle|gen
◇ betreuen, gut behandeln, umhegen, umsorgen, versorgen, sorgen für, sich kümmern um
Pfle|ger; Pfle|ge|rin, die; -, -nen; **pfle-ge|risch**
Pflicht, die; -, -en; **pflicht|be|wußt**
Pflicht|be|wußt|sein

---
[1] Auch: ...*min...*

◇ Verantwortungsgefühl, Pflichtgefühl, Verantwortungsbewußtsein, Verantwortlichkeit, Ethos (geh.)
pflicht|eif|rig; pflicht|schul|dig; pflicht|ver|si|chert; Pflicht‿ver|si|che|rung, ...ver|tei|di|ger; pflicht|wid|rig
Pflock, der; -[e]s, Pflöcke; **pflocken, pflöcken** [*Trenn.:* ...k|k...]
pflücken[1]**; Pflücker**[1]**; Pflücke|rin**[1]**,** die; -, -nen
Pflug, der; -[e]s, Pflüge; **pflü|gen; Pflü|ger**
Pfor|te, die; -, -n; **Pfört|ner**
Pfo|sten, der; -s, -; **Pfo|sten|schuß** (Sport)
Pföt|chen; Pfo|te, die; -, -n
Pfriem, der; -[e]s, -e (ein Werkzeug)
Pfropf, der; -[e]s, -e (Nebenform von: Pfropfen)
[1]**pfrop|fen** (Pflanzen durch ein Reis veredeln)
[2]**pfrop|fen** ([Flasche] verschließen); **Pfropfen,** der; -s, - (Kork, Stöpsel)
Pfrün|de, die; -, -n (in der kath. Kirche Einkommen durch ein Kirchenamt; scherzh. für: müheloses Einkommen)
Pfuhl, der; -[e]s, -e (große Pfütze; Sumpf; landsch. für: Jauche)
pfui! [*pfu^i*]; - Teufel!; **Pfui|ruf**
Pfund[2]**,** das; -[e]s, -e (Gewicht; Abk.: Pfd.; Zeichen: ℔; Münzeinheit [vgl. - Sterling]); **pfun|dig;** -er Kerl (ugs. für: ordentlicher, ganzer Kerl); **Pfund Sterling** [- *ßtär...* od. - *ßtö^r...*, auch: - *schtär...*], das; - -, - - (brit. Münzeinheit; Zeichen u. Abkürzung: £)
Pfusch, der; -[e]s (Pfuscherei)
pfu|schen (ugs.)
◇ schludern (ugs.), murksen (ugs.), hudeln (ugs.), huscheln (ugs.)
Pfu|scher (ugs.); **Pfu|sche|rei** (ugs.)
Pfüt|ze, die; -, -n
Pha|lanx, die; -, ...langen (geschlossene Schlachtreihe [vor allem in übertr. Sinne])
phal|lisch (den Phallus betreffend); **Phal|lus,** der; -, ...lli u. ...llen, (auch:) -se (männl. Glied)
Phä|no|men, das; -s, -e ([Natur]erscheinung; seltenes Ereignis; Wunder[ding]; überaus kluger Kopf); **phä|no|me|nal** (außerordentlich)
Phan|ta|sie, die; -, ...ien (Vorstellung[skraft], Einbildung[skraft]; Trugbild); vgl. auch: Fantasie; **phan|ta|sie|los; Phan|ta|sie|lo|sig|keit; phan|ta|sie|ren** (sich der Einbildungskraft hingeben; irrereden); **phan|ta|sie|voll;**

Phan|tast, der; -en, -en (Träumer, Schwärmer); **phan|ta|stisch** (schwärmerisch; verstiegen; unwirklich; ugs. für: großartig, sehr); **Phan|tom,** das; -s, -e (Trugbild); **Phan|tom‿bild** (Kriminalistik: nach Zeugenaussagen gezeichnetes Porträt eines gesuchten Täters), **...schmerz** (Med.: Schmerz, den jmd. in einem amputierten Körperteil zu spüren meint)
Pha|rao, der; -s, ...onen (ägypt. König); **pha|rao|nisch**
Pha|ri|sä|er (Angehöriger einer altjüd., streng gesetzesfrommen, religiös-polit. Partei; übertr. für: selbstgerechter Heuchler); **pha|ri|sä|er|haft; Pha|ri|sä|er|tum,** das; -s; **pha|ri|sä|isch**
Phar|ma|zeu|tik, die; - (Arzneimittelkunde); **phar|ma|zeu|tisch; Phar|ma|zie,** die; - (Lehre von der Arzneimittelzubereitung)
Pha|se, die; -, -n (Abschnitt einer [stetigen] Entwicklung, Stufe; Elektrotechnik: Schwingungszustand beim Wechselstrom)
Phil|an|throp, der; -en, -en (Menschenfreund)
Phil|ate|lie, die; - (Briefmarkenkunde); **Phil|ate|list,** der; -en, -en; **phil|ate|li|stisch**
Phil|har|mo|nie, die; -, ...ien (Name für Gesellschaften zur Förderung des Musiklebens einer Stadt u. für Konzertsäle); **Phil|har|mo|ni|ker** (Künstler, der in einem philharmonischen Orchester spielt)
Phil|ip|pi|ka, die; -, ...ken (geh. für: Kampf-, Strafrede)
Phi|li|ster, der; -s, - (Angehöriger des Nachbarvolkes der Israeliten im A. T.; übertr. für: Spießbürger)
Phi|lo|den|dron, der (auch: das); -s, ...dren (eine Blattpflanze)
Phi|lo|lo|ge, der; -n, -n (Sprach- u. Literaturforscher); **Phi|lo|lo|gie,** die; -, ...ien (Sprach- und Literaturwissenschaft); **phi|lo|lo|gisch**
Phi|lo|soph, der; -en, -en (Denker, der nach ursprüngl. Wahrheit, dem letzten Sinn fragt, forscht); **Phi|lo|so|phie,** die; -, ...ien (Streben nach Erkenntnis des Zusammenhanges der Dinge in der Welt; Denk-, Grundwissenschaft); **phi|lo|so|phisch**
Phi|mo|se, die; -, -n (Med.: Vorhautverengung)
Phio|le, die; -, -n (bauchiges Glasgefäß mit langem Hals)
Phleg|ma, das; -s ([Geistes]trägheit, Gleichgültigkeit, Schwerfälligkeit); **Phleg|ma|ti|ker** (körperlich träger, geistig wenig regsamer Mensch); **phleg|ma|tisch**
Phlox, der; -es, -e (eine Zierpflanze)

---
[1] *Trenn.:* ...ük|k...
[2] In Deutschland und in der Schweiz als amtliche Gewichtsbezeichnung abgeschafft.

Pho|bie, die; -, ...ien (Med.: krankhafte Angst)
Phon, das; -s, -s (Maßeinheit für die Lautstärke); 50 -; **Pho|ne|tik,** die; - (Sprachw.: Lehre von der Lautbildung); **pho|ne|tisch**
Phö|nix, der; -[es], -e (Vogel der altägypt. Sage, der sich im Feuer verjüngt; christl. Sinnbild der Unsterblichkeit)
Pho|no|kof|fer (tragbarer Plattenspieler); **Phon|zahl**
Phos|phat, das; -[e]s, -e (Salz der Phosphorsäure; wichtiger techn. Rohstoff [z.B. für Düngemittel]); **Phosphor,** der; -s (chem. Grundstoff; Zeichen: P; Leuchtstoff); **Phos|pho|res|zenz,** die; - (Nachleuchten vorher bestrahlter Stoffe); **phos|pho|res|zie|ren; phos|phor|hal|tig**
Pho|to vgl. Foto; **Pho|to|al|bum** usw. vgl. Fotoalbum usw.; **Pho|to|che|mie** (Lehre von der chemischen Wirkung des Lichtes); **pho|to|che|misch; Pho|to|ele|ment** (elektrisches Element, das Lichtenergie in elektrische Energie umwandelt); **pho|to|gen** usw. vgl. fotogen usw.; **Pho|to|graph** usw. vgl. Fotograf usw.; **Pho|to|mo|dell** vgl. Fotomodell; **Pho|to|mon|ta|ge** vgl. Fotomontage; **Pho|to|syn|the|se,** die; - (Aufbau chemischer Verbindungen durch Lichteinwirkung); **Pho|to|tro|pis|mus,** der; -, ...men (Bot.: Krümmungsreaktion von Pflanzenteilen bei einseitigem Lichteinfall); **Pho|to|zel|le** (Physik: Vorrichtung, die Lichtenergie in elektrische Energie umwandelt)
Phra|se, die; -, -n (Redewendung; selbständiger Abschnitt eines musikal. Gedankens; abschätzig für: leere Redensart); **Phra|sen|dre|sche|rei** (abschätzig)
phra|sen|haft (abschätzig)
◇ leer, hohl, nichtssagend, banal, trivial
phra|sie|ren (Musik: ein Tonstück sinngemäß einteilen); **Phra|sie|rung**
Phy|sik, die; - (diejenige Naturwissenschaft, die mit mathematischen Mitteln die Grundgesetze der Natur untersucht); **phy|si|ka|lisch;** -e Maßeinheit; **Phy|si|ker; Phy|si|kum,** das; -s (Vorprüfung der Medizinstudenten); **Phy|sio|gno|mie,** die; -, ...ien (äußere Erscheinung eines Lebewesens, bes. Gesichtsausdruck); **Phy|sio|lo|gie,** die; - (Lehre von den Lebensvorgängen); **phy|sio|lo|gisch** (die Physiologie betreffend); **Phy|sio|the|ra|peut** (jmd., der Behandlungen mit Mitteln der Physiotherapie anwendet); **Phy|sio|the|ra|pie** (Heilbehandlung mit Licht, Luft, Wasser, Massage usw.); **phy|sisch** (in der Natur begründet; natürlich; körperlich)

Pi, das; -[s] (Ludolfsche Zahl, die das Verhältnis von Kreisumfang zu Kreisdurchmesser angibt; $\pi = 3{,}1415...$)
Pi|af|fe, die; -, -n (Reitsport: Trab auf der Stelle)
pia|nis|si|mo (Musik: sehr leise; Abk.: pp); **Pia|nist,** der; -en, -en (Klavierspieler, -künstler); **Pia|ni|stin,** die; -, -nen; **pia|no** (Musik: leise; Abk.: p); **Pia|no,** das; -s, -s (Kurzform von: Pianoforte); **Pia|no|for|te,** das; -s, -s (Klavier)
Pi|az|za, die; -, ...zze (it. Bez. für: [Markt]platz)
Pi|chel|stei|ner Fleisch, das; - -[e]s (ein Gericht)
Pick vgl. [2]Pik
Picke[1], die; -, -n (Spitzhacke); [1]**Pickel**[1], der; -s, - (Spitzhacke)
[2]**Pickel**[1], der; -s, - (Hautpustel, Mitesser)
Pickel|hau|be[1] (früherer [preuß.] Infanteriehelm)
pickel|lig[1], pick|lig
pickeln[1] (landsch. für: mit der Spitzhacke arbeiten)
Pick|nick, das; -s, -e u. -s (Essen im Freien); **pick|nicken**[1]; gepicknickt
pi|co|bel|lo [*piko...*] (ugs. für: ganz besonders fein)
piek‿fein (ugs. für: besonders fein), **...sau|ber** (ugs. für: besonders sauber)
piep!; Piep, der, nur in ugs. Wendungen wie: einen - haben (nicht recht bei Verstand sein); **pie|pe, piep|egal** (landsch. für: gleichgültig); das ist mir -; **pie|pen;** es ist zum Piepen (landsch. für: es ist zum Lachen); **Pie|pen** (*Mehrz.;* ugs. für: Geld); **pieps** (ugs.); er kann nicht mehr - sagen; **Pieps,** der; -es, -e (ugs.); keinen - von sich geben; **piep|sen; piep|sig** (ugs.)
Pier, der; -s, -e od. -s u. (Seemannsspr.:) die; -, -s (Hafendamm; Landungsbrücke)
pie|sacken[1] (ugs. für: quälen)
Pie|ta, (in it. Schreibung:) **Pie|tà** [*pi-eta*], die; -, -s (Darstellung der Maria mit dem Leichnam Christi auf dem Schoß; Vesperbild); **Pie|tät** [*pi-e...*], die; - (Frömmigkeit; Ehrfurcht, Rücksichtnahme); **pie|tät|los; Pie|tät|lo|sig|keit; pie|tät|voll; Pie|tis|mus** [*pi-e...*], der; - (ev. Erweckungsbewegung; auch für: schwärmerische Frömmigkeit); **Pie|tist; pie|ti|stisch**
Pig|ment, das; -[e]s, -e (Farbstoff, -körper)
[1]**Pik,** der; -s, -e u. -s (Bergspitze); vgl. Piz;
[2]**Pik,** der; -s, -e (ugs. für: heimlicher Groll); einen - auf jmdn. haben; [3]**Pik,** das; -s, -s (Spielkartenfarbe); **pi|kant** (scharf [gewürzt]; prickelnd; reizvoll; anzüglich; schlüpfrig); -es Abenteuer; **Pi-**

[1] *Trenn.:* ...k|k...

kan|te|rie, die; -, ...ien; **pi|kan|ter|wei|se**
Pi|ke, die; -, -n (Spieß); von der - auf dienen (ugs. für: im Beruf bei der untersten Stellung anfangen); **Pi|kee,** der (österr. auch: das); -s, -s ([Baumwoll]gewebe); **pi|ken,** pik|sen (ugs. für: stechen); **pi|kiert** (etwas beleidigt, verstimmt)
[1]**Pik|ko|lo,** der; -s, -s (Kellnerlehrling); [2]**Pik|ko|lo,** der (auch: das); -s, -s (svw. Pikkoloflöte); **Pik|ko|lo_fla|sche** (kleine [Sekt]flasche für eine Person), **...flö|te** (kleine Querflöte)
pik|sen vgl. piken
Pil|ger (Wallfahrer; auch: Wanderer); **Pil|ger_chor** (der), **...fahrt; pil|gern**
Pil|le, die; -, -n (Kügelchen; Arzneimittel)
Pi|lot, der; -en, -en (Flugzeugführer); **Pi|lot_film,** der (Testfilm für eine geplante Fernsehserie), **...sen|dung, ...stu|die** (vorläufige, wegweisende Untersuchung)
Pils, das; -, - (ugs. Kurzform von: Pils[e]ner Bier); **Pil|se|ner, Pils|ner,** das; -s, - (Bier)
Pilz, der; -es, -e
Pi|ment, der od. das; -[e]s, -e (Nelkenpfeffer, Küchengewürz)
Pim|mel, der; -s, - (ugs. für: Penis)
Pim|per|nell, der; -s, -e u. **Pim|pi|nel|le,** die; -, -n (Küchen- u. Heilpflanze)
Pin, der; -s, -s ([getroffener] Kegel beim Bowling)
pin|gel|lig (ugs. für: kleinlich, pedantisch; empfindlich)
Ping|pong, das; -s, -s [österr.: *...pong*] (Tischtennis)
Pin|gu|in, der; -s, -e (ein Vogel der Antarktis)
Pi|nie [*...i*[e]], die; -, -n (Kiefer einer bestimmten Art)
Pink, das; -s, -s (lichtes Rosa)
Pin|ke, Pin|ke|pin|ke, die; - (ugs. für: Geld)
pin|keln (ugs. für: harnen)
Pin|ke|pin|ke vgl. Pinke
Pin|scher, der; -s, - (Hund einer bestimmten Rasse; übertr. für: einfältiger Mensch)
Pin|sel, der; -s, -; **pin|seln**
Pin|te, die; -, -n (landsch. für: Wirtshaus, Schenke)
Pin-up-Girl [*pinapgö'l*], das; -s, -s (leichtbekleidetes Mädchen auf Anheftbildern)
Pin|zet|te, die; -, -n (Greif-, Federzange)
Pio|nier, der; -s, -e (Soldat der techn. Truppe; übertr. für: Vorkämpfer, Bahnbrecher; DDR: Angehöriger einer Organisation für Kinder)
Pipe|line [*paiplain*], die; -, -s (Rohrleitung [für Gas, Erdöl]); **Pi|pet|te,** die; -, -n (Saugröhre, Stechheber)
Pi|pi, das; -s (Kinderspr.); - machen
Pips, der; -es (eine Geflügelkrankheit)
Pi|ran|ha [*...nja*], Pi|ra|ya, der; -[s], -s (ein Raubfisch)
Pi|rat, der; -en, -en (Seeräuber)
Pi|ra|ya vgl. Piranha
Pi|rol, der; -s, -e (ein Vogel)
Pi|rou|et|te [*...ru...*], die; -, -n (Standwirbel um die eigene Körperachse; Drehung in der Hohen Schule)
Pirsch, die; - (Einzeljagd); **pir|schen**
Piß, der; Pisses u. **Pis|se,** die; - (derb für: Harn); **pis|sen** (derb); **Pis|soir** [*pißoar*], das; -s, -e u. -s (veralt. für: Bedürfnisanstalt für Männer)
Pi|sta|zie, die; -, -n [*...i*[e]] (ein Strauch od. Baum; Frucht)
Pi|ste, die; -, -n (Skispur; Ski- od. Radrennstrecke; Rollbahn auf Flugplätzen)
Pi|sto|le, die; -, -n (kurze Handfeuerwaffe); wie aus der - geschossen (ugs. für: spontan, sehr schnell, sofort)
pit|to|resk (malerisch)
Piz, der; -es, -e (Bergspitze)
Piz|za, die; -, -s (neapolitan. Hefegebäck mit Tomaten, Käse u. Sardellen o. ä.); **Piz|ze|ria,** die; -, -s (Lokal, in dem Pizzas angeboten werden)
piz|zi|ca|to [*...kato*] (mit den Fingern gezupft [bei Streichinstrumenten])
Pkw, (auch:) **PKW,** der; - (selten: -s), -[s] (Personenkraftwagen)
Pla|ce|bo [*...zebo*], das; -s, -s (unwirksames Scheinmedikament)
pla|cie|ren [*plazir*[e]*n,* älter: *plaßir*[e]*n*] usw. vgl. plazieren usw.
Plackerei [*Trenn.:* Plak|ke|rei] (ugs.)
plad|dern (nordd. für: niederströmen, in großen Tropfen regnen); es pladdert
plä|die|ren; Plä|doy|er [*...doaje*], das; -s, -s (zusammenfassende Rede des Strafverteidigers od. Staatsanwaltes vor Gericht)
Pla|ge, die; -, -n; **Pla|ge|geist** (*Mehrz.* ...geister); **pla|gen;** sich -
Pla|gi|at, das; -[e]s, -e (Diebstahl geistigen Eigentums); **Pla|gia|tor,** der; -s, ...oren
Plaid [*ple'd*], das (älter: der); -s, -s ([Reise]decke; auch: großes Umhangtuch aus Wolle)
Pla|kat, das; -[e]s, -e ([öffentl.] Aushang, Werbeanschlag); **Pla|ket|te,** die; -, -n (kleine, eckige [meist geprägte] Platte mit einer Reliefdarstellung)
plan (flach, eben); - geschliffene Fläche
Plan, der; -[e]s, Pläne (Grundriß; Vorhaben)
Pla|ne, die; -, -n ([Wagen]decke)
pla|nen; Pla|ner
Pla|net, der; -en, -en (Wandelstern); **Pla|ne|ta|ri|um,** das; -s, ...ien [*...i*[e]*n*] (Instrument zur Darstellung der Bewegung, Lage u. Größe der Gestirne; auch Gebäude dafür)

pla|nie|ren ([ein]ebnen); **Pla|nier⸗rau|pe, ...schild** (der); **Pla|nie|rung**
Plan|ke, die; -, -n (starkes Brett, Bohle)
Plän|ke|lei; plän|keln
Plank|ton, das; -s (im Wasser schwebende Lebewesen mit geringer Eigenbewegung)
plan|los; Plan|lo|sig|keit
plan|mä|ßig
◇ überlegt, durchdacht, methodisch, gezielt, konsequent, systematisch
Plan|mä|ßig|keit
Plansch|becken [*Trenn.:* ...bek|ken]; **plan|schen**
Plan|ta|ge [*...tasch*[e], österr.: *...tasch*], die; -, -n ([An]pflanzung, landwirtschaftl. Großbetrieb)
Pla|nung
plap|per|haft (ugs.); **Plap|per⸗maul** (ugs.), **...mäul|chen** (ugs.); **plap|pern** (ugs.); **Plap|per|ta|sche** (ugs.)
plär|ren (ugs.); **Plär|rer** (ugs.)
Plä|sier, das; -s, -e (landsch., sonst veralt. für: Vergnügen; Spaß; Unterhaltung)
Plas|ma, das; -s, ...men (Protoplasma; flüssiger Bestandteil des Blutes; leuchtendes Gasgemisch; Halbedelstein)
[1]**Pla|stik,** die; -, -en (Bildhauerkunst; Bildwerk); [2]**Pla|stik,** das; -s, -s (seltener: die; -, -en) (Kunststoff); **Pla|stik⸗bom|be, ...ein|band; Pla|sti|lin,** das; -s (Knetmasse zum Modellieren); **pla|stisch** (bildsam; knetbar; körperlich, anschaulich; einprägsam)
Pla|ta|ne, die; -, -n (ein Laubbaum)
Pla|teau [*...to*], das; -s, -s (Hochebene, Hochfläche; Tafelland)
Pla|tin, das; -s (chem. Grundstoff, Edelmetall; Zeichen: Pt)
Pla|ti|tü|de, die; -, -n (Plattheit, Seichtheit)
pla|to|nisch (nach Art Platos; geistig, unsinnlich)
platsch!; plat|schen; plät|schern; platsch|naß (ugs.)
platt (flach); da bist du -! (ugs. für: da bist du sprachlos!); **Platt,** das; -[s] (das Niederdeutsche); **platt|deutsch; Plat|te,** die; -, -n; **Plat|tei** ([Adrema]plattensammlung); **Plätt|ei|sen; plät|ten** (nordd. für: bügeln); **Plat|ten⸗ar|chiv, ...le|ger, ...spie|ler; Platt⸗form, ...fuß**
Platz, der; -es, Plätze (Fläche, Raum); **Platz⸗angst** (die; -), **...an|wei|se|rin** (die; -, -nen); **Plätz|chen**
plat|zen
◇ zerplatzen, bersten (geh.), zerbersten (geh.), zerspringen, explodieren
Platz⸗kar|te, ...kon|zert
Platz⸗pa|tro|ne, ...re|gen, ...wun|de
Plau|de|rei; plau|dern; Plau|der⸗stünd|chen, ...ta|sche (scherzh.)

Plausch, der; -[e]s, -e (gemütliche Plauderei); **plau|schen** (südd., österr., schweiz. für: gemütlich plaudern)
plau|si|bel (annehmbar, einleuchtend, triftig); eine ...i|ble Erklärung
Play|back [*ple*[i]*bäk*], das; - (Film- u. Tonbandtechnik: zusätzliche synchrone Bild- od. Tonaufnahme); **Play|boy** [*ple*[i]*beu*], der; -s, -s (reicher [jüngerer] Mann, der nicht arbeitet u. nur dem Vergnügen nachgeht); **Play-off** [*ple*[i]*-of*], das; -, - (System von Ausscheidungsspielen in bestimmten Sportarten); **Play-off-Runde**
Pla|zen|ta, die; -, -s u. ...ten (Med., Biol.: Mutterkuchen, Nachgeburt)
pla|zie|ren, (auch noch:) pla|cie|ren (aufstellen, an einen bestimmten Platz stellen; Sport: einen gezielten Schuß od. Wurf [Ballspiel], Hieb od. Schlag [Boxen] abgeben); **Pla|zie|rung,** (auch noch:) Pla|cie|rung
Ple|bis|zit, das; -[e]s, -e (Volksabstimmung); [1]**Plebs** [auch: *plepß*], der; -es ([niederes] Volk, Pöbel); [2]**Plebs** [auch: *plepß*], die; - (das gemeine Volk im alten Rom)
plei|te (ugs. für: zahlungsunfähig); - gehen, sein, werden; **Plei|te,** die; -, -n (ugs.); - machen; **Plei|te|gei|er** (ugs.)
Plek|tron u. **Plek|trum,** das; -s, ...tren u. ...tra (Plättchen, auch Stäbchen, mit dem die Saiten von Zupfinstrumenten angerissen werden)
plem|pern (ugs. für: seine Zeit unnütz od. mit nichtigen Dingen hinbringen)
plem|plem (ugs. für: verrückt)
Ple|nar⸗sit|zung (Vollsitzung), **...ver|samm|lung** (Vollversammlung); **Ple|num,** das; -s, ...nen (Gesamtheit [des Parlaments, Gerichts u. a.], Vollversammlung)
Pleo|nas|mus, der; -, ...men (Sprachw.: überflüssige Häufung sinngleicher od. sinnähnlicher Ausdrücke)
Pleu|el, der; -s, - (Schubstange); **Pleu|el|stan|ge**
Pleu|reu|se [*plörös*[e]], die; -, -n (früher: lange, farbige Straußenfeder auf Frauenhüten)
Ple|xi|glas (Wz) (ein glasartiger Kunststoff)
Plis|see, das; -s, -s (in Fältchen gelegtes Gewebe); **plis|sie|ren** (in Falten legen, fälteln)
Plock|wurst
Plom|be, die; -, -n (Bleisiegel, -verschluß; [Zahn]füllung); **plom|bie|ren; Plom|bie|rung**
plötz|lich
◇ unvermittelt, unversehens, unvermutet, unerwartet, überraschend, jäh, jählings, auf einmal, mit einemmal, aus heiterem Himmel
Plötz|lich|keit, die; -

Plu|der|ho|se; plu|de|rig, plud|rig; plu|dern (sich bauschen, bauschig schwellen)
Plu|meau [*plümo*], das; -s, -s (Federdeckbett)
plump; eine -e Falle; **plumps!; Plumps,** der; -es, -e (ugs.); **plump|sen** (ugs. für: dumpf fallen)
Plum|pud|ding [*plampud...*] (engl. Rosinenspeise)
Plun|der, der; -s, -n (ugs. für: altes Zeug; Backwerk aus Blätterteig mit Hefe); **Plün|de|rei; Plün|de|rer; plün|dern; Plün|de|rung**
Plün|nen *(Mehrz.)* (niederd. für: [alte] Kleider)
Plu|ral, der; -s, -e (Sprachw.: Mehrzahl; Abk.: pl., Pl., Plur.); **Plu|ra|lis|mus,** der; - (Vielgestaltigkeit gesellschaftlicher, politischer u. anderer Phänomene); **plu|ra|li|stisch;** -e Gesellschaft; **plus** (und; zuzüglich; Zeichen: + [positiv]; Ggs.: minus); *Umstandsw.:* die Temperatur beträgt - fünf Grad od. fünf Grad -; der Strom fließt von - nach minus; *Verhältnisw.* mit *Wesf.:* dieser Betrag - der Mehrwertsteuer; **Plus,** das; -, - (Mehr, Überschuß, Gewinn; Vorteil)
Plüsch [auch: *plü...*], der; -[e]s, -e (Florgewebe); **Plüsch‿decke** [*Trenn.:* ...dek|ke], **...ses|sel**
Plus‿pol, ...punkt; Plus|quam|per|fekt [auch: *...fäkt*], das; -s, -e (Sprachw.: Vorvergangenheit, dritte Vergangenheit)
plu|stern; die Federn - (sträuben, aufrichten)
Plus|zei|chen (Zusammenzähl-, Additionszeichen; Zeichen: +)
Plu|to|ni|um, das; -s (chem. Grundstoff, Transuran; Zeichen: Pu)
Pneu, der; -s, -s (Kurzform für: Pneumatik); **Pneu|ma|tik,** der; -s, -s (österr.: die; -, -en) (Luftreifen; Kurzform: Pneu); **pneu|ma|tisch** (die Luft, das Atmen betreffend; durch Luft[druck] bewegt, bewirkt); -e Bremse (Luftdruckbremse)
Po, der; -s, -s (kurz für: Popo)
Pö|bel, der; -s (Pack, Gesindel); **Pö|be|lei; pö|beln**
Poch, das (auch: der); -[e]s (ein Kartenglücksspiel); **po|chen**
po|chie|ren [*poschiren*] (Gastr.: Speisen, bes. aufgeschlagene Eier, in kochendem Wasser gar werden lassen)
Pocke[1], die; -, -n (Impfpustel); **Pocken**[1] (*Mehrz.;* eine Infektionskrankheit); **pocken|nar|big**[1]; **Pocken**[1]**‿schutz|imp|fung, ...vi|rus**
Pod|agra, das; -s (Med.: Fußgicht)
Po|dest, das od. der; -[e]s, -e ([Treppen]absatz; größere Stufe)

[1] *Trenn.:* ...k|k...

Po|dex, der; -es, -e (scherzh. für: Gesäß)
Po|di|um, das; -s, ...ien [*...ien*] (trittartige Erhöhung)
◇ Podest, Tritt, [Redner]pult
Po|di|ums‿dis|kus|si|on, ...ge|spräch
Poe|sie [*po-e...*], die; -, ...ien (Dichtung; Dichtkunst; dicht. Stimmungsgehalt, Zauber); **Poe|sie|al|bum; Po|et,** der; -en, -en (meist spött. für: Dichter); **Poe|tik,** die; -, -en ([Lehre von der] Dichtkunst); **poe|tisch** (dichterisch)
Po|grom, der (auch: das); -s, -e (Hetze, Ausschreitungen gegen nationale, religiöse, rassische Gruppen)
Poin|te [*poängte*], die; -, -n (überraschendes Ende eines Witzes, einer Erzählung); **Poin|ter** [*peunter*], der; -s, - (Vorstehhund); **poin|tie|ren** [*poängtiren*] (unterstreichen, betonen); **poin|tiert** (betont; zugespitzt)
Po|kal, der; -s, -e (Trinkgefäß mit Fuß; Sportpreis)
Pö|kel, der; -s, - ([Salz]lake); **Pö|kel‿fleisch, ...he|ring; pö|keln**
Po|ker, das; -s (ein Kartenglücksspiel); **po|kern**
Pol, der; -s, -e (Drehpunkt; Endpunkt der Erdachse; Math.: Bezugspunkt; Elektrotechnik: Aus- u. Eintrittspunkt des Stromes); **po|lar** (am Pol befindlich, die Pole betreffend; entgegengesetzt wirkend); -e Luftmassen; **Po|la|ri|sa|ti|on** [*...zion*] (gegensätzliches Verhalten von Substanzen od. Erscheinungen); **po|la|ri|sie|ren** (der Polarisation unterwerfen); **Po|la|ri|sie|rung; Po|lar‿kreis, ...licht** (*Mehrz.* ...lichter)
Po|le|mik, die; -, -en (wissenschaftl., literar. Fehde, Auseinandersetzung; [unsachlicher] Angriff); **Po|le|mi|ker; po|le|misch; po|le|mi|sie|ren**
po|len (an einen elektr. Pol anschließen)
Po|len|te, die; - (ugs. für: Polizei)
Po|len|ta, die; -, -s u. ...ten (ein Maisgericht)
Po|li|ce [*...liße*], die; -, -n (Versicherungsschein)
Po|lier, der; -s, -e (Vorarbeiter der Maurer u. Zimmerleute; Bauführer)
po|lie|ren (glätten, reiben, glänzend, blank machen); **Po|lie|rer**
Po|li|kli|nik [auch: *poli...*] ([Stadt]krankenhaus zur ambulanten Krankenbehandlung)
Po|lio [auch: *po...*], die; - (Kurzform von: Poliomyelitis); **Po|lio|mye|li|tis,** die; - (Med.: Kinderlähmung)
Po|lit|bü|ro (Kurzw. für: Politisches Büro; Zentralausschuß einer kommunistischen Partei)
Po|li|tes|se, die; -, -n ([von einer Gemeinde angestellte] Hilfspolizistin für bestimmte Aufgaben)

Po|li|tik, die; -, (selten:) -en ([Lehre von der] Staatsführung; Berechnung); **Po|li|ti|ker; po|li|tisch** (die Politik betreffend; staatsmännisch; staatsklug); **po|li|ti|sie|ren** (von Politik reden; politisch behandeln); **Po|li|ti|sie|rung; Po|li|to|lo|gie,** die; - (Wissenschaft von der Politik)
Po|li|tur, die; -, -en (Glätte, Glanz; Poliermittel)
Po|li|zei, die; -, (selten:) -en; **Po|li|zei‿ak|ti|on, ...be|am|te; po|li|zei|lich;** -es Führungszeugnis; **po|li|zei|wid|rig**
Po|li|zist, der; -en, -en
◇ Polizeibeamter, Wachtmeister, Schutzmann, Gesetzeshüter, Ordnungshüter, Gendarm (veralt.), weiße Maus (ugs.), Bulle (ugs. abwertend)
Po|li|zi|stin, die; -, -nen
Pol|ka, die; -, -s (Rundtanz)
Pol|len, der; -s, - (Blütenstaub)
Po|lo, das; -s, -s (Ballspiel vom Pferd, Rad od. Boot aus); **Po|lo|hemd** (kurzärmelige Männerhemdbluse)
Po|lo|nai|se [*...näsᵉ*] die; -, -n, (auch in eingedeutschter Schreibung:) **Po|lo|nä|se,** die; -, -n (polnischer Nationaltanz)
Pol|ster, das u. (österr.:) der; -s, - u. (österr.:) Pölster (österr. auch für: Kissen); **Pol|ste|rer; pol|stern; Pol|ste|rung**
Pol|ter|abend; pol|tern
Po|ly|ester, der; -s, - (ein Kunststoff)
Po|ly|ga|mie, die; - (Mehr-, Vielehe)
po|ly|glott (vielsprachig)
Po|lyp, der; -en, -en (Gestaltform der Nesseltiere; Med.: gestielte Geschwulst, [Nasen]wucherung; ugs. scherzh. für: Polizeibeamter); **po|ly|pen|ar|tig**
po|ly|phon (mehrstimmig, vielstimmig); -er Satz
Po|ly‿tech|ni|ker (Besucher des Polytechnikums), **...tech|ni|kum** (höhere techn. Fachschule); **po|ly|tech|nisch** (viele Zweige der Technik umfassend)
Po|ly|the|is|mus, der; - (Vielgötterei)
Po|ma|de, die; -, -n (wohlriechendes [Haar]fett); **po|ma|dig** (mit Pomade eingerieben; ugs. für: langsam, träge, gleichgültig)
Po|me|ran|ze, die; -, -n (Zitrusfrucht, bittere Apfelsine)
Pommes frites [*pomfrit*] (*Mehrz.;* in Fett gebackene Kartoffelstäbchen)
Pomp, der; -[e]s (Schaugepränge, Prunk; großartiges Auftreten); **pomp|haft**
Pom|pon [*pongpong* od. *pompong*], der; -s, -s (knäuelartige Quaste aus Wolle od. Seide)
pom|pös ([übertrieben] prächtig; prunkhaft)
Pon|cho [*pontscho*], der; -s, -s (capeartiger [Indianer]mantel)
Pon|ti|fex ma|xi|mus, der; - -, ...tifices [*...tifizeß*] ...mi (Titel des Papstes); **Pon|ti|fi|kal|amt,** das; -[e]s (eine von einem Bischof od. Prälaten gehaltene feierliche Messe)
Pon|ton [*pongtong* od. *pontong,* österr.: *ponton*], der; -s, -s (Brückenschiff); **Ponton‿brücke** [*Trenn.:* ...brük|ke], **...form**
Po|ny [*poni,* selten: *poni*], (für kleinwüchsiges Pferd:) das; -s, -s, (für eine Damenfrisur:) der; -s, -s; **Po|ny‿fran|sen** (*Mehrz.*), **...fri|sur**
Po|panz, der; -es, -e ([vermummte] Schreckgestalt)
Pop-art [*pópaʳt*], die; - (eine moderne Kunstrichtung)
Pop|corn, das; -s (Puffmais)
Po|pe, der; -n, -n (volkstüml. Bez. des Priesters der Ostkirche)
po|pe|lig, pop|lig (ugs. für: nicht freigebig; minderwertig, armselig)
Po|pe|lin, der; -s, -e u. **Po|pe|li|ne** [*popᵉlin,* österr.: *poplin*], die; -, - (Sammelbez. für feinere ripsartige Stoffe in Leinenbindung)
po|peln (ugs. für: in der Nase bohren)
Pop‿fe|sti|val, ...kon|zert, ...mo|de, ...mu|sik
Po|po, der; -s, -s (Kinderspr. für: Podex [Gesäß])
Pop|per, der; -s, - (Jugendlicher mit modischer Aufmachung); **pop|pig** (mit Stilelementen der Pop-art); ein -es Plakat
po|pu|lär (beliebt; volkstümlich; gemeinverständlich); **po|pu|la|ri|sie|ren** (gemeinverständlich darstellen; in die Öffentlichkeit bringen); **Po|pu|la|ri|tät,** die; - (Volkstümlichkeit, Beliebtheit)
Po|re, die; -, -n (feine [Haut]öffnung); **po|rig**
Por|no, der; -s, -s (Kurzform für: pornograph. Film, Roman u. ä.); **Por|no|gra|phie,** die; - (Abfassung pornographischer Werke; pornograph. Schriften u. Darstellungen); **por|no|gra|phisch** (Sexuelles obszön darstellend)
po|rös (durchlässig, löchrig)
Por|ree, der; -s, -s (eine Gemüse- u. Gewürzpflanze)
Por|ta|ble [*påʳtᵉbᵉl*], das; -s, -s (tragbares Fernsehgerät)
Por|tal, das; -s, -e ([Haupt]eingang, [prunkvolles] Tor)
Porte|feuille [*portföj*], das; -s, -s (veralt. für: Brieftasche; Mappe; auch: Geschäftsbereich eines Ministers); **Porte|mon|naie** [*portmone*], das; -s, -s (Geldbeutel, Börse)
Por|tier [*...tie,* österr.: *...tir*], der; -s, -s, (österr.:) -e (Pförtner; Hauswart); **Por|tie|re,** die; -, -n (Türvorhang); **Por|tiers|frau** [*...tieß...*]
Por|ti|on [*...zion*], die; -, -en ([An]teil, ab-

gemessene Menge); **Por|ti|ön|chen; por|tio|nie|ren** (in Portionen einteilen)

Por|to, das; -s, -s u. ...ti (Beförderungsgebühr für Postsendungen, Postgebühr, -geld); **por|to|frei; por|to|pflich|tig**

Por|trät [...*trä*, auch: ...*trät*], das; -s, -s od. (bei dt. Ausspr.:) das; -[e]s, -e (Bildnis); **Por|trät|auf|nah|me; por|trä|tie|ren; Por|trät‿maler, ...stu|die**

Port|wein

Por|zel|lan, das; -s, -e (feinste Tonware); **por|zel|la|nen** (aus Porzellan); **Por|zel|lan|fi|gur**

Po|sa|ment, das; -[e]s, -e (meist *Mehrz.;* Besatzartikel, Borte, Schnur)

Po|sau|ne, die; -, -n (ein Blechblasinstrument); **po|sau|nen; Po|sau|nen‿blä|ser, ...chor** (der); **Po|sau|nist,** der; -en, -en

Po|se, die; -, -n ([gekünstelte] Stellung; [gesuchte] Haltung); **po|sie|ren** (eine Pose annehmen, schauspielern)

Po|si|ti|on [...*zion*], die; -, -en ([An]stellung, Stelle, Lage; Stück, Teil; Standort eines Schiffes od. Flugzeuges); **Po|si|ti|ons|lam|pe; po|si|tiv**[1] (bejahend, zutreffend; bestimmt, gewiß); [1]**Po|si|tiv**[1], das; -s, -e [...*w*e] (Fotografie: vom Negativ gewonnenes, seitenrichtiges Bild); [2]**Po|si|tiv**[1], der; -s, -e [...*w*e] (Sprachw.: Grundstufe, ungesteigerte Form); **Po|si|tur,** die; -, -en ([herausfordernde] Haltung); sich in - setzen, stellen

Pos|se, die; -, -n (derbkomisches Bühnenstück)

Pos|sen, der; -s, - (derber, lustiger Streich); - reißen; **pos|sen|haft**

pos|ses|siv [auch: *po*...] (besitzanzeigend); **Pos|ses|siv|pro|no|men** [auch: *po*...] (Sprachw.: besitzanzeigendes Fürwort, z. B. „dein, unser")

pos|sier|lich (spaßhaft, drollig)

Post, die; -, -en (öffentl. Einrichtung, die gegen Gebühr Nachrichten, Pakete u. a. an einen bestimmten Empfänger weiterleitet; Postgebäude, -amt; Postsendung); **po|sta|lisch** (die Post betreffend, von der Post ausgehend); **Post|amt; post|amt|lich; Post‿an|wei|sung, ...bo|te**

Pöst|chen (kleiner Posten; Nebenberuf);

Po|sten, der; -s, - (Waren; Rechnungsbetrag; Amt, Stellung; Wache)

Po|ster [auch: *po*u*ßt*e*r*], das (auch: der); -s, - u. (bei engl. Ausspr.:) -s (plakatartiges, modernes Bild)

Post|fach; Post|gi|ro‿amt (Abk.: PGiroA), **...kon|to**

po|stie|ren (aufstellen); sich -

Po|stil|li|on [...*tiljon*, auch, österr. nur: *póßtiljon*], der; -s, -e (früher für: Postkutscher); **Post|kar|te; post|la|gernd;** -e Sendungen; **Post|leit|zahl; Post|ler** (südd. u. österr. ugs. für: Postbeamter, Postangestellter)

post|mo|dern (die Postmoderne betreffend); -e Architektur; **Post|mo|der|ne,** die; - (Bez. für verschiedene Strömungen der gegenwärtigen Architektur u. anderer Kunstformen)

Post‿pa|ket, ...scheck; Post|scheck‿amt (Abk.: PSchA; früher für: Postgiroamt), **...kon|to** (früher für: Postgirokonto)

Post|skript, das; -[e]s, -e u. **Post|skrip|tum,** das; -s, ...ta (Nachschrift; Abk.: PS)

Post‿spar|buch, ...spar|kas|se

Po|stu|lat, das; -[e]s, -e (Forderung); **po|stu|lie|ren**

po|stum (nachgeboren; nachgelassen)

post|wen|dend; Post‿wert|zei|chen, ...wurf|sen|dung

Pot, das; -s (ugs. für: Marihuana)

po|tent (mächtig, einflußreich; zahlungskräftig, vermögend; Med.: beischlafs-, zeugungsfähig); **Po|ten|ti|al,** das; -s, -e (Leistungs-, Wirkungsfähigkeit); **po|ten|ti|ell** (möglich [im Gegensatz zu wirklich]; der Anlage, der Möglichkeit nach); **Po|tenz,** die; -, -en (Leistungsfähigkeit; Zeugungsfähigkeit; Math.: Produkt aus gleichen Faktoren); **po|ten|zie|ren** (erhöhen, steigern; zur Potenz erheben, mit sich selbst vervielfältigen)

Pot|pour|ri [*potpuri*, österr.: ...*ri*], das; -s, -s (Allerlei, Kunterbunt; Zusammenstellung verschiedener Musikstücke zu einem Musikstück)

Pott, der; -[e]s, Pötte (niederd. für: Topf; auch abschätzig für: [altes] Schiff)

potz Blitz!; potz|tau|send!

Pou|lard [*pular*], das; -s, -s u. **Pou|lar|de** [*pulard*e], die; -, -n (junges, verschnittenes Masthuhn)

pous|sie|ren [*pußir*e*n*] (ugs. für: flirten; veralt. für: schmeicheln, umwerben)

Power|play [*pau*e*rple*i], das; -[s] (Eishokkey: gemeinsames Anstürmen aller fünf Feldspieler auf das gegnerische Tor); **Power|slide** [*pau*e*rßlaid*], das; -[s] (im Autorennsport die Technik, mit erhöhter Geschwindigkeit durch eine Kurve zu schliddern)

Prä|am|bel, die; -, -n (Einleitung bes. als feierliche Erklärung)

Pracht, die; -; **präch|tig; Präch|tig|keit,** die; -; **pracht|voll**

Prä|de|sti|na|ti|on [...*zion*], die; - (Vorherbestimmung); **prä|de|sti|nie|ren; prä|de|sti|niert** (vorherbestimmt; wie geschaffen [für etwas])

Prä|di|kat, das; -[e]s, -e (grammatischer Kern der Satzaussage; Rangbezeichnung; [gute] Zensur); **prä|di|ka|tiv** (aussagend)

[1] Auch: ...*tif.*

Prä|exi|stenz, die; -, -en (das Existieren vor der Geburt, in einem früheren Leben)
Prä|fix, das; -es, -e (Sprachw.: Vorsilbe)
präg|bar; prä|gen; Prä|ge|pres|se; Prä|ge‿stät|te, ...stem|pel, ...stock (der; -[e]s, ...stöcke)
prag|ma|tisch (auf Tatsachen beruhend, sachlich, sach-, fach-, geschäftskundig)
prä|gnant (knapp, aber gehaltvoll); **Prä|gnanz,** die; -
präg|sam; Prä|gung
prä|hi|sto|risch [auch, österr. nur: *prä*...] (vorgeschichtlich)
prah|len; Prah|ler; Prah|le|rei; prah|le|risch
prä|ju|di|zie|ren (der [richterlichen] Entscheidung vorgreifen)
Prak|tik, die; -, -en (Vorgehensweise, Ausübung von etwas, Handhabung; meist *Mehrz.*: nicht ganz korrekter Kunstgriff, Kniff); **prak|ti|ka|bel** (brauchbar; benutzbar; zweckmäßig); ein ...a|bler Vorschlag; **Prak|ti|kant,** der; -en, -en (in praktischer Ausbildung Stehender); **Prak|ti|kan|tin,** die; -, -nen; **Prak|ti|ker,** der; -s, - (Mann der prakt. Arbeitsweise und Erfahrung; Ggs.: Theoretiker); **Prak|ti|kum,** das; -s, ...ka u. ...ken (die zur praktischen Anwendung des Erlernten eingerichtete Übungsstunde, bes. an Hochschulen; vorübergehende praktische Tätigkeit zur Vorbereitung auf den Beruf); **prak|tisch** (auf die Praxis bezüglich, ausübend; zweckmäßig; geschickt; tatsächlich); -er Arzt (nicht spezialisierter Arzt, Arzt für Allgemeinmedizin, Abk.: prakt. Arzt); **prak|ti|zie|ren** (eine Sache betreiben; [Methoden] anwenden; als Arzt usw. tätig sein; ein Praktikum durchmachen)
Prä|lat, der; -en, -en (geistl. Würdenträger)
Pra|li|ne, die; -, -n (schokoladenüberzogene Süßigkeit)
prall (voll; stramm; derb, kräftig); **Prall,** der; -[e]s, -e (heftiges Auftreffen); **prallen; prall|voll**
Prä|lu|di|um, das; -s, ...ien [...*i*ᵉ*n*] (Musik: Vorspiel)
Prä|mie [...*i*ᵉ], die; -, -n (Belohnung, Preis; [Zusatz]gewinn; Vergütung; Versicherungsgebühr, Beitrag); **prä|mi|en|be|gün|stigt;** -es Sparen; **prä|mi|en|spa|ren; Prä|mi|en‿spa|ren** (das; -s), **...spar|ver|trag; prä|mie|ren, prä|mi|ie|ren; Prä|mie|rung, Prä|mi|ie|rung**
Prä|mis|se, die; -, -n (Voraussetzung)
pran|gen
Pran|ger, der; -s, - (früher für: Halseisen; Schandpfahl; heute noch in Redewendungen [an den - stellen])
Pran|ke, die; -, -n (Klaue, Tatze)
Prä|pa|rat, das; -[e]s, -e (kunstgerecht Vor-, Zubereitetes, z. B. Arzneimittel; auch: konservierter Pflanzen- od. Tierkörper [zu Lehrzwecken]); **prä|pa|rie|ren;** einen Stoff, ein Kapitel - (vorbereiten); sich - (vorbereiten); Körper- od. Pflanzenteile - (dauerhaft, haltbar machen)
Prä|po|si|ti|on [...*zion*], die; -, -en (Sprachw.: Verhältniswort)
Prä|rie, die; -, ...ien (Grasebene [in Nordamerika])
Prä|sens, das; -, ...sentia od. senzien [...*i*ᵉ*n*] (Sprachw.: Gegenwart); **prä|sent** (anwesend; gegenwärtig; bei der Hand); **Prä|sent,** das; -[e]s, -e (Geschenk; kleine Aufmerksamkeit); **prä|sen|tie|ren** (überreichen, darbieten; vorlegen, zeigen); **Prä|senz,** die; - (Gegenwart, Anwesenheit)
Prä|ser|va|tiv, das; -s, -e [...*w*ᵉ] (seltener: -s) (Gummiüberzug für das männl. Glied zur Empfängnisverhütung)
◇ Kondom, Prophylaktikum, Verhütungsmittel, Gummischutz, Pariser (ugs.), Präser (ugs.)
Prä|ses, der; -, ...sides u. ...siden (geistl. Vorstand eines kath. kirchl. Vereins, Vorsitzender einer ev. Synode); **Prä|si|dent,** der; -en, -en (Vorsitzender; Staatsoberhaupt in einer Republik); **Prä|si|den|tin,** die; -, -nen; **prä|si|die|ren** (den Vorsitz führen, leiten); **Prä|si|di|um,** das; -s, ...ien [...*i*ᵉ*n*] (Vorsitz; Amtsgebäude eines [Polizei]präsidenten)
pras|seln
pras|sen (schlemmen)
prä|ten|ti|ös (anspruchsvoll, anmaßend, selbstgefällig)
Prä|ter|itum, das; -s, ...ta (Sprachw.: Vergangenheit)
Prat|ze, die; -, -n (oft ugs. für: breite, ungefüge Hand)
Prä|ven|ti|on [...*zion*], die; -, -en (Verhütung, vorbeugende Maßnahme); **prä|ven|tiv** (vorbeugend, verhütend); **Prä|ven|tiv|krieg**
Pra|xis, die; -, ...xen (Tätigkeit, Ausübung; tätige Auseinandersetzung mit der Wirklichkeit, Ggs.: Theorie [nur *Einz.*]; Tätigkeitsbereich des Arztes od. Anwalts; Räumlichkeiten für die Berufsausübung dieser Personen)
Prä|ze|denz|fall, der; -[e]s, ...fälle (Musterfall, richtungsweisendes Beispiel)
prä|zis (österr. nur so), **prä|zi|se** (gewissenhaft; genau; pünktlich; unzweideutig, klar); **prä|zi|sie|ren** (genau angeben; knapp zusammenfassen); **Prä|zi|sie|rung; Prä|zi|si|on,** die; - (Genauigkeit)
pre|di|gen; Pre|di|ger; Pre|digt, die; -, -en
Preis, der; -es, -e (Belohnung; Lob;

[Geld]wert); **Preis|aus|schrei|ben** (das; -s, -); **preis|be|gün|stigt**

Prei|sel|bee|re

prei|sen; pries, gepriesen; preis[e]!

Preis|fra|ge; Preis|ga|be, die; -; **preis|ge|ben; preis|ge|krönt; Preis-‿ge|richt, ...la|ge, ...li|ste; Preis-Lohn-Spi|ra|le**

Preis|nach|laß

◇ Ermäßigung, Rabatt, Prozente, Diskont

Preis|schild (das), **...sen|kung, ...stei|ge|rung, ...trä|ger, ...ver|lei|hung; preis|wert**

pre|kär (mißlich, schwierig, bedenklich)

Prell‿ball (ein dem Handball ähnliches Mannschaftsspiel), **...bock; prel|len; Prel|lung**

Pre|mier [*pr^{e}mie, premie*], der; -s, -s („Erster", Erstminister, Ministerpräsident); **Pre|mie|re,** die; -, -n (Erst-, Uraufführung); **Pre|mier|mi|ni|ster** [*pr^{e}mie..., premie...*]

Pres|by|ter, der; -s, - (Gemeindeältester, Mitglied des Kirchenvorstandes)

pre|schen (ugs. für: rennen, eilen)

Pre-shave-Lo|tion [*prische^{i}w lo^{u}sch^{e}n*], die; -, -s (Gesichtswasser zum Gebrauch vor der Rasur)

Preß|ball (Sportspr.: von zwei Spielern gleichzeitig getretener Ball)

Pres|se, die; -, -n (Druckpresse, Buchpresse; Gerät zum Auspressen von Obst; ugs. für: Schule, die in gedrängter Weise auf Prüfungen vorbereitet; nur *Einz.:* Gesamtheit der period. Druckschriften; Zeitungs-, Zeitschriftenwesen); **Pres|se-‿agen|tur, ...fo|to|graf, ...frei|heit** (die; -), **...kon|fe|renz; pres|sen; pres|sie|ren** (bes. südd., österr. u. schweiz. ugs. für: drängen, treiben, eilig sein); **Pres|si|on,** die; -, -en (Druck; Nötigung, Zwang): **Preß|luft,** die; -; **Preß-luft‿boh|rer, ...ham|mer; Pres|sung**

Pre|sti|ge [*...isch^e*], das; -s (Ansehen, Geltung)

pre|sto (Musik: schnell); **Pre|sto,** das; -s, -s u. ...ti

prickeln[1]**; prickelnd**[1]**;** der -e Reiz der Neuheit

Priel, der; -[e]s, -e (schmaler Wasserlauf im Wattenmeer)

Priem, der; -[e]s, -e (Stück Kautabak); **prie|men** (Tabak kauen)

Prie|ster, der; -s, -

◇ Geistlicher, Pfarrer, Seelsorger

Prie|ste|rin, die; -, -nen; **prie|ster|lich**

pri|ma (ugs. für: vorzüglich, prächtig, wunderbar); ein prima Kerl; **Pri|ma,** die; -, ...men (veraltende Bez. für die beiden oberen Klassen einer höheren Lehranstalt); **Pri|ma|bal|le|ri|na,** die; -, ...nen (erste Tänzerin); **Pri|ma|don|na,** die; -, ...nnen (erste Sängerin)

Pri|ma|ner, der; -s, - (Schüler der Prima); **Pri|ma|ne|rin,** die; -, -nen; **pri|mär** (die Grundlage bildend, wesentlich; ursprünglich, erst...); **Pri|mas,** der; -, -se (der Erste, Vornehmste; Ehrentitel bestimmter Erzbischöfe; Solist u. Vorgeiger einer Zigeunerkapelle); [1]**Pri|mat,** der od. das; -[e]s, -e (Vorrang, bevorzugte Stellung; [Vor]herrschaft; oberste Kirchengewalt des Papstes); [2]**Pri|mat,** der; -en, -en (meist *Mehrz.;* Biol.: Herrentier, höchstentwickeltes Säugetier); **Pri|mel,** die; -, -n (Vertreter einer Pflanzengattung mit zahlreichen einheimischen Arten [Schlüsselblume, Aurikel])

pri|mi|tiv (urzuständlich, urtümlich; geistig unterentwickelt, einfach; dürftig); **Pri|mi|ti|ve** [*...w^e*], der u. die; -n, -n (meist *Mehrz.;* Angehörige[r] eines Volkes, das auf einer niedrigen Kulturstufe steht); **Pri|mi|ti|vi|tät; Pri|miz,** [auch: *...miz*] die; -, -en (erste [feierl.] Messe eines neugeweihten kath. Priesters); **Pri-mus,** der; -, ...mi u. ...se (Erster in einer Schulklasse); **Prim|zahl** (nur durch 1 u. durch sich selbst teilbare Zahl)

Prin|te, die; -, -n (meist *Mehrz.;* ein Gebäck)

Print|me|di|en (*Mehrz.;* Zeitungen, Zeitschriften u. Bücher)

Prinz, der; -en, -en; **Prin|zen|paar,** das; -[e]s, -e (Prinz u. Prinzessin [im Karneval]); **Prin|zeß,** die; -, ...zessen (für: Prinzessin); **Prin|zes|sin,** die; -, -nen; **Prin|zip,** das; -s, ...ien [*...i^{e}n*], seltener: -e (Grundlage; Grundsatz); **prin|zi|pi|ell** (grundsätzlich)

Pri|or, der; -s, Prioren ([Kloster]oberer, -vorsteher); **Prio|ri|tät,** die; -, -en (Vor[zugs]recht, Erstrecht, Vorrang; nur *Einz.:* zeitl. Vorhergehen)

Pri|se, die; -, -n (soviel [Tabak, Salz u. a.], wie zwischen zwei Fingern zu greifen ist)

Pris|ma, das; -s, ...men (kantige Säule; Licht-, Strahlenbrecher)

Prit|sche, die; -, -n (flaches Schlagholz; hölzerne Liegestatt)

pri|vat [*...wat*] (persönlich; nicht öffentlich, außeramtlich, vertraulich; häuslich; vertraut); -e Wirtschaft; -er Eingang, aber: Verkauf an, Kauf von Privat; **Pri|vat‿an|ge|le|gen|heit, ...be|sitz, ...fern|se|hen; pri|va|ti|sie|ren** [*...wa...*] (staatl. Vermögen in Privatvermögen umwandeln; als Rentner[in] od. als Privatmann vom eigenen Vermögen leben); **Pri|vat‿le|ben** (das; -s), **...pa|ti-ent, ...per|son**

Pri|vi|leg [*...wi...*], das; -[e]s, ...ien [*...i^{e}n*] (auch: -e) (Vor-, Sonderrecht); **pri|vi|le-gie|ren**

[1]*Trenn.:* ...k|k...

pro (für; je); *Verhältnisw.* mit *Wenf.:* - Stück; - männlichen Angestellten; *Umstandsw.:* - [eingestellt] sein; **Pro,** das; - (Für); das - und Kontra (das Für u. Wider)
Pro|band, der; -en, -en (Testperson, an der etwas ausprobiert od. gezeigt wird); **pro|bat** (erprobt; bewährt)
Pro|be, die; -, -n
◇ Versuch, Experiment, Prüfung
Pro|be‿alarm, ...ex|em|plar; pro|be|fah|ren (meist nur in der Grundform u. im 2. Mittelw. gebr.); probegefahren; auch schon: ich fahre Probe; wenn er probefährt; **Pro|be|fahrt**
pro|ben
◇ üben, eine Probe abhalten
pro|be|wei|se; Pro|be|zeit; pro|bie|ren (versuchen, kosten, prüfen)
Pro|blem, das; -s, -e (zu lösende Aufgabe; Frage[stellung]; unentschiedene Frage; Schwierigkeit); **Pro|ble|ma|tik,** die; - (Fraglichkeit, Schwierigkeit [etwas zu klären])
pro|ble|ma|tisch
◇ schwierig, heikel, kompliziert, vertrackt (ugs.)
Pro|dukt, das; -[e]s, -e (Erzeugnis; Ertrag; Folge, Ergebnis [Math.: der Multiplikation]); **Pro|duk|ti|on** [*...zion*], die; -, -en (Herstellung, Erzeugung); **Pro|duk|ti|ons‿ko|sten** *(Mehrz.),* **...zweig; pro|duk|tiv** (ergiebig; fruchtbar, schöpferisch); **Pro|duk|ti|vi|tät** [*...wi...*], die; -; **Pro|du|zent,** der; -en, -en (Hersteller, Erzeuger); **pro|du|zie|ren** ([Güter] hervorbringen, [er]zeugen, schaffen); sich - (sich darstellerisch vorführen, sich sehen lassen)
pro|fan (unheilig, weltlich; alltäglich)
Pro|fes|si|on, die; -, -en (veralt. für: Beruf; Gewerbe); **Pro|fes|sio|nal** [in engl. Ausspr.: *profäschᵉnᵉl*], der; -s, -e u. (bei engl. Aussprache:) -s (Berufssportler; Kurzw.: Profi); **pro|fes|sio|nell** (berufsmäßig); **Pro|fes|sor,** der; -s, ...oren (Hochschullehrer; Titel für verdiente Lehrkräfte, Forscher u. Künstler); **pro|fes|so|ral** (professorenhaft, würdevoll); **Pro|fes|so|rin** [auch: *profäß...*], die; -, -nen (im Titel u. in der Anrede meist: Frau Professor); **Pro|fes|sur,** die; -, -en (Lehrstuhl, -amt); **Pro|fi,** der; -s, -s (Kurzw. für: Professional); **Pro|fi|bo|xer**
Pro|fil, das; -s, -e (Seitenansicht; Längs- od. Querschnitt; Riffelung bei Gummireifen)
pro|fi|lie|ren (im Querschnitt darstellen); sich -
◇ Profil gewinnen, ein Gesicht bekommen, sich einen Namen machen
pro|fi|liert (auch: gerillt, geformt; scharf umrissen; von ausgeprägter Art); **Pro|fi|lie|rung; pro|fil|los**
Pro|fit, der; -[e]s, -e (Nutzen; Gewinn; Vorteil); **pro|fit|brin|gend; pro|fi|tie|ren** (Nutzen ziehen); **Pro|fit|jä|ger**
pro for|ma (der Form wegen, zum Schein)
pro|fund (tief, tiefgründig; gründlich)
Pro|gno|se, die; -, -n (Vorhersage [des Krankheitsverlaufes, des Wetters usw.])
◇ Prophezeiung, Voraussage
pro|gno|stisch (vorhersagend); **pro|gno|sti|zie|ren; Pro|gno|sti|zie|rung**
Pro|gramm, das; -s, -e (Plan; Darlegung von Grundsätzen; Spiel-, Sende-, Fest-, Arbeits-, Vortragsfolge; Tagesordnung; bei elektron. Rechenanlagen: Rechengang, der der Maschine eingegeben wird); **pro|gram|ma|tisch** (dem Programm gemäß; einführend; richtungweisend; vorbildlich); **pro|gramm|ge|mäß; pro|gram|mie|ren** (auf ein Programm setzen; für elektron. Rechenmaschinen ein Programm aufstellen); **Pro|gram|mie|rer** (Fachmann für die Erarbeitung und Aufstellung von Schaltungen und Ablaufplänen elektron. Datenverarbeitungsmaschinen); **Pro|gram|mie|rung**
Pro|greß, der; ...gresses, ...gresse (Fortschritt); **Pro|gres|si|on,** die; -, -en (Fortschreiten, [Stufen]folge, Steigerung); **pro|gres|siv** (stufenweise fortschreitend, sich entwickelnd; fortschrittlich)
Pro|hi|bi|ti|on [*...zion*], die; - (Verbot von Alkoholherstellung u. -abgabe)
Pro|jekt, das; -[e]s, -e (Plan[ung], Entwurf, Vorhaben); **pro|jek|tie|ren; Pro|jek|til,** das; -s, -e (Geschoß); **Pro|jek|ti|on** [*...zion*], die; -, -en (Darstellung auf einer Fläche; Vorführung mit dem Bildwerfer); **Pro|jek|tor,** der; -s, ...oren (Bildwerfer); **pro|ji|zie|ren** (auf einer Fläche darstellen; mit dem Bildwerfer vorführen)
Pro|kla|ma|ti|on [*...zion*], die; -, -nen (amtl. Bekanntmachung; Aufruf); **pro|kla|mie|ren**
Pro|ku|ra, die; -, ...ren (Handlungsvollmacht; Recht, den Geschäftsinhaber zu vertreten); **Pro|ku|rist,** der; -en, -en (Inhaber einer Prokura)
Pro|let, der; -en, -en (ungebildeter, ungehobelter Mensch); **Pro|le|ta|ri|at,** das; -[e]s, -e (Gesamtheit der Proletarier); **Pro|le|ta|ri|er** [*...iᵉr*], der; -s, - (Angehöriger der wirtschaftlich unselbständigen, besitzlosen Klasse); **pro|le|ta|risch**
Pro|log, der; -[e]s, -e (Einleitung; Vorspruch, -wort, -spiel, -rede)
Pro|me|na|de, die; -, -n (Spaziergang, -weg); **Pro|me|na|den‿deck, ...mischung** (ugs. scherzh. für: nicht reinras-

siger Hund); **pro|me|nie|ren** (spazierengehen)
pro mil|le (für tausend, für das Tausend, vom Tausend; Abk.: p. m., v. T.; Zeichen: ‰); **Pro|mil|le,** das; -[s], - (Tausendstel)
pro|mi|nent (hervorragend, bedeutend, maßgebend, bekannt, berühmt, von Rang); **Pro|mi|nen|te,** der u. die; -n, -n (hervorragende, bedeutende Persönlichkeit; Tagesgröße); **Pro|mi|nenz,** die; - (Gesamtheit der Prominenten)
Pro|mo|ter [*...o"t^er*], der; -s, - (Veranstalter von Berufssportwettkämpfen); [1]**Pro|mo|ti|on** [*...zion*], die; -, -en (Erlangung, Verleihung der Doktorwürde); [2]**Pro|mo|tion** [*promo"sch^en*], die; - (Wirtsch.: Absatzförderung durch gezielte Werbemaßnahmen); **pro|mo|vie|ren** [*...wir^en*] ([zur Doktorwürde] befördern; die Doktorwürde erlangen)
prompt (unverzüglich, gleich, sofort, ohne Verzug)
Pro|no|men, das; -s, - u. (älter:) ...mina (Sprachw.: Fürwort, z. B. „ich, mein")
Pro|pa|gan|da, die; - (Werbung für polit. Grundsätze, kulturelle Belange u. wirtschaftl. Zwecke, Reklame, Agitation); **Pro|pa|gan|dist,** der; -en, -en (jmd., der Propaganda treibt, Werber); **pro|pa|gan|di|stisch; pro|pa|gie|ren** (verbreiten, werben für etwas)
Pro|pan, das; -s (ein Brenn-, Treibgas), **Pro|pan|gas**
Pro|pel|ler, der; -s, - (Antriebsschraube bei Schiffen od. Flugzeugen)
pro|per (eigen, sauber; nett)
Pro|phet, der; -en, -en (Weissager, Seher; Mahner); **Pro|phe|tie,** die; -, ...ien (Weissagung); **pro|phe|tisch** (seherisch, weissagend, vorausschauend); **pro|phe|zei|en** (weis-, voraussagen); **Pro|phe|zei|ung**
pro|phy|lak|tisch (vorbeugend, verhütend)
Pro|por|ti|on [*...zion*], die; -, -en ([Größen]verhältnis; Eben-, Gleichmaß); **pro|por|tio|nal** (verhältnismäßig; in gleichem Verhältnis stehend; entsprechend); **pro|por|tio|niert** (im [rechten] Verhältnis stehend; ebenmäßig; wohlgebaut); **Pro|porz,** der; -es, -e (bes. österr. u. schweiz.: Verhältniswahlsystem; Verteilung von Sitzen u. Ämtern nach dem Stimmenverhältnis bzw. dem Verhältnis der Partei- oder Konfessionszugehörigkeit)
Propst, der; -[e]s, Pröpste (Kloster-, Stiftsvorsteher; Superintendent)
Pro|sa, die; - (Rede [Schrift] in ungebundener Form; übertr. für: Nüchternheit); **Pro|sa|dich|tung; pro|sa|isch** (in Prosa [abgefaßt]; übertr. für: nüchtern)
pro|sit!, prost! (wohl bekomm's!); **Prosit,** das; -s, -s u. Prost, das; -[e]s, -e (Zutrunk)
Pro|spekt, der (österr. auch: das); -[e]s, -e (Werbeschrift; Ansicht [von Gebäuden, Straßen u. a.])
prost! vgl. prosit!; **Prost** vgl. Prosit
Pro|sta|ta, die; - (Vorsteherdrüse)
pro|sten
◇ zuprosten, zutrinken, auf jmds. Wohl trinken/anstoßen, jmdn. hochleben lassen, einen Trinkspruch auf jmdn. ausbringen
pro|sti|tu|ie|ren (veralt. für: bloßstellen); sich - (sich preisgeben)
Pro|sti|tu|ier|te, die; -n, -n
◇ Dirne, Straßenmädchen, Strichmädchen, Nutte (derb), Hure (veraltend abwertend)
Pro|sti|tu|ti|on [*...zion*], die; - (gewerbsmäßige Unzucht; Dirnenwesen)
Pro|te|gé [*...tesehe*], der; -s, -s (Günstling; Schützling); **pro|te|gie|ren** [*...tesehir^en*]
Pro|te|in, das; -s, -e (einfacher Eiweißkörper)
Pro|tek|ti|on [*...zion*], die; -, -en (Gönnerschaft; Förderung; Schutz); **Pro|tek|tio|nis|mus,** der; - (Günstlingswirtschaft); **pro|tek|tio|ni|stisch; Pro|tek|to|rat,** das; -[e]s, -e (Schirmherrschaft; Schutzherrschaft; das unter Schutzherrschaft stehende Gebiet)
Pro|test, der; -[e]s, -e (Einspruch, Verwahrung, Beschwerde); **Pro|test|ak|ti|on; Pro|te|stant,** der; -en, -en (Angehöriger des Protestantismus); **Pro|te|stan|tin,** die; -, -nen; **pro|te|stan|tisch** (Abk.: prot.); **Pro|te|stan|tis|mus,** der; - (Gesamtheit der auf die Reformation zurückgehenden ev. Kirchengemeinschaften); **pro|te|stie|ren** (Einspruch erheben, Verwahrung einlegen); **Pro|test‿kund|ge|bung, ...song**
Pro|the|se, die; -, -n (Ersatzglied; Zahnersatz)
Pro|to|koll, das; -s, -e (förml. Niederschrift, Tagungsbericht; Beurkundung einer Aussage, Verhandlung u. a.; Gesamtheit der im diplomat. Verkehr gebräuchl. Formen [nur *Einz.*]); **Pro|to|kol|lant,** der; -en, -en ([Sitzungs]schriftführer); **pro|to|kol|la|risch** (durch Protokoll festgestellt, festgelegt); **pro|to|kol|lie|ren** (ein Protokoll aufnehmen)
Pro|to|plas|ma, das; -s, ...men (Lebenssubstanz aller pflanzl., tier. u. menschl. Zellen); **Pro|to|typ** [selten: *...tüp*], der; -s, -en (Muster; Urbild; Inbegriff); **pro|to|ty|pisch** (urbildlich)
Protz, der; -en u. -es, -e[n] (abschätzig für: Angeber); **prot|zen; Prot|ze|rei**
prot|zig
◇ angeberisch, großspurig, großkotzig (ugs.)

Pro|ve|ni|enz [*...weniänz*], die; -, -en (Herkunft, Ursprung)
Pro|vi|ant [*...wi...*], der; -s, (selten:) -e ([Mund]vorrat; Wegzehrung; Verpflegung)
Pro|vinz [*...winz*], die; -, -en (Land[esteil]; Verwaltungsgebiet; iron. abwertend für: [kulturell] rückständige Gegend; **pro|vin|zi|ell** (die Provinz betreffend; landschaftlich; hinterwäldlerisch); **Pro|vinz|ler** (iron. abwertend für: Provinzbewohner; [kulturell] rückständiger Mensch)
Pro|vi|si|on [*...wi...*], die; -, -en (Vergütung [für Geschäftsbesorgung], [Vermittlungs]gebühr, [Werbe]anteil)
pro|vi|so|risch
◇ vorläufig, notdürftig, behelfsmäßig, als Notbehelf
Pro|vi|so|ri|um, das; -s, ...ien [*...i^en*] (vorläufige Einrichtung)
◇ Behelf, Notbehelf, nicht Endgültiges, Notlösung
pro|vo|kant (herausfordernd); **Pro|vo|ka|teur** [*prowokatör*], der; -s, -e (jmd., der provoziert); **Pro|vo|ka|ti|on** [*...zion*], die; -, -en (Herausforderung; Aufreizung); **pro|vo|ka|tiv, pro|vo|ka|to|risch** (herausfordernd); **pro|vo|zie|ren** (herausfordern; aufreizen); **Pro|vo|zie|rung**
Pro|ze|dur, die; -, -en (Verfahren, [schwierige, unangenehme] Behandlungsweise)
Pro|zent, das; -[e]s, -e ([Zinsen, Gewinn] vom Hundert, Hundertstel; Abk.: p. c., v. H.; Zeichen: %); **Pro|zent|satz** (Hundert-, Vomhundertsatz); **pro|zen|tu|al** (im Verhältnis zum Hundert, in Prozenten ausgedrückt)
Pro|zeß, der; ...zesses, ...zesse (Vor-, Arbeits-, Hergang, Verlauf, Ablauf; [gerichtl.] Verfahren); **pro|zes|sie|ren** (einen Prozeß führen); **Pro|zes|si|on,** die; -, -en ([feierl. kirchl.] Umzug, Umgang, Bitt- od. Dankgang)
prü|de (zimperlich, spröde [in sittl.-erot. Beziehung]); **Prü|de|rie,** die; -, ...ien (Zimperlichkeit, Ziererei)
prü|fen
◇ examinieren, testen, einer Prüfung unterziehen
Prü|fer
Prüf|ling
◇ Kandidat, Examenskandidat
Prü|fung; Prü|fungs‿frage, ...ter|min
¹Prü|gel, der; -s, - (Stock); **²Prü|gel** (*Mehrz.;* ugs. für: Schläge); **Prü|ge|lei** (ugs.); **Prü|gel|kna|be** (übertr. für: jmd., der an Stelle des Schuldigen bestraft wird); **prü|geln; Prü|gel|stra|fe**
Prunk, der; -[e]s; **prun|ken; prunk‿süch|tig, ...voll**
pru|sten (ugs. für: stark schnauben)
Psalm, der; -s, -en ([geistl.] Lied); **psalm|odie|ren** (Psalmen vortragen; eintönig singen)
Pseu|do|krupp (Med.: Anfall von Atemnot u. Husten bei Kehlkopfentzündung); **pseud|onym** (unter Decknamen [verfaßt]); **Pseud|onym,** das; -s, -e (Deckname, Künstlername)
Psych|ago|ge, der; -n, -n; **Psych|ago|gik,** die; - (Behandlung von Verhaltensstörungen); **Psy|che,** die; -, -n (Seele); **psy|che|de|lisch** (in einem [durch Rauschmittel hervorgerufenen] euphorischen, tranceartigen Gemütszustand befindlich; Glücksgefühle hervorrufend); -e Mittel; **Psych|ia|ter,** der; -s, - (Arzt für Gemütskranke); **Psych|ia|trie,** die; - (Lehre von den seelischen Störungen, von den Geisteskrankheiten); **psych|ia|trisch; psy|chisch** (seelisch); **Psy|cho|ana|ly|se,** die; - (Verfahren zur Untersuchung u. Behandlung seelischer Störungen); **Psy|cho|ana|ly|ti|ker** (die Psychoanalyse vertretender od. anwendender Psychologe, Arzt); **psy|cho|ana|ly|tisch; Psy|cho|lo|ge,** der; -n, -n; **Psy|cho|lo|gie,** die; - (Seelenkunde); **psy|cho|lo|gisch** (seelenkundlich); **Psy|cho|path,** der; -en, -en; **Psy|cho|pa|thie,** die; - (Abweichen des geistig-seel. Verhaltens von der Norm); **psy|cho|pa|thisch; Psy|cho|se,** die; -, -n (Seelenstörung; Geistes- od. Nervenkrankheit); **Psy|cho|the|ra|peut,** der; -en, -en (Facharzt für Psychotherapie); **psy|cho|the|ra|peu|tisch; Psy|cho|the|ra|pie,** die; - (seel. Heilbehandlung)
Pub [*pab*], das; -s, -s (Wirtshaus im engl. Stil, Bar)
pu|ber|tär (für die Pupertät typisch)
Pu|ber|tät, die; - ([Zeit der eintretenden] Geschlechtsreife)
◇ Entwicklungszeit, Entwicklungsalter, Adoleszenz, Flegeljahre (veralt.)
Pu|ber|täts|zeit; pu|ber|tie|ren (in die Pubertät eintreten, sich in ihr befinden)
Pu|bli|ci|ty [*pablißiti*], die; - (Öffentlichkeit; Reklame, öffentl. Verbreitung); **Public Re|la|tions** [*pablik rileⁱschᵉns*] (*Mehrz.;* Bemühungen z. B. eines Unternehmens um Vertrauen in der Öffentlichkeit); **pu|blik** (öffentlich; allgemein bekannt); **Pu|bli|ka|ti|on** [*...zion*], die; -, -en (Veröffentlichung; Schrift); **Pu|bli|kum,** das; -s (teilnehmende Menschenmenge; Zuhörer-, Leser-, Besucher[schaft], Zuschauer[menge]); **Pu|bli|kums‿er|folg, ...ver|kehr; pu|bli|zie|ren** (ein Werk, einen Aufsatz veröffentlichen; seltener für: publik machen); **Pu|bli|zist,** der; -en, -en (polit. Schriftsteller; Tagesschriftsteller; Journalist); **Pu|bli|zi|stik,** die; -; **pu|bli|zi|stisch**

Puck, der; -s, -s (Hartgummischeibe beim Eishockey)

Pud|ding, der; -s, -e u. -s (eine Süßspeise); **Pud|ding|pul|ver**

Pu|del, der; -s, - (ein Hund); **Pu|del-müt|ze; pu|del|wohl** (ugs.)

Pu|der, der; -s, - (feines Pulver); **pu-dern; Pu|der|zucker** [*Trenn.:* ...zuk-ker]

¹**Puff,** der (auch: das); -s, -s (ugs. für: Bordell); ²**Puff,** der; -[e]s, Püffe u. (seltener:) Puffe (ugs. für: Stoß); **puf|fen** (bauschen; ugs. für: stoßen); **Puf|fer** (federnde, Druck u. Aufprall abfangende Vorrichtung [an Eisenbahnwagen u. a.]; **Puff‿mut|ter, ...reis** (der; -es)

pu|len (niederd. für: bohren, herausklauben)

Pulk, der; -[e]s, -s (selten auch: -e) Verband von Kampfflugzeugen od. milit. Kraftfahrzeugen; Anhäufung; Schar; Schwarm)

Pul|le, die; -, -n (ugs. für: Flasche)

pul|len (niederd. für: rudern)

Pul|li, der; -s, -s (ugs. Kurzform von: Pullover); **Pull|over** [*...ow^er*], der; -s, - (gestrickte od. gewirkte Überziehbluse); **Pull|un|der,** der; -s, - (meist kurzer, ärmelloser Pullover)

Puls, der; -es, -e (Aderschlag; Pulsader am Handgelenk); **Puls|ader** (Schlagader); **pul|sen, pul|sie|ren** (schlagen, klopfen; fließen, strömen); **Puls|schlag**

Pult, das; -[e]s, -e

Pul|ver [*...f^er*], das; -s, -; **Pül|ver|chen; Pul|ver‿dampf, ...faß; pul|ver|fein;** -er Kaffee; **pul|ve|rig, pulv|rig; pul|ve-ri|sie|ren** (zu Pulver zerreiben); **Pul-ver|schnee; pulv|rig,** pul|ve|rig

Pum|mel, der; -s, - (scherzh. für: rundliches Kind); **Pum|mel|chen** (scherzh.); **pum|me|lig, pumm|lig** (scherzh. für: dicklich)

Pump, der; -[e]s, -e (ugs. für: Borg); **Pum|pe,** die; -, -n; **pum|pen** (ugs. auch für: borgen)

Pum|per|nickel [*Trenn.:* ...nik|kel], der; -s, - (Schwarzbrot)

Pump|ho|se

Pumps [*pömpß*], der; -, - (meist *Mehrz.*) (ausgeschnittener Damenschuh mit höherem Absatz)

Pun|ching|ball [*pantsching...*] (Übungsball für Boxer)

Punk [*pangk*], der; -[s], -s (bewußt primitiv-exaltierte Rockmusik [nur *Einz.*]; Punker); **Pun|ker** (Jugendlicher, der durch exaltiertes, oft rüdes Verhalten und auffallende Aufmachung [z. B. grell gefärbte Haare] seine antibürgerliche Einstellung ausdrückt); **Punk|rock** (primitive Rockmusik mit wenigen, harten Akkorden)

Punkt, der; -[e]s, -e (Abk.: Pkt.); **Pünkt-chen; punk|ten; punkt|gleich** (Sport); **punk|tie|ren** (mit Punkten versehen, tüpfeln; Med.: eine Punktion ausführen); **Punk|ti|on** [*...zion*], Punk|tur, die; -, -en (Med.: Einstich in eine Körperhöhle zur Entnahme von Flüssigkeiten)

pünkt|lich

◇ auf die Minute genau, ohne Verspätung

Pünkt|lich|keit, die; -; **Punkt‿sieg** (Sport), **...spiel** (Sport); **punk|tu|ell** (punktweise; einzelne Punkte betreffend); **Punk|tum,** nur in: [und damit] -! (und damit Schluß!); **Punk|tur** vgl. Punktion

Punsch, der; -[e]s, -e (alkohol. Getränk)

Pu|pil|le, die; -, -n (Sehloch)

Püpp|chen; Pup|pe, die; -, -n; **Pup-pen‿haus, ...wa|gen; pup|pig** (ugs. für: klein u. niedlich)

pur (rein, unverfälscht, lauter)

Pü|ree, das; -s, -s (Brei); **pü|rie|ren** (zu Püree machen)

pu|ri|ta|nisch (sittenstreng)

Pur|pur, der; -s (hochroter Farbstoff; purpurfarbiges, prächtiges Gewand); **pur|purn** (mit Purpur gefärbt; purpurfarben); **pur|pur|rot**

Pur|zel, der; -s (kleines Kind); **Pur|zel-baum; pur|zeln**

pus|se|lig, puß|lig (ugs. für: Ausdauer verlangend); **pus|seln** (ugs. für: sich mit Kleinigkeiten beschäftigen); **puß|lig** vgl. pusselig

Pu|ste, die; - (ugs. für: Atem; bildl. für: Kraft, Vermögen, Geld)

Pu|stel, die; -, -n (Eiterbläschen)

pu|sten (landsch.)

Pu|te, die; -, -n (Truthenne); **Pu|ter** (Truthahn); **pu|ter|rot**

Putsch, der; -[e]s, -e (polit. Handstreich); **put|schen; Put|schist,** der; -en, -en

Put|te, die; -, -n (bild. Kunst: nackte Kinder-, kleine Engelsfigur)

Putz, der; -es; **put|zen**

Putz|frau

◇ Reinemachefrau, Stundenfrau, Raumpflegerin, Aufwartefrau

put|zig (drollig; sonderbar; mdal. für: klein); ein -es Mädchen

Putz‿lap|pen, ...wol|le

puz|zeln [*paß^eln,* auch: *puß^eln*] (Puzzlespiele machen; mühsam zusammensetzen); **Puz|zle** [*paß^el,* auch: *puß^el*], das; -s, -s (Geduldsspiel)

Pyg|mäe, der; -n, -n (Angehöriger einer zwergwüchsigen Rasse Afrikas u. Südostasiens)

Py|ja|ma [*pü(d)sch..., pi(d)sch...,* auch: *püj...*], der; -s, -s (Schlafanzug)

Py|lon, der; -en, -en (torähnlicher, tragender Pfeiler einer Hängebrücke; kegelförmige, bewegliche Absperrmarkierung auf Straßen)

Py|ra|mi|de, die; -, -n (ägypt. Grabbau; geometr. Körper); **py|ra|mi|den|förmig**
Py|ro|ma|ne, der u. die; -n, -n (an Pyromanie Leidende[r]); **Py|ro‿ma|nie** (die; -; krankhafter Brandstiftungstrieb), **...tech|nik** (die; -; Feuerwerkerei)

Q

Q (Buchstabe) [*ku; österr.: kwe,* in der Math.: *ku*]; das Q; des Q, die Q
quab|be|lig, quabb|lig (niederd. für: vollfleischig; fett); **quab|beln** (niederd.); **quabb|lig** vgl. quabbelig
Quack|sal|ber (abschätzig für: Kurpfuscher); **quack|sal|bern**
Quad|del, die; -, -n (juckende Anschwellung)
Qua|der, der; -s, - (ein von sechs Rechtekken begrenzter Körper); **Qua|der|stein; Qua|drat,** das; -[e]s, -e (Viereck mit vier rechten Winkeln u. vier gleichen Seiten; zweite Potenz einer Zahl); **qua|dra|tisch; Qua|drat‿ki|lo|me|ter** (Zeichen: km^2), **...lat|schen** (ugs. scherzh. für: große, unförmige Schuhe), **...me|ter** (Geviertmeter; Zeichen: m^2); **Qua|dra|tur,** die; -, -en (Vierung; Verfahren zur Flächenberechnung); **qua|drie|ren** (Math.: eine Zahl in die zweite Potenz erheben); **Qua|dro|pho|nie,** die; - (Vierkanalstereophonie); **qua|dro|pho|nisch**
quak!; qua|ken; quä|ken
Quä|ker, der; -s (Angehöriger einer Sekte); **quä|ke|risch**
Qual, die; -, -en; **quä|len;** sich -; **Quä|le|rei; quä|le|risch; Quäl|geist,** der; -[e]s, ...geister (ugs. für: Kind, das durch ständiges Bitten lästig wird)
Qua|li|fi|ka|ti|on [*...zion*], die; -, -en (Beurteilung; Befähigung[snachweis]; Teilnahmeberechtigung); **qua|li|fi|zie|ren** (bezeichnen; befähigen); sich - (sich eignen; sich als geeignet erweisen); **qua|li|fi|ziert; Qua|li|tät,** die; -, -en (Beschaffenheit, Güte, Wert); **qua|li|ta|tiv** (dem Wert, der Beschaffenheit nach)
Qual|le, die; -, -n (Nesseltier); **qual|lig;** eine -e Masse
Qualm, der; -[e]s; **qual|men**
qual|voll
Quant, das; -s, -en (Physik: kleinste Energiemenge); **Quan|ti|tät,** die; -, -en (Menge, Masse, Größe); **quan|ti|ta|tiv** (der Quantität nach, mengenmäßig); **Quan|tum,** das; -s, ...ten (Menge, Anzahl, Maß, Summe, Betrag)
Qua|ran|tä|ne [*karant...*], die; -, -n (Beobachtungszeit, räumliche Absonderung Ansteckungsverdächtiger)
Quark, der; -s (Weißkäse; ugs. für: Unsinn, Wertloses)
Quart, Quarte, die; -, ...ten (Musik; vierter Ton [vom Grundton an]); **Quar|ta,** die; -, ...en (dritte Klasse einer höheren Lehranstalt); **Quar|tal,** das; -s, -e (Vierteljahr); **Quar|tal|ab|schluß,** Quartals|ab|schluß; **Quar|tal[s]|säu|fer; Quar|ta|ner** (Schüler der Quarta); **Quar|ta|ne|rin,** die; -, -nen; **Quar|te** vgl. Quart; **Quar|tett,** das; -[e]s, -e (Musikstück für vier Stimmen od. vier Instrumente; auch: die vier Ausführenden; Unterhaltungsspiel mit Karten); **Quar|tier,** das; -s, -e (Unterkunft)
Quarz, der; -es, -e (ein Mineral)
qua|si (gewissermaßen, gleichsam, sozusagen)
Quas|se|lei, die; - (ugs. für: törichtes Gerede); **quas|seln** (ugs. für: langweiliges, törichtes Zeug reden); **Quas|sel|strip|pe** (scherzh. ugs. für: Fernsprecher; auch: jmd., der viel redet, erzählt)
Qua|ste, die; -, -n (Troddel, Schleife)
Quatsch, der; -es (ugs. für: dummes Gerede); **quat|schen** (ugs.); **Quatsch|kopf** (ugs. abschätzig)
queck (für: quick); **Quecke,** die; -, -n [*Trenn.:* Queck|ke] (Ackerunkraut); **Queck|sil|ber** (chem. Grundstoff, Metall; Zeichen: Hg)
Quell, der; -[e]s, -e (dicht., veralt. für: Quelle); **Quel|le,** die; -, -n; [1]**quel|len;** quoll (quölle), gequollen; quill!; (aufschwellen; [unter Druck] hervordringen, sprudeln); Wasser quillt; [2]**quel|len;** quellte, gequellt (im Wasser weichen lassen); ich quelle Bohnen; **quell|frisch; Quell|ge|biet**
Quen|ge|lei (ugs.); **quen|ge|lig, queng|lig** (ugs.); **quen|geln** (ugs. für: weinerlich-nörgelnd immer wieder um etwas bitten)
Quent|chen (eine kleine Menge)
quer; kreuz und -; **quer|beet** (ugs.); **quer|durch;** er ist - gelaufen; **Que|re,** die; -; in die - kommen (ugs.)
Que|re|le, die; -, -n (meist *Mehrz.*) (Klage; Streit; in der *Mehrz.:* Streitigkeiten)
quer|feld|ein; Quer|feld|ein‿fah|ren (das; -s), **...lauf; Quer‿flö|te, ...for|mat; quer|ge|hen** (ugs. für: mißglükken); **quer|ge|streift; Quer‿kopf** (abschätzig für: jmd., der immer anders handelt, der sich nicht einordnet), **...paß** (Sportspr.); **quer|schie|ßen** (ugs. für:

hintertreiben); ich schieße quer, habe quergeschossen; **Quer|schnitt; querschnitt[s]|ge|lähmt; Quer|trei|ber** (abschätzig für: jmd., der gegen etwas handelt, etwas zu durchkreuzen trachtet)

Que|ru|lant, der; -en, -en (Nörgler, Quengler)

Quet|sche, die; -, -n (landsch. für: Zwetsche)

quet|schen; Quet|schung

Queue [*kö*], das (österr. auch: der); -s, -s (Billardstock)

quick (landsch. für: lebendig, schnell); **quick|le|ben|dig** (ugs.); **Quick|step** [*...ßtäp*], der; -s, -s (ein Tanz)

quie|ken, quiek|sen

quiet|schen; quietsch|ver|gnügt (ugs. für: sehr vergnügt)

Quint, Quin|te, die; -, ...ten (Musik: fünfter Ton [vom Grundton an]; Fechthieb); **Quin|ta,** die; -, ...ten (zweite Klasse einer höheren Lehranstalt); **Quin|ta|ner** (Schüler der Quinta); **Quin|ta|ne|rin,** die; -, -nen; **Quin|te** vgl. Quint; **Quintes|senz,** die; -, -en (Endergebnis, Hauptgedanke, -inhalt, Wesen einer Sache); **Quin|tett,** das; -[e]s, -e (Musikstück für fünf Stimmen od. fünf Instrumente; auch: die fünf Ausführenden)

Quirl, der; -[e]s, -e; **quir|len; quir|lig** (meist übertr. für: lebhaft, unruhig [vom Menschen])

quitt (ausgeglichen, wett, fertig, los u. ledig); wir sind - (ugs.)

Quit|te [österr. auch: *kit*[e]], die; -, -n (baumartiger Strauch; Frucht); **quit|tegelb** od. **quit|ten|gelb**

quit|tie|ren ([den Empfang] bestätigen; Amt niederlegen; übertr. für: zur Kenntnis nehmen, hinnehmen); **Quit|tung** (Empfangsbescheinigung, Beleg)

Quiz [*kwiß*], das; -, - (Frage-und-Antwort-Spiel); **Quiz|ma|ster,** der; -s, -

Quo|te, die; -, -n (Anteil [von Personen], der bei Aufteilung eines Ganzen auf den einzelnen od. eine Einheit entfällt); **Quoti|ent** [*...ziänt*], der; -en, -en (Zahlenausdruck, bestehend aus Zähler u. Nenner)

R

R (Buchstabe); das R; des R, die R

Ra|batt, der; -[e]s, -e ([vereinbarter od. übl.] Abzug [vom Preis])

◇ Preisnachlaß, Diskont, Skonto, Prozente, Ermäßigung

Ra|bat|te, die; -, -n ([Rand]beet)

Ra|batz, der; -es (ugs. für: lärmendes Treiben, Unruhe, Krach); **Ra|bau|ke,** der; -n, -n (ugs. für: grober, gewalttätiger junger Mensch, Rohling)

Rab|bi, der; -[s], ...inen (auch: -s) (Ehrentitel jüd. Gesetzeslehrer u. a.); **Rab|biner,** der; -s, - (jüd. Gesetzes-, Religionslehrer, Geistlicher, Prediger)

Ra|be, der; -n, -n; **Ra|ben‿aas** (Schimpfwort), **...mut|ter** (*Mehrz.* ...mütter; abwertend für: lieblose Mutter); **ra|benschwarz** (ugs.)

ra|bi|at (wütend; grob, roh)

Ra|che, die; -; **Ra|che|akt**

Ra|chen, der; -s, -

rä|chen; sich -

◇ Rache nehmen/üben, Vergeltung üben, mit gleicher Münze heimzahlen, Gleiches mit Gleichem vergelten, sich revanchieren

Ra|chen‿man|del, ...put|zer (scherzh. ugs. für: saurer Wein u. a.)

Rä|cher

Ra|chi|tis [*r~~ach~~...*], die; - (englische Krankheit); **ra|chi|tisch**

Rach|sucht, die; -; **rach|süch|tig**

Racker[1], der; -s, - (Schalk, Schelm, drolliges Kind); **Racke|rei**[1] (ugs. für: schwere, mühevolle Arbeit, Schinderei); **rackern**[1]

Racket[1] [*räk*[e]*t*], das; -s, -s ([Tennis]schläger)

Rad, das; -[e]s, Räder

Ra|dar [auch, österr. nur: *ra...*], der od. das; -s; **Ra|dar‿ge|rät, ...kon|trol|le, ...schirm**

Ra|dau, der; -s (ugs. für: Lärm; Unfug)

Rad|ball; Räd|chen, das; -s, - u. Räderchen; **Rad|damp|fer; ra|de|bre|chen;** du radebrechst; du radebrechtest; geradebrecht; zu -; **ra|deln** (radfahren); **rädeln** (mit dem Rädchen [Teig] ausschneiden oder [Schnittmuster] durchdrücken); **Rä|dels|füh|rer; rä|dern; rad|fahren;** ich fahre Rad; ich weiß, daß er radfährt; rad- und Auto fahren, a b e r : Auto und radfahren; **Rad|fah|ren,** das; -s; **Rad|fah|rer**

Ra|di, der; -s, - (bayr. u. österr. für: Rettich)

ra|di|al (auf den Radius bezüglich, strahlenförmig; von einem Mittelpunkt ausgehend)

ra|die|ren; Ra|dier‿gum|mi (der); **...na|del; Ra|die|rung**

Ra|dies|chen (eine Pflanze); **ra|di|kal** (tief, bis auf die Wurzel gehend; gründlich; rücksichtslos); **Ra|di|ka|le,** der u. die; -n, -n; **Ra|di|ka|lin|ski,** der; -s, -s (ugs. abschätzig für: politischer Radikalist); **ra|di|ka|li|sie|ren** (radikal machen); **Ra|di|ka|li|sie|rung** (Entwick-

[1] *Trenn.:* ...k|k...

lung zum Radikalen); **Ra|di|ka|lis|mus,** der; -, ...men (rücksichtslos bis zum Äußersten gehende [politische, religiöse usw.] Richtung); **Ra|di|ka|list,** der; -en, -en; **Ra|di|kal|kur** (ugs.)
Ra|dio, das; -s, -s (Rundfunk[gerät]); **ra|dio|ak|tiv; Ra|dio|ak|ti|vi|tät,** die; -, -en (Eigenschaft der Atomkerne gewisser Isotope, sich ohne äußere Einflüsse umzuwandeln und dabei bestimmte Strahlen auszusenden); **Ra|dio|ap|pa|rat; Ra|dio|lo|gie,** die; - (Strahlenkunde); **Ra|dio|pro|gramm; Ra|di|um,** das; -s (radioaktiver chem. Grundstoff, Metall; Zeichen: Ra); **Ra|di|us,** der; -, ...ien [*...ien*] (Halbmesser des Kreises; Abk.: *r, R*)
rad|schla|gen; vgl. radfahren; er kann -; **Rad|schla|gen,** das; -s; **Rad‿wech|sel, ...weg**
raf|fen; Raff|gier; raff|gie|rig; raf|fig (landsch. für: raff-, habgierig)
Raf|fi|na|de, die; -, -n (gereinigter Zukker); **Raf|fi|ne|ment** [*...finemang*], das; -s, -s (Überfeinerung; durchtriebene Schlauheit); **Raf|fi|ne|rie,** die; -, ...ien (Anlage zum Reinigen von Zucker od. zur Verarbeitung von Rohöl); **Raf|fi|nes|se,** die; -, -n (Überfeinerung; Durchtriebenheit, Schlauheit); **raf|fi|nie|ren** (Zucker reinigen; Rohöl zu Brenn- od. Treibstoff verarbeiten); **raf|fi|niert** (gereinigt; durchtrieben, schlau, abgefeimt); **Raf|fi|niert|heit**
Ra|ge [*rasche*], die; -, -n (ugs. für: Wut, Raserei); in der -; in - bringen
ra|gen
Ra|glan, der; -s, -s ([Sport]mantel mit angeschnittenen Ärmeln)
Ra|gout [*ragu*], das; -s, -s (Mischgericht); **Ra|goût fin** [*ragufäng*], das; - -, -s -s [*ragufäng*] (feines Ragout)
Rah, Ra|he, die; -, ...hen (Seemannsspr.; Querstange am Mast für das Rahsegel)
Rahm, der; -s (Sahne)
rah|men; Rah|men, der; -s, -
rah|mig; Rahm|kä|se
Rain, der; -[e]s, -e (Ackergrenze)
Ra|ke|te, die; -, -n (Feuerwerkskörper; Flugkörper); **Ra|ke|ten‿an|trieb, ...start, ...stütz|punkt**
Ra|kett, das; -[e]s, -e u. -s (eindeutschend für: Racket)
Ral|lye, die; -, -s [*rali* od. *räli*] (Autosternfahrt)
ramm|dö|sig (ugs. für: benommen; überreizt); **Ram|me|lei** (ugs.); **ram|meln** (auch Jägerspr.: belegen, decken [bes. von Hasen und Kaninchen]; rammen); **rammen** (ein Schiff oder Hindernis anrennen); **Ramm|ler** (Männchen [bes. von Hasen und Kaninchen])
Ram|pe, die; -, -n (schiefe Ebene zur Überwindung von Höhenunterschieden; Auffahrt; Verladebühne; Theater: Vorbühne); **Ram|pen|licht,** das; -[e]s; **ram|po|nie|ren** (ugs. für: stark beschädigen)
[1]**Ramsch,** der; -[e]s, (selten:) -e (bunt zusammengewürfelte Warenreste; Schleuderware)
[2]**Ramsch,** der; -[e]s, -e (Skat: Spiel mit dem Ziel, möglichst wenig Punkte zu bekommen)
[1]**ram|schen** (ugs. für: Ramschware billig aufkaufen)
[2]**ram|schen** (Skat: einen [2]Ramsch spielen)
Ramsch|la|den (ugs. abschätzig); **Ramsch|wa|re** (ugs. abschätzig)
Ranch [*räntsch*], die; -, -s (nordamerik. Viehwirtschaft, Farm); **Ran|cher,** der; -s, -[s] (nordamerik. Viehzüchter, Farmer)
Rand, der; -[e]s, Ränder
◇ Kante, Saum, Begrenzung
ran|da|lie|ren
◇ lärmen, Lärm machen, Rabatz machen (ugs.)
Rand‿be|mer|kung, ...ge|biet
Rang, der; -[e]s, Ränge; **Rang‿ab|zeichen, ...äl|te|ste**
ran|ge|hen (ugs. für: herangehen; etwas energisch anpacken)
ran|geln (mdal. für: sich balgen, ringen, sich ungebärdig bewegen)
Ran|gier|bahn|hof [*rangschir...*, auch: *rangschir...*, österr.: *ranschir...* u. *rangschir...*] (Verschiebebahnhof); **ran|gie|ren** (einen Rang innehaben [vor, hinter jmdm.]; Eisenbahnw.: verschieben)
ran|hal|ten, sich (ugs. für: sich beeilen)
rank (schlank; geschmeidig); - und schlank
Ran|ke, die; -, -n (Gewächsteil)
Rän|ke (*Mehrz.;* Machenschaften, Intrigen); - schmieden
ran|ken; sich -
Rän|ke‿schmied (abwertend), **...spiel**
Ran|zen, der; -s, - (ugs. für: Buckel, Bauch; Schultertasche)
ran|zig; die Butter ist -
Rap [*räp*], der; -s, -s (rhythmischer Sprechgesang in der Popmusik)
ra|pid, ra|pi|de (reißend, [blitz]schnell); **Ra|pi|di|tät,** die; -
Rap|pe, der; -n, -n (schwarzes Pferd)
Rap|pel, der; -s, - (ugs. für: plötzlicher Zorn; Verrücktheit); **rap|pe|lig,** rapp|lig (ugs.); **rap|peln** (klappern)
Rap|pen, der; -s, - (schweiz. Münze; Abk.: Rp.)
Rap|port, der; -[e]s, -e (Wirtsch.: Bericht, Meldung; Militär veralt.: dienstl. Meldung); **rap|por|tie|ren**
Raps, der; -es, (für Rapsart *Mehrz.:*) -e (Ölpflanze); **Raps|öl**

Ra|pun|zel, die; -, -n (Salatpflanze)
rar (selten); **Ra|ri|tät,** die; -, -en; **Ra|ri|tä|ten|ka|bi|nett**
ra|sant (sehr flach [Flugbahn]; ugs. für: rasend, sehr schnell, wild bewegt); **Ra|sanz,** die; -
rasch
◇ schnell, geschwind, hurtig, eilig, auf schnellstem Wege, in fliegender Eile
ra|scheln
Rasch|heit, die; -
ra|sen (wüten; toben; sehr eilig fahren, gehen)
Ra|sen, der; -s, -
◇ Gras, Rasenplatz, Wiese, Grasfläche
Ra|sen|bank (*Mehrz.* ...bänke)
ra|send (wütend; schnell)
Ra|sen‿flä|che, ...mä|her
Ra|se|rei (ugs.)
Ra|sier|ap|pa|rat; ra|sie|ren; sich -; **Ra|sier‿klin|ge, ...pin|sel**
Rä|son [...*song*], die; - (veraltend für: Vernunft, Einsicht); **rä|so|nie|ren** (sich wortreich äußern; ugs. für: ständig schimpfen)
Ras|pel, die; -, -n; **ras|peln**
Ras|se, die; -, -n; **Ras|se|hund**
Ras|sel, die; -, -n (Knarre, Klapper); **Ras|sel|ban|de,** die; - (ugs. scherzh. für: übermütige Kinderschar); **ras|seln**
Ras|sen|dis|kri|mi|nie|rung; Ras|se|pferd; ras|se|rein; ras|sig (von ausgeprägter Art); -e Erscheinung; **ras|sisch** (der Rasse entsprechend, auf die Rasse bezüglich); -e Eigentümlichkeiten; **Ras|sis|mus,** der; - (übersteigertes Rassenbewußtsein, Rassenhetze); **Ras|sist,** der; -en, -en (Vertreter des Rassismus); **ras|si|stisch**
Rast, die; -, -en
◇ Pause, Ruhepause, Verschnaufpause
ra|sten
◇ ruhen, verschnaufen, eine Pause einlegen/machen
Ra|ster, der (Fernsehtechnik: das); -s, - (Glasplatte mit engem Liniennetz zur Zerlegung eines Bildes in Rasterpunkte; Fläche des Fernsehbildschirmes, die sich aus Lichtpunkten zusammensetzt); **Ra|ster|fahn|dung** (mit Hilfe von Computern erfolgende Überprüfung eines großen Personenkreises); **ra|stern** (ein Bild durch Raster in Rasterpunkte zerlegen)
Rast|haus; rast|los; Rast|lo|sig|keit, die; -; **Rast|stät|te**
Ra|sur, die; -, -en (Radieren, [Schrift]tilgung; Rasieren)
Rat, der; -[e]s, Räte u. (Auskünfte u. a.:) Ratschläge; sich - holen
Ra|te, die; -, -n ([verhältnismäßiger] Teil, Anteil; Teilzahlung; Teilbetrag)
ra|ten; du rätst, er rät; riet, geraten
Ra|ten‿be|trag, ...kauf
Rä|te‿re|gie|rung, ...re|pu|blik; Rat|ge|ber; Rat|haus
Ra|ti|fi|ka|ti|on [...*zion*], die; -, -en (Genehmigung; Bestätigung, Anerkennung, bes. von völkerrechtl. Verträgen); **ra|ti|fi|zie|ren; Ra|ti|fi|zie|rung**
Ra|tio [*razio*], die; - (Vernunft; Grund; Verstand); **Ra|ti|on** [...*zion*], die; -, -en (zugeteiltes Maß, [An]teil, Menge); **ra|tio|nal** (die Ratio betreffend; vernünftig, aus der Vernunft stammend); **ra|tio|na|li|sie|ren** ([möglichst] vereinheitlichen; [die Arbeit] zweckmäßig gestalten); **Ra|tio|na|li|sie|rung; Ra|tio|na|lis|mus,** der; - (Geisteshaltung, die das rationale Denken als einzige Erkenntnisquelle ansieht); **Ra|tio|na|list,** der; -en, -en; **ra|tio|na|li|stisch; ra|tio|nell** (verständig; ordnungsgemäß; zweckmäßig, sparsam, haushälterisch); **ra|tio|nie|ren** (einteilen; abgeteilt zumessen); **Ra|tio|nie|rung**
rat|los; Rat|lo|sig|keit, die; -; **rat|sam; Rat|schlag,** der; -[e]s, ...schläge; **rat|schla|gen**
Rät|sel, das; -s, -
◇ Denksportaufgabe, Quiz
rät|sel|haft; rät|seln; rät|sel|voll
Rats‿kel|ler, ...sit|zung; rat|su|chend
Rat|tan, das; -s, -e (Peddigrohr)
Rat|te, die; -, -n; **Rat|ten‿fal|le, ...fän|ger, ...gift** (das)
rat|tern
Rat|ze, die; -, -n (ugs. für: Ratte); **rat|ze|kahl** (volksmäßige Umdeutung aus: radikal)
Raub, der; -[e]s, -e; **Raub|bau,** der; -[e]s; - treiben; **rau|ben; Räu|ber; Räu|ber|ban|de; Räu|be|rei** (ugs.); **räu|be|risch; räu|bern; Räu|ber‿pi|sto|le** (Räubergeschichte), **...zi|vil** (ugs. scherzh.); **Raub‿mord, ...tier, ...über|fall**
Rauch, der; -[e]s
◇ Qualm, Dunst, Schmauch
Rauch‿ab|zug; rau|chen; Rau|cher; Rau|che|rin, die; -, -nen; **Räu|cher‿kam|mer, ...ker|ze; räu|chern; Rauch‿fah|ne, ...fang** (österr. für: Schornstein); **rau|chig; Rauch|ver|zeh|rer**
Rauch|wa|re (meist *Mehrz.;* Pelzware)
Rauch|wa|ren (*Mehrz.;* ugs. für: Tabakwaren)
Räu|de, die; -, -n (Krätze, Grind); **räu|dig; Räu|dig|keit,** die; -
rauf (ugs. für: herauf, hinauf)
Rauf|bold, der; -[e]s, -e (abschätzig); **Rau|fe,** die; -, -n; **rau|fen; Rau|fe|rei; rauf|lu|stig**
rauh; Rauh|bein (ugs. für: nach außen grober, aber von Herzen guter Mensch); **rauh|bei|nig** (ugs.); **Rau|heit; Rauh-**

fa|ser|ta|pe|te; Rauh|haar|dackel [*Trenn.:* ...dak|kel]; **rauh|haa|rig; Rauh|reif** (der; -[e]s)

Raum, der; -[e]s, Räume
◇ Räumlichkeit, Zimmer, Stube, Bude (ugs.)

räu|men; Raum‿fahrt, ...for|schung (die; -), **...in|halt, ...kap|sel; räum|lich; Raum‿pfle|ge|rin, ...schiff; Räu|mung; Räu|mungs‿frist, ...kla|ge**

rau|nen (dumpf, leise sprechen; flüstern)

raun|zen (landsch. für: widersprechen, nörgeln; weinerlich klagen)

Rau|pe, die; -, -n; **Rau|pen‿bag|ger, ...fahr|zeug, ...schlep|per**

raus (ugs. für: heraus, hinaus)

Rausch, der; -[e]s, Räusche (Betrunkensein; Zustand der Erregung, Begeisterung); **rau|schen** (Jägerspr. auch: brünstig sein [vom Schwarzwild])

Rausch|gift, das
◇ Droge, Stoff

rausch|gift|süch|tig; Rausch|gift|süch|ti|ge, der u. die; -n, -n; **Rausch|gold** (dünnes Messingblech)

Räus|pe|rer; räus|pern, sich

Raus|schmei|ßer (ugs. für: jmd., der randalierende Gäste aus dem Lokal entfernt; letzter Tanz); **Raus|schmiß** (ugs. für: Entlassung)

Rau|te, die; -, -n (schiefwinkliges gleichseitiges Viereck, Rhombus)

Ra|vio|li [*rawioli*] (*Mehrz.;* kleine it. Pasteten aus Nudelteig)

Raz|zia, die; -, ...ien [*...i^e^n*] u. (seltener:) -s (überraschende Fahndung der Polizei nach verdächtigen Personen)

Rea|genz|glas (*Mehrz.* ...gläser; Prüfglas, Probierglas für [chem.] Versuche); **rea|gie|ren** (aufeinander einwirken); **Re|ak|ti|on** [*...zion*], die; -, -en (Rück-, Gegenwirkung, Rückschlag; chem. Umsetzung; nur *Einz.:* Rückschritt; Gesamtheit aller nicht fortschrittl. polit. Kräfte); **re|ak|tio|när** (Gegenwirkung erstrebend oder ausführend; abwertend für: nicht fortschrittlich); **re|ak|ti|vie|ren** [*...wir^e^n*] (wieder in Tätigkeit setzen); **Re|ak|tor,** der; -s, ...oren (Vorrichtung, in der eine chemische od. eine Kernreaktion abläuft)

re|al (wirklich, tatsächlich; dinglich, sachlich); **Re|al|gym|na|si|um** (Form der höheren Schule); **rea|li|sier|bar; rea|li|sie|ren** (verwirklichen; einsehen, begreifen; Wirtsch.: in Geld umwandeln); **Rea|li|sie|rung; Rea|lis|mus,** der; - ([nackte] Wirklichkeit; Kunstdarstellung des Wirklichen; Wirklichkeitssinn); **Rea|list,** der; -en, -en

rea|li|stisch
◇ wirklichkeitsgetreu, wirklichkeitsnah, lebensnah

Rea|li|tät, die; -, -en (Wirklichkeit, Gegebenheit); **Real‿le|xi|kon** (Sachwörterbuch), **...schu|le** (Schule, die mit der 10. Klasse u. der mittleren Reife abschließt)

Re|be, die; -, -n

Re|bell, der; -en, -en (Aufrührer, Aufständischer); **re|bel|lie|ren; Re|bel|li|on; re|bel|lisch**

Reb|huhn

Reb|laus (ein Insekt)

Re|bus, der od. das; -, -se (Bilderrätsel)

Re|chaud [*rescho*], der od. das; -s, -s (Wärmeplatte)

re|chen (harken); **Re|chen,** der; -s, - (Harke)

Re|chen‿auf|ga|be, ...feh|ler, ...ma|schi|ne; Re|chen|schaft, die; -; **Re|chen‿schie|ber, ...zen|trum** (mit Rechenmaschinen ausgestattetes Institut)

Re|cher|che [*reschärsch^e^*], die; -, -n (meist *Mehrz.;* Nachforschung, Ermittlung); **re|cher|chie|ren**

rech|nen; rech|ne|risch

Rech|nung
◇ Liquidation, Kostenforderung, Forderung

recht; das ist [mir] durchaus, ganz, völlig recht; rechter Hand; recht und billig sein, aber: nach dem Rechten sehen; er weiß nichts Rechtes

Recht, das; -[e]s, -e; mit, ohne Recht
◇ Anrecht, Anspruch, Befugnis

Rech|te, die; -n, -n (rechte Hand; rechte Seite; Politik: Bez. für die rechtsstehenden Parteien); **Recht|eck; recht|eckig** [*Trenn.:* ...ek|kig]; **rech|ten; rech|tens** (zu Recht); er wurde - verurteilt; **Rech|tens;** es ist -

recht|fer|ti|gen; Recht|fer|ti|gung

recht|gläu|big

Recht|ha|be|rei, die; -; **recht|ha|be|risch**

recht|lich; recht|los

recht|mä|ßig
◇ legitim, legal, gesetzlich

Recht|mä|ßig|keit, die; -

rechts; *Umstandsw.:* - von mir, - vom Eingang; er weiß nicht, was - und links ist; *Verhältnisw.* mit *Wesf.:* - der Isar, - des Mains; **Rechts|ab|bie|ger** (Verkehrsw.)

Rechts|an|walt
◇ Anwalt, Verteidiger, Advokat (veralt. landsch.), Rechtsvertreter, Rechtsbeistand

Rechts|aus|la|ge (Sportspr.), **...aus|le|ger** (Sportspr.); **Rechts|au|ßen,** der; -, - (Sportspr.)

recht|schaf|fen; Recht|schaf|fen|heit, die; -

recht|schrei|ben; er kann nicht rechtschreiben; **Recht|schrei|ben,** das; -s; **recht|schreib|lich; Recht|schreib|re|form; Recht|schrei|bung**

Rechts|hän|der; rechts|hän|dig; rechts|her|um
rechts|kräf|tig; rechts|kun|dig; Rechts|la|ge; Recht|spre|chung
rechts|ra|di|kal; rechts|rhei|nisch (auf der rechten Rheinseite)
rechts|staat|lich; Rechts|streit
rechts|um [auch: *rechzum*]; **Rechts|un|ter|zeich|ne|te,** vgl. Unterzeichnete; **Rechts|ver|kehr**
Rechts|weg; rechts|wid|rig; Rechts|wis|sen|schaft
recht|win|ke|lig, recht|wink|lig
recht|zei|tig
◇ zeitig, früh genug, beizeiten, zur rechten Zeit
Reck, das; -[e]s, -e (ein Turngerät)
Recke[1], der; -n, -n (altertüml. Bezeichnung für: Held, Krieger)
recken[1]; sich -
Re|cor|der, der; -s, - (Tonwiedergabegerät)
Re|cy|cling [*rißaik...*], das; -s (Aufbereitung u. Wiederverwendung bereits benutzter Rohstoffe)
Re|dak|teur [*...tör*], der; -s, -e (Schriftleiter; jemand, der Beiträge für die Veröffentlichung bearbeitet); **Re|dak|teu|rin** [*...örin*], die; -, -nen; **Re|dak|ti|on** [*...zion*], die; -, -en (Tätigkeit des Redakteurs; Gesamtheit der Redakteure u. deren Arbeitsraum); **re|dak|tio|nell** (die Redaktion betreffend; von der Redaktion stammend); **Re|dak|tor,** der; -s, ...oren (wissenschaftl. Herausgeber; schweiz. auch svw. Redakteur)
Re|de, die; -, -n
◇ Ansprache, Vortrag, Referat
re|de|ge|wandt
re|den; sie hat gut -; von sich - machen
◇ sprechen, sagen, verlauten lassen, sich äußern, eine Bemerkung machen
Re|dens|art; Re|de|rei (ugs.); **Re|de|wen|dung**
re|di|gie|ren (druckfertig machen; abfassen; bearbeiten; als Redakteur tätig sein)
red|lich; Red|lich|keit, die; -
Red|ner
◇ Vortragender, Referent
Red|ner|tri|bü|ne; red|se|lig; Red|se|lig|keit, die; -
Re|duk|ti|on [*...zion*], die; -, -en (das Reduzieren)
red|un|dant (überreichlich, üppig; weitschweifig)
re|du|zie|ren (zurückführen; herabsetzen, einschränken; verkleinern, mindern)
Ree|de, die; -, -n (Ankerplatz vor dem Hafen); **Ree|der** (Schiffseigner); **Ree|de|rei** (Geschäft eines Reeders)
re|ell (zuverlässig; ehrlich; redlich)

[1] *Trenn.:* ...k|k...

Re|fe|rat, das; -[e]s, -e ([gutachtl.] Bericht, Vortrag, [Buch]besprechung; Sachgebiet eines Referenten); **Re|fe|ren|dar,** der; -s, -e (Anwärter auf die höhere Beamtenlaufbahn nach der ersten Staatsprüfung); **Re|fe|ren|dum,** das; -s, ...den u. ...da (Volksabstimmung, Volksentscheid); **Re|fe|rent,** der; -en, -en (Berichterstatter; Sachbearbeiter); **Re|fe|renz,** die; -, -en (Beziehung, Empfehlung); **re|fe|rie|ren** (berichten; vortragen; [ein Buch] besprechen)
re|flek|tie|ren ([zu]rückstrahlen; nachdenken; Absichten haben auf etwas); **Re|flex,** der; -es, -e (Rückstrahlung zerstreuten Lichts; unwillkürliches Ansprechen auf einen Reiz); **Re|flex|be|we|gung; Re|fle|xi|on,** die; -, -en (Rückstrahlung von Licht, Schall, Wärme u. a.; Betrachtung); **re|fle|xiv** (Sprachw.: rückbezüglich); -es Verb
Re|form, die; -, -en (Umgestaltung; Verbesserung des Bestehenden; Neuordnung); **Re|for|ma|ti|on** [*...zion*], die; - (Umgestaltung; christl. Glaubensbewegung des 16. Jh.s, die zur Bildung der ev. Kirchen führte); **Re|for|ma|ti|ons|fest; re|form|be|dürf|tig; Re|for|mer,** der; -s, - (Verbesserer, Erneuerer); **Re|form|haus; re|for|mie|ren; re|for|miert;** -e Kirche
Re|frain [*rᵉfräng*], der; -s, -s (Kehrreim)
Re|fu|gi|um, das; -s, ...ien [*...iᵉn*] (Zufluchtsort)
Re|gal, das; -s, -e ([Bücher-, Waren]gestell mit Fächern)
Re|gat|ta, die; -, ...tten (Bootswettkampf)
re|ge; - sein, werden
Re|gel, die; -, -n
◇ Norm, Standard
re|gel|mä|ßig; Re|gel|mä|ßig|keit; re|geln; re|gel|recht; Re|ge|lung; re|gel|wid|rig
re|gen; sich -; sich - bringt Segen
Re|gen, der; -s, -; saurer -; **Re|gen|bo|gen; re|gen|bo|gen_far|ben** od. **...far|big; Re|gen|bo|gen|pres|se,** die; - (unterhaltende, sensationell berichtende Wochenzeitschriften); **Re|gen|dach**
Re|ge|ne|ra|ti|on, [*...zion*] die; -, -en (Neubildung [tier. od. pflanzl. Körperteile und zerstörter menschl. Körpergewebe]); **re|ge|ne|ra|ti|ons|fä|hig; re|ge|ne|rie|ren** (wiedererzeugen, erneuern, wieder wirksam machen)
Re|gen_man|tel, ...schirm
Re|gent, der; -en, -en (Staatsoberhaupt; Herrscher)
Re|gen_trop|fen, ...wet|ter (das; -s), **...wol|ke, ...wurm**
Re|gie [*reschi*], die; - (Spielleitung [bei Theater, Film, Fernsehen usw.])

re|gie|ren (lenken; [be]herrschen; Sprachw.: einen bestimmten Fall fordern); **Re|gie|rung; Re|gie|rungs‿be|zirk** (Abk.: Reg.-Bez.), **...chef** (ugs.), **...spre|cher**
Re|gime [...*schim*], das; -[s], - [*reschime*] (Regierungsform; Herrschaft)
Re|gi|ment, das; -[e]s, -e u. (Truppeneinheiten:) -er (Regierung; Herrschaft; größere Truppeneinheit)
Re|gi|on, die; -, -en (Gegend; Bereich); **re|gio|nal** (gebietsmäßig, -weise)
Re|gis|seur [*reschißör*], der; -s, -e (Spielleiter [bei Theater, Film, Fernsehen usw.]); **Re|gis|seu|rin,** die; -, -nen
Re|gi|ster, das; -s, - ([alphabet. Inhalts]verzeichnis, Sach- oder Wortweiser, Liste; Stimmenzug bei Orgel und Harmonium); **re|gi|strie|ren** (eintragen; selbsttätig aufzeichnen; übertr. für: bewußt wahrnehmen; bei Orgel u. Harmonium: Register ziehen); **Re|gi|strier|kas|se**
Re|gle|ment [*reglemang*], das; -s, -s ([Dienst]vorschrift; Geschäftsordnung); **re|gle|men|tie|ren** (durch Vorschriften regeln)
Reg|ler
reg|los
reg|nen
◇ nieseln, tröpfeln, gießen, schütten, schiffen (ugs.), in Strömen regnen
reg|ne|risch
Re|greß, der; ...gresses, ...gresse (Ersatzanspruch, Rückgriff)
re|gu|lär (der Regel gemäß; vorschriftsmäßig, üblich); **re|gu|lie|ren** (regeln, ordnen; [ein]stellen)
Re|gung; re|gungs|los
Reh, das; -[e]s, -e
Re|ha|bi|li|tand, der; -en, -en (jmd., dem die Wiedereingliederung in das berufl. u. gesellschaftliche Leben ermöglicht werden soll); **Re|ha|bi|li|ta|ti|on** [...*zion*], die; -, -en (Gesamtheit der Maßnahmen, die mit der Wiedereingliederung von Versehrten in die Gesellschaft zusammenhängen; auch für: Rehabilitierung); **re|ha|bi|li|tie|ren;** sich - (sein Ansehen wiederherstellen); **Re|ha|bi|li|tie|rung** (Wiedereinsetzung; Ehrenrettung)
Reh‿bock, ...kitz, ...zie|mer
Rei|be, die; -, -n; **Reib|ei|sen; rei|ben;** rieb, gerieben; **Rei|be|rei** (ugs. für: kleine Zwistigkeit); **Rei|bung; rei|bungs|los**
reich
◇ begütert, vermögend, wohlhabend, betucht (ugs.), mit Glücksgütern gesegnet, gutsituiert
Reich, das; -[e]s, -e
Rei|che, der u. die; -n, -n
rei|chen (hinhalten, geben; sich erstrecken; auskommen; genügen)
reich|hal|tig
reich|lich
◇ übergenug, [mehr als] genug, üppig, in Hülle und Fülle
Reich|tum, der; -s, ...tümer
Reich|wei|te, die; -, -n
reif (vollentwickelt; geeignet)
[1]Reif, der; -[e]s (gefrorener Tau)
[2]Reif, der; -[e]s, -e (Ring; Spielzeug)
Rei|fe, die; -; **Rei|fe|grad**
[1]rei|fen (reif werden)
[2]rei|fen ([1]Reif ansetzen)
Rei|fen, der; -s, - ([2]Reif); **Rei|fen‿pan|ne, ...wech|sel**
Rei|fe|prü|fung; Rei|fe‿zeit, ...zeug|nis; reif|lich
Reif|rock (veralt.)
Rei|gen, Rei|hen, der; -s, - (Tanz)
Rei|he, die; -, -n; **rei|hen** (in Reihen ordnen; lose, vorläufig nähen)
Rei|hen‿fol|ge, ...haus; rei|hen|wei|se
Rei|her, der; -s, - (ein Vogel)
reih|um; es geht -; **Rei|hung**
Reim, der; -[e]s, -e; **rei|men;** sich -
[1]rein (ugs. für: herein, hinein)
[2]rein; - halten, machen; ins reine bringen, kommen, schreiben; **[3]rein** (ugs. für: durchaus, ganz, gänzlich); er ist - toll
Rei|ne|ma|che|frau, Rein|ma|che|frau; **Rei|ne|ma|chen,** Rein|ma|chen, das; -s
Rein‿er|lös, ...er|trag
Rein|fall, der (ugs.); **rein|fal|len**
Rein‿ge|winn, ...hal|tung; Rein|heit, die; -; **rei|ni|gen; Rei|ni|gung**
Re|in|kar|na|ti|on [*re-inkarnazion*], die; -, -en (Wiedergeburt)
Rein|kul|tur
rein|le|gen (ugs.)
Rein|lich|keit, die; -; **Rein|ma|che|frau,** Rei|ne|ma|che|frau; **Rein|ma|chen** vgl. Reinemachen; **rein|ras|sig; Rein|schrift; rein|sei|den; rein|wa|schen,** sich (seine Unschuld beweisen); **rein|wol|len**
Reis, der; -es, (Reisarten:) -e (Getreide); **Reis|brei**
Rei|se, die; -, -n
◇ Fahrt, Tour, Trip, Ausflug
Rei|se|bü|ro; rei|se|fer|tig; Rei|se‿füh|rer, ...ge|sell|schaft, ...lei|ter (der); **rei|se|lu|stig; rei|sen; Rei|sen|de,** der u. die; -n, -n; **Rei|se‿paß, ...scheck, ...ziel**
Rei|sig, das; -s; **Rei|sig|be|sen**
Reis|korn (*Mehrz.* ...körner)
Reiß|aus, im allg. nur in: - nehmen (ugs. für: davonlaufen); **rei|ßen;** riß, gerissen; **rei|ßend;** -er Strom, -e Schmerzen, -er Absatz; **Rei|ßer** (ugs. für: Erfolgsbuch, -film u. a.); **rei|ße|risch; reiß|fest; Reiß‿lei|ne** (am Fallschirm), **...na|gel, ...ver|schluß, ...wolf** (der)

rei|ten; ritt, geritten; **Rei|ter; Rei|te|rei; Rei|te|rin,** die; -, -nen; **Reit₋leh|rer, ...pferd, ...schu|le** (südwestd. auch für: Karussell), **...stie|fel**
Reiz, der; -es, -e
◇ Liebreiz, Zauber, Charme, Anziehungskraft, Attraktivität
reiz|bar; Reiz|bar|keit, die; -; **rei|zen; rei|zend; reiz|los; Rei|zung; reiz|voll; Reiz|wä|sche**
re|ka|pi|tu|lie|ren (wiederholen, zusammenfassen)
re|keln, sich (sich strecken; sich flegelig hinlegen)
Re|kla|ma|ti|on [...*zion*], die; -, -en (Beanstandung)
Re|kla|me, die; -, -n (Werbung); **re|kla|mie|ren** ([zurück]fordern; Einspruch erheben, beanstanden)
re|kon|stru|ie|ren (wiederherstellen oder nachbilden; den Ablauf eines früheren Vorganges oder Erlebnisses wiedergeben)
Re|kon|va|les|zent [...*wa*...], der; -en, -en (Genesender); **Re|kon|va|les|zenz,** die; -
Re|kord, der; -[e]s, -e
Re|krut, der; -en, -en (Soldat in der ersten Ausbildungszeit); **re|kru|tie|ren** (Rekruten ausheben, mustern); sich - (bildl. für: sich zusammensetzen, sich bilden); **Re|kru|tie|rung**
Rek|tor, der; -s, ...oren (Leiter einer [Hoch]schule); **Rek|to|rat,** das; -[e]s, -e (Amt[szimmer] eines Rektors)
Re|lais [*r^elä*], das; - [*r^elä(ß)*], - [*r^eläß*] (Elektrotechnik: Schalteinrichtung)
Re|la|ti|on [...*zion*], die; -, -en (Beziehung, Verhältnis); **re|la|tiv** [auch: *re*...] (bezüglich; verhältnismäßig; vergleichsweise bedingt); **re|la|ti|vie|ren** [...*wir^en*] (in eine Beziehung bringen; einschränken); **Re|la|ti|vi|tät,** die; -, -en (Bezüglichkeit, Bedingtheit)
re|le|vant [...*want*] (erheblich, wichtig, von Bedeutung); **Re|le|vanz,** die; -, -en
Re|li|ef, das; -s, -s u. -e (über eine Fläche erhaben hervortretendes Bildwerk)
Re|li|gi|on, die; -, -en
◇ Bekenntnis, Glaube, Konfession
Re|li|gi|ons|ge|mein|schaft
re|li|gi|ös
◇ gläubig, fromm, gottesfürchtig (veralt.)
Re|li|gio|si|tät, die; -
Re|likt, das; -[e]s, -e (Überbleibsel, Rest[gebiet, -vorkommen])
Re|ling, die; -, -s (seltener auch: -e) ([Schiffs]geländer, Brüstung)
Re|li|quie [...*i^e*], die; -, -n (Überrest, Gegenstand von Heiligen; kostbares Andenken)
Re|mi|nis|zenz, die; -, -en (Erinnerung; Anklang)
re|mis [*r^emi*] (unentschieden); **Re|mis** [*r^emi*], das; - [*r^emi(ß)*], - [*r^emiß*] u. -en [...*s^en*] (unentschiedenes Spiel); **Re|mit|ten|de,** die; -, -n (Buch, Büchersendung, die vom Sortiment an den Verlag zurückgegeben wird)
Rem|mi|dem|mi, das; -s (ugs. für: lärmendes Treiben, Trubel, Unruhe)
Re|mou|la|de [...*mu*...], die; -, -n (eine Kräutermayonnaise)
Rem|pe|lei (ugs.); **rem|peln** (ugs. für: absichtlich stoßen)
Ren [auch: *ren*], das; -s, -s u. (bei langer Aussprache:) -e (Hirschart, Haustier der Lappen)
Re|nais|sance [*r^enäßangß*], die; -, -n (Erneuerung, bes. die der antiken Lebensform auf geistigem u. künstlerischem Gebiet vom 14. bis 16. Jh.)
Ren|dez|vous [*rangdewu*], das; - [...*wu(ß)*], - [...*wuß*] (Verabredung; Begegnung von Raumfahrzeugen im Weltall)
Ren|di|te, die; -, -n (Verzinsung, Ertrag)
Re|ne|klo|de, die; -, -n (Pflaume einer bestimmten Sorte)
Re|net|te, die; -, -n (ein Apfel)
re|ni|tent (widerspenstig)
Renn|bahn; ren|nen; rannte (rennte), gerannt; **Ren|nen,** das; -s, -; **Renn₋fah|rer, ...pferd**
Re|nom|mee, das; -s, -s ([guter] Ruf, Leumund); **re|nom|mie|ren** (prahlen); **re|nom|miert** (berühmt, angesehen, namhaft)
re|no|vie|ren [...*wir^en*] (erneuern, instand setzen); **Re|no|vie|rung**
ren|ta|bel (zinstragend; einträglich); ein ...a|bles Geschäft; **Ren|ta|bi|li|tät,** die; - (Einträglichkeit, Verzinsung[shöhe])
Ren|te, die; -, -n (regelmäßiges Einkommen [aus Vermögen oder rechtl. Ansprüchen])
◇ Altersversorgung, Ruhegeld, Ruhegehalt
Ren|ten|emp|fän|ger
◇ Rentner, Rentier (veraltend), Ruheständler, Pensionär
¹Ren|tier (dafür besser: Ren)
²Ren|tier [...*tie*], der; -s, -s (veraltend für: Rentner); **ren|tie|ren;** sich - (sich lohnen); **Rent|ner; Rent|ne|rin,** die; -, -nen
re|pa|ra|bel (wiederherstellbar); **Re|pa|ra|ti|on** [...*zion*], die; -, -en (Wiederherstellung; nur *Mehrz.:* Kriegsentschädigung); **Re|pa|ra|tur,** die; -, -en; **re|pa|ra|tur₋an|fäl|lig, ...be|dürf|tig**
re|pa|rie|ren
◇ einen Schaden beheben, ausbessern, wieder in Ordnung bringen, instand setzen, wieder flottmachen
Re|per|toire [...*toar*], das; -s, -s (Stoffsammlung; Vorrat einstudierter Stücke usw., Spielplan)

re|pe|tie|ren (wiederholen); **Re|pe|ti|tor,** der; -s, ...oren (Nachhelfer, Einpauker [an Hochschulen])

Re|port, der; -[e]s, -e (Bericht, Mitteilung); **Re|por|ta|ge** [...*tasche*], die; -, -n (Bericht[erstattung] über ein aktuelles Ereignis); **Re|por|ter,** der; -s, - (Zeitungs-, Fernseh-, Rundfunkberichterstatter)

Re|prä|sen|tant, der; -en, -en (Vertreter, Abgeordneter); **Re|prä|sen|ta|ti|on** [...*zion*], die; -, -en ([Stell]vertretung; standesgemäßes Auftreten, gesellschaftlicher Aufwand); **re|prä|sen|ta|tiv** (vertretend; würdig, ansehnlich); **re|prä|sen|tie|ren**

Re|pres|sa|lie [...*ie*], die; -, -n (meist *Mehrz.;* Vergeltungsmaßnahme, Druckmittel); **Re|pres|si|on,** die; -, -en (Unterdrückung; Abwehr, Hemmung); **re|pres|siv** (unterdrückend)

Re|pro|duk|ti|on [...*zion*], die; -, -en (Nachbildung; Wiedergabe [durch Druck]; Vervielfältigung); **re|pro|du|zie|ren**

Rep|til, das; -s, -ien [...*ien*] u. (selten:) -e (Kriechtier); **Rep|ti|li|en|fonds** (spött. für: Geldfonds, über dessen Verwendung hohe Regierungsstellen keine Rechenschaft abzulegen brauchen)

Re|pu|blik, die; -, -en; **Re|pu|bli|ka|ner; re|pu|bli|ka|nisch; Re|pu|blik|flucht** (DDR)

Re|pu|ta|ti|on [...*zion*], die; - ([guter] Ruf, Ansehen)

Re|qui|em [...*iäm*], das; -s, -s (Toten-, Seelenmesse)

re|qui|rie|ren (herbeischaffen; beschlagnahmen [für Heereszwecke]); **Re|qui|sit,** das; -[e]s, -en (Theatergerät; Rüst-, Handwerkszeug, Zubehör)

Re|ser|vat [...*wat*], das; -[e]s, -e (Vorbehalt; Sonderrecht; großes Freigehege für gefährdete Tierarten; auch für: Reservation); **Re|ser|va|ti|on** [...*zion*], die; -, -en (Vorbehalt; den Indianern vorbehaltenes Gebiet in Nordamerika); **Re|ser|ve,** die; -, -n (nur *Einz.:* Zurückhaltung, Verschlossenheit; Ersatz; Vorrat; Militär: Ersatz[mannschaft]); **re|ser|vie|ren** (aufbewahren; vormerken, vorbestellen, [Platz] belegen); **re|ser|viert** (auch: zurückhaltend, zugeknöpft); **Re|ser|viert|heit,** die; -; **Re|ser|vie|rung; Re|ser|vist,** der; -en, -en (Soldat der Reserve); **Re|ser|voir** [...*woar*], das; -s, -e (Sammelbecken, Behälter, Speicher)

Re|si|denz, die; -, -en (Wohnsitz des Staatsoberhauptes, eines Fürsten, eines hohen Geistlichen; Hauptstadt); **re|si|die|ren** (seinen Wohnsitz haben [bes. von regierenden Fürsten])

Re|si|gna|ti|on [...*zion*], die; -, -en (Verzichtleistung; Entsagung)

re|si|gnie|ren

◇ aufgeben, verzagen, passen

re|si|gniert

re|si|stent (widerstandsfähig)

re|so|lut (entschlossen, beherzt, tatkräftig, zupackend); **Re|so|lu|ti|on** [...*zion*], die; -, -en (Beschluß, Entschließung)

Re|so|nanz, die; -, -en (Mittönen; bildl. für: Anklang, Verständnis, Wirkung); **Re|so|nanz|bo|den** (Schallboden)

re|so|zia|li|sie|ren; Re|so|zia|li|sie|rung (Rechtsw.: schrittweise Wiedereingliederung von Straffälligen, die ihre Strafe abgebüßt haben, in die Gemeinschaft)

Re|spekt, der; -[e]s (Rücksicht, Achtung; Ehrerbietung); **re|spek|ta|bel** (ansehnlich; angesehen); eine ...a|ble Leistung; **re|spek|tie|ren** (achten, in Ehren halten); **re|spekt|los; Re|spekts|per|son; re|spekt|voll**

Res|sen|ti|ment, das; -s, -s [*reßangtimang*] (heimlicher Groll, Neid)

Res|sort [...*ßor*], das; -s, -s (Geschäfts-, Amtsbereich)

Res|sour|ce [*reßurße*], die; -, -n (meist *Mehrz.;* Geldmittel)

Rest, der; -[e]s, -e u. (Kaufmannsspr., bes. von Schnittwaren:) -er

◇ Überrest, -bleibsel, Rückstand, Neige

Re|stau|rant [*reßtorang*], das; -s, -s (Gaststätte); **¹Re|stau|ra|ti|on** [...*taurazion*], die; -, -en (Wiederherstellung eines Kunstwerkes; Wiederherstellung der alten Ordnung nach einem Umsturz); **²Re|stau|ra|ti|on** [...*torazion*], die; -, -en (veraltend für: Gastwirtschaft); **re|stau|rie|ren** [...*tau*...] (wiederherstellen, ausbessern, bes. von Kunstwerken); **Re|stau|rie|rung** [...*tau*...]

Rest|be|trag; rest|lich; rest|los; Rest|po|sten

Re|sul|tat, das; -[e]s, -e (Ergebnis); **re|sul|tie|ren** (sich als Resultat ergeben)

Re|sü|mee, das; -s, -s (Zusammenfassung)

Re|tor|te, die; -, -n (Destillationsgefäß)

re|tour [*retur*] (österr. u. mdal., sonst veraltend für: zurück); **Re|tour|kut|sche** (ugs. für: Zurückgeben eines Vorwurfs, einer Beleidigung)

ret|ten; jmdn. vor etwas -

◇ erretten, bergen, in Sicherheit bringen, Rettung bringen für

Ret|ter; Ret|te|rin, die; -, -nen

Ret|tich, der; -s, -e

Ret|tung; Ret|tungs|boot; ret|tungs|los; Ret|tungs|ring

Re|tu|sche, die; -, -n (Nachbesserung [bes. von Lichtbildern]); **re|tu|schie|ren** (nachbessern [bes. Lichtbilder])

Reue, die; -; **reu|en;** es reut mich; **reue|voll; reu|ig; reu|mü|tig**

Reu|se, die; -, -n (Korb zum Fischfang)
Re|van|che [*rewangsch*[e]], die; -, -n (Vergeltung; Rache); **re|van|chie|ren** [*rewangschir*[e]*n*], sich (vergelten; sich rächen; einen Gegendienst erweisen); **Re|van|chist,** der; -en, -en; **re|van|chi|stisch**
Re|ve|renz [...*we*...], die; -, -en (Ehrerbietung; Verbeugung); vgl. aber: Referenz
Re|vers [*rewär*, auch: *r*[e]...], das od. (österr. nur:) der; - [*rewär(ß)*], - [*rewärß*] (Umschlag od. Aufschlag an Kleidungsstücken)
re|vi|die|ren (nachsehen, überprüfen)
Re|vier [...*wir*], das; -s, -e (Bezirk, Gebiet; Militär.: Krankenstube; Bergw.: Teil des Grubengebäudes, der der Aufsicht eines Reviersteigers untersteht; Forstw.: begrenzter Jagdbezirk; kleinere Polizeidienststelle); **Re|vier|för|ster**
Re|vi|si|on [...*wi*...], die; -, -en (nochmalige Durchsicht; [Nach]prüfung; Änderung [einer Ansicht]; Rechtsw.: Überprüfung eines Urteils); **Re|vi|sio|nis|mus,** der; - (Streben nach Änderung eines bestehenden Zustands od. Programms)
Re|vol|te [...*wolt*[e]], die; -, -n (Empörung, Auflehnung, Aufruhr)
re|vol|tie|ren
◇ aufbegehren, sich auflehnen, sich erheben, sich widersetzen, protestieren, rebellieren, auf die Barrikaden gehen
Re|vo|lu|ti|on [...*zion*], die; -, -en; **re|vo|lu|tio|när** ([staats]umwälzend); **Re|vo|lu|tio|när,** der; -s, -e; **re|vo|lu|tio|nie|ren; Re|vo|luz|zer,** der; -s, - (verächtl. für: Revolutionär); **Re|vol|ver** [...*wolw*[e]*r*], der; -s, - (kurze Handfeuerwaffe); **Re|vol|ver‿blatt, ...held**
Re|vue [*rewü*], die; -, -n [...*wü*[e]*n*] (Zeitschrift mit allgemeinen Überblicken; musikal. Ausstattungsstück); - passieren lassen (vor seinem geistigen Auge vorbeiziehen lassen)
Re|zen|sent, der; -en, -en (Verfasser einer Rezension); **re|zen|sie|ren; Re|zen|si|on,** die; -, -en (kritische Besprechung von Büchern, Theateraufführungen u. a.)
Re|zept, das; -[e]s, -e ([Arznei-, Koch]vorschrift, Verordnung); **re|zept|frei; Re|zep|ti|on** [...*zion*], die; -, -en (Auf-, An-, Übernahme); **re|zept|pflich|tig**
Re|zes|si|on, die; -, -en (Rückgang der Konjunktur)
re|zi|prok (wechsel-, gegenseitig, aufeinander bezüglich); (Math.:) -e Zahlen
Re|zi|ta|ti|on [...*zion*], die; -, -en (Vortrag von Dichtungen); **Re|zi|ta|tiv,** das; -s, -e [...*w*[e]] (dramat. Sprechgesang); **re|zi|tie|ren**
Rha|bar|ber, der; -s (eine Gartenpflanze)
Rhap|so|die, die; -, ...ien ([aus Volksweisen zusammengesetztes] Musikstück)
Rhe|sus|fak|tor, der; -s, ...oren (erbliches Merkmal der roten Blutkörperchen; Abk.: Rh-Faktor; Zeichen: Rh = Rhesusfaktor positiv, rh = Rhesusfaktor negativ)
Rheu|ma, das; -s (Kurzw. für: Rheumatismus); **Rheu|ma|ti|ker** (an Rheumatismus Leidender); **rheu|ma|tisch; Rheu|ma|tis|mus,** der; -, ...men (schmerzhafte Erkrankung der Gelenke, Muskeln, Nerven, Sehnen)
Rhi|no|ze|ros, das; - u. -ses, -se (Nashorn)
Rho|do|den|dron, der (auch: das); -s, ...dren (eine Pflanzengattung der Erikagewächse)
rhom|bisch (rautenförmig); **Rhom|bus,** der; -, ...ben (Raute)
Rhön|rad (ein Turngerät)
rhyth|misch (den Rhythmus betreffend, gleich-, taktmäßig); **Rhyth|mus,** der; -, ...men (Zeit-, Gleich-, Ebenmaß; taktmäßige Gliederung)
Richt|an|ten|ne; rich|ten; sich -; richt[1] euch! (milit. Kommando); **Rich|ter; Rich|te|rin,** die; -, -nen; **rich|ter|lich; Richt‿fest, ...ge|schwin|dig|keit**
rich|tig; es ist das richtige (richtig), zu gehen; das ist genau das richtige für mich; wir halten es für das richtigste (am richtigsten), daß ..., a b e r: tue das Richtige; er hat das Richtige getroffen; du bist mir der Richtige
◇ korrekt, fehlerfrei, fehlerlos, ohne Fehler, völlig in Ordnung
rich|tig|ge|hend (von der Uhr; auch ugs. für: ausgesprochen, vollkommen); **Rich|tig|keit,** die; -; **rich|tig|lie|gen;** (ugs. für: das Richtige tun; einem Trend entsprechen); **rich|tig|ma|chen; rich|tig|stel|len** (berichtigen); **Rich|tig|stel|lung** (Berichtigung); **Richt‿kranz, ...li|nie** (meist *Mehrz.*), **...preis, ...schnur** (*Mehrz.* ...schnuren); **Rich|tung; rich|tung|ge|bend; Rich|tungs|an|zei|ger; rich|tungs|los; Rich|tungs|wech|sel; rich|tung|wei|send**
Ricke [*Trenn.:* Rik|ke], die; -, -n (weibl. Reh)
rie|chen; roch (röche), gerochen; **Rie|cher** (ugs. für: Nase [bes. im übertr. Sinne]); einen guten - für etwas haben (alles gleich merken)
Ried, das; -[e]s, -e (Schilf; Röhricht)
Rie|ge, die; -, -n (Turnerabteilung)
Rie|gel, der; -s, -
Riem|chen; [1]Rie|men, der; -s, - (Lederstreifen)
[2]Rie|men, der; -s, - (Ruder)
Rie|se, der; -n, -n (außergewöhnl. großer Mensch; auch: myth. Wesen)

---
[1] So die Schreibung der Bundeswehr.

Rie|sel|fel|der *(Mehrz.)*; **rie|seln**
rie|sen|groß; rie|sen|haft; Rie|sen-rad, ...sla|lom; rie|sen|stark; rie-sig (gewaltig groß); **Rie|sin,** die; -, -nen
Ries|ling (eine Rebensorte)
Riff, das; -[e]s, -e (Felsenklippe; Sandbank)
rif|feln (aufrauhen); **Rif|fe|lung**
Ri|go|ris|mus, der; - (übertriebene Strenge; strenges Festhalten an Grundsätzen); **ri|go|ros** ([sehr] streng; unerbittlich; hart); **Ri|go|ro|si|tät,** die; -
Rik|scha, die; -, -s (zweirädriger Wagen, der von einem Menschen gezogen wird u. zur Beförderung von Personen dient)
Ril|le, die; -, -n; **ril|len; ril|lig**
Rind, das; -[e]s, -er
Rin|de, die; -, -n; **rin|den|los**
Rin|der|bra|ten, Rinds|bra|ten (österr. nur so); **Rin|der|her|de; Rind|fleisch; Rinds|bra|ten** (österr. nur so), Rin|der-bra|ten; **Rind[s]|le|der; rind[s]|le-dern** (aus Rindsleder); **Rind|vieh** (*Mehrz.* ugs.: Rindviecher)
Ring, der; -[e]s, -e; **Rin|gel,** der; -s, - (kreisförmig Gewundenes); **Rin|gel-chen; rin|ge|lig,** ring|lig; **rin|geln;** sich -; **Rin|gel|piez,** der; -[e]s, -e (ugs. scherzh. für: Tanzvergnügen); **Rin|gel-rei|gen** od. **...rei|hen; rin|gen;** rang (ränge), gerungen; **Rin|gen,** das; -s; **Rin|ger; Ring|fin|ger; ring|för|mig; Ring-kampf, ...kämp|fer, ...rich-ter; rings|her|um; rings|um; rings-um|her**
Rin|ne, die; -, -n; **rin|nen;** rann (ränne, seltener: rönne), geronnen; **Rinn|sal,** das; -[e]s, -e; **Rinn|stein**
Ripp|chen; Rip|pe, die; -, -n; **rip|pen** (mit Rippen versehen); gerippt; **Rip-pen-bruch** (der); **...fell; Rip|pen|fell-ent|zün|dung; Rip|pe[n]|speer,** der od. das; -[e]s (gepökeltes Schweinebruststück mit Rippen); **Rip|pen|stoß**
Rips, der; -es, -e (geripptes Gewebe)
Ri|si|ko, das; -s, ...ken (auch: -s, österr.: Risken); **Ri|si|ko|fak|tor; ri|si|ko|frei; ri|si|ko|los; ris|kant** (gefährlich, gewagt); **ris|kie|ren** (wagen, aufs Spiel setzen)
Ri|sot|to, der; -[s], -s (österr. auch: das; -s, -[s]) (Reisspeise)
Ris|pe, die; -, -n (Blütenstand)
Riß, der; Risses, Risse; **ris|sig**
Rist, der; -es, -e (Fußrücken; Handgelenk)
Ritt, der; -[e]s, -e
Ritt|ber|ger, der; -s, - (klassischer Kürsprung im Eiskunstlauf)
Rit|ter; Rit|ter-burg, ...gut; rit|ter-lich; Rit|ter|lich|keit, die; -; **Rit|ter-sporn** (*Mehrz.* ...sporne; eine Blume), **...tum** (das; -s); **ritt|lings**

Ri|tu|al, das; -s, -e u. -ien [...*iᵉn*] (gottesdienstl. Brauchtum); **ri|tu|ell** (zum Ritus gehörend; durch den Ritus geboten); **Ri-tus,** der; -, ...ten (gottesdienstlicher [Fest]brauch; Zeremoniell; Übung)
Ritz, der; -es, -e (Kerbe, Schramme, Kratzer; auch für: Ritze); **Rit|ze,** die; -, -n (sehr schmale Spalte od. Vertiefung); **rit-zen**
Ri|va|le, der; -n, -n (Nebenbuhler, Mitbewerber); **Ri|va|lin,** die; -, -nen; **ri|va|li-sie|ren** (wetteifern); **Ri|va|li|tät**
Ri|ver|boat|shuf|fle [*riwᵉrboᵘtschafᵉl*], die; -, -s (zwanglose Geselligkeit mit Jazzband auf [Fluß]schiffen)
Ri|zi|nus|öl, das; -[e]s
Roast|beef [*roßtbif*], das; -s, -s (Rostbraten)
Rob|be, die; -, -n; **rob|ben** (robbenartig kriechen); **Rob|ben-fang, ...fän|ger**
Ro|be, die; -, -n (kostbares, langes [Abend]kleid; Amtstracht, bes. für Richter, Anwälte, Geistliche, Professoren)
ro|bo|ten (ugs. für: schwer arbeiten); **Ro-bo|ter** (Maschinenmensch; ugs. für: Schwerarbeiter); **ro|bo|ter|haft**
ro|bust (stark, stämmig; vierschrötig; derb, unempfindlich); **Ro|bust|heit**
Ro|cha|de [*roch..., auch: rosch...*], die; -, -n (Schach: ein unter bestimmten Voraussetzungen zulässiger Doppelzug von König u. Turm)
rö|cheln
ro|chie|ren [*roch..., auch: rosch...*] (die Rochade ausführen; die Positionen wechseln)
¹Rock, der; -[e]s, Röcke
²Rock, der; -[s]; (kurz für: Rockmusik); **Rock and Roll,** Rock 'n' Roll [auch: *rokᵉnrol,* engl. Ausspr.: *roknroᵘl*], der; - - - (stark synkopierter amerik. Tanz); **rocken¹** ([in der Art des] Rock [and Roll] spielen); **Rocker¹,** der; -s, - (Angehöriger einer Bande von Jugendlichen [mit Lederkleidung u. Motorrad als Statussymbolen]); **Rock|mu|sik; Rock 'n' Roll** vgl. Rock and Roll
Rock-saum, ...zip|fel
ro|deln; Ro|del|schlit|ten
ro|den
◇ fällen, abholzen, schlagen, ausmachen
Ro|dung
Ro|gen, der; -s, - (Fischeier)
Rog|gen, der; -s, (fachspr.:) - (Getreide); **Rog|gen|brot**
roh; Roh|bau (*Mehrz.* ...bauten); **Ro-heit; Roh|kost; Roh|ling**
Rohr, das; -[e]s, -e; **Röhr|chen; Röh|re,** die; -, -n; **röh|ren** (brüllen [vom Hirsch zur Brunftzeit]); **Röh|richt,** das; -s, -e; **Rohr-spatz** (schimpfen wie ein - [ugs.

¹ *Trenn.:* ...k|k...

für: aufgebracht schimpfen]), **...zucker** [*Trenn.:* ...zuk|ker]

Roh‿sei|de, ...stahl, ...stoff

Ro|ko|ko [auch: *rokoko,* österr.: *...ko*], das; -s (fachspr. auch: -) ([Kunst]stil des 18. Jh.s)

Rolladen, der; -s, Rolläden u. (seltener:) - [*Trenn.:* Roll|la|den]; **Rol|le,** die; -, -n

rol|len

◇ kullern, kugeln, laufen, trudeln

Rol|ler; rol|lern; Roll‿feld, ...mops (gerollter eingelegter Hering); **Rol|lo** [auch, österr. nur: *rolo*], das; -s, -s (eindeutschend für: Rouleau); **Roll‿schuh** (- laufen), **...stuhl, ...trep|pe**

Ro|man, der; -s, -e; **Ro|man|cier** [*romangßie*], der; -s, -s (Romanschriftsteller); **Ro|ma|nik,** die; - ([Kunst]stil vom 11. bis 13. Jh.); **ro|ma|nisch** (im Stil der Romanik); **Ro|ma|nist,** der; -en, -en (Kenner und Erforscher der roman. Sprachen u. Literaturen); **Ro|ma|ni|stik,** die; - (Wissenschaft von den romanischen Sprachen und Literaturen); **Roman|tik,** die; - (die Kunst- und Literaturrichtung von etwa 1800 bis 1830); **Roman|ti|ker** (Anhänger, Dichter usw. der Romantik; Gefühlsschwärmer); **roman|tisch** (zur Romantik gehörend; gefühlsbetont, schwärmerisch; phantastisch, abenteuerlich); **Ro|man|ze,** die; -, -n (erzählendes volkstüml. Gedicht; liedartiges Musikstück mit besonderem Stimmungsgehalt; romantische Liebesepisode)

Rö|mer, der; -s, - (bauchiges Kelchglas für Wein); **rö|misch** (auf Rom, auf die Römer bezüglich); -e Ziffern, -es Recht; **rö|misch-ka|tho|lisch** (Abk.: röm.-kath.)

Rom|mé [*rome,* auch: *rome*], das; -s, -s (ein Kartenspiel)

Ron|dell, Rundell, das; -s, -e (Rundteil; Rundbeet); **Ron|do,** das; -s, -s (Musik: Satz mit wiederkehrendem Thema)

rönt|gen [*röntg*ᵉ*n*] (mit Röntgenstrahlen durchleuchten); **Rönt|gen‿bild, ...diagno|stik, ...strah|len** (*Mehrz.*)

Roque|fort [*rokfor,* auch: *rok...*], der; -s, -s (ein Käse)

ro|sa; rosa Blüten

◇ rosenfarben, rosenrot, rosafarben, rosarot, rosig, blaßrot, rosé, pink

Ro|sa, das; -s, -, ugs.: -s (rosa Farbe); mit -; Stoffe in -; **ro|sa|far|ben, ro|sa|farbig**

rösch [auch: *rösch*] (bes. südd., auch schweiz. mdal. für: knusprig)

Rös|chen (kleine Rose); **Ro|se,** die; -, -n; **ro|sé** [*rose*] (rosig, zartrosa); [1]**Ro|sé,** das; -[s], -[s] (rosé Farbe); [2]**Ro|sé,** der; -s, -s (Roséwein); **Ro|sen‿blatt, ...duft, ...kohl** (der; -[e]s), **...kranz; Ro|senmon|tag** [auch: *ro...*] (Fastnachtsmontag); **Ro|sen|mon|tags|zug; ro|senrot; Ro|set|te,** die; -, -n (Verzierung in Rosenform; Bandschleife; Edelsteinschliff); **Ro|sé|wein** [*rose...*] (blaßroter Wein aus hellgekelterten Rotweintrauben); **ro|sig**

Ro|si|ne, die; -, -n (getrocknete Weinbeere)

Ros|ma|rin [auch: *...rin*], der; -s (immergrüner Strauch, Zier- u. Gewürzpflanze)

Roß, das; Rosses, Rosse (landsch.: Rösser) (dicht., geh. für: edles Pferd; südd., österr. u. schweiz. für: Pferd); **Roß‿apfel** (landsch. scherzh. für: Pferdekot), **...brei|ten** (*Mehrz.;* windschwache Zone im subtrop. Hochdruckgürtel); **Rös|selsprung** (Rätselart); **Roß‿haar, ...kasta|nie, ...kur** (ugs. für: mit drastischen Mitteln durchgeführte Kur)

[1]**Rost,** der; -[e]s, -e ([Heiz]gitter; landsch. für: Stahlmatratze)

[2]**Rost,** der; -[e]s (Zersetzungsschicht auf Eisen; Pflanzenkrankheit); **rost|braun; ro|sten** (Rost ansetzen)

rö|sten [auch: *rö...*] (braten; Brot u. a. bräunen; Erze u. Hüttenprodukte erhitzen)

rost|far|ben; rost|frei

Rö|sti (*Mehrz.;* schweiz.: [grob geraspelte] gebratene Kartoffeln)

ro|stig

Röst|kar|tof|feln [auch: *rößt...*] (*Mehrz.;* landsch. für: Bratkartoffeln)

rost|rot; Rost|schutz

rot; röter, röteste (seltener, vor allem übertragen: roter, roteste); rote Bete; das Rote Kreuz; die Rote Armee; **Rot,** das; -s, -, ugs.: -s (rote Farbe); bei - ist das Überqueren der Straße verboten; die Ampel steht auf -

Ro|ta|ti|on [*...zion*], die; -, -en (Umdrehung, Umlauf); **Ro|ta|ti|ons|druck** (*Mehrz.* ...drucke)

Rot|au|ge (ein Fisch); **rot‿backig** [*Trenn.:* ...bak|kig] oder **...bäckig** [*Trenn.:* ...bäk|kig]; **Rot|barsch; Röte,** die; -; **Ro|te-Kreuz-Schwe|ster,** die; Ro|te[n]-Kreuz-Schwester, Rote[n]-Kreuz-Schwestern; **Rö|teln** (*Mehrz.;* eine Infektionskrankheit); **Rö|tel|zeichnung; rö|ten;** sich -; **Rot|fuchs; rotglü|hend; rot|grün;** ein -es Bündnis (Bündnis zwischen Sozialdemokraten u. Grünen); **Rot|grün|blind|heit,** die; - (Farbenfehlsichtigkeit, bei der Rot u. Grün verwechselt werden); **Rot|haut** (scherzh. für: Indianer); **Rot|hirsch**

ro|tie|ren (umlaufen, sich um die eigene Achse drehen)

Rot‿käpp|chen, ...kehl|chen (ein Singvogel), **...kohl, ...kraut** (das; -[e]s);

Rot|kreuz|schwe|ster, Ro|te-Kreuz-Schwe|ster; **röt|lich; Rot|licht,** das; -[e]s
Ro|tor, der; -s, ...oren (sich drehender Teil von [elektr.] Maschinen)
Rot_schwanz od. **...schwänz|chen** (ein Vogel); **rot|se|hen** (ugs. für: wütend werden)
Röt|te, die; -, -n
Rö|tung; rot|wan|gig; Rot_wein, ...wild, ...wurst (landsch. für: Blutwurst)
Rotz, der; -es, -e; **Rotz|na|se** (derb; auch übertr. abschätzig für: naseweises, freches Kind)
Rouge [*rusch*], das; -s, -s (Schminke)
Rou|la|de [*ru*...], die; -, n (gerollte u. gebratene Fleischscheibe); **Rou|leau** [...*lo*], das; -s, -s (aufrollbarer Vorhang); **Roulette** [*rulät*], das; -s, -s
Rou|te [*rute*], die; -, -n (Weg[strecke], Reiseweg; [Marsch]richtung); **Rou|ti|ne,** die; - ([handwerksmäßige] Gewandtheit; Fertigkeit, Übung); **rou|ti|ne|mä|ßig; Rou|ti|ne|un|ter|su|chung; Rou|ti|nier** [...*nie*], der; -s, -s (jmd., der Routine hat); **rou|ti|niert** (gerissen, gewandt)
Row|dy [*raudi*], der; -s, -s (auch: ...dies [*raudis*]) (roher, gewalttätiger Mensch, Raufbold); **Row|dy|tum,** das; -s
Rü|be, die; -, -n
Ru|bel, der; -s, - (russ. Münzeinheit; Abk.: Rbl)
rü|ber (ugs. für: herüber, hinüber)
Ru|bin, der; -s, -e (ein Edelstein)
Ru|brik, die; -, -en (Abteilung[slinie]; übertr. für: Spalte, Klasse, Fach)
ruch|bar (durch das Gerücht bekannt); das Verbrechen wurde -
ruch|los (niedrig, gemein, böse, verrucht)
Ruck, der; -[e]s, -e; **ruck|ar|tig**
rück|be|züg|lich; -es Fürwort (für: Reflexivpronomen); **Rück_blen|de, ...blick; rück|blickend**[1]
rücken[1]; jmdm. zu Leibe -
Rücken[1], der; -s, -; **Rücken**[1]**-_deckung**[1], **...la|ge, ...mark** (das), **...wind**
Rück_er|stat|tung, ...fahr|kar|te, ...fahrt, ...fall (der); **rück|fäl|lig; rück|fra|gen;** er hat noch einmal rückgefragt; **Rück_grat** (das; -[e]s, -e), **...halt; rück|halt|los; Rück|hand,** die; -; **Rück|kehr,** die; -
◇ Heimkehr, Heimreise, Wiederkehr, Rückreise
Rück|la|ge (zurückgelegter Betrag); **rück|läu|fig**
Ruck|sack
Rück_schlag, ...sei|te, ...sicht (die; -, -en; ohne, in, mit - auf; - nehmen); **Rück|sicht|nah|me,** die; -; **rück|sichts|los;** er war ihr gegenüber od. gegen sie -; **rück|sichts|voll;** er ist ihr gegenüber od. gegen sie immer -; **Rück-_sitz, ...spie|gel, ...spiel** (Sportspr.), **...spra|che, ...stand** (im - bleiben, in - kommen); **rück|stän|dig; Rück_stau, ...stoß, ...trans|port, ...tritt; rück|ver|gü|ten** (nur in der Grundform u. im 2. Mittelwort gebräuchlich); **rück|ver|si|chern,** sich; **Rück_wand, ...wan|de|rer; rück|wär|tig; rück|wärts; Rück|wärts|gang,** der; **rück|wärts|ge|wandt**
ruck|wei|se
rück|wir|kend; Rück_zah|lung; ...zie|her; einen - machen (ugs.: zurückweichen; ein Versprechen zurückziehen), **...zug, ...zugs|ge|fecht**
rü|de (roh, grob, ungesittet)
Rü|de, der; -n, -n (männl. Hund, Hetzhund)
Ru|del, das; -s, -; **ru|del|wei|se**
Ru|der, das; -s, -; ans - (ugs.: in leitende Stellung) kommen; **Ru|der|boot; Ru|de|rer; Ru|de|rin,** die; -, -nen; **rudern; Ru|dre|rin,** die; -, -nen
ru|di|men|tär (nicht voll ausgebildet; zurückgeblieben, verkümmert)
Ruf, der; -[e]s, -e; **ru|fen;** riefst (riefest), gerufen; **Ru|fer**
Rüf|fel, der; -s, - (Verweis); **rüf|feln**
Ruf_mord (schwere Verleumdung), **...na|me, ...num|mer**
Rug|by [*ragbi*], das; - (ein Ballspiel)
Rü|ge, die; -, -n; **rü|gen**
Ru|he, die; -; **Ru|he|bank** (*Mehrz.* ...bänke); **ru|he|be|dürf|tig; ru|he|los**
ru|hen
◇ ausruhen, still liegen, rasten, entspannen, eine Ruhepause/Erholungspause einlegen
ru|hen|las|sen ([vorläufig] nicht bearbeiten); **ruhen las|sen** (ausruhen lassen); **Ru|he_pau|se, ...stand** (der; -[e]s); **ru|he|stö|rend; Ru|he_tag, ...zeit**
ru|hig
◇ geruhsam, ruhevoll, still, besonnen, überlegen, beherrscht, gelassen, in [aller] Ruhe
Ruhm, der; -[e]s; **rüh|men;** sich seines Wissens -; nicht viel Rühmens von einer Sache machen; **rüh|mens|wert; Ruh|mes_blatt, ...tat; rühm|lich; ruhm|los; ruhm|re|dig**
Ruhr, die; -, (selten:) -en (Infektionskrankheit des Darmes)
Rühr|ei; rüh|ren; sich -; **rüh|rend; rüh|rig; rühr|se|lig; Rüh|rung,** die
Ru|in, der; -s (Zusammenbruch, Untergang, Verfall; Verderb, Verlust [des Vermögens]); **Rui|ne,** die; -, -n (zerfallen[d]es Bauwerk, Trümmer); **rui|nie-**

[1] *Trenn.:* ...k|k...

ren (zerstören, verwüsten); sich -; **rui|nös** (schadhaft; verderblich)
rülp|sen (derb); **Rülp|ser** (derb)
rum (ugs. für: herum)
Rum [südd. u. österr. auch: *rum*], der; -s, -s (Branntwein [aus Zuckerrohr])
Rum|ba, die; -, -s (ugs. auch: der; -s, -s) (ein Tanz)
rum|krie|gen (ugs. für: herumkriegen)
Rum|mel, der; -s (ugs.); **Rum|mel|platz** (ugs.)
ru|mo|ren
Rum|pel|kam|mer (ugs.)
Rumpf, der; -[e]s, Rümpfe
rümp|fen; die Nase rümpfen
Rump|steak [*rúmpßtek*], das; -s, -s (Rindfleischscheibe)
Run [*ran*], der; -s, -s (Ansturm [auf die Kasse])
rund ([im Sinne von: etwa] Abk.: rd.) ◇ kreisförmig, gerundet, ringförmig · ungefähr
Rund‿bau (*Mehrz.* ...bauten), **...bo|gen; Run|de,** die; -, -n; **run|den** (rund machen); sich -; **rund|er|neu|ert;** -e Reifen; **Rund‿fahrt, ...funk** (der; -[e]s); **Rund|funk‿ap|pa|rat, ...ge|bühr, ...hö|rer, ...pro|gramm, ...sen|der; Rund|gang,** der; **rund|her|aus; rund|her|um; Rund|holz; rund|lich; Rund‿rei|se, ...schrei|ben; rund|um; rund|um|her; Run|dung; rund|weg**
Ru|ne, die; -, -n (germ. Schriftzeichen)
run|ter (ugs. für: herunter, hinunter)
Run|zel, die; -, -n; **run|ze|lig, runz|lig; run|zeln**
Rü|pel, der; -s, -; **Rü|pe|lei; rü|pel|haft**
rup|fen
Ru|pie [...*i*ᵉ], die; -, -n (Münzeinheit in Indien, Sri Lanka u. a.)
rup|pig
Rü|sche, die; -, -n (gefalteter Besatz)
Rush-hour [*rasch-au*ᵉ*r*], die; -, -s (Hauptverkehrszeit)
Ruß, der; -es
Rus|se, der; -n, -n (Angehöriger eines ostslaw. Volkes in der UdSSR)
Rüs|sel, der; -s, -
ru|ßen; ru|ßig
Rus|sin, die; -, -nen; **rus|sisch;** -e Eier; -er Salat; -es Roulett; **Rus|sisch,** das; -[s] (Sprache); **Rus|sisch Brot,** das; -[e]s; **Rus|si|sche,** das; -n
rü|sten, sich -
Rü|ster [auch: *rü*...], die; -, -n (Ulme)
rü|stig; Rü|stig|keit, die; -
ru|sti|kal (ländlich, bäuerlich)
Rü|stung; Rü|stungs|in|du|strie; Rüst|zeug
Ru|te, die; -, -n (Stock; früheres Längenmaß; Jägerspr.: Schwanz; allg. für: männl. Glied bei Tieren); **Ru|ten|gän|ger** ([Quellen-, Gestein-, Erz]sucher mit der Wünschelrute)
Rutsch (ugs.), der; -[e]s, -e; **Rutsch|bahn; Rut|sche,** die; -, -n (Gleitbahn); **rut|schen; rutsch|fest; rut|schig; Rutsch|par|tie**
rüt|teln

S

S (Buchstabe); das S; des S, die S
Saal, der; -[e]s; Säle; **Saal|ord|ner**
Saat, die; -, -en; **Saat‿gut, ...korn** (*Mehrz.* ...körner)
Sab|bat, der; -s, -e (jüd. für: Samstag)
sab|bern (ugs.)
Sä|bel, der; -s, -; **Sä|bel|fech|ten,** das; -s; **sä|beln** (ugs. für: ungeschickt schneiden)
Sa|bo|ta|ge [...*tasch*ᵉ, österr.: ...*tasch*], die; -, -n (Störung od. Behinderung von Arbeiten od. militär. Operationen durch [passiven] Widerstand od. die Beschädigung von Einrichtungen); **Sa|bo|teur** [...*tör*], der; -s, -e; **sa|bo|tie|ren**
Sac|cha|rin, Sa|cha|rin, das; -s (ein Süßstoff)
Sach‿be|ar|bei|ter, ...be|schä|di|gung, ...buch; sach|dien|lich; Sa|che, die; -, -n; **Sä|chel|chen**
Sa|cher|tor|te (eine Schokoladentorte)
Sach|ge|biet; sach‿ge|mäß, ...ge|recht; Sach|kennt|nis, sach|kun|dig; Sach‿la|ge, ...lei|stung; sach|lich (zur Sache gehörend; auch für: objektiv); **säch|lich;** -es Geschlecht; **Sach|scha|den** (Ggs.: Personenschaden)
Sach|se, der; -n, -n; **säch|seln** (sächsisch sprechen); **Säch|sin,** die; -, -nen; **säch|sisch**
sacht (leise); **sach|te** (ugs.)
Sach|ver|halt (der; -[e]s, -e); **sach|ver|stän|dig; Sach|ver|stän|di|ge,** der u. die; -n, -n
Sack, der; -[e]s, Säcke; 3 - Hafer; mit - und Pack; **Säck|chen; Säckel**[1], der; -s, - (landschaftl.); [1]**sacken**[1] (landsch. für: in einen Sack füllen); [2]**sacken**[1], sich (sich senken, sich zu Boden setzen, sinken); **Sack‿gas|se, ...hüp|fen** (das; -s)
Sa|dis|mus, der; -, ...men ([Freude an] Grausamkeit); **Sa|dist,** der; -en, -en; **sa|di|stisch; Sa|do|ma|so|chis|mus**

---
[1] *Trenn.:* ...k|k...

[...ehiß...], der; -, ...men (Verbindung von Sadismus u. Masochismus; sadomasochistische Handlung); **sa|do|ma|so|chi|stisch**
Sa|fa|ri, die; -, -s (Überlandreise [mit Trägerkolonnen] in Afrika; Gesellschaftsreise in Afrika)
Safe [*ßeif*], der (auch: das); -s, -s (Geldschrank, Stahlkammer, Sicherheits-, Bankfach)
Saf|fi|an, der; -s (feines Ziegenleder); **Saf|fi|an|le|der**
Sa|fran, der; -s, -e (Krokus; Farbe; Gewürz)
Saft, der; -[e]s, Säfte; **Säft|chen; saf|tig** (ugs. auch für: derb); **Saft|la|den** (ugs. abwertend für: schlecht funktionierender Betrieb); **saft|los;** saft- und kraftlos; **Saft|pres|se**
Sa|ge, die; -, -n
Sä|ge, die; -, -n; **Sä|ge‿blatt, ...mehl**
sa|gen
sä|gen
sa|gen|haft; sa|gen|um|wo|ben
Sä|ge‿spä|ne *(Mehrz.),* **...werk**
Sah|ne, die; -; **Sah|ne‿bon|bon, ...tor|te; sah|nig**
Sai|son [*ßäsong,* auch: *säsong, säsong,* österr. auch: *säson*], die; -, -s (österr. auch: ...nen; Hauptbetriebs-, Hauptgeschäfts-, Hauptreisezeit, Theaterspielzeit); **sai|so|nal** [*...sonal*]; **Sai|son|ar|beit; sai|son|be|dingt; Sai|son|be|ginn**
Sai|te, die; -, -n (gedrehter Darm, gespannter Metallfaden); **Sai|ten‿in|stru|ment, ...spiel**
Sak|ko [österr.: *...ko*], der (auch, österr. nur: das); -s, -s (Herrenjackett)
sa|kral (den Gottesdienst betreffend)
◇ heilig, kirchlich, geistlich, gottesdienstlich, liturgisch, geweiht
Sa|kra|ment, das; -[e]s, -e (göttl. Gnaden vermittelnde kirchl. Handlung); **Sa|kri|leg,** das; -s, -e; **Sa|kri|stei,** die; -, -en (Kirchenraum für den Geistlichen u. die gottesdienstl. Geräte)
Sä|ku|la|ri|sa|ti|on [*...zion*], die; -, -en (Einziehung kirchl. Besitzes durch den Staat; Verweltlichung)
Sa|la|man|der, der; -s, - (ein Molch)
Sa|la|mi, die; -, -[s], schweiz. auch: der; -s, - (eine Dauerwurst)
Sa|lat, der; -[e]s, -e; **Sa|lat‿be|steck, ...gur|ke, ...öl**
Sal|be, die; -, -n
Sal|bei [auch: *...bai*], der; -s (österr. nur so) od. die; - (eine Pflanzengattung, Heilpflanze)
sal|bungs|voll
Sal|chow [*...o*], der; -[s], -s (ein Drehsprung beim Eiskunstlauf)
Sal|do, der; -s, ...den u. -s u. ...di (Unterschied der beiden Seiten eines Kontos)
Sä|le (*Mehrz.* von: Saal)
Sa|li|ne, die; -, -n
Salm, der; -[e]s, -e (ein Fisch)
Sal|mi|ak [auch, österr. nur: *sal...*], der (auch: das), -s (Ammoniakverbindung); **Sal|mi|ak|geist,** der; -[e]s
Sal|mo|nel|len (*Mehrz.;* Darmkrankheiten hervorrufende Bakterien)
Sa|lon [*...long,* auch: *...long,* österr.: *...lon*], der; -s, -s (Gesellschafts-, Empfangszimmer; Geschäft besonderer Art; Kunstausstellung); **Sa|lon|da|me** (Theater); **sa|lon|fä|hig; Sa|lon‿lö|we, ...wa|gen** (Eisenbahnw.)
sa|lopp (ungezwungen; nachlässig; ungepflegt)
Sal|pe|ter, der; -s (Bez. für einige Salze der Salpetersäure)
Sal|to, der; -s, -s u. ...ti (freier Überschlag); **Sal|to mor|ta|le,** der; - -, - - u. ...ti ...li (gefährlicher Kunstsprung der Artisten)
Sa|lut, der; -[e]s, -e ([milit.] Ehrengruß)
◇ [Salut]schuß, Salve, Begrüßung[sschuß]
sa|lu|tie|ren (milit. grüßen)
Sal|ve [*...we*], die; -, -n (gleichzeitiges Schießen von mehreren Feuerwaffen [auch als Ehrengruß])
Salz, das; -es, -e; **Salz|bre|zel; sal|zen;** gesalzenes od. (selten:) gesalztes Fleisch; die Preise sind gesalzen; **Salz‿faß, ...gur|ke; salz|hal|tig; Salz|he|ring; sal|zig; Salz|kar|tof|feln** *(Mehrz.);* **salz|los; Salz|was|ser** (*Mehrz.* ...wässer)
Sa|ma|ri|ter (freiwilliger Krankenpfleger, -wärter)
Sam|ba, die; -, -s, ugs. auch u. österr. nur: der; -s, -s (ein Tanz)
Sa|me, der; -ns, -n; **Sa|men,** der; -s, -; **Sa|men|korn** (*Mehrz.* ...körner); **Sä|me|rei,** die; -, -en (meist *Mehrz.*)
sä|mig (dickflüssig)
Säm|ling (aus Samen gezogene Pflanze)
Sam|mel‿an|schluß (Postw.), **...band** (der), **...becken** [*Trenn.:* ...bek|ken], **...be|stel|lung, ...map|pe; sam|meln; Sam|mel|su|ri|um,** das; -s, ...ien [*...i^e^n*] (ugs. für: Unordnung, Durcheinander); **Samm|ler**
Samm|lung
◇ Erfassung, Dokumentation, Kodifizierung · Kollekte
Sa|mo|war, der; -s, -e (russ. Teemaschine)
Sams|tag, der; -[e]s, -e (Abk.: Sa.); **sams|tags**
samt; *Verhältnisw.* mit *Wemf.:* eine Blume - Wurzeln; *Umstandsw.* in: - und sonders
Samt, der; -[e]s, -e (ein Gewebe); **Samt|band; sam|ten** (aus Samt); **Samt|hand|schuh;** jmdn. mit -en anfassen

(jmdn. vorsichtig behandeln); **sam|tig** (samtartig)
sämt|lich; -e Stimmberechtigten (auch: Stimmberechtigte)
Samt|pföt|chen; samt|weich
Sa|na|to|ri|um, das; -s, ...ien [...*ien*] (Heilstätte; Heilanstalt; Genesungsheim)
Sanc|tus, das; -, - (Lobgesang der kath. Messe)
Sand, der; -[e]s, -e
San|da|le, die; -, -n (eine Schuhart [Holz- od. Ledersohle, durch Riemen gehalten]); **San|da|let|te,** die; -, -n (sandalenartiger Sommerschuh)
Sand‿bank (*Mehrz.* ...bänke), **...dorn** (der; -[e]s; eine Pflanzengattung)
San|del|holz, das; -es (duftendes Holz verschiedener Sandelbaumgewächse)
sand‿far|ben od. **...far|big** (beige); **san|dig; Sand‿mann** (der; -[e]s; eine Märchengestalt), **...pa|pier, ...sack, ...stein; sand|strah|len;** gesandstrahlt, (fachspr. auch:) sandgestrahlt; **Sand|strand**
Sand|wich [*säntwitsch*], der od. das; -[s], -s (belegte Weißbrotschnitte)
sanft; Sanft|mut, die; -; **sanft|mü|tig**
Sän|ger; Sän|ge|rin, die; -, -nen; **sang|los;** sang- u. klanglos (ugs. für: plötzlich, unbemerkt) abtreten
sa|nie|ren; sich - (ugs. für: mit Manipulationen den bestmöglichen Gewinn aus einem Unternehmen od. einer Position herausholen); **Sa|nie|rung; sa|ni|tär; Sa|ni|tä|ter** (in der Ersten Hilfe Ausgebildeter, Krankenpfleger)
sank|tio|nie|ren (gutheißen)
Sankt-Nim|mer|leins-Tag, der; -[e]s
Sa|phir [auch, österr. nur: ...*ir*], der; -s, -e (ein Edelstein)
Sar|del|le, die; -, -n (ein Fisch); **Sar|di|ne,** die; -, -n (ein Fisch)
Sarg, der; -[e]s, Särge; **Sarg|na|gel** (ugs. auch für: Zigarette)
Sa|ri, der; -[s], -s (Gewand der Inderin)
Sar|kas|mus, der; -, (selten:) ...men; ([beißender] Spott); **sar|ka|stisch** (spöttisch; höhnisch)
Sar|ko|phag, der; -s, -e (Steinsarg, [Prunk]sarg)
Sa|tan, der; -s, -e; **sa|ta|nisch** (teuflisch)
Sa|tel|lit, der; -en, -en (Astron.: Mond der Planeten; künstlicher Erdmond, Raumsonde); **Sa|tel|li|ten‿bild, ...fern|se|hen, ...staat** (von einer Großmacht abhängiger, formal selbständiger Staat; *Mehrz.* ...staaten), **...stadt** (Trabantenstadt), **...über|tra|gung** (Übertragung über einen Fernsehsatelliten)
Sa|tin [*satäng*, auch: *ßa*...], der; -s, -s (Sammelbez. für Gewebe in Atlasbindung mit glänzender Oberfläche)
Sa|ti|re, die; -, -n (iron.-witzige Darstellung menschlicher Schwächen und Laster)
◇ Karikatur, Persiflage
sa|ti|risch (spöttisch, beißend)
satt; sich - essen; ich bin od. habe es - (ugs. für: habe keine Lust mehr); sich an einer Sache - sehen (ugs.); etwas - bekommen, haben (ugs.)
◇ gesättigt, [bis oben hin] voll (ugs.); **satt sein** genug haben, nicht mehr können (ugs.), nicht mehr mögen, gesättigt sein (geh.)
Sat|tel, der; -s, Sättel; **Sat|tel|dach; sat|tel|fest** (auch: kenntnissicher, -reich); **sat|teln; Sat|tel‿schlep|per, ...ta|sche**
Satt|heit, die; -; **sät|ti|gen**
Satt|ler; Satt|le|rei
satt|sam (hinlänglich, genug)
sa|tu|rie|ren (sättigen; befriedigen); **sa|tu|riert**
Sa|tyr, der; -s od. -n, -n od.: -e (bocksgestaltiger Waldgeist in der gr. Sage); **Sa|tyr|spiel**
Satz, der; -es, Sätze; **Satz|aus|sa|ge; Sätz|chen; Satz‿ge|gen|stand, ...glied; Sat|zung; Satz|zei|chen**
Sau, die; -, Säue u. (bes. von Wildschweinen:) -en
sau|ber
◇ rein, reinlich, blitzblank, proper
sau|ber|hal|ten; Sau|ber|keit, die; -; **säu|ber|lich; sau|ber|ma|chen**
säu|bern
◇ reinigen, saubermachen, waschen, putzen, rein[e] machen (ugs., landsch.)
Säu|be|rung
Sau|boh|ne
Sau|ce [*ßoße*, österr.: *ßoß*], die; -, -n; **Sau|cie|re** [*ßoßiäre*, österr.: ...*iär*], die; -, -n (Soßenschüssel, -napf)
sau|dumm (ugs. für: sehr dumm)
sau|er; saurer Regen; gib ihm Saures! (ugs. für: prügle ihn!)
◇ säuerlich, herb
Sau|er‿amp|fer, ...bra|ten
Saue|rei (derb)
Sau|er‿kir|sche, ...kraut (das; -[e]s); **säu|er|lich; Sau|er|milch; säu|ern** (sauer werden); **Sau|er|stoff,** der; -[e]s (chem. Grundstoff; Zeichen: O); **Sau|er|stoff‿fla|sche, ...man|gel** (der; -s); **sau|er|süß; Sau|er|teig; sau|er|töp|fisch** (griesgrämig)
sau|fen (derb in bezug auf Menschen); du säufst, er säuft; soff (söffe), gesoffen; **Säu|fer** (verächtl. derb); **Sau|fe|rei** (derb); **Sauf|ge|la|ge** (ugs.)
sau|gen; sog (söge), gesogen (auch: gesaugt) (Technik nur: saugte, gesaugt)
◇ lutschen, lecken, nuckeln (ugs.), zuckeln (ugs., landsch.)

säu|gen; Säu|ger (Säugetier); **Säu|ge|tier; Säug|ling; Säug|lings|pfle|ge**
säu|isch (ugs. für: sehr unanständig); **sau|kalt** (ugs. für: sehr kalt); **Sau|kerl** (derb)
Säu|le, die; -, -n; **Säu|len_hal|le, ...hei|li|ge**
Saum, der; -[e]s, Säume (Rand; Besatz)
sau|mä|ßig (derb)
¹säu|men (mit Rand, Besatz versehen)
²säu|men (zögern); **säu|mig; saum|se|lig** (nachlässig)
Sau|na, die; -, -s od. ...nen (finn. Heißluftbad)
Säu|re, die; -, -n; **säu|re_be|stän|dig, ...fest**
Sau|re|gur|ken|zeit, die; -, -en (scherzh. für: die polit. od. geschäftl. meist ruhige Zeit des Hochsommers)
Sau|ri|er [*...iᵉr*], der; -s, - (urweltl. Kriechtier)
Saus, der; -es; in - und Braus; **säu|seln; sau|sen**
Sau_stall (derb), **...wet|ter** (ugs.)
Sa|van|ne [*...wa...*], die; -, -n (Steppe mit einzeln od. gruppenweise stehenden Bäumen)
Sa|voir-vi|vre [*ßawoarwiwrᵉ*], das; - (feine Lebensart, Lebensklugheit)
Sa|xo|phon, das; -s, -e (ein Blasinstrument)
S-Bahn, die; -, -en (Schnellbahn)
Scam|pi [*ßka...*] (*Mehrz.;* eine Art kleiner Krebse)
Scene [*ßin*], die; -, -s (ugs. für: durch bestimmte Moden, Lebensformen u. a. geprägtes Milieu)
¹Scha|be, Schwa|be, die; -, -n (ein Insekt); **²Scha|be,** die; -, -n (ein Werkzeug); **Scha|be|fleisch; scha|ben**
Scha|ber|nack, der; -[e]s, -e (übermütiger Streich, Possen)
schä|big (ugs.)
Scha|blo|ne, die; -, -n (ausgeschnittene Vorlage; Muster; herkömmliche Form)
Schach, das; -s, -s (Brettspiel); - spielen, bieten; im od. in - halten (nicht zur Ruhe kommen lassen; jmds. Handeln bestimmen); **Schach|brett**
scha|chern (handeln, feilschen)
Schach|fi|gur; schach|matt
Schacht, der; -[e]s, Schächte
Schach|tel, die; -, -n (auch verächtl. für: ältere weibl. Person)
◇ Karton, Kasten, Kassette, Kiste
Schach|tel|halm
schäch|ten (nach jüdischer Vorschrift schlachten); **Schäch|ter**
Schach_tur|nier, ...zug
scha|de; für etw. zu - sein; es ist -
◇ jammerschade, ein Jammer, bedauerlich
Scha|de, der (veralt. für: Schaden); nur noch in: es soll, wird dein - nicht sein
Schä|del, der; -s, -; **Schä|del|bruch**
scha|den
◇ Schaden zufügen, schädigen
Scha|den, der; -s, Schäden; (Papierdt.:) zu - kommen; **Scha|den|er|satz** (BGB: Schadensersatz); **Scha|den|freu|de; scha|den|froh**
schad|haft
◇ beschädigt, defekt
schä|di|gen; Schä|di|gung; schäd|lich; Schäd|ling; Schäd|lings|be|kämp|fung, die; -; **Schäd|lings|be|kämp|fungs|mit|tel; schad|los;** sich - halten; **Schad|stoff; schad|stoff_arm** (-e Autos), **...frei**
Schaf, das; -[e]s, -e; **Schaf|bock; Schäf|chen;** sein Schäfchen ins trockene bringen, im trockenen haben; **Schä|fer; Schä|fer|hund; Schaf|fell**
¹schaf|fen; schaffte, geschafft (vollbringen; landsch. für: arbeiten; in [reger] Tätigkeit sein; Seemannsspr.: essen); **²schaf|fen;** schuf (schüfe), geschaffen (schöpferisch, gestaltend hervorbringen); **Schaf|fen,** das; -s; **Schaf|fens|kraft,** die; -; **Schaff|ner; Schaff|ne|rin,** die; -, -nen; **schaff|ner|los**
Schaf|gar|be, die; -, -n (eine Pflanzengattung); **Schaf_her|de, ...hirt; Schaf|kopf,** Schafs|kopf, der; -[e]s (ein Kartenspiel); **Schäf|chen**
Scha|fott, das; -[e]s, -e (Gerüst für Hinrichtungen)
Schafs|kopf (Scheltwort; vgl. Schafkopf)
Schaft, der; -[e]s, Schäfte; **Schaft|stie|fel**
Schaf_wei|de, ...zucht
Schah, der; -s, -s (pers. Herrschertitel)
Scha|kal [auch: *scha...*], der; -s, -e (ein hundeartiges Raubtier)
schä|kern (sich im Spaß [mit Worten] necken)
schal; ein -es (abgestandenes) Bier; ein -er (fader) Witz
Schal, der; -s, -s
Schäl|chen (kleine [Trink]schale)
Scha|le, die; -, -n (Trinkschale; Hülle)
◇ Schüssel, Kumme (landsch.), Napf, Terrine · Hülse, Pelle (ugs. landsch.), Rinde, Borke, Kruste
schä|len
Scha|len|wild (Rot-, Schwarz-, Steinwild)
Schalk, der; -[e]s, -e u. Schälke (Spaßvogel, Schelm); **schalk|haft**
Schall, der; -[e]s, (selten:) -e od. Schälle; **Schall|dämp|fer; schall|dicht**
schal|len; schallte (seltener: scholl [schölle]), geschallt
◇ erschallen, hallen, [er]tönen, [er]dröhnen, [er]klingen, gellen
Schall_ge|schwin|dig|keit, ...mau|er

(die; -; große Zunahme des Luftwiderstandes bei einem die Schallgeschwindigkeit erreichenden Flugobjekt), **...plat|te; Schall|wel|le** (meist *Mehrz.*)
Schal|mei (ein Holzblasinstrument)
Scha|lot|te, die; -, -n (kleine Zwiebel)
schal|ten; Schal|ter; Schal|ter‿be|am|te, ...stun|den *(Mehrz.)*
Schal|tier (Muschel; Schnecke)
Schalt‿he|bel, ...jahr, ...knüp|pel, ...tag; Schal|tung
Scha|lung (Bretterverkleidung)
Scha|lup|pe, die; -, -n (Küstenfahrzeug; großes [Bei]boot)
Scham, die; -
Scha|ma|ne, der; -n, -n (Zauberpriester asiat. Naturvölker)
schä|men, sich; sie schämt sich ihrer Vergangenheit (geh.); er schämt sich wegen seines Versagens; ich schäme mich für meinen Freund
◇ Scham empfinden, [scham]rot werden, [vor Scham] erröten/die Augen niederschlagen, sich genieren/zieren
Scham|ge|fühl; scham|haft; Scham|haf|tig|keit, die; -; **scham|los; Scham|lo|sig|keit**
Scha|mott, der; -s (ugs. für: Kram, Zeug, wertlose Sachen)
Scha|mot|te, die; - (feuerfester Ton); **Scha|mot|te|stein**
Scham|pon u. **Scham|pun,** das; -s, -s (ein Haarwaschmittel); vgl. Shampoo; **scham|po|nie|ren** u. **scham|pu|nie|ren** (das Haar mit Schampon waschen)
Scham|pus, der; - (ugs. für: Champagner)
scham|rot; Scham|rö|te
schand|bar; Schan|de, die; -; **schän|den; Schand|fleck; schänd|lich; Schand‿mal** (*Mehrz.* ...male u. ...mäler), **...tat**
Schank‿tisch, ...wirt|schaft
Schan|ze, die; -, -n (Verteidigungsanlage; Sprungschanze)
Schar, die; -, -en (größere Anzahl, Menge, Gruppe)
Scha|ra|de, die; -, -n (ein Silbenrätsel)
Schä|re, die; -, -n (meist *Mehrz.;* kleine Felsinsel, Küstenklippe der skand. u. der finn. Küsten)
scha|ren, sich; **scha|ren|wei|se**
scharf; schärfer, schärfste; scharf anfassen, durchgreifen, sehen, schießen; **Scharf|blick,** der; -[e]s; **Schär|fe,** die; -, -n; **schär|fen; scharf|kan|tig; scharf|ma|chen** (ugs. für: aufhetzen, scharfe Maßregeln befürworten); **Scharf|ma|cher** (ugs. für: Hetzer, Befürworter scharfer Maßregeln); **Scharf‿rich|ter, ...schüt|ze; scharf|sich|tig; Scharf|sinn,** der; -[e]s; **scharf|sin|nig**

[1]**Schar|lach,** der; -s, -e (lebhaftes Rot); [2]**Schar|lach,** der; -s (eine Infektionskrankheit); **schar|lach|rot**
Schar|la|tan, der; -s, -e (Schwätzer; Quacksalber, Kurpfuscher)
Schar|müt|zel, das; -s, - (kurzes, kleines Gefecht, Plänkelei)
Schar|nier, das; -s, -e (Drehgelenk [für Türen])
Schär|pe, die; -, -n (um Schulter od. Hüften getragenes breites Band)
schar|ren
Schar|te, die; -, -n (Einschnitt; [Mauer]lücke; Hasenscharte); eine - auswetzen (ugs. für: einen Fehler wiedergutmachen; eine Niederlage o. ä. wettmachen)
Schar|te|ke, die; -, -n (wertloses Buch, Schmöker; abschätzig für: ältliche Frau)
schar|tig
schar|wen|zeln
Schasch|lik [auch: *...lik*], der od. das; -s, -s (am Spieß gebratene [Hammel]fleischstückchen)
schas|sen (ugs. für: [von der Schule, der Lehrstätte, aus dem Amt] wegjagen)
Schat|ten, der; -s, -; **schat|ten|haft; Schat|ten|ka|bi|nett; schat|ten|los; Schat|ten‿mo|rel|le, ...sei|te; schat|ten|spen|dend; Schat|ten|wirt|schaft** (Gesamtheit der nicht offiziell erfaßten wirtschaftlichen Tätigkeiten [z. B. Schwarzarbeit, Nachbarschaftshilfe]); **schat|tie|ren** ([ab]schatten); **Schat|tie|rung; schat|tig**
Scha|tul|le, die; -, -n (Geld-, Schmuckkästchen)
Schatz, der; -es, Schätze; **Schätz|chen**
schät|zen
◇ abschätzen, veranschlagen, taxieren, überschlagen, über den Daumen peilen (ugs.)
schät|zen|ler|nen; ich habe sie kennen- und schätzengelernt; **schät|zens|wert; Schatz|mei|ster; Schät|zung; schät|zungs|wei|se; Schätz|wert**
Schau, die; -, -en (heute bes. für: Ausstellung, Überblick; Vorführung); zur - stellen, tragen; jmdm. die - stehlen (ugs. für: ihn um die Beachtung u. Anerkennung der anderen bringen); **Schau‿bild, ...bu|de, ...büh|ne**
Schau|der, der; -s, -; **schau|der|haft; schau|dern**
schau|en
[1]**Schau|er,** der; -s, - (Hafen-, Schiffsarbeiter)
[2]**Schau|er,** der; -s, - (Schreck; kurzes, plötzliches Unwetter); **Schau|er|ge|schich|te; schau|er|lich; Schau|er|mär|chen; schau|ern;** mir od. mich schauert
Schau|fel, die; -, -n; **schau|feln**
Schau|fen|ster; Schau|fen|ster-

˽bum|mel, ...de|ko|ra|ti|on; Schau˽ge|schäft (das; -[e]s), **...kampf, ...kasten**
Schau|kel, die; -, -n; **schau|keln; Schau|kel˽pferd, ...stuhl**
Schau|lau|fen (das; -s; Eiskunstlauf); **Schau|lu|sti|ge,** der u. die; -n, -n
Schaum, der; -[e]s, Schäume; **Schaumbad; schäu|men; Schaum|gum|mi; schau|mig; Schaum|schlä|ger; Schaum|schlä|ge|rei; Schaum|wein**
Schau˽platz, ...pro|zeß
schau|rig; schaurig-schön
Schau|spiel; Schau|spie|ler; Schauspie|le|rei; Schau|spie|le|rin; schauspie|le|risch; schau|spie|lern; Schau|spiel˽haus, ...kunst (die; -); **Schau|stel|ler**
Scheck, der; -s, -s (seltener: -e) (Zahlungsanweisung); **Scheck|buch**
Schecke[1], der; -n, -n (scheckiges Pferd od. Rind); **scheckig**[1]
scheel
schef|feln (in großen Mengen anhäufen); **schef|fel|wei|se**
Scheib|chen; scheib|chen|wei|se; Schei|be, die; -, -n; **Schei|ben˽bremse, ...schie|ßen,** das; -s, **...wasch|anla|ge, ...wi|scher**
Scheich, der; -s, -e u. -s (Häuptling eines Beduinenstammes); **Scheich|tum**
Schei|de, die; -, -n
schei|den; schied, geschieden; **Scheidung**
Schein, der; -[e]s, -e
◇ Anschein, Augenschein · Lichtschein, Widerschein, Glanz, Schimmer
Schein|asy|lant (zu Unrecht Asyl Beanspruchender); **schein|bar; schei|nen;** schien, geschienen; **schein|hei|lig; Schein|tod; schein|tot**
Schei|ße, die; - (derb); **schei|ßen;** schiß, geschissen (derb)
Scheit, das; -[e]s, -e (österr. nur, schweiz. meist: -er)
Schei|tel, der; -s, -; **Schei|tel|bein** (ein Schädelknochen); **schei|teln; Schei|tel|punkt**
Schei|ter|hau|fen
schei|tern
◇ mißlingen, mißglücken, mißraten, fehlschlagen, schiefgehen (ugs.), danebengehen (ugs.), Schiffbruch erleiden
Schelf, der od. das; -s, -e (Flachmeer entlang der Küste)
Schel|lack, der; -[e]s, -e (ein Harz)
[1]**Schel|le,** die; -, -n (Glöckchen; Ohrfeige); [2]**Schel|le,** die; -, -n u. **Schel|len** *Mehrz.* als *Einz.* gebraucht (eine Spielkartenfarbe); **schel|len; Schel|lenbaum** (Instrument der Militärkapelle)

[1] *Trenn.:* ...k|k...

Schell|fisch
Schelm, der; -[e]s, -e; **schel|misch**
Schel|te, die; -, -n (Tadelwort; ernster Vorwurf)
schel|ten; schilt, schalt (schölte), gescholten; schilt!
◇ [aus]schimpfen · tadeln
Sche|ma, das; -s, -s u. -ta, auch: Schemen (Muster, Aufriß; Entwurf; Plan, Form, Gerippe; bildl. für: vorgeschriebener Weg); nach - F; **sche|ma|tisch; schema|ti|sie|ren** (nach einem Schema behandeln; in eine Übersicht bringen); **Sche|ma|tis|mus,** der; -, ...men
Sche|mel, der; -s, -
Sche|men, der; -s, - (Schatten[bild]; mdal. für: Maske); **sche|men|haft**
Schen|ke, die; -, -n
Schen|kel, der; -s, -
schen|ken
◇ ein Geschenk machen, ein Präsent machen (geh.), verehren, zum Geschenk machen, vermachen, [her]geben, verschenken
Schen|kung; Schen|kungs|steu|er, die
schep|pern (südd., österr. u. schweiz. für: klappern, klirren)
Scher|be, die; -, -n (Bruchstück)
Scher|ben, der; -s, - (südd., österr. für: Scherbe; Blumentopf; in der Keramik Bez. für den gebrannten Ton)
Sche|re, die; -, -n; [1]**sche|ren** (abschneiden); schor (schöre), geschoren (selten: geschert)
[2]**sche|ren,** sich (ugs. für: sich fortmachen; sich um etwas kümmern); **Schere|rei** (ugs. für: Unannehmlichkeit, unnötige Schwierigkeit)
Scherf|lein; sein - beitragen
Scher|ge, der; -n, -n (verächtl. für: Vollstrecker der Befehle eines Machthabers, Büttel)
Scher|kopf (am elektr. Rasierapparat)
Scherz, der; -es, -e; aus, im -
◇ Spaß, Witz, Jux, Jokus, Ulk, Schabernack, Possen, Streich
Scherz|ar|ti|kel; scher|zen; Scherzfra|ge; scherz|haft; Scher|zo [*ßkärzo*], das; -s, -s u. ...zi (heiteres Tonstück); **Scherz|wort** (*Mehrz.* ...worte)
scheu; Scheu, die; - (Angst, banges Gefühl); ohne -; **Scheu|che,** die; -, -n (Schreckbild, -gestalt); **scheu|chen; scheu|en;** sich -
Scheu|er, die; -, -n (Scheune)
scheu|ern; Scheu|er˽sand, ...tuch (*Mehrz.* ...tücher)
Scheu|klap|pe (meist *Mehrz.*)
Scheu|ne, die; -, -n; **Scheu|nen|tor,** das
Scheu|sal, das; -s, -e (ugs.: ...säler); **scheuß|lich; Scheuß|lich|keit**

Schi, Ski, der; -s, -er, selten: - (Schneeschuh); - fahren, - laufen; Schi u. eislaufen, aber: eis- u. Schi laufen
Schi|bob (einkufiger Schlitten)
Schicht, die; -, -en (Schichtung; Gesteinsschicht; Überzug; Arbeitszeit, bes. des Bergmanns; Belegschaft); **Schichtar|beit; schich|ten; Schicht‿un|terricht, ...wech|sel; schicht|wei|se**
schick (modisch, elegant); **Schick,** der; -[e]s (Eleganz)
schicken [*Trenn.:* schik|ken]; sich -
◇ [zu]senden (geh.), zuschicken, abschikken · [ent]senden (geh.), beordern, abkommandieren · sich ergeben, sich finden, sich fügen
Schicke|ria [*Trenn.:* Schik|ke...], die; - (bes. modebewußte Gesellschaftsschicht); **Schickimicki,** der; -s, -s [*Trenn.:* Schik|ki|mik|ki] (ugs. für: jmd., der viel Wert auf modische, schicke Dinge legt; modischer Kleinkram); **schicklich**
Schick|sal, das; -s, -e
◇ Geschick, Vorsehung, Fügung, Schikkung, Los, [Vorher]bestimmung
schick|sal|haft; Schick|sals‿glau|be, ...schlag
Schick|se, die; -, -n (ugs. verächtl. für: leichtes Mädchen)
Schickung [*Trenn.:* Schik|kung] (Fügung, Schicksal)
Schie|be‿dach, ...fen|ster; schieben; schob (schöbe), geschoben; **Schieber** (Riegel; Maschinenteil; auch: gewinnsüchtiger [Zwischen]händler); **Schie|be|tür; Schie|bung**
schied|lich (friedfertig); - und friedlich; **Schieds‿ge|richt, ...mann** (*Mehrz.* ...männer), **...rich|ter, ...spruch**
schief; - sein, werden, stehen, halten, ansehen
Schie|fer, der; -s, - (ein Gestein); **Schiefer|dach; schie|fer|grau**
schief|ge|hen; schief|ge|wickelt [*Trenn.:* ...wik|kelt] (ugs. für: im Irrtum); **schief|la|chen,** sich (ugs. für: heftig lachen); **schief|lie|gen** (ugs. für: einen falschen Standpunkt vertreten)
schiel|äu|gig; schie|len
Schien|bein; Schie|ne, die; -, -n; **schie|nen; Schie|nen‿bus, ...fahrzeug, ...strang, ...weg**
schier; *Umstandsw.* (bald, beinahe, gar); *Eigenschaftsw.* (rein)
Schier|ling (eine Giftpflanze)
Schieß‿be|fehl, ...bu|de; Schieß|buden|fi|gur (ugs.); **Schieß|ei|sen** (ugs. für: Schußwaffe); **schie|ßen;** schoß (schösse), geschossen; **schie|ßen|lassen** (ugs. für: aufgeben); **Schie|ße|rei; Schieß‿ge|wehr, ...hund, ...scheibe, ...sport**

Schiet, der od. das; -s (niederd. für: Dreck; übertr. für: Unangenehmes)
Schiff, das; -[e]s, -e; **Schiffahrt** [*Trenn.:* Schiff|fahrt], die; -, -en (Verkehr zu Schiff); **Schiffahrts‿li|nie, ...stra|ße; schiff|bar; Schiff|bar|keit,** die; -; **Schiff|bau,** der; -[e]s, (bes. fachspr.), Schiffs|bau; **Schiff|bruch,** der; **schiffbrü|chig; Schiff|brü|chi|ge,** der u. die; -n, -n; **Schiff|brücke** [*Trenn.:* ...brük|ke]; **Schiff|chen** (auch: milit. Kopfbedeckung); **schif|fen; Schif|fer; Schif|fe|rin,** die; -, -nen; **Schif|ferkla|vier** (ugs. für: Ziehharmonika); **Schiffs|arzt; Schiff|schau|kel,** Schiffs|schau|kel (eine große Jahrmarktsschaukel); **Schiffs‿eig|ner, ...jun|ge, ...koch** (der), **...tau|fe, ...werft**
Schi‿ge|biet, ...ge|län|de, ...ha|serl (das; -s, -[n]; ugs. für: ängstlicher Anfänger im Schilaufen; auch: junge Schiläuferin)
Schi|is|mus, der; - (Lehre der Schiiten); **Schi|it,** der; -en, -en (Angehöriger einer islam. Glaubensrichtung bes. im Iran)
Schi|ka|ne, die; -, -n
schi|ka|nie|ren
◇ schinden, plagen, piesacken (ugs.), malträtieren, schurigeln (ugs.), kujonieren (ugs.), triezen (ugs.), traktieren
schi|ka|nös
Schi‿lau|fen (das; -s), **...läu|fer**
[1]**Schild,** das; -[e]s, -er (Aushängeschild u. a.); [2]**Schild,** der; -[e]s, -e (Schutzwaffe); **Schild|bür|ger** (Kleinstädter, Spießer); **Schild|bür|ger|streich; Schilddrü|se; Schil|der‿haus** od. **...häuschen; schil|dern; Schil|de|rung; Schil|der|wald** (ugs.); **Schild‿krö|te, ...laus, ...patt** (das; -[e]s; Hornplatte einer Seeschildkröte)
Schi|leh|rer
Schilf, das; -[e]s, -e (eine Grasart); **Schilf|rohr**
Schi|lift
Schil|ler|locke [*Trenn.:* ...lok|ke] (Gebäck; geräuchertes Fischstück)
schil|lern
Schil|ling, der; -s, -e (österr. Münzeinheit; Abk.: S, öS)
schil|pen (vom Sperling: zwitschern)
Schi|mä|re, die; -, -n (Trugbild, Hirngespinst)
[1]**Schim|mel,** der; -s (verschiedene Pilzarten); [2]**Schim|mel,** der; -s, - (weißes Pferd); **schim|me|lig,** schimm|lig; **schim|meln; Schim|mel|pilz**
Schim|mer; schim|mern
Schim|pan|se, der; -n, -n (ein Affe)
Schimpf, der; -[e]s, -e; mit - und Schande; **schimp|fen;** mit jmdm. -; auf, über jmdn. -; **schimpf|lich; Schimpf‿name, ...wort** (*Mehrz.* ...worte u. ...wörter)

Schin|del, die; -, -n; **Schin|del|dach**
schin|den; schindete (selten:) schund; geschunden; **Schin|der; Schin|de|rei**
Schind|lu|der; mit jmdm. - treiben (ugs. für: jmdn. schmählich behandeln)
Schin|ken, der; -s, -; **Schin|ken-brot, ...wurst**
Schi|pi|ste
Schip|pe, die; -, -n; **schip|pen; Schippen** *Mehrz.* als *Einz.* gebraucht (eine Spielkartenfarbe)
Schi|ri, der; -s, -s (Schiedsrichter)
Schirm, der; -[e]s, -e; **Schirm-herr, ...herr|schaft, ...müt|ze, ...pilz, ...stän|der**
Schi|rok|ko, der; -s, -s (warmer Mittelmeerwind)
schir|ren; Schirr|mei|ster
Schiß, der; Schisses (derb für: Kot; übertr. derb für: Angst)
schi|zo|phren[1] (an Schizophrenie erkrankt); **Schi|zo|phre|nie**[1], die; -, ...ien (Med.: Bewußtseinsspaltung, Spaltungsirresein)
schlab|be|rig, schlabb|rig; schlabbern
schlach|ten; Schlach|ten|bumm|ler (ugs.); **Schlach|ter, Schläch|ter** (nordd. für: Fleischer); **Schlach|te|rei, Schläch|te|rei** (nordd. für: Fleischerei); **Schlacht-haus, ...hof; schlacht|reif; Schlacht|vieh**
Schlacke[2], die; -, -n
schlackern[2] (landsch.); mit den Ohren -
Schlack|wurst
Schlaf, der; -[e]s (Schlafen); **Schlaf|anzug; Schläf|chen; Schlä|fe,** die; -, -n; **schla|fen;** du schläfst, er schläft; schlief, geschlafen; schlafen gehen; **Schlä|fen|bein; Schla|fens|zeit; Schlä|fer; schlä|fern; schlaff; Schlaff|heit,** die; -; **Schlaf|ge|legen|heit; Schlaf|lo|sig|keit,** die; -; **Schlaf-mit|tel** (das), **...müt|ze; schlaf|müt|zig; Schlaf-pul|ver, ...raum; schläf|rig; Schläf|rig|keit,** die; -; **Schlaf-saal, ...stadt** (Satellitenstadt), **...ta|blet|te; schlaf|trun|ken; Schlaf|wa|gen; schlaf|wan|deln; Schlaf|wand|ler; schlaf|wand|lerisch; Schlaf|zim|mer**
Schlag, der; -[e]s, Schläge; **Schlag-abtausch** (Sportspr.), **...ader, ...an|fall; schlag|ar|tig; Schlag-ball, ...baum, ...boh|rer**
schla|gen; du schlägst, er schlägt; schlug (schlüge), geschlagen; er schlug ihm (auch: ihn) ins Gesicht
◇ [ver]prügeln, durchprügeln, [ver]hauen (ugs.), durchhauen, die Hosen/den Hosenboden strammziehen, [den Hintern] versohlen, vermöbeln, vertrimmen, durchbleuen, durchwalken
Schla|ger; Schlä|ger; Schlä|ge|rei; Schla|ger|star; schlag|fer|tig; Schlag|fer|tig|keit (die; -); **schlagkräf|tig; Schlag|licht** (*Mehrz.* ...lichter); **schlag|licht|ar|tig; Schlagloch; Schlag|obers,** das; - (österr. für: Schlagsahne); **Schlag-rahm, ...ring, ...sah|ne, ...sei|te, ...wort** (*Mehrz.* ...worte, seltener, für Stichwort eines Schlagwortkatalogs nur: ...wörter)
Schlag|zei|le
◇ Überschrift, Headline, Titel, Balkenüberschrift
Schlag|zeug
Schla|mas|sel, der (auch, österr. nur: das); -s
Schlamm, der; -[e]s, (selten:) -e u. Schlämme
◇ Morast, Matsch (ugs.), Schlick
schläm|men (von Schlamm reinigen); **schlam|mig; Schlämm|krei|de,** die; -; **Schlam|pe,** die; -, -n (ugs. für: unordentliche Frau); **schlam|pen** (ugs. für: unordentlich sein); **Schlam|pe|rei** (ugs. für: Unordentlichkeit); **schlam|pig** (ugs. für: unordentlich)
Schlan|ge, die; -, -n; Schlange stehen; **schlän|geln,** sich; **Schlan|gen-biß, ...fraß** (ugs. für: schlechtes Essen), **...linie**
schlank
◇ rank (geh.), schmal, schlankwüchsig, schmächtig, dünn, leptosom (Med.), asthenisch (Med.)
Schlank|heit, die; -; **Schlank|heitskur; schlank|weg**
schlapp; Schlap|pe, die; -, -n (ugs. für: [geringfügige] Niederlage); **schlap|pen; Schlap|pen,** der; -s, - (ugs. für: bequemer Hausschuh); **Schlapp|heit; schlapp|ma|chen** (ugs. für: am Ende seiner Kräfte sein u. nicht durchhalten); **Schlapp|schwanz** (ugs. für: willensschwacher Mensch)
Schla|raf|fen|land, das; -[e]s
schlau
◇ klug, findig, pfiffig, bauernschlau, gewitzt, gewiegt (ugs.), gewieft (ugs.), helle (ugs.), listig, clever, verschmitzt
Schlau|ber|ger (ugs. für: Schlaukopf)
Schlauch, der; -[e]s, Schläuche; **Schlauch|boot; schlau|chen** (ugs. für: jemanden scharf herannehmen); **schlauch|los**
Schläue, die; - (Schlauheit)
Schlau|fe, die; -, -n (Schleife)
Schlau|heit; Schlau-kopf (scherzh.), **...mei|er** (scherzh.)
schlecht; schlecht und recht; es wäre das schlechteste (sehr schlecht), gleich weg-

[1] Auch: *ßch...*
[2] *Trenn.:* ...k|k...

zugehen, aber: etwas Schlechtes; sich zum Schlechten wenden; im Schlechten und im Guten; **schlecht|be|ra|ten;** schlechter beraten, am schlechtesten beraten; **schlecht|be|zahlt;** schlechter bezahlt, am schlechtesten bezahlt; **schlech|ter|dings** (durchaus); **schlecht|ge|hen** (sich in einer üblen Lage befinden); **schlecht|ge|launt;** schlechter gelaunt, am schlechtesten gelaunt; **Schlecht|heit**

schlecht|hin (durchaus)

◇ par excellence, in höchster Vollendung, im eigentlichen Sinne, im wahrsten Sinne des Wortes

Schlech|tig|keit; schlecht|ma|chen (häßlich reden über jmdn. od. etw.); **schlecht|weg** (ohne Umstände; einfach); **Schlecht|wet|ter,** das; -s

schlecken[1]**; Schlecke|rei**[1]

Schle|gel, der; -s, - (ein Werkzeug zum Schlagen; landsch. für: [Kalbs-, Reh]keule)

Schle|he, die; -, -n

schlei|chen; schlich, geschlichen; **Schleich‿han|del, ...weg** (auf -en), **...wer|bung**

Schlei|er, der; -s, -; **schlei|er|haft** (ugs. für: rätselhaft; dunkel)

Schlei|fe, die; -, -n

¹schlei|fen (schärfen; Soldatenspr.: schinden); schliff, geschliffen; **²schlei|fen** (über den Boden ziehen; sich am Boden [hin] bewegen; Militär: [Festungsanlagen] dem Boden gleichmachen); **Schleif‿lack, ...stein**

Schleim, der; -[e]s, -e; **schlei|men; Schleim|haut; schlei|mig; Schleim|sup|pe**

schlem|men (üppig leben); **Schlem|mer; Schlem|me|rei; Schlem|mer|mahl[|zeit]**

schlen|dern; Schlend|ri|an, der; -[e]s (abwertend für: Säumigkeit, Schlamperei); **Schlen|ker** (schlenkernde Bewegung, kurzer Gang); **schlen|kern; schlen|zen** (Eishockey u. Fußball)

Schlepp|damp|fer; Schlep|pe, die; -, -n; **schlep|pen; Schlep|per; Schlep|pe|rei** (ugs.); **Schlepp‿kahn, ...netz, ...tau** (das; -[e]s, -e), **...zug**

Schleu|der, die; -, -n; **Schleu|der‿ball, ...brett** (Sport), **...ho|nig; schleu|dern; Schleu|der‿preis, ...sitz** (Flugw.)

Schleu|der|wa|re

◇ Ausschuß, Ramsch, Tinnef, Plunder, Ladenhüter

schleu|nig (schnell); **schleu|nigst** (auf dem schnellsten Wege)

Schleu|se, die; -, -n; **schleu|sen** (Schiff durch eine Schleuse bringen); **Schleu|sen‿kam|mer, ...tor** (das)

Schlich, der; -[e]s, -e (ugs. für: Schleichweg; Kunstgriff, Kniff)

schlicht; schlich|ten; Schlich|ter; Schlicht|heit, die; -; **Schlich|tung; Schlich|tungs|ver|fah|ren; schlicht|weg**

Schlick, der; -[e]s, -e (Schlamm, Schwemmland)

Schlie|re, die; -, -n (schleimige Masse; fadenförmige od. streifige Stelle [im Glas]); **schlie|rig** (schleimig, schlüpfrig)

Schlie|ße, die; -, -n

schlie|ßen; schloß (schlösse), geschlossen

◇ zumachen (ugs.), einklinken, zuklinken, zuschlagen, zuknallen, zuschmeißen, die Tür [hinter sich] ins Schloß fallen lassen

Schlie|ßer; Schließ‿fach, ...korb; schließ|lich; Schließ|mus|kel

Schliff, der; -[e]s, -e (Schleifen; Geschliffensein; ugs. für: feine Bildung)

schlimm; es ist das schlimmste (am schlimmsten), daß...; du hast mich aufs schlimmste enttäuscht, aber: das war das Schlimmste, was passieren konnte; auf das Schlimmste gefaßt sein; das wird sich hoffentlich nicht zum Schlimmsten wenden; **schlimm|sten|falls**

Schlin|ge, die; -, -n; **Schlin|gel,** der; -s, -; **schlin|gen;** schlang (schlänge), geschlungen; **schlin|gern** (von Schiffen: um die Längsachse schwanken); **Schling‿ge|wächs, ...pflan|ze**

Schlips, der; -es, -e (Krawatte)

Schlit|ten, der; -s, -; **Schlit|ten|fahrt; Schlit|ter|bahn; schlit|tern** ([auf dem Eise] gleiten); **Schlitt|schuh;** - laufen; **Schlitt|schuh|läu|fer**

Schlitz, der; -es, -e; **Schlitz|au|ge; schlitz|äu|gig; schlit|zen; Schlitz|ohr** (ugs. für: gerissener Bursche; Gauner)

schloh|weiß (weiß wie Schloßen)

Schloß, das; Schlosses, Schlösser; **Schlöß|chen**

Schlo|ße, die; -, -n (landsch. für: Hagelkorn)

Schlos|ser; Schlos|se|rei; schlos|sern; Schloß‿gar|ten, ...herr, ...hof

schlot|tern

Schlucht, die; -, -en

schluch|zen; Schluch|zer; Schluck, der; -[e]s, -e u. (seltener:) Schlücke [*Trenn.:* Schlük|ke]; einige - Wasser; **Schluck|auf,** der; -s (krampfhaftes Aufstoßen); **Schluck|be|schwer|den** *(Mehrz.);* **Schlück|chen; schlucken**[1]**; Schlucker**[1] (armer Kerl, armer Teufel); **Schluck|imp|fung; schluck|wei|se**

[1] *Trenn.:* ...k|k...

[1] *Trenn.:* ...k|k...

schlu|de|rig, schlud|rig (nachlässig); **schlu|dern** (nachlässig arbeiten)
Schlum|mer, der; -s; **Schlum|mer-lied; schlum|mern; Schlum|mer-rol|le**
Schlund, der; -[e]s, Schlünde
schlüp|fen; Schlüp|fer; Schlupf-loch; schlüpf|rig; Schlüpf|rig|keit; Schlupf‿wes|pe, ...win|kel
schlur|fen (schleppend gehen); **schlür-fen** (hörbar trinken)
Schluß, der; Schlusses, Schlüsse; **Schlüs|sel,** der; -s, -; **Schlüs|sel-‿bein, ...brett, ...bund** (der [österr. nur so] od. das; -[e]s, -e); **schlüs|sel|fer|tig** (bezugsfertig); **Schlüs|sel‿fi|gur, ...in-du|strie, ...kind, ...loch, ...stel|lung, ...wort** (*Mehrz.* ...wörter); **schluß|end-lich; schluß|fol|gern; Schluß|fol-ge|rung; schlüs|sig;** - sein; [sich] - werden; **Schluß‿ka|pi|tel, ...läu|fer** (Sportspr.), **...licht** (*Mehrz.* ...lichter), **...punkt, ...strich, ...wort** (*Mehrz.* ...worte)
Schmach, die; -
schmach|ten; schmäch|tig
schmach|voll
schmack|haft
Schmäh, der; -s, - (österr. ugs. für: Trick); - führen (Witze machen); **schmä|hen; schmäh|lich; Schmäh-re|de; Schmä|hung; Schmäh|wort** (*Mehrz.* ...worte)
schmal; schmaler u. schmäler, schmalste (auch: schmälste); **schmal|brü|stig; schmä|lern; Schmal|film; Schmal-fil|mer; Schmal|film|ka|me|ra; Schmal|hans,** in: da ist - Küchenmei-ster (ugs. für: jmd. muß sparsam leben); **schmal‿lip|pig, ...ran|dig; Schmal-spur|bahn; schmal|spu|rig**
Schmalz, das; -es, -e; **schmal|zen; schmäl|zen; Schmalz|ge|backe|ne,** das; -n [*Trenn.:* ...bak|ke...]; **schmal|zig**
Schman|kerl, das; -s, -n (bayr. u. österr. für: eine süße Mehlspeise; Leckerbissen)
schma|rot|zen (auf Kosten anderer le-ben); **Schma|rot|zer**
Schmar|re, die; -, -n (ugs. für: lange Hiebwunde, Narbe)
Schmar|ren, der; -s, - (bayr. u. österr.: ei-ne Mehlspeise; ugs. abwertend für: Wert-loses)
Schmatz, der; -es, -e (landsch. für: [lau-ter] Kuß); **schmat|zen**
schmau|chen
Schmaus, der; -es, Schmäuse (reichhalti-ges u. gutes Mahl); **schmau|sen**
schmecken [*Trenn.:* schmek|ken]
Schmei|che|lei; schmei|chel|haft; Schmei|chel‿kätz|chen od. **...kat|ze**
schmei|cheln
◇ schöntun, Komplimente machen, Süß-holz raspeln (ugs.), nach dem Munde re-den, jmdm. Brei/Honig um den Mund/ ums Maul schmieren (ugs.)
Schmeich|ler
◇ Liebediener, Heuchler, Kriecher, Spei-chellecker
schmeich|le|risch
schmei|ßen (ugs. für: werfen); schmiß; geschmissen; **Schmeiß|flie|ge**
Schmelz, der; -es, -e; **Schmel|ze,** die; -, -n
[1]**schmel|zen** (flüssig werden); du schmilzt, schmolz (schmölze), geschmol-zen
◇ zerschmelzen, zergehen, zerlaufen, sich auflösen
[2]**schmel|zen** (flüssig machen); du schmilzt (veralt.: schmelzt); schmolz (ver-alt.: schmelzte), geschmolzen (veralt.: ge-schmelzt); schmilz (veralt.: schmelze!); **Schmelz‿kä|se, ...punkt, ...was|ser** (*Mehrz.* ...wasser)
Schmer|bauch (ugs.)
Schmerz, der; -es, -en; **schmerz|emp-find|lich; schmer|zen; Schmer-zens‿geld, ...laut, ...mut|ter** (die; -; Darstellung der trauernden Maria), **...schrei; schmerz|frei; schmerz-haft; schmerz|lich; schmerz|los; schmerz|stil|lend; schmerz|voll**
Schmet|ter|ling; Schmet|ter|lings-‿blüt|ler, ...stil (der; -[e]s; Schwimm-stil)
schmet|tern
Schmied, der; -[e]s, -e; **Schmie|de,** die; -, -n; **schmie|de|ei|sern; schmie|den**
schmie|gen; sich -; **schmieg|sam; Schmieg|sam|keit,** die; -
[1]**Schmie|re,** die; -, -n (abwertend: schlechte [Wander]bühne)
[2]**Schmie|re,** die; - (Gaunerspr.: Wache); - stehen
schmie|ren (ugs. auch: bestechen); **Schmier‿fink** (der; -en [auch: -s], -en), **...geld** (meist *Mehrz.*), **...heft; schmie|rig; Schmier|kä|se, ...öl, ...sei|fe**
Schmin|ke, die; -, -n; **schmin|ken**
Schmir|gel, der; -s (ein Schleifmittel); **schmir|geln; Schmir|gel|pa|pier**
Schmiß (ugs.), der; Schmisses, Schmisse; **schmis|sig** (ugs.)
Schmö|ker, der; -s, - (ugs. für: [altes, minderwertiges] Buch); **schmö|kern**
schmol|len; Schmoll‿mund, ...win-kel
Schmor|bra|ten; schmo|ren
Schmu, der; -s, - (ugs. für: leichter Be-trug; betrügerischer Gewinn); - machen
schmuck; - aussehen; **Schmuck,** der; -[e]s, (selten:) -e
schmücken [*Trenn.:* schmük|ken]
◇ ausschmücken, [ver]zieren, verschönern

Schmuck|käst|chen; schmuck|los; Schmuck|lo|sig|keit, die; -; **Schmuck‿sa|chen** *(Mehrz.),* **...stück**
Schmud|del, der; -s (ugs. für: Unsauberkeit); **schmud|de|lig,** schmuddlig (ugs. für: unsauber)
Schmug|gel (Schleichhandel), der; -s; **schmug|geln; Schmug|gel|wa|re; Schmugg|ler**
schmun|zeln
schmur|geln (ugs. für: in Fett braten)
Schmus, der; -es (ugs. für: leeres Gerede); **schmu|sen** (ugs.); **Schmu|ser** (ugs.)
Schmutz, der; -es; **schmut|zen; Schmutz‿fän|ger, ...fink** (der; -en [auch: -s], -en)
schmut|zig
◇ unsauber, unrein, verschmutzt, trübe, schmierig, dreckig, verdreckt
Schmutz|schicht
Schna|bel, der; -s, Schnäbel; **Schnä|bel|chen; schnä|beln** (ugs. für: küssen); sich -; **schna|bu|lie|ren** (ugs. für: naschen)
Schnack, der; -[e]s; **schnacken** [*Trenn.:* schnak|ken] (niederdt. für: plaudern)
Schna|ke, die; -, -n (eine Stechmücke); **Schna|ken|stich**
Schnal|le, die; -, -n (österr. auch: Klinke); **Schnal|len|schuh**
schnal|zen
schnap|pen; Schnapp‿schloß, ...schuß (nicht gestellte Momentaufnahme); **Schnaps,** der; -es, Schnäpse; **Schnaps|bren|ne|rei; Schnäps|chen; Schnaps‿glas** (*Mehrz.* ...gläser); **...idee** (ugs. für: seltsame, verrückte Idee); **Schnaps|zahl** (ugs. für: aus gleichen Ziffern bestehende Zahl)
schnar|chen; Schnar|cher
schnar|ren
schnat|tern
schnau|ben; schnob (schnöbe), geschnoben; **schnau|fen; Schnau|fer; Schnau|ferl,** das; -s, - (österr.:) -n (ugs. scherzh.: altes Auto)
Schnauz|bart; schnauz|bär|tig; Schnau|ze, die; -, -n; **schnau|zen; Schnau|zer,** der; -s, -
Schnecke[1], die; -, -n (ein Weichtier); **schnecken|för|mig**[1]; **Schnecken**[1]**‿haus, ...tem|po**
Schnee, der; -s; **Schnee|ball; Schnee|ball‿schlacht, ...sy|stem** (das; -s; eine bestimmte Form des Warenabsatzes); **schnee|be|deckt; Schnee|be|sen** (ein Küchengerät); **schnee|blind; Schnee‿blind|heit** (die; -), **...decke** [*Trenn.:* ...dek|ke], **...fall** (der), **...flocke** [*Trenn.:* ...flok|ke]; **schnee|frei; Schnee‿ge|stö|ber, ...glöck|chen, ...ka|no|ne, ...ket|te, ...mann** (*Mehrz.* ...männer), **...matsch, ...pflug, ...schmel|ze; schnee|si|cher;** ein -es Skigebiet; **Schnee|sturm, ...trei|ben, ...ver|we|hung, ...wäch|te, ...we|he** (die); **schnee|weiß; Schnee|witt|chen,** das; -s (Märchengestalt)
Schneid (ugs. für: Mut; Tatkraft), der; -[e]s (bayr., schwäb., österr.: die; -); **Schneid|bren|ner; Schnei|de,** die; -, -n; **schnei|den;** schnitt, geschnitten; **Schnei|der; Schnei|de|rei; Schnei|de|rin,** die; -, -nen; **schnei|dern; Schnei|der‿pup|pe, ...werk|statt; Schnei|de‿tisch** (Filmw.), **...zahn; schnei|dig** (mutig, forsch)
schnei|en
Schnei|se, die; -, -n ([gerader] Durchhieb [Weg] im Walde)
schnell
◇ auf die Schnelle (ugs.), geschwind[e], rasch, schleunigst, wie der Blitz (ugs.), mit einem Affenzahn (ugs.)
Schnelläu|fer [*Trenn.:* Schnell|läu|fer]; **Schnell‿bahn, ...boot;** [1]**Schnel|le,** die; - (Schnelligkeit); [2]**Schnel|le,** die; -, -n (Stromschnelle); **schnelle|big** [*Trenn.:* schnell|le|big]; **schnel|len; Schnel|ler; Schnell‿gast|stät|te, ...ge|richt, ...hef|ter; Schnel|lig|keit; Schnell‿im|biß, ...koch|topf, ...kraft** (die; -), **...pa|ket; schnell|stens; schnellst|mög|lich; Schnell‿stra|ße, ...ver|fah|ren, ...ver|kehr, ...wä|sche|rei, ...zug**
Schnep|fe, die; -, -n (ein Vogel)
schnet|zeln ([Fleisch] fein zerschneiden)
schneu|zen; sich -
◇ sich die Nase putzen, [aus]schnauben, rotzen (derb)
Schnick|schnack, der; -[e]s ([törichtes] Gerede)
schnie|geln; geschniegelt und gebügelt (ugs. für: fein hergerichtet)
Schnipp|chen; jmdm. ein - schlagen (ugs. für: einen Streich spielen); **Schnip|pel,** der od. das; -s, - (ugs. für: kleines abgeschnittenes Stück); **schnip|peln** (ugs.); **schnip|pen**
schnip|pisch
Schnip|sel, der od. das; -s, - (ugs.); **schnip|seln** (ugs. für: in kleine Stücke zerschneiden)
Schnitt, der; -[e]s, -e; **Schnitt‿blu|me, ...boh|ne, Schnit|te,** die; -, -n; **Schnit|ter; Schnitt|flä|che; schnit|tig** (auch für: [scharf] ausgeprägt, rassig); **Schnitt‿lauch** (der; -[e]s), **...mu|ster, ...punkt, ...wun|de;** [1]**Schnit|zel,** das; -s, - (Rippenstück); [2]**Schnit|zel,** das (österr. nur so) od. der; -s, - (ugs. für: ab-

[1] *Trenn.:* ...k|k...

geschnittenes Stück); **schnit|zeln; schnit|zen; Schnit|zer** (ugs. für: Fehler); **Schnit|ze|rei**

schnod|de|rig, schnodd|rig (ugs.); **Schnod|de|rig|keit, Schnodd|rig|keit** (ugs.)

schnö|de, schnöd

Schnor|chel, der; -s, -; **schnor|cheln** (mit dem Schnorchel tauchen)

Schnör|kel, der; -s, -

schnor|ren (ugs. für: betteln); **Schnorrer** (ugs. für: Bettler, Landstreicher; Schmarotzer)

Schnö|sel, der; -s, - (ugs. für: dummfrecher junger Mensch)

schnucke|lig[1] (ugs. für: nett, süß; appetitlich)

schnüf|feln; Schnüff|ler

Schnul|ler (Gummisauger)

◇ Sauger, Nuckel (ugs.), Lutscher (landsch.)

Schnul|ze, die; -, -n

schnup|fen; Schnup|fen, der; -s, -; **Schnupf|ta|bak**

schnup|pe (ugs. für: gleichgültig)

schnup|pern

Schnur, die; -, Schnüre

◇ Bindfaden, Kordel, Strippe (ugs.), Leine, Seil

Schnür|chen; das geht wie am Schnürchen (ugs. für: das geht reibungslos); **schnü|ren** (auch von der Gangart des Fuchses); **schnur|ge|ra|de**[2]; **Schnürl|re|gen** (österr.)

Schnurr|bart; schnurr|bär|tig; Schnur|re, die; -, -n (Posse, Albernheit); **schnur|ren**

Schnür|rie|men (Schuhsenkel); **Schnür‿schuh, ...sen|kel, ...stie|fel; schnur|stracks**

schnurz (ugs. für: gleich[gültig])

Schnu|te, die; -, -n (ugs.)

[1]**Schock,** das; -[e]s, -e (60 Stück)

[2]**Schock,** der; -[e]s, -s (selten: -e) (plötzl. [Nerven]erschütterung); **schocken**[3] (ugs. für: schockieren); **Schocker**[3], der; -s, - (ugs. für: Schauerroman, Schauerfilm); **schockie|ren**[3] (einen Schock versetzen, in Entrüstung versetzen)

schock|wei|se

scho|fel, scho|fe|lig (ugs. für: gemein; geizig)

Schöf|fe, der; -n, -n; **Schöf|fen|ge|richt; Schöf|fin,** die; -, -nen

Scho|ko|la|de; scho|ko|la|de[n]|braun; Scho|ko|la|de[n]|eis

Schol|le, die; -, -n ([Erd-, Eis]klumpen; Heimat[boden]; Fisch)

schon

schön; die schönen Künste; auf das od. aufs schönste (schönstens); schön sein, werden, anziehen, singen usw., aber: die Schönste unter ihnen; die Schönste der Schönen; die Welt des Schönen; etwas Schönes; nichts Schöneres; **Schö|ne,** die; -, -n (schönes Mädchen)

scho|nen; sich -

Scho|ner, der; -s, - (mehrmastiges Segelschiff)

schön|fär|ben (allzu günstig darstellen); **Schön|fär|be|rei**

Schon|frist

Schön|geist (*Mehrz.* ...geister); **schöngei|stig; Schön|heit; Schön|heits‿feh|ler, ...ide|al**

Schon|kost (Diät)

Schön|ling (abwertend)

schön|ma|chen (verschönern); sich -

◇ sich feinmachen (ugs.), sich herausputzen, sich [auf]putzen, sich auftakeln (ugs.), sich aufdonnern (ugs.), sich in Schale werfen (ugs.), Toilette machen, sich zurechtmachen

schön|re|den (schmeicheln); **Schönred|ner; schön|schrei|ben** (Schönschrift schreiben); **Schön|schrift,** die; -; **schön|stens; schön|tun** (sich zieren; schmeicheln)

Scho|nung; scho|nungs|be|dürf|tig; scho|nungs|los; Scho|nungs|lo|sigkeit, die; -; **Schon|zeit**

Schopf, der; -[e]s, Schöpfe

[1]**schöp|fen** (Flüssigkeit entnehmen, herausschöpfen)

[2]**schöp|fen** (veralt. für: erschaffen); **Schöp|fer** (Erschaffer, Urheber)

schöp|fe|risch

◇ gestaltend, erfinderisch, ingeniös, ideenreich, einfallsreich, phantasievoll, produktiv

Schöp|fer|kraft, die

Schöpf‿kel|le, ...löf|fel

Schöp|fung; Schöp|fungs|ge|schich|te

Schöpp|chen (kleiner Schoppen); **Schop|pen,** der; -s, - (Flüssigkeitsmaß [für Bier, Wein]; südd. u. schweiz. auch: Babyflasche)

Schorf, der; -[e]s, -e; **schor|fig**

Schor|le, Schor|le|mor|le, die; -, -n (seltener: das; -s, -s)

Schorn|stein

◇ Kamin (südd., westd.), Esse (mitteld.), Schlot (mitteld.), Rauchfang (österr.)

Schorn|stein|fe|ger

[1]**Schoß,** der; -es, Schöße (Mitte des Leibes, das Innere; Teil der Kleidung)

[2]**Schoß** (junger Trieb), der; Schosses, Schosse

Schoß‿hund, ...kind

Schöß|ling (Ausläufer, Trieb einer Pflanze)

---

[1] *Trenn.:* ...uk|k...
[2] Vgl. die Anmerkung zu „gerade".
[3] *Trenn.:* schok|k...

Scholte, die; -, -n; **Scholten|frucht**
Schot|te, der; -n, -n (Bewohner von Schottland)
Schot|ter, der; -s, -; **Schot|ter|decke** [*Trenn.:* ...dek|ke]
schot|tisch
schraf|fie|ren (stricheln); **Schraf|fie|rung**
schräg; - halten, stehen, stellen; - gegenüber; **Schrä|ge,** die; -, -n; **Schräg|la|ge**
Schram|me, die; -, -n
Schram|mel|mu|sik
schram|men
Schrank, der; -[e]s, Schränke; **Schrank|bett; Schränk|chen; Schran|ke,** die; -, -n; **schran|ken|los; Schran|ken|wär|ter; Schrank‿fach, ...wand**
schrap|pen ([ab]kratzen)
Schräub|chen; Schrau|be, die; -, -n; **schrau|ben; Schrau|ben‿mut|ter** (*Mehrz.* ...muttern), **...schlüs|sel, ...zie|her; Schraub‿stock** (*Mehrz.* ...stöcke), **...ver|schluß**
Schre|ber|gar|ten
Schreck, der; -[e]s, -e u. Schrecken[1], der; -s, -; **Schreck|bild; schrecken[1]** (in Schrecken [ver]setzen; Jägersprache für: schreien); **Schrecken[1]** vgl. Schreck; **schrecken|er|re|gend[1]; schreckens[1]‿bleich; Schreckens[1]‿bot|schaft, ...nach|richt; schreck|er|füllt; Schreck|ge|spenst; schreck|haft; Schreck|haf|tig|keit,** die; -
schreck|lich
◇ furchtbar, fürchterlich, entsetzlich, gräßlich
Schreck|schuß; Schreck|se|kun|de
Schred|der vgl. Shredder
Schrei, der; -[e]s, -e
Schreib|block (*Mehrz.* ...blocks); **Schrei|be,** die; - (Geschriebenes; Schreibstil); **schrei|ben;** schrieb, geschrieben; sage und schreibe (tatsächlich); ich schreibe auf den Knien (benutze die Knie als Unterlage); auf blauem od. blaues Papier -; etw. auf einen Zettel -
Schrei|ben (Schriftstück), das; -s, -
◇ Brief, Schrieb (ugs.), Wisch (ugs.), Zuschrift, Zeilen
Schrei|ber; Schrei|be|rei (ugs.); **Schrei|be|rin,** die; -, -nen; **schreib|faul; Schreib‿feh|ler, ...heft, ...kraft** (die), **...ma|schi|ne, ...pa|pier, ...tisch; Schreib|tisch|tä|ter; Schreib|wa|ren** (*Mehrz.*), **...wei|se** (die)
schrei|en; schrie, geschrie[e]n
◇ brüllen, kreischen, johlen, grölen, rufen, blöken, aufschreien

[1] *Trenn.:* ...k|k...

Schreie|rei (ugs.); **Schrei|hals**
Schrei|ner (südd., westd. für: Tischler); **Schrei|ne|rei** (südd., westd.); **schrei|nern** (südd., westd.)
schrei|ten; schritt, geschritten
Schrieb, der; -s, -e (ugs., meist abschätzig für: Brief); **Schrift,** die; -, -en; **Schrift‿bild, ...füh|rer; schrift|lich; Schrift‿set|zer, ...spra|che**
Schrift|stel|ler
◇ Dichter, Autor, Literat, Poet (geh.), Versemacher, Verseschmied, Reimschmied, Schreiberling, Verfasser, Schreiber
Schrift|stel|le|rei, die; -; **schrift|stel|le|risch; schrift|stel|lern; Schrift‿stück, ...ver|kehr**
Schrift|wech|sel
◇ Schriftverkehr, Briefwechsel, Korrespondenz
schrill; schril|len
Schrip|pe, die; -, -n (berlin. für: Weißbrötchen)
Schritt, der; -[e]s, -e; **Schrittem|po** [*Trenn.:* Schritt|tem...]; **Schritt|ma|cher; schritt|wei|se**
schroff; Schroff|heit
schröp|fen
Schrot, der od. das; -[e]s, -e; **Schrot|brot; schro|ten** (grob zerkleinern); **Schrot‿flin|te, ...ku|gel; Schrott,** der; -[e]s, -e (Alteisen); **Schrott|händ|ler; schrott|reif; Schrott|wert**
schrub|ben (mit einem Schrubber reinigen); **Schrub|ber,** der; -s, - ([Stiel]scheuerbürste)
Schrul|le, die; -, -n; **schrul|len|haft; schrul|lig**
schrum|pe|lig, schrump|lig; **schrum|peln; schrump|fen; Schrump|fung**
Schrun|de, die; -, -n (Riß, Spalte); **schrun|dig** (rissig)
Schub, der; -[e]s, Schübe
Schu|ber, der; -s, - (für: [Buch]schutzkarton); **Schub‿fach, ...kar|re[n], ...kasten, ...kraft** (die), **...la|de, ...leh|re** (ein Längenmeßinstrument); **Schubs,** der; -es, -e (Stoß); **schub|sen** ([an]stoßen); **schub|wei|se**
schüch|tern; Schüch|tern|heit, die; -
schuckeln [*Trenn.:* schuk|keln] (ugs. für: wackeln)
Schuft, der; -[e]s, -e
◇ Lump, Schurke, Halunke, Spitzbube, Bösewicht, Tunichtgut
schuf|ten (ugs. für: hart arbeiten); **Schuf|te|rei**
schuf|tig; Schuf|tig|keit
Schuh, der; -[e]s, -e; **Schuh‿an|zie|her, ...band** (das; *Mehrz.* ...bänder); **Schüh|chen; Schuh‿creme, ...grö|ße, ...kar|ton, ...ma|cher; Schuh|ma|che|rei; Schuh‿num|mer, ...soh|le, ...werk**

Schu|ko|stecker [*Trenn.:* ...stek|ker] (Kurzw. für: Stecker mit besonderem Schutzkontakt)

Schul‿ab|gän|ger, ...an|fän|ger, ...ar|beit (meist *Mehrz.*), **...arzt, ...at|las, ...auf|ga|be** (meist *Mehrz.*), **...bank** (*Mehrz.* ...bänke), **...bil|dung, ...bus**

Schuld, die; -, -en; [die] Schuld tragen; es ist meine Schuld; Schulden haben; jmdm. die Schuld geben, aber: schuld geben, haben, sein; sich etwas zuschulden kommen lassen; **Schuld|be|kennt|nis; schuld|be|la|den; schuld|be|wußt; Schuld|be|wußt|sein; schul|den; schul|den|frei** (ohne Schulden); **Schuld|fra|ge; schuld|frei** (ohne Schuld); **Schuld|ge|fühl; schuld|haft**

Schul|dienst, der; -[e]s

schul|dig; Schul|di|ge, der u. die, -n, -n; **Schul|dig|keit,** die; **Schuld|kom|plex; schuld|los; Schuld|ner; Schuld‿spruch, ...ver|schrei|bung**

Schu|le, die; -, -n; **schu|len; schul|ent|las|sen**

Schü|ler

◇ Schulkind, Zögling, Eleve, Pennäler

Schü|ler|aus|tausch; schü|ler|haft; Schü|le|rin, die; -, -nen; **Schü|ler|lot|se** (Schüler, der als Verkehrshelfer eingesetzt ist); **Schü|ler|mit|ver|wal|tung** (Abk.: SMV); **Schü|ler|schaft; Schul|fe|ri|en** *(Mehrz.)*; **schul|frei; Schul‿freund, ...funk, ...geld, ...heft, ...hof; schu|lisch; Schul‿jahr, ...ju|gend, ...ka|me|rad, ...kennt|nis|se** *(Mehrz.)*, **...kind, ...klas|se, ...land|heim, ...lei|ter** (der), **...mäd|chen; schul|mei|stern; Schul‿mu|sik, ...pflicht** (die; -); **schul|pflich|tig; Schul‿ran|zen, ...rei|fe, ...schiff**

Schul|ter, die; -, -n; **Schul|ter|blatt; schul|ter|frei; Schul|ter|klap|pe; schul|tern**

Schu|lung; Schul‿un|ter|richt, ...weg, ...zeit, ...zen|trum, ...zeug|nis

schum|meln (ugs.)

schum|me|rig, schumm|rig; schum|mern

Schund, der; -[e]s (Wertloses); **Schund|li|te|ra|tur** (verächtl.)

schun|keln

Schu|po, der; -s, -s (Kurzw. für: Schutzpolizist)

Schup|pe, die; -, -n (Haut-, Hornplättchen); **schup|pen** ([Fisch]schuppen entfernen)

Schup|pen, der; -s, - (Raum für Holz u. a.)

Schup|pen‿bil|dung, ...flech|te; schup|pig

Schups, der; -es, -e (südd. für: Stoß); **schup|sen** (südd. für: [an]stoßen)

Schur, die; -, -en (Scheren [der Schafe])

schü|ren

schür|fen; Schür|fung

Schür|ha|ken

schu|ri|geln (ugs. für: zurechtweisen)

Schur|ke, der; -n, -n; **Schur|ken|streich; schur|kisch**

Schur|wol|le

Schurz, der; -es, -e; **Schür|ze,** die; -, -n; **schür|zen; Schür|zen|jä|ger** (spött. für: Mann, der den Frauen nachläuft)

Schuß, der; Schusses, Schüsse; **schuß|be|reit**

Schüs|sel, die; -, -n

◇ Schale, Teller, Kumme (landsch.), Napf, Becken, Terrine

schus|se|lig, schußl|lig (ugs. für: fahrig, unruhig); **schus|seln** (ugs. für: fahrig, unruhig sein)

Schuß‿fahrt, ...feld, ...li|nie, ...ver|let|zung, ...waf|fe

Schu|ster

Schu|te, die; -, -n

Schutt, der; -[e]s; **Schutt|ab|la|de|platz; Schüt|te,** die; -, -n (Bund [Stroh]); **Schüt|tel|frost**

schüt|teln

◇ rütteln, beuteln, wackeln

Schüt|tel|reim

schüt|ten

◇ ausschütten, einschütten, [aus]gießen, eingießen

schüt|ter (lose; undicht)

Schutt‿hal|de, ...hau|fen

Schutz, der; -es

Schutz‿an|strich, ...an|zug; schutz|be|dürf|tig; Schutz|be|foh|le|ne, der u. die; -n, -n; **Schutz‿blech, ...bril|le**

Schüt|ze, der; -n, -n

schüt|zen; etw. vor, gegen Nässe -; sich vor, gegen Anstrengung -

Schutz|en|gel

Schüt|zen‿gil|de, ...gra|ben, ...haus, ...hil|fe, ...ver|ein

Schüt|zer; Schutz‿far|be, ...fär|bung, ...ge|biet, ...ge|bühr, ...geist (*Mehrz.* ...geister), **...ha|fen, ...haft, ...hei|li|ge, ...herr|schaft, ...hül|le, ...imp|fung; Schütz|ling; schutz|los; Schutz|lo|sig|keit,** die; -; **Schutz‿macht, ...mann** (*Mehrz.* ...männer u. ...leute), **...pa|tron, ...po|li|zei, ...um|schlag, ...wall**

schwab|be|lig, schwabb|lig (ugs. für: schwammig, fett; wackelnd); **schwab|beln** (ugs. für: wackeln; übertr. für: unnötig viel reden)

schwä|beln (schwäbisch sprechen)

schwach; schwächer, schwächste; eine schwache Stunde; das schwache (weibliche) Geschlecht; der schwächste der Schüler, aber: alles Schwache; das Recht des Schwachen; **Schwä|che,** die;

-, -n; **Schwä|che|an|fall; schwä|chen; Schwach|heit; Schwach|kopf; schwäch|lich; Schwäch|ling; Schwach|ma|ti|kus,** der; -, -se u. ...tiker (scherzh.); **schwach|sich|tig; Schwach|sich|tig|keit,** die; -; **Schwach|sinn,** der; -[e]s; **schwach|sin|nig; Schwach|strom,** der; -[e]s; **Schwä|chung**

Schwa|den, der; -s, - (Dampf, Dunst; schlechte [gefährliche] Grubenluft)

Schwa|dron, die; -, -en (früher beim Militär: Reiterabteilung); **schwa|dro|nie|ren** (prahlerisch schwatzen)

schwa|feln

Schwa|ger, der; -s, Schwäger; **Schwä|ge|rin,** die; -, -nen

Schwälb|chen; Schwal|be, die; -, -n; **Schwal|ben|nest**

Schwall, der; -[e]s, -e (Guß [Wasser])

Schwamm, der; -[e]s, Schwämme (südd. u. österr. auch für: Pilz); **Schwämm|chen; Schwam|merl,** das; -s, -[n], (bayr. u. österr. ugs. für: Pilz); **schwam|mig**

Schwan, der; -[e]s, Schwäne

schwa|nen; es schwant mir

Schwa|nen-ge|sang, ...hals

Schwang, der, nur in: im -[e] (sehr gebräuchlich) sein

schwan|ger

◇ gravid; **schwanger sein,** ein Baby/Kind erwarten/bekommen/kriegen (ugs.), in anderen/besonderen Umständen sein, guter Hoffnung sein (geh.), dick sein (derb), Nachwuchs erwarten/bekommen/kriegen (ugs.), Mutterfreuden entgegensehen

schwän|gern; Schwan|ger|schaft; Schwan|ger|schafts-ab|bruch, ...un|ter|bre|chung

Schwank, der; -[e]s, Schwänke

schwan|ken

◇ wanken, taumeln, torkeln

Schwan|kung

Schwanz, der; -es, Schwänze; **Schwänz|chen; schwän|zeln; schwän|zen** (ugs. für: [die Schule u. a.] absichtlich versäumen); **Schwanz-fe|der, ...flos|se**

schwap|pen (ugs.)

Schwä|re, die; -, -n (Geschwür); **schwä|ren** (eitern)

Schwarm, der; -[e]s, Schwärme; **schwär|men; Schwär|mer; Schwär|me|rei; schwär|me|risch**

Schwar|te, die; -, -n (dicke Haut; ugs. für: altes [minderwertiges] Buch; zur Verschalung dienendes rohes Brett); **Schwar|ten|ma|gen** (eine Wurstsorte)

schwarz; schwärzer, schwärzeste; schwarz auf weiß; ein schwarzes (verbotenes) Geschäft; schwarzer Tee; die schwarze Liste, aber: die Farbe Schwarz, die Schwarze Kunst (Buchdruck; Zauberei); das Schwarze Meer; das Schwarze Brett (Anschlagbrett); Schwarzer Peter (Kartenspiel); ins Schwarze treffen; **Schwarz,** das; -[es], - (schwarze Farbe); **Schwarz|ar|beit; schwarz|ar|bei|ten; schwarz|äu|gig; schwarz|braun; Schwarz|bren|ner; Schwarz|brot; Schwarz-dorn** (*Mehrz.* ...dorne), **...dros|sel;** [1]**Schwar|ze,** der u. die; -n, -n (Neger; dunkelhäutiger, -haariger Mensch); [2]**Schwar|ze,** das; -n (schwarze Stelle); ins - treffen; **Schwär|ze,** die; -, -n (das Schwarzsein [nur *Einz.*]; Farbe zum Schwarzmachen); **schwär|zen** (schwarz färben); **Schwarz|er|de** (dunkler Humusboden); **schwarz|fah|ren** (ohne Berechtigung ein [öffentl.] Verkehrsmittel benutzen); **Schwarz|fah|rer; schwarz|ge|hen** (unerlaubt über die Grenze gehen); **schwarz|haa|rig; Schwarz-han|del, ...händ|ler; schwarz|hö|ren; Schwarz-hö|rer, ...kit|tel** (Wildschwein; abschätzig für: kath. Geistlicher); **schwärz|lich; schwarz|ma|len** (ugs. für: pessimistisch sein); **Schwarz|ma|le|rei** (ugs. für: Pessimismus); **Schwarz|markt; Schwarz|pul|ver; schwarz|rot|gol|den; schwarz|schlach|ten** (ugs.); **Schwarz|schlach|tung** (ugs.); **schwarz|se|hen** (ugs. für: ungünstig beurteilen; ohne amtl. Genehmigung fernsehen); **Schwarz|se|he|rei** (ugs. für: Pessimismus); **Schwarz|sen|der; Schwarz|wäl|der; schwarz|weiß; Schwarz|weiß|film; schwarz|weiß|ma|len;** schwarzweißgemalt; **Schwarz|weiß|ma|le|rei; Schwarz|wild** (Wildschweine); **Schwarz|wur|zel** (eine Gemüsepflanze)

Schwatz, der; -es, -e (ugs. für: Geplauder, Geschwätz); **Schwatz|ba|se; Schwätz|chen; schwat|zen; schwät|zen; Schwät|zer; schwatz|haft; Schwatz|haf|tig|keit,** die; -

Schwe|be, die; -; **Schwe|be-bahn, ...bal|ken, schwe|ben**

Schwe|den|plat|te (ein Gericht); **schwe|disch;** -e Gardinen (ugs. für: [Gitterfenster im] Gefängnis)

Schwe|fel, der; -s (chem. Grundstoff; Zeichen: S); **schwe|fel-gelb, ...hal|tig; schwe|feln; Schwe|fel|was|ser|stoff**

Schweif, der; -[e]s, -e; **schwei|fen**

Schwei|ge-geld, ...marsch

schwei|gen (still sein); schwieg, geschwiegen

◇ stillschweigen, ruhig sein (ugs.), still sein (ugs.), den Mund halten (ugs.) · sich ausschweigen (ugs.), sich in Schweigen hüllen · verschwiegen sein, Stillschweigen bewahren, für sich behalten, dichthalten (ugs.)

Schweilgen, das; -s; **Schweilgepflicht; schweiglsam; Schweigsamlkeit,** die; -

Schwein, das; -[e]s, -e; kein - (ugs. für: niemand); **Schweilne‿bauch, ...braten, ...fleisch; Schweilnelhund** (ugs. für: Lump); der innere - (ugs. für: Feigheit, Bequemlichkeit); **Schweilnelrei; Schweilne‿ripplchen, ...schmalz, ...schnitlzel, ...stall; schweilnisch; Schweins‿bralten** (südd. u. österr. für: Schweinebraten), **...lelder; schweinsleldern**

Schweiß, der; -es, -e (Jägerspr. auch: Wildblut); **Schweiß‿auslbruch; schweißlbeldeckt; Schweiß‿brenner, ...drülse; schweilßen** (bluten [vom Wild]; Metalle durch Hämmern od. Druck bei Weißglut verbinden); **Schweilßer** (Facharbeiter, der Schweißarbeiten macht); **schweißlgebaldet; Schweißlhund; schweißig; schweißltreilbend; schweißtrielfend; Schweißltroplfen; Schweilßung**

Schweilzer (Bewohner der Schweiz; auch für: Kuhknecht, Melker; Türhüter; Aufseher in kath. Kirchen); **Schweizerldeutsch,** das; -[s]; (deutsche Mundart[en] der Schweiz); **Schweilzerlgarde**

schwellen (langsam flammenlos [ver]brennen; glimmen)

schwellgen; schwellgelrisch

Schwellle, die; -, -n

[1]**schwelllen;** schwoll (schwölle), geschwollen (größer, stärker werden, sich ausdehnen); [2]**schwelllen;** schwellte, geschwellt (größer, stärker machen)

Schwelllenlangst, die; - (Psych.: Hemmung eines potentiellen Käufers, eine Ladenschwelle zu überschreiten)

Schwelllung

Schwemlme, die; -, -n (Badeplatz für das Vieh; einfacher Gastwirtschaftsraum); **schwemlmen; Schwemmland,** das; -[e]s

Schwenlgel, der; -s, -; **Schwenk,** der; -[e]s, -s (selten: -e); **schwenklbar; schwenlken; Schwenlker**

schwer; schwere Musik; ein schwerer Junge (ugs. für: Gewaltverbrecher); das schwerste (am schwersten, sehr schwer) wäre es, dich jetzt zu verlieren, aber: du hast das Schwerste (den schwersten Teil) bereits hinter dir; er hat [viel] Schweres durchgemacht

◇ schlimm, grob, unverzeihlich · wuchtig, massig, lastend

Schwer‿arlbeilter, ...athllet, ...athleltik; schwerlbelschäldigt (durch gesundheitl. Schädigungen in der Erwerbsfähigkeit stark beschränkt); **Schwerlbelschäldiglte,** der u. die; -n, -n; **Schwerlbelwafflnelte,** der u. die; -n, -n; **schwerlblültig; Schwelre,** die (Gewicht); **schwelrellos; Schwelrelolsiglkeit; schwerlerlziehlbar; Schwerlerlziehlbalre,** der u. die; -n, -n; **schwerlfallen** (Mühe verursachen); **schwerlfällig; Schwer‿fällliglkeit** (die; -), **...gelwicht** (Körpergewichtsklasse in der Schwerathletik); **schwerlgelwichltig; schwerlhallten** (schwierig sein); **schwerlhölrig; Schwerlhölriglkeit,** die; -; **Schwer‿inldulstrie, ...kraft** (die; -), **...kranke,** der u. die; -n, -n; **schwerllich** (kaum); **schwerlmalchen** (Schwierigkeiten machen); **Schwer‿meltall, ...mut** (die; -)

schwerlmültig

◇ trübsinnig, melancholisch, pessimistisch, depressiv, deprimiert, betrübt, bedrückt, bekümmert, freudlos

schwerlnehlmen (ernst nehmen); **Schwer‿punkt, ...spat** (ein Mineral)

Schwert, das; -[e]s, -er; **Schwertllillie**

schwerltun, sich; ich habe mich (selten: mir) schwergetan, aber: ich habe mich allzu schwer getan; **Schwerlverlbrecher; schwerlverldaullich; schwerverlletzt; schwerlverlständllich; schwerlverlträgllich; Schwerlverwunldelte,** der u. die; -n, -n; **schwerwielgend**

Schwelster, die; -, -n; **schwesterlich; Schwelstern‿orlden, ...tracht**

Schwielger‿elltern *(Mehrz.),* **...mutter** (*Mehrz.* ...mütter), **...valter**

Schwielle, die; -, -n; **schwiellig**

schwielrig

◇ schwer, diffizil, heikel, kompliziert, problematisch, verwickelt, vertrackt (ugs.), prekär

Schwielriglkeit; Schwielriglkeitsgrad

Schwimm‿bad, ...becken [*Trenn.:* ...beklken]; **schwimlmen;** schwamm (schwömme, seltener: schwämme), geschwommen; **Schwimlmer; Schwimmelrin,** die; -, -nen; **Schwimm‿flosse, ...sport, ...welste**

Schwinldel, der; -s (ugs. auch für: unnützes Zeug; Erlogenes); **Schwinldelanlfall; Schwinldellei** (ugs.); **schwinldel‿erlrelgend, ...frei; Schwinldellgelfühl; schwinldelhaft; schwinldellig,** schwindllig; **schwinldeln;** mir (selten: mich) schwindelt, aber nur: mir schwindelt der Kopf; **schwinlden;** schwand (schwände), geschwunden; **Schwindller;**

Schwind|sucht, die; -; **schwindsüch|tig**
Schwin|ge, die; -, -n
schwin|gen; schwang (schwänge), geschwungen
◇ pendeln, schaukeln, wackeln, schuckeln (ugs.)
Schwin|gung
Schwipp‿schwa|ger (ugs.), **...schwäge|rin; Schwips,** der; -es, -e (ugs. für: leichter Rausch)
schwir|ren
Schwitz|bad; Schwit|ze, die; -, -n; **schwit|zen; schwit|zig; Schwitz‿ka|sten, ...kur**
Schwof, der; -[e]s, -e (ugs. für: öffentl. Tanzvergnügen); **schwo|fen** (ugs.)
schwö|ren; schwor (schwüre, selten: schwöre), geschworen
schwul (ugs. für: homosexuell); **schwül; Schwü|le,** die; -; **Schwu|le,** der; -n, -n; **Schwu|li|tät,** die; -, -en (ugs. für: Verlegenheit, Klemme)
Schwulst, der; -[e]s, Schwülste; **schwul|stig** (aufgeschwollen, aufgeworfen); **schwül|stig** (überladen)
Schwund, der; -[e]s
Schwung, der; -[e]s, Schwünge; **schwung|haft; Schwung|kraft,** die; -; **schwung|los; Schwung|rad; schwung|voll**
Schwur, der; -[e]s, Schwüre; **Schwurge|richt**
Sci|ence-fic|tion [*ßai^e^nßfiksch^e^n*], die; -, -s (utopische Dichtung auf naturwissenschaftlich-technischer Grundlage)
Scotch [*ßkotsch*], der; -s, -s (schottischer Whisky)
Seal [*ßil*], der od. das; -s, -s (Fell der Pelzrobbe; ein Pelz)
Sé|an|ce [*ßeangß^e^*], die; -, -n ([spiritistische] Sitzung)
sechs; wir sind zu sechsen od. zu sechst; wir sind -; **Sechs,** die; -, -en (Zahl); die Ziffer -; **Sechs|eck; sechs|eckig** [*Trenn.:* ...ek|kig]; **sechs|ein|halb; sechs|fach; Sechs|fa|che,** das; -n; **sechs|hun|dert; sechs|mal; sechsstel|lig; Sechs|ta|ge|ren|nen; sechs|tau|send; sech|ste;** einen sechsten Sinn für etw. haben; er ist der sechste (der Zählung, der Reihe nach), aber: sie ist die Sechste (der Leistung nach); heute ist der Sechste (Monatstag); **sech|stel; Sech|stel,** das; -s, -; **sechstens; sechs|und|ein|halb; Sechsund|sech|zig,** das; - (ein Kartenspiel); **Sechs|zy|lin|der; sech|zehn; sechzig;** er ist - Jahre alt; **Sech|zig,** die; -, -en (Zahl); der Mensch über -
Se|cond|hand|shop [*ßäk^e^ndhändschop*], der; -s, -s (Laden für gebrauchte Kleidung u. ä.)
Se|da|tiv, das; -s, -e [...*w^e^*]; **Se|da|tivum** [...*wum*], das; -s, ...va [...*wa*] (Med.: Beruhigungsmittel)
[1]**See,** der; -s, -n [*se^e^n*] (Landsee)
◇ Teich, Weiher, Tümpel, Pfuhl
[2]**See,** die; -, (Meer; für: [Sturz]welle *Mehrz.:*) -n [*se^e^n*]; **See|ad|ler; Seebad; See-Ele|fant,** der; -n, -n (große Robbe); **see|er|fah|ren; see|fahrend; See‿fah|rer, ...fahrt; seefest; See‿gang** (der; -s), **...ha|fen, ...hund, ...igel; see|klar; see|krank; See|krank|heit,** die; -
See|le, die; -, -n
◇ Inneres, Herz, Gemüt, Brust
See|len‿kun|de (die; -; für: Psychologie), **...le|ben; see|len|los; Seelen‿qual, ...ru|he; see|len|ru|hig; See|len‿ver|käu|fer, ...ver|wandtschaft; see|len|voll; See|len|wande|rung; see|lisch,** das -e Gleichgewicht; **Seel|sor|ge,** die; -; **Seel|sorger; seel|sor|ger|lich**
See‿luft, ...mann (*Mehrz.* ...leute), **...manns|garn** (das; -[e]s), **...mei|le** (Zeichen: sm), **...not** (die), **...räu|ber, ...rei|se, ...ro|se, ...sack; see|tüchtig; See‿weg, ...zun|ge** (ein Fisch)
Se|gel, das; -s, -; **Se|gel|boot; se|gelflie|gen** (nur in der Grundform gebräuchlich); **Se|gel‿flie|ger, ...flugzeug; se|geln; Se|gel‿re|gat|ta, ...schiff, ...sport, ...tuch** (*Mehrz.* ...tuche)
Se|gen, der; -s, -; **se|gens|reich; Segens|wunsch**
Seg|ler
Seg|ment, das; -[e]s, -e ([Kreis-, Kugel]abschnitt, Glied)
seg|nen; Seg|nung
se|hen; sah (sähe), gesehen
◇ wahrnehmen, beobachten, schauen, erkennen, unterscheiden, ausmachen, sichten · blicken
se|hens‿wert, ...wür|dig; Se|henswür|dig|keit; Seh‿feh|ler, ...kraft (die)
Seh|ne, die; -, -n
seh|nen, sich
Seh|nen|zer|rung
Seh|nerv
seh|nig
sehn|lich; Sehn|sucht, die; -, ...süchte; **sehn|süch|tig; sehn|suchts|voll**
sehr; - fein (Abk.: ff)
◇ ganz, herzlich, überaus (geh.), äußerst, außerordentlich, eminent, extrem, ziemlich, arg, höchst, aufs höchste, unendlich, unermeßlich
Seh‿schär|fe, ...test
seicht; Seicht|heit, Seich|tig|keit
seid (2. Pers. Mehrz. Wirklichkeitsform Gegenwart von [2]sein); seid vorsichtig!

Sei|de, die; -, -n (Gespinst; Gewebe)
Sei|del, der; -s, - (Gefäß; Flüssigkeitsmaß)
Sei|del|bast (ein Strauch)
sei|den (aus Seide); **Sei|den‿fa|den, ...glanz, ...pa|pier, ...rau|pe; sei|den|weich; sei|dig**
Sei|fe, die; -, -n; **Sei|fen‿bla|se, ...ki|sten|ren|nen, ...lau|ge, ...was|ser; sei|fig**
Sei|he, die; -, -n (landsch.); **sei|hen** (durch ein Sieb gießen, filtern); **Sei|her** (Sieb für Flüssigkeiten)
Seil, das; -[e]s, -e; **Seil|bahn; Sei|ler; Seil‿fäh|re, ...hüp|fen** (das; -s), **...schaft** (die durch ein Seil verbundenen Bergsteiger), **...sprin|gen** (das; -s), **...tan|zen** (das; -s), **...tän|zer, ...tän|ze|rin, ...win|de**
[1]sein, sei|ne, sein; Seine (Abk.: S[e].), Seiner (Abk.: Sr.) Exzellenz; jedem das Seine
[2]sein; war (wäre), gewesen; **Sein,** das; -s
sei|ne, sei|ni|ge; **sei|ner|seits; sei|ner|zeit** (damals, dann; Abk.: s. Z.); **sei|ner|zei|tig; sei|nes|glei|chen;** er hat nicht -; **sei|net|hal|ben; sei|net|we|gen; sei|ni|ge**
sein|las|sen (ugs. für: unterlassen)
Seis|mo|graph, der; -en, -en (Gerät zur Aufzeichnung von Erdbeben)
seit; *Verhältniswort* mit *Wemf.*: - dem Zusammenbruch; *Bindew.*: - ich hier bin; **seit|dem;** *Umstandsw.*: seitdem ist er gesund; *Bindew.*: seitdem (od. seit) ich hier bin
Sei|te, die; -, -n; er steht mir zur Seite, aber: auf seiten der Schwächeren stehen; von seiten der Behörde; **Sei|ten‿blick, ...hal|bie|ren|de** (die; -n, -n), **...hieb; sei|ten|lang; sei|tens;** *Verhältnisw.* mit *Wesf.*: - des Angeklagten (dafür besser: von dem Angeklagten) wurde folgendes eingewendet; - Herrn Meyer; **Sei|ten‿sprung, ...ste|chen** (das; -s), **...stra|ße; sei|ten|verkehrt; Sei|ten|wind**
seit|her (von einer gewissen Zeit an bis jetzt); **seit|he|rig**
seit|lich; bei -em Wind; der Eingang ist -; *Verhältnisw.* mit *Wesf.*: - des Weges; **seit|wärts;** den Körper etwas - wenden; - stehen die Kinder; *Verhältnisw.* mit *Wesf.*: - des Weges
Se|kret, das; -[e]s, -e (Absonderung); **Se|kre|tär,** der; -s, -e; **Se|kre|ta|ri|at,** das; -[e]s, -e (Kanzlei, Geschäftsstelle; Schriftführeramt); **Se|kre|tä|rin,** die; -, -nen
Sekt, der; -[e]s, -e (Schaumwein)
Sek|te, die; -, -n (Glaubensgemeinschaft)
Sekt‿fla|sche, ...glas (*Mehrz.* ...gläser)
Sek|tie|rer, der; -s, - (Anhänger einer Sekte); **sek|tie|re|risch**
Sek|ti|on [*...zion*], die; -, -en (Abteilung, Gruppe, Zweig[verein]; Med.: Leichenöffnung); **Sek|tor,** der; -s, ...oren ([Sach]gebiet, Bezirk, Teil; [Kreis-, Kugel]ausschnitt); **Sek|to|ren|gren|ze**
Se|kun|da, die; -, ...den (veraltende Bez. für die 6. u. 7. Klasse an höheren Lehranstalten); **Se|kun|da|ner,** der; -s, - (Schüler einer Sekunda); **se|kun|där** (in zweiter Linie in Betracht kommend; nachträglich hinzukommend); **Se|kun|de,** die; -, -n ($^1/_{60}$ Minute, Abk.: Sek. [Zeichen: s, älter: sec, sek]; Musik: zweiter Ton [vom Grundton an]); **se|kun|den|lang; Se|kun|den‿schnel|le** (in -), **...zei|ger; se|künd|lich**
Se|ku|rit Ⓦⓩ, das; -s (nicht splitterndes Glas)
selb; zur -en Zeit; **sel|ber** (alltagssprachl. für: selbst); **Sel|ber|ma|chen,** das; -s; **selbst; Selbst,** das; -; **Selbst|ach|tung,** die; -
selb|stän|dig
◇ eigenständig, frei, ungebunden, unabhängig, souverän, unumschränkt, autonom, emanzipiert
Selb|stän|di|ge, der u. die; -n, -n; **Selb|stän|dig|keit,** die; -; **Selbst‿auf|op|fe|rung, ...aus|lö|ser** (Fotogr.), **...be|die|nung** (*Mehrz.* selten), **Selbst|be|die|nungs|la|den; Selbst‿be|frie|di|gung, ...be|herr|schung, ...be|stim|mung; Selbst‿be|tei|li|gung, ...be|trug; selbst|be|wußt**
Selbst|be|wußt|sein
◇ Selbstgefühl, Selbstvertrauen, Sicherheit
Selbst|bild|nis, ...bio|gra|phie, ...dis|zi|plin, ...ein|schät|zung, ...er|fah|rung, ...er|hal|tung (die; -); **Selbst|er|hal|tungs|trieb; Selbst‿er|kennt|nis, ...fah|rer; selbst|ge|fäl|lig; Selbst‿ge|fäl|lig|keit** (die; -), **...ge|fühl** (das; -[e]s); **selbst‿ge|macht, ...ge|nüg|sam, ...ge|recht; Selbst|ge|spräch; selbst|ge|strickt; selbst|herr|lich; Selbst|ko|sten|preis; Selbst|kri|tik; selbst|kri|tisch; Selbst|laut** (Vokal); **Selbst|lob; selbst|los; Selbst|lo|sig|keit,** die; -; **Selbst|mit|leid**
Selbst|mord
◇ Suizid, Selbsttötung, Freitod, Selbstentleibung (geh.)
Selbst|mör|der; Selbst|por|trät; selbst|quä|le|risch; selbst|re|dend (ugs. für: selbstverständlich); **selbst|si|cher; Selbst‿si|cher|heit** (die; -), **...sucht** (die; -)
selbst|süch|tig
◇ eigennützig, selbstisch, ichsüchtig, ichbezogen, egoistisch, egozentrisch
selbst|tä|tig; Selbst‿täu|schung, ...über|schät|zung, ...über|win-

dung, ...un|ter|richt; selbst_ver|dient (-es Geld, aber: er hat das Geld selbst verdient), **...ver|ges|sen; Selbst|ver|leug|nung; selbst|ver|ständ|lich; Selbst_ver|ständ|lich|keit, ...ver|ständ|nis, ...ver|trau|en, ...ver|wal|tung, ...ver|wirk|li|chung; selbst_zer|stö|re|risch, ...zu|frie|den; Selbst|zweck** (der; -[e]s)

se|lek|tie|ren (auswählen [für züchterische Zwecke]); **Se|lek|ti|on** [...*zion*], die; -, -en (Auslese; Zuchtwahl)

Self|made|man [*ßälfmeⁱdmän*], der; -s, ...men [*mᵉn*] (jmd., der aus eigener Kraft etwas geworden ist)

se|lig; Se|li|ge, der u. die; -n, -n; **Se|lig|keit; se|lig|spre|chen**

Sel|le|rie [österr. nur: ...*ri*], der; -s, -[s] od. die; -, -, österr.: ...rien (eine Gemüse- und Gewürzpflanze)

sel|ten

◇ rar, verstreut, vereinzelt, sporadisch

Sel|ten|heit; Sel|ten|heits|wert, der; -[e]s

Sel|ters|was|ser (*Mehrz.* ...wässer)

◇ Mineralwasser, Sprudel[wasser], Wasser, Soda, Brause

selt|sam

◇ sonderbar, komisch, befremdend, befremdlich, merkwürdig, eigenartig, absonderlich

selt|sa|mer|wei|se

Se|me|ster, das; -s, - ([Studien]halbjahr); **Se|me|ster|fe|ri|en** (*Mehrz.*)

Se|mi|ko|lon, das; -s, -s u. ...la (Strichpunkt)

Se|mi|nar, das; -s, -e (kath. Priesterausbildungsanstalt; Hochschulinstitut; Übungskurs im Hochschulunterricht)

Se|mit, der; -en, -en (Angehöriger einer eine semitische Sprache sprechenden Völkergruppe); **se|mi|tisch**

Sem|mel, die; -, -n; **sem|mel|blond; Sem|mel|brö|sel**

sen. = senior

Se|nat, der; -[e]s, -e; **Se|na|tor,** der; -s, ...oren (Mitglied des Senats; Ratsherr)

Sen|de_fol|ge, ...ge|biet; sen|den; sandte u. sendete (sendete [selten]), gesandt u. gesendet; in der Bedeutung „[vom Rundfunk] übertragen" nur: er sendete, hat gesendet; **Sen|de|pau|se; Sen|der; Sen|dung**

Senf, der; -[e]s, -e; **Senf_gur|ke, ...korn** (*Mehrz.* ...körner)

sen|gen

se|nil (greisenhaft; verkalkt); **se|ni|or** (älter, hinter Namen: der Ältere; Abk.: sen.); Karl Meyer senior; **Se|ni|or,** der; -s, ...oren (Ältester; Sportler etwa zwischen 20 u. 30 Jahren); **Se|nio|ren_heim, ...klas|se** (Sportspr.), **...wohn|heim**

Senk|blei, das; **Sen|ke,** die; -, -n; **Sen|kel,** der; -s, -; **sen|ken; Senk|fuß; senk|recht; Senk|rech|te,** die; -n, -n; zwei Senkrechte[n]; **Senk|recht|star|ter** (ein Flugzeugtyp)

Senn, der; -[e]s, -e u. **Sen|ne,** der; -n, -n (bayr., österr. und schweiz. für: Bewirtschafter einer Sennhütte, Almhirt); **Sen|ne|rin,** die; -, -nen; **Senn|hüt|te**

Sen|sa|ti|on [...*zion*], die; -, -en (aufsehenerregendes Ereignis); **sen|sa|tio|nell** (aufsehenerregend); **sen|sa|ti|ons|lü|stern**

Sen|se, die; -, -n

sen|si|bel (empfindlich, empfindsam; feinfühlig); ein ...i|bles Kind; **Sen|si|bi|li|tät,** die; - (Empfindlichkeit, Empfindsamkeit; Feinfühligkeit); **sen|si|tiv** (sehr empfindlich; leicht reizbar; feinnervig); **Sen|sor,** der; -s, Sensoren (meist *Mehrz.;* elektron. Fühler, Signalmesser)

Sen|tenz, die; -, -en (einprägsamer Ausspruch; Sinnspruch)

sen|ti|men|tal; Sen|ti|men|ta|li|tät, die; -, -en (Empfindsamkeit, Rührseligkeit, Gefühlsseligkeit)

se|pa|rat (abgesondert; einzeln); **Sé|pa|rée** [...*re*], das; -s, -s (Sonderraum, Nische in einer Gaststätte)

Sep|tem|ber, der; -[s], - (der neunte Monat des Jahres; Abk.: Sept.); im Laufe des September[s]; **Sep|ti|me,** die; -, -n (Musik: siebter Ton [vom Grundton an]); **Sep|ti|men|ak|kord**

Se|quenz, die; -, -n ([Aufeinander]folge, Reihe; kirchl. Chorlied; kleinere filmische Handlungseinheit)

Se|re|na|de, die; -, -n (Abendmusik, -ständchen)

Ser|geant [...*schant,* engl. Ausspr.: *ßadschᵉnt*], der; -en, -en (bei engl. Ausspr.: der; -s, -s)

Se|rie [...*iᵉ*], die; -, -n (Reihe; Folge; Gruppe gleichartiger Dinge), **se|ri|en|mä|ßig; Se|ri|en_pro|duk|ti|on, ...schal|tung** (Reihung, Reihenschaltung); **se|ri|en|wei|se**

se|ri|ös (ernsthaft, gediegen, anständig); **Se|rio|si|tät,** die; -

Ser|mon, der; -s, -e (veralt. für: Rede; heute meist: langweiliges Geschwätz; [Straf]predigt)

Ser|pen|ti|ne, die; -, -n ([in] Schlangenlinie [ansteigender Weg an Berghängen]; Windung, Kehre, Kehrschleife)

Se|rum, das; -s, ...ren u. ...ra (wäßriger Bestandteil des Blutes; Impfstoff)

Ser|ve|la, die od. der; -, -s (schweiz.: -); **Ser|ve|lat|wurst** vgl. Zervelatwurst

¹Ser|vice [...*wiß*], das; - [...*wiß*] u. -s [...*wißᵉß*], - [...*wiß* od. ...*wißᵉ*] ([Tafel]geschirr); **²Ser|vice** [*ßöʳwiß*], der od. das; -, -s [...*wiß*] ([Kunden]dienst, Kundenbetreuung; Tennis: Aufschlag[ball]); **ser|vie|ren** [...*wir^e n*] (bei Tisch bedienen; auftragen; Tennis: den Ball aufschlagen; einem Mitspieler den Ball [zum Torschuß] genau vorlegen [bes. beim Fußball]); **Ser|vie|re|rin,** die; -, -nen; **Ser|vi|et|te,** die; -, -n (Mundtuch); **ser|vil** [...*wil*] (unterwürfig, kriechend, knechtisch); **Ser|vi|li|tät** (Unterwürfigkeit); **Ser|vo|len|kung,** die; -, -en (leichtgängige hydraulisch verstärkte Lenkung bei Kraftwagen); **Ser|vus!** [...*wuß*] (bes. südd., österr.; ein Gruß)

Ses|sel, der; -s, - ([gepolsterter] Stuhl mit Armlehnen); **Ses|sel‿leh|ne, ...lift; seß|haft**

Set, das od. der; -[s], -s (Satz [= Zusammengehöriges]; Platzdeckchen); ein - aus Hemd und Pulli; **Set|ter,** der; -s, - (Hund einer bestimmten Rasse)

set|zen; sich -

◇ Platz nehmen, sich hinsetzen, sich niederlassen, sich auf seine vier Buchstaben setzen (ugs.)

Set|zer (Schriftsetzer); **Set|ze|rei; Setz|ling** (junge Pflanze zum Auspflanzen; Zuchtfisch)

Seu|che, die; -, -n

seuf|zen; Seuf|zer

Sex, der; -[es] (Geschlecht; Erotik; Sex-Appeal); **Sex-Ap|peal** [...*^e pil*], der; -s (sexuelle Anziehungskraft); **Sex|bom|be,** die; -, -n (ugs. für: Frau mit starkem sexuellem Reiz [meist von Filmdarstellerinnen])

Sex|ta (veraltende Bez. für: erste Klasse einer höheren Schule); **Sex|ta|ner** (Schüler der Sexta); **Sex|ta|ne|rin,** die; -, -nen; **Sex|tett,** das; -[e]s, -e (Musikstück für sechs Stimmen od. sechs Instrumente; auch die sechs Ausführenden)

Se|xu|al|er|zie|hung; Se|xua|li|tät, die; - (Geschlechtlichkeit); **Se|xu|al|ver|bre|chen** (Sittlichkeitsverbrechen); **se|xu|ell** (geschlechtlich); **se|xy** (ugs. für: erotisch-attraktiv)

se|zie|ren ([eine Leiche] öffnen, anatomisch zerlegen)

S-för|mig (in der Form eines S)

Sgraf|fi|to, das; -s, -s u. ...ti (Kratzputz [Wandmalerei])

Shag [*schäg,* meist: *schäk*], der; -s, -s (ein Tabak); **Shag|pfei|fe**

¹Shake [*sche^i k*], der; -s, -s (ein Mischgetränk); **²Shake,** das; -s, -s (ein bestimmter Rhythmus im Jazz); **Sha|ker** [*she^i k^e r*], der; -s, - (Mixbecher)

Sham|poo [*schämpu,* auch: *schampu*], vgl. Schampun

Shan|ty [*schänti,* auch: *schanti*], das; -s, -s u. ...ties [*schäntis*] (Seemannslied)

Sher|ry [*schäri*], der; -s, -s (span. Wein, Jerez)

Shet|land [*schätlant,* engl. Ausspr.: *schätl^e nd*], der; -[s], -s (ein graumelierter Wollstoff)

Shil|ling [*schil...*], der; -s, -s (frühere Münzeinheit in Großbritannien)

Shop [*schop*], der; -s, -s (Laden, Geschäft); **Shop|ping-Cen|ter** [*schopingßänt^e r*], das; -s, - (Einkaufszentrum)

Shorts [*schå^r z*] (*Mehrz.;* kurze Hose)

Show [*scho^u*], die; -, -s (buntes Unterhaltungsprogramm); **Show|ge|schäft** [*scho^u...*]; **Show|ma|ster** [*scho^u...*], der; -s, - (Unterhaltungskünstler)

Shred|der [*schr...*], der; -s, - (Autoreißwolf)

Shrimps [*schr...*] (*Mehrz.;* konservierte Krabben)

sich

Si|chel, die; -, -n; **si|chel|för|mig**

si|cher; im sichern sein (geborgen sein); es ist das sicherste (am sichersten), sofort zu verschwinden, aber: es ist das Sicherste, was du tun kannst; etw. Sicheres; auf Nummer Sicher sein (ugs. für: im Gefängnis sein); auf Nummer Sicher gehen (ugs. für: nichts wagen);

◇ geborgen, geschützt, behütet, beschirmt · firm

si|cher|ge|hen (Gewißheit haben); **Si|cher|heit; Si|cher|heits‿ab|stand, ...bin|dung, ...glas** (*Mehrz.* ...gläser), **...gurt; si|cher|heits|hal|ber; Si|cher|heits‿na|del, ...schloß, ...vor|keh|rung; si|cher|lich; si|chern; si|cher|stel|len** (sichern; feststellen; in polizeil. Gewahrsam geben od. nehmen); **Si|cher|stel|lung; Si|che|rung; si|cher|wir|kend**

Sicht, die; -; **sicht|bar**

¹sich|ten (auswählen, ausscheiden)

²sich|ten (erblicken); **sicht|lich** (offenkundig)

¹Sich|tung (Ausscheidung)

²Sich|tung (das Erblicken); **Sicht‿ver|hält|nis|se** *(Mehrz.),* **...ver|merk; Sicht|wei|te**

sickern[1]**; Sicker|was|ser**[1]

Side|board [*ßaidbå^r d*], das; -s, -s (Anrichte, Büfett)

sie; ¹Sie (Höflichkeitsanrede an eine Person od. mehrere Personen gleich welchen Geschlechts); kommen Sie bitte!; jmdn. mit Sie anreden; **²Sie,** die; -, -s (ugs. für: Mensch weibl. Geschlechts); es ist eine Sie

Sieb, das; -[e]s, -e; **sieb|ar|tig; ¹sie|ben** (durchsieben)

²sie|ben (Zahlwort); wir sind zu sieben od. zu siebt; **Sie|ben** (Zahl), die; -, - (auch: -en); die Ziffer -; **sie|ben|ar|mig; sie|ben|ein|halb; Sie|be|ner;**

[1] *Trenn.:* ...k|k...

Sie|ben|fa|che, das; -n; **sie|ben|hun|dert; sie|ben|jäh|rig; sie|ben|mal; Sie|ben|mei|len|stie|fel** *(Mehrz.);* **Sie|ben|mo|nats|kind; Sie|ben|sa|chen** (*Mehrz.;* ugs. für: Habseligkeiten); seine - packen; **Sie|ben|schlä|fer** (Nagetier); **sie|ben|tau|send; sie|ben|te** vgl. siebte; **sie|ben|tel** vgl. siebtel; **Sie|ben|tel** vgl. Siebtel; **sie|ben|tens** vgl. siebtens; **sie|ben|und|ein|halb,** sie|ben|ein|halb; **sieb|te,** auch: sie|ben|te; der - Sinn; wo sechs essen, wird auch der - satt; der - (der Reihe nach), aber: der Siebte (der Leistung nach); die Siebente (7. Symphonie) von Beethoven; **sieb|tel; Sieb|tel,** das; -s, -; **sieb|tens; sieb|zehn; sieb|zehn|te; sieb|zig** (Zahlwort); er ist - Jahre alt; **Sieb|zig,** die; -, -en (Zahl); der Mensch über -

Siech|tum, das; -s

sie|deln

sie|den; sott u. siedete (sötte), gesotten u. gesiedet; siedend heiß; **Sie|de|punkt**

Sied|ler; Sied|lung

Sieg, der; -[e]s, -e

Sie|gel, das; -s, - (Stempelabdruck; [Brief]verschluß; Bekräftigung); **sie|geln; Sie|gel|ring**

sie|gen

◇ Sieger bleiben, als Sieger hervorgehen, den Sieg erringen, den Sieg davontragen, gewinnen, das Rennen machen

Sie|ger; Sie|ger|eh|rung; Sie|ge|rin, die; -, -nen; **sie|ges_be|wußt, ...ge|wiß; Sie|ges|lauf; Sie|ges|preis; sie|ges_si|cher, ...trun|ken; Sie|ges|zug; sieg|reich**

sie|he! (Abk.: s.); siehe da!; siehe beiliegenden (nicht: beiliegender) Prospekt; **sie|he oben!** (Abk.: s. o.); **sie|he un|ten!** (Abk.: s. u.)

Siel, der od. das; -[e]s, -e (Röhrenleitung für Abwässer; kleine Deichschleuse)

Sie|sta, die; -, ...sten u. -s ([Mittags]ruhe)

sie|zen (ugs. für: mit „Sie" anreden)

Sight|see|ing [*ßáitßiing*], das; - (Besichtigung von Sehenswürdigkeiten)

Si|gnal [*signal*], das; -s, -e (Zeichen mit festgelegter Bedeutung; [Warn]zeichen; Anstoß); **Si|gnal|an|la|ge; si|gna|li|sie|ren** (ein Signal geben; etwas ankündigen); **Si|gna|tur,** die; -, -en (Kurzzeichen als Auf-, Unterschrift); **si|gnie|ren** (mit einer Signatur versehen)

Sil|be, die; -, -n; **Sil|ben|rät|sel**

Sil|ber, das; -s (chem. Grundstoff, Edelmetall; Zeichen: Ag); **Sil|ber_blick** (ugs. für: Schielen), **...fuchs, ...geld; sil|ber_grau, ...haa|rig; Sil|ber|hoch|zeit; Sil|ber|me|dail|le; sil|bern** (aus Silber); **Sil|ber_pa|pier, ...strei|fen** (in: Silberstreifen am Horizont [Zeichen beginnender Besserung]); **silb|rig,** sil|be|rig

Sil|hou|et|te [*siluät*[e]], die; -n (Schattenbild)

Si|lo, der od. das; -s, -s (Großspeicher [für Getreide, Erz u. a.]; Gärfutterbehälter)

Sil|ve|ster, das; -s, - (letzter Tag im Jahr); **Sil|ve|ster|abend**

sim|pel (einfach, einfältig); eine ...m|ple Geschichte; **sim|pli|fi|zie|ren** (in einfacher Weise darstellen; [stark] vereinfachen); ein Problem -

Sims, der od. das; -es, -e (bandartige Bauform; vorspringender Rand; Leiste)

Si|mu|lant, der; -en, -en ([Krankheits]heuchler); **si|mu|lie|ren** (vorgeben; sich verstellen; übungshalber im Simulator o. ä. nachahmen; ugs. auch für: nachsinnen, grübeln); **si|mul|tan** (gemeinsam; gleichzeitig)

Sin|fo|nie, Sym|pho|nie [*süm...*], die; -, ...ien (mehrsätziges Instrumentalmusikwerk); **Sin|fo|nie|or|che|ster,** Sym|pho|nie|or|che|ster

sin|gen; sang (sänge), gesungen

◇ summen, brummen, trällern, schmettern, grölen, jodeln, tremolieren, trillern, zwitschern, piep[s]en, [t]schilpen

[1]**Sin|gle** [*ßingg*[e]*l*], das; -, -[s] ([Tisch]tennis: Einzelspiel); [2]**Sin|gle** [*ßingg*[e]*l*], die; -, -[s] (kleine Schallplatte); [3]**Sin|gle** [*ßingg*[e]*l*], der; -[s], -s (alleinstehender Mensch)

Sing|sang, der; -[e]s; **Sing_spiel, ...stim|me**

Sin|gu|lar [auch: *singgular*], der; -s, -e (Einzahl; Abk.: Sing.); **sin|gu|lär** (vereinzelt, einen Sonderfall vorstellend)

Sing|vo|gel

sin|ken; sank (sänke), gesunken

Sinn, der; -[e]s, -e

Sinn|bild

◇ Symbol, Zeichen, Allegorie, Gleichnis, Vergleich, Metapher

sinn|bild|lich; sin|nen; sann (sänne, veraltet: sönne), gesonnen; **sin|nen|froh; sinn|ent|stel|lend; Sin|nes_ein|druck, ...or|gan, ...täu|schung; sinn|ge|mäß; sin|nie|ren** (ugs. für: in Nachdenken versunken sein); **sin|nig; sinn|lich; Sinn|lich|keit,** die; -; **sinn|los; Sinn|lo|sig|keit; sinn_reich, ...voll**

Sint|flut, die; - („allgemeine, dauernde Flut"); vgl. Sündflut

Si|nus, der; -, - u. -se (Math.: Winkelfunktion im rechtwinkligen Dreieck; Abk.: sin)

Si|phon [*sifong*, österr.: *sifon*], der; -s, -s (Ausschankgefäß mit Schraubverschluß)

Sip|pe, die; -, -n; **Sipp|schaft** (abschätzig)

Sir [*ßö*[r]], der; -s, -s (allg. engl. Anrede [ohne Namen]: „Herr"; vor Vorn.: engl. Adelstitel)

Si|re|ne, die; -, -n; **Si|re|nen|ge|heul**
sir|ren (hell klingen[d surren])
Si|rup, der; -s, -e (dickflüssiger Zuckerrübenauszug; Lösung aus Zucker u. Fruchtsaft)
Si|sal, der; -s; **Si|sal|hanf**
Sit-in [*ßi...*], das; -[s], -s (demonstratives Sitzen einer Gruppe zum Zeichen des Protestes)
Sit|te, die; -, -n
◇ Gesittung, Lebensform, Sittlichkeit, Ethik, Moral · Brauch
sit|ten‿los, ...wid|rig; sitt|lich; Sitt|lich|keit, die; -; **Sitt|lich|keits‿de|likt, ...ver|bre|chen; sitt|sam**
Si|tua|ti|on [*...zion*], die; -, -en ([Sach]lage, [Zu]stand)
Sitz, der; -es, -e; **Sitz|bad; sit|zen;** saß (säße), gesessen; ich habe (südd.: bin) gesessen; einen - haben (ugs. für: betrunken sein); **sit|zen|blei|ben** (ugs. für: in der Schule nicht versetzt werden; nicht geheiratet werden; nicht verkaufen können); **sit|zen|las|sen** (ugs. für: in der Schule nicht versetzen; im Stich lassen); **Sitz‿fleisch** (ugs.), **...platz, ...streik; Sit|zung**
Ska|la, die; -, ...len u. -s (Maßeinteilung [an Meßgeräten]; Tonleiter)
Skalp, der; -s, -e
Skal|pell, das; -s, -e ([kleines chirurg.] Messer [mit feststehender Klinge])
skal|pie|ren (den Skalp nehmen)
Skan|dal, der; -s, -e (Ärgernis; Aufsehen); **skan|da|lös** (ärgerlich; anstößig; unglaublich)
Skat, der; -[e]s, -e u. -s (ein Kartenspiel; zwei verdeckt liegende Karten beim Skatspiel); **Skat‿bru|der** (ugs.), **...par|tie**
Skate|board [*ßkeˈtbåˈd*], das; -s, -s (Rollbrett für Spiel u. Sport)
Ske|lett, das; -[e]s, -e (Knochengerüst, Gerippe)
Skep|sis, die; - (Zweifel, Bedenken); **Skep|ti|ker** (mißtrauischer Mensch); **skep|tisch**
Sketch [*ßkätsch*], der; -[es], -e[s] od. -s (kurze, effektvolle Bühnenszene); **Sketsch** (eindeutschende Schreibung für: Sketch), der; -[e]s, -e
Ski [*schi*], Schi, der; -s, -er (selten: -); - fahren, - laufen; Ski u. eislaufen; **Ski‿leh|rer, ...lift**
Skiz|ze, die; -, -n ([erster] Entwurf; flüchtige Zeichnung; kleine Geschichte); **skiz|zie|ren** (entwerfen; andeuten)
Skla|ve [*...weᵉ*, auch: *...fᵉ*], der; -n, -n (Leibeigener; unfreier, entrechteter Mensch); **Skla|ve|rei; Skla|vin,** die; -, -nen; **skla|visch**
Skle|ro|se, die; -, -n (Med.: Verkalkung, krankhafte Verhärtung von Geweben u. Organen)
Skon|to, der od. das; -s, -s (selten auch: ...ti) ([Zahlungs]abzug, Nachlaß [bei Barzahlungen])
Skoo|ter [*ßkutᵉr*], der; -s, - ([elektr.] Kleinauto auf Jahrmärkten)
Skor|but, der; -[e]s (Krankheit durch Mangel an Vitamin C)
Skor|pi|on, der; -s, -e
Skript, das; -[e]s, -en u. (für Drehbuch meist:) -s (schriftl. Ausarbeitung; Drehbuch)
Skru|pel, der; -s, - (meist *Mehrz.;* Bedenken; Gewissensbiß); **skru|pel|los**
Skulp|tur, die; -, -en (Bildhauerkunst [nur *Einz.*]; Bildhauerwerk)
skur|ril (verschroben, eigenwillig; drollig)
Sky|line [*ßkailain*], die; -, -s (Horizont[linie], Kontur)
Sla|lom, der; -s, -s (Schi- u. Kanusport: Torlauf; auch übertr. für: Zickzacklauf, -fahrt)
Slang [*ßläng*], der; -s, -s (niedere Umgangssprache; Jargon)
Slap|stick [*ßläpßtik*], der; -s, -s (groteskkomischer Gag vor allem im [Stumm]film)
Sla|we, der; -n, -n; **Sla|win,** die; -, -nen; **sla|wisch**
Slip, der; -s, -s (beinloser Damen- od. Herrenschlüpfer); **Slip|per,** der; -s, - (Schuh mit niedrigem Absatz)
Slo|gan [*ßloᵘgᵉn*], der; -s, -s ([Werbe]schlagwort)
Slow|fox [*ßloᵘ...*], der; -[es], -e (ein Tanz)
Slums [*ßlamß*], die (*Mehrz.;* Elendsviertel)
Sma|ragd, der; -[e]s, -e (ein Edelstein); **sma|ragd|grün**
smart (gewandt; schneidig)
Smog, der; -[s], -s (dicker, undurchdringlicher Nebelrauch über Industriestädten)
Smok|ar|beit (Verzierungsarbeit an Kleidern u. Blusen)
Smo|king, der; -s, -s (Gesellschaftsanzug mit seidenen Revers)
Snack|bar [*ßnäk...*], die; -, -s (engl. Bez. für: Imbißstube)
Snob, der; -s, -s (vornehm tuender, eingebildeter Mensch, Geck); **Sno|bis|mus,** der; -, ...men; **sno|bi|stisch**
so; - sein, - werden, - bleiben; so daß (vgl. d.)
◇ auf diese Weise/Art; derart, daß; dergestalt, daß · folgendermaßen, dermaßen
so|bald; *Bindew.:* sobald er kam, aber *(Umstandsw.):* er kam so bald nicht, wie wir erwartet hatten
Socke[1], die; -, -n (meist *Mehrz.*); **Sockel[1],** der; -s, - (unterer Mauervorsprung; Unterbau); **Socken[1],** der; -s, - (landschaftl. für: Socke)

[1] *Trenn.:* ...k|k...

So|da, die; - u. das; -s (Natriumkarbonat; nur *das;* -: Sodawasser)
so|dann
so daß (österr.: sodaß)
So|da|was|ser (*Mehrz.* ...wasser; künstliches, kohlensäurehaltiges Mineralwasser)
Sod|bren|nen, das; -s
So|do|mie, die; -, ...ien (widernatürliche Unzucht mit Tieren; auch für Päderastie)
so|eben (vor einem Augenblick); er kam soeben
◇ eben, gerade, jetzt
So|fa, das; -s, -s
so|fern (falls); sofern er seine Pflicht getan hat, ..., aber: die Sache liegt mit so fern, daß ...
so|fort (in [sehr] kurzer Zeit [erfolgend], auf der Stelle)
◇ [so]gleich, alsbald, unmittelbar, auf der Stelle, umgehend, postwendend (ugs.), prompt, unverzüglich
so|for|tig
Soft-Eis [*ßoft...*], das; -es (sahniges Weicheis)
Sog, der; -[e]s, -e
so|gar (noch darüber hinaus)
so|ge|nannt (Abk.: sog.)
so|gleich (sofort)
Soh|le, die; -, -n (Fuß-, Talsohle); **sohlen**
Sohn, der; -[e]s, Söhne; **Söhn|chen; Soh|nes|lie|be**
Soi|ree [*ßoare*], die; -, ...reen (Abendgesellschaft)
So|ja, die; -, ...jen (eiweiß- u. fetthaltige Nutzpflanze); **So|ja|boh|ne**
so|lang, so|lan|ge (während, währenddessen); solang[e] ich krank war, bist du bei mir geblieben, aber: du mußt so lange warten, bis ...
So|la|ri|um, das; -s, ...ien [*...iᵉn*] (Anlage zur Ganzbräunung durch Höhensonnen)
Sol|bad
solch; -er, -e, -es
Sold, der; -[e]s, -e
Sol|dat, der; -en, -en
◇ Krieger, Söldner, Landser (ugs.)
sol|da|tisch; Sold|buch; Söld|ner
So|le, die; -, -n (kochsalzhaltiges Wasser); **Sol|ei**
so|lid, so|li|de (fest; haltbar; zuverlässig; gediegen); **so|li|da|risch** (gemeinsam, übereinstimmend, eng verbunden); **so|li|da|ri|sie|ren,** sich (sich solidarisch erklären); **So|li|da|ri|tät,** die; - (Gefühl der Zusammengehörigkeit, Gemeinsinn; Übereinstimmung); **so|li|de** vgl. solid; **So|li|di|tät,** die; - (Festigkeit, Haltbarkeit; Zuverlässigkeit; Mäßigkeit)
So|list, der; -en, -en (Einzelsänger, -spieler); **So|li|stin,** die; -, -nen; **so|li|stisch; So|li|tär,** der; -s, -e (einzeln gefaßter Edelstein; Brettspiel für eine Person)
Soll, das; -[s], -[s]; **sol|len**
Söl|ler, der; -s, - (Vorplatz im oberen Stockwerk eines Hauses, offener Dachumgang)
so|lo (ugs. für: allein); - tanzen; **So|lo,** das; -s, -s u. ...li (Einzelvortrag, -spiel, -tanz); **So|lo‿ge|sang, ...in|stru|ment**
sol|vent (zahlungsfähig; tüchtig); **Solvenz,** die; -, -en (Zahlungsfähigkeit)
Som|bre|ro, der; -s, -s (breitrandiger, leichter Strohhut)
so|mit [auch: *so...*] (mithin, also)
Som|mer, der; -s, -; **Som|mer‿fahr|plan, ...fe|ri|en** *(Mehrz.),* **...kleid; som|mer|lich; som|mers; Som|mer|spros|se** (meist *Mehrz.*); **som|mer|spros|sig; Som|mer[s]|zeit** (Jahreszeit), die; -
So|na|te, die; -, -n (aus drei od. vier Sätzen bestehendes Musikstück für ein oder mehrere Instrumente); **So|na|ti|ne,** die; -, -n (kleinere Sonate)
Son|de, die; -, -n
son|der (veralt. für: ohne); *Verhältnisw.* mit *Wenf.:* - Furcht; **Son|der‿ab|schrei|bung, ...an|fer|ti|gung, ...an|ge|bot; son|der|bar; Son|der‿fahrt, ...fall** (der); **son|der|glei|chen; son|der|lich; Son|der|ling; son|dern; son|ders;** samt u. -; **Son|der‿schu|le, ...stel|lung**
son|die|ren ([mit der Sonde] untersuchen; ausforschen, vorfühlen); **Son|die|rung**
Song, der; -s, -s (Sonderform des Liedes, oft mit sozialkrit. Inhalt)
Sonn|abend, der; -s, -e; **sonn|abends; Son|ne,** die; -, -n; **son|nen;** sich -; **Son|nen‿auf|gang, ...bad; son|nen|ba|den** (meist nur in der Grundform u. im 2. Mittelw. gebr.); **Son|nen|blu|me; Son|nen|blu|men|kern; Son|nen‿brand, ...bril|le, ...dach, ...deck; son|nen|durch|flu|tet; Son|nen|fin|ster|nis; son|nen|ge|bräunt; son|nen|klar** (ugs.); **Son|nen‿licht** (das; -[e]s), **...schein** (der; -[e]s); **...schutz, ...strahl, ...un|ter|gang; son|nen|ver|brannt; Son|nen|wen|de; son|nig; Sonn|tag; sonn|tä|gig; sonn|täg|lich; sonn|tags; Sonn|tags‿ar|beit, ...fah|rer** (spött.), **...kind**
sonst; son|stig; sonst|was (ugs. für: irgend etwas, wer weiß was); ich hätte fast - gesagt; **sonst|wer; sonst|wie; sonst|wo; sonst|wo|hin**
so|oft; sooft du zu mir kommst, immer ..., aber: ich habe es dir so oft gesagt, daß ...
So|pran, der; -s, -e (höchste Frauen- od. Knabenstimme; Sopransänger[in]); **So|pra|ni|stin,** die; -, -nen

Sor|ge, die; -, -n
sor|gen; sich -
◇ betreuen, versorgen, sich kümmern, nach dem Rechten sehen
sor|gen|frei; Sor|gen|kind; sor|gen|voll; Sor|ge|recht (Rechtsw.)
Sorg|falt, die; -
◇ Akribie, Genauigkeit, Akkuratesse
sorg|fäl|tig
◇ genau, gewissenhaft, gründlich · behutsam
sorg|lich; sorg|los (ohne Sorgfalt; unbekümmert); **Sorg|lo|sig|keit,** die; -; **sorg|sam; Sorg|sam|keit,** die; -
Sor|te, die; -, -n (Art, Gattung; Wert, Güte); **sor|tie|ren** (sondern, auslesen, sichten); **sor|tiert** (auch für: hochwertig); **Sor|tie|rung; Sor|ti|ment,** das; -[e]s, -e (Warenangebot, -auswahl eines Kaufmanns)
so|sehr; sosehr ich das auch billige, ..., aber: er lief so sehr, daß ...
so|so (ugs. für: nun ja!)
So|ße, die; -, -n (Brühe, Tunke); **So|ßen|löf|fel**
Sou [*ßu*], der; -, -s [*ßu*] (fr. Münze im Wert von 5 Centimes)
Sou|bret|te [*ßu*...], die; -, -n (Sängerin heiterer Sopranpartien in Oper u. Operette)
Souf|flé [*ßufle*], das; -s, -s (Gastr.: Eierauflauf); **Souf|fleu|se** [*ßuflös*ᵉ], die; -, -n; **souf|flie|ren** (flüsternd vorsagen)
Soul [*ßo*ᵘ*l*], der; -s (bes. Art von Jazz od. Beat mit starker Betonung des Expressiven)
Sound [*ßaund*], der; -s, -s (Musik: Klang[wirkung, -richtung])
so|und|so (ugs. für: unbestimmt wie); soundso viel, aber: etwas so und so (so und wieder anders) erzählen; [der] Herr Soundso
Sou|per [*ßupe*], das; -s, -s (festliches Abendessen); **sou|pie|ren**
Sou|ta|ne [*su*...], die; -, -n (Gewand der kath. Geistlichen)
Sou|ter|rain [*suträng*, auch: *su*...], das; -s, -s (Kellergeschoß)
Sou|ve|nir [*suw*ᵉ...], das; -s, -s ([kleines Geschenk als] Andenken, Erinnerungsstück)
sou|ve|rän [*suw*ᵉ...] (unumschränkt; selbständig; jeder Lage gewachsen, überlegen); **Sou|ve|rä|ni|tät,** die; -
so|viel; soviel ich weiß; sein Wort bedeutet soviel (dasselbe) wie ein Eid; er hat halb, doppelt soviel Geld wie (seltener: als) du, aber: so viel [Geld] wie du hat er auch; du weißt so viel, daß ...; er mußte so viel leiden; wenn „viel" gebeugt ist, immer Getrenntschreibung: so viele Gelegenheiten
so wahr; so wahr mir Gott helfe
so was (ugs. für: so etwas)
so|weit; soweit ich es beurteilen kann, wird ...
so|we|nig; ich bin sowenig (ebensowenig) dazu bereit wie du; sowenig du auch gelernt hast, das wirst du doch wissen, aber: du hast so wenig gelernt, daß du die Prüfung nicht bestehen wirst
¹so|wie (sobald); sowie er kommt, soll er nachsehen; **²so|wie** (und, und auch); wissenschaftliche und technische sowie schöne Literatur
so|wie|so
so|wje|tisch
so|wohl; sowohl die Eltern als [auch] od. wie [auch] die Kinder, aber: du siehts so wohl aus, daß ...
so|zi|al (die Gesellschaft, die Gemeinschaft betreffend, gesellschaftlich; gemeinnützig, wohltätig); **So|zi|al‿ab|ga|ben** *(Mehrz.)*, **...ar|beit, ...de|mo|krat** (der; -en, -en; Mitglied [od. Anhänger] einer sozialdemokratischen Partei); **so|zi|al|de|mo|kra|tisch; So|zi|al‿ge|richt, ...hil|fe; So|zia|li|sa|ti|on** [...*zion*], die; - (Prozeß der Einordnung des Individuums in die Gesellschaft); **so|zia|li|sie|ren** (vergesellschaften, verstaatlichen); **So|zia|li|sie|rung** (Verstaatlichung, Vergesellschaftung der Privatwirtschaft); **So|zia|list; so|zia|li|stisch; So|zi|al‿part|ner, ...po|li|tik, ...pre|sti|ge, ...staat** (*Mehrz.* ...staaten), **...ver|si|che|rung; So|zie|tät** [...*i-e*...], die; -, -en (Gesellschaft; Genossenschaft); **So|zio|lo|gie,** die; - (Gesellschaftslehre, -wissenschaft); **so|zio|lo|gisch; So|zi|us,** der; -, -se (Genosse, Teilhaber; Beifahrer); **So|zi|us|sitz** (Rücksitz auf dem Motorrad)
so|zu|sa|gen (gewissermaßen)
Spach|tel, Spa|tel, der; -s, - od. die; -, -n (kleines spaten- od. schaufelähnl. Werkzeug); **spach|teln** (ugs. auch für: [tüchtig] essen)
Spa|gat, der od. das; -[e]s, -e (Gymnastik: völliges Beinspreizen)
Spa|ghet|ti [...*gäti*] (*Mehrz.;* Fadennudeln)
spä|hen; Spä|her
Spa|lier, das; -s, -e (Gitterwand; Doppelreihe von Personen als Ehrengasse); **Spa|lier|obst**
Spalt, der; -[e]s, -e; **spalt|breit; Spalt|breit,** der; -; die Tür einen - öffnen; **Spal|te,** die; -, -n; **spal|ten;** gespalten und gespaltet; **spal|ten|lang**
Span, der; -[e]s, Späne
Span|fer|kel
Span|ge, die; -, -n; **Spän|gel|chen; Span|gen|schuh**
Spa|ni|er [...*i*ᵉ*r*]; **spa|nisch;** das kommt mir - (ugs. für: seltsam) vor; vgl. deutsch

Spann, der; -[e]s, -e (oberer Teil, Rist des menschl. Fußes); **Spann|be|ton; Span|ne,** die; -, -n (altes Längenmaß); **span|nen; span|nend; Span|ner; Spann|kraft,** die; -; **Span|nung**
Span|plat|te (Bauw.)
Spar‿buch, ...büch|se
spa|ren
◇ zurücklegen, beiseite legen, auf die Seite legen, auf die hohe Kante legen, Ersparnisse machen, das Geld zusammenhalten, den Gürtel/Riemen enger schnallen
Spa|rer; Spar|flam|me
Spar|gel, der; -s, - (Gemüse[pflanze])
Spar‿gro|schen, ...kas|se, ...kon|to; spär|lich
Spar|ren, der; -s, -
Spar|ring, das; -s, -s (Boxtraining); **Spar|rings|kampf**
spar|sam
◇ haushälterisch, wirtschaftlich, ökonomisch, geizig, knauserig (ugs.), knickrig (ugs.)
Spar|sam|keit, die; -
spar|ta|nisch; -e (strenge, harte) Zucht
Spar|te, die; -, -n (Abteilung, Fach, Gebiet; Geschäfts-, Wissenszweig; Zeitungsspalte)
spas|misch (Med.; krampfartig; verkrampft)
Spaß, der; -es, Späße; **Späß|chen; spa|ßen; spa|ßes|hal|ber; spaßhaft**
spa|ßig
◇ spaßhaft, ulkig, schnurrig, possierlich, drollig
Spaß|ma|cher
Spaß|vo|gel (scherzh.)
◇ Spaßmacher, Schalk, Schelm, Witzbold, Nummer (ugs.), Original
spa|stisch svw. spasmisch; **Spa|sti|ker,** der; -s, - (jmd., der an einer spastischen Krankheit leidet)
spät
◇ verspätet, endlich, schließlich, zuletzt, am Schluß
spät|abends
Spa|ten, der; -s, -
spä|ter
◇ einst, einmal, der[mal]einst, [zu]künftig, fortan, hinfort, weiterhin, in spe, demnächst, bald, in nächster Zeit · hinterher
spä|te|stens; Spät‿herbst, ...le|se, ...nach|mit|tag (eines -s, aber: eines späten Nachmittags); **spät|nach|mittags**
Spatz, der; -en (auch: -es), -en; **Spätzchen; Spät|zin,** die; -, -nen; **Spätz|le** (*Mehrz.;* schwäb. Mehlspeise)
spa|zie|ren (sich ergehen); **spa|zie|renfah|ren**
spa|zie|ren|ge|hen
◇ sich ergehen (geh.), lustwandeln, schlendern, bummeln (ugs.), flanieren, promenieren, sich die Beine/Füße vertreten
Spa|zier‿fahrt, ...gang (der), **...gänger, ...stock** (*Mehrz.* ...stöcke)
Specht, der; -[e]s, -e
Speck, der; -[e]s, -e; **speckig** [*Trenn.:* spek|kig]; **Speck‿schwar|te, ...sei|te**
Spe|di|teur [*...tör*], der; -s, -e (Transportunternehmer); **Spe|di|ti|on** [*...zion*], die; -, -en (gewerbsmäßige Verfrachtung; Versendung [von Gütern]; Transportunternehmen; Versand[abteilung in großen Betrieben]); **Spe|di|ti|ons|fir|ma**
Speer, der; -[e]s, -e; **Speer|wer|fen,** das; -s
Spei|che, die; -, -n
Spei|chel, der; -s; **Spei|chel|drü|se; spei|cheln**
Spei|cher, der; -s, -; **spei|chern; Speiche|rung**
spei|en; spie, gespie[e]n
Speis, der; -es (landsch. für: Mörtel); **Spei|se,** die; -, -n (auch für: Mörtel); Speis und Trank; **Spei|se‿brei, ...eis, ...kam|mer, ...kar|te; spei|sen; Spei|sen|kar|te; Spei|se‿röh|re, ...wa|gen** (bei der Eisenbahn)
spei|übel (ugs.)
[1]**Spek|ta|kel,** der; -s, - (ugs. für: Krach, Lärm); [2]**Spek|ta|kel,** das; -s, - (geh. für: Schauspiel); **spek|ta|ku|lär** (aufsehenerregend)
Spek|trum, das; -s, ...tren u. ...tra (durch Lichtzerlegung entstehendes farbiges Band)
Spe|ku|lant, der; -en, -en (kühner, waghalsiger Unternehmer; bes. jmd., der gewagte Börsengeschäfte macht); **Spe|kula|ti|on** [*...zion*], die; -, -en (Berechnung; Einbildung; gewagtes Geschäft)
Spe|ku|la|ti|us, der; -, - (ein Gebäck)
spe|ku|lie|ren (gewagte Geschäfte machen; mit etwas rechnen)
Spe|lun|ke, die; -, -n (verächtl. für: schlechter, unsauberer Wohnraum; verrufene Kneipe)
Spel|ze, die; -, -n (Teil des Gräserblütenstandes); **spel|zig**
spen|da|bel (ugs. für: freigebig); eine ...a|ble Person; **Spen|de,** die; -, -n
spen|den
◇ stiften, geben, opfern, schenken
Spen|der; spen|die|ren (in freigebiger Weise für jmdn. bezahlen); **Spen|dierho|se,** in: die -n anhaben (ugs. für: freigebig sein)
Speng|ler (westmitteld., südd., österr., schweiz. für: Klempner)
Spen|zer, der; -s, - (kurzes, enganliegendes Jäckchen)
Spe|renz|chen, Spe|ren|zi|en [*...iᵉn*] (*Mehrz.;* ugs. für: Umschweife, Schwierigkeiten); - machen

Sper|ling, der; -s, -e
Sper|ma, das; -s, ...men u. -ta (Biol.: männl. Samenzellen enthaltende Flüssigkeit)
sperr|an|gel|weit (ugs.); **Sper|re,** die; -, -n; **sper|ren** (südd., österr. auch für: schließen); **Sperr|holz; sper|rig; Sperr‿müll, ...sitz, ...stun|de**
Spe|sen (*Mehrz.;* [Un]kosten; Auslagen); **spe|sen|frei**
spe|zia|li|sie|ren (gliedern, sondern, einzeln anführen, unterscheiden); sich - (sich [beruflich] auf ein Teilgebiet beschränken); **Spe|zia|li|sie|rung; Spe-zia|list,** der; -en, -en (Facharbeiter, Fachmann; bes. Facharzt); **Spe|zia|li-tät,** die; -, -en (Besonderheit; Fachgebiet, Hauptfach; Liebhaberei, Stärke); **Spe|zi|al|sla|lom,** der; -s, -s (eine Wettbewerbsart im alpinen Schisport); **spe-zi|ell** (besonders, eigentümlich; eigens; einzeln; eingehend); **Spe|zi|es** [*...iäß*], die; -, - (besondere Art einer Gattung, Tier- od. Pflanzenart); **Spe|zi|fi|ka|ti|on** [*...zion*], die; -, -en (Einzelaufzählung); **spe|zi|fisch** (einem Gegenstand seiner Eigenart nach zukommend; kennzeichnend, eigentümlich); **spe|zi|fi|zie|ren** (einzeln aufführen; zergliedern); **Spe|zi-fi|zie|rung**
Sphä|re, die; -, -n (Himmelsgewölbe; [Gesichts-, Wirkungs]kreis; [Macht]bereich)
Sphinx, die; - (geflügelter Löwe mit Frauenkopf in der gr. Sage; Sinnbild des Rätselhaften)
spicken [*Trenn.:* spik|ken] (Fleisch zum Braten mit Speckstreifen durchziehen)
Spick|zet|tel (Schülerspr. für: ein zum Abschreiben vorbereiteter Zettel)
Spie|gel, der; -s, -; **Spie|gel|bild; spie-gel|bild|lich; Spie|gel|ei; spie|gel-glatt**
spie|geln
◇ widerspiegeln, zurückwerfen, erkennen lassen, zeigen
Spiel, das; -[e]s, -e
◇ Partie, Wettkampf, Match, Turnier
Spiel‿au|to|mat, ...ball, ...bein (Sport, bild. Kunst; Ggs. Standbein); **spie|len; Spie|ler; Spie|le|rei; spie|le|risch** (ohne Anstrengung); **Spiel‿feld, ...film, ...ka|me|rad, ...ka|si|no, ...lei|ter** (der), **...platz, ...re|gel, ...sa-chen** *(Mehrz.)*, **...uhr, ...ver|der|ber, ...wa|ren** *(Mehrz.)*, **...zeug, ...zim-mer**
[1]**Spieß,** der; -es, -e (Bratspieß)
[2]**Spieß,** der; -es, -e (Kampf-, Jagdspieß; Soldatenspr.: Hauptfeldwebel, Kompaniefeldwebel)
Spieß|bür|ger (abwertend für: kleinlicher, engstirniger Mensch)
◇ Spießer, Kleinbürger, Philister, Banause, Krämerseele
spie|ßen; Spie|ßer; Spieß|ge|sel|le (Mittäter); **spie|ßig; Spieß|ru|ten-lau|fen**
Spikes [*ßpaikß*] (*Mehrz.;* Rennschuhe; Autoreifen mit Spezialstiften); **Spike[s]|rei|fen**
spi|nal (die Wirbelsäule, das Rückenmark betreffend); -e Kinderlähmung
Spi|nat, der; -[e]s, -e (ein Gemüse)
Spind, der u. das; -[e]s, -e ([Kleider]schrank; einfaches Behältnis)
Spin|del, die; -, -n
Spi|nett, das; -[e]s, -e (alte Form des Klaviers)
Spin|na|ker, der; -s, - (Seemannsspr. für: großes Beisegel)
Spin|ne, die; -, -n; **spin|ne|feind** (ugs.); jmdm. - sein; **spin|nen;** spann (spönne, spänne), gesponnen; **Spin|nen‿ge|we-be, ...netz; Spin|ner; Spin|ne|rin,** die; -, -nen; **Spinn‿rad, ...we|be** (landsch. für: Spinnengewebe; die; -, -n)
spin|ti|sie|ren (ugs. für: grübeln); **Spin-ti|sie|re|rei**
Spi|on, der; -s, -e (Späher, Horcher, heiml. Kundschafter; Spiegel außen am Fenster; Beobachtungsglas in der Tür); **Spio|na|ge** [*...asche*], die; - (Auskundschaftung, Späh[er]dienst); **Spio|na|ge-‿ab|wehr, ...netz**
spio|nie|ren
◇ ausspionieren, auskundschaften, (herum)schnüffeln (ugs.), (herum)suchen
Spio|nin, die; -, -nen
Spi|ra|le, die; -, -n; **Spi|ral|fe|der; spi-ra|lig** (schrauben-, schneckenförmig)
Spi|ri|tis|mus, der; - (Glaube an vermeintliche Erscheinungen von Seelen Verstorbener); **spi|ri|ti|stisch; Spi|ri-tu|al** [*ßpiritjuel*], der od. das; -s, -s (geistliches Volkslied der im Süden Nordamerikas lebenden afrikanischen Neger mit schwermütiger, synkopierter Melodie); **Spi|ri|tuo|sen** (*Mehrz.;* geistige [alkohol.] Getränke); **Spi|ri|tus** [*schp...*], der; -, -se (Weingeist, Alkohol); **Spi|ri|tus-ko|cher** [*schp...*]
Spi|tal, das; -s, ...täler (veralt., aber noch landsch. für: Krankenhaus, Altersheim, Armenhaus)
spitz; spitz|be|kom|men (ugs. für: merken, durchschauen); **Spitz|bu|be; spitz|bü|bisch; spit|ze** (vgl. klasse); **Spit|ze,** die; -, -n; **Spit|zel,** der; -s, - (Aushorcher, Spion); **spit|zeln; spit-zen; Spit|zen‿er|zeug|nis, ...ge-schwin|dig|keit, ...klas|se, ...lei-stung, ...sport|ler, ...tanz; spitz|fin-dig; Spitz‿fin|dig|keit, ...hacke** [*Trenn.:* ...hak|ke]; **spitz|krie|gen** (ugs. für: merken, durchschauen)

Spitz|na|me
◇ Spottname, Scherzname, Übername, Neckname
spitz|win|ke|lig, spitz|wink|lig
Spleen [*schplin*, seltener *ßplin*], der; -s, -e u. -s (Tick; Schrulle; Verschrobenheit; Eingebildetheit); **splee|nig**
splei|ßen, spliß, gesplissen (landsch. für: fein spalten; Seemannsspr.; Tauenden miteinander verflechten)
splen|did (freigebig; glanzvoll; kostbar)
Splitt, der; -[e]s, -e (zerkleinertes Gestein für den Straßenbau; niederd. für: Span, Schindel); **Split|ter,** der; -s, -; **Split|ter|grup|pe; split|te|rig; split|tern; split|ter|nackt** (ugs. für: völlig nackt); **Split|ter|par|tei**
Split|ting, das; -s (Form der Besteuerung von Ehegatten)
Spö|ken|kie|ker (niederd. für: Geisterseher, Hellseher)
spon|tan (von selbst; von innen heraus, freiwillig, aus eigenem plötzl. Antrieb); **Spon|ta|nei|tät** [*...ne-i...*], **Spon|ta|ni|tät,** die; -, -en (Selbsttätigkeit ohne äußere Anregung; Unwillkürlichkeit; eigener, innerer Antrieb)
spo|ra|disch (vereinzelt [vorkommend], zerstreut)
Spo|re, die; -, -n (ungeschlechtl. Fortpflanzungszelle der Pflanzen)
Sporn, der; -[e]s, Sporen (meist *Mehrz.;* Rädchen am Reitstiefel); **sporn|streichs**
Sport, der; -[e]s, (selten:) -e (Spiel, Leibesübungen; Liebhaberei); **Sport‿art, ...feld, ...flug|zeug, ...hemd; spor|tiv** (sportlich); **Sport|leh|rer**
Sport|ler
◇ Sportsmann, Sporttreibender, Athlet, Sportskanone (ugs.)
Sport|le|rin, die; -, -nen
sport|lich
◇ sportiv, durchtrainiert, athletisch
Sport‿me|di|zin, ...platz; Sports|mann (*Mehrz.* ...leute, auch: ...männer); **Sport‿ver|ein, ...wa|gen**
Spot, der; -s, -s (Werbefilm; in Tonfunksendungen eingeblendeter Werbetext)
Spott, der; -[e]s; **spott|bil|lig** (ugs.); **Spöt|te|lei; spöt|teln; spot|ten;** sie spotteten über ihn; sie spotteten seines Mißgeschicks (geh.); **Spöt|ter**
spöt|tisch
◇ ironisch, sarkastisch, mokant
Spott‿lust, ...preis
Spra|che, die; -, -n; **Sprach‿feh|ler, ...ge|brauch, ...la|bor, ...leh|re; sprach|lich; sprach|los; Sprach‿rohr, ...schatz, ...wis|sen|schaft**
Spray [*ßpre^i*], der od. das; -s, -s (Sprühflüssigkeit); **spray|en**
Sprech‿an|la|ge, ...chor (der)
spre|chen; sprach (spräche), gesprochen; sprich!
◇ reden, sich [mit Worten] äußern, sagen, parlieren, plappern, palavern (ugs.), schnattern (ugs. abwertend), quatschen (ugs.)
Spre|cher; spre|che|risch; Sprech‿er|zie|hung, ...kun|de (die; -); **...stun|de; Sprech|stun|den|hil|fe; Sprech‿wei|se** (die; -, -n), **...zim|mer**
sprei|zen; Spreiz|fuß
Spren|gel, der; -s, - (Amtsgebiet [eines Bischofs, Pfarrers])
sprengen; Spreng‿kör|per, ...la|dung, ...satz, ...stoff; Spren|gung
Spren|kel, der; -s, - (Fleck, Punkt, Tupfen); **spren|keln**
Spreu, die; -
Sprich|wort (*Mehrz.* ...wörter); **sprich|wört|lich**
sprie|ßen (hervorwachsen); sproß (sprösse), gesprossen; sprieß[e]!
Spring|brun|nen
sprin|gen, sprang (spränge), gesprungen; spring[e]!
◇ hopsen, hüpfen, über etwas setzen, einen Sprung machen
Sprin|ger; Spring‿flut, ...form (eine Kuchenform); **spring|le|ben|dig; Spring|seil** (ein Kinderspielzeug)
Sprink|ler, der; -s, - (Berieselungsgerät); **Sprink|ler|an|la|ge**
Sprint, der; -s, -s (Sportspr.: Kurzstreckenlauf); **sprin|ten; Sprin|ter,** der; -s, - (Sportspr.: Kurzstreckenläufer)
Sprit, der; -[e]s, -e (ugs. für: Treibstoff)
Sprit|ze, die; -, -n; **sprit|zen; Sprit|zer; Spritz|ge|backe|ne**[1], das; -n; **sprit|zig; Spritz|tour** (ugs.)
spröd, sprö|de
Sproß, der; Sprosses, Sprosse u. (Jägerspr.:) Sprossen; **Spros|se,** die; -, -n (Querholz der Leiter; Hautfleck; auch für: Sproß [Geweihteil])
spros|sen
◇ sprießen, wachsen, aus der Erde kommen, in die Höhe schießen
Spros|sen|wand (ein Turngerät); **Sprőß|ling**
Spro|te, die; -, -n (ein Fisch)
Spruch, der; -[e]s, Sprüche; **Spruch|band** (das; *Mehrz.* ...bänder)
Spru|del, der; -s, -
◇ [Mineral]wasser, Selters[wasser], Tafelwasser, Brunnen, Sprudelwasser
spru|deln
Sprüh|do|se; sprü|hen; Sprüh‿fla|sche, ...re|gen
Sprung, der; -[e]s, Sprünge; **Sprung|bein; sprung|be|reit; Sprung‿brett, ...fel|der; sprung|haft; Sprung‿lauf**

[1] *Trenn.:* ...k|k...

(Skisport), **...schan|ze** (Skisport), **...tuch** (*Mehrz.* ...tücher), **...turm**
Spucke[1], die; - (ugs. für: Speichel); **spucken**[1] (speien); **Spuck|napf**
Spuk, der; -[e]s, (selten:) -e (Gespenst[ererscheinung]); **spu|ken** (gespensterhaftes Unwesen treiben); **Spuk|ge|schich|te**
Spül‿au|to|mat, ...becken[1]
Spu|le, die; -, -n; **spu|len**
Spü|le, die; -, -n; **spü|len; Spül‿ma|schi|ne, ...mit|tel, ...stein; Spü|lung; Spül|was|ser** (*Mehrz.* ...wässer)
[1]**Spund,** der; -[e]s, Spünde (Faßverschluß; Feder; Nut)
[2]**Spund,** der; -[e]s, -e (ugs. für: junger Kerl)
Spur, die; -, -en; **spür|bar; Spur|brei|te; spu|ren**
spü|ren
◇ fühlen, empfinden, merken, verspüren, wahrnehmen
Spür|hund; spur|los; Spür|na|se (übertr. ugs.); **Spür|sinn,** der; -[e]s
Spurt, der; -[e]s, -s u. (selten:) -e (Steigerung der Geschwindigkeit bei Rennen über eine längere Strecke, bes. bei der Leichtathletik); **spur|ten**
Spur|wei|te
spu|ten, sich (sich beeilen)
Square dance [*ßkwä*^{r} *danß*], der; - -, - -s [...*ßis*] (amerik. Volkstanz)
Squash [*ßkwosch*], das; - (dem Tennis ähnl. Ballspiel)
Squaw [*ßkwå*], die; -, -s (nordamerik. Indianerfrau)
[1]**Staat,** der; -[e]s, -en; [2]**Staat,** der; -[e]s (ugs. für: Prunk); **staa|ten|los; staat|lich; Staats‿akt, ...ak|ti|on, ...an|ge|hö|rig|keit, ...an|walt, ...be|gräb|nis, ...be|such, ...bür|ger, ...dienst, ...ex|amen, ...ge|heim|nis, ...gren|ze, ...ko|sten** *(Mehrz.)*, **...mann** (*Mehrz.* ...männer); **staats|män|nisch; Staats‿ober|haupt, ...se|kre|tär, ...streich**
Stab, der; -[e]s, Stäbe; **Stäb|chen; Stab|hoch|sprung** (Sport)
sta|bil (beständig, dauerhaft, fest, haltbar; [körperlich] kräftig, widerstandsfähig); **sta|bi|li|sie|ren** (festsetzen; festigen; standfest machen); **Sta|bi|li|sie|rung; Sta|bi|li|tät,** die; - (Beständigkeit, Dauerhaftigkeit; [Stand]festigkeit)
Stab|lam|pe; Stab|sich|tig|keit, die; - (für: Astigmatismus)
Sta|chel, der; -s, -n; **Sta|chel‿bee|re, ...draht, ...schwein; stach|lig** sta|chel|lig
Sta|di|on, das; -s, ...ien [...*i*^{e}*n*] (Kampfbahn, Sportfeld); **Sta|di|um,** das; -s, ...ien [...*i*^{e}*n*] ([Zu]stand, [Entwicklungs]stufe, Abschnitt)
Stadt, die; -, Städte[1]; **stadt|be|kannt; Stadt‿be|völ|ke|rung, ...bild; Städt|chen**[1]**; Städ|te|bau**[1], der; -[e]s (Anlage u. Planung von Städten); **städ|te|bau|lich**[1]**; Städ|ter**[1]**; Stadt‿ge|spräch, ...gue|ril|la; städ|tisch**[1]**; Stadt|kern; Stadt‿mau|er, ...plan, ...rand, ...rat** (*Mehrz.* ...räte), **...staat** (*Mehrz.* ...staaten), **...teil** (der), **...vä|ter** *(Mehrz.)*, **...ver|ord|ne|te** (der u. die; -n, -n), **...ver|wal|tung, ...vier|tel, ...wer|ke** *(Mehrz.)*
Sta|fet|te, die; -, -n (Sport: Staffel, Staffellauf)
Staf|fa|ge [...*asch*^{e}], die; -, -n (Beiwerk, Belebung [eines Bildes] durch Figuren; Nebensächliches, Ausstattung)
Staf|fel, die; -, -n; 4 × 100-m-Staffel; **Staf|fe|lei; Staf|fel|lauf** (Leichtathletik, Skisport); **staf|feln**
Sta|gna|ti|on [...*zion*], die; - (Stockung, Stillstand); **sta|gnie|ren**
Stahl, der; -[e]s, Stähle u. (selten:) Stahle (schmiedbares Eisen); **stäh|len; stäh|lern** (aus Stahl); **stahl‿grau, ...hart; Stahl|helm**
stak|sen (ugs. für: steifbeinig gehen)
Sta|lag|mit, der; -s u. -en, -e[n] (Tropfstein vom Boden her, Auftropfstein); **Sta|lak|tit,** der; -s u. -en, -e[n] (Tropfstein an Decken, Abtropfstein)
Sta|li|nis|mus, der; -; **sta|li|ni|stisch**
Stall, der; -[e]s, Ställe; **Stalla|ter|ne** [*Trenn.:* Stall|la...]; **Ställ|chen; Stal|lung**
Stamm, der; -[e]s, Stämme; **Stamm‿baum, ...buch**
stam|meln
stam|men
◇ entstammen, abstammen, herstammen, sich herleiten von
Stamm‿form, ...gast (*Mehrz.* ...gäste), **...hal|ter; stäm|mig; Stamm‿knei|pe** (ugs.), **...kun|de** (der); **...kund|schaft, ...lo|kal, ...tisch**
stamp|fen; Stamp|fer
Stan|dard, der; -s, -s (Normalmaß, Durchschnittsmuster; Richtschnur, Norm); **Stan|dard|aus|rü|stung; stan|dar|di|sie|ren** (normen); **Stan|dard‿tanz, ...werk** (mustergültiges Sach- od. Fachbuch); **Stan|dar|te,** die; -, -n (Banner; Feldzeichen; Fahne berittener u. motorisierter Truppen; Jägerspr.: Schwanz des Fuchses)
Stand‿bein (Sport, bild. Kunst; Ggs.: Spielbein), **...bild; Ständ|chen; Stan|der,** der; -s, - (Dienstflagge am Auto; Seemannsspr.: kurze, dreieckige Flagge);

---
[1] *Trenn.:* ...k|k...

[1] Auch: *schtä...*

Stạn|der, der; -s, - (Jägerspr. auch: Fuß des Federwildes); **Stan|des_amt, ...be|am|te; stạn|des|be|wußt; Stạn|des_be|wußt|sein, ...dün|kel; stạn|des|ge|mäß; Stạn|des|un|ter-schied; stạnd|fest; Stạnd_fe|stig-keit** (die; -), **...ge|richt** (Militär); **stạnd|haft; Stạnd|haf|tig|keit,** die; -
stạnd|hal|ten
◇ durchhalten, sich nicht beugen, nicht wanken und weichen, das Feld behaupten, aushalten
stän|dig (dauernd); **stän|disch** (die Stände betreffend; nach Ständen gegliedert); **Stạnd_licht** (bei Kraftfahrzeugen), **...ort** (der; -[e]s, -e; im militär. Sprachgebrauch für: Garnison), **...pau-ke** (ugs. für: Strafrede), **...punkt, ...recht** (Kriegsstrafrecht)
Stạn|ge, die; -, -n (Jägerspr. auch für: Stamm des Hirschgeweihes, Schwanz des Fuchses); **Stạn|gen_boh|ne, ...holz, ...spar|gel**
Stän|k[e|r]er; stän|kern (ugs.)
Stan|ni|ol, das; -s, -e (eine silberglänzende Zinnfolie, ugs. auch für: Aluminiumfolie); **Stan|ni|ol|pa|pier**
stạn|te pe|de (ugs. scherzh. für: stehenden Fußes; sofort)
Stạn|ze, die; -, -n (Ausschneidewerkzeug, -maschine für Bleche u. a., Prägestempel); **stạn|zen**
Sta|pel, der; -s, - (Platz od. Gebäude für die Lagerung von Waren; aufgeschichteter Haufen); **Sta|pel|lauf**
sta|peln
◇ aufhäufen, auftürmen, aufstapeln, schichten
Stạp|fe, die; -, -n u. **Stạp|fen,** der; -s, - (Fußspur); **stạp|fen**
[1]**Star,** der; -[e]s, -e (Augenkrankheit; der graue, grüne, schwarze Star [Augenkrankheiten])
[2]**Star,** der; -s, -s (berühmte Persönlichkeit [beim Film]; Sportsegelboot)
[3]**Star,** der; -[e]s, -e (ein Vogel)
Star|figh|ter [*ßta'fait^er*], der; -s, - (amerik. Kampfflugzeug)
stark; stärker, stärkste; das -e (männliche) Geschlecht; stark sein; stark erhitzt
◇ kräftig, kraftstrotzend, bärenstark, kraftvoll
Stär|ke, die; -, -n; **stär|ken; Stark-strom,** der; -[e]s; **Stär|kung**
Star|let[t] [*ßta'lät*], das; -s, -s (Nachwuchsfilmschauspielerin)
starr; Star|re, die; -; **star|ren;** von od. vor Schmutz -; **Starr|heit,** die; -; **Starr-kopf** (Eigensinniger); **starr|köp|fig; Starr|krampf,** der; -[e]s; **Starr|sinn,** der; -[e]s; **starr|sin|nig**
Start, der; -[e]s, -s u. (selten:) -e (das Starten; Stelle, von der aus gestartet wird; übertr. für: Beginn); **start|be|reit; star|ten** (einen Flug, einen Wettkampf, ein Rennen beginnen [lassen]; übertr. für: etwas anfangen [lassen]); **Star|ter** (Sport: Person, die das Zeichen zum Start gibt, Rennwart; Anlasser eines Motors)
State|ment [*ßte'tm^ent*], das; -s, -s (Erklärung, Verlautbarung)
Sta|tik, die; - (Lehre von den Kräften im Gleichgewicht); **Sta|ti|on** [*...zion*], die; -, -en (Haltestelle; Bahnhof; Haltepunkt; Krankenhausabteilung; Ort, an dem sich eine techn. Anlage befindet); **sta|tio|när** (standörtlich; bleibend; ortsfest; die Behandlung, den Aufenthalt in einem Krankenhaus betreffend); **sta|tisch** (die Statik betreffend; stillstehend, ruhend)
Sta|tist, der; -en, -en (Theater u. übertr.: nur dastehende, stumme Person); **Sta|ti-stik,** die; -, -en ([vergleichende] zahlenmäßige Erfassung von Massenerscheinungen); **sta|ti|stisch** (zahlenmäßig); **Sta|tiv,** das; -s, -e [*...w^e*] (Ständer [für Apparate])
statt, an|statt; *Verhältnisw.* mit *Wesf.*: - dessen; - meiner; - eines Rates; hochsprachl. mit *Wemf.*, wenn der *Wesf.* nicht erkennbar wird: - Worten will er Taten sehen; *Bindew.*: - mit Drohungen versucht er es mit Ermahnungen; er gab das Geld ihm - mir; **Statt,** die; -; an meiner -; an Eides, an Kindes, an Zahlungs -; **Stät-te,** die; -, -n; **statt|fin|den;** fand statt, stattgefunden; **statt|ge|ben;** gab statt, stattgegeben; **statt|ha|ben;** hatte statt, stattgehabt
statt|haft
◇ erlaubt, gestattet, zulässig, rechtlich
Statt|hal|ter (Stellvertreter)
statt|lich (ansehnlich)
Sta|tue [*...u^e*], die; -, -n (Standbild); **sta-tu|ie|ren** (festsetzen); ein Exempel - (ein warnendes Beispiel geben); **Sta|tur,** die; -, -en (Gestalt; Wuchs); **Sta|tus,** der; -, - (Zustand, Bestand, Stand; Vermögensstand); **Sta|tus quo,** der; - - (gegenwärtiger Zustand); **Sta|tus|sym|bol; Sta-tut,** das; -[e]s, -en (Satzung, Gesetz)
Stau, der; -[e]s, -s oder -e
Staub, der; -[e]s, (Technik:) -e u. Stäube; - saugen od. staubsaugen (vgl. d.); **staub-be|deckt; stau|ben** (vom Staub: aufwirbeln); es staubt; **stäu|ben** (zerstieben); **Staub|ge|fäß; stau|big; Staub-lun|ge; staub|sau|gen;** er staubsaugte, hat staubgesaugt oder Staub saugen; er saugte Staub, hat Staub gesaugt; **Staub-_sau|ger, ...tuch** (*Mehrz.* ...tücher), **...we|del, ...wol|ke, ...zucker**[1]
stau|chen
Stau|damm; stau|en (fließendes Was-

[1] *Trenn.:* ...k|k...

ser hemmen; Ladung auf Schiffen unterbringen); das Wasser staut sich

Stau|de, die; -, -n

stau|nen; Stau|nen, das; -s

Stau|pe, die; -, -n (eine Hundekrankheit)

Stau|see, der; **Stau|ung**

Steak [*ßtek*], das; -s, -s (gebratene Fleischschnitte)

Stea|rin, das; -s, -e (Rohstoff für Kerzen)

ste|chen; stach (stäche), gestochen; stich!; **Ste|chen** (Sportspr.), das; -s, -; **Stech_flie|ge, ...kar|te** (Karte für die Stechuhr), **...mücke**[1], **...uhr** (eine Kontrolluhr)

Steck|brief; steck|brief|lich; jmdn. - suchen; **Steck|do|se; ¹stecken**[1]; steckte (geh.: stak [stäke]), gesteckt (sich irgendwo befinden, dort festsitzen); **²stecken**[1]; steckte, gesteckt (etwas in etwas hineinbringen, etwas festheften); **Stecken**[1], der; -s, - (Stock); **stecken-blei|ben**[1]; blieb stecken, steckengeblieben; **Stecken|pferd**[1]; **Stecker**[1] (elektr. Anschlußteil); **Steck_kis|sen, ...kon|takt; Steck|ling** (Pflanzenteil, der neue Wurzeln bildet); **Steck|na|del**

Steg, der; -[e]s, -e

Steg|reif; aus dem - (unvorbereitet); **Steg|reif|ko|mö|die**

Steh|auf|männ|chen; Steh|bier|hal-le; ste|hen; stand (stünde, auch: stände), gestanden; zu Diensten, zu Gebote, zur Verfügung -; das wird dich (auch: dir) teuer zu - kommen; auf jmdn., etwas - (ugs. für: für jmdn., etwas eine besondere Vorliebe haben); zum Stehen bringen; **ste|hen|blei|ben;** blieb stehen, stehengeblieben (nicht weitergehen; übrigbleiben); **ste|hend;** -en Fußes; das -e Heer (im Gegensatz zur Miliz); alles in meiner Macht Stehende; **ste|hen|las|sen;** ließ stehen, stehen[ge]lassen (nicht anrühren; vergessen); **Steh_gei|ger, ...kon|vent** (scherzh. für: Gruppe von Personen, die sich stehend unterhalten), **...kra|gen, ...lam|pe**

steh|len; stahl (stähle, seltener: stöhle), gestohlen; stiehl!

◇ entwenden, einen Diebstahl begehen/verüben, klauen (ugs.), mitgehen lassen, mopsen (ugs.), abstauben (ugs.), stibitzen (ugs.), jmdm. etwas wegnehmen

Steh_platz, ...ver|mö|gen

steif; ein -er Hals; ein -er Grog; ein -er Wind; - sein, werden, kochen, schlagen; **Stei|fe,** die; -, -n (Steifheit; Stütze); **stei|fen; steif|hal|ten;** hielt steif, steifgehalten (ugs.); die Ohren - (ugs. für: sich nicht entmutigen lassen)

Steig, der; -[e]s, -e (steiler, schmaler Weg); **Steig|bü|gel; Stei|ge,** die; -, -n (steile Fahrstraße; Lattenkiste [für Obst]; **stei|gen;** stieg, gestiegen; **Stei|ger** (Aufsichtsbeamter im Bergbau)

stei|gern

◇ erhöhen, heben, anheben, in die Höhe treiben, heraufsetzen

Stei|ge|rung (auch für: Komparation); **Stei|gung**

steil; Steil_hang, ...kü|ste

Stein, der; -[e]s, -e; **Stein|ad|ler; stein-alt** (ugs. für: sehr alt); **Stein_bock, ...brech** (der; -[e]s, -e; Pflanzengattung), **...bruch** (der), **...butt,** (der; -[e]s, -e; ein Fisch); **stei|nern** (aus Stein); ein -es Kreuz; ein -es (mitleidloses) Herz; **Stein|gut,** das; -[e]s, -e; **stei|nig; stei-ni|gen; Stei|ni|gung; Stein_koh|le, ...metz** (der; -en, -en), **...pilz; stein-reich;** ein -er Mann; **Stein_wurf, ...zeit** (die; -)

Steiß, der; -es, -e; **Steiß_bein**

Stell|la|ge [*schtälasch*[e]], die; -, -n (Gestell, Ständer)

Stell|dich|ein, das; -[s], -[s] (Verabredung)

Stel|le, die; -, -n; an - (jetzt häufig: anstelle) des Vaters; zur Stelle sein; an erster Stelle

◇ Platz, Ort, Stätte, Punkt, Fleck

stel|len; Stel|len_an|ge|bot, ...ge-such; stel|len|wei|se; Stel|len-wert; Stel|lung; - nehmen; **Stel|lung-nah|me,** die; -; **Stel|lungs|krieg; stel|lungs|los; stell|ver|tre|tend;** der -e Vorsitzende; **Stell_ver|tre|ter, ...ver|tre|tung, ...werk**

Stelz|bein (abschätzig); **Stel|ze,** die; -, -n; -n laufen; **stel|zen** (meist iron.)

Stemm|ei|sen; stem|men; sich gegen etwas -

Stem|pel, der; -s, -; **Stem|pel_geld** (ugs. für: Arbeitslosenunterstützung), **...kis|sen; stem|peln;** - gehen (ugs. für: Arbeitslosenunterstützung beziehen)

Sten|gel, der; -s, - (Teil der Pflanze); **sten|gel|los**

Ste|no, die; - (ugs. Kurzw. für: Stenographie); **Ste|no|graf** usw. (eindeutschende Schreibung von: Stenograph usw.); **Ste|no|gramm,** das; -s, -e (Text in Kurzschrift); **Ste|no|gramm|block** (*Mehrz.* ...blocks); **Ste|no|graph,** der; -en, -en (jmd., der stenographiert); **Ste-no|gra|phie,** die; -, ...ien (Kurzschrift), **ste|no|gra|phie|ren; Ste|no|kon|to-ri|stin,** die; -, -nen; **Ste|no|ty|pi|stin,** die; -, -nen (Büroangestellte, die Kurzschrift u. Maschinenschreiben beherrscht)

Step, der; -s, -s (ein Tanz)

Stepp|decke [*Trenn.:* ...dek|ke]

Step|pe, die; -, -n (baumlose, wasserarme Pflanzenregion)

[1] *Trenn.:* ...k|k...

[1]**step|pen** (Stofflagen zusammennähen)
[2]**step|pen** (Step tanzen); **Step|per** (Steptänzer); **Step|pe|rin,** die; -, -nen (Steptänzerin)
Stepp|ke, der; -[s], -s (ugs., bes. berlin. für: kleiner Junge)
Step|tanz
Ster|be‿bett, ...fall (der), **...geld, ...kas|se**
ster|ben; starb (stürbe), gestorben; stirb!
◇ versterben, entschlafen, einschlafen, [in die Ewigkeit] abgerufen werden, verscheiden, dahingerafft werden, heimgehen, abkratzen (derb)
Ster|ben, das; -s; im - liegen; es ist zum - langweilig (ugs. für: sehr langweilig); **ster|bens|krank; Ster|bens|wort, Ster|bens|wört|chen** (ugs.), nur in: kein -; **Ster|be‿sa|kra|ment, ...stun|de, ...ur|kun|de; sterb|lich; Sterb|lich|keit,** die; -
Ste|reo, das; -s, -s (Kurzw. für: Stereotypplatte u. Stereophonie); **Ste|reo|an|la|ge** (Anlage für den stereophonen Empfang); **ste|reo|phon; Ste|reo|pho|nie,** die; - (Technik der räuml. wirkenden Tonübertragung); **ste|reo|pho|nisch; Ste|reo|plat|te** (stereophonische Schallplatte); **Ste|reo|skop,** das; -s, -e (Vorrichtung, durch die man Bilder plastisch sieht); **ste|reo|typ** ([fest]stehend, unveränderlich; übertr. für: ständig [wiederkehrend])
ste|ril (unfruchtbar; keimfrei); **Ste|ri|li|sa|ti|on** [*...zion*], die; -, -en (Unfruchtbarmachung; Entkeimung); **ste|ri|li|sie|ren** (haltbar machen [von Nahrungsmitteln]; zeugungsunfähig machen); **Ste|ri|li|sie|rung; Ste|ri|li|tät,** die; - (Unfruchtbarkeit; Keimfreiheit)
Ster|ling [*ßtär...*, od. *ßtö'...*, auch: *schtär...*], der; -s, -e (engl. Münzeinheit); Pfund - (Zeichen u. Abk.: £, £Stg); 2 Pfund -
Stern, der; -[e]s, -e (Himmelskörper); **Stern‿bild, ...deu|tung; Ster|nen‿ban|ner, ...zelt** (das; -[e]s; dicht.); **Stern|fahrt** (Rallye); **stern|för|mig; stern|ha|gel|voll** (ugs. für: sehr betrunken); **stern|hell; Stern|him|mel; stern|klar; Stern‿kun|de** (die; -), **...schnup|pe, ...sin|gen** (das; -s; Volksbrauch zur Dreikönigszeit), **...sin|ger, ...stun|de** (glückliche Schicksalsstunde)
stet; -e Vorsicht
Ste|tho|skop, das; -s, -e (med. Hörrohr)
ste|tig; Ste|tig|keit, die; -; **stets**
[1]**Steu|er,** das; -s, - (Lenkvorrichtung);
[2]**Steu|er,** die; -, -n (Abgabe; Beihilfe); direkte, indirekte -; **Steu|er‿be|ra|ter, ...be|scheid, ...bord** (das; -[e]s, -e; rechte Schiffsseite), **...er|klä|rung; steu|er|frei; Steu|er‿gel|der** (*Mehrz.*), **...hin|ter|zie|hung, ...klas|se, ...knüp|pel; steu|er|lich; Steu|er|mann** (*Mehrz.* ...männer und ...leute)
steu|ern
◇ lenken, fahren, kutschieren
steu|er|pflich|tig; Steu|er‿prü|fer, ...rad, ...ru|der; Steue|rung; Steu|er|zah|ler
Ste|ven [*...wᵉn*], der; -s, - (das Schiff vorn u. hinten begrenzender Balken)
Ste|ward [*ßtjuᵉrt*], der; -s, -s (Betreuer an Bord von Flugzeugen, Schiffen u. a.); **Ste|war|deß** [*ßtjuᵉrdäß*, auch: *...däß*], die; -, ...dessen (Betreuerin an Bord von Flugzeugen, Schiffen u. a.)
sti|bit|zen (ugs. für: sich listig aneignen)
Stich, der; -[e]s, -e; im - lassen; **Sti|chel,** der; -s, - (ein Werkzeug); **sti|cheln** (auch übertr. für: hinterhältige Anspielungen, Bemerkungen machen); **stich|fest;** hieb- und stichfest; **Stich|flam|me**
stich|hal|tig
◇ beweiskräftig, unwiderlegbar, zwingend, bündig
Stich|hal|tig|keit, die; -; **Stich|ling** (ein Fisch); **Stich‿pro|be, ...punkt, ...tag, ...waf|fe, ...wahl, ...wort** (*Mehrz.:* ...wörter: [an der Spitze eines Artikels stehendes] erläutertes Wort od. erläuterter Begriff in Nachschlagewerken; *Mehrz.:* ...worte: Einsatzwort für den Schauspieler od. für kurze Aufzeichnung aus einzelnen wichtigen Wörtern)
sticken[1]; **Sticke|rei**[1]; **stickig**[1]; **Stick|stoff** (der; -[e]s; chem. Grundstoff)
stie|ben; stob (stöbe), auch: stiebte, gestoben (auch: gestiebt)
Stie|fel, der; -s, - (Fußbekleidung; Trinkglas in Stiefelform); **stie|feln** (ugs. für: gehen, stapfen)
Stief‿kind, ...mut|ter (*Mehrz.* ...mütter), **...müt|ter|chen** (eine Zierpflanze); **stief|müt|ter|lich**
Stie|ge, die; -, -n (Treppe; Verschlag, Kiste; Zählmaß [20 Stück])
Stieg|litz, der; -es, -e (Distelfink)
Stiel, der; -[e]s, -e (Griff; Stengel); mit Stumpf und -; **Stiel|au|ge** (ugs. scherzh. in: -n machen)
stier (starr)
Stier, der; -[e]s, -e
stie|ren (starr blicken)
Stier|kampf
[1]**Stift,** der; -[e]s, -e (Bleistift; Nagel)
[2]**Stift,** der; -[e]s, -e (ugs. für: jüngster Lehrling)
[3]**Stift,** das; -[e]s, -e u. (seltener:) -er (fromme Stiftung; auch: Altersheim); **stif|ten**
stif|ten|ge|hen (ugs. für: sich heimlich entfernen)

---
[1]*Trenn.:* ...k|k...

Stif|ter; Stif|tung
Stig|ma, das; -s, ...men u. -ta ([Wund-, Brand]mal); **stig|ma|ti|sie|ren**
Stil, der; -[e]s, -e (Einheit der Ausdrucksformen [eines Kunstwerkes, eines Menschen, einer Zeit]; Darstellungsweise, Art [Bau-, Schreibart usw.]); **Stil|ge|fühl,** das; -[e]s; **stil|ge|recht; sti|li|sie|ren** (die Naturformen in ihrer Grundstruktur gestalten); **Sti|list,** der; -en, -en (jmd., der die sprachl. Formen beherrscht); **sti|li|stisch**
still; im stillen (unbemerkt); das stille Örtchen (ugs. scherzh. für: die Toilette); die Stille Woche (Karwoche); - sein
◇ totenstill, lautlos, geräuschlos, ruhig, ohne einen Laut
Stil|le, die; -; in aller, in der -; **Stille|ben,** das; -s, - [*Trenn.:* Still|le...] (Malerei: Darstellung lebloser Gegenstände in künstl. Anordnung); **stille|gen** [*Trenn.:* still|le...] (außer Betrieb setzen); die Fabrik wurde stillgelegt; **Stille|gung** [*Trenn.:* Still|le...]; **stil|len; still|hal|ten** (sich nicht bewegen; erdulden, geduldig ertragen); **stillie|gen** [*Trenn.:* still|lie...] (außer Betrieb sein)
stil|los
still|schwei|gen; er hat stillgeschwiegen
◇ schweigen, Stillschweigen bewahren, nichts verlauten lassen, geheimhalten, für sich behalten, sich ausschweigen, sich in Schweigen hüllen, dichthalten (ugs.)
still|schwei|gend; still|sit|zen (nicht beschäftigt sein); **Still|stand,** der; -[e]s; **still|ste|hen** (aufhören); sein Herz hat stillgestanden; **still|ver|gnügt**
Stil|mö|bel; stil‿voll, ...wid|rig
Stimm‿ab|ga|be, ...band (das; *Mehrz.* ...bänder); **stimm|be|rech|tigt; Stimm‿be|zirk, ...bruch** (der; -[e]s); **Stim|me,** die; -, -n
stim|men
◇ richtig sein, zutreffend sein, seine Richtigkeit haben, wahr sein
Stim|men|ge|wirr; Stimm|ent|hal|tung; Stimm|ga|bel; stimm|ge|wal|tig; stimm|haft („weich" auszusprechen); **stim|mig** (passend, richtig, [überein]stimmend); **Stimm|la|ge; stimm|lich; stimm|los** („hart" auszusprechen); **Stim|mung; Stim|mungs|bild; stim|mungs|voll; Stimm‿vieh** (verächtl.), **...zet|tel**
Sti|mu|lans, das; -, ...lantia [...*lanzia*] u. ...lanzien [...*lanziᵉn*] (Med.: anregendes Mittel, Reizmittel); **sti|mu|lie|ren; Sti|mu|lie|rung** (Erregung, Anregung, Reizung)
Stink|bom|be; stin|ken; stank (stänke), gestunken; **Stin|ker** (ugs.); **stink|faul** (ugs.); **stin|kig; Stink‿tier, ...wut** (derb für: große Wut)
Sti|pen|di|at, der; -en, -en (jmd., der ein Stipendium erhält); **Sti|pen|di|um,** das; -s, ...ien [...*iᵉn*] (Geldbeihilfe für Schüler, Studierende, Gelehrte)
stip|pen (ugs. für: tupfen, tunken); **Stipp|vi|si|te** (ugs. für: kurzer Besuch)
Stirn, die; -, -en
stö|bern (ugs. für: ausführlich in etwas herumsuchen; Jägerspr.: aufjagen; flokkenartig umherfliegen)
sto|chern
[1]**Stock,** der; -[e]s, Stöcke (Stab u. a.); über - und Stein; [2]**Stock,** der; -[e]s, - u. Stockwerke (Stockwerk); das Haus ist zwei - hoch; **stock‿dumm** (ugs. für: sehr dumm); **...dun|kel** (ugs. für: völlig dunkel); **stöckeln**[1] (ugs. für: auf hohen Absätzen laufen); **Stöckel|schuh**[1] (ugs.); **stocken**[1] (nicht vorangehen; bayr. u. österr. auch für: gerinnen); ins Stocken geraten; gestockte Milch (bayr. u. österr. für: Dickmilch); **Stock‿ro|se** (eine Heil- u. Gewürzpflanze), **...schnup|fen; Stockung**[1]
Stock|werk
◇ Stock, Etage, Geschoß
Stoff, der; -[e]s, -e
◇ Gewebe · Materie, Substanz, Masse
Stof|fel, der; -s, - (ugs. für: Tölpel)
stoff|lich (dem Stoffe nach; materiell); **Stoff|wech|sel**
stöh|nen; ein leises Stöhnen
◇ ächzen, seufzen
Stoi|ker (Vertreter des Stoizismus); **sto|isch** (zur Stoa gehörend; unerschütterlich, gleichmütig); **Stoi|zis|mus,** der; - (Lehre der Stoiker; Unerschütterlichkeit, Gleichmut)
Sto|la, die; -, ...len (altröm. Ärmelgewand; gottesdienstl. Gewandstück des kath. Geistlichen; langer, schmaler Umhang)
Stol|le, die; -, -n od. [1]**Stol|len,** der; -s, - (Weihnachtsgebäck); [2]**Stol|len,** der; -s, - (Bergmannsspr.: waagerechter Grubenbau, der zu Tage ausgeht)
stol|pern (straucheln)
stolz; auf jmdn., etw. - sein; **Stolz,** der; -es; **stol|zie|ren** (stolz einherschreiten)
stop! (halt! [auf Verkehrsschildern]; im Telegrafenverkehr: Punkt); **Stop,** der; -s, -s (bes. Tennis: Stoppball)
stop|fen; Stop|fen, der; -s, - (landsch. für: Stöpsel, Korken); **Stopf|na|del**
stopp! (halt!); **Stopp,** der; -s, -s
Stop|pel, die; -, -n; **Stop|pel‿bart** (ugs.), **...feld; stop|peln**
stop|pen (anhalten; mit der Stoppuhr messen); **Stop|per** (Fußball: Mittelläufer); **Stopp|uhr**
Stöp|sel, der; -s, -; **stöp|seln**

---
[1] *Trenn.:* ...k|k...

Stör, der; -[e]s, -e (ein Fisch)
Stör|ak|ti|on
Storch, der; -[e]s, Störche; **Stör|chin,** die; -, -nen; **Storch|schna|bel** (eine Pflanze; Gerät zum mechan. Verkleinern od. Vergrößern von Zeichnungen)
Store [*ßtor*, schweiz.: *schtor*[e]], der; -s, -s, schweiz.: die; -, -n (Fenstervorhang; schweiz.: Markise; Sonnenvorhang aus Segeltuch od. aus Kunststofflamellen)
stö|ren (hindern, belästigen); **Stö|ren-fried,** der; -[e]s, -e (abwertend); **Stör-ma|nö|ver**
stor|nie|ren (Kaufmannsspr.: Fehler [in der Buchung] berichtigen; rückgängig machen); **Stor|no,** der u. das; -s, ...ni (Berichtigung; Rückbuchung, Löschung)
stör|risch
Stö|rung; stö|rungs|frei (frei von Rundfunkstörungen); **Stö|rungs|stel-le** (für Störungen im Fernsprechverkehr zuständige Abteilung bei der Post)
Sto|ry [*ßtåri*], die; -, -s u. ...ries ([Kurz]geschichte)
Stoß, der; -es, Stöße; **stoß|emp|find-lich**
sto|ßen; stieß, gestoßen; er hat sich an einem Balken gestoßen; er stößt ihn (auch: ihm) in die Seite
◇ rempeln, einen Stoß geben, schubsen
stoß|fest; Stoß‿ge|bet, ...kraft (die; -), **...seuf|zer, ...stan|ge, ...trupp** (Militär), **...zeit**
Stot|te|rer; stot|tern; ins Stottern geraten; etwas auf Stottern (ugs. für: auf Ratenzahlung) kaufen
Stöv|chen (niederd. für: Kohlenbecken; Wärmevorrichtung für Tee od. Kaffee)
stracks (geradeaus; sofort)
Stra|di|va|ri, die; -, -[s] u. **Stra|di|va|ri-us,** die; -, - (Stradivarigeige); **Stra|di-va|ri|gei|ge**
Straf‿an|stalt, ...an|zei|ge, ...ar|beit; straf|bar; -e Handlung; **Straf|be|fehl; Stra|fe,** die; -, -n
stra|fen
◇ bestrafen, mit einer Strafe belegen, maßregeln
straff
straf|fäl|lig
straf|fen (straff machen); sich - (sich rekken); **Straff|heit**
straf|frei; Straf|frei|heit, die; -
Straf|ge|fan|ge|ne
◇ Gefängnisinsasse, Häftling, Gefangener, Inhaftierter, Sträfling, Straffälliger
Straf‿ge|setz|buch, ...kam|mer, ...ko|lo|nie; sträf|lich; -er Leichtsinn; **Sträf|ling; Sträf|lings|klei|dung; straf|los; Straf‿man|dat, ...por|to, ...raum** (Sport), **...re|gi|ster, ...stoß** (Sport), **...tat, ...ver|fah|ren; straf-ver|set|zen;** nur in der Grundform u. im 2. Mittelwort „strafversetzt" gebr.; **Straf‿ver|tei|di|ger, ...voll|zug, ...zet|tel**
Strahl, der; -[e]s, -en; **strah|len**
sträh|len (kämmen)
strah|lend; strah|len|för|mig
Sträh|ne, die; -, -n; **sträh|nig**
stramm; ein -er Junge; **stramm|ste-hen;** stand stramm, strammgestanden; **stramm|zie|hen;** zog stramm, strammgezogen
Stram|pel|hös|chen; stram|peln
Strand, der; -[e]s, Strände; **Strand|bad; stran|den; Strand‿gut, ...korb**
Strang, der; -[e]s, Stränge
Stran|gu|la|ti|on [*...zion*], **Stran|gu|lie-rung,** die; -, -en (Erdrosselung; Med.: Abklemmung); **stran|gu|lie|ren**
Stra|pa|ze, die; -, -n ([große] Anstrengung, Beschwerlichkeit); **stra|pa|zie-ren** (übermäßig anstrengen, in Anspruch nehmen; abnutzen); sich - (ugs. für: sich [ab]mühen)
stra|pa|zier|fä|hig
◇ haltbar, unverwüstlich, unvergänglich, von Bestand
stra|pa|zi|ös (anstrengend)
Straß, der; - u. Strasses, Strasse (Edelsteinnachahmung aus Bleiglas)
straß|auf, straß|ab
Stra|ße
◇ Landstraße, Fahrstraße, Fahrweg, Verkehrsweg, Chaussee (veralt.)
Stra|ßen‿bahn, ...bau (*Mehrz.* ...bauten), **...be|leuch|tung, ...ecke** [*Trenn.:* ek|ke], **...gra|ben, ...kreu|zer** (ugs.: großer Pkw), **...kreu|zung, ...la|ter|ne, ...thea|ter**
Stra|te|ge, der; -n, -n (Feldherr, [Heer]führer); **Stra|te|gie,** die; -, ...ien (Kriegskunst); **stra|te|gisch**
Stra|to|sphä|re, die; - (die Luftschicht in einer Höhe von etwa 12 bis 80 km)
sträu|ben; sich -; da hilft kein Sträuben
Strauch, der; -[e]s, Sträucher; **strauch-ar|tig; Strauch|dieb** (abschätzig); **strau|cheln**
[1]**Strauß,** der; -es, -e (ein Vogel); Vogel -
[2]**Strauß,** der; -es, Sträuße (Blumenstrauß; geh. für: Auseinandersetzung)
Strau|ßen‿ei, ...farm, ...fe|der
Stre|be, die; -, -n (schräge Stütze); **stre-ben;** das Streben nach Geld; **Stre|be-pfei|ler; Stre|ber** (abschätzig); **Stre-ber|tum,** das; -s (abschätzig)
streb|sam
◇ arbeitsam, fleißig, eifrig, rührig, ehrgeizig
Strecke[1], die; -, -n; zur - bringen (erlegen; [fangen u.] kampfunfähig machen); **strecken**[1]; jmdn. zu Boden -;

[1] *Trenn.:* ...k|k...

Strecken|wär|ter[1]; **strecken|wei|se**[1]; **Streckung**[1]; **Streck|ver|band**
Streich, der; -[e]s, -e; **strei|cheln; strei|chen;** strich, gestrichen; **Strei|cher** (Spieler eines Streichinstrumentes); **Streich‿holz** (Zündholz), **...in|stru|ment, ...kä|se, ...or|che|ster, ...quar|tett; Strei|chung**
Streif|band, das (*Mehrz.* ...bänder); **Strei|fe,** die; -, -n (zur Kontrolle eingesetzte kleine Militär- od. Polizeieinheit, auch für: Fahrt, Gang einer solchen Einheit); **strei|fen; Strei|fen,** der; -s, -; **Strei|fen|wa|gen; strei|fig; Streif‿licht** (*Mehrz.* ...lichter), **...schuß, ...zug**
Streik, der; -[e]s, -s (Arbeitsniederlegung) **strei|ken**
◇ in [den] Streik treten, in den Ausstand treten, die Arbeit niederlegen, sich im Arbeitskampf befinden
Strei|ken|de, der u. die; -n, -n; **Streik‿po|sten, ...recht**
Streit, der; -[e]s, -e
◇ Streitigkeiten, Zwist, Reiberei, Entzweiung, Differenzen, Zusammenstoß, Krach (ugs.)
Streit|axt; streit|bar; strei|ten; stritt, gestritten; **Streit‿fall** (der), **...fra|ge; strei|tig;** die Sache ist -; jmdm. etwas - machen; **Strei|tig|kei|ten** *(Mehrz.);* **Streit‿kraft** (die; meist *Mehrz.*), **...macht** (die; -), **...ob|jekt, ...sucht** (die; -); **streit|süch|tig**
streng; streng sein; das ist auf das od. aufs strengste verboten; der strengste der Lehrer, a b e r: der Strengste, den er kannte
◇ gestreng, unnachsichtig, hart, scharf
Stren|ge, die; -; **streng|ge|nom|men; streng|gläu|big; streng|stens**
Stre|se|mann, der; -s (bestimmter Gesellschaftsanzug)
Streß, der; ...sses, ...sse (Med.: starke körperliche u./od. seelische Belastung, die zu körperlichen Schädigungen führen kann; Überbeanspruchung, Anspannung)
Stretch [*ßträtsch*], der; -[e]s, -es [*...is*] (ein elastisches Gewebe, bes. für Strümpfe)
Streu, die; -, -en; **streu|en; Streu|er** (Streugefäß)
streu|nen (sich herumtreiben)
Streu|sel, das (auch: der); -s, -; **Streu|sel|ku|chen**
Strich, der; -[e]s, -e (südd. u. schweiz. mdal. auch für: Zitze); **stri|cheln** (feine Striche machen; mit feinen Strichen versehen)
Strick, der; -[e]s, -e (ugs. scherzh. auch für: Lausejunge, Spitzbube); **stricken**[1]; **Stricke|rei**[1]

[1] *Trenn.:* ...k|k...

Strie|gel, der; -s, - (Schabeisen [zum Pferdeputzen]); **strie|geln** (ugs. auch für: hart behandeln)
Strie|men, der; -s, -
Strie|zel, der; -s, - (landsch., bes. südd., österr. für: eine Gebäckart)
strie|zen (ugs. für: quälen; nordd. ugs. auch für: stehlen)
strikt (streng; genau; pünktlich; strikte); **strik|te** (*Umstandsw.;* streng, genau); etw. - befolgen
strin|gent (bündig, zwingend); **Strin|genz,** die; -
Strip|pe, die; -, -n (ugs. für: Band; Bindfaden; Schnürsenkel; scherzh. für: Fernsprechleitung)
strip|pen [*ßtri...*] (ugs. für: eine Entkleidungsnummer vorführen); **Strip|tease** [*ßtriptis*], der (auch: das); - (Entkleidungsvorführung [in Nachtlokalen])
strit|tig; die Sache ist -
Stroh, das; -[e]s; **Stroh‿feu|er, ...halm; stro|hig** (auch für: wie Stroh, saftlos, trocken); **Stroh‿mann** (vorgeschobene Person; *Mehrz.* ...männer), **...wit|wer** (ugs.)
Strolch, der; -[e]s, -e
Strom, der; -[e]s, Ströme; der elektrische, magnetische -; es regnet in Strömen; **strom|ab|wärts; strom|auf|wärts; strö|men**
Stro|mer (ugs. für: Landstreicher); **stro|mern**
Strom‿kreis, ...sper|re; Strö|mung; Strom‿ver|sor|gung, ...zäh|ler
Stro|phe, die; -, -n (sich in gleicher Form wiederholender Liedteil, Gedichtabschnitt); **stro|phisch** (in Strophen geteilt)
strot|zen; er strotzt vor od. von Energie
strub|be|lig, strubb|lig (ugs.); **Strub|bel|kopf**
Stru|del, der; -s, - ([Wasser]wirbel; Gebäck)
Struk|tur, die; -, -en ([Sinn]gefüge, Bau; Aufbau, innere Gliederung); **struk|tu|ra|li|stisch** (den Strukturalismus betreffend); **struk|tu|rell; struk|tu|rie|ren** (mit einer Struktur versehen)
Strumpf, der; -[e]s, Strümpfe; **Strumpf|ho|se**
Strunk, der; -[e]s, Strünke
strup|pig; Strup|pig|keit, die; -
Struw|wel|kopf (landsch. für: Strubbelkopf); **Struw|wel|pe|ter,** der; -s, -
Stub|ben, der; -s, - (niederd. für: [Baum]stumpf)
Stu|be, die; -, -n
Stuck, der; -[e]s (aus einer Gipsmischung hergestellte Ornamentik)
Stück, das; -[e]s, -e; 5 - Zucker; [ein] Stükker zehn (ugs. für: ungefähr zehn)
Stück|ar|beit, die; - (Akkordarbeit);

stückeln[1]; **stücken**[1] (zusammen-, aneinanderstücken)
stuckern[1] (holpern, rütteln; ruckweise fahren)
Stücke|schrei|ber[1] (Schriftsteller, der Theaterstücke, Fernsehspiele o. ä. verfaßt); **Stück|gut** (stückweise verkaufte od. als Frachtgut aufgegebene Ware)
stuckie|ren[1] (mit Stuck versehen)
Stück|lohn; stück|wei|se; Stück‿werk, ...zahl (Kaufmannsspr.)
Stu|dent, der; -en, -en (Hochschüler; österr. auch für: Schüler einer höheren Schule)
◇ Studierender, Hochschüler, Studiosus (scherzh. veralt.), Studiker (ugs.)
Stu|den|tin, die; -, -nen; **stu|den|tisch; Stu|die** [...i^e], die; -, -n (Entwurf, kurze [skizzenhafte] Darstellung; Vorarbeit [zu einem Werk der Wissenschaft od. Kunst]; **stu|die|ren** ([er]forschen, lernen; die Hochschule [österr. auch: höhere Schule] besuchen); ein studierter Mann; **Stu|dier|te,** der u. die; -n, -n (ugs. für: jmd., der studiert hat); **Stu|di|ker** (ugs. scherzh. für: Student); **Stu|dio,** das; -s, -s (Arbeitsraum; Atelier; Film- u. Rundfunk: Aufnahmeraum; Versuchsbühne); **Stu|dio|sus,** der; -, ...si (scherzh. für: Studierender; Student); **Stu|di|um,** das; -s, ...ien [...i^e*n*] (wissenschaftl. [Er]forschung; geistige Arbeit; Hochschulbesuch, -ausbildung)
Stu|fe, die; -, -n; **stu|fen**
Stuhl, der; -[e]s, Stühle; der Heilige, der Päpstliche -; **Stuhl|gang,** der; -[e]s
Stuk|ka|teur [...*tör*], der; -s, -e (Fachmann für Stuckarbeiten); **Stuk|ka|tur,** die; -, -en (Stuckarbeit)
Stul|le, die; -, -n (nordd. für: Brotschnitte [mit Aufstrich, Belag])
Stul|pe, die; -, -n; **stül|pen; Stul|pen|stie|fel**
stumm; - sein; **Stum|me,** der u. die; -n, -n
Stum|mel, der; -s, -
Stumm|film
Stum|pen, der; -s, - (Grundform des Filzhutes; Zigarre); **Stüm|per** (ugs. für: Nichtskönner); **Stüm|pe|rei** (ugs.); **stüm|per|haft; stüm|pern** (ugs.); **stumpf; Stumpf,** der; -[e]s, Stümpfe; mit - und Stiel; **Stumpf|sinn,** der; -[e]s; **stumpf|sin|nig**
Stun|de, die; -, -n; eine halbe -, eine viertel -; von Stund an; **stun|den** (Zeit, Frist zur Zahlung geben); **Stun|den‿glas** (Sanduhr), **...ki|lo|me|ter** (Kilometer je Stunde); **stun|den|lang; Stun|den‿lohn, ...plan; stünd|lich** (jede Stunde); **Stun|dung**

Stunk, der; -s (ugs. für: Zank, Unfrieden, Nörgelei)
Stunt|man [*ßtantmän*], der; -s, ...men (Film: Double für gefährliche, akrobatische o. ä. Szenen)
stu|pend (erstaunlich)
stu|pid (österr. nur so), **stu|pi|de** (dumm, beschränkt, stumpfsinnig); **Stu|pi|di|tät,** die; -, -en
Stups, der; -es, -e (ugs. für: Stoß); **stupsen** (ugs. für: stoßen); **Stups|na|se** (ugs.)
stur (ugs. für: stier, unbeweglich, hartnäkkig); **Stur|heit,** die; - (ugs.)
Sturm, der; -[e]s, Stürme; - laufen; - läuten; **stür|men; Stür|mer; stür|misch; Sturm und Drang,** der; - - -[e]s u. - - -
Sturz, der; -es, Stürze u. (für Oberschwelle:) Sturze (jäher Fall; Bauw.: Oberschwelle); **stür|zen**
Stuß, der; Stusses (ugs. für: Unsinn); - reden
Stu|te, die; -, -n
Stu|ten, der; -s, - (niederd. für: [längliches] Weißbrot)
Stütz, der; -es, -e (Turnen); **Stütz|bal|ken; Stüt|ze,** die; -, -n
stut|zen (erstaunt, argwöhnisch sein; verkürzen); **Stut|zen,** der; -s, - (kurzes Gewehr; Wadenstrumpf; Ansatzrohrstück)
stüt|zen
Stut|zer (schweiz. auch für: Stutzen [Gewehr]); **stut|zer|haft**
stut|zig
Sty|ling [*ßtailing*], das; -s (Formgebung; Karosseriegestaltung)
Sty|ro|por Ⓦ, das; -s (ein Kunststoff)
Sua|da, die; -, ...den (Beredsamkeit, Redefluß)
sub|al|tern (untergeordnet; unselbständig)
Sub|do|mi|nan|te, die; -, -n (Musik: die Quarte vom Grundton aus)
Sub|jekt, das; -[e]s, -e (Sprachw.: Satzgegenstand; Philos.: wahrnehmendes, denkendes Wesen; Person [meist verächtl.]; gemeiner Mensch); **sub|jek|tiv** (dem Subjekt angehörend, in ihm begründet; persönlich; einseitig, parteiisch, unsachlich); **Sub|jek|ti|vi|tät** [...*wi*...], die; - (persönl. Auffassung, Eigenart; Einseitigkeit)
Sub|kon|ti|nent (geogr. geschlossener Teil eines Kontinents, der auf Grund seiner Größe u. Gestalt eine gewisse Eigenständigkeit hat)
Sub|kul|tur (bes. Kulturgruppierung innerhalb eines übergeordneten Kulturbereichs)
sub|ku|tan (Med.: unter der Haut befindlich)
sub|skri|bie|ren; Sub|skrip|ti|on

[1] *Trenn.:* ...k|k...

[...*zion*], die; -, -en (Vorausbestellung von erst später erscheinenden Büchern [durch Namensunterschrift])

sub|stan|ti|ell (wesenhaft, wesentlich; stofflich; materiell; nahrhaft); **Sub|stan|tiv** [auch: ...*tiv*], das; -s, -e [...*w*ᵉ] (Sprachw.: Hauptwort, Dingwort, Nomen, z. B. „Haus, Wald, Ehre"); **sub|stan|ti|vie|ren** [...*wir*ᵉ*n*] (Sprachw.: zum Hauptwort machen; als Hauptwort gebrauchen, z. B. „das Schöne, das Laufen"); **Sub|stan|ti|vie|rung; sub|stan|ti|visch** [auch: ...*iwisch*] (hauptwörtlich); **Sub|stanz,** die; -, -en (Wesen; körperl. Masse, Stoff, Bestand[teil]; Philos.: Dauerndes, Beharrendes, bleibendes Wesen, Wesenhaftes, Urgrund, auch für: Materie)

Sub|sti|tut, der; -en, -en (Stellvertreter, Untervertreter, Verkaufsleiter)

sub|su|mie|ren (ein-, unterordnen)

sub|til (zart, fein, sorgsam; spitzfindig, schwierig)

Sub|tra|hend, der; -en, -en (abzuziehende Zahl); **sub|tra|hie|ren** (Math.: abziehen, vermindern); **Sub|trak|ti|on** [...*zion*], die; -, -en (Abziehen)

sub|tro|pisch [auch: ...*tro*...] (Geogr.: zwischen Tropen u. gemäßigter Zone gelegen)

Sub|ven|ti|on [...*wänzion*], die; -, -en (zweckgebundene Unterstützung aus öffentl. Mitteln); **sub|ven|tio|nie|ren**

sub|ver|siv [...*wär*...] (zerstörend, umstürzlerisch)

Su|che, die; -, (Jägerspr.:) -n; auf der - sein; auf die - gehen

su|chen

◇ auf der Suche sein nach, fahnden, ausschauen nach, Ausschau halten nach

Sucht, die; -, Süchte (Krankheit; krankhaftes Verlangen [nach Rauschgift])

Sud, der; -[e]s, -e (Wasser, in dem etwas gekocht worden ist)

Süd (Himmelsrichtung)

su|deln (ugs.)

Sü|den, der; -s (Himmelsrichtung); der Wind kommt aus -; gen -

Süd|frucht (meist *Mehrz.*); **süd|län|disch; süd|lich;** die -e Halbkugel; - von Köln; *Verhältnisw.* mit *Wesf.:* [20 km] - der Grenze

Süd‿pol (der; -s), **...see** (die; -; Pazifischer Ozean, bes. der südl. Teil), **...staaten** (*Mehrz.;* in den USA); **süd|wärts; Süd|wein; Süd|we|ster,** der; -s, - (wasserdichter Seemannshut); **Süd|wind**

Suff, der; -[e]s (ugs.); der stille -; **süf|feln** (ugs. für: gern trinken); **süf|fig** (ugs. für: gut trinkbar, angenehm schmeckend); ein -er Wein

süf|fi|sant (selbstgefällig; spöttisch)

Suf|fra|get|te, die; -, -n (engl. Frauenrechtlerin)

sug|ge|rie|ren (seelisch beeinflussen; etwas einreden); **Sug|ge|sti|on,** die; -, -en (seelische Beeinflussung); **sug|ge|stiv** (seelisch beeinflussend od. beeinflussen wollend); **Sug|ge|stiv|fra|ge** (Frage, die dem Partner eine bestimmte Antwort in den Mund legt)

Suh|le, die; -, -n (Lache; feuchte Bodenstelle); **suh|len,** sich (Jägerspr. vom Rot- und Schwarzwild: sich in einer Suhle wälzen)

Süh|ne, die; -, -n; **süh|nen**

Sui|te [*ßwit*ᵉ], die; -, -n (Gefolge [eines Fürsten]; Folge von [Tanz]sätzen)

Sui|zid, der (auch: das); -[e]s, -e (Selbstmord)

Su|jet [*ßüsche*], das; -s, -s (Gegenstand; Stoff; [künstler.] Aufgabe, Thema)

suk|zes|siv (allmählich eintretend); **suk|zes|si|ve** [...*ßiw*ᵉ] (*Umstandswort;* allmählich, nach und nach)

Sul|tan, der; -s, -e (mohammedan. Herrscher); **Sul|ta|ni|ne,** die; -, -n (große kernlose Rosine)

Sül|ze, die; -, -n (Fleisch od. Fisch in Gallert); **sül|zen**

sum|ma cum lau|de [- *kum* -] (höchstes Prädikat bei Doktorprüfungen: mit höchstem Lob, ausgezeichnet); **Sum|mand,** der; -en, -en (hinzuzuzählende Zahl); **sum|ma|risch** (kurz zusammengefaßt); **sum|ma sum|ma|rum** (alles in allem); **Sum|me,** die; -, -n

sum|men (leise brummen)

sum|mie|ren (zusammenzählen, vereinigen); sich - (anwachsen)

Summ|ton

Sumpf, der; -[e]s, Sümpfe

◇ Moor, Ried, Bruch, Fenn (landsch.)

Sumpf|dot|ter|blu|me; sump|fen (ugs. für: liederlich leben); **sump|fig**

Sums, der; -es (nordd. u. mitteld. für: Gerede); [einen] großen - (ugs. für: viel Aufhebens) machen

Sund, der; -[e]s, -e (Meerenge, bes. die zwischen Ostsee u. Kattegat)

Sün|de, die; -, -n

◇ Schuld, Verfehlung, Fehltritt

Sün|den‿ba|bel (meist scherzh.; das; -s), **...bock** (ugs.), **...fall,** der; **Sün|den|re|gi|ster** (ugs.); **Sün|der; Sün|de|rin,** die; -, -nen; **Sünd|flut** (volksmäßige Umdeutung von: Sintflut); **sünd|haft;** (ugs.:) - teuer (überaus teuer); **sün|dig; sün|di|gen**

su|per (ugs. für: hervorragend, großartig); das war -, eine - Schau; sie haben - gespielt

sü|perb (vorzüglich; prächtig); **su|per|klug** (ugs.); **Su|per|la|tiv** [auch: ...*tif*], der; -s, -e [...*w*ᵉ] (Sprachw.: 2. Steigerungsstufe, Höchststufe, Meiststufe, z. B. „schönste“; bildl.: Übersteigerung); **su|per|la|ti|visch** [auch: *...tiwisch*]; **Su|per|markt** (großes Warenhaus mit Selbstbedienung, umfangreichem Sortiment u. niedrigen Preisen [oft außerhalb der Verkehrszentren gelegen]); **su|per|mo|dern** (sehr modern); **Su|per|star** (bes. großer, berühmter Star)

Sup|pe, die; -, -n

Sup|pen_grün (das; -s), **...kas|per** (ugs. für: Kind, das nicht essen will); **sup|pig**

Sup|ple|ment|band, der

Su|re, die; -, -n (Kapitel des Korans)

Sur|fing [*ßö'fing*], das; -s (Wellenreiten, Brandungsreiten [auf einem Brett])

Sur|rea|lis|mus [auch: *ßür...*], der; - (Kunst- u. Literaturrichtung, die das Traumhaft-Unbewußte künstlerisch darstellen will); **Sur|rea|list,** der; -en, -en; **sur|rea|li|stisch**

sur|ren

Sur|ro|gat, das; -[e]s, -e (Ersatz[mittel, -stoff], Behelf; Rechtsw.: ersatzweise eingebrachter Vermögensgegenstand)

Su|si|ne, die; -, -n (eine it. Pflaume)

su|spekt (verdächtig)

sus|pen|die|ren (zeitweilig aufheben; [einstweilen] des Dienstes entheben; Med.: schwebend aufhängen)

süß; Sü|ße, die; -; **sü|ßen** (süß machen); **Süß|holz|rasp|ler** (ugs. für: jmd., der jmdm. mit schönen Worten schmeichelt); **Sü|ßig|keit; süß|lich; Süß|lich|keit,** die; -; **süß-sau|er; Süß|was|ser** (*Mehrz.* ...wasser)

Süt|ter|lin|schrift, die; - (eine Schreibschrift; nach dem dt. Pädagogen und Graphiker L. Sütterlin)

Swim|ming|pool, auch noch: **Swimming-pool** [*ßwiming-pul*], der; -s, -s (Schwimmbecken)

Swing, der; -[s] (Stil in der modernen Tanzmusik, bes. im Jazz; Kreditgrenze bei bilateralen Handelsverträgen); **swingen;** swingte, geswingt

Sym|bio|se, die; -, -n (Biol.: Zusammenleben ungleicher Lebewesen zu gegenseitigem Nutzen)

Sym|bol [*süm...*], das; -s, -e ([Wahr]zeichen; Sinnbild; Zeichen für eine physikal. Größe); **sym|bol|haft; Sym|bo|lik,** die; - (sinnbildl. Bedeutung od. Darstellung; Bildersprache; Verwendung von Symbolen); **sym|bo|lisch** (sinnbildlich); **sym|bo|li|sie|ren** (sinnbildlich darstellen)

Sym|me|trie [*süm...*], die; -, ...ien (Gleich-, Ebenmaß); **sym|me|trisch** (gleich-, ebenmäßig)

Sym|pa|thie, die; -, ...ien ([Zu]neigung; Wohlgefallen); **Sym|pa|thi|sant,** der; -en, -en (jmd., der einer Gruppe od. einer Anschauung wohlwollend gegenübersteht); **sym|pa|thisch** (gleichgestimmt; anziehend; ansprechend; zusagend); **sym|pa|thi|sie|ren** (übereinstimmen; gleiche Neigung haben); mit jemandem, mit einer Partei -

Sym|pho|nie vgl. Sinfonie; **Sym|pho|nie|or|che|ster** vgl. Sinfonieorchester; **Sym|pho|ni|ker** vgl. Sinfoniker; **sym|pho|nisch** vgl. sinfonisch

Sym|po|si|on, Sym|po|si|um [*süm...*], das; -s, ...ien [*...i^en*] (Trinkgelage im alten Griechenland; Tagung, auf der in zwanglosen Vorträgen u. Diskussionen die Ansichten über eine wissenschaftl. Frage festgestellt werden)

Sym|ptom [*süm...*], das; -s, -e (Anzeichen; Vorbote; Kennzeichen; Merkmal; Krankheitszeichen); **sym|pto|ma|tisch** (anzeigend, warnend; bezeichnend)

Syn|ago|ge [*sün...*], die; -, -n (gottesdienstl. Versammlungsstätte der Juden)

syn|chron [*sünkron*] (gleichzeitig, zeitgleich, gleichlaufend); **Syn|chro|ni|sa|ti|on** [*...zion*], die; -, -en (Zusammenstimmung von Bild, Sprechton u. Musik im Film; bild- und bewegungsechte Übertragung fremdsprachiger Sprechpartien eines Films); **syn|chro|ni|sie|ren**

Syn|di|kat [*sün...*], das; -[e]s, -e (Amt eines Syndikus; Verkaufskartell; Bez. für geschäftlich getarnte Verbrecherorganisation in den USA); **Syn|di|kus,** der; -, -se u. ...dizi ([meist angestellter] Rechtsbeistand einer Körperschaft)

Syn|drom [*sün...*], das; -s, -e (Med.: Krankheitsbild)

Syn|ko|pe [*sünkop^e*], die; -, ...open (Musik: Betonung eines unbetonten Taktwertes); **syn|ko|pie|ren; syn|ko|pisch**

syn|odal [*sün...*] (die Synode betreffend); **Syn|oda|le** (Mitglied einer Synode), der od. die; -n, -n; **Syn|ode,** die; -, -n (Kirchenversammlung, bes. die evangelische)

syn|onym [*sün...*] (Sprachw.: sinnverwandt); -e Wörter; **Syn|onym,** das; -s, -e (Sprachw.: sinnverwandtes Wort, z. B. „Frühjahr, Lenz, Frühling“)

syn|tak|tisch [*sün...*] (die Syntax betreffend); -er Fehler (Fehler in bezug auf die Syntax); -e Fügung; **Syn|tax,** die; -, -en (Sprachw.: Lehre vom Satzbau, Satzlehre)

Syn|the|se [*sün...*], die; -, ...thesen (Aufhebung des sich in These u. Antithese Widersprechenden in eine höhere Einheit; Zusammenfügung [einzelner Teile zu einem Ganzen]; Aufbau [einer chem. Verbindung]); **Syn|the|si|zer** [*ßint^eßais^er* od. *ßinth^e...*], der; -s, - (ein elektron. Musikgerät); **Syn|the|tics** [*süntetikß*] (*Mehrz.*) (Sammelbez. für synthet. erzeugte Kunstfasern u. Produkte daraus); **syn-**

the|tisch (zusammensetzend; Chemie: künstlich hergestellt)
Sy|phi|lis [*sü...*], die; - (eine Geschlechtskrankheit)
Sy|stem [*sü...*], das; -s, -e (Zusammenstellung; Gliederung, Aufbau; Ordnungsprinzip; einheitlich geordnetes Ganzes; Lehrgebäude; Regierungs-, Staatsform; Einordnung [von Tieren, Pflanzen u. a.] in verwandte od. ähnlich gebaute Gruppen; **Sy|ste|ma|tik,** die; -, -en (planmäßige Darstellung, einheitl. Gestaltung); **Sy|ste|ma|ti|ker** (auch: jmd., der alles in ein System bringen will); **sy|ste|ma|tisch** (das System betreffend; in ein System gebracht, planmäßig, folgerichtig); **sy|ste|ma|ti|sie|ren** (in ein System bringen; systematisch behandeln); **sy|stem|los** (planlos); **Sy|stem|zwang**
Sze|ne, die; -, -n (Bühne, Schauplatz, Gebiet; Auftritt als Unterabteilung des Aktes; Vorgang, Anblick; Zank, Vorhaltungen); **Sze|ne|rie,** die; -, ...ien (Bühnenbild, Landschaft[sbild], Schauplatz; **szenisch** (bühnenmäßig)
Szyl|la [*ßzüla*], die; - (eindeutschend für *lat.* Scylla, *gr.* Skylla; bei Homer Seeungeheuer in einem Felsenriff in der Straße von Messina); zwischen - und Charybdis (in einer ausweglosen Lage)

T

T (Buchstabe); das T; des T, die T
Ta|bak [auch: *ta*... u. ...*ak*], der; -s, (für Tabaksorten:) -e; **Ta|baks|pfei|fe**
ta|bel|la|risch (in der Anordnung einer Tabelle; in Form einer Übersicht); **Ta|bel|le,** die; -, -n
Ta|ber|na|kel, das (auch, bes. in der kath. Kirche: der); -s, - (in der kath. Kirche Aufbewahrungsort der geweihten Hostie [auf dem Altar]; Ziergehäuse in der got. Baukunst)
Ta|blett, das; -[e]s, -s (auch: -e); **Ta|blet|te,** die; -, -n (Arzneitäfelchen)
ta|bu (verboten; unverletzlich, unantastbar); nur in der Satzaussage: das ist - (davon darf nicht gesprochen werden); **Ta|bu,** das; -s, -s (bei Naturvölkern die zeitweilige od. dauernde Heiligung eines Menschen oder Gegenstandes mit dem Verbot, ihn anzurühren; allgem. für: etwas, wovon man nicht sprechen darf); ein - verletzen; **ta|bu|ie|ren, ta|bui|sie|ren** (zum Tabu machen)
Ta|bu|la ra|sa, die; - - (abgeschabte Tafel; meist übertr. für: unbeschriebenes Blatt); aber: tabula rasa machen (reinen Tisch machen, rücksichtslos Ordnung schaffen)
Ta|cho, der; -s, -s (ugs. kurz für: Tachometer); **Ta|cho|me|ter,** der (auch: das); -s, - (Instrument an Maschinen zur Messung der Augenblicksdrehzahl, auch mit Anzeige der Stundenkilometerzahl; Geschwindigkeitsmesser [mit Kilometerzähler] bei Fahrzeugen)
Tack|ling [*täk...;* eigtl. Sliding-tackling (*ßlaiding...*)], das; -s, -s (im modernen kampfbetonten Fußball kompromißlos-harte Zerstörung eines Angriffs, wobei der Verteidigende in die Füße des Gegners hineinrutscht)
Ta|del, der; -s, -
◇ Zurechtweisung, Rüge, Verweis, Rüffel, Anpfiff (ugs.), Zigarre (ugs.), Anschiß (derb)
ta|del|los; ta|deln; man tadelt ihn für seine Faulheit od. wegen seiner Faulheit od. (selten:) um seiner Faulheit willen; **ta|delns|wert**
Ta|fel, die; -, -n; **ta|feln** (speisen); **tä|feln** (mit Steinplatten, Holztafeln bekleiden); **Ta|fel|obst; Tä|fe|lung, Täf|lung**
Taft, der; -[e]s, -e ([Kunst]seidengewebe in Leinwandbindung)
Tag, der; -[e]s, -e; eines Tages, am, bei Tage, von - zu -; des Tags zuvor; unter Tage; unter Tags (den Tag über); guten - sagen; **tag|aus, tag|ein; Ta|ge‿buch, ...dieb** (abschätzig); **ta|ge|lang** (mehrere Tage lang); **Ta|ge|löh|ner**
ta|gen
◇ zusammentreten, einen Kongreß/ein Symposium/eine Tagung abhalten, [zu einem Treffen/Gipfeltreffen] zusammenkommen
Ta|ge|rei|se; Ta|ges‿decke [*Trenn.:* ...dek|ke], **...kas|se, ...lauf, ...licht** (das; -[e]s), **...ord|nung, ...po|li|tik, ...zeit, ...zei|tung; Ta|ge|werk** (früheres Feldmaß; tägliche Arbeit, Aufgabe); **tag|hell; täg|lich** (alle Tage); -es Brot; -e Zinsen; -er Bedarf; **tags;** - darauf, - zuvor; **tags|über; tag|täg|lich; Tag|und|nacht|glei|che,** die; -, -n
Ta|gung
◇ Konferenz, Kongreß, Treffen, Sitzung, Konvent
Tai|fun, der; -s, -e (trop. Wirbelsturm in Südostasien)
Tai|ga, die; - (sibirischer Waldgürtel)
Tail|le [*talj*[e], österr.: *tailj*[e]], die; -, -n (schmalste Stelle des Rumpfes; Gürtelweite; Mieder, Kartenspiel: Aufdecken der Blätter für Gewinn oder Verlust); **tail|lie|ren** [*tajir*[e]*n*]

Ta|ke|la|ge [...*asche*], die; -, -n (Segelausrüstung eines Schiffes)

[1]**Takt,** der; -[e]s, -e (abgemessenes Zeitmaß einer rhythmischen Bewegung, bes. in der Musik; Bewegung der Töne nach einem zählbaren Zeitmaß; Technik: einer von mehreren Arbeitsgängen im Motor, Hub; - halten; [2]**Takt,** der; -[e]s (Feingefühl; Lebensart; Zurückhaltung); [1]**tak|tie|ren** (den [1]Takt angeben)

[2]**tak|tie|ren** (taktisch vorgehen); **Tak|tik,** die; -, -en (Truppenführung; übertr.: kluges Verhalten, planmäßige Ausnutzung einer Lage); **tak|tisch** (die Taktik betreffend; übertr. für: planvoll vorgehend)

takt|los; Takt|lo|sig|keit; takt|voll

Tal, das; -[e]s, Täler (dicht. veralt.: -e); zu -[e] fahren

Ta|lar, der; -s, -e (langes Amtskleid)

Ta|lent, das; -[e]s, -e (altgr. Gewicht und Geldsumme; Begabung, Fähigkeit); **ta|len|tiert** (begabt)

Ta|ler, der; -s, - (ehem. Münze)

Talg, der; -[e]s, (Talgarten:) -e (starres [Rinder-, Hammel]fett); **tal|gig**

Ta|lis|man, der; -s, -e (zauberkräftiger, glückbringender Gegenstand)

Talk, der; -[e]s (ein Mineral)

Talk|ma|ster [*tåk*...], der; -s, - (Moderator einer Talk-Show); **Talk-Show** [...*schou*], -, -s (Unterhaltungssendung, in der bekannte Persönlichkeiten interviewt werden)

Tal|kum, das; -s (feiner weißer Talk als Streupulver)

Tal|mi, das; -s (vergoldete [Kupfer-Zink-] Legierung; übertr. für: Unechtes)

Tam|bour [...*bur,* auch: ...*bur*], der; -s, -e (schweiz.: ...bouren [...*buren*] Trommelschläger; Trommel); **Tam|bour|ma|jor** [auch: ...*bur*...] (Leiter eines Spielmannszuges); **Tam|bur,** der; -s, -e (Stickrahmen; Stichfeld); **Tam|bu|rin** [auch: *tam*...], das; -s, -e (kleine Hand-, Schellentrommel; Stickrahmen)

Tam|pon [fr. Aussprache: *tangpong*], der; -s, -s (Med.: [Watte-, Mull]bausch; Druckw.: Einschwärzballen für den Druck gestochener Platten)

Tam|tam [auch: *tamtam*], das; -s, -s (chinesisches, mit einem Klöppel geschlagenes Becken; Gong; nur *Einz.* ugs. für: laute, Aufmerksamkeit erregende Betriebsamkeit)

Tand, der; -[e]s (Wertloses [mit Scheinwert]; Spielzeug); **Tän|de|lei; tän|deln**

Tan|dem, das; -s, -s (Zwei- oder Dreirad mit zwei Sitzen hintereinander)

Tang, der; -[e]s, -e (Bezeichnung mehrerer größerer Arten der Braunalgen)

Tan|gen|te, die; -, -n (Gerade, die eine gekrümmte Linie berührt); **tan|gie|ren** (berühren [auch übertr.])

Tan|go [*tanggo*], der; -s, -s (ein Tanz)

Tank, der; -s, -s (seltener: -e); **tan|ken; Tan|ker** (Tankschiff); **Tank‿stel|le, ...wart**

Tann, der; -[e]s, -e (dicht. für: [Tannen]forst, [Tannen]wald); im -; **Tan|ne,** die; -, -n; **Tan|nen‿baum, ...na|del, ...zap|fen**

Tan|ta|lus|qua|len *(Mehrz.)*

Tan|te, die; -, -n

Tan|tie|me [*tangtiäm*], die; -, -n (Kaufmannsspr.: Gewinnanteil, Vergütung nach der Höhe des Geschäftsgewinnes)

Tanz, der; -es, Tänze; **Tanz|bein** (in der Wendung: das - schwingen [ugs. für: tanzen]); **tän|zeln; tan|zen; Tän|zer; Tän|ze|rin,** die; -, -nen; **tän|ze|risch**

ta|pe|rig (niederd. für: unbeholfen, gebrechlich)

Ta|pet, das; -[e]s, -e (veralt. für: [Tisch]decke), noch üblich in: etwas aufs - (ugs. für: zur Sprache) bringen; **Ta|pe|te,** die; -, -n (Wandverkleidung); **Ta|pe|ten|wech|sel** (ugs. für: Wechsel des Aufenthaltsortes u. der Umgebung); **Ta|pe|zier,** der; -s, -e (in Süddeutschland bevorzugte Form für: Tapezierer); **ta|pe|zie|ren; Ta|pe|zie|rer**

tap|fer; Tap|fer|keit, die; -

Ta|pis|se|rie, die; -, ...ien (teppichartige Stickerei; Verkaufsstelle für Handarbeiten)

tap|pen; täp|pisch; tap|rig vgl. taperig; **tap|sen** (ugs. für: plump auftreten); **tap|sig** (ugs.)

Ta|ra, die; -, ...ren (die Verpackung u. deren Gewicht)

Ta|ran|tel, die; -, -n (südeurop. Wolfsspinne); **Ta|ran|tel|la,** die; -, -s u. ...llen (südit. Volkstanz)

Ta|rif, der; -s, -e (planvoll geordnete Zusammenstellung von Güter- oder Leistungspreisen, auch von Steuern und Gebühren; Preis-, Lohnstaffel; Gebührenordnung); **ta|rif|lich; Ta|rif‿au|to|no|mie, ...lohn, ...vertrag**

tar|nen; sich -; **Tarn‿far|be, ...kap|pe**

Ta|rock, das (österr. nur so) od. der; -s, - (ein Kartenspiel)

Ta|sche, die; -, -n; **Ta|schen‿lam|pe, ...mes|ser** (das), **...tuch** (*Mehrz.* ...tücher), **...uhr**

Tas|se, die; -, -n; **Tas|sen|kopf**

Ta|sta|tur, die; -, -en; **tast|bar; Ta|ste,** die; -, -n; **ta|sten** (Druckw. auch für: den Taster bedienen)

Tat, die; -, -en; in der -

Ta|tar, das; -[s] und **Ta|tar|beef|steak,** das; -s (rohes, geschabtes Rindfleisch mit Ei und Gewürzen)

Tat|be|stand; Ta|ten‿drang, ...durst

ta|ten|los

◇ untätig, müßig, passiv, inaktiv

Tä|ter; Tat|form (Aktiv)
tä|tig; tä|ti|gen (Kaufmannsspr.); einen Abschluß - (abschließen)
Tä|tig|keit
◇ Beschäftigung, Betätigung, Arbeit, Funktion, Aufgabe
Tä|tig|keits|wort (*Mehrz.* ...wörter; für: Verb)
Tat|kraft, die
◇ Energie, Schaffenskraft, Aktivität
tat|kräf|tig; tät|lich; - werden; **Tät|lich|kei|ten** (*Mehrz.*)
tä|to|wie|ren (Zeichnungen mit Farbstoffen in die Haut einritzen); **Tä|to|wie|rung**
Tat|sa|che
◇ Tatbestand, Faktum, Sachverhalt, Sachlage
tat|säch|lich [auch: *...säch...*]
◇ wirklich, faktisch, de facto, effektiv, praktisch, in Wirklichkeit
tät|scheln
Tat|ter|greis (ugs.); **Tat|te|rich,** der; -[e]s (ugs. für: [krankhaftes] Zittern); **tat|te|rig,** tatt|rig (ugs.)
Tat|ter|sall, der; -s, -s (geschäftl. Unternehmen für Reitsport; Reitbahn, -halle)
tatt|rig, tat|te|rig (ugs.)
Tat|ver|dacht; tat|ver|däch|tig
Tat|ze, die; -, -n (Pfote, Fuß der Raubtiere; ugs. für: plumpe Hand)
[1]Tau, der; -[e]s (Niederschlag)
[2]Tau, das; -[e]s, -e (starkes [Schiffs]seil)
taub; -e (leere) Nuß; -es Gestein (Bergmannsspr.: Gestein ohne Erzgehalt)
[1]Tau|be, die; -, -n
[2]Tau|be, der u. die; -n, -n
tau|ben‿blau (blaugrau), **...grau** (blaugrau); **Tau|ben|schlag**
Taub|heit, die; -; **Taub|nes|sel** (eine Heilpflanze); **taub|stumm; Taub|stum|me**
tau|chen; Tau|cher; Tau|cher|glocke [*Trenn.:* ...glok|ke]; **Tauch|sie|der**
tau|en; es taut
Tau|fe, die; -, -n; **tau|fen; Täu|fer, Täuf|ling; Tauf|schein**
tau|gen; Tau|ge|nichts, der; - u. -es, -e
taug|lich
◇ geeignet, brauchbar, fähig, berufen
Tau|mel, der; -s; **tau|me|lig, taum|lig; tau|meln**
Tausch, der; -[e]s, -e; **tau|schen; täu|schen;** wir haben uns leider in Ihnen getäuscht; **Tausch|han|del; Täu|schung; Täu|schungs|ma|nö|ver**
tau|send; Land der - Seen (Finnland); tausend und aber (abermals) tausend; vgl. hundert; **[1]Tau|send,** die; -, -en (Zahl); vgl. [1]Hundert; **[2]Tau|send,** das; -s, -e (Menge); vgl. [2]Hundert; **tau|send|ein; tau|send|eins; Tau|sen|der; Tau|send‿fü|ßer, ...füß|ler; tau|send|jäh|rig;** das Tausendjährige Reich (bibl.); das tausendjährige Reich (ironisch für die Zeit der nationalsoz. Herrschaft); **Tau|send|sa|sa,** (bes. österr. u. schweiz. auch:) **Tau|send|sas|sa,** der; -s, -[s] (ugs. für: Schwerenöter; leichtsinniger Mensch; auch für: Alleskönner, Mordskerl); **tau|send|ste; tau|send|stel; Tau|send|stel,** das (schweiz. meist: der); -s, -; **tau|send[|und]|ein;** ein Märchen aus Tausendundeiner Nacht; mit tausend [und] ein Fragen, aber: mit tausendundeiner Frage; **tau|send[|und]|eins**
Tau|to|lo|gie, die; -, ...ien (Fügung, die einen Sachverhalt doppelt wiedergibt, z. B. „runder Kreis, weißer Schimmel"); **tau|to|lo|gisch**
Tau‿wet|ter (das; -s), **...wind**
Tau|zie|hen, das; -s
Ta|ver|ne [*tawärn[e]*], die; -, -n (it. Weinschenke, Wirtshaus)
Ta|xa|me|ter, der (Fahrpreisanzeiger in Taxis; veralt. für: [2]Taxe, Taxi); **[1]Ta|xe,** die; -, -n [Wert]schätzung; [amtlich] festgesetzter Preis; Gebühr[enordnung]); **[2]Ta|xe,** die; -, -n u. **Ta|xi,** das (schweiz. auch: der); -[s], -[s] (Kurzw. für: Taxameter; Mietauto); **ta|xie|ren** [ab]schätzen, den Wert ermitteln)
Tb, Tbc = Tuberkulose
Tbc-krank, Tb-krank
Teach-in [*titsch-in*], das; -[s], -s (Protestdiskussion)
Teak|holz [*tik...*] (wertvolles Holz des südostasiat. Teakbaumes)
Team [*tim*], das; -s, -s (Arbeitsgruppe; Sport: Mannschaft, österr. auch für: Nationalmannschaft); **Team|work** [*tim-[u]örk*], das; -s (Gemeinschaftsarbeit)
Tech|nik, die; -, -en (Handhabung, Herstellungsverfahren, Arbeitsweise; Hand-, Kunstfertigkeit u. österr. Kurzw. für: techn. Hochschule; nur *Einz.:* Ingenieurwissenschaften); **Tech|ni|ker; Tech|ni|ke|rin,** die; -, -nen; **Tech|ni|kum,** das; -s, ...ka (auch: ...ken) (technische Fachschule, Ingenieurfachschule); **tech|nisch** (die Technik betreffend); -es Zeichnen; [eine] -e Hochschule, Universität, aber: die Technische Hochschule Darmstadt; **tech|ni|sie|ren** (für technischen Betrieb einrichten); **Tech|no|lo|gie|park** (Gelände, auf dem Firmen angesiedelt sind, die moderne Technologien entwickeln); **Tech|no|lo|gie|trans|fer** (Weitergabe technologischer Forschungsergebnisse)
Tech|tel|mech|tel, das; -s, - (ugs. für: Liebelei)
Teckel [*Trenn.:* Tek|kel], der; -s, - (Dakkel)
TED, der; -s (Computer, der telefonische

Stimmabgaben [z. B. von Fernsehzuschauern] annimmt u. hochrechnet)
Ted|dy, der; -s, -s (Stoffbär als Kinderspielzeug); **Ted|dy|bär**
Te|de|um, das; -s, -s (Bez. des altkirchl. Lobgesangs „Te Deum laudamus" = „Dich, Gott, loben wir!")
TEE = Trans-Europ-Express
Tee, der; -s, -s; schwarzer -; **Tee-Ei; Tee-haus, ...kan|ne**
Teen [*tin*], der; -s, -s (meist *Mehrz.*) u. **Teen|ager** [*tine'dsch*e*r*], der; -s, - (Mädchen od. Junge im Alter zwischen 13 u. 19 Jahren); **Tee|nie, Tee|ny** [*tini*], der; -s, -s (jüngerer Teen)
Teer, der; -[e]s, -e
Teich, der; -[e]s, -e
◇ Weiher, Tümpel, See
Teig, der; -[e]s, -e (dickbreiige Masse); den - gehen lassen
Teil, der od. das; -[e]s, -e; zum -; jedes - (Stück) prüfen; das (selten: der) bessere -; er hat sein - getan; ein gut -; sein[en] - dazu beitragen; ich für mein[en] -
◇ Bruchteil, Stück
teil|bar; Teil|chen; tei|len; zehn geteilt durch fünf ist, macht, gibt zwei; sich -; **Tei|ler;** größter gemeinsamer -; **teil|haben**
Teil|ha|ber
◇ Sozius, Partner, Mitinhaber, Gesellschafter, Kommanditist
teil|haf|tig; einer Sache - sein, werden; **Teil|nah|me,** die; -; **teil|nah|me|be|rech|tigt; teil|nahms|los; teil|nahms|voll**
teil|neh|men
◇ sich beteiligen, mitwirken, mitmachen, mit von der Partie sein (ugs.), beiwohnen, dabeisein
teil|neh|mend; Teil|neh|mer; teils; - gut, - schlecht; **Tei|lung**
Teint [*täng*], der; -s, -s (Gesichts-, Hautfarbe; [Gesichts]haut)
Te|le|fax, das; - (Fernkopiersystem der Deutschen Bundespost)
Te|le|fon, das; -s, -e; **Te|le|fo|nat,** das; -[e]s, -e (Ferngespräch, Anruf); **te|le|fo|nie|ren; te|le|fo|nisch; Te|le|fo|ni|stin,** die; -, -nen
Te|le|fo|to|gra|fie (fotograf. Fernaufnahme)
te|le|gen (für Fernsehaufnahmen geeignet)
Te|le|graf, der; -en, -en (Apparat zur Übermittlung von Nachrichten durch vereinbarte Zeichen); **Te|le|gra|fie,** die; - (elektrische Fernübertragung von Nachrichten mit vereinbarten Zeichen); **te|le|gra|fie|ren; te|le|gra|fisch**
Te|le|gramm, das; -s, -e (telegrafisch beförderte Nachricht, Drahtnachricht); **Te|le|gramm|stil;** im -
Te|le|graph usw. vgl. Telegraf usw.
Te|le|kol|leg (unterrichtende Sendereihe im Fernsehen)
Te|le|ko|pie|rer (Fernkopierer)
Te|le|ob|jek|tiv (Linsenkombination für Fernaufnahmen)
Te|le|pa|thie, die; - (Fernfühlen ohne körperliche Vermittlung)
Te|le|phon usw. vgl. Telefon usw.
Te|le|pho|to|gra|phie vgl. Telefotografie
Te|le|skop, das; -s, -e (Fernrohr)
Te|le|vi|si|on [engl. Ausspr.: *täliwisch*e*n*], die; - (Fernsehen)
Te|lex, das; -, -[e] (Fernschreiben; nur *Einz.:* Fernschreiber[teilnehmer]netz)
Tel|ler, der; -s, -
Tem|pel, der; -s, -
Tem|pe|ra-far|be (eine Deckfarbe), **...ma|le|rei**
Tem|pe|ra|ment, das; -[e]s, -e (Wesens-, Gemütsart; nur *Einz.:* Gemütserregbarkeit, Lebhaftigkeit, Munterkeit, Schwung, Feuer); **tem|pe|ra|ment|voll** (lebhaft, lebendig)
Tem|pe|ra|tur, die; -, -en (Wärme[grad, -zustand]; [leichtes] Fieber); **tem|pe|rie|ren** (mäßigen; Temperatur regeln)
Tem|po, das; -s, -s u. ...pi (Zeit[maß], Takt; nur *Einz.:* Geschwindigkeit, Schnelligkeit, Hast); **Tem|po|li|mit; tem|po|ral** (zeitlich; das Tempus betreffend) -e Bestimmung (Sprachw.); **tem|po|rär** (zeitweilig, vorübergehend); **Tem|pus,** das; -, ...pora (Sprachw.: Zeitform [des Zeitwortes])
Ten|denz, die; -, -en (Streben nach bestimmtem Ziel, Absicht; Hang, Neigung, Strömung; Zug, Richtung, Entwicklung[slinie]; Stimmung [an der Börse]); **ten|den|zi|ell** (der Tendenz nach, entwicklungsmäßig); **ten|den|zi|ös** (etwas bezweckend, beabsichtigend; parteilich zurechtgemacht, gefärbt); **ten|die|ren** (streben; neigen zu ...)
Ten|ne, die; -, -n
Ten|nis, das; - (Ballspiel); - spielen
¹Te|nor, der; -s (Haltung; Inhalt, Sinn, Wortlaut); **²Te|nor,** der; -s, ...nöre (hohe Männerstimme; Tenorsänger)
Tep|pich, der; -s, -e; **Tep|pich|bo|den**
Ter|min, der; -s, -e (Frist; [Liefer-, Zahlungs-, Gerichtsverhandlungs]tag, Zeit[punkt], Ziel); **Ter|mi|nal** [*tö'min*e*l*], der (auch: das, für Datenendstation nur: das); -s, -s (Abfertigungshalle für Fluggäste); **Ter|min|ka|len|der; ter|min|lich; Ter|mi|nus,** der; -, ...ni (Fachwort, -ausdruck, -begriff)
Ter|mi|te, die; -, -n (meist *Mehrz.;* ein Insekt)
Ter|pen|tin, das (österr. meist: der); -s, -e (Harz)

Ter|rain [...*räng*], das; -s, -s (Gebiet; [Bau]gelände, Grundstück)
Ter|ra|ri|um, das; -s, ...ien [...*iᵉn*] (Behälter für die Haltung kleiner Lurche u. ä.)
Ter|ras|se, die; -, -n; **ter|ras|sen|förmig**
Ter|rier [...*iᵉr*], der; -s, - (kleiner bis mittelgroßer engl. Jagdhund)
Ter|ri|ne, die; -, -n ([Suppen]schüssel)
ter|ri|to|ri|al (zu einem Gebiet gehörend, ein Gebiet betreffend); -e Verteidigung; **Ter|ri|to|ri|um,** das; -s, ...ien [...*iᵉn*] (Grund; Bezirk; [Herrschafts-, Staats-, Hoheits]gebiet)
Ter|ror, der; -s (Gewaltherrschaft; rücksichtsloses Vorgehen); **ter|ro|ri|sie|ren** (Terror ausüben, unterdrücken); **Ter|ro|ris|mus,** der; - (Schreckensherrschaft); **Ter|ro|rist,** der; -en, -en; **ter|ro|ristisch**
Ter|tia [...*zia*], die; -, ...ien [...*iᵉn*] („dritte"; veraltende Bez. [Unter- u. Obertertia] für die 4. u. 5. Klasse an höheren Lehranstalten); **Ter|tia|ner** (Schüler der Tertia); **Ter|tia|ne|rin,** die; -, -nen; **ter|ti|är** (die dritte Stelle in einer Reihe einnehmend; das Tertiär betreffend); **Ter|ti|är,** das; -s (Geol.: der ältere Teil der Erdneuzeit)
Terz, die; -, -en (Fechthieb; Musik: dritter Ton [vom Grundton aus]); **Ter|zett,** das; -[e]s, -e (dreistimmiges Gesangstück)
Test, der; -[e]s, -s (auch: -e) (Probe; Prüfung; psycholog. Experiment; Untersuchung)
Te|sta|ment, das; -[e]s, -e (letztwillige Verfügung; Bund Gottes mit den Menschen, danach das Alte u. das Neue Testament der Bibel); **te|sta|men|ta|risch** (durch letztwillige Verfügung, letztwillig); **Te|stat,** das; -[e]s, -e (Zeugnis, Bescheinigung)
te|sten [zu: Test]
◇ prüfen, einer Prüfung unterziehen/unterwerfen, erproben, ausprobieren
Te|ta|nus, der; - (Med.: Wundstarrkrampf)
Tête-à-tête [*tätatät*], das; -, -s (Gespräch unter vier Augen; vertrauliche Zusammenkunft; zärtliches Beisammensein)
Te|tra|eder, das; -s, - (Vierflächner, dreiseitige Pyramide)
teu|er; ein teures Kleid; das kommt mir od. mich teuer zu stehen
◇ kostspielig, unerschwinglich, unbezahlbar, sehr hoch im Preis
Teue|rung
Teu|fel, der; -s, -; zum - jagen (ugs.); zum -! (ugs.)
◇ Satan, Mephisto, Luzifer, Diabolus, Höllenfürst, der Böse/Leibhaftige
Teu|fels‿aus|trei|bung, ...kerl (ugs.); **teuf|lisch;** ein -er Plan
Teu|to|ne, der; -n, -n (Angehöriger eines germ. Volksstammes); **teu|to|nisch** (auch abschätzig für: deutsch)
Text, der; -[e]s, -e (Wortlaut, Beschriftung; [Bibel]stelle); **tex|ten** (einen [Schlager-, Werbe]text gestalten); **tex|tilfrei** (scherzh. für: nackt); **Tex|ti|li|en** [...*iᵉn*] (*Mehrz.;* Gewebe, Faserstofferzeugnisse [außer Papier]); **Tex|til-in|du|strie; Text|stel|le**
Thea|ter, das; -s, - (Schaubühne; Schauspielhaus, Opernhaus; [Schauspiel-, Opern]aufführung, Vorstellung, Spiel; ugs. nur *Einz.:* Unruhe, Aufregung; Vortäuschung); **Thea|ter‿stück, ...vorstel|lung**
thea|tra|lisch (bühnenmäßig; übertrieben schauspielermäßig; gespreizt)
The|ke, die; -, -n (Schanktisch; auch: Ladentisch)
The|ma, das; -s, ...men u. -ta (Aufgabe, [zu behandelnder] Gegenstand; Gesprächsstoff; Grund-, Haupt-, Leitgedanke [bes. in der Musik]); **The|ma|tik,** die; -, -en (Themenstellung; Ausführung eines Themas); **the|ma|tisch** (dem Thema entsprechend, zum Thema gehörend)
Theo|lo|ge, der; -n, -n (Gottesgelehrter, wissenschaftl. Vertreter der Theologie); **Theo|lo|gie,** die; -, ...ien (Wissenschaft von Gott u. seiner Offenbarung, von den Glaubensvorstellungen einer Religion); **theo|lo|gisch**
Theo|re|ti|ker (Ggs.: Praktiker); **theore|tisch; theo|re|ti|sie|ren** (etwas rein theoretisch erwägen); **Theo|rie,** die; -, ...ien
The|ra|peut, der; -en, -en (behandelnder Arzt, Heilkundiger); **the|ra|peu|tisch; The|ra|pie,** die; -, ...ien (Krankenbehandlung, Heilbehandlung)
Ther|mal‿bad (Warm[quell]bad), **...quel|le; Ther|me,** die; -, -n (warme Quelle); **Ther|mo|me|ter,** das; -s, - (Temperaturmeßgerät); **Ther|mos|flasche** Ⓦⓩ (Warmhaltegefäß); **Ther|mostat,** der; -[e]s u. -en, -e[n] (Temperaturregler; Apparat zur Herstellung konstanter Temperatur in einem Raum)
The|se, die; -, -n (aufgestellter [Leit]satz, Behauptung)
Thing, das; -[e]s, -e (germ. Volksversammlung)
Tho|mas (Apostel); ungläubiger -, ungläubige Thomasse
Tho|mas|mehl, das; -[e]s (Düngemittel)
Tho|ra [auch, österr. nur: *tora*], die; - (die 5 Bücher Mosis, das mosaische Gesetz)
Thril|ler [*thrilᵉr*], der; -s, - (ein ganz auf Spannungseffekte abgestellter, nervenkitzelnder Film, Roman u. ä.; Reißer)
Throm|bo|se, die; -, -n (Med.: Blutgefäßverstopfung durch Blutgerinnsel)

Thron, der; -[e]s, -e; **thro|nen; Thron-folge, ...fol|ger**
Thy|mi|an, der; -s, -e (eine Heilpflanze)
Tia|ra, die; -, ...ren (dreifache Krone des Papstes)
Tick, der; -s, -s (wunderliche Eigenart, Schrulle; Fimmel, Stich)
ticken [*Trenn.:* tik|ken]
Ticket [*Trenn.:* Tik|ket], das; -s, -s (engl. Bez. für: Fahr-, Eintrittskarte)
Ti|de, die; -, -n (die regelmäßig wechselnde Bewegung der See; Flut); **Ti|den** (*Mehrz.;* Gezeiten); **Ti|den|hub** (Wasserstandsunterschied bei den Gezeiten)
tief; auf das, aufs -ste beklagen; - sein, werden, graben, stehen; ein - ausgeschnittenes Kleid; **Tief,** das; -s, -s (Fahrrinne; Meteor.: Tiefstand [des Luftdrucks]); **Tief-aus|läu|fer** (Meteor.), **...bau** (der; -[e]s); **tief|be|wegt; tief|blau; tief-blickend** [*Trenn.:* ...blik|kend]; **tief-drin|gend; Tief|druck,** der; -[e]s, (Druckw.:) -e; **Tief|druck|ge|biet** (Meteor.); **Tie|fe,** die; -, -n; **Tief|ebe|ne; tief|emp|fun|den; Tie|fen|psy|cho|lo|gie; Tief-flie|ger** (Flugzeug), **...gang** (der; -[e]s), **...ga|ra|ge; tief-ge|kühlt;** tiefgekühltes Gemüse od. Obst; das Obst ist -; **tief|grün|dig; Tief|kühl-fach, ...tru|he; Tief-punkt, ...schlag** ([Box]hieb unterhalb der Gürtellinie); **tief|schür|fend; Tief-see** (die), **...sinn** (der; -[e]s); **tief|sin-nig**
Tie|gel, der; -s, -
Tier, das; -[e]s, -e; **Tier-art, ...arzt, ...freund, ...gar|ten; tie|risch; Tier-kreis** (Astron.); **Tier|kreis|zei|chen; Tier-kun|de** (für: Zoologie), **...lie|be, ...quä|le|rei, ...reich** (das; -[e]s), **...schutz|ver|ein**
Ti|ger, der; -s, -; **ti|gern** (bunt, streifig machen; ugs.: eilen)
Til|de, die; -, -n (span. Aussprachezeichen auf dem n [ñ]; [Druckw.:] Wiederholungszeichen: ~)
tilg|bar; til|gen; Til|gung
Till Eu|len|spie|gel (niederd. Schelmengestalt)
Til|si|ter, der; -s, - (ein Käse)
Tim|bre [*tängbr^e*], das; -s, -s (Klangfarbe der Gesangsstimme)
Ti|ming [*taiming*], das; -s, -s (Wahl, Festlegung des [für eine Unternehmung günstigen] Zeitpunktes)
tin|geln (ugs. für: als Schauspieler im Schaugeschäft o. ä. an verschiedenen Orten auftreten); **Tin|gel|tan|gel,** der u. das; -s, - (ugs. für: Musik niederen Ranges; Musikkneipe)
Tink|tur, die; -, -en ([Arznei]auszug)
Tin|nef, der; -s (ugs. für: Schund, Wertloses; dummes Zeug)
Tin|te, die; -, -n; **Tin|ten|fisch**
Tip, der; -s, -s ([bes. beim Sport:] Wink, Andeutung, Vorhersage)
Tip|pel|bru|der (veralt. für: wandernder Handwerksbursche; ugs. für: Landstreicher); **tip|peln** (ugs. für: beständig [auf der Landstraße] wandern)
[1]**tip|pen** (wetten); er hat richtig getippt
[2]**tip|pen** (ugs. für: maschinenschreiben); **Tipp|feh|ler** (ugs. für: Fehler beim Maschineschreiben); **Tipp|se,** die; -, -n (abwertend ugs. für: Maschinenschreiberin)
Tipp|zet|tel (Wettzettel)
Ti|ra|de (Wortererguß)
ti|ri|lie|ren (von Vögeln: pfeifen, singen)
Tisch, der; -[e]s, -e; bei - (beim Essen) sein; am - sitzen; zu - gehen; Gespräch am runden -; **Tisch|decke** [*Trenn.:* ...dek|ke]; **Tisch|ler; Tisch|le|rei; tisch|lern; Tisch-ord|nung, ...ten-nis, ...tuch** (*Mehrz.* ...tücher)
[1]**Ti|tan,** der; -en, -en (meist *Mehrz.;* einer der riesenhaften, von Zeus gestürzten Götter der gr. Sage; übertr. für: großer, starker Mann); [2]**Ti|tan,** das; -s (chem. Grundstoff; Zeichen: Ti)
Ti|tel, der; -s, - (Aufschrift, Überschrift; Amts-, Dienstbezeichnung; [Ehren]anrede[form]; Rechtsgrund; Abschnitt); **Ti-tel-bild, ...blatt, ...held, ...ver|tei|di-ger** (Sportspr.)
Tit|te, die; -, -n (meist *Mehrz.;* derb für: weibl. Brust)
ti|tu|lie|ren (Titel geben, benennen); die Schüler mußten ihn [mit] Herr Doktor -; sie hat ihn [mit od. als] Flasche tituliert
Ti|vo|li, das; -[s], -s (Vergnügungsort; it. Kugelspiel)
Toast [*toßt*], der; -[e]s, -e u. -s (geröstete Weißbrotschnitte; Trinkspruch); **toa-sten** (Weißbrot rösten; einen Trinkspruch ausbringen); **Toa|ster** (elektr. Gerät)
To|bak, der; -[e]s, -e (alte, heute nur noch scherzh. gebrauchte Form von: Tabak); Anno -
to|ben; To|be|rei
Tob|sucht, die; -; **tob|süch|tig; Tob-suchts|an|fall**
Toch|ter, die; -, Töchter (schweiz. auch für: Mädchen, Fräulein, Angestellte); **Toch|ter-ge|schwulst** (Metastase), **...ge|sell|schaft** (Wirtsch.); **Töch|ter-schu|le** (veralt.); höhere -
Tod, der; -[e]s, (selten:) -e; zu -e fallen, hetzen, erschrecken
◇ Sterben, Ende, Heimgang, Hinscheiden, Exitus (Med.) · Knochenmann, Sensenmann, Freund Hein
tod-brin|gend, ...ernst (ugs.); **To|des-angst, ...an|zei|ge, ...fall** (der), **...kampf, ...kan|di|dat; to|des|mu-tig; To|des-op|fer, ...stra|fe, ...ur-**

teil, ...ver|ach|tung; Tod|feind; tod-krank; töd|lich; tod-mü|de (ugs.), **...schick** (ugs. für: sehr schick), **...si-cher** (ugs. für: so sicher wie der Tod); **Tod|sün|de; tod-trau|rig, ...un-glück|lich**

Tof|fee [*tofi*], das; -s, -s (eine Weichkaramelle)

Töff|töff, das; -s, -s (veralt. scherzh. für: Kraftfahrzeug)

To|ga, die; -, ...gen ([altröm.] Obergewand)

To|hu|wa|bo|hu, das; -[s], -s (Wirrwarr, Durcheinander)

Toi|let|te [*toal...*], die; -, -n (Frisiertisch; [feine] Kleidung; Ankleideraum; Abort u. Waschraum); - machen (sich [gut] anziehen); **Toi|let|ten|was|ser** (*Mehrz.* ...wässer)

toi, toi, toi! [*teu, teu, teu*] (ugs. für: unberufen)

Töl|le, die; -, -n (niederd., ugs. verächtl. für: Hund, Hündin)

to|le|rant (duldsam; nachsichtig; weitherzig; versöhnlich); **To|le|ranz,** die; -, (Technik:) -en (Duldung, Duldsamkeit; Technik: Unterschied zwischen Größt- und Kleinstmaß, zulässige Abweichung); **to|le|rie|ren** (dulden, gewähren lassen)

toll; toll|dreist

Tol|le, die; -, -n (ugs. für: Büschel; Haarschopf; selten für: Quaste)

tol|len; Toll|haus; Tol|li|tät, die; -, -en (Fastnachtsprinz od. -prinzessin); **toll-kühn; Toll|wut**

Tol|patsch, der; -[e]s, -e (ugs. für: ungeschickter Mensch); **tol|pat|schig** (ugs.)

Töl|pel, der; -s, - (ugs.)

To|ma|hawk [*tómahak,* auch: *...håk*], der; -s, -s (Streitaxt der [nordamerik.] Indianer)

To|ma|te (Gemüsepflanze; Frucht), die; -, -n; gefüllte -n

Tom|bo|la, die; -, -s, (selten:) ...len (Verlosung bei Festen)

[1]**Ton,** der; -[e]s, (Tonsorten *Mehrz.:*) -e (Verwitterungsrückstand tonerdehaltiger Silikate)

[2]**Ton,** der; -[e]s, Töne (Laut usw.); den - angeben; **to|nal** (auf einen Grundton bezogen); **ton|an|ge|bend; Ton|art**

Ton|band, das (*Mehrz.* ...bänder)

[1]**tö|nen** (Farbton geben)

[2]**tö|nen** (klingen)

Ton|er|de; essigsaure -; **tö|nern** (aus [1]Ton); es klingt - (hohl)

Ton-fall (der; -[e]s), **...film**

To|ni|ka, die; -, ...ken (Grundton eines Tonstücks; erste Stufe der Tonleiter)

To|ni|kum, das; -s, ...ka (Med.: stärkendes Mittel)

Ton-in|ge|nieur, ...lei|ter (die); **ton-los;** -e Stimme; **Ton|mei|ster**

Ton|ne, die; -, -n (auch Maßeinheit für Masse: 1 000 kg)

Ton|stück (Musikstück)

Ton|sur, die; -, -en (Haarausschnitt als Standeszeichen der kath. Kleriker)

Ton-ta|fel, ...tau|be (Wurftaube); **Ton-tau|ben|schie|ßen,** das; -s

Tö|nung (Art der Farbgebung)

To|pas, der; -es, -e (ein Halbedelstein)

Topf, der; -[e]s, Töpfe; **Topf|blu|me; Töp|fer; Töp|fe|rei; töp|fern** (Töpferwaren machen); **Töp|fer|schei|be; Topf|gucker** [*Trenn.:* ...guk|ker]

top|fit [*top-fit*] (gut in Form, in bester körperlicher Verfassung [von Sportlern])

Topf-lap|pen, ...pflan|ze

Top|ma|na|ge|ment [*topmänidsehm^e nt*] (Wirtsch.: engl.-amerik. Bez. für: Spitze der Unternehmensleitung)

[1]**Tor,** das; -[e]s, -e (große Tür; Angriffsziel [beim Fußballspiel u. a.])

[2]**Tor,** der; -en, -en (törichter Mensch)

To|rea|dor, der; -s u. -en, -e[n] ([berittener] Stierkämpfer)

To|re|ro, der; -[s], -s (nicht berittener Stierkämpfer)

Torf, der; -[e]s (verfilzte, vermoderte Pflanzenreste); **Torf-moor, ...mull**

Tor|heit; tö|richt; tö|rich|ter|wei|se

tor|keln (ugs. für: taumeln)

Tor-lauf (für: Slalom), **...li|nie**

Tor|na|do, der; -s, -s (Wirbelsturm im südlichen Nordamerika)

Tor|ni|ster, der; -s, - ([Fell-, Segeltuch]ranzen)

tor|pe|die|ren (mit Torpedo[s] beschießen, versenken; übertr. für: durchkreuzen)

Tor|schluß, der; ...schlusses; vor -; **Tor-schluß|pa|nik**

Tor|so, der; -s, -s u. ...si (allein erhalten gebliebener Rumpf einer Statue; Bruchstück)

Tört|chen; Tor|te, die; -, -n; **Tor|ten--bo|den, ...guß**

Tor|tur, die; -, -en (Folter, Qual)

Tor-ver|hält|nis (Sport), **...wart** (Sport), **...weg**

to|sen; der Sturm to|ste

tot; der tote Punkt; ein totes Gleis; toter Briefkasten (Agentenversteck für Mitteilungen u. a.), aber: etwas Starres und Totes; das Tote Meer

to|tal (gänzlich, völlig; Gesamt...); **To|ta-li|sa|tor,** der; -s, ...oren (amtliche Wettstelle auf Rennplätzen; Kurzw.: Toto); **to|ta|li|tär** (die Gesamtheit umfassend, ganzheitlich; vom Staat: alles erfassend u. seiner Kontrolle unterwerfend); **To-ta|li|tät,** die; - (Gesamtheit, Vollständigkeit, Ganzheit)

To|te, der u. die; -n, -n (jmd., der gestorben ist)

◇ Leiche, Leichnam, Verstorbener, Entschlafener, Verblichener
To|tem, das; -s, -s (bes. bei nordamerik. Indianern das Ahnentier u. Stammeszeichen der Sippe)
tö|ten
◇ morden, ermorden, umbringen, ums Leben bringen, um die Ecke bringen (ugs.), killen (ugs.), ins Jenseits befördern
to|ten‿blaß, ...bleich; To|ten‿gräber, ...sonn|tag; to|ten|still; To|ten‿stil|le, ...tanz, ...wa|che; tot|ge|boren; ein totgeborenes Kind; **Tot|geburt; tot|la|chen,** sich (ugs. für: heftig lachen); **tot|lau|fen,** sich (ugs. für: von selbst zu Ende gehen); **tot|ma|chen** (ugs. für: töten)
To|to, das, (auch:) der; -s, -s (Kurzw. für: Totalisator; Sport-, Fußballtoto)
tot|schie|ßen; Tot|schlag, der; -[e]s, ...schläge; **tot|schla|gen;** er wurde [halb] totgeschlagen; er hat seine Zeit totgeschlagen (ugs. für: nutzlos verbracht); **Tot|schlä|ger; tot|schwei|gen; tot|stel|len,** sich; **Tö|tung;** fahrlässige -
Touch [*tatsch*], der; -s, -s (Anstrich; Anflug, Hauch)
Tou|pet [*tupe*], das; -s, -s (Halbperücke; Haarersatz); **tou|pie|ren** (Haar mit dem Kamm auf-, hochbauschen)
Tour [*tur*], die; -, -en (Umlauf, [Um]drehung, z.B. eines Maschinenteils; Wendung, Runde, z.B. beim Tanz; Ausflug, Wanderung; [Geschäfts]reise, Fahrt, Strecke; ugs. für: Art und Weise); in einer - (ugs. für: ohne Unterbrechung); auf -en kommen (hohe Geschwindigkeit erreichen; übertr. für: mit großem Eifer etwas betreiben); **Tou|ris|mus,** der; - (Fremdenverkehr, Reisewesen); **Tou|rist,** der; -en, -en (Ausflügler, Wanderer, Bergsteiger, Reisender); **Tou|ri|sten|klas|se,** die; - (preiswerte Reiseklasse auf Dampfern u. in Flugzeugen); **tou|ri|stisch; Tour|ne|dos** [*turnᵉdo*], das; - [*turnᵉdo(ß)*], - [*turnᵉdoß*] (daumendickes, rundes Lendenschnittchen); **Tour|nee,** die; -, -s u. ...neen (Gastspielreise von Künstlern)
Tower [*tauᵉr*], der; -s, - (ehemalige Königsburg in London [*Einz.*]; Flughafenkontrollturm)
To|xi|kum, das; -s, ...ka (Med.: Gift); **toxisch**
Trab, der; -[e]s; - laufen, rennen, reiten
Tra|bant, der; -en, -en (früher für: Begleiter; Diener; Leibwächter; Astron.: Mond; Technik: künstl. Erdmond, Satellit); **Tra|ban|ten|stadt** (selbständige Randsiedlung einer Großstadt)
tra|ben; Tra|ber (Pferd)
Tracht, die; -, -en; eine - Holz, eine - Prügel
trach|ten
träch|tig
tra|die|ren (überliefern, mündlich fortpflanzen); **Tra|di|ti|on** [*...zion*], die; -, -en ([mündl.] Überlieferung; Herkommen; Brauch); **tra|di|tio|nell** (überliefert, herkömmlich)
Trag|bah|re; trag|bar
trä|ge
◇ phlegmatisch, dickfellig, lethargisch, bequem, schwunglos, verschlafen, schlafmützig
tra|gen; du trägst, er trägt, trug (trüge), getragen; zum Tragen kommen
◇ schleppen, buckeln (ugs.), asten (ugs.) · anhaben, bekleidet sein mit, auf dem Leib haben; **Trä|ger; Trä|ge|rin,** die; -, -nen; **trag|fä|hig; trag|fest; Trag|flä|che**
Träg|heit, die; -
Tra|gik, die; - (Kunst des Trauerspiels; erschütterndes Leid); **tra|gi|ko|misch** [auch: *tra...*] (halb tragisch, halb komisch); **Tra|gi|ko|mö|die** [auch: *tra...*] (Schauspiel, in dem Tragisches u. Komisches miteinander verbunden sind); **tragisch** (die Tragik betreffend; erschütternd, ergreifend)
Trag|kraft, die; -
Tra|gö|de, der; -n, -n (Heldendarsteller); **Tra|gö|die** [*...iᵉ*], die; -, -n (Trauerspiel; übertr. für: Unglück); **Tra|gö|din,** die; -, -nen
Trag|wei|te, die; -
Trai|ner [*trän...* od. *tren...*], der; -s, - (jmd., der Menschen od. Pferde systematisch auf Wettkämpfe vorbereitet; schweiz. auch Kurzform für: Trainingsanzug)
trai|nie|ren
◇ üben, ein Training absolvieren
Trai|ning [*trän...* od. *tren...*], das; -s, -s (systematische Vorbereitung [auf Wettkämpfe]); **Trai|nings‿an|zug, ...la|ger** (*Mehrz.* ...lager)
Tra|keh|ner (Pferd)
Trakt, der; -[e]s, -e (Gebäudeteil; Zug, Strang, Gesamtlänge; Landstrich); **Traktat,** der od. das; -[e]s, -e ([wissenschaftliche] Abhandlung; bes.: religiöse Schrift usw.; veralt. für: Vertrag); **trak|tie|ren** (veralt. für: behandeln; bewirten; unterhandeln; ugs. für: plagen, quälen, jmdm. übermäßig Essen aufdrängen); **Trak|tor,** der; -s, ...oren (Zugmaschine, Trecker, Schlepper)
Tram, die; -, -s (schweiz.: das; -s, -s; südd. u. österr. veraltend, schweiz. für: Straßenbahn[wagen]); **Tram|bahn** (südd. für: Straßenbahn)
Tramp [*trämp*], der; -s, -s (engl. Bez. für: Landstreicher); **Tram|pel,** der od. das; -s, - (ugs. für: plumper Mensch, meist von Frauen gesagt); **tram|peln** (ugs. für: mit den Füßen stampfen); **Tram|pel‿pfad,**

...tier (Kamel; ugs. für: plumper Mensch); **tram|pen** [*trämp^en*] (Autos anhalten u. sich mitnehmen lassen); **Tram|per** [*trämp^er*]; **Tram|po|lin,** das; -s, -e (Sprunggerät); - springen
Tran, der; -[e]s, (Transorten:) -e (flüssiges Fett von Seesäugetieren, Fischen)
Tran|ce [*trangß^(e)*], die; -, -n (schlafähnlicher Zustand [in Hypnose])
tran|chie|ren [...*schir^en*] ([Fleisch, Geflügel, Braten] zerlegen)
Trä|ne, die; -, -n; **trä|nen; Trä|nen-drü|se, ...gas** (das; -es)
Tran|fun|zel (ugs. für: schlecht brennende Lampe); **tra|nig** (Tran enthaltend, nach Tran schmeckend; tranähnlich)
Trank, der; -[e]s, Tränke; **Trän|ke,** die; -, -n (Tränkplatz für Tiere)
Trans|ak|ti|on [...*zion*], die; -, -en (größeres finanzielles Unternehmen)
Trans|fer, der; -s, -s (Zahlung ins Ausland in fremder Währung; Sportspr.: Wechsel eines Berufsspielers zu einem anderen Verein; Weitertransport im internationalen Reiseverkehr [z. B. vom Flughafen zum Hotel u. umgekehrt]); **trans|fe|rie|ren** (Geld in eine fremde Währung umwechseln)
Trans|for|ma|ti|on [...*zion*], die; -, -en (Umformung; Umwandlung); **Trans|for|ma|tor,** der; -s, ...oren (Umspanner [elektr. Ströme]); **trans|for|mie|ren** (umformen, umwandeln; umspannen)
Trans|fu|si|on, die; -, -en ([Blut]übertragung)
Tran|si|stor, der; -s, ...oren (Elektrotechnik: Teil eines Verstärkers); **Tran|si|stor|ra|dio**
Tran|sit [auch: ...*it, transit*], der; -s, -e (Wirtsch.: Durchfuhr); **Tran|sit|han|del; tran|si|tiv** (Sprachw.: zum persönlichen Passiv fähig; zielend); -es Zeitwort
trans|pa|rent (durchscheinend; durchsichtig; auch übertr.); **Trans|pa|rent,** das; -[e]s, -e (durchscheinendes Bild; Spruchband)
Tran|spi|ra|ti|on [...*zion*], die; - (Schweiß; [Haut]ausdünstung; **tran|spi|rie|ren**
Trans|plan|ta|ti|on [...*zion*], die; -, -en (Med.: Überpflanzung von Organen od. Gewebeteilen auf andere Körperstellen od. auf einen anderen Organismus)
Trans|port, der; -[e]s, -e (Versendung, Beförderung; Kaufmannsspr. veralt. für: Übertrag [auf die nächste Seite]); **trans|por|tie|ren** (versenden, befördern)
Tran|su|se, die; -, -n (ugs. abschätzig für: langweiliger Mensch)
Trans|ve|stit, der; -en, -en (jmd., der sich aus krankhafter Neigung wie ein Vertreter des anderen Geschlechts kleidet und benimmt)
tran|szen|dent (übersinnlich, -natürlich); **Tran|szen|denz,** die; - (das Überschreiten der Grenzen der Erfahrung, des Bewußtseins)
Tra|pez, das; -es, -e (Viereck mit zwei parallelen, aber ungleich langen Seiten; Schaukelreck); **Tra|pez|akt** (am Trapez ausgeführte Zirkusnummer); **tra|pez|för|mig**
trap|sen (ugs. für: sehr laut auftreten)
Tra|ra, das; -s (ugs. für: Lärm; großartige Aufmachung, hinter der nichts steckt; Schwindel)
Tras|se, die; -, -n (im Gelände abgesteckte Linie, bes. im Straßen- u. Eisenbahnbau)
Tratsch, der; -[e]s (ugs. für: Geschwätz, Klatsch); **trat|schen** (ugs.); **Trat|sche|rei** (ugs.)
Trau|be, die; -, -n; **Trau|ben|zucker** [*Trenn.:* ...zuk|ker]
trau|en; ich traue mich nicht (selten: mir nicht), das zu tun
Trau|er, die; -
◇ Traurigkeit, Trübsal, Wehmut, Melancholie
Trau|er-fall (der), **...kloß** (ugs. scherzh. für: langweiliger, energieloser Mensch)
trau|ern
◇ Trauer haben, traurig sein, Leid tragen, sich grämen
Trau|fe, die; -, -n; **träu|feln**
trau|lich; - beisammensitzen
Traum, der; -[e]s, Träume
Trau|ma, das; -s, ...men (seelische Erschütterung; Med.: Wunde)
träu|men; ich träumte von meinem Bruder; mir träumte von ihm; es träumte mir; das hätte ich mir nicht - lassen (ugs. für: hätte ich nie geglaubt); **Träu|mer; Träu|me|rei; träu|me|risch; traum|haft; Traum|tän|zer** (abwertend für: wirklichkeitsfremder Mensch)
trau|rig; Trau|rig|keit, die; -
Trau-ring, ...schein
traut; ein -es Heim
Trau|te, die; - (ugs. für: Vertrauen, Mut); keine - haben
Trau|ung; Trau|zeu|ge
Tra|ve|stie [...*wä*...], die; -, ...ien ([scherzhafte] „Umkleidung", Umgestaltung [eines Gedichtes])
Traw|ler [*trål^er*], der; -s, - (Fischdampfer)
Tre|ber (*Mehrz.;* Rückstände [beim Keltern und Bierbrauen])
Treck, der; -s, -s (Zug; Auszug, Auswanderung); **trecken** [*Trenn.:* trek|ken] (ziehen); **Trecker** [*Trenn.:* Trek|ker] ([Motor]zugmaschine, Traktor)
[1]**Treff,** das; -s, -s (Kleeblatt, Eichel [im Kartenspiel])
[2]**Treff,** der; -s, -s (ugs. für: Treffen, Zusammenkunft)

tref|fen; traf (träfe), getroffen; triff!
◇ zusammentreffen, begegnen, über den Weg/in die Arme laufen
Tref|fen, das; -s, -; **tref|fend; Tref|fer; treff|lich; Treff|punkt**
trei|ben; trieb, getrieben; zu Paaren -; **Trei|ber; Trei|be|rei; Treib|haus; Treib|stoff**
trei|deln (ein Wasserfahrzeug vom Ufer aus stromaufwärts ziehen); **Trei|del-pfad** (Leinpfad)
Trek|king, das; -s, -s (Wanderung od. Fahrt [durch unwegsames Gebiet])
Tre|ma, das; -s, -s u. -ta (Trennpunkte, Trennungszeichen [über einem von zwei getrennt auszusprechenden Selbstlauten, z. B. fr. naïf „naiv"])
tre|mo|lie|ren (mit Tremolo singen); **Tre|mo|lo,** das; -s, -s u. ...li (Musik: bei Instrumenten rasche Wiederholung eines Tons od. Intervalls)
Trench|coat [*träntschkoᵘt*], der; -[s], -s (Wettermantel)
Trend, der; -s, -s (Grundrichtung einer Entwicklung)
tren|nen; sich -; **Tren|nung**
trepp|ab; trepp|auf; -, treppab laufen
Trep|pe, die; -, -n; -n steigen
◇ Stiege (landsch.), Aufgang, Treppenaufgang
Trep|pen‿ab|satz, ...witz (der; -es)
Tre|sen, der; -s, - (nieder- u. mitteld. für: Laden-, Schanktisch)
Tre|sor [österr. auch: *tre*...], der; -s, -e (Panzerschrank; Stahlkammer)
Tres|se, die; -, -n (Borte)
Tre|ster (*Mehrz.;* Rückstände beim Keltern u. Bierbrauen)
tre|ten; trat (träte), getreten; tritt!; er tritt ihn (auch: ihm) auf den Fuß; beiseite -; **Tre|ter** (*Mehrz.;* ugs. für: Schuhe); **Tret-müh|le** (ugs.)
treu; zu -en Händen übergeben ([ohne Rechtssicherheit] anvertrauen, vertrauensvoll zur Aufbewahrung übergeben); - sein, bleiben
◇ getreu, beständig, ergeben, anhänglich
Treu|bruch, der; **treu|brü|chig; Treue,** die; -; auf Treu und Glauben; **Treue|prä|mie; treu|er|ge|ben; Treu|hän|der** (jmd., dem etwas „zu treuen Händen" übertragen wird); **treu|her-zig; treu|lich; treu|los; treu|sor-gend**
Tri|an|gel [österr.: *...ang...*], der; -s, - (Musik: Schlaggerät)
Tri|bu|nal, das; -s, -e ([hoher] Gerichtshof); **Tri|bü|ne,** die; -, -n ([Redner-, Zuhörer-, Zuschauer]bühne; auch: Zuhörer-, Zuschauerschaft); **Tri|but,** der; -[e]s, -e (Opfer, Beisteuerung; schuldige Verehrung, Hochachtung); **tri|but-pflich|tig**

Tri|chi|ne, die; -, -n (schmarotzender Fadenwurm)
Trich|ter, der; -s, -; **trich|ter|för|mig; trich|tern**
Trick, der; -s, -e u. -s (Kunstgriff; Kniff; Stich bei Kartenspielen); **Trick|film; trick|sen** (ugs. für: einen Gegner geschickt aus-, umspielen [vor allem beim Fußball])
Trieb, der; -[e]s, -e; **Trieb|fe|der; trieb-haft**
trie|fen; triefte (in gewählter Sprache: troff [tröffe]), getrieft (selten noch: getroffen)
trie|zen (ugs. für: quälen, plagen)
Trift, die; -, -en (Weide; Holzflößung; auch svw. Drift)
trif|tig ([zu]treffend); -er Grund
Tri|go|no|me|trie, die; - (Dreiecksmessung, -berechnung)
Tri|ko|lo|re, die; -, -n (dreifarbige [fr.] Fahne)
Tri|kot [*...ko*, auch: *triko*], das; -s, -s (enganliegendes gewirktes [auch gewebtes] Kleidungsstück) u. der (selten: das); -s, -s (maschinengestricktes Gewebe); **Tri|ko-ta|ge** [*...asche*, österr.: *...asch*], die; -, -n (Wirkware)
Tril|ler; tril|lern; Tril|ler|pfei|fe
Tri|lo|gie, die; -, ...ien (Folge von drei [zusammengehörenden] Dichtwerken, Kompositionen u. a.)
Trimm-dich-Pfad; trim|men (Hunden das Fell scheren; ugs. für: jmdn. od. etwas [mit besonderer Anstrengung] in einen gewünschten Zustand bringen); ein auf alt getrimmter Schrank; sich -; trimm dich durch Sport!
trin|ken; trank, getrunken
◇ schlürfen, nippen, in sich hineinschütten, hinuntergießen (ugs.), hinunterstürzen, saufen (derb)
Trin|ker; trink|fest; Trink|lied
Trio, das; -s, -s (Musikstück für drei Instrumente, auch: die drei Ausführenden; Dreizahl [von Menschen]); **Trio|le,** die; -, -n (Musik: Figur von 3 Noten an Stelle von 2 oder 4 gleichwertigen)
Trip, der; -s, -s (Ausflug, Reise; Rauschzustand durch Drogeneinwirkung, auch: die dafür benötigte Dosis)
trip|peln (mit kleinen, schnellen Schritten gehen)
Trip|per (eine Geschlechtskrankheit)
trist (traurig, öde, trostlos)
Tritt, der; -[e]s, -e; - halten; **Tritt‿brett, ...lei|ter** (die)
Tri|umph, der; -[e]s, -e (Siegesfreude, -jubel; großer Sieg, Erfolg); **tri|um|phal** (herrlich, sieghaft); **Tri|umph|bo|gen; tri|um|phie|ren** (als Sieger einziehen; jubeln)
tri|vi|al [*...wi...*] (platt, abgedroschen);

Tri|via|li|tät, die; -, -en (Plattheit); **Tri|vi|al|li|te|ra|tur**

trocken[1]**;** im Trock[e]nen (auf trockenem Boden) sein; auf dem trock[e]nen sein (ugs. für: festsitzen; nicht mehr weiterkommen, erledigt sein); auf dem trock[e]nen sitzen (ugs. für: nicht flott, in Verlegenheit sein); sein Schäfchen im trock[e]nen haben, ins trock[e]ne bringen (ugs. für: sich wirtschaftlich gesichert haben, sichern)

◇ pulvertrocken, rappeltrocken (landsch.), ausgedörrt, vertrocknet, verdorrt, dürr

Trocken|hau|be[1]**; Trocken|heit**[1]**; trocken|le|gen**[1] (mit frischen Windeln versehen); **Trocken**[1]**‿milch, ...ra|sie|rer** (ugs.); **trocken|ste|hen**[1] (keine Milch geben); die Kuh hat mehrere Wochen trockengestanden

trock|nen

◇ trocken werden, abtrocknen, austrocknen, die Feuchtigkeit verlieren

Trod|del, die; -, -n (Quaste)

Trö|del, der; -s (ugs.); **Trö|del|kram** (ugs.); **trö|deln** (ugs.); **Tröd|ler**

Trog, der; -[e]s, Tröge

Troi|ka [*treuka,* auch: *troika*], die; -, -s (russ. Dreigespann)

Troll, der; -[e]s, -e (Kobold, Dämon); **trol|len,** sich (ugs.)

Trom|mel, die; -, -n; **Trom|mel‿fell, ...feu|er; trom|meln; Trom|mel|wir|bel; Tromm|ler**

Trom|pe|te, die; -, -n; **trom|pe|ten;** er hat trompetet; **Trom|pe|ter**

Tro|pen (*Mehrz.;* heiße Zone zwischen den Wendekreisen); **Tro|pen‿helm, ...krank|heit**

Tropf, der; -[e]s, Tröpfe (ugs. für: armer Einfältiger; Dummkopf); **tröp|feln; trop|fen; Trop|fen,** der; -s, -; **Trop|fen|fän|ger; trop|fen|wei|se; tropf|naß; Tropf|stein|höh|le**

Tro|phäe, die; -, -n (Siegeszeichen; Jagdbeute [z. B. Geweih])

tro|pisch (zu den Tropen gehörend; südlich, heiß)

Troß, der; Trosses, Trosse (der die Truppe mit Verpflegung u. Munition versorgende Wagenpark; übertr. für: Gefolge, Haufen); **Tros|se,** die; -, -n (starkes Tau; Drahtseil); **Troß|knecht**

Trost, der; -es

◇ Tröstung, Zuspruch

trö|sten; sich -; **Trö|ster; tröst|lich; trost|los; Trost|lo|sig|keit,** die; -; **Trost|pfla|ster; trost|reich**

Trott, der; -[e]s, -e (ugs. für: langweiliger, routinemäßiger [Geschäfts]gang; eingewurzelte Gewohnheit)

Trot|tel, der; -s, - (ugs. für: einfältiger Mensch, Dummkopf); **trot|tel|haft; trot|te|lig**

trot|ten (ugs. für: langsam, lässig u. schwerfällig gehen); **Trot|toir** [*...toar*], das; -s, -e u. -s (landsch. für: Bürgersteig, Geh-, Fußweg)

trotz; *Verhältnisw.* mit *Wesf.:* - des Regens; - vieler Ermahnungen; auch bes. südd., schweiz. u. österr. mit *Wemf.:* - dem Regen; auch mit *Wemf.:* - nassem Asphalt; - Atomkraftwerken; ebenso in: - all[e]dem; auch ungebeugt: - Regen [und Kälte]; - Umbau; **Trotz,** der; -es; aus -; dir zum -; **trotz|dem** [auch: *trozdem*]; - ist es falsch; (auch schon:) - (älter: - daß) du nicht rechtzeitig eingegriffen hast; **trot|zen; trot|zig; Trotz|kopf; trotz|köp|fig; Trotz|re|ak|ti|on**

Trou|ba|dour [*trubadur,* auch: *...dur*], der; -s, -e u. -s (provenzal. Minnesänger des 12. bis 14. Jh.s)

trüb, trü|be; im trüben fischen

Tru|bel, der; -s

trü|ben; sich -; **Trüb|sal,** die; -, -e; **trüb|se|lig; Trüb|sinn,** der; -[e]s; **trüb|sin|nig**

Truch|seß, der; ...sesses u. (älter:) ...sessen, ...sesse (im Mittelalter für Küche u. Tafel zuständiger Hofbeamter)

tru|deln (Fliegerspr.: drehend niedergehen, abstürzen; auch landsch. für: würfeln)

Trüf|fel, die; -, -n (ugs. meist: der; -s, -; ein Pilz; kugelförmige Praline aus einer bestimmten Masse mit Schokolade); **trüf|feln** (mit Trüffeln zubereiten)

Trug, der; -[e]s; Lug und -

trü|gen; trog, getrogen

◇ trügerisch sein, sich als falsch erweisen

trü|ge|risch; Trug|schluß

Tru|he, die; -, -n

Trumm, das; -[e]s, Trümmer (mdal. für: Ende, Stück; Brocken, Fetzen); **Trüm|mer** (*Mehrz.;* [Bruch]stücke); **Trüm|mer‿feld, ...hau|fen**

Trumpf, der; -[e]s, Trümpfe (eine der [wahlweise] höchsten Karten bei Kartenspielen, mit denen Karten anderer Farbe gestochen werden können); **Trumpf|kar|te**

Trunk, der; -[e]s, (selten:) Trünke; **trun|ken;** er ist vor Freude -; **Trunk|sucht,** die; -

Trupp, der; -s, -s; **Trup|pe,** die; -, -n; **Trup|pen|pa|ra|de**

Trust [*traßt*], der; -[e]s, -e u. -s (Konzern)

Trut‿hahn, ...hen|ne, ...huhn

Tscha|ko, der; -s, -s (Kopfbedeckung [der Polizisten])

tschil|pen (vom Sperling: laute Pieptöne hervorbringen)

tschüs! [auch: *tschüß*] (ugs. für: auf Wiedersehen!)

---

[1] *Trenn.:* ...k|k...

Tse|tse|flie|ge (Überträger der Schlafkrankheit u.a.)
T-Trä|ger, der; -s, -
Tu|ba, die; -, ...ben (Blechblasinstrument; Med.: Eileiter, Ohrtrompete); **Tu|be,** die; -, -n (röhrenförmiger Behälter [für Farben u.a.]; Med. auch für: Tuba)
tu|ber|ku|lös (schwindsüchtig); **Tu|ber|ku|lo|se,** die; -, -n (Schwindsucht; Abk.: Tb, Tbc); **tu|ber|ku|lo|se|krank** (Abk.: Tbc-krank od. Tb-krank)
Tuch, das; -[e]s, Tücher u. (Tucharten:) -e; **Tuch‿bahn, ...fa|brik, ...füh|lung** (die; -; leichte Berührung zwischen zwei Personen), **...han|del**
tüch|tig; Tüch|tig|keit, die; -
Tücke [*Trenn.:* Tük|ke], die; -, -n
tuckern [*Trenn.:* tuk|kern] (vom Motor)
tückisch [*Trenn.:* tük|kisch]; eine -e Krankheit
Tue|rei (ugs. für: Sichzieren)
Tuff, der; -s, -e (ein Gestein)
Tüf|tel|lei (ugs.); **tüf|teln** (ugs. für: mühsam und lange an etwas arbeiten, über etwas nachdenken)
Tu|gend, die; -, -en; **Tu|gend|bold,** der; -[e]s, -e (spött. für: tugendhafter Mensch); **tu|gend|haft**
Tu|kan [auch: ...*an*], der; -s, -e (Pfefferfresser [mittel- u. südamerik. spechtartiger Vogel])
Tüll, der; -s, (Tüllarten:) -e (netzartiges Gewebe)
Tül|le, die; -, -n (landsch. für: [Ausguß]röhrchen; kurzes Rohrstück zum Einstecken)
Tul|pe, die; -, -n (frühblühendes Zwiebelgewächs)
tumb (scherzh. altertümelnd für: einfältig)
tum|meln (bewegen); sich - ([sich be]eilen; auch: herumtollen); **Tum|mel|platz; Tümm|ler** (Delphin; Taube)
Tu|mor, der; -s, ...oren (Med.: Geschwulst)
Tüm|pel, der; -s, -
Tu|mult, der; -[e]s, -e (Lärm; Unruhe; Auflauf; Aufruhr); **tu|mul|tua|risch** (lärmend, unruhig, erregt)
tun; tat (täte), getan; **Tun,** das; -s; das - und Lassen; das - und Treiben
Tün|che, die; -, -n; **tün|chen**
Tun|dra, die; -, ...dren (baumlose Kältesteppe jenseits der arktischen Waldgrenze)
Tu|nell, das; -s, -e (landsch., vor allem südd. u. österr. svw. Tunnel)
Tu|ner [*tjun^er*], der; -s, - (Rundfunk, Fernsehen: Kanalwähler)
Tu|nicht|gut, der; - u. -[e]s, -e
Tu|ni|ka, die; -, ...ken (altröm. Untergewand)
Tun|ke, die; -, -n; **tun|ken**
tun|lich; tunlichst bald
Tun|nel, der; -s, - u. -s
Tun|te, die; -, -n (ugs. abschätzig für: langweilige, dumme Person, bes. Frau; Homosexueller); **tun|tig**
Tüp|fel|chen; das - auf dem i; **tüp|feln; tup|fen; Tup|fen,** der; -s, - (Punkt; [kreisrunder] Fleck); **Tup|fer**
Tür, die; -, -en; von - zu -
◇ Eingang, Pforte, Portal
Tür|an|gel
Tur|ban, der; -s, -e ([mohammedan.] Kopfbedeckung)
Tur|bi|ne, die; -, -n (Kraftmaschine); **tur|bu|lent** (stürmisch, ungestüm); **Tur|bu|lenz,** die; -, -en (ungestümes Wesen; Auftreten von Wirbeln in einem Luft-, Gas- od. Flüssigkeitsstrom)
Tür‿drücker [*Trenn.:* ...drük|ker], **...fül|lung, ...griff, ...hü|ter**
Tür|ke, der; -n, -n; einen -n bauen (ugs. für: etwas vortäuschen, vorspiegeln); **tür|kis** (türkisfarben); das Kleid ist -; [1]**Tür|kis,** der; -es, -e (ein Edelstein); [2]**Tür|kis,** das; - (türkisfarbener Ton); **tür|kis|far|ben**
Tür|klin|ke
Turm, der; -[e]s, Türme
Tur|ma|lin, der; -s, -e (ein Edelstein)
Turm|bau (*Mehrz.* ...bauten); [1]**tür|men** (aufeinanderhäufen)
[2]**tür|men** (ugs. für: weglaufen, ausreißen)
Tür|mer; Turm‿fal|ke, ...sprin|gen (das; -s; Sportspr.), **...uhr**
tur|nen; Tur|nen, das; -s; **Tur|ner; tur|ne|risch; Tur|ner|schaft; Turn|hal|le**
Tur|nier, das; -s, -e (früher ritterliches, jetzt sportliches Kampfspiel; Wettkampf)
Turn|schuh
Tur|nus, der; -, -se (Reihenfolge; Wechsel; Umlauf; österr. auch für: Arbeitsschicht); im -
Turn|zeug
Tür|spalt
tur|teln (girren); **Tur|tel|tau|be**
Tusch, der; -es, -e (Musikbegleitung bei einem Hoch); einen - blasen
Tu|sche, die; -, -n (Zeichentinte)
tu|scheln (heimlich [zu]flüstern)
tu|schen (mit Tusche zeichnen); **Tusch‿far|be, ...ka|sten**
Tü|te, die; -, -n
tu|ten; von Tuten und Blasen keine Ahnung haben (ugs.)
Tu|tor, der; -s, ...oren (jmd., der Studienanfänger betreut)
Tüt|tel|chen (ugs. für: ein Geringstes); kein - preisgeben
Tut|ti|fru|ti, das; -[s], -[s] (Gericht aus allen Früchten; veraltend für: Allerlei)
TÜV [*tüf*], der; - (= Technischer Überwachungs-Verein)
Tu|wort (*Mehrz.* ...wörter; für: Verb)

Tweed [*twid*], der; -s, -s u. -e (ein Gewebe)
Twen, der; -[s], -s (junger Mann, auch Mädchen um die Zwanzig)
Twill, der; -s, -s u. -e (Baumwollgewebe [Futterstoff]; Seidengewebe)
Twin|set, der od. das; -[s], -s (Pullover u. Jacke von gleicher Farbe u. aus gleichem Material)
[1]**Twist,** der; -es, -e (mehrfädiges Baumwoll[stopf]garn); [2]**Twist,** der; -s, -s (ein Tanz); **twi|sten** (Twist tanzen)
Two|step [*tußtäp*], der; -s, -s (ein Tanz)
[1]**Typ,** der; -s, -en (Philosoph.: nur *Einz.:* Urbild, Beispiel; Psychol.: bestimmte psych. Ausprägung; Technik: Gattung, Bauart, Muster, Modell); [2]**Typ,** der; -s (auch: -en), -en (ugs. für: Mensch, Person); **Ty|pe,** die; -, -n (gegossener Druckbuchstabe, Letter; ugs. für: komische Figur; seltener, aber bes. österr. svw. Typ [Technik])
Ty|phus, der; - (eine Infektionskrankheit)
ty|pisch (gattungsmäßig; kenn-, bezeichnend; ausgeprägt; eigentümlich, üblich); **Ty|po|gra|phie**[1], die; -, ...ien (Buchdruckerkunst); **Ty|pus,** der; -, Typen (svw. Typ [Philos., Psychol.])
Ty|rann, der; -en, -en (Gewaltherrscher, Zwingherr, Unterdrücker; herrschsüchtiger Mensch); **Ty|ran|nei,** die; - (Gewaltherrschaft; Willkür[herrschaft]; **ty|rannisch** (gewaltsam, willkürlich); **ty|ranni|sie|ren** (gewaltsam, willkürlich behandeln; [freiheitliche Regungen] unterdrücken)

U

U (Buchstabe); das U; des U, die U
U-Bahn, die; -, -en (kurz für: Untergrundbahn)
übel; üble Nachrede; übler Ruf; übel sein, werden, riechen; es wäre das übelste (am übelsten), wenn ..., aber: er hat nichts, viel Übles getan; **Übel,** das; -s, -; das ist von (geh.: vom) -; **Übel|keit; übel|lau|nig**
übel|neh|men
◇ verübeln, nachtragen, krummnehmen (ugs.), verdenken
übel|rie|chend; Übel|tä|ter
üben; ein Klavierstück -; sich -
über; *Verhältnisw.* mit *Wemf.* u. *Wenf.:* das Bild hängt - dem Sofa; das Bild - das Sofa hängen; - Gebühr; *Umstandsw.:* - und - (sehr; völlig); die ganze Zeit -
über|all
◇ allenthalben, da und dort, allerorts, allerorten, weit und breit, landauf, landab
über|all|her [auch: *...alher, ...alher*]; **über|all|hin** [auch: *...alhin, ...alhin*]
über|al|tert
Über|an|ge|bot
über|ängst|lich
über|an|stren|gen; sich -; ich habe mich überanstrengt
über|ant|wor|ten (übergeben, überlassen); die Gelder wurden ihm überantwortet
über|ar|bei|ten; sich -; du hast dich völlig überarbeitet; er hat den Aufsatz überarbeitet (nochmals durchgearbeitet)
über|aus [auch: *...auß, übᵉrauß*]
über|backen [*Trenn.:* ...bak|ken] (Kochk.); das Gemüse wird überbacken
[1]**Über|bau,** der; -[e]s, -e u. -ten (vorragender Bau, Schutzdach; Rechtsspr.: Bau über die Grundstücksgrenze hinaus); [2]**Über|bau,** der; -[e]s, (selten:) -e (Marxismus: auf den wirtschaftl., sozialen u. geistigen Grundlagen einer Epoche basierende Anschauungen der Gesellschaft u. die entsprechenden Institutionen); **über|bau|en;** er hat den Hof überbaut
über|be|an|spru|chen; er ist überbeansprucht
Über|bein (Geschwulst an einem [Hand]gelenk)
über|be|lich|ten (Fotogr.)
Über|be|schäf|ti|gung
Über|be|völ|ke|rung
über|be|wer|ten
Über|be|zah|lung
über|bie|ten; sich -; der Rekord wurde überboten
Über|bleib|sel, das; -s, - (Rest)
Über|blick, der; -[e]s, -e; **über|blicken**[1]; er hat die Vorgänge nicht überblickt
über|brin|gen; er hat die Nachricht überbracht; **Über|brin|ger**
über|brücken[1] (meist bildl.); er hat den Gegensatz überbrückt; **Über|brückung**[1]
über|da|chen; der Bahnsteig wurde überdacht; **Über|da|chung**
über|dau|ern; die Altertümer haben Jahrhunderte überdauert
über|deh|nen ([bis zum Zerreißen] stark auseinanderziehen); das Gummiband ist überdehnt
über|den|ken; er hat es lange überdacht
◇ erwägen, in Erwägung ziehen, überlegen
über|deut|lich

[1] Auch eindeutschend: Typografie.

[1] *Trenn.:* ...k|k...

über|dies
über|di|men|sio|nal
über|do|sie|ren; Über|do|sis; eine - Schlaftabletten
über|dre|hen; die Uhr ist überdreht
Über|druck, der; -[e]s, (auf Geweben, Papier, Briefmarken u. a.:) ...drucke u. (Technik:) ...drücke (zu starker Druck; nochmaliges Druckverfahren)
Über|druß, der; ...drusses; **über|drüs|sig;** des Lebens, des Liebhabers - sein; seiner - sein; gelegentlich auch mit *Wenf.* statt mit *Wesf.:* ich bin des Lebens od. (seltener:) das Leben -; ich bin seiner od. (seltener:) ihn -
über|durch|schnitt|lich
über|eck; - stellen
Über|ei|fer; über|eif|rig
über|eig|nen (zu eigen geben); das Haus wird ihm übereignet
über|ei|len; sich -; du hast dich übereilt; **über|eilt** (verfrüht); ein übereilter Schritt
über|ein|an|der; übereinander (über sich gegenseitig) reden; **über|ein|an|der|schla|gen;** die Beine -
über|ein|kom|men; kam überein, übereingekommen
◇ sich einigen, sich absprechen, sich arrangieren, vereinbaren, ausmachen, abmachen
Über|ein|kunft, die; -, ...künfte
über|ein|stim|men
über|emp|find|lich; Über|emp|find|lich|keit
über|fah|ren; das Kind ist - worden; er hätte mich mit seinem Gerede bald - (ugs. für: überrumpelt); **Über|fahrt**
Über|fall, der; **über|fal|len** (nach der anderen Seite fallen); **über|fal|len;** man hat ihn -; **über|fäl|lig** (von Schiffen u. Flugzeugen: zur erwarteten Zeit noch nicht eingetroffen); ein -er (verfallener) Wechsel
über|flie|gen; das Flugzeug hat die Alpen überflogen; ich habe das Buch überflogen
über|flie|ßen; das Wasser ist übergeflossen; er ist von Dankesbezeigungen übergeflossen
◇ überlaufen, überströmen, überquellen, überschwappen (ugs.), sich über den Rand ergießen
über|flü|geln; er hat seinen Lehrmeister überflügelt
◇ übertreffen, übertrumpfen, schlagen, ausstechen, in den Schatten stellen
Über|fluß, der; ...flusses; **über|flüs|sig**
über|flu|ten; der Strom hat die Dämme überflutet
über|for|dern (mehr fordern, als man leisten kann); er hat mich überfordert; **Über|for|de|rung**
über|fra|gen (Fragen stellen, auf die man nicht antworten kann); **über|fragt;** ich bin -
über|frem|den; ein Land ist überfremdet; **Über|frem|dung** (Eindringen fremden Volkstums; Eindringen unerwünschter fremder Geldgeber oder Konkurrenten in ein Unternehmen usw.)
über|füh|ren, über|füh|ren (an einen anderen Ort führen); die Leiche wurde nach ... übergeführt od. überführt; **über|füh|ren** (einer Schuld); der Mörder wurde überführt; **Über|füh|rung;** - der Leiche; - einer Straße; - eines Verbrechers
Über|fül|le; über|fül|len; der Raum ist überfüllt
Über|funk|ti|on; - der Schilddrüse
über|füt|tern; eine überfütterte Katze; **Über|füt|te|rung**
Über|ga|be
Über|gang, der (auch: Brücke; Besitzwechsel); **Über|gangs‿lö|sung, ...man|tel**
Über|gar|di|ne (meist *Mehrz.*)
über|ge|ben; er hat die Festung -; ich habe mich - (erbrochen)
◇ erbrechen, brechen (ugs.), spucken (landsch.), kotzen (derb)
über|ge|hen (hinübergehen); er ist zum Feind übergegangen; das Grundstück ist in andere Hände übergegangen; die Augen sind ihm übergegangen (ugs. für: er war überwältigt; geh. für: er hat geweint); **über|ge|hen** (unbeachtet lassen)
über|ge|ord|net
Über|ge|wicht, das; -[e]s
über|glück|lich
über|grei|fen; das Feuer, die Seuche hat übergegriffen; **Über|griff**
über|groß; Über|grö|ße
über|ha|ben (ugs. für: satt haben; überdrüssig sein); er hat die ständigen Wiederholungen übergehabt
über|hand|neh|men; nahm überhand, hat überhandgenommen
◇ sich häufen, um sich greifen, grassieren, sich ausweiten, ins Kraut schießen
Über|hang; - der Felsen; (übertr. auch:) - der Waren; [1]**über|hän|gen;** die Felsen hingen über; [2]**über|hän|gen;** er hat den Mantel übergehängt
über|häu|fen; er war mit Arbeit überhäuft; der Tisch ist mit Papieren überhäuft; **Über|häu|fung**
über|haupt
über|he|ben; sich -; wir sind der Sorge um ihn überhoben; ich werde mich nicht -, das zu behaupten
über|heb|lich
◇ arrogant, hochmütig, dünkelhaft, hochnäsig, herablassend
über|hei|zen (zu stark heizen); das Zimmer ist überheizt

über|ho|len (hinter sich bringen, lassen; übertreffen; Technik, auch allg. für: nachsehen, ausbessern, wiederherstellen); er hat ihn überholt; diese Anschauung ist überholt; die Maschine ist überholt worden; **Über|hol|ver|bot**
über|hö|ren; das möchte ich überhört haben!
über|ir|disch
über|kan|di|delt (ugs. für: überspannt)
über|kle|ben; überklebte Plakate
über|ko|chen; die Milch ist übergekocht
über|kom|men; eine überkommene Verpflichtung
über Kreuz; über|kreu|zen; sich -
über|la|den; das Schiff war -
über|la|gern; überlagert; sich -
über|lang; Über|län|ge
über|lap|pen; überlappt
über|las|sen (abtreten; anheimstellen; auch für: gestatten); er hat mir das Haus -
über|la|stet; Über|la|stung
Über|lauf (Ablauf für überschüssiges Wasser in Badewannen u. a.); **über|laufen;** die Galle ist ihm übergelaufen; **über|lau|fen;** es hat mich kalt -; **Über|läu|fer** (Soldat, der zum Gegner überläuft)
über|laut
über|le|ben; er hat seine Frau überlebt; diese Vorstellungen sind überlebt
◇ überdauern, überstehen, mit dem Leben davonkommen
über|le|bens|groß
über|le|gen (ugs. für: übers Knie legen, verprügeln); der Junge wurde übergelegt; [1]**über|le|gen** (bedenken); er hat lange überlegt; ich habe mir das überlegt; [2]**über|le|gen;** er ist mir -; mit -er Miene; **über|legt** (auch für: sorgsam); **Über|legung;** mit wenig -
über|lei|ten; diese Sätze leiten schon in das nächste Kapitel über
über|lie|fern; diese Gebräuche wurden uns überliefert
◇ tradieren, weitergeben, weiterführen, vererben
Über|lie|fe|rung; schriftliche -
über|li|sten; der Feind wurde überlistet; **Über|li|stung**
überm (ugs. für: über dem); - Haus[e]
Über|macht, die; -; **über|mäch|tig**
über|man|nen; der Feind wurde übermannt; die Rührung hat ihn übermannt
Über|maß, das; -es; im -; **über|mä|ßig**
über|mit|teln (mit-, zuteilen); er hat diese freudige Nachricht übermittelt; **Über|mitt|lung**
über|mor|gen; - abend
über|mü|det; Über|mü|dung
Über|mut; über|mü|tig
über|nach|ten (über Nacht bleiben); er hat bei uns übernachtet
◇ nächtigen, schlafen, logieren, kampieren (ugs.), absteigen
über|näch|tig, (österr. nur so, sonst häufiger:) **über|näch|tigt**
Über|nah|me, die; -, -n
über|na|tür|lich
über|neh|men; er hat das Gewehr übergenommen; **über|neh|men;** er hat den Hof übernommen; ich habe mich übernommen
über|ord|nen; er ist ihm übergeordnet
über|par|tei|lich
über|prü|fen; sein Verhalten wurde überprüft
über|quel|len (überfließen); der Eimer quoll über; überquellende Freude, Dankbarkeit
über|que|ren; er hat den Platz überquert; **Über|que|rung**
über|ra|gen; er hat alle überragt
über|ra|schen
◇ verblüffen, in Erstaunen setzen, frappieren, sprachlos machen
über|ra|schend; Über|ra|schung
über|re|den; er hat mich überredet
◇ bereden, beschwatzen (ugs.), erweichen, überzeugen, herumkriegen (ugs.)
über|re|gio|nal
über|rei|chen
über|reif; Über|rei|fe
über|rei|zen; seine Augen sind überreizt; **Über|reizt|heit,** die; -
über|ren|nen
Über|rest
über|rol|len
über|rum|peln; der Feind wurde überrumpelt
über|run|den (im Sport); er wurde überrundet
über|sä|en (besäen); übersät (dicht bedeckt); der Himmel ist mit Sternen übersät
über|schat|ten
über|schät|zen
◇ falsch einschätzen, überbewerten, eine zu hohe Meinung von etwas haben
über|schau|bar; Über|schau|bar|keit, die; -; **über|schau|en**
über|schäu|men; der Sekt war übergeschäumt; überschäumende Lebenslust
über|schla|fen; das muß ich erst -
Über|schlag, der; -[e]s, ...schläge; **über|schla|gen;** die Stimme ist übergeschlagen; [1]**über|schla|gen;** ich habe die Kosten -; er hat sich -; [2]**über|schla|gen;** das Wasser ist überschlagen (lauwarm)
über|schnap|pen; die Stimme ist übergeschnappt; du bist wohl übergeschnappt (ugs. für: du hast wohl den Verstand verloren)
über|schnei|den; sich -; ihre Arbeitsgebiete haben sich überschnitten; **Über|schnei|dung**

über|schrei|ben; wie ist das Gedicht überschrieben?; die Forderung ist überschrieben (überwiesen)
über|schrei|en; er hat ihn überschrie[e]n
über|schrei|ten; die Grenze -; das Überschreiten der G[e]leise ist verboten
Über|schrift
◇ Titel, Schlagzeile, Headline
Über|schuh
Über|schuß; über|schüs|sig
über|schüt|ten; er hat mich mit Vorwürfen überschüttet
Über|schwang, der; -[e]s; im - der Gefühle
über|schwap|pen (ugs. für: sich über den [Teller]rand ergießen); die Suppe ist übergeschwappt
über|schwem|men; die Uferstraße ist überschwemmt; **Über|schwem|mung**
über|schweng|lich
Über|see (die jenseits des Ozeans liegenden Länder; ohne Geschlechtsw.); nach - gehen; Waren von -; Briefe für -
über|se|hen; einen Fehler -; das Tal -
◇ nicht beachten, ignorieren, hinwegsehen über, hinweggehen über, die Augen verschließen vor
über|sen|den; übersandte (auch: übersendete), übersandt (auch: übersendet); der Brief wurde ihm übersandt
über|set|zen; ich habe den Wanderer übergesetzt; **über|set|zen** (in eine andere Sprache übertragen); **Über|set|zer; Über|set|zung** ([schriftliche] Übertragung; Kraft-, Bewegungsübertragung)
Über|sicht, die; -, -en; **über|sicht|lich** (leicht zu überschauen)
über|sie|deln, (auch:) über|sie|deln (den Wohnort wechseln); ich sied[e]le über (auch: ich übersied[e]le); ich bin übergesiedelt (auch: übersiedelt)
◇ seinen Wohnsitz verlegen, [um]ziehen nach
über|sinn|lich
Über|soll
über|span|nen; den Bogen -; **überspannt** (übertrieben); -e Anforderungen; -es (halbverrücktes) Wesen
über|spie|len (über etw. schnell hinweggehen; besser spielen als ein anderer; auf einen Tonträger übertragen)
über|spit|zen (übertreiben); er soll die Sache nicht -; **über|spitzt** (übermäßig)
über|sprin|gen; der Funke ist übergesprungen; **über|sprin|gen;** ich habe eine Klasse übersprungen
über|ste|hen; die Gefahr ist überstanden
◇ durchstehen, überleben, durchkommen, überwinden
über|stei|gen; er hat den Berg überstiegen; das übersteigt meinen Verstand
über|stei|gern (überhöhen); die Preise sind übersteigert
über|stel|len (Amtsspr.: [weisungsgemäß] einer anderen Stelle übergeben)
über|steu|ern (Funk- u. Radiotechnik: einen Verstärker überlasten, so daß der Ton verzerrt wird; Kraftfahrzeugw.: zu starke Wirkung des Lenkradeinschlags zeigen); **Über|steue|rung**
über|stim|men; er wurde überstimmt; **Über|stim|mung**
über|strö|men; er ist von Dankesworten übergeströmt
über|stül|pen
Über|stun|de; -n machen
über|stür|zen; er hat die Angelegenheit überstürzt; die Ereignisse überstürzten sich
◇ übereilen, überhasten, übers Knie brechen, unüberlegt handeln
über|töl|peln (ugs.); er wurde übertölpelt
über|tö|nen
Über|trag, der; -[e]s, ...träge (Übertragung auf die nächste Seite); **über|trag|bar;** [1]**über|tra|gen** (auftragen; anordnen; übergeben; im Rundfunk wiedergeben); ich habe ihm das Amt -; sich - (übergehen) auf ...; [2]**über|tra|gen;** -e Bedeutung
über|tref|fen
über|trei|ben; er hat die Sache übertrieben
◇ aufbauschen, übers Ziel hinausschießen, Aufhebens machen von, dramatisieren, hochspielen, dick auftragen (ugs.), aus einer Mücke einen Elefanten machen
Über|trei|bung
über|tre|ten (von einer Gemeinschaft in eine andere; Sport: über die Absprunglinie u. ä. treten); er ist zur evangelischen Kirche übergetreten; er hat, ist beim Weitsprung übergetreten; **über|tre|ten;** ich habe das Gesetz -; ich habe mir den Fuß -; **Über|tre|tung; Über|tre|tungs|fall;** im -[e]; **Über|tritt**
über|trump|fen (überbieten, ausstechen)
über|tün|chen; die Wand -
über|völ|kert; diese Provinz ist -; **Über|völ|ke|rung**
über|voll
über|vor|tei|len; jmdn. -
über|wa|chen (beaufsichtigen); er wurde überwacht
über|wach|sen; mit, von Moos -
über|wäl|ti|gen (bezwingen); der Gegner wurde überwältigt; **über|wäl|ti|gend** (ungeheuer groß)
Über|weg
über|wei|sen (übergeben; [Geld] anweisen); **Über|wei|sung** (Übergabe; [Geld]anweisung)
über|wer|fen; er hat den Mantel übergeworfen; **über|wer|fen;** wir haben uns überworfen (verfeindet)
über|wie|gen ([an Zahl od. Einfluß] stär-

ker sein); die Mittelmäßigen haben überwogen
über|wie|gend [auch: *üb...*]
◇ in der Mehrzahl, größtenteils, weitgehend, zum größten Teil, meistens
über|win|den (bezwingen); Schwierigkeiten -; sich -
über|win|tern; das Getreide hat gut überwintert
über|wu|chern; das Unkraut hat den Weg überwuchert
Über|wurf (Umhang; Sport: Hebegriff)
Über|zahl; über|zäh|lig
über|zeu|gen; er hat ihn überzeugt; sich -
über|zeu|gend
◇ stichhaltig, schlagend, zwingend, einleuchtend, triftig
Über|zeu|gung; Über|zeu|gungs|kraft, die; -
über|zie|hen; er hat den Mantel übergezogen; **über|zie|hen;** mit Rost überzogen; er hat seinen Kredit überzogen; **Über|zie|her; Über|zie|hungs|kre|dit; Über|zug**
üb|lich; seine Rede enthielt nur das Übliche; es ist das übliche (üblich), daß ...
◇ gebräuchlich, normal, gang und gäbe, im Schwange
U-Boot (Unterseeboot)
üb|rig; ein übriges tun (mehr tun, als nötig ist); im übrigen (sonst, ferner); das, alles übrige (andere); übrig haben, sein; **üb|rig|blei|ben;** es ist wenig übriggeblieben; **üb|ri|gens; üb|rig|las|sen;** er hat nichts übriggelassen
Übung
Ufer, das; -s, -; **Ufer|bö|schung; ufer|los;** seine Pläne gingen ins uferlose (allzu weit)
Uhr, die; -, -en; es ist zwei - nachts; es schlägt 12 [Uhr]; **Uhr|ma|cher; Uhr|zei|ger; Uhr|zei|ger|sinn,** der; -[e]s (Richtung des Uhrzeigers); (häufig in:) im -; **Uhr|zeit**
Uhu, der; -s, -s (ein Vogel)
Ukas, der; -ses, -se (früher für: Erlaß des Zaren; allg. für: Verordnung, Vorschrift, Befehl)
UKW = Ultrakurzwelle
Ulk, der; -s (seltener: -es), -e (Spaß; Unfug); **ul|ken; ul|kig**
Ul|me, die; -, -n (ein Laubbaum)
ul|ti|ma|tiv (in Form eines Ultimatums; nachdrücklich); **Ul|ti|ma|tum,** das; -s, ...ten u. -s (letzte, äußerste Aufforderung); **ul|ti|mo** (am Letzten [des Monats]); - März; **Ul|ti|mo,** der; -s, -s (Letzter [des Monats])
Ul|tra, der; -s, -s (abwertend für: polit. Fanatiker, Rechtsextremist); **ul|tra|kurz; Ul|tra|kurz|wel|le** (elektromagnetische Welle unter 10 m Länge; Abk.: UKW)
ul|tra|ma|rin (kornblumenblau); **Ul|tra|ma|rin,** das; -s
ul|tra|rot (svw. infrarot)
Ul|tra|schall, der; -[e]s (mit dem menschlichen Gehör nicht mehr wahrnehmbarer Schall)
ul|tra|vio|lett [*...wi...*] ([im Sonnenspektrum] über dem violetten Licht); -e Strahlen
um; *Verhältniswort* mit *Wenf.:* einen Tag um den anderen; um ... willen (mit *Wesf.*): um jemandes willen; *Umstandswort:* es waren um [die] (= etwa) zwanzig Mädchen; *Bindew.:* um zu (mit Grundform); er kommt, um uns zu helfen
um|än|dern; Um|än|de|rung
um|ar|bei|ten; der Anzug wurde umgearbeitet; **Um|ar|bei|tung**
um|ar|men; sich -; **Um|ar|mung**
Um|bau, der; -[e]s, -e u. -ten; **um|bau|en** (anders bauen); das Theater wurde völlig umgebaut
um|be|nen|nen
um|bet|ten; einen Kranken, einen Toten -; **Um|bet|tung**
um|bie|gen; er hat den Draht umgebogen
um|bil|den; das Ministerium wurde umgebildet; **Um|bil|dung**
um|bin|den; sie hat ein Tuch umgebunden
um|blät|tern
um|blicken [*Trenn.:* ...blik|ken], sich; ich habe mich umgeblickt
um|bre|chen (Druckw.: den Drucksatz in Seiten einteilen); er umbricht den Satz; der Satz wird umbrochen, ist noch zu -
um|brin|gen; sich -
Um|bruch, der; -[e]s, ...brüche (Druckw.; allg. für: [grundlegende] Änderung)
um|den|ken (von anderen Denkvoraussetzungen ausgehen)
um|dis|po|nie|ren (seine Pläne ändern)
um|drän|gen; er wurde von allen Seiten umdrängt
um|dre|hen; sich -; jeden Pfennig -; den Spieß - (ugs. für: seinerseits zum Angriff übergehen); ich habe mich umgedreht; **Um|dre|hung**
um|ein|an|der; sich - (gegenseitig um sich) kümmern
um|fah|ren (fahrend umwerfen; fahrend einen Umweg machen); **um|fah|ren** (um etwas herumfahren)
um|fal|len; er ist tot umgefallen; bei der Abstimmung ist er doch noch umgefallen; ich bin zum Umfallen müde (ugs.)
◇ umstürzen, umschlagen, umkippen, umfliegen (ugs.)
Um|fang; um|fan|gen; jmdn. - halten
um|fang|reich
◇ umfassend, umfänglich, enzyklopädisch, dick (ugs.)

um|fas|sen (umschließen, in sich begreifen); jmdn. -; hierin ist alles umfaßt; **umfas|send**
um|flie|gen (fliegend einen Umweg machen; ugs. für: hinfallen); das Flugzeug war eine weite Strecke umgeflogen; **umflie|gen;** er hat die Stadt umflogen
um|flort (geh.); mit -em (von Tränen getrübtem) Blick
um|for|men; er hat den Satz umgeformt
Um|fra|ge; - halten
◇ Befragung, Meinungsumfrage, Rundfrage, demoskopische Erhebung
um|fra|gen
um|fül|len; er hat den Wein umgefüllt; **Um|fül|lung**
um|funk|tio|nie|ren (die Funktion von etwas ändern; zweckentfremdet einsetzen); der Vortrag wurde zu einer Protestversammlung umfunktioniert; **Umfunk|tio|nie|rung**
Um|gang, der; -[e]s; **um|gäng|lich; Um|gangs‿form** (meist *Mehrz.*), **...spra|che**
um|gar|nen; sie hat ihn umgarnt
um|ge|ben; von Kindern -; **Um|gebung**
um|ge|hen; er ist umgegangen (hat einen Umweg gemacht); ich bin mit ihm umgegangen (habe mit ihm verkehrt); es geht dort um (es spukt); **um|ge|hen;** er hat das Gesetz umgangen; **um|ge|hend;** mit -er (nächster) Post
um|ge|kehrt; es verhält sich -, als du denkst
um|ge|stal|ten; die Parkanlagen -
◇ neugestalten, ändern, eine andere Form/ Gestalt geben, verändern, ummodeln, umkrempeln (ugs.)
um|gra|ben; er hat das Beet umgegraben
um|grup|pie|ren; Um|grup|pie|rung
um|gucken [*Trenn.:* ...guk|ken], sich (ugs.)
um|gür|ten; sich -; mit dem Schwert umgürtet
um|hal|sen; sie hat ihn umhalst
Um|hang; um|hän|gen; ich habe mir das Tuch umgehängt; ich habe die Bilder umgehängt (anders gehängt)
um|hau|en (abschlagen, fällen usw.); er hieb (ugs. auch: haute) den Baum um; das hat mich umgehauen (ugs. für: das hat mich in großes Erstaunen versetzt)
um|her (im Umkreis); (bald hierhin, bald dorthin ...), z. B. **um|her‿blicken** [*Trenn.:* ...blik|ken], **...fah|ren, ...gehen**
um|hö|ren, sich; ich habe mich danach umgehört
um|hül|len; Um|hül|lung
um|ju|beln
um|kämp|fen; die Festung war hart umkämpft
Um|kehr, die; -
um|keh|ren; sich -; er ist umgekehrt; er hat die Tasche umgekehrt; umgekehrt! (im Gegenteil)
◇ kehrtmachen, sich auf dem Absatz umdrehen
um|kip|pen; mit dem Stuhl -; bei den Verhandlungen - (ugs. für: seinen Standpunkt ändern)
um|klam|mern; er hielt ihre Hände umklammert
um|klei|den, sich; ich habe mich umgekleidet (anders gekleidet); **um|klei|den** (umgeben, umhüllen); umkleidet mit, von ...
um|knicken [*Trenn.:* ...knik|ken]; er ist [mit dem Fuß] umgeknickt
um|kom|men; er ist bei einem Schiffbruch umgekommen; die Hitze ist zum Umkommen (ugs.)
◇ zu Tode kommen, den Tod finden, ums Leben kommen, sein Leben verlieren
Um|kreis, der; -es; **um|krei|sen;** der Raubvogel hat seine Beute umkreist
um|krem|peln (auch übertr. für: verändern)
Um|la|ge (Steuer; Beitrag); **um|la|gern** (eng umgeben); umlagert von ...
Um|land, das; -[e]s (ländliches Gebiet um eine Großstadt)
Um|lauf; in - geben, sein (von Zahlungsmitteln); **Um|lauf|bahn; um|lau|fen** (laufend umwerfen; weitergegeben werden)
Um|laut (Sprachw.: Veränderung, Aufhellung eines Selbstlautes unter Einfluß eines i oder j der Folgesilbe, z. B. althochdeutsch „turi" wird zu neuhochdeutsch „Tür"; Umlaute sind ä, ö, ü)
um|le|gen (derb auch für: erlegen, töten)
um|lei|ten (Verkehr auf andere Straßen führen); **Um|lei|tung**
um|ler|nen; er hat umgelernt
um|lie|gend; -e Ortschaften
um|mel|den; ich habe mich polizeilich umgemeldet; **Um|mel|dung**
um|mo|deln
um|nach|tet (geisteskrank); **Um|nachtung**
um|ne|beln; umnebelt sein
um|pflü|gen (ein Feld mit dem Pflug aufreißen; niedrigen Pflanzenwuchs durch den Pflug vernichten)
um|po|len (Plus- u. Minuspol vertauschen; verändern, umdenken)
um|quar|tie|ren (in ein anderes Quartier legen)
um|rah|men (mit Rahmen versehen, einrahmen); die Vorträge wurden von musikalischen Darbietungen umrahmt
um|ran|den; er hat den Artikel mit Rotstift umrandet; **um|rän|dert;** rot umränderte Augen

um|räu|men; wir haben das Zimmer umgeräumt
um|rech|nen; er hat DM in Schweizer Franken umgerechnet
um|rei|ßen (einreißen; zerstören); er hat den Zaun umgerissen; **um|rei|ßen** (im Umriß zeichnen; andeuten)
um|ren|nen; er hat das Kind umgerannt
um|rin|gen (umgeben); von Kindern umringt
Um|riß
◇ Kontur, Profil, Silhouette
um|rüh|ren
um|sat|teln (übertr. ugs. auch für: einen anderen Beruf ergreifen); er hat das Pferd umgesattelt; der Student hat umgesattelt (ein anderes Studienfach gewählt)
Um|satz; Um|satz|steu|er, die
Um|schau, die; -; - halten; **um|schau|en,** sich
um|schich|ten; Heu -; **um|schich|tig** (wechselweise)
Um|schlag (auch für: Umladung); **um|schla|gen** (umsetzen; umladen); die Güter wurden umgeschlagen; das Wetter ist (auch: hat) umgeschlagen; **Um|schlag|ha|fen**
um|schlie|ßen; von einer Mauer umschlossen
um|schmei|ßen (ugs.); er hat den Tisch umgeschmissen
um|schmel|zen (durch Schmelzen umformen); Altmetall -
um|schnal|len
um|schrei|ben (neu, anders schreiben; übertragen); den Aufsatz -; die Hypothek -; **um|schrei|ben** (mit anderen Worten ausdrücken); er hat die Aufgabe mit wenigen Worten umschrieben
um|schu|len; Um|schu|lung
um|schwär|men
Um|schwei|fe *(Mehrz.);* ohne -e (geradeheraus)
um|schwen|ken; er ist plötzlich umgeschwenkt
Um|schwung, der; -s, ...schwünge (schweiz..[nur *Einz.*] auch für: Umgebung des Hauses)
um|se|geln; er hat die Insel umsegelt
um|se|hen, sich; ich habe mich danach umgesehen
um|sein (ugs. für: vorbei sein); es ist schade, daß die Zeit um ist
um|sei|tig
um|set|zen (anders setzen; verkaufen); sich -; die Pflanzen wurden umgesetzt; er hat alle Waren umgesetzt; ich habe mich umgesetzt
Um|sicht; um|sich|tig
um|sie|deln
um|sin|ken; er ist vor Müdigkeit umgesunken
um so ... (österr.: umso ...); **um so** (österr.: umso) **eher[,] als; um so mehr** (österr.: umso mehr, auch: umsomehr) **[,] als**
um|sonst
◇ vergebens, vergeblich, für die Katz (ugs.) · kostenlos, gratis, unentgeltlich
um|sor|gen; von jmdm. umsorgt werden
um so we|ni|ger (österr.: umso weniger, auch: umsoweniger) **[,] als**
um|spie|len; er hat seinen Gegner umspielt
um|sprin|gen; der Wind ist umgesprungen; er ist übel mit dir umgesprungen
um|spü|len; von Wellen umspült
Um|stand; unter Umständen; in anderen Umständen (verhüllend für: schwanger); mildernde Umstände (Rechtsspr.); keine Umstände machen; **um|stän|de|hal|ber; um|ständ|lich; Um|stands‿be|stim|mung, ...krä|mer** (ugs.), **...wort** (*Mehrz.* ...wörter; für: Adverb)
um|ste|hen; umstanden von ...; **um|ste|hend;** umstehend (umseitig) finden sich die näheren Erläuterungen; er sollte umstehendes (jenes auf der anderen Seite) beachten, aber: das Umstehende (das auf der anderen Seite Gesagte) war deutlich genug; die Umstehenden waren empört
um|stei|gen; er ist umgestiegen
um|stel|len (anders stellen); der Schrank wurde umgestellt; sich -; **um|stel|len** (umgeben); die Polizei hat das Haus umstellt
um|stim|men; er hat sie umgestimmt
◇ überreden, überzeugen, bekehren, breitschlagen (ugs.), herumkriegen (ugs.)
um|sto|ßen; er hat den Stuhl umgestoßen
um|strit|ten
◇ strittig, fragwürdig, zweifelhaft
um|struk|tu|rie|ren
um|stül|pen; er hat das Faß umgestülpt
Um|sturz (*Mehrz.* ...stürze); **um|stür|zen;** das Gerüst ist umgestürzt; **Um|stürz|ler**
um|stürz|le|risch
◇ zersetzend, revolutionär, subversiv
Um|tausch, der; -[e]s, (selten:) -e; **um|tau|schen**
um|top|fen; sie hat die Blume umgetopft
um|trei|ben (planlos herumtreiben); umgetrieben; **Um|trie|be** (*Mehrz.;* umstürzlerische Aktivitäten)
Um|trunk
um|tun (ugs.); sich -; ich habe mich danach umgetan
um|ver|tei|len; die Lasten sollen umverteilt werden
um|wach|sen; mit Gebüsch -
um|wäl|zen; er hat den Stein umgewälzt
um|wan|deln (ändern); er war wie umgewandelt

Um|weg
Um|welt
◇ Umgebung, Lebensbereich, Ambiente, Milieu
um|welt|be|dingt; Um|welt_schutz, ...[schutz|]pa|pier (Papier aus Altmaterial), **...ver|schmut|zung**
um|wen|den; er wandte od. wendete die Seite um, hat sie umgewandt od. umgewendet; sich -
um|wer|ben; von vielen umworben
um|wer|fen; er hat den Tisch umgeworfen; diese Nachricht hat ihn umgeworfen (ugs. für: erschüttert); **um|wer|fend;** -e Komik
um|wickeln[1]**;** umwickelt mit ...
um|wit|tern; von Gefahren umwittert
um|wöl|ken; seine Stirn war vor Unmut umwölkt
um|zäu|nen; der Garten wurde umzäunt
um|zie|hen; sich -; ich habe mich umgezogen; wir sind umgezogen
um|zin|geln; der Feind wurde umzingelt
un|ab|än|der|lich [auch: *un*...]; eine -e Entscheidung
un|ab|ding|bar [auch: *un*...]
un|ab|hän|gig
◇ eigenständig, ungebunden, souverän, autonom
Un|ab|hän|gig|keit, die; -
un|ab|kömm|lich [auch: *un*...]
un|ab|läs|sig [auch: *un*...]
◇ ständig, dauernd, fortwährend, fortdauernd, fortgesetzt, unaufhörlich
un|ab|seh|bar [auch: *un*...]; -e Folgen
un|ab|sicht|lich
◇ unbeabsichtigt, ohne Absicht, versehentlich
un|ab|wend|bar [auch: *un*...]; ein -es Verhängnis
un|acht|sam; Un|acht|sam|keit
un|an|fecht|bar [auch: *un*...]
un|an|ge|bracht; eine -e Frage
un|an|ge|foch|ten
un|an|ge|mel|det
un|an|ge|mes|sen
un|an|ge|nehm
un|an|greif|bar [auch: *un*...]
un|an|nehm|bar [auch: *un*...]; **Un|an-nehm|lich|keit**
un|an|sehn|lich
un|an|stän|dig
un|an|tast|bar [auch: *un*...]
un|ap|pe|tit|lich
Un|art; un|ar|tig
un|auf|dring|lich
un|auf|fäl|lig
un|auf|find|bar [auch: *un*...]
◇ verschollen, verschwunden, abhanden gekommen, wie vom Erdboden verschluckt

[1] *Trenn.:* ...k|k...

un|auf|ge|for|dert
un|auf|halt|sam [auch: *un*...]
un|auf|hör|lich [auch: *un*...]
un|auf|lös|bar [auch: *un*...]; **un|auf|lös-lich** [auch: *un*...]
un|auf|merk|sam
un|auf|schieb|bar [auch: *un*...]
un|aus|bleib|lich [auch: *un*...]
un|aus|denk|bar [auch: *un*...]
un|aus|ge|füllt
un|aus|ge|gli|chen
un|aus|ge|go|ren
un|aus|ge|setzt
un|aus|ge|spro|chen
un|aus|lösch|lich [auch: *un*...]; ein -er Eindruck
un|aus|rott|bar [auch: *un*...]; ein -es Vorurteil
un|aus|sprech|lich [auch: *un*...]
un|aus|steh|lich [auch: *un*...]
un|aus|weich|lich [auch: *un*...]
un|bän|dig; -er Zorn
un|bar (bargeldlos)
un|barm|her|zig
◇ mitleid[s]los, schonungslos, gnadenlos, herzlos, gefühllos, brutal
un|be|ab|sich|tigt
un|be|ach|tet
un|be|ant|wor|tet
un|be|dacht; eine -e Äußerung
un|be|darft (ugs. für: unerfahren; naiv)
un|be|denk|lich
un|be|deu|tend
un|be|dingt [auch: *...dingt*]
un|be|ein|flußt
un|be|fan|gen
un|be|fleckt; die Unbefleckte Empfängnis [Mariens]
un|be|frie|di|gend; seine Arbeit war -; **un|be|frie|digt**
un|be|fugt
un|be|gabt
un|be|greif|lich [auch: *un*...]
◇ unverständlich, nicht zu begreifen, nicht zu fassen (ugs.), unerklärlich, unerfindlich, rätselhaft, schleierhaft (ugs.)
un|be|grenzt [auch: *...gränzt*]; -es Vertrauen
un|be|grün|det; ein -er Verdacht
Un|be|ha|gen; un|be|hag|lich
un|be|hel|ligt [auch: *un*...]
un|be|herrscht
un|be|hol|fen
un|be|irr|bar [auch: *un*...]; **un|be|irrt** [auch: *un*...]
un|be|kannt; [nach] - verzogen; der große Unbekannte; eine Gleichung mit mehreren Unbekannten (Math.); ein Verfahren gegen Unbekannt
un|be|klei|det
un|be|küm|mert [auch: un...]
un|be|lebt; eine -e Straße
un|be|lehr|bar [auch: *un*...]

un|be|liebt; Un|be|liebt|heit, die; -
un|be|mannt
un|be|merkt
◇ heimlich, verstohlen, unbeobachtet, im verborgenen
un|be|mit|telt
◇ mittellos, ohne Geld, ohne Vermögen, besitzlos
un|be|nom|men [auch: *un*...]; es bleibt ihm -
un|be|quem; Un|be|quem|lich|keit
un|be|re|chen|bar [auch: *un*...]
un|be|rech|tigt
un|be|ru|fen! [auch: *un*...]
un|be|rührt; Un|be|rührt|heit, die; -
un|be|scha|det [auch: *un*...]; *Verhältnisw.* mit *Wesf.*: - seines Rechtes od. seines Rechtes -; **un|be|schä|digt**
un|be|schei|den
un|be|schol|ten
un|be|schrankt (ohne Schranken); -er Bahnübergang; **un|be|schränkt** [auch: *un*...] (nicht eingeschränkt)
un|be|schreib|lich [auch: *un*...]; **un|be-schrie|ben**
un|be|schwert
un|be|se|hen [auch: *un*...]
un|be|sieg|bar [auch: *un*...]; **un|be-siegt** [auch: *un*...]
un|be|son|nen
◇ unüberlegt, unbedacht, impulsiv, ohne Überlegung
Un|be|son|nen|heit
un|be|sorgt [auch: ...*so*...]
◇ sorglos, unbekümmert
un|be|stän|dig; Un|be|stän|dig|keit
un|be|stä|tigt [auch: *un*...]; nach -en Meldungen
un|be|stech|lich [auch: *un*...]
un|be|stimm|bar [auch: *un*...]; **un|be-stimmt;** -es Fürwort (für: Indefinitpronomen)
un|be|streit|bar [auch: *un*...]; -e Verdienste; **un|be|strit|ten** [auch: ...*schtri*...]
un|be|tei|ligt [auch: *un*...]
un|be|trächt|lich [auch: *un*...]
un|beug|bar [auch: *un*...]; **un|beug|sam** [auch: *un*...]; -er Wille
un|be|wacht
un|be|waff|net
un|be|wäl|tigt [auch: ...*wäl*...]; die -e Vergangenheit
un|be|weg|lich [auch: ...*weg*...]; **un|be-wegt**
un|be|wohn|bar [auch: *un*...]
un|be|wußt; Un|be|wuß|te, das; -n
un|be|zahl|bar [auch: *un*...]
◇ unersetzlich, nicht durch Gold aufzuwiegen, von unschätzbarem Wert
un|be|zähm|bar [auch: *un*...]
un|be|zwing|bar [auch: *un*...]; **un|be-zwing|lich** [auch: *un*...]

Un|bil|den (*Mehrz.;* Unannehmlichkeiten); die - der Witterung; **Un|bil|dung,** die; - (Mangel an Wissen), **Un|bill,** die; - (Unrecht)
un|blu|tig; eine -e Revolution
un|bot|mä|ßig; Un|bot|mä|ßig|keit
un|brauch|bar
◇ nutzlos, wertlos, ungeeignet, nichts wert, ohne Wert
un|bü|ro|kra|tisch
un|buß|fer|tig; Un|buß|fer|tig|keit
un|christ|lich; Un|christ|lich|keit
und; drei - drei ist, macht, gibt sechs; - so weiter; - so fort
Un|dank; un|dank|bar
un|de|fi|nier|bar [auch: *un*...]
un|de|mo|kra|tisch [auch: *un*...]
un|denk|bar; un|denk|lich
Un|der|ground [*andᵉrgraund*], der; -s („Untergrund"; avantgardistische Protestbewegung [von Jungfilmern])
Un|der|state|ment [*andᵉrßteⁱtmᵉnt*], das; -s (das Untertreiben, Unterspielen)
un|deut|lich; Un|deut|lich|keit
Un|ding, das; -[e]s, -e (Unmögliches, Unsinniges); das ist ein -
un|dis|zi|pli|niert (zuchtlos)
un|duld|sam
un|durch|läs|sig
un|durch|sich|tig
un|eben; Un|eben|heit
un|ehe|lich; ein -es Kind
un|eh|ren|haft; un|ehr|er|bie|tig
un|ei|gen|nüt|zig
◇ selbstlos, hochherzig, altruistisch, unter Hintansetzung der eignen Person
un|ein|ge|schränkt [auch: ...*ä*...]
un|ei|nig; Un|ei|nig|keit
un|eins; - sein
un|emp|find|lich
◇ strapazierfähig, robust
un|end|lich; bis ins unendliche (unaufhörlich, immerfort); **Un|end|lich|keit,** die; -
un|ent|gelt|lich [auch: *un*...]
un|ent|schie|den; Un|ent|schie|den, das; -s, - (Sport u. Spiel)
un|ent|wegt [auch: *un*...]
un|er|bitt|lich [auch: *un*...]
un|er|find|lich [auch: *un*...] (unbegreiflich)
un|er|hört (unglaublich)
un|er|läß|lich [auch: *un*...] (unbedingt nötig, geboten)
un|er|meß|lich [auch: *un*...]; vgl. unendlich
un|er|müd|lich [auch: *un*...]
un|er|sätt|lich [auch: *un*...]
un|er|schöpf|lich [auch: *un*...]
un|er|schüt|ter|lich [auch: *un*...]
un|er|setz|lich [auch: *un*...]
un|er|sprieß|lich [auch: *un*...]
un|er|zo|gen

◇ ohne Schliff, ohne Manieren, ohne Kinderstube
un|fä|hig; Un|fä|hig|keit
un|fair [...*fär*] (unlauter; unsportlich; unfein); **Un|fair|neß**
Un|fall, der; **Un|fall|flucht; un|fall|frei;** -es Fahren; **un|fall|träch|tig;** eine -e Kurve; **Un|fall_ver|si|che|rung, ...wa|gen** (Wagen, der einen Unfall hatte; Rettungswagen)
un|faß|bar [auch: *un*...]; **un|faß|lich** [auch: *un*...]
un|fehl|bar [auch: *un*...]; **Un|fehl|bar|keit** [auch: *un*...], die; -
un|fern; *Verhältnisw.* mit *Wesf.*: - des Hauses; *Umstandsw.*: - von dem Hause
Un|flat, der; -[e]s; **un|flä|tig**
un|för|mig (formlos, mißgestaltet)
un|fran|kiert (unfrei [Gebühren nicht bezahlt])
Un|fug, der; -[e]s
un|ge|ach|tet [auch: ...*ach*...] (nicht geachtet); *Verhältnisw.* mit *Wesf.*: - wiederholter Bitten
un|ge|be|ten; -er Gast
un|ge|büh|rend [auch: ...*bür*...]; **un|ge|bühr|lich** [auch: ...*bür*...]
un|ge|bun|den; ein -es Leben
un|ge|deckt; -er Scheck
un|ge|dient (Militär: ohne gedient zu haben)
Un|ge|duld; un|ge|dul|dig
un|ge|fähr [auch: ...*fär*]; von - (zufällig)
◇ [in] etwa, schätzungsweise, vielleicht, zirka, gegen, an die, überschläglich
un|ge|fähr|lich
un|ge|früh|stückt (ugs. für: ohne gefrühstückt zu haben)
un|ge|ges|sen (nicht gegessen; ugs. für: ohne gegessen zu haben)
un|ge|hal|ten (ärgerlich)
un|ge|heu|er [auch: ...*heu*...]; eine ungeheure Verschwendung; **Un|ge|heu|er,** das; -s, -
un|ge|ho|belt [auch: ...*ho*...] (auch übertr. für: ungebildet; grob)
un|ge|hö|rig; ein -es Benehmen
◇ ungezogen, frech, unziemlich, unschicklich
un|ge|lenk, un|ge|len|kig
un|ge|lernt; ein -er Arbeiter
Un|ge|mach, das; -[e]s (veraltend für: Unbequemlichkeit; Unbehaglichkeit)
un|ge|mein [auch: ...*main*]
Un|ge|nü|gen, das; -s; **un|ge|nü|gend**
un|ge|ra|de; - Zahl (Math.)
un|ge|ra|ten; ein -es Kind
un|ge|reimt (nicht im Reim gebunden; der Wahrheit nicht entsprechend; sinnlos)
un|ge|rupft; er kam - davon (ugs. für: er kam ohne Verlust davon)
un|ge|sagt; vieles blieb -
un|ge|säu|ert; -es Brot
un|ge|sche|hen; etwas - machen
Un|ge|schick|lich|keit
un|ge|schickt
◇ unbeholfen, unpraktisch, umständlich
un|ge|schlacht (plump, grobschlächtig); ein -er Mensch
un|ge|schmä|lert (ohne Einbuße)
un|ge|schminkt (auch für: rein den Tatsachen entsprechend)
un|ge|stalt (von Natur aus mißgestaltet); -er Mensch
un|ge|straft
un|ge|stüm (schnell, heftig); **Un|ge|stüm,** das; -[e]s; mit -
Un|ge|tüm, das; -[e]s, -e
un|ge|wiß; ins ungewisse leben, im ungewissen (ungewiß) bleiben, lassen, aber: ins Ungewisse steigern; eine Fahrt ins Ungewisse
Un|ge|wit|ter
un|ge|wollt
◇ versehentlich, unbeabsichtigt
Un|ge|zie|fer, das; -s
un|ge|zo|gen; Un|ge|zo|gen|heit
un|ge|zü|gelt
un|ge|zwun|gen; ein -es Benehmen
◇ zwanglos, natürlich, lässig, nachlässig, salopp, formlos
un|gläu|big; ein ungläubiger Thomas (ugs. für: ein Mensch, der an allem zweifelt); **un|glaub|lich** [auch: *un*...]; **un|glaub|wür|dig**
un|gleich; Un|gleich|heit
Un|glück, das; -[e]s, -e; **un|glück|lich; un|glück|se|lig; Un|glücks|ra|be** (ugs.)
Un|gna|de, die; -; **un|gnä|dig**
un|gül|tig; Un|gül|tig|keit, die; -
Un|gunst; zu seinen Ungunsten
un|gut; nichts für -
un|halt|bar [auch: ...*ha*...]; -e Zustände
Un|heil; un|heil|bar [auch: ...*hail*...]; eine -e Krankheit; **Un|heil|stif|ter; un|heil|voll**
un|heim|lich (nicht geheuer; unbehaglich)
un|höf|lich
◇ ungeschliffen, ungehobelt, flegelhaft, rüpelhaft
Un|hold, der; -[e]s, -e (böser Geist; Teufel; Wüstling)
uni [*üni*] einfarbig, nicht gemustert
Uni, die; -, -s (student. Kurzw. für: Universität)
Uni|form [österr.: *uni*...], die; -, -en (einheitl. Dienstkleidung); **uni|for|mie|ren** (einheitlich einkleiden; gleichförmig machen); **Uni|kat,** das; -[e]s, -e (einzige Ausfertigung eines Schriftstücks); **Uni|kum** [auch: *u*...], das; -s, ...ka (auch: -s) ([in seiner Art] Einziges, Seltenes; Sonderling)

Uni|on, die; -, -en (Bund, Vereinigung, Verbindung [bes. von Staaten])
uni|ver|sal [...*wär*...], **uni|ver|sell** (allgemein, gesamt; [die ganze Welt] umfassend); **Uni|ver|sal_er|be** (der), **...ge|nie** (das), **...ge|schich|te** (die; -; Weltgeschichte); **Uni|ver|si|tät,** die; -, -en („Gesamtheit"; Hochschule; student. Kurzw.: Uni); **Uni|ver|sum,** das; -s ([Welt]all)
Un|ke, die; -, -n (Froschlurch); **un|ken** (ugs. für: Unglück prophezeien)
un|kennt|lich; Un|kennt|nis, die; -
un|klar; im -en (ungewiß) bleiben; **Un|klar|heit**
un|kon|ven|tio|nell
Un|ko|sten *(Mehrz.);* sich in - stürzen (ugs.)
◇ Kosten, Aufwendungen, Ausgaben, Aufwand
Un|ko|sten|bei|trag
Un|kraut
un|künd|bar [auch: ...*künd*...]
un|lau|ter; -er Wettbewerb
un|leid|lich; Un|leid|lich|keit
un|lieb; un|lieb|sam
un|lös|bar [auch: *un*...]
Un|lust, die; -; **un|lu|stig**
Un|maß, das; -es (Unzahl, übergroße Menge)
Un|mas|se (sehr große Masse)
Un|men|ge
Un|mensch, der (grausamer Mensch, Wüterich); **un|mensch|lich** [auch: ...*mänsch*...]
un|merk|lich [auch: *un*...]
un|mit|tel|bar
un|mög|lich [auch: ...*mök*...]
Un|mo|ral; un|mo|ra|lisch
un|mün|dig
Un|mut, der; -[e]s
un|nach|gie|big
un|nah|bar [auch: *un*...]
Un|na|tur, die; -; **un|na|tür|lich**
un|nütz; sich - machen
UNO, die; - (Organisation der Vereinten Nationen)
un|or|ga|nisch; un|or|ga|ni|siert
un|par|tei|isch (neutral, objektiv)
un|pas|send
un|päß|lich ([leicht] krank; unwohl); **Un|päß|lich|keit**
un|per|sön|lich
un|po|pu|lär
un|prak|tisch
un|pünkt|lich
un|qua|li|fi|ziert (auch abwertend für: unangemessen, ohne Sachkenntnis)
Un|rast, die; - (Ruhelosigkeit)
Un|rat, der; -[e]s (Schmutz)
un|recht; in die unrechte Kehle kommen, aber: an den Unrechten kommen; **Un|recht,** das; -[e]s; mit, zu Unrecht; es geschieht ihm Unrecht; im Unrecht sein, aber: unrecht bekommen, haben, tun; **un|recht|mä|ßig**
un|red|lich; Un|red|lich|keit
un|re|flek|tiert (ohne Nachdenken [entstanden]; spontan)
un|re|gel|mä|ßig; Un|re|gel|mä|ßig|keit
un|reif; Un|rei|fe
un|rein; ins unreine schreiben
un|ren|ta|bel; ...a|ble Geschäfte
un|rett|bar [auch: *un*...]
un|rich|tig
Un|ruh, die; -, -en (Teil der Uhr, des Barometers usw.); **Un|ru|he** (fehlende Ruhe); **Un|ru|he_herd, ...stif|ter; un|ru|hig**
uns
un|sach|ge|mäß; un|sach|lich
un|sag|bar; un|säg|lich
un|sanft
un|sau|ber; Un|sau|ber|keit
un|schäd|lich
◇ harmlos, ungefährlich, nicht schadend
un|scharf; Un|schär|fe
un|schätz|bar [auch: *un*...]
un|schein|bar
◇ klein, unauffällig, gering, nicht auffallend
un|schick|lich (ungehörig)
un|schlüs|sig
◇ unentschlossen, unentschieden, entschlußlos
un|schön
Un|schuld, die; -; **un|schul|dig; Un|schul|di|ge,** der u. die; -n, -n; **Un|schulds_lamm** (scherzh.), **...mie|ne**
un|selb|stän|dig
un|se|lig
[1]**un|ser,** uns[e]re, unser; unser Tisch usw.; unser von allen unterschriebener Brief; unseres Wissens (Abk.: u.W.); Unsere Liebe Frau (Maria, Mutter Jesu); [2]**un|ser** (*Wesf.* von „wir"); unser (nicht: unserer) sind drei; erbarme dich unser; **un|se|re,** uns|re, **un|se|ri|ge,** uns|ri|ge; die Unser[e]n, Unsren, Unsrigen; das Uns[e]re, Unsrige; **un|ser|ei|ner, un|ser|eins; un|se|rer|seits, un|ser|seits; un|sert|we|gen; un|sert|wil|len;** um -
un|si|cher; Un|si|cher|heit; Un|si|cher|heits|fak|tor
un|sicht|bar
Un|sinn, der; -[e]s
◇ Unfug, Nonsens, Quatsch (ugs.), Blödsinn (ugs.)
un|sin|nig
Un|sit|te; un|sitt|lich; ein -er Antrag; **Un|sitt|lich|keit**
un|so|zi|al; -es Verhalten
un|sport|lich; Un|sport|lich|keit
uns|re vgl. unsere; **uns|ri|ge** vgl. unsere
un|sterb|lich; Un|sterb|lich|keit, die; -

Un|stern, der; -[e]s (Unglück)
un|stet; ein -es Leben
un|still|bar [auch: *un...*]
un|stim|mig; Un|stim|mig|keit
un|strei|tig [auch: *...schtrai...*] (sicher, bestimmt)
Un|sum|me (große Summe)
un|sym|pa|thisch
Un|tat (Verbrechen)
un|tä|tig
◇ passiv, tatenlos, inaktiv
Un|tä|tig|keit, die; -
un|taug|lich
un|teil|bar [auch: *un...*]; -e Zahlen
un|ten; von - her; - sein, - liegen, - stehen; **un|ten|an;** - stehen; **un|ten|ste|hend;** im -en (weiter unten); das Untenstehende
un|ter; *Verhältnisw.* mit *Wemf.* u. *Wenf.:* - dem Strich (in der Zeitung) stehen, - den Strich setzen
Un|ter, der; -s, - (Spielkarte)
Un|ter|arm
un|ter|be|lich|tet
un|ter|be|wußt; Un|ter|be|wußt|sein
un|ter|bie|ten; er hat die Rekorde unterboten
un|ter|bin|den; der Verkehr ist unterbunden
un|ter|blei|ben; die Buchung ist leider unterblieben
Un|ter|bo|den|schutz (Kraftfahrzeugwesen)
un|ter|bre|chen; er hat die Reise unterbrochen; jmdn., sich -
◇ ins Wort fallen, jmdn. nicht ausreden lassen, dazwischenreden, jmdm. das Wort abschneiden
un|ter|brei|ten (darlegen); er hat ihm einen Vorschlag unterbreitet
un|ter|brin|gen; Un|ter|brin|gung
un|ter|des, un|ter|des|sen
Un|ter|druck, der; -[e]s, ...drücke; **un|ter|drü|cken**[1]**;** er hat den Aufstand unterdrückt
un|te|re; vgl. unterste
un|ter|ein|an|der
un|ter|ent|wickelt[1]
un|ter|er|nährt; Un|ter|er|näh|rung, die; -
un|ter|fas|sen (ugs.); sie gehen untergefaßt
un|ter|füh|ren; die Straße wird unterführt; **Un|ter|füh|rung**
Un|ter|gang, der; -[e]s, (selten:) ...gänge
un|ter|ge|ben; Un|ter|ge|be|ne, der u. die; -n, -n
un|ter|ge|hen
Un|ter|ge|wicht, das; -[e]s
un|ter|gra|ben; das Rauchen hat seine Gesundheit -
Un|ter|grund, der; -[e]s; **Un|ter|grund-˷bahn** (Kurzform: U-Bahn), **...be|we|gung**
un|ter|ha|ken (ugs.); sie hatten sich untergehakt
un|ter|halb; *Verhältnisw.* mit *Wesf.:* - des Dorfes; *Umstandsw.:* - von Schloß Burg
Un|ter|halt, der; -[e]s
un|ter|hal|ten; ich habe mich gut -; er wird vom Staat -
◇ reden/sprechen mit, Konversation machen, plaudern, plauschen, klönen (ugs., nordd.), diskutieren, debattieren, einen Schwatz/ein Schwätzchen halten · ernähren
un|ter|halt|sam (fesselnd); **Un|ter|halts˷ko|sten** *(Mehrz.),* **...pflicht**
Un|ter|hal|tung
◇ Zerstreuung, Vergnügen, Belustigung, Amüsement, Kurzweil, Zeitvertreib · Gespräch
Un|ter|hal|tungs|mu|sik
un|ter|han|deln; er hat über den Vertrag unterhandelt; **Un|ter|händ|ler**
Un|ter|hemd
Un|ter|holz, das; -es (niedriges Gehölz im Wald)
Un|ter|ho|se
un|ter|ir|disch
Un|ter|ja|cke [*Trenn.:* ...jak|ke]
un|ter|jo|chen; die Minderheiten wurden unterjocht
un|ter|ju|beln (ugs.); das hat er ihm untergejubelt (heimlich zugeschoben)
un|ter|kel|lern; das Haus wurde nachträglich unterkellert
Un|ter|kie|fer, der
Un|ter˷kleid, ...klei|dung
un|ter|kom|men; er ist gut untergekommen
un|ter|krie|gen (ugs. für: bezwingen; entmutigen); ich lasse mich nicht -
Un|ter|küh|lung
Un|ter|kunft, die; -, ...künfte
Un|ter|la|ge
un|ter|las|sen; er hat es -; **Un|ter|las|sung**
un|ter|lau|fen; er hat ihn unterlaufen (Ringkampf); es sind einige Fehler unterlaufen
un|ter|le|gen; er hat etwas untergelegt; [1]**un|ter|le|gen;** der Musik wurde ein anderer Text unterlegt; [2]**un|ter|le|gen** vgl. unterliegen; **Un|ter|le|gen|heit,** die; -
Un|ter|leib; Un|ter|leibs|lei|den
un|ter|lie|gen; er ist seinem Gegner unterlegen
Un|ter|lip|pe
un|term (ugs. für: unter dem); - Dach
un|ter|ma|len
un|ter|mau|ern; er hat seine Beweisführung gut untermauert
Un|ter|mie|te; zur - wohnen; **Un|ter|mie|ter**

[1] *Trenn.:* ...k|k...

un|ter|neh|men; er hat viel unternommen

Un|ter|neh|men, das; -s, -, Un|ter|nehmung

◇ Firma, [Handels]gesellschaft, Konzern, Dachorganisation

Un|ter|neh|mer

◇ Arbeitgeber, Industrieller, Produzent, Hersteller, Fabrikant, Fabrikbesitzer

un|ter|neh|me|risch; Un|ter|neh-mung vgl. Unternehmen; **Un|ter|neh-mungs|geist,** der; -[e]s; **un|ter|neh-mungs|lu|stig**

Un|ter|of|fi|zier

un|ter|ord|nen; er ist ihm untergeordnet; **Un|ter|ord|nung**

Un|ter|pfand

un|ter|pri|vi|le|giert

un|ter|re|den, sich; du hast dich mit ihm unterredet; **Un|ter|re|dung**

Un|ter|richt, der; -[e]s, (selten:) -e

◇ Unterweisung, Anleitung, [Unterrichts]stunde, Lektion, Kurs[us], Lehrgang, Vorlesung, Kolleg, Seminar

un|ter|rich|ten; er ist gut unter|richtet; sich -; **Un|ter|richts_fach, ...stun|de; Un|ter|rich|tung**

Un|ter|rock

un|ters (ugs. für: unter das); - Bett

un|ter|sa|gen; das Rauchen ist untersagt

Un|ter|satz; fahrbarer - (scherzh. für: Auto)

un|ter|schät|zen; unterschätzt

un|ter|schei|den; die Fälle müssen unterschieden werden; sich -

◇ auseinanderhalten, auseinanderkennen, einen Unterschied machen, sondern

Un|ter|schei|dung

Un|ter|schicht

[1]**un|ter|schie|ben** (darunterschieben); er hat ihr ein Kissen untergeschoben; [2]**un-ter|schie|ben,** (auch:) un|ter|schie|ben; er hat ihm eine schlechte Absicht untergeschoben, (auch:) unterschoben

Un|ter|schied, der; -[e]s, -e; zum - von; im - zu; **un|ter|schied|lich; un|ter-schieds|los**

un|ter|schla|gen; mit untergeschlagenen Beinen; **un|ter|schla|gen** (veruntreuen); er hat [die Beitragsgelder] unterschlagen; **Un|ter|schla|gung**

Un|ter|schlupf; un|ter|schlüp|fen od. (südd. ugs.:) **un|ter|schlup|fen;** er ist untergeschlüpft

un|ter|schrei|ben; ich habe den Brief unterschrieben

◇ unterzeichnen, ratifizieren, paraphieren, quittieren, signieren

Un|ter|schrift

◇ Namenszug, Autogramm, Namenzeichen, Signum, Paraphe, Signatur

un|ter|schwel|lig (unterhalb der Bewußtseinsschwelle [liegend])

Un|ter|see|boot (Abk.: U-Boot)

Un|ter|sei|te

Un|ter|set|zer (Schale für Blumentöpfe u. a.); **un|ter|setzt** (von gedrungener Gestalt)

un|ter|spü|len; die Fluten hatten den Damm unterspült

un|terst vgl. unterste

Un|ter|stand

un|ter|ste; der unterste Knopf; das Unterste zuoberst kehren

un|ter|ste|hen; er hat beim Regen untergestanden; **un|ter|ste|hen;** er unterstand einem strengen Lehrmeister; sich - (wagen); untersteh dich [nicht], das zu tun!

un|ter|stel|len; ich habe den Wagen untergestellt; ich habe mich während des Regens untergestellt; **un|ter|stel|len;** er ist meinem Befehl unterstellt; man hat ihm etwas unterstellt ([fälschlich] von ihm behauptet); **Un|ter|stel|lung**

un|ter|strei|chen; ein Wort -; er hat diese Behauptung nachdrücklich unterstrichen (betont)

Un|ter|stu|fe

un|ter|stüt|zen; ich habe ihn mit Geld unterstützt; **Un|ter|stüt|zung**

un|ter|su|chen; der Arzt hat mich untersucht; **Un|ter|su|chung; Un|ter|su-chungs|haft,** die

un|ter|tan (untergeben); **Un|ter|tan,** der; -s u. (älter:) -en, -en; **un|ter|tä|nig** (ergeben)

Un|ter|tas|se; fliegende -

un|ter|tau|chen; der Schwimmer ist untergetaucht; der Verbrecher war schnell untergetaucht (verschwunden)

Un|ter|teil, das od. der; **un|ter|tei|len;** die Skala ist in 10 Teile unterteilt; **Un-ter|tei|lung**

un|ter|trei|ben; er hat untertrieben; **Un-ter|trei|bung**

un|ter|ver|mie|ten

un|ter|ver|si|chern (zu niedrig versichern)

un|ter|wan|dern (sich [als Fremder od. heimlicher Gegner] unter eine Gruppe mischen); das Volk, die Partei wurde unterwandert

Un|ter|wä|sche, die; -

Un|ter|was|ser_ka|me|ra, ...mas|sa-ge

un|ter|wegs (auf dem Wege)

◇ auf Reisen, verreist, fort, weg, auf Achse (ugs.)

un|ter|wei|sen; er hat ihn unterwiesen; **Un|ter|wei|sung**

Un|ter|welt; un|ter|welt|lich

un|ter|wer|fen; sich -; das Volk wurde unterworfen

un|ter|wür|fig [auch: *un*...]; in -er Haltung

◇ devot, submiß, servil, sklavisch, kriecherisch, hündisch, speichelleckerisch
un|ter|zeich|nen; er hat den Brief unterzeichnet; er hat sich als Regierender Bürgermeister unterzeichnet; **Un|ter|zeich|ner; Un|ter|zeich|ne|te,** der u. die; -n, -n; (bei Unterschriften:) der rechts, links Unterzeichnete od. der Rechts-, Linksunterzeichnete); **Un|ter|zeich|nung**
Un|ter|zeug, das; -[e]s (ugs.); **un|ter|zie|hen;** ich habe eine wollene Jacke untergezogen; **un|ter|zie|hen;** du hast dich diesem Verhör unterzogen
un|tief (seicht); **Un|tie|fe** (seichte Stelle; sehr große Tiefe)
Un|tier (Ungeheuer)
un|trag|bar [auch: *un*...]
un|treu
◇ ungetreu, treulos, wortbrüchig, perfide, abtrünnig; **untreu werden** abfallen, abspringen; **untreu sein** fremdgehen (ugs.), [seine Frau, seinen Mann] betrügen
Un|treue
◇ [Ehe]bruch, Treulosigkeit, Illoyalität, Unehrlichkeit, Ehrlosigkeit, Perfidie
un|tröst|lich [auch: *un*...]
Un|tu|gend
un|über|legt; Un|über|legt|heit
un|über|sicht|lich
un|über|treff|lich [auch: *un*...]; **un|über|trof|fen** [auch: *un*...]
un|über|wind|lich [auch: *un*...]
un|um|gäng|lich [auch: *un*...] (unbedingt nötig)
un|um|wun|den [auch: ...*wun*...] (offen, freiheraus)
un|un|ter|bro|chen [auch: ...*bro*...]
un|ver|ant|wort|lich [auch: *un*...]
un|ver|bes|ser|lich [auch: *un*...]
un|ver|bil|det
un|ver|bind|lich [auch: ...*bind*...]
un|ver|blümt [auch: *un*...] (offen; ohne Umschweife)
un|ver|dau|lich [auch: ...*dau*...]; **un|ver|daut** [auch: ...*daut*]
un|ver|dient [auch: ...*dint*]
un|ver|dros|sen [auch: ...*dros*...]
un|ver|ein|bar [auch: *un*...]; **Un|ver|ein|bar|keit,** die; -
un|ver|fäng|lich [auch: ...*fäng*...]
un|ver|fro|ren [auch: ...*fro*...] (keck; frech)
un|ver|ges|sen; un|ver|geß|lich [auch: *un*...]
un|ver|gleich|lich [auch: *un*...]
un|ver|hält|nis|mä|ßig [auch: ...*hält*...]
un|ver|hei|ra|tet (Zeichen: ⚮)
un|ver|hofft [auch: ...*hoft*...]
un|ver|hoh|len [auch: ...*ho*...]
un|ver|kenn|bar [auch: *un*...]
un|ver|meid|bar [auch: *un*...]; **un|ver|meid|lich** [auch: *un*...]
un|ver|mit|telt
Un|ver|mö|gen, das; -s (Mangel an Kraft, Fähigkeit)
un|ver|mu|tet
un|ver|rich|te|ter|din|ge (auch: unverrichteter Dinge)
un|ver|schämt; Un|ver|schämt|heit
un|ver|se|hens [auch: ...*se*...] (plötzlich)
un|ver|sehrt [auch: ...*sert*]
un|ver|söhn|lich [auch: ...*sön*...]
Un|ver|stand; un|ver|stan|den; un|ver|stän|dig (unklug); **un|ver|ständ|lich** (undeutlich; unbegreiflich); **Un|ver|ständ|nis**
un|ver|wandt; -en Blick[e]s
un|ver|wüst|lich [auch: *un*...]
un|ver|zagt
un|ver|zeih|lich [auch: *un*...]
un|ver|züg|lich [auch: *un*...]
un|vor|her|ge|se|hen
un|vor|schrifts|mä|ßig
un|vor|sich|tig; Un|vor|sich|tig|keit
un|vor|teil|haft
un|wäg|bar [auch: *un*...]
un|wahr; Un|wahr|heit; un|wahr|schein|lich
un|weg|sam
un|wei|ger|lich [auch: *un*...]
un|weit; *Verhältnisw.* mit *Wesf.:* - des Flusses; *Umstandsw.:* - von dem Flusse
Un|we|sen, das; -s; er trieb sein -; **un|we|sent|lich**
Un|wet|ter
un|wich|tig
◇ belanglos, unerheblich, unwesentlich, bedeutungslos, irrelevant
Un|wich|tig|keit
un|wi|der|ruf|lich [auch: *un*...]
un|wi|der|steh|lich [auch: *un*...]
Un|wil|le[n], der; Unwillens; **un|wil|lig; un|will|kom|men; un|will|kür|lich** [auch: ...*kür*...]
un|wirk|lich
◇ irreal, eingebildet, imaginär, abstrakt, phantastisch, illusorisch
un|wirk|sam
un|wirsch (unfreundlich)
un|wirt|lich; eine -e Gegend
un|wis|send; Un|wis|sen|heit, die; -; **un|wis|sent|lich**
un|wohl; ich bin -; mir ist -; - sein; **Un|wohl|sein;** wegen -s
Un|zahl (sehr große Zahl), die; -; **un|zähl|bar** [auch: *un*...]; **un|zäh|lig** [auch: *un*...] (sehr viel); -e Notleidende
Un|ze, die; -, -n (Gewicht)
un|zeit|ge|mäß
un|zer|reiß|bar [auch: *un*...]
un|zer|trenn|lich [auch: *un*...]
Un|zucht, die; -; **un|züch|tig**
un|zu|gäng|lich
◇ verschlossen, trotzig, widerspenstig, störrisch, renitent, unnachgiebig, kompromißlos, unerbittlich, dickköpfig, ver-

stockt, stur (ugs.), distanziert, unnahbar, menschenscheu, unempfänglich, zugeknöpft, verständnislos

un|zu|läng|lich
◇ unzureichend, unbefriedigend, mangelhaft, ungenügend

un|zu|läs|sig

un|zu|rech|nungs|fä|hig; Un|zu|rech|nungs|fä|hig|keit, die; -

un|zu|rei|chend

un|zu|tref|fend

un|zu|ver|läs|sig

un|zwei|deu|tig

un|zwei|fel|haft [auch: *...zwai...*]

üp|pig
◇ luxuriös, prunkvoll, [über]reich[lich], redundant, verschwenderisch · opulent, lukullisch

Üp|pig|keit

up to date [*ap tᵉ deᶦt*] (scherzh. für: zeitgemäß, auf der Höhe)

Ur (Auerochs), der; -[e]s, -e

Ur|ab|stim|mung

Ur‿ahn, ...ah|ne, der (Urgroßvater; Vorfahr); **...ah|ne,** die (Urgroßmutter)

ur|alt

Uran, das; -s (chem. Grundstoff, Metall; Zeichen: U)

Ur|auf|füh|rung

ur|ban (städtisch; gebildet; weltmännisch); **Ur|ba|ni|tät,** die; - (Bildung; städtische Atmosphäre)

ur|bar; - machen

Ur|bild; ur|bild|lich

ur|ei|gen; ur|ei|gen|tüm|lich

Ur|ein|woh|ner

Ur|el|tern

Ur|en|kel; Ur|en|ke|lin

ur|ge|müt|lich

Ur|ge|schich|te (alleräIteste Geschichte); **ur|ge|schicht|lich**

Ur|ge|stein

Ur|ge|walt

Ur‿groß|el|tern *(Mehrz.),* **...groß|mut|ter, ...groß|va|ter**

Ur|he|ber; Ur|he|be|rin, die; -, -nen; **Ur|he|ber|recht**

urig (urtümlich; komisch)

Urin, der; -s, -e
◇ Harn, Wasser, Pipi (ugs.), Pisse (derb)

uri|nie|ren
◇ harnen, Wasser lassen, sein Wasser abschlagen (ugs.), Pipi machen (ugs.), pinkeln (ugs.), klein machen (ugs.), pullern (ugs.), pissen (derb)

Ur|knall, der; -[e]s (Explodieren der Materie bei der Entstehung des Weltalls)

ur|ko|misch

Ur|kun|de, die; -, -n
◇ Schriftstück, Dokument, Unterlagen, Bescheinigung, Zertifikat

Ur|kun|den|fäl|schung; ur|kund|lich

Ur|laub, der; -[e]s, -e; in od. im - sein

Ur|lau|ber
◇ [Ferien]gast, Erholungssuchender, Sommerfrischler, Kurgast, Tourist

Ur|laubs|geld; ur|laubs|reif; Ur|laubs‿rei|se, ...ver|tre|tung, ...zeit

Ur|mensch, der

Ur|ne, die; -, -n ([Aschen]gefäß; Behälter für Stimmzettel)

Uro|lo|ge, der; -n, -n (Arzt für Krankheiten der Harnorgane); **Uro|lo|gie,** die; - (Lehre von den Erkrankungen der Harnorgane); **uro|lo|gisch**

ur|plötz|lich

Ur|sa|che

ur|säch|lich
◇ begründend, kausal

Ur|schrift; ur|schrift|lich

Ur|sprung; ur|sprüng|lich [auch: *...schprüng...*]; **Ur|sprungs|land**

Ur|strom|tal

Ur|teil, das; -s, -e; **ur|tei|len; Ur|teils|be|grün|dung; ur|teils|fä|hig; Ur|teils‿kraft, ...spruch**

Ur|text

Ur|tier|chen (einzelliges tierisches Lebewesen)

ur|tüm|lich (ursprünglich; natürlich); **Ur|tüm|lich|keit,** die; -

Ur|ur‿ahn, ...en|kel

Ur|va|ter (Stammvater); **ur|vä|ter|lich; Ur|vä|ter|zeit;** seit -en

Ur|viech, Ur|vieh (ugs. scherzh. für: origineller Mensch)

Ur‿wahl, ...wäh|ler

Ur|wald; Ur|wald|ge|biet

Ur|welt; ur|welt|lich

ur|wüch|sig; Ur|wüch|sig|keit, die; -

Ur|zeit; seit -en; **ur|zeit|lich**

Ur|zu|stand; ur|zu|ständ|lich

Usam|ba|ra|veil|chen [auch: *...ba...*]

Usur|pa|ti|on [*...zion*], die; -, -en (widerrechtliche Besitz-, Machtergreifung); **Usur|pa|tor,** der; -s, ...oren (eine Usurpation Erstrebender od. Durchführender; Thronräuber)

usur|pie|ren
◇ annektieren, einverleiben, angliedern, sich etwas aneignen

Usus, der; - ([Ge]brauch; Rechtsbrauch, Sitte)

Uten|sil, das; -s, -ien [*...iᵉn*] (meist *Mehrz.;* [notwendiges] Gerät, Gebrauchsgegenstand)

Ute|rus, der; -, ...ri (Med.: Gebärmutter)

Uto|pie, die; -, ...ien (als unausführbar geltender Plan ohne reale Grundlage, Schwärmerei, Hirngespinst); **uto|pisch** (schwärmerisch; unerfüllbar)

UV-Fil|ter (Fotogr.: Filter zur Dämpfung der ultravioletten Strahlen); **UV-Lam|pe** (Höhensonne)

Uz, der; -es, -e (ugs. für: Neckerei); **uzen** (ugs.); **Uz|na|me** (ugs.)

V

V (Buchstabe); das V; des V, die V
va banque [*wabangk*] („es gilt die Bank"); - - spielen (alles aufs Spiel setzen)
vag vgl. vage
Va|ga|bund, der; -en, -en
◇ Tramper, Landstreicher, Stadtstreicher, Tippelbruder (ugs.), Penner (ugs.), Pennbruder (ugs.), Stromer (ugs.)
va|ga|bun|die|ren ([arbeitslos] umherziehen, herumstrolchen); **va|ge** [*wage*], vag [*wak*] (unbestimmt; ungewiß)
Va|gi|na [*wa...;* auch: *wa...*], die; -, ...nen (Med.: weibl. Scheide); **va|gi|nal** (die Scheide betreffend)
va|kant [*wa...*] (leer; erledigt, unbesetzt, offen, frei); **Va|ku|um,** das; -s, ...kua od. ...kuen (nahezu luftleerer Raum)
Va|len|tins|tag [*wa...*] (14. Febr.)
Va|lu|ta [*wa...*], die; -, ...ten (Währungsgeld; [Gegen]wert)
Vamp [*wämp*], der; -s, -s (verführerische, kalt berechnende Frau); **Vam|pir** [*wam...* od. *...pir*], der; -s, -e (blutsaugendes Gespenst; Fledermausgattung; selten für: Wucherer, Blutsauger)
Van|da|le usw. vgl. Wandale usw.
Va|nil|le [*wanil(j)e*], die; - (trop. Orchideengattung; Gewürz); **Va|nil|le‿eis, ...pud|ding, ...so|ße; Va|nil|lin,** das; -s (Riechstoff; Vanilleersatz)
va|ria|bel [*wa...*] (veränderlich, [ab]wandelbar, schwankend); ...a|ble Kosten; **Va|ria|bi|li|tät** (Veränderlichkeit); **Va|ria|ble,** die; -n, -n (Math.: veränderliche Größe); **Va|ri|an|te,** die; -, -n (Abweichung, Abwandlung; verschiedene Lesart; Organismus mit abweichender Form, Abart, Spielart); **Va|ria|ti|on** [*...zion*] (Abwechs[e]lung; Abänderung; Abwandlung); **Va|rie|té** [*variete*], das; -s, -s (Gebäude, in dem ein buntes künstlerisches u. artistisches Programm gezeigt wird); **Va|rie|té|thea|ter; va|ri|ie|ren** (verschieden sein; abweichen; verändern; [ab]wandeln)
Va|sall [*wa...*], der; -en, -en (Lehnsmann)
Va|se [*wa...*], die; -, -n ([Zier]gefäß)
Va|se|lin, das; -s, -s u. **Va|se|li|ne,** die; - [*wa...*] (mineral. Fett; Salbengrundlage)
va|so|mo|to|risch (auf die Gefäßnerven bezüglich, sie betreffend)
Va|ter, der; -s, Väter
◇ Papa, Erzeuger, Alter (ugs.), alter Herr
Vä|ter|chen; Va|ter‿fi|gur, ...land (*Mehrz.* ...länder); **Va|ter|lands‿lie|be, ...ver|tei|di|ger; vä|ter|lich;** ein -er Freund; **vä|ter|li|cher|seits; Va|ter|mör|der** (ugs. auch für: hoher, steifer Kragen); **Va|ter|schaft,** die; -; **Va|ter|un|ser** [auch: *...un...*], das; -s, -; **Va|ti,** der; -s, -s (Koseform von: Vater)
Va|ti|kan [*wa...*], der; -s (Papstpalast in Rom; oberste Behörde der kath. Kirche)
Ve|ge|ta|ri|er [*we...ier*] (Pflanzenkostesser); **ve|ge|ta|risch** (pflanzlich, Pflanzen...); **Ve|ge|ta|ti|on** [*...zion*], die; -, -en (Pflanzenwelt, -wuchs); **ve|ge|ta|tiv** (pflanzlich; ungeschlechtlich; Med.: dem Willen nicht unterliegend, unbewußt); -es (dem Einfluß des Bewußtseins entzogenes) Nervensystem; **ve|ge|tie|ren** (kümmerlich, kärglich [dahin]leben)
ve|he|ment [*we...*] (heftig, ungestüm); **Ve|he|menz,** die; -
Ve|hi|kel [*we...*], das; -s, - (ugs. für: schlechtes, altmodisches Fahrzeug)
Veil|chen; veil|chen|blau
Veits|tanz, der; -es (Nervenleiden)
Vek|tor [*wäk...*], der; -s, ...oren (physikal. od. math. Größe, die durch Pfeil dargestellt wird u. durch Angriffspunkt, Richtung und Betrag festgelegt ist)
Ve|lo [*welo*], das; -s, -s (schweiz. für: Fahrrad); Velo fahren (radfahren)
[1]Ve|lours [*welur,* auch: *welur*], der; - [*...lurß*], - [*...lurß*] (Samt; Gewebe mit gerauhter, weicher Oberfläche)
[2]Ve|lours [*welur,* auch: *welur*], das; - [*...lurß*], - [*...lurß*] (samtartiges Leder); **Ve|lours|le|der**
Ve|ne [*we...*], die; -, -n (Blutader); **Ve|nen‿ent|zün|dung** [*we...*]
ve|ne|risch [*we...*] (geschlechtskrank; auf die Geschlechtskrankheiten bezogen); -e Krankheiten
ve|nös [*we...*] (Med.: die Vene[n] betreffend; venenreich)
Ven|til [*wän...*], das; -s, -e (Absperrvorrichtung; Luft-, Dampfklappe); **Ven|ti|la|tor,** der; -s, ...oren; **ven|ti|lie|ren** (lüften; übertr.: sorgfältig erwägen)
ver|ab|re|den
Ver|ab|re|dung
◇ Stelldichein, Rendezvous, Dating, Date, Zusammenkunft, Zusammentreffen
ver|ab|rei|chen
ver|ab|scheu|en; ver|ab|scheu|ungs|wür|dig
ver|ab|schie|den
ver|ab|so|lu|tie|ren (etwas als absolut gültig hinstellen)
ver|ach|ten; ver|ächt|lich; Ver|ach|tung, die; -
ver|al|bern (ugs.)
ver|all|ge|mei|nern
◇ generalisieren, verabsolutieren, über einen Kamm scheren (ugs.)
ver|al|ten

Ve|ran|da [*we*...], die; -, ...den (überdachter u. an den Seiten verglaster Anbau, Vorbau)
◇ Balkon, Erker, Loggia, Söller, Wintergarten, Terrasse, Dachgarten
ver|än|der|lich
◇ wechselhaft, unbeständig, labil, beeinflußbar, schwankend, wandelbar
Ver|än|der|li|che, die; -n, -n (eine mathemat. Größe, deren Wert sich ändern kann); **ver|än|dern;** sich -
Ver|än|de|rung
◇ Wandel, Wandlung, Wechsel, Mutation
ver|äng|sti|gen; ver|äng|stigt
ver|an|kern; Ver|an|ke|rung
ver|an|lagt; Ver|an|la|gung (Einschätzung; Begabung)
ver|an|las|sen; Ver|an|las|sung
ver|an|schla|gen
ver|an|stal|ten
◇ abhalten, durchführen, halten, geben, machen, unternehmen
Ver|an|stal|tung
ver|ant|wor|ten; ver|ant|wort|lich; Ver|ant|wor|tung; ver|ant|wor|tungs‿be|wußt, ...los
ver|äp|peln (ugs. für: verhöhnen)
ver|ar|bei|ten; Ver|ar|bei|tung
ver|är|gern; Ver|är|ge|rung
ver|ar|schen (derb)
ver|arz|ten (ugs. scherzh. für: [ärztl.] behandeln)
ver|aus|ga|ben (ausgeben); sich -
ver|äu|ßer|lich (verkäuflich); **ver|äu|ßern** (verkaufen)
Verb [*wärp*], das; -s, -en (Sprachw.: Zeitwort, Tätigkeitswort, z. B. „arbeiten, laufen, bauen"); **ver|bal** (zeitwörtlich, als Zeitwort gebraucht; wörtlich; mündlich); **Ver|bal|in|ju|rie** [*wärbalinjuriᵉ*] (Beleidigung mit Worten)
ver|ball|hor|nen (ugs. für: verschlimmbessern)
Ver|band, der; -[e]s, ...bände; **Ver|band[s]|ka|sten**
ver|ban|nen
Ver|ban|nung
◇ Exil, Ausweisung
ver|bar|ri|ka|die|ren
◇ verrammeln, versperren, verschanzen, zumauern, vermauern
ver|bau|en
ver|bei|ßen; die Hunde hatten sich ineinander verbissen; sich den Schmerz -; sich in eine Sache -
ver|ber|gen; verbarg (verbärge), verborgen; verbirg!
ver|bes|sern
◇ reformieren, umgestalten, neu gestalten · berichtigen, korrigieren
Ver|bes|se|rung
ver|beu|gen, sich; **Ver|beu|gung**
ver|beu|len
ver|bie|gen; Ver|bie|gung
ver|bie|stert (ugs. für: verwirrt, verstört, verärgert)
ver|bie|ten; wir verboten den Kindern, auf der Straße zu spielen (aber nicht: ... nicht auf der Straße zu spielen)
◇ untersagen, verwehren
ver|bil|li|gen; Ver|bil|li|gung
ver|bim|sen (ugs. für: verprügeln)
ver|bin|den
ver|bind|lich; eine -e Zusage
◇ bindend, endgültig, definitiv, feststehend, unwiderruflich, verpflichtend, obligatorisch
Ver|bind|lich|keit; Ver|bin|dung
ver|bis|sen
ver|bit|ten; ich habe mir eine solche Antwort verbeten
ver|bit|tern; Ver|bit|te|rung
ver|blas|sen
Ver|bleib, der; -[e]s; **ver|blei|ben**
Ver|blen|dung
Ver|bli|che|ne, der u. die; -n, -n (Tote)
ver|blüf|fen (bestürzt machen); **ver|blüf|fend; Ver|blüf|fung**
ver|blü|hen
ver|blümt (andeutend)
ver|blu|ten; sich -; **Ver|blu|tung**
ver|bohrt; er ist - (ugs. für: starrköpfig)
¹ver|bor|gen (ausleihen)
²ver|bor|gen; eine -e Gefahr; ein Veilchen, das im verborgenen (unbemerkt) blüht, aber: im Verborgenen wohnen
Ver|bot, das; -[e]s, -e
◇ Untersagung, Tabu, Interdikt (geh.)
ver|bo|ten; Ver|bots|schild (*Mehrz.* ...schilder)
ver|brä|men (am Rand verzieren; übertr. für: [eine Aussage] verschleiern, verhüllen)
Ver|brauch, der; -[e]s; **ver|brau|chen; Ver|brau|cher**
ver|bre|chen; Ver|bre|chen, das; -s, -
Ver|bre|cher
◇ Rechtsbrecher, Straffälliger, Krimineller, Ganove, Gangster
Ver|bre|cher|al|bum; ver|bre|che|risch
ver|brei|ten
◇ ausstreuen, herumerzählen (ugs.), herumtragen (ugs.), unter die Leute bringen (ugs.), in Umlauf bringen/setzen, ausposaunen, an die große Glocke hängen (ugs.)
ver|brei|tern (breiter machen); **Ver|brei|te|rung; Ver|brei|tung**
ver|bren|nen
◇ abbrennen, niederbrennen, einäschern, in [Schutt und] Asche legen, in Flammen aufgehen lassen
Ver|bren|nung
ver|brie|fen ([urkundlich] sicherstellen); ein verbrieftes Recht

ver|brin|gen
ver|brü|dern, sich; ich ...ere mich
ver|brü|hen
ver|bu|chen
ver|bum|meln; er hat seine Zeit verbummelt (ugs. für: nutzlos vertan)
ver|bün|den, sich
◇ sich zusammentun/zusammenschließen/alliieren/assoziieren/vereinigen/verbinden, zusammengehen, koalieren, eine Koalition eingehen
Ver|bun|den|heit, die; -; - mit etwas od. jmdm.; **Ver|bün|de|te,** der u. die; -n, -n
ver|bür|gen; sich -
ver|bü|ßen; eine Strafe -
ver|chro|men [*...kro...*] (mit Chrom überziehen)
Ver|dacht, der; -[e]s
◇ Argwohn, Mißtrauen, Skepsis, Skrupel, Bedenken, Zweifel
ver|däch|tig; Ver|däch|ti|ge, der u. die; -n, -n
ver|däch|ti|gen
◇ mißtrauen, beargwöhnen, beschuldigen, anklagen, bezichtigen, jmdm. etwas unterstellen/unterschieben, [jmdm. in/im] Verdacht haben, Verdacht werfen auf
Ver|dachts|mo|ment, das; -[e]s, -e
ver|dam|men; Ver|damm|nis, die; -
ver|damp|fen
ver|dan|ken
◇ jmdm. Dank schulden, zu Dank verpflichtet sein, sich zu Dank verpflichtet fühlen
ver|da|ten (in Daten umsetzen)
ver|dat|tert (ugs. für: verwirrt)
ver|dau|en; Ver|dau|ung, die; -
Ver|deck, das; -[e]s, -e; **ver|decken** [*Trenn.:* ...dek|ken]
ver|den|ken; jmdm. etwas -
Ver|derb, der; -[e]s; auf Gedeih und -
ver|der|ben, verdarb (verdürbe), verdorben; verdirb!
◇ verpatzen (ugs.), vermasseln, verkorksen, versauen (derb), vermurksen (ugs.)
Ver|der|ben, das; -s
ver|derb|lich; -e Eßwaren
◇ verderbenbringend, ruinös, schädlich, ungesund
ver|deut|li|chen
ver|dich|ten
ver|die|nen; das verdient[,] hier erwähnt zu werden, aber: das verdient wirklich, in unsere Sammlung aufgenommen zu werden; **[1]Ver|dienst,** der; -[e]s, -e (Erwerb, Lohn, Gewinn); **[2]Ver|dienst,** das; -[e]s, -e (Anspruch auf Dank u. Anerkennung); **Ver|dienst|aus|fall**
Ver|dikt [*wär...*], das; -[e]s, -e (Urteil)
ver|dop|peln
ver|dor|ben
ver|dor|ren
ver|drän|gen; Ver|drän|gung
ver|dre|hen; ver|dreht (ugs. für: verschroben)
ver|dre|schen (ugs. für: schlagen, verprügeln)
ver|drie|ßen, verdroß (verdrösse), verdrossen; **ver|drieß|lich; ver|dros|sen; Ver|dros|sen|heit**
ver|drücken [*Trenn.:* ...drük|ken] (ugs. auch für: etwas essen); sich - (ugs. für: sich heimlich entfernen)
Ver|druß, der; ...drusses, ...drusse
ver|duf|ten; [sich] - (ugs. für: sich unauffällig entfernen)
ver|dum|men; Ver|dum|mung
ver|dun|keln
ver|dün|nen
◇ verwässern, taufen (ugs.), verlängern (ugs.), strecken (ugs.)
ver|dun|sten (zu Dunst werden; langsam verdampfen); **Ver|dun|stung**
ver|dur|sten
ver|dutzt (ugs. für: verwirrt); - sein
ver|edeln
ver|ehe|li|chen; sich -; **Ver|ehe|li|chung**
ver|eh|ren; Ver|eh|rung
ver|ei|di|gen
Ver|ein, der; -[e]s, -e; **ver|ein|ba|ren; ver|ei|nen**
ver|ein|fa|chen; Ver|ein|fa|chung
ver|ei|ni|gen; Ver|ei|ni|gung
Ver|eins‿elf (die), **...haus, ...lo|kal** (Vereinsraum, -zimmer)
ver|eist
ver|ei|teln
ver|ei|tern; Ver|ei|te|rung
ver|elen|den; Ver|elen|dung
ver|en|den; Ver|en|dung
Ver|er|bung
ver|ewi|gen; sich -
ver|fah|ren
Ver|fah|ren, das; -s, -
◇ Methode, System, Arbeitsweise · Gerichtsverfahren
Ver|fall, der; -[e]s; **ver|fal|len; Ver|fall[s]‿tag, ...zeit**
ver|fäl|schen
ver|fan|gen; sich -; **ver|fäng|lich;** eine -e Frage
ver|fär|ben; sich -
ver|fas|sen; Ver|fas|ser; Ver|fas|sung; Ver|fas|sungs‿än|de|rung, ...ge|richt; ver|fas|sungs|wid|rig
ver|fech|ten (verteidigen)
ver|fein|den; sich mit jmdm. -
ver|fei|nern; Ver|fei|ne|rung
ver|fer|ti|gen; Ver|fer|ti|gung
ver|fe|sti|gen; Ver|fe|sti|gung
ver|fil|men; Ver|fil|mung
ver|fil|zen; Ver|fil|zung
ver|fin|stern; sich -
ver|flech|ten; Ver|flech|tung
ver|flie|gen; sich -

ver|flixt (ugs. für: verflucht; auch: unangenehm, ärgerlich)
ver|flu|chen; Ver|flu|chung
ver|flüch|ti|gen; sich -
ver|fol|gen
◇ jagen, hetzen, nachlaufen, nachrennen, hinter jmdm. her sein, nachsteigen · beobachten
Ver|fol|ger; Ver|fol|gung
ver|for|men; Ver|for|mung
ver|frach|ten
ver|frem|den; Ver|frem|dung
ver|fres|sen (ugs. für: gefräßig)
ver|fro|ren
ver|früht
ver|füg|bar
◇ bereit, fertig, angezogen, abmarschbereit
ver|fü|gen; Ver|fü|gung
ver|füh|ren; ver|füh|re|risch
Ver|ga|be, die; -, (selten:) -n
ver|gaf|fen, sich (ugs.: sich verlieben)
ver|gäl|len
ver|gam|meln
Ver|gan|gen|heit
ver|gäng|lich
◇ endlich, sterblich
ver|ga|sen; Ver|ga|ser
ver|ge|ben; ver|ge|bens; ver|geb|lich
ver|ge|gen|wär|ti|gen
ver|ge|hen
◇ vorbeigehen, vorübergehen, verstreichen, verfliegen, verdunsten
Ver|ge|hen, das; -s, -
ver|gel|ten; Ver|gel|tung
Ver|gel|tungs|maß|nah|me
◇ Druckmittel, Repressalie, Sanktion, Zwangsmaßnahme
ver|ge|sell|schaf|ten
ver|ges|sen, vergaß (vergäße), vergessen; vergiß!; **Ver|ges|sen|heit,** die; -; in - geraten; **ver|geß|lich**
ver|geu|den
ver|ge|wal|ti|gen
◇ schänden, notzüchtigen, sich vergehen an, jmdm. Gewalt antun, mißbrauchen, entehren (veralt.)
Ver|ge|wal|ti|gung
ver|ge|wis|sern, sich; ich vergewissere u. vergewißre mich seines Verantwortungsgefühls
ver|gie|ßen
ver|gif|ten
ver|gil|ben; vergilbte Papiere
Ver|giß|mein|nicht, das; -[e]s, -[e] (eine Blume)
ver|gla|sen; ver|glast
Ver|gleich, der; -[e]s, -e; im - mit, zu; **ver|gleich|bar**
ver|glei|chen
◇ Vergleiche/Parallelen ziehen, einen Vergleich anstellen, nebeneinanderstellen, nebeneinanderhalten, gegenüberstellen, konfrontieren, abwägen

ver|glim|men
ver|glü|hen
ver|gnü|gen, sich
◇ sich unterhalten/amüsieren/verlustieren, sich zerstreuen
Ver|gnü|gen, das; -s, -; viel -!; **ver|gnüg|lich; ver|gnügt; Ver|gnü|gung** (meist *Mehrz.*); **Ver|gnü|gung[s]-steu|er,** die
ver|gol|den; Ver|gol|dung
ver|gön|nen (gewähren)
ver|göt|tern; Ver|göt|te|rung
ver|gra|ben
ver|grau|len (ugs. für: verärgern [u. dadurch vertreiben])
ver|grei|fen; sich an jmdm., an einer Sache -
ver|grif|fen; das Buch ist - (nicht mehr lieferbar)
◇ [aus]verkauft, ausgebucht
ver|grö|ßern; Ver|grö|ße|rung; Ver-grö|ße|rungs|glas
ver|gucken [*Trenn.:* ...guk|ken], sich (ugs. für: sich verlieben)
Ver|gün|sti|gung
ver|gü|ten (auch für: veredeln)
Ver|gü|tung
◇ Gutschrift, Bonifikation, Bonus, Gutschein, Prämie · Gehalt
ver|hack|stücken [*Trenn.:* ...stük|ken] (ugs. für: bis ins kleinste besprechen u. kritisieren)
ver|haf|ten; Ver|haf|te|te, der u. die; -n, -n; **Ver|haf|tung**
ver|ha|geln; das Getreide ist verhagelt
[1]**ver|hal|ten;** sich -; [2]**ver|hal|ten;** ein -er (gedämpfter) Zorn; **Ver|hal|ten,** das; -s; **Ver|hal|tens‿for|schung, ...wei|se** (die); **Ver|hält|nis,** das; -ses, -se; geordnete Verhältnisse; **ver-hält|nis|mä|ßig; Ver|hält|nis‿wahl, ...wort** (Präposition; *Mehrz.* ...wörter)
ver|han|deln; über etwas -; **Ver|hand-lung**
ver|han|gen; ein -er Himmel; **Ver-häng|nis,** das; -ses, -se; **ver|häng|nis-voll**
ver|harm|lo|sen
ver|härmt
ver|har|ren; Ver|har|rung
ver|har|schen; ver|harscht
ver|här|ten; Ver|här|tung
ver|has|peln; sich - (ugs. für: sich beim Sprechen verwirren)
ver|haßt
ver|hät|scheln (ugs. für: verzärteln)
Ver|hau, der od. das; -[e]s, -e; **ver|hau-en** (ugs. für: durchprügeln); sich - (ugs. für: sich gröblich irren)
ver|he|ben, sich; ich habe mich verhoben; **Ver|he|bung**
ver|hed|dern (ugs. für: verwirren); sich - (beim Sprechen)

ver|hee|ren; ver|hee|rend; (ugs.:) das ist - (sehr unangenehm, furchtbar); **Ver|hee|rung**
ver|heh|len; er hat die Wahrheit verhehlt; vgl. verhohlen
ver|hei|len
ver|heim|li|chen
ver|hei|ra|ten; sich -; **ver|hei|ra|tet** (Abk.: verh.; Zeichen: ⚭)
ver|hei|ßen; Ver|hei|ßung; ver|hei|ßungs|voll
ver|hei|zen; Kohlen -; jmdn. - (ugs. für: jmdn. für eigene Zwecke rücksichtslos einsetzen)
ver|hel|fen; jmdm. zu etwas -
ver|herr|li|chen
Ver|herr|li|chung
◇ Glorifizierung, Verklärung, Vergötterung, Apotheose
ver|het|zen; Ver|het|zung
ver|heult (ugs. für: verweint)
ver|he|xen; (ugs.:) das ist wie verhext; **Ver|he|xung**
ver|hin|dern; Ver|hin|de|rung
ver|hoh|len (verborgen); mit kaum verhohlener Schadenfreude
ver|höh|nen; ver|hoh|ne|pi|peln (ugs. für: verspotten, verulken)
ver|hö|kern (ugs. für: [billig] verkaufen)
Ver|hör, das; -[e]s, -e
◇ Kreuzverhör, Untersuchung, Ermittlung, Anhörung, Hearing, Vernehmung, Einvernahme (schweiz.), Inquisition
ver|hö|ren
ver|hül|len; ver|hüllt
ver|hun|gern
ver|hun|zen (ugs. für: verderben; verschlechtern)
ver|hü|ten (verhindern)
ver|hüt|ten (Erz auf Hüttenwerken verarbeiten); **Ver|hüt|tung**
Ver|hü|tung; Ver|hü|tungs|mit|tel
ver|hut|zeln (zusammenschrumpfen); ein verhutzeltes Männchen
ve|ri|fi|zier|bar (nachprüfbar); **ve|ri|fi|zie|ren** (nachprüfen; beglaubigen)
ver|ir|ren, sich
◇ sich verlaufen, in die Irre gehen, vom Wege abkommen, den Weg verfehlen, fehlgehen (geh.), sich verfahren, sich verfranzen (ugs.)
Ver|ir|rung
ver|ja|gen
ver|jäh|ren; Ver|jäh|rung
ver|ju|beln (ugs. für: [sein Geld] für Vergnügungen ausgeben)
ver|jün|gen; sich -; die Säule verjüngt sich (wird dünner)
ver|ju|xen (ugs. für: vergeuden)
ver|ka|beln (mit Kabeln anschließen); **Ver|ka|be|lung**
ver|kal|ken (auch ugs. für: alt werden, die geistige Frische verlieren)
ver|kal|ku|lie|ren, sich (sich verrechnen, falsch veranschlagen)
ver|kannt; ein -es Genie
ver|kappt; ein -er Spion
ver|ka|tert (ugs. für: an den Folgen übermäßigen Alkoholgenusses leidend)
Ver|kauf; der - von Textilien, (in der Kaufmannsspr. gelegentl. auch:) der - in Textilien
ver|kau|fen
◇ veräußern (geh.), verscheuern (ugs.), verschachern (ugs.), versilbern (ugs.), zu Geld machen (ugs.), verkitschen (ugs.; landsch.), verkümmeln (ugs.), verkloppen (ugs.), verscherbeln (ugs.), versetzen (ugs.), abstoßen, verramschen (ugs.)
Ver|käu|fer; Ver|käu|fe|rin, die; -, -nen; **ver|käuf|lich; ver|kaufs|of|fen;** -er Samstag
Ver|kehr, der; -s (seltener: -es), (fachspr.:) -e; **ver|keh|ren; Ver|kehrs|am|pel; ver|kehrs|be|ru|higt;** eine -e Straße; **Ver|kehrs‿cha|os, ...hin|der|nis; ver|kehrs|si|cher; Ver|kehrs‿sün|der** (ugs.), **...teil|neh|mer, ...un|fall, ...ver|ein; ver|kehrs|wid|rig; Ver|kehrs|zei|chen; ver|kehrt;** seine Antwort ist -
ver|ken|nen; er wurde von allen verkannt; **Ver|ken|nung**
ver|ket|ten; Ver|ket|tung
ver|ket|zern (schmähen, herabsetzen); **Ver|ket|ze|rung**
ver|kla|gen
ver|klap|pen ([Abfallstoffe] ins Meer versenken); **Ver|klap|pung**
ver|klä|ren (ins Überirdische erhöhen); **Ver|klä|rung**
ver|klau|seln u. (österr. nur:) **ver|klau|su|lie|ren** (unübersichtlich machen)
ver|kle|ben; Ver|kle|bung
ver|klei|den
◇ sich maskieren/kostümieren/vermummen/tarnen · bespannen
Ver|klei|dung
ver|klei|nern; Ver|klei|ne|rung
ver|klem|men; ver|klemmt
ver|klin|gen
ver|klop|pen (ugs. für: schlagen; verkaufen)
ver|knacken [*Trenn.:* ...knak|ken] (ugs. für: verurteilen)
ver|knack|sen (ugs. für: verstauchen; verknacken)
ver|knal|len, sich (ugs. für: sich verlieben)
ver|knap|pen; Ver|knap|pung
ver|knei|fen (ugs.); sich das Lachen -; sich etwas - (ugs. für: entsagen, verzichten); **ver|knif|fen** (verbittert, verhärtet)
ver|knö|chert (ugs. für: alt, verständnislos)
ver|kno|ten

ver|knüp|fen
◇ verbinden, verzahnen, beiordnen, koordinieren, assoziieren
Ver|knüp|fung
ver|koh|len (ugs. für: scherzhaft belügen)
ver|kom|men; ein -er Mensch
ver|kon|su|mie|ren (ugs. für: aufessen)
ver|kor|ken (mit einem Korken verschließen); **ver|kork|sen** (ugs. für: verpfuschen)
ver|kör|pern; Ver|kör|pe|rung
ver|kö|sti|gen
ver|kra|chen (ugs. für: scheitern); sich - (ugs. für: sich entzweien); **ver|kracht** (ugs.); eine -e Existenz
ver|kraf|ten (ugs. für: ertragen können)
ver|kramp|fen, sich; **ver|krampft**
ver|kra|tzen
ver|krie|chen, sich
ver|krü|meln, sich (ugs. für: sich unauffällig entfernen)
ver|krüp|peln
ver|kru|sten; etwas verkrustet
ver|küh|len, sich; (sich erkälten)
ver|küm|mern; ver|küm|mert
ver|kün|den; ver|kün|di|gen; Ver|kün|di|gung, Ver|kün|dung
ver|kup|peln
ver|kür|zen; Ver|kür|zung
ver|la|chen (auslachen)
ver|la|den; vgl. [1]laden; **Ver|la|de|ram|pe**
Ver|lag, der; -[e]s, -e (von Büchern usw.)
ver|la|gern
◇ verlegen, auslagern, aussiedeln, räumen, evakuieren
Ver|la|ge|rung; Ver|lags|haus
ver|lan|den (von Seen usw.)
ver|lan|gen; Ver|lan|gen, das; -s, -
ver|län|gern; Ver|län|ge|rung; Ver|län|ge|rungs|schnur
ver|lang|sa|men; Ver|lang|sa|mung
Ver|laß, der; ...lasses; es ist kein - auf ihn; **[1]ver|las|sen;** sich auf eine Sache, einen Menschen -; **[2]ver|las|sen** (vereinsamt); **ver|läß|lich** (zuverlässig)
Ver|laub, der, nur noch in: mit -
Ver|lauf; im -; **ver|lau|fen;** die Sache ist gut verlaufen; sich -
ver|lau|ten; wie verlautet; nichts - lassen
ver|le|ben
[1]ver|le|gen [zu legen]
[2]ver|le|gen [zu: liegen] (befangen; er war -)
◇ betreten, schamhaft, beschämt, bedripst (ugs.), wie ein begossener Pudel (ugs.)
Ver|le|gen|heit; Ver|le|ger
ver|lei|den (leid machen); es ist mir verleidet
◇ verderben, vergällen, vermiesen (ugs.), miesmachen (ugs.), madig machen (ugs.), verekeln (ugs.), die Lust nehmen an
Ver|leih, der; -[e]s, -e; **ver|lei|hen;** er hat das Buch verliehen; **Ver|lei|her; Ver|lei|hung**
ver|lei|ten
◇ verführen, versuchen, in Versuchung führen, [ver]locken, reizen, anziehen, jmdn. gewinnen/interessieren
ver|ler|nen
ver|le|sen; er hat den Text verlesen; **Ver|le|sung**
ver|letz|bar; ver|let|zen; er ist verletzt; **ver|let|zend; ver|letz|lich; Ver|letz|te,** der u. die; -n, -n; **Ver|let|zung**
ver|leug|nen; Ver|leug|nung
ver|leum|den
◇ verlästern, verketzern, verteufeln, verunglimpfen, die Ehre abschneiden, diskriminieren, diffamieren, in Verruf/Mißkredit bringen, in ein schlechtes Licht setzen, abqualifizieren, andichten/anhängen, schlecht machen, anschwärzen
Ver|leum|der; ver|leum|de|risch; Ver|leum|dung
ver|lie|ben, sich
◇ sich vergucken, sich vergaffen, sich verknallen, sich verschießen (ugs.), sich vernarren (ugs.), sein Herz verlieren
ver|liebt; Ver|lieb|te, der u. die; -n, -n; **Ver|liebt|heit**
ver|lie|ren; verlor (verlöre), verloren
◇ einbüßen, verlustig gehen, verwirken, kommen um etwas, verlegen, verbummeln (ugs.)
Ver|lie|rer; Ver|lies, das; -es, -e ([unterird.] Gefängnis, Kerker)
ver|lo|ben; sich -; **Ver|löb|nis,** das; -ses, -se; **Ver|lob|te,** der u. die; -n, -n; **Ver|lo|bung**
ver|locken [*Trenn.:* ...lok|ken]; **Ver|lockung** [*Trenn.:* ...lok|kung]
ver|lo|gen (lügenhaft); **Ver|lo|gen|heit**
ver|lo|ren; der -e Sohn; auf -em Posten stehen; - sein; - geben; sie haben das Spiel verloren gegeben
ver|lo|ren|ge|hen; es ist verlorengegangen
◇ abhanden kommen, wegkommen, verschüttgehen (ugs.)
ver|lö|schen; die Kerze verlischt
ver|lo|sen; Ver|lo|sung
ver|lot|tern (ugs. für: verkommen)
Ver|lust, der; -[e]s, -e; **Ver|lust‿be|trieb, ...ge|schäft**
ver|lu|stie|ren, sich (ugs. scherzh. für: sich vergnügen)
ver|ma|chen (durch letztwillige Verfügung zuwenden); **Ver|mächt|nis,** das; -ses, -se
ver|mäh|len; sich -; **ver|mählt** (Abk.: verm. [Zeichen: ∞]); **Ver|mäh|lung**
ver|mas|seln (ugs. für: verderben)
ver|meh|ren
◇ mehren, aufblähen, aufstocken, anheben, verstärken

Ver|meh|rung
ver|meid|bar; ver|mei|den; er hat diesen Fehler vermieden
ver|mei|nen (glauben; oft für: irrtümlich glauben); **ver|meint|lich**
ver|men|gen; Ver|men|gung
ver|mensch|li|chen
Ver|merk, der; -[e]s, -e; **ver|mer|ken;** etwas am Rande -
[1]**ver|mes|sen;** Land -; [2]**ver|mes|sen;** ein -es (tollkühnes) Unternehmen; **Ver|mes|sen|heit** (Kühnheit); **Ver|mes|sung**
ver|mie|sen (ugs. für: verleiden)
ver|mie|ten; Ver|mie|ter; Ver|mie|te|rin, die; -, -nen; **Ver|mie|tung**
ver|min|dern; Ver|min|de|rung
ver|mi|nen (Minen legen; durch Minen versperren); **Ver|mi|nung**
ver|mi|schen; Ver|mi|schung
ver|mis|sen; als vermißt gemeldet; **Ver|miß|te,** der u. die; -n, -n
ver|mit|teln; ver|mit|tels[t]; *Verhältnisw.* mit *Wesf.:* - des Eimers (besser: mit dem Eimer od. mit Hilfe des Eimers)
Ver|mitt|ler
◇ Mittler, Mittelsmann, Mittelsperson, Verbindungsmann, Makler
Ver|mitt|lung; Ver|mitt|lungs|ge|bühr
ver|mö|beln (ugs. für: tüchtig schlagen; vergeuden)
ver|mo|dern
ver|mö|ge; *Verhältnisw.* mit *Wesf.:* - seines Geldes; **ver|mö|gen**
Ver|mö|gen, das; -s, -
◇ Geld, Kapital, Reichtum, Mammon, Millionen · Besitz
ver|mö|gend; Ver|mö|gens‿bil|dung, ...la|ge, Ver|mö|gen[s]|steu|er
ver|mum|men; Ver|mum|mung
ver|murk|sen (ugs. für: verderben)
ver|mu|ten
◇ mutmaßen, sich einbilden, wähnen (geh.), glauben, meinen, der Meinung/Ansicht sein, annehmen, schätzen (ugs.), tippen (ugs.), denken, ahnen, [be]fürchten
ver|mut|lich; Ver|mu|tung; ver|mu|tungs|wei|se
ver|nach|läs|si|gen
ver|na|geln; ver|na|gelt (ugs. auch für: äußerst begriffsstutzig)
ver|nä|hen; eine Wunde -
ver|nar|ben; Ver|nar|bung
ver|nar|ren; sich -; in jmdn., in etwas vernarrt sein; **Ver|narrt|heit**
ver|na|schen
ver|ne|beln
ver|nehm|bar; ver|neh|men; er hat das Geräusch vernommen; der Angeklagte wurde vernommen; **ver|nehm|lich; Ver|neh|mung** ([gerichtl.] Befragung); **ver|neh|mungs|fä|hig**

ver|nei|gen, sich; **Ver|nei|gung**
ver|nei|nen; eine verneinende Antwort; **Ver|nei|nung**
ver|net|zen (miteinander verbinden, verknüpfen); **Ver|net|zung**
ver|nich|ten; Ver|nich|tung
ver|nied|li|chen
Ver|nis|sa|ge [*wärnißasch*[e]], die; -, -n (Eröffnung einer Kunstausstellung)
Ver|nunft, die; -
◇ Verstand, Denkvermögen, Auffassungsgabe, Geist, Intellekt, Klugheit, Scharfsinn
ver|nunft‿be|gabt, ...ge|mäß; ver|nünf|tig; ver|nunft|wid|rig
ver|öden; Ver|ödung
ver|öf|fent|li|chen; Ver|öf|fent|li|chung
ver|ord|nen; Ver|ord|nung
ver|pach|ten; Ver|pach|tung
ver|packen [*Trenn.:* ...pak|ken]; **Ver|packung** [*Trenn.:* ...pak|kung]
[1]**ver|pas|sen** (versäumen); er hat den Zug verpaßt; [2]**ver|pas|sen** (ugs. für: geben; schlagen); eine Uniform wurde ihm verpaßt; dem werde ich eins -
ver|pat|zen (ugs. für: verderben); er hat die Arbeit verpatzt
ver|pe|sten; Ver|pe|stung
ver|pet|zen (ugs. für: verraten); er hat ihn verpetzt
ver|pfän|den; Ver|pfän|dung
ver|pfei|fen (ugs. für: verraten); er hat ihn verpfiffen
ver|pflan|zen; Ver|pflan|zung
ver|pfle|gen; Ver|pfle|gung
ver|pflich|ten; sich -; er ist mir verpflichtet; **Ver|pflich|tung**
ver|pfu|schen (ugs. für: verderben); ein verpfuschtes Leben
ver|pla|nen (falsch planen; auch: einplanen)
ver|plap|pern, sich (ugs. für: etwas unüberlegt heraussagen)
ver|plau|dern (mit Plaudern verbringen)
ver|plem|pern (ugs. für: verschütten; vergeuden); du verplemperst dich
ver|pönt ([bei Strafe] verboten, nicht statthaft)
ver|pras|sen; das Geld -
ver|prel|len (verwirren, einschüchtern)
ver|prü|geln (ugs.)
ver|puf|fen ([schwach] explodieren; auch: ohne Wirkung bleiben); **Ver|puf|fung**
ver|pul|vern (ugs. für: unnütz verbrauchen)
ver|pup|pen, sich; **Ver|pup|pung** (Umwandlung der Insektenlarve in die Puppe)
Ver|putz (Mauerbewurf); **ver|put|zen** (ugs. auch für: [Geld] durchbringen, vergeuden; [Essen] verzehren)

ver|quer; mir geht etwas - (ugs. für: es mißlingt mir)
ver|quicken [*Trenn.:* ...quik|ken] (vermischen; durcheinanderbringen)
ver|quol|len; -e Augen; -es Holz
ver|ram|meln, ver|ram|men
ver|ram|schen (ugs. für: zu Schleuderpreisen verkaufen)
ver|rannt (ugs. für: vernarrt; festgefahren); in etwas - sein
Ver|rat, der; -[e]s
ver|ra|ten; sich -
◇ verpfeifen, verpetzen (ugs.), verschwatzen (landsch.), singen (Gaunersprache), verpfeifen (ugs.), anzeigen, denunzieren, preisgeben
Ver|rä|ter; Ver|rä|te|rei; ver|rä|terisch
ver|rau|chen; ver|räu|chern
ver|rech|nen (in Rechnung bringen); sich - (sich beim Rechnen irren); **Ver|rech|nung; Ver|rech|nungs|scheck**
ver|recken [*Trenn.:* ...rek|ken] (derb für: verenden; elend zugrunde gehen)
ver|reg|nen; verregnet
ver|rei|ben; Ver|rei|bung
ver|rei|sen (auf die Reise gehen); er ist verreist
ver|rei|ßen; er hat das Theaterstück verrissen (ugs. für: völlig negativ beurteilt)
ver|ren|ken; sich den Arm -
ver|rich|ten (ausführen); **Ver|rich|tung**
ver|rie|geln
ver|rin|gern
◇ vermindern, verkleinern, schmälern (geh.), dezimieren, [ver]kürzen, reduzieren, herabsetzen, einschränken
Ver|rin|ge|rung
ver|rin|nen
Ver|riß, der; Verrisses, Verrisse; vgl. verreißen
ver|ro|hen; ver|roht; Ver|ro|hung, die; -
ver|ro|sten
ver|rot|ten (modern, zerfallen)
ver|rucht; Ver|rucht|heit, die; -
ver|rücken [*Trenn.:* ...rük|ken]; **ver|rückt; Ver|rück|te,** der, die, das; -n, -n; **Ver|rückt|heit; Ver|rückt|wer|den;** das ist zum -
Ver|ruf, der (schlechter Ruf), nur noch in: in - bringen, geraten; **ver|ru|fen;** die Gegend ist sehr -
ver|ru|ßen; der Kamin ist verrußt
ver|rut|schen
Vers [*färß*], der; -es, -e
ver|sacken [*Trenn.:* ...sak|ken] (wegsinken; ugs. für: liederlich leben)
ver|sa|gen; er hat ihr keinen Wunsch versagt; das Gewehr hat versagt; menschliches Versagen
◇ durchfallen (ugs.), durchsausen (ugs.), durchrasseln (ugs.) · ablehnen
Ver|sa|ger
◇ Taugenichts, Nichtsnutz, Niete, Flasche (ugs.), Blindgänger
ver|sal|zen (auch übertr. ugs. für: die Freude an etwas nehmen); wir haben ihm das Fest versalzen
ver|sam|meln; Ver|samm|lung
Ver|sand, der; -[e]s (Versendung); **ver|sand|fer|tig; Ver|sand‿haus, ...kosten** *(Mehrz.);* **ver|sandt,** ver|sen|det
ver|sau|en (derb für: verschmutzen; verderben)
ver|sau|ern (sauer werden; auch: die [geistige] Frische verlieren)
ver|sau|fen
ver|säu|men
◇ verpassen (ugs.), sich entgehen lassen, vernachlässigen, verabsäumen, unterlassen, verfehlen, verschwitzen (ugs.)
Ver|säum|nis, das; -ses, -se
ver|scha|chern (ugs. für: verkaufen)
ver|schach|telt; ein -er Satz
ver|schaf|fen; du hast dir Genugtuung verschafft
ver|scha|len (mit Brettern verschlagen); **Ver|scha|lung**
ver|schämt; - tun
ver|schan|deln (ugs. für: verunzieren)
ver|schan|zen, sich; du hast dich hinter Ausreden verschanzt
ver|schär|fen
◇ verstärken, verschlechtern, verschlimmern
ver|schar|ren
ver|schät|zen, sich
ver|schau|keln (ugs. für: betrügen, hintergehen)
ver|schen|ken
ver|scher|beln (ugs. für: verkaufen)
ver|scher|zen ([durch Leichtsinn] verlieren); sich etwas -
ver|scheu|chen
ver|scheu|ern (ugs. für: verkaufen)
ver|schicken [*Trenn.:* ...schik|ken]
ver|schie|ben; den Schrank um einige Zentimeter verschieben; eine Arbeit auf später verschieben
◇ aufschieben, hinausschieben, vertagen, zurückstellen, verlegen, umlegen, hinauszögern, verschleppen, auf die lange Bank schieben · verkaufen
[1]**ver|schie|den** (geh. für: gestorben)
[2]**ver|schie|den;** verschieden lang; verschiedene (einige) sagen ...; verschiedenes (manches) war mir unklar; Ähnliches und Verschiedenes; **ver|schie|den|ar|tig; ver|schie|den|far|big; Ver|schie|den|heit; ver|schie|dent|lich**
ver|schif|fen; Ver|schif|fung
ver|schim|meln
[1]**ver|schla|fen;** ich habe [mich] verschlafen; er hat den Morgen verschlafen; [2]**ver|schla|fen;** er sieht - aus

Ver|schlag, der; -[e]s, Verschläge; **ver|schla|gen** ([hinter]listig); ein -er Mensch; **Ver|schla|gen|heit,** die; -
ver|schlam|pen (ugs. für: verkommen lassen)
ver|schlech|tern; sich -
ver|schlei|ern; Ver|schleie|rung
ver|schlei|men; ver|schleimt
Ver|schleiß, der; -es, -e (Abnutzung; österr. auch für: Kleinverkauf, Vertrieb); **ver|schlei|ßen;** verschliß, verschlissen; ([stark] abnutzen)
ver|schlep|pen; Ver|schlep|pung; Ver|schlep|pungs|tak|tik
ver|schleu|dern
ver|schließ|bar; ver|schlie|ßen
ver|schlimm|bes|sern (ugs.); er hat alles nur verschlimmbessert; **ver|schlim|mern; Ver|schlim|me|rung**
ver|schlin|gen
ver|schlos|sen (zugesperrt; verschwiegen); **Ver|schlos|sen|heit,** die; -
ver|schlucken [*Trenn.:* ...schluk|ken]; sich -
Ver|schluß; ver|schlüs|seln
ver|schmach|ten
ver|schmä|hen
[1]ver|schmel|zen (flüssig werden; ineinander übergehen); vgl. [1]schmelzen; **[2]ver|schmel|zen** (zusammenfließen lassen; ineinander übergehen lassen); vgl. [2]schmelzen; **Ver|schmel|zung**
ver|schmer|zen
ver|schmie|ren
ver|schmitzt (schlau, verschlagen)
ver|schmut|zen
ver|schnau|fen; sich -; **Ver|schnauf|pau|se**
ver|schnei|den (auch für: kastrieren); verschnitten
ver|schneit; -e Wälder
Ver|schnitt, der; -[e]s (auch: Mischung alkohol. Flüssigkeiten)
ver|schnör|keln; ver|schnör|kelt
ver|schnup|fen; ver|schnupft (erkältet; übertr.: gekränkt)
ver|schnü|ren; Ver|schnü|rung
ver|schol|len (als tot betrachtet; längst vergangen)
◇ vermißt, abgängig (österr.), überfällig, unauffindbar
ver|scho|nen; er hat mich mit seinem Besuch verschont; sie waren von dem Sturm verschont geblieben; **ver|schö|nern; Ver|schö|ne|rung**
ver|schos|sen (ausgebleicht); ein -es Kleid; (ugs.:) in jmdn. - (verliebt) sein
ver|schram|men; verschrammt
ver|schrän|ken; mit verschränkten Armen; **Ver|schrän|kung**
ver|schrau|ben
ver|schreckt; die -e Konkurrenz
ver|schrei|ben (falsch schreiben; gerichtlich übereignen); sich -; **Ver|schrei|bung**
ver|schrie|en, ver|schrien; er ist als Geizhals -
ver|schro|ben (seltsam; wunderlich); **Ver|schro|ben|heit**
ver|schrot|ten (zu Schrott machen, als Altmetall verwerten); **Ver|schrot|tung**
ver|schrum|peln
ver|schüch|tert
ver|schul|den; Ver|schul|den, das; -s; ohne [sein] -; **ver|schul|det; Ver|schul|dung,** die; -
ver|schüt|ten; ver|schütt|ge|hen (ugs. für: verlorengehen)
ver|schwä|gert
ver|schwei|gen
ver|schwei|ßen
ver|schwen|den
◇ vergeuden, verschleudern, aasen mit (ugs.), verquasen (ugs., landsch.), vertun, [sein Geld] zum Fenster hinauswerfen
Ver|schwen|der; ver|schwen|de|risch; Ver|schwen|dung
ver|schwie|gen
Ver|schwie|gen|heit, die; -
◇ Zurückhaltung, Takt, Dezenz, Diskretion
ver|schwin|den; Ver|schwin|den, das; -s
ver|schwi|stert (auch: zusammengehörend)
ver|schwit|zen (ugs. auch: vergessen); verschwitzt
ver|schwom|men; -e Vorstellungen; **Ver|schwom|men|heit**
ver|schwö|ren, sich; **Ver|schwö|rer**
Ver|schwö|rung
◇ Konspiration, Komplott, Revolte, Putsch, Meuterei, Umsturz, Rebellion
ver|se|hen; er hat seinen Posten treu -; er hat sich mit Geld - (versorgt); er hat sich - (geirrt); **Ver|se|hen,** das; -s, - (Irrtum); **ver|se|hent|lich** (aus Versehen)
Ver|sehr|te, der u. die; -n, -n (Körperbeschädigte)
ver|selb|stän|di|gen, sich
ver|sen|den; versandte u. versendete (versendete), versandt u. versendet; **Ver|sen|dung**
ver|sen|gen
ver|senk|bar; Ver|senk|büh|ne; ver|sen|ken (untertauchen, [durch Untertauchen] zerstören); sich [in etwas] - (sich [in etwas] vertiefen); **Ver|sen|kung**
ver|ses|sen (eifrig bedacht, erpicht); **Ver|ses|sen|heit,** die; -
ver|set|zen; der Schüler wurde versetzt; er hat sie versetzt (ugs. für: vergeblich warten lassen); seine Uhr - (ins Pfandhaus bringen); **Ver|set|zung**
ver|seu|chen; Ver|seu|chung
ver|si|chern; ich versichere dich gegen

Unfall; ich versichere dich meines Vertrauens; ich versichere dir, daß ...; **Ver|si|cher|te,** der und die; -n, -n; **Ver|si|che|rung; ver|si|che|rungs|pflich|tig; Ver|si|che|rungs_po|li|ce, ...prä|mie**

ver|si|ckern [*Trenn.:* ...sik|kern]

ver|sie|geln

ver|sie|gen (austrocknen)

ver|siert [*wär...*]; in etwas - (erfahren) sein

ver|sil|bern (mit Silber überziehen; ugs. scherzh. für: veräußern)

ver|sin|ken; versunken

Ver|si|on [*wär...*], die; -, -en (Fassung; Lesart; Darstellung)

ver|skla|ven [...*wᵉn,* auch: ...*fᵉn*]; **Ver|skla|vung**

Vers|leh|re

Vers|maß, das

◇ Rhythmus, Metrum, Takt

ver|snobt (abschätzig für: extravagant im Anspruch, um gesellschaftliche Exklusivität bemüht)

ver|sof|fen (derb für: trunksüchtig)

ver|soh|len (ugs. für: verprügeln)

ver|söh|nen; sich -; **ver|söhn|lich; Ver|söh|nung**

ver|son|nen (träumerisch)

ver|sor|gen; Ver|sor|gung; Ver|sor|gungs|an|spruch; ver|sor|gungs|be|rech|tigt

ver|spä|ten, sich; **Ver|spä|tung**

ver|spei|sen

ver|spe|ku|lie|ren

ver|sper|ren; Ver|sper|rung

ver|spie|len; ver|spielt

ver|spot|ten; Ver|spot|tung

ver|spre|chen; er hat ihr die Heirat versprochen; sich - (beim Sprechen einen Fehler machen)

◇ in Aussicht stellen, zusichern, zusagen, verheißen (geh.), geloben (geh.), beteuern, an Eides Statt erklären (geh.), sich verpflichten · sich verhaspeln (ugs.), sich verheddern (ugs.)

Ver|spre|chen, das; -s, -; **Ver|spre|chung** (meist *Mehrz.*)

ver|spren|gen

ver|sprit|zen

ver|sprü|hen (zerstäuben)

ver|staat|li|chen

ver|städ|tern (städtisch machen, werden); **Ver|städ|te|rung**

Ver|stand, der; -[e]s; **ver|stän|dig** (besonnen); **ver|stän|di|gen;** sich -; **Ver|stän|di|gung; ver|ständ|lich; Ver|ständ|lich|keit,** die; - (Klarheit); **Ver|ständ|nis,** das; -ses, (selten:) -se; **ver|ständ|nis_los, ...voll**

ver|stär|ken; in verstärktem Maße

◇ beschleunigen, forcieren, vorantreiben, Druck/Dampf dahintersetzen (ugs.)

Ver|stär|ker; Ver|stär|kung

ver|stau|ben

ver|stau|chen; ich habe mir den Fuß verstaucht

◇ sich etwas verknacksen (ugs.), sich den Fuß vertreten, sich etwas verrenken

Ver|stau|chung

ver|stau|en (gut unterbringen)

Ver|steck, das (selten: der); -[e]s, -e; **ver|stecken**[1]; sich -; **Ver|stecken**[1], das; -s; Verstecken spielen

ver|ste|hen; verstanden; jmdm. etwas zu - geben

◇ begreifen, kapieren, durchblicken (ugs.), Durchblick haben (ugs.), [er]fassen, Verständnis haben für, nachvollziehen, mitbekommen (ugs.), mitkriegen (ugs.), chekken (ugs.) · hören

ver|stei|fen; sich auf etwas - (auf etwas beharren); **Ver|stei|fung**

ver|stei|gen, sich; er hatte sich in den Bergen verstiegen; du verstiegst dich zu der übertriebenen Forderung; vgl. verstiegen

ver|stei|gern; Ver|stei|ge|rung

ver|stei|nern (zu Stein machen, werden); **Ver|stei|ne|rung**

ver|stell|bar; ver|stel|len; verstellt; sich -

ver|ster|ben

ver|steu|ern; Ver|steu|e|rung

ver|stie|gen (überspannt)

ver|stim|men; ver|stimmt; Ver|stim|mung

ver|stockt (uneinsichtig, störrisch); **Ver|stockt|heit,** die; -

ver|stoh|len

ver|stop|fen; Ver|stop|fung

ver|stor|ben (Zeichen: †); **Ver|stor|be|ne,** der u. die; -n, -n

ver|stört; Ver|stört|heit, die; -

Ver|stoß

◇ Verfehlung, Zuwiderhandlung, Übertretung, Vergehen, Sakrileg, Delikt, Straftat

ver|sto|ßen

ver|stre|ben; Ver|stre|bung

ver|strei|chen; die Zeit ist verstrichen (vergangen)

ver|streu|en

ver|stricken [*Trenn.:* ...strik|ken]; sich [in Widersprüche] -

ver|stüm|meln; Ver|stüm|me|lung; Ver|stümm|lung

ver|stum|men

Ver|such, der; -[e]s, -e

◇ Vorstoß, Anstrengung, Unternehmung, Experiment

ver|su|chen; Ver|su|cher; Ver|suchs_bal|lon, ...ka|nin|chen (ugs.), **...per|son; ver|suchs|wei|se; Ver|su|chung**

---

[1] *Trenn.:* ...k|k...

ver|sump|fen; Ver|sump|fung
ver|sün|di|gen, sich
ver|sun|ken; in etwas - sein
ver|sü|ßen; Ver|sü|ßung
ver|ta|gen (aufschieben); **Ver|ta|gung**
ver|tän|deln (nutzlos die Zeit hinbringen)
ver|täu|en (mit Tauen festmachen); das Schiff ist vertäut
ver|tausch|bar; ver|tau|schen
ver|tei|di|gen; Ver|tei|di|ger; Ver|tei|di|gung; Ver|tei|di|gungs‿mi|ni|ster, ...pakt
ver|tei|len; Ver|tei|ler; Ver|tei|ler|netz; Ver|tei|lung
ver|teu|ern; sich -
ver|teu|feln; jmdn., etwas - (zum Bösen machen, stempeln); **ver|teu|felt** (ugs. für: verzwickt; über die Maßen)
ver|tie|fen; sich in eine Sache -; **Ver|tie|fung**
ver|ti|kal [*wär...*] (senkrecht, lotrecht); **Ver|ti|ka|le,** die; -, -n; zwei Vertikale[n]
ver|til|gen
ver|tip|pen (ugs. für: falsch tippen); sich -; vertippt
ver|to|nen; das Gedicht wurde vertont
◇ instrumentieren, komponieren, in Musik setzen
Ver|to|nung
ver|trackt (ugs. für: verwickelt; peinlich)
Ver|trag, der; -[e]s, ...träge; **ver|tra|gen;** er hat den Wein gut -; sich -; **ver|trag|lich** (durch Vertrag); **ver|träg|lich** (nicht zänkisch; bekömmlich); **Ver|träg|lich|keit,** die; -; **Ver|trags‿ab|schluß, ...bruch; ver|trags|brü|chig; ver|trags|ge|mäß; Ver|trags‿part|ner, ...spie|ler**
ver|trau|en; Ver|trau|en, das; -s; - zu jmdm. haben; sein - auf, in jmdn., etw. setzen; (selten:) ihr - gegen mich ist beschämend; **ver|trau|en|er|weckend** [*Trenn.:* ...wek|kend]; **Ver|trau|ens‿arzt, ...be|weis, ...mann** (*Mehrz.* ...männer u. ...leute); **ver|trau|ens‿se|lig, ...voll, ...wür|dig**
ver|trau|lich; Ver|trau|lich|keit
ver|träu|men; ver|träumt
ver|traut; jmdn., sich mit etwas - machen; **Ver|trau|te,** der u. die; -n, -n
ver|trei|ben
◇ [aus]treiben, verjagen, fortjagen, wegjagen, [ver]scheuchen · verkaufen
Ver|trei|bung
ver|tret|bar; ver|tre|ten; Ver|tre|ter; Ver|tre|tung; in -
Ver|trieb, der; -[e]s, -e (Verkauf); **Ver|trie|be|ne,** der u. die; -n, -n
ver|trin|ken
ver|trock|nen
ver|trö|deln (ugs. für: [seine Zeit] unnütz hinbringen)
ver|trö|sten; Ver|trö|stung
ver|trot|teln (ugs. für: zum Trottel werden); **ver|trot|telt**
ver|tun (ugs. für: verschwenden); vertan
ver|tu|schen (ugs. für: verheimlichen); **Ver|tu|schung** (ugs.)
ver|übeln (übelnehmen)
ver|üben
ver|ul|ken
ver|un|glimp|fen (schmähen)
ver|un|glücken [*Trenn.:* ...glük|ken]
◇ einen Unfall haben/erleiden (geh.)/bauen (ugs.), verunfallen (schweiz.; Amtsdt.), zu Schaden kommen, Schaden nehmen (geh.)
Ver|un|glück|te, der u. die; -n, -n
ver|un|rei|ni|gen
ver|un|si|chern (unsicher machen); **Ver|un|si|che|rung**
ver|un|stal|ten (entstellen)
◇ verschandeln (ugs.), verunzieren, verhunzen (ugs.), entstellen
ver|un|treu|en (unterschlagen); **Ver|un|treu|ung**
ver|un|zie|ren; Ver|un|zie|rung
ver|ur|sa|chen
◇ hervorrufen, zur Folge haben, auslösen, bewirken, etwas in Bewegung setzen, ins Rollen bringen, provozieren
Ver|ur|sa|cher
ver|ur|tei|len
◇ verdonnern (ugs.), verknacken (ugs.), aburteilen, schuldig sprechen, ein Urteil [aus]sprechen · brandmarken
Ver|ur|tei|lung
ver|viel|fa|chen; ver|viel|fäl|ti|gen; Ver|viel|fäl|ti|gung
ver|voll|komm|nen; sich -
ver|voll|stän|di|gen
◇ ergänzen, abrunden, vervollkommnen, komplettieren, perfektionieren
verw. = verwitwet
[1]**ver|wach|sen;** die Narbe ist verwachsen; mit etwas - (innig verbunden) sein;
[2]**ver|wach|sen;** ein -er (verkrüppelter, buckliger) Mensch
ver|wah|ren; es ist alles wohl verwahrt; sich - gegen ... (etwas ablehnen)
ver|wahr|lo|sen
◇ herunterkommen (ugs.), verkommen, auf den Hund kommen (ugs.), abwirtschaften (ugs.), verlottern (ugs.), verlumpen (ugs.), verschlampen (ugs.), versakken (ugs.), versumpfen (ugs.), verludern (ugs.), vergammeln (ugs.)
Ver|wahr|lo|sung, die; -; **Ver|wah|rung**
ver|wai|sen (elternlos werden; einsam werden); **ver|waist**
ver|wal|ten; Ver|wal|ter; Ver|wal|tung; Ver|wal|tungs‿be|zirk, ...ge|bäu|de
ver|wam|sen (ugs. für: verprügeln)

ver|wan|deln; Ver|wand|lung; verwandt (zur gleichen Familie gehörend); **Ver|wand|te,** der u. die; -n, -n; **Verwandt|schaft**
ver|war|nen; Ver|war|nung
ver|wa|schen
ver|wäs|sern
ver|wech|seln; zum Verwechseln ähnlich; **Ver|wech|se|lung, Ver|wechslung**
ver|we|gen; Ver|we|gen|heit
ver|we|hen; vom Winde verweht
ver|weh|ren; jmdm. etwas - (untersagen); er verwehrte [es] ihm, in das Zimmer einzutreten (nicht: ..., nicht in das Zimmer einzutreten); **Ver|weh|rung**
Ver|we|hung
ver|weich|li|chen
ver|wei|gern; er verweigerte mir, an der Sitzung teilzunehmen (nicht: ..., nicht an der Sitzung teilzunehmen); **Ver|wei|ge|rung**
ver|weint
Ver|weis, der; -es, -e (ernste Zurechtweisung; Hinweis); **[1]ver|wei|sen** (tadeln); jmdm. etwas -; **[2]ver|wei|sen** (einen Hinweis geben; verbannen); die Fußnote verweist auf eine frühere Stelle des Buches; der Verbrecher wurde des Landes verwiesen
ver|wel|ken
ver|wend|bar; Ver|wend|bar|keit, die; -; **ver|wen|den;** ich verwandte od. verwendete, habe verwandt od. verwendet; **Ver|wen|dung**
ver|wer|fen; der Plan wurde verworfen; **ver|werf|lich**
ver|wert|bar; ver|wer|ten
ver|we|sen (sich zersetzen, in Fäulnis übergehen); **Ver|we|sung**
ver|wickeln[1]; ver|wickelt[1]; Verwicke|lung[1]; Ver|wick|lung
ver|wil|dern; ver|wil|dert
ver|win|den (über etwas hinwegkommen, überwinden); er hat den Schmerz verwunden
ver|wir|ken; sein Leben -
ver|wirk|li|chen
◇ realisieren, in die Tat umsetzen, durchführen, ausführen, wahr machen, vollziehen
Ver|wirk|li|chung
ver|wir|ren; ich habe das Garn verwirrt; ich bin ganz verwirrt
◇ irremachen, irritieren, durcheinanderbringen, in Verwirrung versetzen, aus der Fassung/aus dem Gleichgewicht bringen
Ver|wir|rung
◇ Konfusion, Durcheinander, Wirrwarr, Tohuwabohu
ver|wi|schen

[1]*Trenn.:* ...k|k...

ver|wit|tern (durch die Witterung angegriffen werden); das Holz ist verwittert; **Ver|wit|te|rung**
ver|wit|wet (Witwe[r] geworden; Abk.: verw.)
ver|wo|ben (eng verknüpft mit ...)
ver|wöh|nen
◇ verziehen, verhätscheln, verzärteln
ver|wöhnt
ver|wor|fen; ein verworfenes Gesindel; **Ver|wor|fen|heit,** die; -
ver|wor|ren; ein -er Kopf; die Lage war -
◇ dunkel, unklar, schwer verständlich, unverständlich, abstrus
Ver|wor|ren|heit, die; -
ver|wund|bar; ver|wun|den
ver|wun|der|lich; ver|wun|dern; sich -; **Ver|wun|de|rung**
ver|wun|det; Ver|wun|de|te, der u. die; -n, -n; **Ver|wun|dung**
ver|wun|schen (verzaubert); ein -es Schloß; **ver|wün|schen** (verfluchen; verzaubern)
ver|wur|steln (ugs. für: durcheinanderbringen, verwirren)
ver|wü|sten; Ver|wü|stung
ver|za|gen
◇ verzweifeln, den Mut verlieren/sinken lassen, die Hoffnung aufgeben
ver|zagt
ver|zäh|len, sich
ver|zah|nen (an-, ineinanderfügen); **Verzah|nung**
ver|zap|fen (ausschenken; durch Zapfen verbinden; ugs. für: etwas [Übles oder Unsinniges] vorbringen)
ver|zär|teln; Ver|zär|te|lung
ver|zau|bern; Ver|zau|be|rung
Ver|zehr, der; -[e]s (Verbrauch[tes]; Zeche); **ver|zeh|ren**
ver|zeich|nen
Ver|zeich|nis, das; -ses, -se
◇ Liste, Katalog, Zusammenstellung, Tabelle, Register
ver|zei|hen; er hat ihr verziehen
◇ entschuldigen, vergeben, jmdm. etwas nachsehen
ver|zeih|lich; Ver|zei|hung, die; -
ver|zer|ren; Ver|zer|rung
ver|zet|teln (vergeuden); sich -
Ver|zicht, der; -[e]s, -e; - leisten; **ver|zich|ten**
ver|zie|hen; die Eltern - ihr Kind; er ist nach Frankfurt verzogen; Rüben -; sich -
ver|zie|ren; Ver|zie|rung
ver|zin|sen; Ver|zin|sung
ver|zo|gen; ein -er Junge
ver|zö|gern; Ver|zö|ge|rung
ver|zol|len; die Ware ist verzollt
ver|zücken[1]; ver|zückt; Verzückung[1]; in - geraten

[1]*Trenn.:* ...k|k...

Ver|zug, der; -[e]s; im - sein (im Rückstand sein); in - geraten, kommen
ver|zwei|feln; es ist zum Verzweifeln; **ver|zwei|felt; Ver|zweif|lung; Verzweif|lungs|tat**
ver|zwei|gen, sich
ver|zwickt (ugs. für: verwickelt, schwierig); eine -e Geschichte
Ves|per [*fäß...*], die; -, -n (für Zwischenmahlzeit südd. auch:) das; -s, - (Abendandacht; bes. südd. und westösterr. für: Zwischenmahlzeit bes. am Nachmittag); **Ves|per|brot; ves|pern** (südd. u. westösterr. für: [Nachmittags-, Abend]imbiß einnehmen)
Ve|te|ran [*we...*], der; -en, -en (altgedienter Soldat; im Dienst Ergrauter, Bewährter)
Ve|te|ri|när [*we...*], der; -s, -e (Tierarzt); **Ve|te|ri|när|me|di|zin** (Tierheilkunde)
Ve|to [*weto*], das; -s, -s (Einspruch[srecht]); **Ve|to|recht**
Vet|tel [*fätel*], die; -, -n (unordentliche [alte] Frau)
Vet|ter, der; -s, -n
Vet|tern|wirt|schaft, die; - (abschätzig) ◇ Nepotismus, Patronage, Günstlingswirtschaft, Protektion, Filzokratie
Ve|xier|bild [*wä...*]
V-för|mig (in der Form eines V)
vgl. = vergleich[e]!
v. H. = vom Hundert
via [*wia*] ([auf dem Wege] über); - München nach Wien fahren; **Via|dukt** [*wia...*], der; -[e]s, -e (Talbrücke, Überführung)
Vi|bra|phon [*wi...*], das; -s, -e (ein Musikinstrument mit elektr. betätigten Resonanzröhren, das einen vibrierenden Ton hervorbringt); **Vi|bra|ti|on** [*...zion*], die; -, -en (Schwingung, Erschütterung); **vi|brie|ren** (schwingen; beben, zittern)
Vi|deo [*wi...*] das; -s, -s (ugs. für: Videoband, -film; nur *Einz.:* Videotechnik); **Vi|deo_band, ...clip** (kurzer Videofilm über ein Popmusikstück), **...re|cor|der** (Speichergerät zur Aufzeichnung von Fernsehsendungen)
Viech, das; -[e]s, -er (mdal. für: Vieh; ugs. als Schimpfwort); **Vie|che|rei** (ugs. für: Gemeinheit; große Anstrengung); **Vieh,** das; -[e]s; **Vieh_be|stand, ...fut|ter; vie|hisch; Vieh_zeug** (ugs.), **...zucht**
viel; in vielem, um vieles; wer vieles bringt, ...; ich habe viel[es] erlebt; viele sagen ...; viel Gutes od. vieles Gute; **viel|be|schäf|tigt;** ein vielbeschäftigter Mann; **viel|deu|tig; Viel|eck; vie|ler|lei; viel|fach; Viel|fa|che,** das; -n; **Viel|falt,** die; -; **viel|fäl|tig** (mannigfaltig, häufig); **viel|far|big**
Viel|fraß, der; -es, -e (Marderart; ugs. für: jmd., der gern u. viel ißt)
viel|ge|stal|tig
viel|leicht
◇ eventuell, unter Umständen, möglicherweise, womöglich, wenn es geht, gegebenenfalls
viel|ma|lig; viel|mals; viel|mehr [auch: *fil...*]; er ist nicht dumm, weiß vielmehr gut Bescheid; **viel|sa|gend;** mit den -sten Blicken; **viel|sei|tig; viel|ver|spre|chend;** eine der -sten Begabungen; **Viel|wei|be|rei,** die; -
vier; die ersten -; alle viere von sich strekken (ugs.); wir sind zu vieren oder zu viert; **Vier,** die; -, -en (Zahl); eine Vier würfeln; in Latein eine Vier schreiben; **Vier|eck; vier|eckig** [*Trenn.:* ...ek|kig]; **Vie|rer; Vie|rer|bob; vier|fach; Vier|far|ben|druck** (*Mehrz.* ...druk|ke); **vier|fü|ßig; vier|hän|dig;** - spielen; **vier|hun|dert; Vier|kant|ei|sen; Vier|ling; vier|mal; vier|mo|to|rig; vier|schrö|tig** (stämmig); **Vier|sit|zer; vier|stel|lig; vier|stim|mig** (Musik); **viert** vgl. vier; **vier|tau|send; vier|te;** der vierte (der Reihe nach); der Vierte (der Leistung nach); die vierte Dimension; **vier|tei|len;** gevierteilt; **vier|tei|lig; vier|tel** [*fir...*]; **Vier|tel** [*fir...*], das (schweiz. meist: der); -s, -; es ist [ein] - vor, nach eins; es hat [ein] - eins geschlagen; es ist fünf Minuten vor drei -; wir treffen uns um - acht, um drei - acht; **Vier|tel|fi|na|le** [*fir...*] (Sportspr.); **Vier|tel|jahr** [*fir...*]; **vier|tel|jäh|rig** [*fir...*] (ein viertel Jahr alt, ein viertel Jahr dauernd); **vier|tel|jähr|lich** [*fir...*] (jedes Vierteljahr wiederkehrend); **Vier|tel|li|ter; vier|teln** [*fir...*] (in vier Teile zerlegen); **Vier|tel|pfund** [*fir...*, auch: *firtelpfunt*]; **Vier|tel|stun|de; vier|tens; vier|tü|rig; vier|[und|]ein|halb; vier|und|zwan|zig; vier|zehn** [*fir...*]; **vier|zig** [*fir...*]; er ist - Jahre alt; **Vier|zig** [*fir...*], die; -, -en (Zahl); der Mensch über -; **Vier|zig|stun|den|wo|che** (mit Ziffern: 40-Stunden-Woche)
Vi|gnet|te [*winjäte*], die; -, -n (Zier-, Titelbildchen; auch: Gebührenmarke für die Autobahnbenutzung in der Schweiz)
Vi|kar [*wi...*], der; -s, -e (Stellvertreter in einem geistl. Amt [kath. Kirche]; Kandidat der ev. Theologie nach der ersten Prüfung); **Vi|ka|rin,** die; -, -nen
Vil|la [*wila*], die; -, ...llen (Landhaus, Einzelwohnhaus); **Vil|len|vier|tel, ...vor|ort**
Vin|ai|gret|te [*winägräte*], die; -, -n (mit Essig bereitete Soße)
Vio|la [*wi...*], die; -, -len (Bratsche)
vio|lett [*wi...*] (veilchenfarbig); **Vio|lett,** das; -s, - (ugs.: -s)
Vio|li|ne [*wi...*], die; -, -n (Geige); **Vio|lin_kon|zert, ...schlüs|sel**

VIP [*wip*], die; -, -s (Kurzwort für: *v*ery *i*mportant *p*erson[s] [wichtige, bedeutende Persönlichkeit])
Vi|per [*wi...*], die; -, -n (Giftschlange)
Vi|ren (*Mehrz.* von: Virus)
vir|tu|os [*wir...*] (meisterhaft, technisch vollkommen); **Vir|tuo|se,** der; -n, -n ([techn.] hervorragender Meister, bes. Musiker)
Vi|rus [*wi...*], das (außerhalb der Fachspr. auch: der); -, ...ren (kleinster Krankheitserreger); **Vi|rus|krank|heit**
Vi|sa|ge [*wisasch^e*], die; -, -n (ugs. verächtlich für: Gesicht); **vis-à-vis** [*wisawi*] (gegenüber)
Vi|sier [*wi...*], das; -s, -e (Zielvorrichtung); **vi|sie|ren** (nach etwas sehen, zielen)
Vi|si|on [*wi...*], die; -, -en (Erscheinung; Trugbild)
Vi|si|te [*wi...*], die; -, -n (Krankenbesuch des Arztes); **Vi|si|ten|kar|te** (Besuchskarte)
Vi|sum [*wi...*], das; -s, ...sa u. ...sen („Gesehenes"; Sichtvermerk im Paß); **Vi|sum-zwang**
vi|tal [*wi...*] (das Leben betreffend; lebenskräftig, -wichtig; frisch, munter); **Vi|ta|li|tät,** die; - (Lebendigkeit, Lebensfülle, -kraft); **Vit|amin,** das; -s, -e; ([lebenswichtiger] Wirkstoff); - C; des Vitamin[s] C; **Vit|amin-B-hal|tig** [*...be...*]; **vit-amin|reich**
Vi|tri|ne [*wi...*], die; -, -n (gläserner Schauschrank)
Vi|vat [*wiwat*], das; -s, -s (Lebehoch); ein - ausbringen
Vi|ze... [*fiz^e*, seltener: *wiz^e*] (stellvertretend); **Vi|ze|kanz|ler**
Vlies [*fliß*], das; -es, -e ([Schaf]fell; Rohwolle des Schafes)
Vo|gel, der; -s, Vögel; **Vo|gel|bau|er,** das (seltener: der); -s, - (Käfig); **Vo|gel-beer|baum; Vö|gel|chen; Vo|gel|fe-der; vo|gel|frei** (rechtlos); **vö|geln** (derb für: Geschlechtsverkehr ausüben); **Vo|gel‿schau** (die; -), **...scheu|che; Vo|gel-Strauß-Po|li|tik,** die; -; **Vo-gel|war|te; Vög|lein**
Vogt, der; -[e]s, Vögte (Verwalter; schweiz. auch für: Vormund)
Vo|ka|bel [*wo...*], die; -, -n (österr. auch: das; -s, -; [einzelnes] Wort); **Vo|ka|bel-heft**
vo|kal [*wo...*] (Musik: die Singstimme betreffend, gesangsmäßig); **Vo|kal,** der; -s, -e (Sprachw.: Selbstlaut, z. B. a, e)
Vo|lant [*wolang*, schweiz.: *wo...*], der (schweiz. meist: das); -s, -s (Besatz an Kleidungsstücken; Lenkrad [am Kraftwagen])
Volk, das; -[e]s, Völker; **Völk|chen; Völ|ker‿ball** (der; -[e]s; Ballspiel), **...kun|de** (die; -), **...recht** (das; -[e]s); **völ|ker|recht|lich; völ|kisch; volk-reich; Volks‿ab|stim|mung, ...be-lu|sti|gung, ...brauch, ...de|mo|kra-tie** (Staatsform kommunist. Länder, bei der die gesamte Staatsmacht in den Händen der Partei liegt), **...deut|sche** (der u. die; -n, -n); **volks|ei|gen** (DDR); **Volks‿ent|scheid, ...fest, ...hoch-schu|le, ...lied, ...mär|chen, ...mund** (der; -[e]s), **...schu|le, ...stamm, ...trau|er|tag, ...tum** (das; -s); **volks-‿tüm|lich, ...ver|bun|den; Volks-‿ver|mö|gen, ...ver|tre|tung, ...wa-gen** Ⓦⓩ, **...wirt|schaft, ...wirt-schafts|leh|re, ...zäh|lung**
voll; voll[er] Angst; der Saal war voll[er] Menschen; das Zimmer war - von od. mit schönen antiken Möbeln; eine Tafel - leckerster od. (geh.:) der leckersten Speisen; ein Korb - [mit] frischen Eiern; aus dem vollen schöpfen; zehn Minuten nach voll (ugs. für: nach der vollen Stunde); voll verantwortlich sein; jmdn. nicht für voll nehmen (ugs. für: nicht ernst nehmen); den Mund recht voll nehmen (ugs. für: prahlen)
volla|den [*Trenn.:* voll|la...]
voll|auf [auch: *folauf*]; - genug haben
vollau|fen [*Trenn.:* voll|lau...]; du hast dich - lassen (ugs. für: hast dich betrunken)
voll|au|to|ma|tisch
Voll|bart
Voll|be|schäf|ti|gung
Voll|blut (Pferd aus einer bestimmten Reinzucht); **Voll|blü|ter**
voll|brin|gen (ausführen; vollenden); ich vollbringe; vollbracht; zu -; **Voll|brin-gung**
voll|bu|sig
Voll|dampf, der; -[e]s
voll|en|den; ich vollende; vollendet; zu - ◇ zu Ende führen, fertigmachen, fertigstellen
voll|ends
vol|ler vgl. voll
Völ|le|rei
voll|es|sen, sich (ugs.)
Vol|ley|ball [*woli...*], der; -[e]s (ein dem Korbball ähnliches Spiel; Flugball)
voll|füh|ren; ich vollführe; vollführt; zu - ◇ aufführen, verrichten, tun, machen
Voll|füh|rung
Voll|gas, das; -es; - geben
voll‿ge|pfropft, ...ge|stopft
voll|gie|ßen
völ|lig
voll|jäh|rig; Voll|jäh|rig|keit, die; -
voll|kas|ko|ver|si|chert; Voll|kas|ko-ver|si|che|rung
voll|kli|ma|ti|siert
voll|kom|men [auch: *fol...*]; **Voll|kom-men|heit** [auch: *fol...*]

Voll|korn|brot
voll|ma|chen
Voll|macht, die; -, -en
Voll|milch
Voll|mond; Voll|mond|ge|sicht (*Mehrz.* ...gesichter; ugs. scherzh. für: rundes Gesicht)
voll|mun|dig; -er Wein
Voll|pen|si|on
voll|reif; Voll|rei|fe
voll|schla|gen; sich den Bauch - (ugs. für: sehr viel essen)
voll|schlank
voll|schrei|ben
voll|stän|dig
voll|stop|fen
voll|strecken[1]**;** ich vollstrecke; vollstreckt; zu -; **Voll|streckung**[1]**; Voll|streckungs|be|am|te**[1]
voll|tan|ken
Voll|tref|fer
Voll|trun|ken|heit
Voll|ver|samm|lung
Voll|wai|se
voll‿wer|tig, ...zäh|lig
voll|zie|hen; ich vollziehe; vollzogen; zu -; **Voll|zug,** der; -[e]s (Vollziehung); **Voll|zugs|an|stalt** (Gefängnis)
Vo|lon|tär [*wolongtär,* auch: *wolontär*], der; -s, -e (ohne od. nur gegen eine kleine Vergütung zur berufl. Ausbildung Arbeitender; Anwärter); **vo|lon|tie|ren** (als Volontär arbeiten)
Volt [*wolt*], das; - u. -[e]s, - (Einheit der elektr. Spannung; Zeichen: V)
Vo|lu|men [*wo*...], das; -s, - u. ...mina (Rauminhalt eines festen, flüssigen od. gasförmigen Körpers); **vo|lu|mi|nös** (umfangreich, stark, massig)
vom (von dem)
von; *Verhältnisw.* mit *Wemf.:* - der Art; - [ganzem] Herzen; - neuem; - nah u. fern; - Haus[e] aus; **von|ein|an|der;** etwas voneinander haben, voneinander wissen, aber: voneinandergehen (sich trennen)
von Rechts we|gen (Abk.: v. R. w.)
von sei|ten; mit *Wesf.:* - - seines Vaters
von|stat|ten; - gehen
von we|gen! (ugs. für: auf keinen Fall!)
vor; *Verhältnisw.* mit *Wemf.* u. *Wenf.:* vor dem Zaun stehen, sich vor den Zaun stellen; vor Zeiten; vor sich gehen; vor sich hin brummen usw.
vor|ab (zunächst, zuerst)
Vor‿abend, ...ah|nung
vor|an; der Sohn voran, der Vater hinterdrein
vor|an|ge|hen
◇ vorankommen, vorwärtsgehen, weiterkommen, Fortschritte machen, vom Fleck kommen (ugs.)

[1] *Trenn.:* ...k|k...

vor|an|ge|hend; -es (dieses); das -e (dieses); im -en, in -em (weiter oben); im Vorangehenden (in den vorstehenden Ausführungen); das Vorangehende (das früher Erwähnte, Geschehende); aus, in, mit, nach, von dem Vorangehenden (den vorangehenden Ausführungen)
vor|an|kom|men
Vor‿an|schlag, ...an|zei|ge; vor|ar|bei|ten; Vor|ar|bei|ter
vor|auf; er war allen vorauf; **vor|auf|ge|hen**
vor|aus; im, zum - [auch: *fo*...]; er war allen voraus; **vor|aus‿be|rech|nen, ...be|zah|len, ...ge|hen; vor|aus|ge|setzt, daß**
Vor|aus|sa|ge
◇ Vorhersage, Prognose, Prophezeiung, Weissagung, Orakel
vor|aus|sa|gen
vor|aus|se|hen
◇ vorhersehen, [voraus]ahnen, einen guten/den richtigen Riecher haben, sich etwas denken, sich ausrechnen können (ugs.), sich an den fünf/zehn Fingern abzählen können, kommen sehen
vor|aus|set|zen; Vor|aus|set|zung; vor|aus|sicht|lich; vor|aus|zah|len; Vor|aus|zah|lung
Vor|bau (*Mehrz.* ...bauten); **vor|bau|en** (auch ugs. für: vorbeugen); ein kluger Mann baut vor
Vor|be|din|gung
Vor|be|halt, der; -[e]s, -e (Bedingung); mit, unter, ohne -
◇ Einschränkung, Bedingung, Auflage
vor|be|hal|ten; ich behalte es mir vor; **vor|be|halt|lich;** *Verhältnisw.* mit *Wesf.;* (Amtsdt.:) - unserer Rechte; **vor|be|halt|los**
vor|bei; vorbei (vorüber) sein; **vor|bei|be|neh|men,** sich (ugs. für: gegen Sitte u. Anstand verstoßen); **vor|bei|ge|hen; vor|bei|kom|men;** bei jmdm. - (ugs. für: jmdn. kurz besuchen)
vor|be|la|stet; erblich - sein
Vor|be|mer|kung
vor|be|rei|ten; Vor|be|rei|tung
Vor|be|spre|chung
vor|be|straft
vor|beu|gen; Vor|beu|gung; zur - gegen ein Unglück (falsch: zur - eines Unglücks)
Vor|bild
vor|bild|lich
◇ mustergültig, musterhaft, beispielhaft, exemplarisch, nachahmenswert
Vor|bil|dung
Vor|bo|te
vor|brin|gen
vor Chri|sti Ge|burt (Abk.: v. Chr. G.); **vor|christ|lich; vor Chri|stus** (Abk.: v. Chr.)

Vor|der_ach|se, ...an|sicht; vor|de|re, aber: der Vordere Orient; **Vor|der|grund**
vor|der|grün|dig
◇ durchschaubar, durchsichtig, positivistisch
vor|der|hand (einstweilen)
Vor|der_haus, ...mann (*Mehrz.* ...männer), **...rad**
vor|derst; zuvorderst; der vorderste [Mann], aber: die Vordersten sollen sich setzen
Vor|der|teil, das od. der
vor|drän|gen; sich -; **vor|dring|lich** (besonders dringlich)
Vor|druck (*Mehrz.* ...drucke)
vor|ehe|lich
vor|ei|lig; Vor|ei|lig|keit
vor|ein|an|der; sich voreinander fürchten
vor|ent|hal|ten
Vor|ent|schei|dung
vor|erst [auch: *forerst*]
Vor|fahr, der; -en, -en; **vor|fah|ren; Vor|fahrt;** [die] - haben, beachten; **vor|fahrt[s]|be|rech|tigt; Vor|fahrt[s]_re|gel, ...schild** (das)
Vor|fall, der; **vor|fal|len**
vor|fin|den
Vor|freu|de
Vor|früh|ling
vor|füh|ren; Vor|füh|rer; Vor|führ|raum; Vor|füh|rung
Vor|ga|be (Sport: Vergünstigung für Schwächere)
Vor|gang
◇ Prozeß, Verlauf, [Ab]lauf, [Her]gang
Vor|gän|ger
Vor|gar|ten
vor|ge|ben; vor|geb|lich
vor|ge|fer|tigt; -e Bauteile
vor|ge|hen; Vor|ge|hen, das; -s
Vor|ge|schich|te, die; -; **vor|ge|schicht|lich**
Vor|ge|schmack, der; -[e]s
vor|ge|schrit|ten; in -em Alter
Vor|ge|setz|te, der u. die; -n, -n
vor|ge|stern; vor|gest|rig
vor|grei|fen; Vor|griff
vor|ha|ben
◇ beabsichtigen, die Absicht haben, planen, wollen, sich mit den Gedanken tragen, [ge]denken, sich etwas vornehmen, ins Auge fassen
Vor|ha|ben, das; -s, - (Plan, Absicht)
Vor|hal|le
Vor|hal|tung (ernste Ermahnung, meist *Mehrz.*)
Vor|hand, die; - ([Tisch]tennis, Badminton, Hockey: ein bestimmter Schlag; Kartenspieler, der beim Austeilen die erste Karte erhält) in - sein, sitzen; die - haben
vor|han|den; - sein

Vor|hang; vor|hän|gen; Vor|hän|ge|schloß
vor|her; vorher (früher) gehen
◇ zuvor, vordem, davor
vor|her_be|stim|men (vorausbestimmen), **...ge|hen** (vorausgehen); **vor|her|ge|hend;** wer vorhergehendes beachtet ...; aus vorhergehendem ergibt sich ...; im vorhergehenden (weiter oben); das vorhergehende (obiges), aber: das Vorhergehende (das oben Gesagte); **vor|he|rig** [auch: *for...*]
Vor|herr|schaft
◇ Übergewicht, Vorrangstellung, Überlegenheit, Hegemonie, Dominanz
vor|herr|schen
Vor|her|sa|ge, die; -, -n; **vor|her|sa|gen** (voraussagen)
vor|hin [auch: *...hin*]
vor|hin|ein; im -
Vor_hof, ...hut (die)
vo|rig; vorigen Jahres; der, die, das -e; im -en (weiter vorher), aber: die Vorigen (Personen des Theaterstücks); das Vorige (die vorigen Ausführungen; die Vergangenheit)
Vor|jahr; vor|jäh|rig
Vor|kaufs|recht
Vor|keh|rung ([sichernde] Maßnahme); -[en] treffen
Vor|kennt|nis (meist *Mehrz.*)
vor|knöp|fen (ugs. für: zurechtweisen); ich knöpfe mir ihn vor
vor|kom|men; etwas kommt vor
◇ auftreten, erscheinen · existieren
Vor|kom|men, das; -s, -; **Vor|komm|nis,** das; -ses, -se
Vor|kriegs_wa|re, ...zeit
vor|la|den; Vor|la|dung
Vor|la|ge
vor|las|sen
Vor|lauf (Sport: Ausscheidungslauf); **Vor|läu|fer; vor|läu|fig**
vor|laut
vor|le|gen; Vor|le|ge|be|steck; Vor|le|ger (kleiner Teppich)
Vor|lei|stung
vor|le|sen; Vor|le|sung
vor|letzt; zu -; der -e [Mann]
Vor|lie|be, die; -, -n; **vor|lieb|neh|men**
vor|lie|gen; es liegt vor; **vor|lie|gend;** -es; im -en, aber: das Vorliegende
vorm (meist ugs. für: vor dem); - Haus[e]
vor|ma|chen (ugs. für: jmdm. etwas vorlügen; jmdn. täuschen)
Vor|macht; Vor|macht|stel|lung
vor|ma|lig; vor|mals
Vor|mann (*Mehrz.* ...männer)
Vor|marsch, der
vor|mer|ken; Vor|mer|kung
Vor|mit|tag; am -; eines -s, aber: heute vormittag; am Montag vormittag; montags vormittags; **vor|mit|tags**

Vor|mund, der; -[e]s, -e u. ...münder; **Vor|mund|schaft; Vor|mundschafts|ge|richt**
vorn, vor|ne; von - beginnen
Vor|na|me
vor|nehm; vornehm tun
vor|neh|men; sich etwas -
Vor|nehm|heit, die; -; **Vor|nehm|tuerei,** die; - (abschätzig)
vorn|her|ein[1] [auch: *fornhärain*]; von -; **vorn|über|ge|beugt**[1]
Vor|ort, der; -[e]s, ...orte; **Vor|ort[s]‿ver|kehr, ...zug**
Vor‿platz, ...pol|sten, ...prü|fung
Vor|rang, der; -[e]s; **vor|ran|gig; Vorrang|stel|lung**
Vor|rat, der; -[e]s, ...räte
◇ Rücklage, Fonds, Reserve, Stock, Lager
vor|rä|tig; Vor|rats‿kam|mer, ...raum
Vor‿raum, ...recht, ...red|ner
vor|rich|ten; Vor|rich|tung
vor|rücken [*Trenn.:* ...rük|ken]
Vor|run|de (Sportspr.)
vors (meist ugs. für: vor das); - Haus
vor|sa|gen; Vor‿sai|son, ...sän|ger
Vor|satz, der; -es, Vorsätze; **vor|sätzlich**
Vor|schein, der, nur noch in: zum - kommen, bringen
vor|schie|ßen (Geld leihen)
Vor|schlag
◇ Empfehlung, Rat[schlag]
vor|schla|gen
◇ einen Vorschlag machen, anregen, [an]raten, empfehlen, nahelegen, die Anregung geben
Vor|schlag|ham|mer
Vor|schluß|run|de (Sportspr.)
vor|schnell; - urteilen
vor|schrei|ben; Vor|schrift
Vor|schu|le; Vor|schul|er|zie|hung
Vor|schuß; vor|schuß|wei|se; Vorschuß|lor|bee|ren (*Mehrz.;* im vorhinein erteiltes Lob)
vor|schüt|zen (als Vorwand angeben)
vor|se|hen; Vor|se|hung
vor|set|zen
Vor|sicht; -! (Achtung!); **vor|sich|tig; vor|sichts|hal|ber**
vor|sin|gen
vor|sint|flut|lich (meist ugs. für: längst veraltet, unmodern)
Vor|sitz, der; -es; **Vor|sit|zen|de,** der u. die; -n, -n
Vor|sor|ge, die; -; **vor|sor|gen; vorsorg|lich**
Vor|spei|se
vor|spie|geln; Vor|spie|ge|lung, Vorspieg|lung
Vor|spiel; vor|spie|len
vor|spre|chen

[1] Ugs.: vorne...

Vor|sprung
Vor|stadt; vor|städ|tisch
Vor|stand, der; -[e]s, Vorstände (österr. auch svw. Vorsteher); **Vor|stands‿mitglied, ...sit|zung**
vor|ste|hen; vor|ste|hend; wir bitten -es zu beachten; im -en (weiter oben), aber: das Vorstehende (das vorher Gesagte); **Vor|ste|her**
vor|stell|bar
vor|stel|len; sich etwas -
◇ sich etwas ausmalen/denken/ins Bewußtsein bringen, sich einen Begriff/eine Vorstellung/ein Bild machen von, sich etwas vergegenwärtigen
Vor|stel|lung
Vor|stoß; vor|sto|ßen
Vor|stra|fe; Vor|stra|fen|re|gi|ster
Vor|stu|fe
vor|täu|schen
◇ heucheln, vorgeben, vorspiegeln, vorgaukeln, vormachen, weismachen, simulieren
Vor|täu|schung
Vor|teil, der; -s, -e; von -; im - sein; **vorteil|haft**
Vor|trag, der; -[e]s, ...träge; **vor|tra|gen; Vor|trags|rei|he**
vor|treff|lich
vor|tre|ten; Vor|tritt, der
vor|über; es ist alles vorüber; **vor|überge|hen**
vor|über|ge|hend
◇ für kurze Zeit, vorläufig, zeitweilig, von kurzer Dauer, temporär
Vor|ur|teil
◇ Voreingenommenheit, Befangenheit, Parteilichkeit, Einseitigkeit
vor|ur|teils|frei
Vor|ver|kauf, der; -[e]s
Vor|wahl; vor|wäh|len; Vor|wahlnum|mer, Vor|wähl|num|mer
Vor|wand, der; -[e]s, ...wände (vorgeschützter Grund)
vor|wärts; vor- und rückwärts; **vorwärts|brin|gen** (fördern); **vor|wärtsge|hen** (besser werden), aber: **vorwärts ge|hen** (nach vorn gehen); **vorwärts|kom|men** (im Beruf u.a. vorankommen)
vor|weg; vor|weg|neh|men
vor|wei|sen
vor|wer|fen
Vor|werk
vor|wie|gend
Vor|witz; vor|wit|zig
Vor|wort, das; -[e]s, -e (Vorrede in einem Buch)
◇ Prolog, Geleitwort, Einleitung, Einführung, Vorbemerkung
Vor|wurf
◇ Beanstandung, Vorhaltung, Anwurf, Tadel, Rüge, Rüffel, Anpfiff (ugs.)

vor|wurfs|voll
Vor|zei|chen; vor|zeich|nen
vor|zei|gen
Vor|zeit; vor|zei|ten; vor|zei|tig (verfrüht); **vor|zeit|lich** (der Vorzeit angehörend)
vor|zie|hen
Vor|zim|mer; Vor|zim|mer|da|me
Vor|zug; vor|züg|lich; Vor|zugs‿milch, ...stel|lung
Vo|tum [*wo*...], das; -s, -ten und ...ta (Urteil; Gutachten)
vul|gär [*wul*...] (gewöhnlich; gemein; niedrig)
Vul|kan [*wul*...], der; -s, -e (feuerspeiender Berg); **Vul|kan|aus|bruch; vul|ka|nisch** (von Vulkanen herrührend); **vul|ka|ni|sie|ren** (Kautschuk durch Schwefel festigen)
Vul|va [*wulwa*], die; -, ...ven (Med.: das äußere Geschlechtsorgan der Frau)

W

W (Buchstabe); das W; des W, die W
Waa|ge, die; -, -n; **waa|ge|recht, waag|recht; Waa|ge|rech|te, Waag|rech|te,** die; -n, -n; vier -[n]; **Waag|scha|le**
Wa|be, die; -, -n (Zellenbau des Bienenstockes); **Wa|ben|ho|nig**
wach; wach bleiben, sein, werden; **Wach‿ab|lö|sung, ...dienst; Wa|che,** die; -, -n; - halten, stehen; **wa|chen;** über jmdn. -; **wach|ha|bend; Wach|ha|ben|de,** der u. die; -n, -n; **wach|hal|ten** (lebendig erhalten); ich habe sein Interesse wachgehalten, aber: **wach hal|ten;** er hat sich mühsam wach gehalten (er ist nicht eingeschlafen); **Wach‿hund, ...mann** (*Mehrz.* ...leute u. ...männer)
Wa|chol|der, der; -s, - (eine Pflanze)
wach|ru|fen (hervorrufen; in Erinnerung bringen); **wach|rüt|teln** (aufrütteln)
Wachs, das; -es, -e; **Wachs|ab|guß**
wach|sam; Wach|sam|keit, die; -
Wachs|bild; wachs|bleich; Wachs‿blu|me, ...boh|ne
[1]**wach|sen** (größer werden); er wächst; wuchs (wüchse), gewachsen
[2]**wach|sen** (mit Wachs glätten); er wachst; gewachst; **wäch|sern** (aus Wachs); **Wachs‿fi|gur, ...ker|ze**
Wach|stu|be
Wachs|tuch
Wachs|tum, das; -s
Wäch|te, die; -, -n (überhängende Schneemasse; schweiz. auch für: Schneewehe)
Wach|tel, die; -, -n (ein Vogel)
Wäch|ter; Wacht‿mei|ster, ...posten; Wach|traum; Wacht|turm, Wach|turm; Wach- und Schließ|ge|sell|schaft
wacke|lig[1], wacklig; **Wackel|kon|takt**[1] (Elektrotechnik); **wackeln**[1]
wacker[1]
wack|lig vgl. wackelig
Wa|de, die; -, -n; **Wa|den‿bein, ...krampf, ...wickel**[1]
Waf|fe, die; -, -n
Waf|fel, die; -, -n (ein Gebäck); **Waf|fel|ei|sen**
waf|fen|fä|hig; Waf|fen‿gat|tung, ...kam|mer; waf|fen|los; Waf|fen‿schein, ...still|stand
wa|ge|hal|sig, wag|hal|sig
Wä|gel|chen
Wa|ge|mut; wa|ge|mu|tig
wa|gen
◇ sich [ge]trauen, sich unterstehen, riskieren, etwas aufs Spiel setzen
Wa|gen, der; -s, - (südd. auch: Wägen)
wä|gen (fachspr. u. noch dicht.: das Gewicht bestimmen; übertr. für: prüfend bedenken, nach der Bedeutung einschätzen); wog (wöge), gewogen; wäg[e]!; (selten: wägte, gewägt)
Wa|gen‿he|ber, ...la|dung, ...rad
Wag|gon [*...gong*, dt. Ausspr.: *...gong;* österr.: *...gon*], der; -s, -s (österr. auch: -e) ([Eisenbahn]wagen); **wag|gon|wei|se**
wag|hal|sig, wa|ge|hal|sig; **Wag|nis,** das; -ses, -se
Wahl, die; -, -en; **Wahl|al|ter; wähl|bar; Wähl|bar|keit,** die; -; **wahl|be|rech|tigt; Wahl‿be|tei|li|gung, ...be|zirk**
wäh|len
◇ stimmen für, optieren, votieren · auswählen
Wäh|ler; Wahl|er|geb|nis; wäh|le|risch; Wahl‿fach, ...kampf, ...kreis, ...lo|kal; wahl|los; Wahl‿mann (*Mehrz.* ...männer), **...pla|kat, ...recht** (das; -[e]s), **...sieg, ...spruch, ...ur|ne, ...ver|samm|lung; wahl|wei|se**
Wahn, der; -[e]s; **wäh|nen; Wahn|sinn,** der; -[e]s; **wahn|sin|nig; Wahn‿vor|stel|lung, ...witz** (der; -es); **wahn|wit|zig**
wahr (wirklich); nicht wahr?; wahr machen, bleiben, werden, sein, aber: etwas Wahres; das einzig Wahre
wah|ren (bewahren); er hat den Anschein gewahrt

---
[1] *Trenn.:* ...k|k...

wäh|ren (dauern); **wäh|rend;** *Bindew.:* er las, - sie strickte; *Verhältnisw.* mit *Wesf.:* - des Krieges; hochspr. mit *Wemf.*, wenn der *Wesf.* nicht erkennbar ist: - fünf Jahren, aber: - zweier, dreier Jahre; **wäh|rend|dem**
wahr|ha|ben; er will es nicht - (nicht gelten lassen); **wahr|haft** (wahrheitsliebend; wirklich); **wahr|haf|tig** (wahrhaft; wahrlich, fürwahr); **Wahr|heit; wahr|heits‿ge|mäß, ...ge|treu; Wahr|heits|lie|be,** die; -
wahr|lich
◇ bestimmt, gewiß, in der Tat, wahrhaftig
wahr|nehm|bar
wahr|neh|men
◇ [be]merken, gewahr werden, ansichtig werden, entdecken, innewerden
wahr|sa|gen (prophezeien); du sagtest wahr od. du wahrsagtest; er hat wahrgesagt od. gewahrsagt
Wahr|sa|ger
◇ Prophet, [Hell]seher, Sterndeuter, Astrologe
Wahr|sa|ge|rin, die; -, -nen; **Wahr|sa|gung**
wahr|schein|lich [auch: *war*...]; **Wahr|schein|lich|keit; Wahr|schein|lich|keits|rech|nung**
Wäh|rung (staatl. Ordnung des Geldwesens; Zahlungsmittel); **Wäh|rungs‿block** (*Mehrz.* ...blöcke od. ...blocks), **...ein|heit, ...re|form**
Wahr|zei|chen
waid..., Waid... in der Bedeutung „Jagd" vgl. weid..., Weid...
Wai|se, die; -, -n (elternloses Kind); **Wai|sen‿geld, ...haus**
Wal, der; -[e]s, -e (Meeressäugetier)
Wald, der; -[e]s, Wälder; **Wald‿ar|bei|ter, ...bo|den, ...brand; Wäld|chen; Wal|des|rand,** Wald|rand; **Wald‿horn** (*Mehrz.* ...hörner), **...hü|ter; wal|dig**
Wald|mei|ster, der; -s (Pflanze); **Wald|mei|ster|bow|le**
Wald|rand, Wal|des|rand; **wald|reich; Wald|ster|ben,** das; -s; **Wal|dung; Wald|weg**
Wal|fang; Wal|fän|ger; Wal|fisch vgl. Wal
wal|ken (Textil: verfilzen; ugs. für: kneten; prügeln)
Wal|kie-tal|kie [*"okitoki*], das; -[s], -s (tragbares Funksprechgerät); **Walk|man** ⓦ [*"åkmᵉn*], der; -s, ...men (kleiner Kassettenrecorder mit Kopfhörern)
Wall, der; -[e]s, Wälle (Erdaufschüttung, Mauerwerk usw.)
Wal|lach, der; -[e]s, -e (verschnittener Hengst)
wal|len (sprudeln, bewegt fließen)
wall|fah|ren; du wallfahrst; du wallfahrtest; gewallfahrt; zu -; **Wall|fah|rer;**
Wall|fahrt; wall|fahr|ten (wallfahren); ich wallfahrtete; gewallfahrtet; zu -; **Wall|fahrts|kir|che**
wal|lo|nisch; -e Sprache
Walm (Dachfläche), der; -[e]s, -e; **Walm|dach**
Wal|nuß (ein Baum; eine Frucht)
Wal|roß, das; ...rosses, ...rosse (Robbe)
wal|ten (wirken; sorgen); Gnade - lassen
Wal|ze, die; -, -n; **wal|zen; wäl|zen;** sich -; **wal|zen|för|mig; Wal|zer** (auch: Tanz); **Wäl|zer** (ugs. scherzh. für: dickleibiges Buch); **Wal|zer|mu|sik; Walz‿stahl, ...werk**
Wam|me, die; -, -n (vom Hals herabhängende Hautfalte [des Rindes]; **Wam|pe,** die; -, -n (svw. Wamme; ugs. abschätzig auch für: dicker Bauch)
Wams, das; -es, Wämser (veralt., aber noch mdal. für: Jacke); **wam|sen** (ugs. für: prügeln)
Wand, die; -, Wände
Wan|da|le, Van|da|le (zerstörungswütiger Mensch); **Wan|da|lis|mus,** Van|da|lis|mus, der; - (Zerstörungswut)
Wand‿arm, ...be|hang, ...brett
Wan|del, der; -s; **wan|del|bar; Wan|del‿gang** (der), **...hal|le; wan|deln;** sich -
Wan|der‿aus|stel|lung, ...büh|ne, ...dü|ne; Wan|de|rer, Wand|rer; **Wan|der‿fahrt, ...fal|ke; Wan|de|rin,** Wand|re|rin; **Wan|der‿kar|te, ...lust** (die; -); **wan|dern; Wan|der|preis; Wan|der|schaft,** die; -; **Wan|ders|mann** (*Mehrz.* ...leute); **Wan|der|stab; Wan|de|rung; Wan|der‿vo|gel, ...zir|kus**
Wand‿ge|mäl|de, ...kar|te
Wand|lung; wand|lungs|fä|hig
Wand|ma|le|rei
Wand|rer, Wan|de|rer; **Wand|re|rin,** Wan|de|rin
Wand‿schrank, ...uhr
Wan|ge, die; -, -n
Wan|kel|mo|tor
Wan|kel|mut; wan|kel|mü|tig; wan|ken
wann
Wan|ne, die; -, -n (Becken u.a.); **Wan|nen|bad**
Wanst, der; -es, Wänste
Wan|ze, die; -, -n (Wandlaus)
Wap|pen, das; -s, -; **Wap|pen‿kun|de** (die; -), **...schild** (der od. das), **...tier; wapp|nen** (bewaffnen); sich -
Wa|re, die; -, -n; **Wa|ren‿an|ge|bot, ...haus**
Wa|ren|la|ger
◇ Lager[haus], Zeughaus, Magazin, Depot
Wa|ren‿pro|be, ...zei|chen
warm; das Essen warm halten, machen, stellen

◇ heiß, lau[warm], überschlagen (landsch.), handwarm, mollig (ugs.)
Warm|blü|ter; warm|blü|tig
Wär|me, die; -, (selten:) -n
◇ Hitze, Schwüle, Bullenhitze (ugs.), Affenhitze (ugs.), Gluthitze
Wär|me|ein|heit; wär|me|hal|tig; wär|men; sich -; **Wär|me_reg|ler, ...tech|nik** (die; -), **...ver|lust; Wärm-fla|sche; warm|hal|ten** (ugs. für: sich jmds. Gunst erhalten), aber: **warm hal|ten** (in warmem Zustand erhalten); **warm|her|zig; warm|lau|fen;** den Motor - lassen, aber: **sich warm lau-fen** (ugs. für: durch rasches Gehen warm werden); **Warm|was|ser|hei|zung**
Warn|blink_an|la|ge, ...leuch|te; Warn|drei|eck; war|nen; Warn-_schuß, ...streik; War|nung
War|te, die; -, -n (Wartturm u.a.); **War-te_frau, ...hal|le, ...li|ste**
war|ten
◇ erwarten, abwarten, zuwarten, sich gedulden, [aus]harren (geh.)
Wär|ter; War|te_raum, ...zim|mer; War|tung; war|tungs|frei
war|um [auch: *wa...*]; - nicht?
War|ze, die; -, -n; **war|zig**
was; was ist los?; was für ein; was für einer; (ugs.:) was Neues, irgendwas; das Schönste, was ich je erlebt habe; nichts, vieles, manches, was ..., aber: das Werkzeug, das ...
wasch|bar; Wasch_bär, ...becken [*Trenn.:* ...bek|ken], **...büt|te; Wä|sche,** die; -, -n; **Wä|sche|beu|tel; wasch-echt; Wä|sche_klam|mer, ...knopf, ...lei|ne**
wa|schen; du wäschst, er wäscht; er wusch (wüsche), gewaschen; sich -
◇ durchziehen (ugs.), durchwaschen, auswaschen · säubern
Wä|sche|rei; Wä|sche|rin, die; -, -nen; **Wä|sche_schleu|der, ...schrank; Wasch_frau, ...lap|pen** (auch ugs. verächtl. für: Mensch ohne Tatkraft), **...ma-schi|ne, ...mit|tel** (das), **...raum, ...schüs|sel; Wa|schung; Wasch-_was|ser** (das; -s), **...weib** (derb für: geschwätzige Frau)
Was|ser, das; -s, - u. (für Mineral-, Abwasser u.a. *Mehrz.:*) Wässer; **was|ser-ab|wei|send; Was|ser|ball; Wäs-ser|chen; Was|ser|dampf; was|ser-dicht; Was|ser_fall, ...far|be; was-ser|ge|kühlt; Was|ser_glas, ...hahn; wäs|se|rig,** wäß|rig; **Was|ser_jung-fer** (Libelle), **...klo|sett, ...kraft** (die); **Wäs|ser|lein; Was|ser_lei|tung, ...müh|le; was|sern** (auf das Wasser niedergehen [vom Flugzeug u.a.]); **wäs-sern** (befeuchten); **Was|ser_pflan|ze, ...rad, ...rat|te** (ugs. scherzh. auch für: Seemann, tüchtiger Schwimmer); **was-ser|reich; Was|ser_re|ser|voir, ...ro-se; was|ser|scheu; Was|ser-_schlauch, ...sport, ...stand; Was-ser|stoff,** der; -[e]s (chem. Grundstoff; Zeichen: H); **was|ser|stoff|blond; Was|ser|stoff|su|per|oxyd,** das; -[e]s; **Was|ser_stra|ße, ...trä|ger** (ugs. für: jmd., der einem anderen untergeordnete Hilfsdienste leistet), **...tre|ten** (das; -s), **...trop|fen, ...waa|ge, ...zei|chen** (im Papier); **wäß|rig,** wäs|se|rig
wa|ten; er ist durch den Fluß gewatet
Wat|sche [auch: *wat...*], die; -, -n u. **Wat|schen,** die; -, - (bayr., österr. ugs. für: Ohrfeige)
wat|scheln [auch: *wat...*] (ugs. für: wakkelnd gehen)
[1]**Watt,** das; -s, - (Einheit der elektr. Leistung; Zeichen: W)
[2]**Watt,** das; -[e]s, -en (seichter Streifen der Nordsee zwischen Küste u. vorgelagerten Inseln)
Wat|te, die; -, -n (lockeres Fasergespinst [Verbandstoff u.a.]); **wat|tie|ren** (mit Watte füttern)
wau, wau!; Wau|wau [auch: *wauwau*], der; -s, -s (Kinderspr.: Hund)
WC [*wezé*], das; -[s], -[s] (Wasserklosett)
we|ben; er webte (geh. u. übertr.: wob [wöbe]); gewebt (geh. u. übertr.: gewoben); **We|ber; We|be|rei; We|ber-schiff|chen,** Web|schiff|chen; **We-ber|vo|gel; Web_pelz, ...schiff|chen** (We|ber|schiff|chen), **...stuhl**
Wech|sel, der; -s, -; **Wech|sel_bad, ...fäl|le** *(Mehrz.),* **...geld; wech|sel-haft; Wech|sel_jah|re** *(Mehrz.),* **...kurs; wech|seln; Wech|sel|rah-men**
wech|sel|sei|tig
◇ abwechselnd, gegenseitig, reziprok
Wech|sel_strom, ...stu|be; wech-sel|voll; Wech|sel|wir|kung
Weck, der; -[e]s, -e u. **Wecken**[1], der; -s, - (südd., österr. für: Weizenbrötchen; Brot in länglicher Form)
wecken[1]**; Wecker**[1]
We|del, der; -s, -; **we|deln**
we|der; - er noch sie haben (auch: hat) davon gewußt
weg; weg da! (fort); sie ist ganz weg (ugs. für: begeistert, verliebt); er war schon weg, als ...
Weg, der; -[e]s, -e; im Weg[e] stehen; wohin des Weg[e]s?
weg|be|kom|men; er hat einen Schlag - (ugs. für: erhalten)
Weg|bie|gung; We|ge|la|ge|rer
we|gen; *Verhältnisw.* mit *Wesf.:* - Diebstahls (auch: - Diebstahl), - des Vaters od.

---
[1] *Trenn.:* ...k|k...

(geh.:) des Vaters -; hochspr. mit *Wemf.*, wenn der *Wesf.* nicht erkennbar ist: - etwas anderem, - Geschäften
◇ auf Grund, durch, infolge, halber (veralt.), dank, kraft (Amtsd.), um ... willen
We|ge|rich, der; -s, -e (eine Pflanze)
weg‿fah|ren, ...fal|len (nicht mehr in Betracht kommen)
Weg‿ga|be|lung, ...gab|lung
weg|ge|hen
◇ gehen, verschwinden (ugs.), abhauen (ugs.), türmen (ugs.), abzwitschern (ugs.), Leine ziehen (ugs.), sich trollen, sich entfernen, sich zurückziehen, sich absetzen, eine Fliege/Mücke machen (ugs.), sich verpissen (ugs.)
weg|ha|ben; er hat einen weggehabt (ugs. für: er war betrunken, nicht ganz bei Verstand); er hat das weggehabt (ugs. für: gründlich beherrscht); die Ruhe - (ugs. für: langsam sein); **weg‿ja|gen, ...kom|men** (ugs. für: verschwinden), **...las|sen, ...lau|fen**
weg|los
weg|ma|chen (ugs. für: entfernen); den Schmutz -; **weg|müs|sen** (ugs. für: weggehen müssen, nicht mehr bleiben können); **Weg|nah|me,** die; -, -n
weg|neh|men
◇ [aus]rauben, [ab]nehmen, entwinden, mitnehmen, entwenden, lange/krumme Finger machen (ugs.), abstauben (ugs.)
Weg|rand
weg‿räu|men, ...ren|nen, ...schaf|fen; weg|sche|ren, sich (ugs. für: weggehen); scher dich weg!; **weg|schlei|chen;** sich -; **weg‿schmei|ßen** (ugs.), **...schnap|pen; weg|steh|len;** sich - (heimlich entfernen)
Weg‿war|te (eine Pflanze), **...wei|ser**
weg|wer|fen; sich -
◇ wegschmeißen (ugs.), aussondern (geh.), ausrangieren (ugs.), wegtun
weg|zie|hen
[1]**weh;** hast du dir weh getan?; er hat einen wehen Finger; es war ihm weh ums Herz; **Weh,** das; -[e]s, -e; mit Ach und -; **we|he, [2]weh;** weh[e] dir!; o weh!; ach und weh schreien; **We|he,** die; -, -n (meist *Mehrz.;* Schmerz bei der Geburt)
we|hen
Weh|kla|ge; weh|kla|gen; ich wehklage; gewehklagt; zu -
weh|lei|dig
◇ zimperlich, klagend, jammernd; **wehleidig sein,** nichts vertragen können, nichts abkönnen (nordd.)
Weh|mut, die; -; **weh|mü|tig**
[1]**Wehr,** die; -, -en (Befestigung, Verteidigung; kurz für: Feuerwehr); sich zur - setzen; [2]**Wehr,** das; -[e]s, -e (Stauwerk); **Wehr‿be|auf|trag|te** (der), **...dienst; Wehr|dienst|ver|wei|ge|rer**

weh|ren; sich -
◇ sich verteidigen/rechtfertigen/zur Wehr setzen, Widerstand leisten, sich seiner Haut wehren
wehr|fä|hig; wehr|haft; wehr|los; Wehr‿paß, ...pflicht (die; -; die allgemeine -); **wehr|pflich|tig**
Weh|weh [auch: *wewe*], das; -s, -s (Kindersp. für: Schmerz; kleine Wunde)
Weib, das; -[e]s, -er; **Weib|chen,** das; -s, -; **Wei|ber|held** (verächtl.); **wei|bisch**
weib|lich; -es Geschlecht
◇ fraulich, feminin
Weibs‿bild, ...stück (ugs. verächtl. für: weibl. Person)
weich; weich klopfen, kochen
◇ samten, unfest, butterweich, wabbelig (ugs.), schwabbelig (ugs.), quabbelig (ugs.), breiig (ugs.)
[1]**Wei|che,** die; -, -n (Umstellvorrichtung bei Gleisen)
[2]**Wei|che,** die; -, -n (Weichheit [nur *Einz.*]; Körperteil)
[1]**wei|chen** (ein-, aufweichen, weich machen, weich werden)
[2]**wei|chen;** wich, gewichen (zurückgehen; nachgeben)
Wei|chen‿stel|ler, ...wär|ter
weich|her|zig; weich|lich; Weich|ling (abschätzig); **weich|ma|chen** (ugs. für: zermürben); er wird mich mit seinen Fragen noch -; **Weich|tei|le** *(Mehrz.)*
[1]**Wei|de,** die; -, -n (ein Baum)
[2]**Wei|de,** die; -, -n (Grasland); **Wei|de|land** (*Mehrz.* ...länder); **wei|den;** sich an etwas -
Wei|den|kätz|chen
Wei|de|platz
weid|ge|recht; weid|lich (gehörig, tüchtig); **Weid|mann** (*Mehrz.* ...männer); **weid|män|nisch; Weid|manns|heil!; Weid|werk,** das; -[e]s
wei|gern, sich; **Wei|ge|rung**
Weih, der; -[e]s, -e u. [1]**Wei|he,** die; -, -n (ein Vogel)
[2]**Wei|he,** die; -, -n (Weihung); **Wei|he|akt; wei|hen**
Wei|her, der; -s, - (Teich)
Weih|nacht, die; -; **weih|nach|ten;** es weihnachtet; **Weih|nach|ten,** das; - (Weihnachtsfest); - ist bald vorbei; (in Wunschformeln als *Mehrz.:*) fröhliche Weihnachten!; zu - (bes. nordd.), an - (bes. südd.); **weih|nacht|lich; Weih|nachts‿abend, ...baum, ...ge|schenk, ...lied, ...mann** (*Mehrz.* ...männer), **...zeit** (die; -)
Weih‿rauch (duftendes Harz), **...was|ser** (das; -s)
weil; [all]dieweil (veralt.)
Weil|chen; warte ein -!; **Wei|le,** die; -; **wei|len** (geh. für: sich aufhalten)
Wei|ler, der; -s, - (kleines Dorf)

Wein, der; -[e]s, -e; **Wein‿bau** (der; -[e]s), **...berg; Wein|berg|schnecke** [*Trenn.:* ...schnek|ke]; **Wein|brand,** der; -s, ...brände

wei|nen

◇ heulen (ugs.), schreien (ugs., landsch.), plärren (ugs.), flennen (ugs.), greinen (ugs.), jammern (landsch.), schluchzen, wimmern, winseln, quengeln (ugs.), wie ein Schloßhund heulen (ugs.), Tränen vergießen, sich in Tränen auflösen, Rotz und Wasser heulen (derb)

wei|ner|lich

Wein‿es|sig, ...fla|sche, ...glas (*Mehrz.* ...gläser), **...gut, ...kel|ler, ...le|se, ...lo|kal, ...pro|be, ...re|be; wein‿rot, ...se|lig; Wein‿stock** (*Mehrz.* ...stöcke), **...trau|be**

wei|se (klug); [1]**Wei|se,** der u. die; -n, -n (kluger Mensch)

[2]**Wei|se,** die; -, -n (Art; Singweise); auf diese -

wei|sen; wies, gewiesen (zeigen; anordnen); **Weis|heit; Weis|heits|zahn; weis|lich** (wohl erwogen); **weis|ma|chen** (ugs. für: vormachen, belügen, einreden usw.); jmdm. etwas -

weiß (Farbe); etwas schwarz auf weiß (schriftlich) haben; aus schwarz weiß machen; eine weiße Weste haben (ugs.); der Weiße Sonntag (Sonntag nach Ostern); weiß machen, waschen, werden; **Weiß,** das; -[e]s, - (weiße Farbe); in -, mit -; in - gekleidet; Stoffe in -

weis|sa|gen; ich weissage; geweissagt; zu -; **Weis|sa|gung**

Weiß‿bier, ...blech, ...brot, ...dorn (*Mehrz.* ...dorne); [1]**Wei|ße,** die; -, -n (Bierart; auch: ein Glas Weißbier); [2]**Wei|ße,** der u. die; -n, -n (Mensch mit heller Hautfarbe); **wei|ßen** (weiß machen; tünchen); **Weiß‿fisch, ...glut** (die; -); **weiß|haa|rig; Weiß‿herbst** (hell gekelterter Wein aus blauen Trauben), **...kohl; weiß|lich** (weiß scheinend); **Weiß‿tan|ne, ...wa|ren** *Mehrz.;* **weiß|wa|schen;** sich, jmdn. - (ugs. für: von einem Verdacht od. Vorwurf befreien); **Weiß‿wein, ...wurst**

Wei|sung

◇ Auftrag, Anweisung, Direktive, Verhaltensmaßregel, Order, Instruktion, Gebot, Geheiß, Aufforderung, Anordnung, Diktat, Befehl, Kommando, Vorschrift, Verordnung, Erlaß, Verfügung, Dekret

wei|sungs|ge|bun|den

weit; bei, von weitem; ohne weiteres; des weiteren; bis auf weiteres; weit u. breit; so weit, so gut; weit fahren, springen, bringen; das Weite suchen (sich [rasch] fortbegeben); alles Weitere demnächst; als Weiteres (weitere Sendungen) erhalten Sie; **weit|ab; weit|aus;** - größer; **Weit|blick,** der; -[e]s; **weit|blickend** [*Trenn.:* ...blik|kend]; weiter blickend u. weitblickender; **Wei|te,** die; -, -n; **wei|ten** (weit machen, erweitern); sich -; **wei|ter;** weiter gehen; er kann weiter gehen als ich; weiter helfen; er hat dir weiter (weiterhin) geholfen, aber: weiterhelfen (behilflich, nützlich sein)

wei|ter|be|ste|hen (fortbestehen); **wei|ter|fah|ren** (schweiz. auch neben: fortfahren); in seiner Rede -; **Wei|ter|fahrt,** die; -; **wei|ter‿ge|ben, ...ge|hen** (vorangehen; fortfahren), **...hel|fen** (vgl. weiter); **wei|ter|hin; wei|ter‿kom|men, ...lei|ten; Wei|ter|rei|se; wei|ter|rei|sen**

wei|ters (österr. für: weiterhin, ferner)

wei|ter|sa|gen; wei|ter|wol|len (ugs. für: weitergehen wollen)

weit|ge|hend; weiter gehend, weitestgehend u. weitgehender, weitgehendst; das scheint mir zu weitgehend, aber: eine zu weit gehende Erklärung; **weit|her** (aus großer Ferne), aber: von weit her; das ist nicht weit her (nicht bedeutend); **weit|hin; weit|läu|fig; weit|rei|chend;** weiter reichend, weitestreichend u. weitreichender, weitreichendst; **weit|schwei|fig; Weit|sicht,** die; -; **weit|sich|tig; Weit|sich|tig|keit,** die; -; **Weit|sprung; weit|tra|gend;** weiter tragend, weitesttragend u. weittragender, weittragendst; **weit|ver|brei|tet,** weiter verbreitet, weitestverbreitet u. weitverbreiteter, weitverbreitetest; **weit|ver|zweigt;** weiter verzweigt, weitestverzweigt u. weitverzweigter, weitverzweigtest

Wei|zen, der; -s, (fachspr.:) -; **Wei|zen‿brot, ...mehl**

welch; -er, -e, -es; - ein Held; welches reizende Mädchen; **wel|che** (ugs. für: etliche, einige); es sind - hier; **wel|ches** (ugs. für: etwas); hat noch jemand Brot? Ich habe -

welk

wel|ken

◇ verwelken, verblühen, abblühen, verdorren, vertrocknen, absterben

Welk|heit, die; -

Well|blech; Wel|le, die; -, -n; **wel|len;** gewelltes Haar; **Wel|len‿bad, ...bre|cher; wel|len|för|mig; Wel|len‿län|ge, ...li|nie, ...rei|ten** (Wassersport; das; -s), **...sit|tich** (ein Vogel); **Well|fleisch; wel|lig** (wellenartig, gewellt); **Well|pap|pe**

Wel|pe, der; -n, -n (das Junge von Hund, Fuchs, Wolf)

Wels, der; -es, -e (ein Fisch)

welsch (keltisch, dann: romanisch, französisch, italienisch; fremdländisch); **Wel|sche,** der u. die; -n, -n

Welt, die; -, -en; die dritte - (die Entwicklungsländer)
Welt|all
◇ All, Weltraum, Kosmos, Universum
welt|an|schau|lich; Welt|an|schau|ung; welt‿be|kannt, ...be|rühmt; Welt|bild; Wel|ten|bumm|ler
Wel|ter|ge|wicht (Körpergewichtsklasse in der Schwerathletik)
welt‿er|schüt|ternd, ...fern, ...fremd; Welt‿frie|de[n], ...ge|schich|te (die; -), **...han|del, ...kar|te, ...krieg** (der Erste [auch: erste] -, der Zweite [auch zweite] -)
welt|lich
◇ profan, säkular, irdisch, diesseitig
Welt|macht; welt|män|nisch; Welt‿meer, ...mei|ster, ...mei|ste|rin, ...raum (der; -[e]s); **Welt|raum‿flug, ...for|schung; Welt|reich, ...rei|se, ...re|kord, ...stadt; welt|weit; Welt‿wirt|schafts|kri|se, ...wun|der**
wem; wen
Wen|de, die; -, -n (Drehung, Wendung; Turnübung); **Wen|de|kreis; Wen|del|trep|pe; wen|den;** wandte u. wendete (wendete [selten]), gewandt u. gewendet; in der Bedeutung „die Richtung ändern" [z. B. mit dem Auto] u. „umkehren, umdrehen", z. B. „einen Mantel, Heu wenden", nur schwach: er wendete, hat gewendet; sich -; überwiegend stark: sie wandte sich zu ihm, hat sich an ihn gewandt; **Wen|de‿platz, ...punkt; wen|dig** (geschickt, geistig regsam, sich schnell anpassend); **Wen|dung**
we|nig; ein wenig (etwas, ein bißchen); einige wenige; das wenige; die wenigen; mit wenig[em] auskommen; fünf weniger drei ist, macht, gibt zwei; wie wenig; das wenigste; am, zum wenigsten; die wenigsten, a b e r: das Wenig; viele Wenig machen ein Viel; **We|nig|keit;** meine -; **we|nig|stens**
wenn; wenn auch
◇ falls, sofern, wofern, für den Fall/im Fall daß · als
Wenn, das; -s, -; wegen seines ständigen - und Aber; viele - und Aber; ohne - und Aber; **wenn|schon**
wer (fragendes, bezügliches u. [ugs.] unbestimmtes Fürw.); wer ist da?; Halt! Wer da?
Wer|be‿ab|tei|lung, ...agen|tur; wer|ben; warb (würbe), geworben; wirb!; **Wer|be‿slo|gan, ...text; wer|be|wirk|sam; Wer|bung**
Wer|de|gang; wer|den; wurde (würde), geworden; werd[e]!; als Hilfszeitwort: er ist gelobt worden; **wer|dend;** eine werdende Mutter
wer|fen (von Tieren auch: gebären); warf (würfe), geworfen; sich -
◇ hinwerfen, [hin]schleudern, wegschleudern, [hin]schmeißen (ugs.), [hin]feuern (ugs.), [hin]pfeffern (ugs.)
Werft, die; -, -en (Anlage zum Bauen u. Ausbessern von Schiffen); **Werft|ar|bei|ter**
Werg, das; -[e]s (Flachs-, Hanfabfall)
Werk, das; -[e]s, -e; **Werk|bank** (*Mehrz.* ...bänke); **wer|ken** (tätig sein; [be]arbeiten); **Werk‿hal|le**[1], **...lei|tung**[1], **...spio|na|ge**[1]; **Werk|statt, Werk|stät|te,** die; -, ...stätten
Werk|tag
◇ Wochentag, Alltag, Arbeitstag
werk|tags; werk|tä|tig; Werk|tä|ti|ge, der u. die; -n, -n; **Werk|zeug; Werk|zeug|ma|cher**
Wer|mut, der; -[e]s (eine Pflanze; Wermutwein); **Wer|mut[s]|trop|fen**
wert; - sein; es ist nicht der Rede, Mühe wert; das Auto ist diesen hohen Preis wert; **Wert,** der; -[e]s, -e (Bedeutung, Geltung); auf etwas - legen; **Wert|ar|beit,** die; -; **wert|be|stän|dig; wer|ten; Wert|ge|gen|stand; wert|los; Wert‿pa|pier, ...sa|che** (meist *Mehrz.*), **...schät|zung; Wer|tung; Wert|ur|teil; wert|voll**
Wer|wolf (im Volksglauben Mensch, der sich zeitweise in einen Wolf verwandelt)
We|sen, das; -s, -; viel -[s] machen
◇ [Wesens]art, Natur[ell], Charakter, Temperament, Veranlagung · Geschöpf
We|sens‿art, ...zug; we|sent|lich (wirklich; hauptsächlich); im wesentlichen; nichts Wesentliches
wes|halb [auch: *wäß*...]
Wes|pe, die; -, -n; **Wes|pen|nest**
wes|sen
West (Himmelsrichtung; Abk.: W); Ost u. West; Autobahnausfahrt Frankfurt-West; vgl. Westen
We|ste, die; -, -n
We|sten, der; -s (Himmelsrichtung; Abk.: W) gen -; vgl. West; Wilder -
We|stern, der; -[s], - (Film, der während der Pionierzeit im sog. Wilden Westen [Amerikas] spielt)
west|lich; das -e Frankreich; - von Mannheim; *Verhältnisw.* mit *Wesf.:* - Mannheims; **west|wärts**
wes|we|gen
Wett‿be|werb (der; -[e]s, -e), **...bü|ro; Wet|te,** die; -, -n; um die - laufen; **wett|ei|fern;** ich wetteifere; gewetteifert; zu -; **wet|ten**
Wet|ter, das; -s, -; **Wet|ter‿amt, ...be|richt; wet|ter|fest; Wet|ter|frosch; wet|ter|füh|lig; Wet|ter‿hahn, ...kar|te; wet|ter|leuch|ten;** es wetterleuchtet; gewetterleuchtet; zu -; **Wet-**

[1] Auch, österr. nur: Werks..., werks...

ter|leuch|ten, das; -s; **wet|tern** (stürmen, donnern u. blitzen; laut schelten); **Wet|ter‿vor|her|sa|ge, ...war|te; wet|ter|wen|disch**
Wett‿kampf, ...lauf; wett|ma|chen (ausgleichen); **Wett‿ren|nen, ...rü|sten** (das; -s), **...streit**
wet|zen; Wetz‿stahl, ...stein
Whis|key [*"ißki*], der; -s, -s (amerik. od. irischer Whisky); **Whis|ky** [*"ißki*], der; -s, -s ([schott.] Trinkbranntwein aus Getreide)
Wichs|bür|ste; Wich|se, die; -, -n (ugs. für: Schuhwichse; *Einz.* für: Prügel); - kriegen (geprügelt werden); **wich|sen**
Wicht, der; -[e]s, -e (Wesen; Kobold; verächtl. für: elender Kerl); **Wich|tel|männ|chen** (Heinzelmännchen)
wich|tig; [sich] - tun; sich - machen; etwas, sich - nehmen; es ist das wichtigste (am wichtigsten), gesund zu bleiben, aber: das Wichtigste in seinem Leben waren die Kinder; sie hat das Wichtigste notiert
◇ belangvoll, folgenreich, folgenschwer, wesentlich, substantiell, relevant, signifikant
Wich|tig|keit
Wicke[1]**,** die; -, -n (eine Pflanze)
Wickel[1]**,** der; -s, -; **Wickel‿ga|ma|sche**[1]**, ...kind; wickeln**[1]
Wid|der, der; -s, - (männl. Zuchtschaf)
wi|der ([ent]gegen); *Verhältnisw.* mit *Wenf.:* - alles Erwarten; - Willen
wi|der|bor|stig (ugs. für: hartnäckig widerstrebend)
wi|der|fah|ren; mir ist ein Unglück -
Wi|der|ha|ken
Wi|der|hall, der; -[e]s, -e (Echo); **wi|der|hal|len;** das Echo hat widergehallt
wi|der|le|gen; er hat diesen Irrtum widerlegt; **Wi|der|le|gung**
wi|der|lich; Wi|der|lich|keit
wi|der‿na|tür|lich, ...recht|lich
Wi|der|re|de
Wi|der|ruf; bis auf -; **wi|der|ru|fen** (zurücknehmen); er hat sein Geständnis -
Wi|der|sa|cher, der; -s, -
wi|der|set|zen, sich; ich habe mich dem Plan widersetzt
Wi|der|sinn, der; -[e]s (Unsinn; logische Verkehrtheit); **wi|der|sin|nig**
wi|der|spen|stig; Wi|der|spen|stig|keit
wi|der|spie|geln; die Sonne hat sich im Wasser widergespiegelt
wi|der|spre|chen; mir wird widersprochen; **Wi|der|spruch; wi|der|sprüch|lich**
Wi|der|stand
wi|der|stands|fä|hig

[1]*Trenn.:* ...k|k...

◇ stabil, resistent, gefeit, unempfänglich, immun
Wi|der|stands‿kämp|fer, ...kraft
wi|der|stands|los
◇ kampflos, ohne Gegenwehr/Widerstand
wi|der|ste|hen; er widerstand der Versuchung
wi|der|stre|ben (entgegenwirken); es hat ihm widerstrebt; **wi|der|stre|bend** (ungern)
wi|der|wär|tig; Wi|der|wär|tig|keit
Wi|der|wil|le
wi|der|wil|lig
◇ ungern, unlustig, widerstrebend, mit Widerwillen/Unlust
wid|men; Wid|mung
wid|rig (zuwider; übertr. für: unangenehm); ein -es Geschick
wie; wie geht es dir?; sie ist so schön wie ihre Freundin, aber (bei Ungleichheit): sie ist schöner als ihre Freundin
Wie|de|hopf, der; -[e]s, -e (Vogel)
wie|der; hin und wieder (zuweilen); wieder einmal
◇ wiederum, abermals, nochmals, erneut, aufs neue, von neuem, da capo, neuerlich
Wie|der|auf|bau, der; -[e]s; **wie|der|auf|bau|en**
Wie|der|auf|nah|me; Wie|der|auf|nah|me|ver|fah|ren (Rechtsspr.): **wie|der|auf|neh|men** (sich mit einer Sache erneut befassen)
wie|der|auf|tau|chen (erneut erscheinen); er ist wiederaufgetaucht
Wie|der|be|ginn
wie|der|be|le|ben (zu neuem Leben erwecken); **Wie|der|be|le|bung; Wie|der|be|le|bungs|ver|such**
wie|der|brin|gen (zurückbringen)
wie|der|ein|fal|len (erneut ins Gedächtnis kommen)
wie|der|er|ken|nen; er hat ihn wiedererkannt
wie|der|er|öff|nen; das Geschäft hat gestern wiedereröffnet; **Wie|der|er|öff|nung**
wie|der|fin|den (zurückerlangen)
Wie|der|ga|be; die - eines Konzertes auf Tonband; **wie|der|ge|ben** (zurückgeben; darbieten)
wie|der|ge|bo|ren; Wie|der|ge|burt
wie|der|gut|ma|chen (erneut in Ordnung bringen); er hat seinen Fehler wiedergutgemacht; **Wie|der|gut|ma|chung**
wie|der|ha|ben (ugs. für: zurückbekommen); ich habe das Buch wieder; er hat es wiedergehabt
wie|der|her|stel|len (in den vorigen Zustand versetzen)
wie|der|ho|len (erneut sagen); ich wiederhole; er hat seine Forderungen wiederholt

◇ repetieren, rekapitulieren, nachmachen, noch einmal machen · nachsprechen
wie|der|holt (noch-, mehrmals); **Wie|der|ho|lung** (nochmaliges Sagen, Tun)
Wie|der|hö|ren, das; -s; auf -! (Grußformel im Fernsprechverkehr u. im Rundfunk)
wie|der|käu|en; die Kuh käut wieder, hat wiedergekäut; **Wie|der|käu|er**
Wie|der|kehr, die; -; **wie|der|keh|ren** (zurückkommen)
wie|der|kom|men (zurückkommen)
Wie|der|schau|en, das; -s (landsch.); auf -!
wie|der|se|hen (erneut zusammentreffen); **Wie|der|se|hen,** das; -s; auf -!; auf - sagen
wie|der|um
Wie|der|ver|ei|ni|gung
Wie|der|ver|käu|fer (Händler)
Wie|der|wahl; wie|der|wäh|len (jmdn. in das frühere Amt wählen); er wurde wiedergewählt
Wie|ge, die; -, -n; **Wie|ge|mes|ser,** das; [1]**wie|gen** (schaukeln; zerkleinern); wiegte, gewiegt; sich -
[2]**wie|gen** (das Gewicht feststellen; Gewicht haben); wog (wöge), gewogen
Wie|gen‿fest (scherzh.), **...lied**
wie|hern
wie|nern (ugs. für: blank putzen)
Wie|se, die; -, -n
Wie|sel, das; -s, - (ein Marder); **wie|sel|flink**
Wie|sen‿blu|me, ...grund, ...tal
wie|so
wie|viel [auch: *wi...*]; wieviel Personen; wie viele Personen; **wie|viel|mal** [auch: *wi...*], aber: wie viele Male; **wie|viel|te** [auch: *wi...*]; den Wievielten haben wir heute?
Wig|wam, der; -s, -s („Hütte" nordamerikanischer Indianer)
Wi|kin|ger [auch: *wi...*], der; -s, - („Krieger"; Seefahrer, Normanne); **Wi|kin|ger|schiff**
wild; - wachsen; wilde Ehe; wilder Streik; Wilder Westen; **Wild,** das; -[e]s; **Wild|bach; Wild|bret,** das; -s (Fleisch des geschossenen Wildes); **Wild|dieb; Wil|de,** der u. die; -n, -n; **Wild|en|te; Wil|de|rer** (Wilddieb); **wil|dern** (unbefugt jagen); **Wild|fang** (ausgelassenes Kind); **wild|fremd** (ugs. für: völlig fremd); **Wild‿gans, ...hü|ter, ...kat|ze; wild|le|bend; Wild|le|der** (Rehleder, Hirschleder u. ä.); **Wild|nis,** die; -, -se; **Wild|park; wild|ro|man|tisch; Wild‿sau, ...scha|den, ...schwein; wild|wach|send; Wild|west** (ohne Geschlechtswort); **Wild|west|film**
Wil|le, der; -ns; der Letzte -; wider -n; **wil|len;** um ... willen; um Gottes willen, um deinet-, euretwillen; **Wil|len,** der; -s (Nebenform von: Wille); **wil|len|los; Wil|lens‿frei|heit** (die; -), **...kraft** (die; -)
wil|lens|schwach
◇ haltlos, willenlos, energielos, nachgiebig, weich
wil|lens|stark
wil|lig (guten Willens; bereit)
will|kom|men; - heißen, - sein; herzlich -!, aber: er rief ihnen ein herzliches Willkommen zu; **Will|kom|mens‿gruß, ...trunk**
Will|kür, die; -; **Will|kür‿akt, ...herr|schaft; will|kür|lich**
wim|meln; es wimmelt von Ameisen
wim|mern
Wim|pel, der; -s, - ([kleine] dreieckige Flagge)
Wim|per, die; -, -n; **Wim|pern|tu|sche**
Wind, der; -[e]s, -e; - bekommen (ugs. für: heimlich, zufällig erfahren)
◇ Luftzug, Bö[e], Brise, Sturm, Orkan
Wind|beu|tel (ein Gebäck; übertr. ugs. für: leichtfertiger Mensch); **Wind‿bö** od. **...böe**
Win|de, die; -, -n (Hebevorrichtung; eine Pflanze)
Win|del, die; -, -n; **win|del|weich**
win|den (drehen); wand (wände), gewunden; sich -
Win|des|ei|le (in, mit -); **wind|ge|schützt; Wind‿hauch, ...ho|se** (Wirbelsturm)
Wind|hund (auch übertr. ugs. für: schneller, leichtfertiger Mensch)
win|dig (winderfüllt; übertr. ugs. für: leer, leichtfertig, prahlerisch); **Wind‿jacke** [*Trenn.:* ...jak|ke], **...ka|nal, ...müh|le, ...pocken** [*Trenn.:* ...pok|ken] (eine Kinderkrankheit; *Mehrz.*), **...rad, ...rich|tung, ...ro|se** (Windrichtungs-, Kompaßscheibe), **...schat|ten,** der; -s (windgeschützter Bereich); **wind|schief** (ugs. für: krumm, verzogen); **Wind|schutz|schei|be; Wind|stär|ke; wind|still; Wind‿stil|le, ...stoß, ...sur|fing** [*...ßö'fing*], das; -s (Segeln auf einem Surfbrett)
Win|dung
Wink, der; -[e]s, -e
Win|kel, der; -s, -; **Win|kel|ei|sen; win|ke|lig,** wink|lig; **Win|kel‿maß** (das), **...mes|ser** (der)
win|ken; Win|ker
wink|lig, win|ke|lig
Win|ter, der; -s, -; **Win|ter‿an|fang, ...fahr|plan; win|ter|fest; Win|ter‿gar|ten, ...ge|trei|de, ...halb|jahr; win|ter|lich; Win|ter|mo|nat; win|tern;** es wintert; **Win|ter|rei|fen; win|ters; Win|ter‿saat, ...sa|chen** (*Mehrz.;* Kleidung für den Winter),

...sai|son; Win|ters|an|fang; Win-ter‿schlaf, ...schluß|ver|kauf, ...sport; Win|ter[s]|zeit, die; -; **Win-ter|tag**

Win|zer, der; -s, -; **Win|zer‿ge|nos-sen|schaft, ...mes|ser** (das)

win|zig; Win|zig|keit

Wip|fel, der; -s, -

Wip|pe, die; -, -n (Schaukel); **wip|pen**

wir; - alle, - beide

Wir|bel, der; -s, -; **Wir|bel‿säu|le, ...sturm, ...tier**

Wir|bel|wind

◇ Wirbelsturm, Windhose, Taifun, Tornado, Hurrikan

wir|ken; sein segensreiches Wirken

wirk|lich

◇ tatsächlich, in der Tat, faktisch, vorhanden, real, existent, bestehend, gegenständlich, konkret

Wirk|lich|keit; wirk|lich|keits‿fern, ...fremd, ...nah; wirk|sam; Wirk-sam|keit, die; -; **Wir|kung; Wir-kungs‿be|reich, ...kreis; wir-kungs‿los, ...voll**

wirr; Wir|ren *(Mehrz.)*; **Wirr|kopf** (abwertend); **Wirr|warr,** der; -s

Wir|sing, der; -s u. **Wir|sing|kohl,** der; -[e]s

Wirt, der; -[e]s, -e; **Wir|tin,** die; -, -nen; **Wirt|schaft; wirt|schaf|ten; Wirt-schaf|te|rin,** die; -, -nen; **wirt|schaft-lich; Wirt|schaft|lich|keit,** die; -; **Wirt|schafts‿auf|schwung, ...be|ra-ter, ...geld, ...kri|se, ...la|ge, ...mi-ni|ster, ...po|li|tik, ...prü|fer, ...wis-sen|schaft, ...wun|der; Wirts‿haus, ...leu|te** *(Mehrz.)*

Wisch, der; -[e]s, -e; **wi|schen; wisch-fest; Wi|schi|wa|schi,** das; -s (ugs. für: unpräzise Darstellung)

Wi|sent, der; -s, -e (Wildrind)

wis|pern (leise sprechen, flüstern)

Wiß|be|gier[|de], die; -; **wiß|be|gie-rig**

wis|sen; wußte (wüßte), gewußt; wer weiß!

◇ Kenntnis haben von, Bescheid wissen, informiert/eingeweiht sein, im Bilde sein (ugs.)

Wis|sen, das; -s; meines -s ist es so; **Wis|sen|schaft; Wis|sen|schaft|ler; wis|sen|schaft|lich; Wis|sens-‿drang** (der; -[e]s), **...durst; wis|sens-‿dur|stig, ...wert; wis|sent|lich**

wit|tern (dem Geruche nachspüren, bemerken); **Wit|te|rung; Wit|te|rungs-ein|fluß**

Wit|we, die; -, -n; **Wit|wen‿geld, ...ren|te, ...schlei|er; Wit|wer**

Witz, der; -es, -e; **Witz‿blatt, ...bold** (der; -[e]s, -e); **Wit|ze|lei; wit|zeln; wit|zig; witz|los**

wo; wo ist er?; **wo|an|ders; wo|an-ders|hin; wo|bei**

Wo|che, die; -, -n; **Wo|chen‿bett, ...blatt, ...en|de; Wo|chen|end-haus; Wo|chen|kar|te; wo|chen-lang; Wo|chen‿lohn, ...markt, ...schau, ...tag; wo|chen|tags; wö-chent|lich** (jede Woche); **Wo|chen-zei|tung; Wöch|ne|rin,** die; -, -nen

Wod|ka, der; -s, -s („Wässerchen"; Branntwein)

wo|durch; wo|fern; wo|für

Wo|ge, die; -, -n

wo|ge|gen

wo|gen

wo|her; wo|hin; wo|hin|auf; wo|hin-aus; wo|hin|ter; wo|hin|un|ter

wohl; besser, beste u. wohler, wohlste; wohl od. übel (ob er wollte od. nicht) mußte er zuhören; das ist wohl das beste; leben sie wohl!; wohl bekomm's!; sich wohl fühlen; **Wohl,** das; -[e]s; auf dein -!; zum -!

wohl|an!; wohl|auf!; wohlauf sein; **Wohl‿be|fin|den, ...be|ha|gen; wohl|be|hal|ten;** er kam - an; **wohl-‿be|kannt, ...durch|dacht; Wohl|er-ge|hen,** das; -s

Wohl|fahrt, die; -; **Wohl|fahrts|staat**

wohl|feil; Wohl|ge|fal|len, das; -s; **wohl|ge|fäl|lig; wohl|ge|meint;** -er Rat; **wohl|ge|merkt!; wohl‿ge-nährt, ...ge|ra|ten; Wohl‿ge|ruch, ...ge|schmack; wohl|ge|sinnt;** -er, -este; er ist mir -

wohl|ha|bend; Wohl|ha|ben|heit, die; -

woh|lig; ein -es Gefühl

Wohl|klang, der; -[e]s; **wohl|klin-gend; wohl‿rie|chend** (-er, -ste), **...schmeckend** (-er, -ste; *Trenn.:* ...schmek|kend)

wohl sein; laß es dir wohl sein!; **Wohl-sein,** das; -s; zum -!

Wohl|stand, der; -[e]s; **Wohl|stands-ge|sell|schaft**

Wohl‿tat, ...tä|ter, ...tä|te|rin; wohl-tä|tig; Wohl|tä|tig|keit; wohl|tu|end (angenehm); -er, -ste

wohl‿über|legt, ...ver|dient; Wohl-ver|hal|ten; wohl|weis|lich; er hat sich - gehütet

wohl|wol|len; er hat mir stets wohlgewollt; **Wohl|wol|len,** das; -s; **wohl-wol|lend;** -er, -ste

Wohn|block (*Mehrz.* ...blocks); **woh-nen; Wohn‿ge|bäu|de, ...geld; wohn|haft** (wohnend); **Wohn‿haus, ...heim, ...kü|che, ...la|ge; wohn-lich; Wohn‿ort, ...raum**

Woh|nung

◇ [Da]heim, Wohnsitz, Domizil, Behausung, Zuhause, Apartment, Appartement

Wohlnungs‿amt, ...bau (der; -[e]s); **wohlnungsllos, Wohlnungs‿markt, ...not; Wohlnung[s]lsulchenlde,** der u. die; -n, -n; **Wohlnungs‿tausch, ...tür; Wohn‿walgen, ...zimlmer**
wöllben; sich -; **Wöllbung**
Wolf, der; -[e]s, Wölfe (ein Raubtier); **Wöllfin,** die; -, -nen; **wöllfisch; Wolfs‿hunlger** (ugs. für: großer Hunger), **...milch** (eine Pflanze)
Wölklchen; Wollke, die; -, -n; **Wolken‿bruch** (der), **...decke**[1] (die; -), **...kratlzer** (Hochhaus); **Wollkenkuckuckslheim**[1], das; -[e]s (Luftgebilde, Hirngespinst); **wollkenllos; wolkig**
Wollldecke[1]; **Wollle,** die; -, (für: Wollarten auch *Mehrz.:*) -n; [1]**wolllen** (aus Wolle)
[2]**wolllen;** ich will; du wolltest; gewollt; ich habe helfen wollen
wolllig; Woll‿kleid, ...knäulel
Wolllust, die; -, Wollüste; **wolllülstig**
wolmit; wolmögllich (vielleicht); **wonach; wolnelben**
Wonlne, die; -, -n; **Wonlne‿molnat** od. **...mond** (für: Mai); **wonlne‿trunlken, ...voll; wonlnig**
worlan; worlauf; worlauflhin; worlaus; worlein; worlin
Worklaholic [*ö'kᵉhólik*], der; -s, -s (Psych.: jmd., der unter dem Zwang steht, ständig zu arbeiten)
Worldlcup [*ö'ldkap*], der; -s, -s ([Welt]meisterschaft in verschiedenen Disziplinen)
Wort, das; -[e]s, Wörter u. Worte; *Mehrz.* Wörter für: Einzelwort ohne Rücksicht auf den Zusammenhang, z. B. Fürwörter; dies Verzeichnis enthält 100 000 Wörter; *Mehrz.* Worte für: Äußerung, Erklärung, Begriff, Zusammenhängendes, z. B. Begrüßungsworte; mit guten -en; **Wort‿art, ...bruch** (der); **wortlbrülchig; Wörtlchen; Wörlterlbuch; wortlgetreu**
wortlkarg
◇ einsilbig, schweigsam, mundfaul (ugs.), maulfaul (ugs.), ruhig
Wortlklaulbelrei (abschätzig); **Wortlaut,** der; -[e]s; **Wörtllein; wörtllich;** -e Rede; **wortllos; wortlreich; Wort‿schatz** (der; -es), **...wechlsel; wortwörtllich** (Wort für Wort)
worlüber; worlum; ich weiß nicht, - es sich handelt; **worlunlter; wolvon; wolvor; wolzu**
Wrack, das; -[e]s, -s, selten: -e (gestrandetes od. hilflos treibendes, auch altes Schiff; auch übertr. für: gesundheitlich heruntergekommener Mensch)

[1] *Trenn.:* ...k|k...

wrinlgen (nasse Wäsche auswinden); wrang (wränge), gewrungen
Wulcher, der; -s; **Wulchelrer; Wulchelrin,** die; -, -nen; **wulchelrisch; wulchern; Wulchelrung; Wulcherzinlsen** *(Mehrz.)*
Wuchs, der; -es
Wucht, die; -; **wuchlten** (ugs. für: schwer heben); **wuchltig**
wühllen; Wühllmaus
Wulst, der; -es, Wülste od. die; -, Wülste; **wullstig**
wund; - sein, werden; sich - laufen; **Wundlbrand**
Wunlde, die; -, -n
◇ Verwundung, Verletzung, Blessur
Wunlder, das; -s, -; - tun, wirken; er glaubt, wunder was getan zu haben; sie meint, wunder[s] wie geschickt zu sein; **wunlderlbar; Wunlderldokltor; wunlderlgläulbig; wunlderlhübsch; wunlderllich** (eigenartig); **wunldern;** es wundert mich, daß ...; sich -; **wunder‿sam, ...schön, ...voll; Wunlderwerk**
Wundlfielber; wundllielgen, sich; **Wund‿sallbe, ...starrlkrampf**
Wunsch, der; -[e]s, Wünsche; **Wünschellrulte**
wünlschen
◇ begehren, [haben] wollen, mögen, versucht sein zu tun, erhoffen, ersehnen, den Wunsch haben, sich sehnen nach
wünlschenslwert; Wunsch‿kind, ...konlzert; wunschllos; - glücklich; **Wunschltraum**
wuppldich! (ugs. für: husch!; geschwind!)
Würlde, die; -, -n; **würldellos; Würdenlträlger; würldelvoll; würldig; würldilgen**
Wurf, der; -[e]s, Würfe; **Würlfel,** der; -s, -; **Würlfellbelcher; würlfeln;** gewürfeltes Muster; **Würlfellzucker** [*Trenn.:* ...zuk|ker]; **Wurflgelschoß**
Würlge‿griff, ...mal (*Mehrz.* ...male, seltener: ...mäler); **würlgen;** mit Hängen und Würgen (ugs. für: mit knapper Not)
Wurm, der (für: hilfloses Kind ugs. auch: das); -[e]s, Würmer; **Würmlchen; wurmen** (ugs. für: ärgern); es wurmt mich; **Wurmlfortlsatz** (am Blinddarm); **wurmlstilchig**
Wurst, die; -, Würste; das ist mir -, (auch:) Wurscht (ugs. für: ganz gleichgültig); **Würstlchen; wurlsteln** (ugs. für: ohne Überlegung u. Ziel, im alten Schlendrian [fort]arbeiten); **Wurstlfinlger** (abwertend); **wurlstig** (ugs. für: gleichgültig); **Wurlstiglkeit,** die; - (ugs.); **Wurstlziplfel**
Würlze, die; -, -n; **Wurlzel,** die; -, -n (Math. auch: Grundzahl einer Potenz);

Wur|zel_be|hand|lung (Zahnmed.), **...bür|ste; Wür|zel|chen; wur|zel|los; wur|zeln; Wur|zel_stock** (*Mehrz.* ...stöcke), **...zei|chen** (Math.)

wür|zen

◇ abschmecken, pfeffern, salzen

wür|zig

Wu|schel|haar (ugs. für: lockiges od. unordentliches Haar); **wu|sche|lig** (ugs.)

Wust, der; -[e]s (ugs. für: Durcheinander, Schutt, Unrat); **wüst; Wü|ste,** die; -, -n; **Wü|ste|nei; Wüst|ling** (ausschweifender Mensch)

Wut, die; -; **Wut_an|fall; wü|ten; wü|tend; Wü|te|rich,** der; -s, -e; **wut|schnau|bend**

X

X [*ikß*] (Buchstabe); das X; des X, die X; jmdm. ein X für ein U vormachen (ugs. für: täuschen)

X, das; -, - (unbekannte Größe)

Xan|thip|pe, die; -, -n (ugs. für: zanksüchtiges Weib)

X-Bei|ne (*Mehrz.*); **X-bei|nig**

x-be|lie|big; jeder -e

Xe|ro|gra|phie, die; -, ...ien (Druckw.: ein in den USA erfundenes Trockendruckverfahren); **xe|ro|gra|phisch; Xe|ro|ko|pie,** die; -, ...ien (xerographisch hergestellte Kopie)

x-mal; x-te; zum x-tenmal, zum x-ten Male

Xy|lo|phon, das; -s, -e (ein Musikinstrument)

Y

(Selbstlaut u. Mitlaut)

Y [*üpßilon;* österr. auch, bes. als math. Unbekannte: *üpßilon*] (Buchstabe); das Y; des Y, die Y

Y, das; -, - (Bez. für eine veränderliche od. unbekannte math. Größe)

Yacht vgl. Jacht

Yen, der; -[s], -[s]; (Währungseinheit in Japan); 5 -

Ye|ti, der; -s, -s (legendärer Schneemensch im Himalaja)

Yo|ga, Yo|gi vgl. Joga, Jogi

Yp|si|lon [*üpßilon*]; vgl. Y

Yu|an, der; -[s], -[s]; (Währungseinheit der Volksrepublik China); 5 -

Z

Vgl. auch **C** und **K**

Z (Buchstabe); das Z; des Z, die Z

Zacke[1]**,** die; -, -n (Spitze); **zacken**[1] (mit Zacken versehen); gezackt; **zackig**[1] (ugs. auch für: schneidig)

za|gen (geh.); **zag|haft**

zäh; Zä|heit; zäh|flüs|sig; Zä|hig|keit, die; -

Zahl, die; -, -en; **zahl|bar** (zu [be]zahlen)

zah|len; Lehrgeld -

◇ bezahlen, begleichen, blechen (ugs.), berappen (ugs.), entrichten, aufwenden, auslegen, die Kosten tragen

zäh|len; bis drei -; **Zah|len_fol|ge, ...lot|to; zah|len|mä|ßig; Zah|len|rei|he; Zäh|ler; Zahl|kar|te; zahl|los; Zahl|mei|ster; zahl|reich; Zahl|tag; Zah|lung; Zäh|lung; Zah|lungs_auf|schub, ...be|fehl**

zah|lungs|fä|hig

◇ liquid[e], solvent, flüssig, zahlungsbereit

Zah|lungs|frist

zah|lungs|un|fä|hig

◇ illiquid, insolvent, bankrott, abgebrannt (ugs.), pleite (ugs.), blank (ugs.)

Zähl|werk; Zahl|wort (*Mehrz.* ...wörter)

zahm

◇ gezähmt, domestiziert, gebändigt, [lamm]fromm, kirre (ugs.)

zähm|bar; zäh|men

Zahn, der; -[e]s, Zähne; **Zahn|arzt, zahn|ärzt|lich; Zahn|bür|ste; Zähn|chen; Zahn|creme; zäh|ne|flet|schend; Zäh|ne|klap|pern,** das; -s; **zäh|ne|knir|schend; zah|nen** (Zähne bekommen); **Zahn_er|satz, ...fäu|le, ...fleisch, ...fül|lung, ...klemp|ner** (ugs. scherzh. für: Zahnarzt); **zahn|los; Zahn_lücke** [*Trenn.:* ...lük|ke], **...me|di|zin, ...pa|sta, ...pa|ste, ...rad, ...rad|bahn, ...schmerz, ...sto|cher, ...wal, ...weh, ...wur|zel**

Zan|ge, die; -, -n; **zan|gen|för|mig; Zan|gen|ge|burt; Zäng|lein**

Zank, der; -[e]s; **Zank|ap|fel,** der; -s;

---

[1] *Trenn.:* ...k|k...

zan|ken; sich -; **Zän|ke|rei** (kleinlicher Streit; meist *Mehrz.*); **zän|kisch; Zank-sucht,** die; -

¹Zäpf|chen (Teil des weichen Gaumens); **²Zäpf|chen** (kleiner Zapfen); **zap|fen; Zap|fen,** der; -s, -; **zap|fen|för|mig; Zap|fen|streich** (Militär: Abendsignal zur Rückkehr in die Unterkunft); der Große -; **Zapf|säu|le** (bei Tankstellen)

zap|pe|lig, zapp|lig; zap|peln

zap|pen|du|ster (ugs. für: sehr dunkel; endgültig vorbei)

Zar, der; -en, -en (ehem. Herrschertitel bei Russen, Serben, Bulgaren); **Za|rin,** die; -, -nen

zart; zart|be|sai|tet; Zart|ge|fühl, das; -[e]s; **Zart|heit; zärt|lich; Zärt-lich|keit**

Za|ster, der; -s (ugs. für: Geld)

Zä|sur, die; -, -en ([gedanklicher] Einschnitt)

Zau|ber, der; -s, -

Zau|be|rei

◇ Zauber, Hexerei, Magie, Schwarze Kunst

Zau|be|rer, Zaub|rer; **Zau|ber‿flö|te, ...for|mel; zau|ber|haft; Zau|be|rin,** die; -, -nen; **Zau|ber‿kunst, ...künst-ler; zau|bern; Zau|ber‿spruch, ...stab, ...trank, ...wür|fel** (zusammengesetzter Würfel, dessen verschiedenfarbige bewegliche Teile zu einer Farbe zu kombinieren sind); **Zaub|rer,** Zau|be-rer; **Zau|bre|rin**

Zau|de|rei; Zau|de|rer; zau|dern

Zaum, der; -[e]s, Zäume (Kopflederzeug bes. für Pferde); **zäu|men; Zäu|mung; Zaum|zeug**

Zaun, der; -[e]s, Zäune

◇ Gitter, Gatter, Hecke, Einfriedung, Einzäunung, Umzäunung

Zaun‿gast, ...kö|nig (Vogel), **...pfahl** (mit dem - winken [ugs. für: deutliche Anspielungen machen])

zau|sen; zau|sig (österr. für: zerzaust)

z. B. = zum Beispiel

Ze|bra, das; -s, -s (gestreiftes südafrik. Wildpferd); **Ze|bra|strei|fen** (Kennzeichen von Fußgängerüberwegen)

Ze|che, die; -, -n; die - prellen; **ze|chen; Ze|chen|stille|gung** [*Trenn.:* ...stillle...]; **Ze|cher; Zech‿ge|la|ge, ...kum|pan, ...prel|ler**

Zecke [*Trenn.:* Zek|ke], die; -, -n (Spinnentier)

Ze|der, die; -, -n (immergrüner Nadelbaum); **Ze|dern|holz**

Ze|he, die; -, -n, (auch:) **Zeh,** der; -s, -en; die große Zehe, der große Zeh; **Ze|hen-spit|ze**

zehn (Zahlwort); wir sind zu zehnen od. zu zehnt; die Zehn Gebote; **Zehn,** die; -, -en (Zahl); die Ziffer -; **zehn|ein|halb,** zehn|und|ein|halb; **Zeh|ner** (ugs. auch für: Zehnpfennigstück); **zehn|fach; zehn|jäh|rig; Zehn|kampf; zehn-mal; Zehn|mark|schein; Zehn|me-ter|brett; Zehn|pfen|nig|stück; zehn|tau|send;** die oberen Zehntausend; **zehn|te; zehn|tel; Zehn|tel,** das (schweiz. meist: der); -s, -; **Zehn|tel|se-kun|de; zehn|tens**

zeh|ren; Zehr|geld

Zei|chen, das; -s, -; **Zei|chen‿block** (*Mehrz.* ...blocks), **...brett, ...saal, ...set|zung** (die; -; für: Interpunktion), **...spra|che, ...trick|film; zeich|nen; Zeich|nen,** das; -s; **Zeich|ner; Zeich-nung**

Zei|ge|fin|ger; zei|gen; etwas -; sich [großzügig] -; er hat sich wieder einmal als guter Freund gezeigt; **Zei|ger**

Zei|le, die; -, -n; **zei|len|wei|se**

Zei|sig, der; -s, -e; **zei|sig|grün**

zeit; *Verhältnisw.* mit *Wesf.:* - meines Lebens; **Zeit,** die; -, -en; zur -; einige, eine kurze Zeit lang; von Zeit zu Zeit; **Zeit-‿al|ter, ...an|sa|ge, ...auf|wand; zeit|ge|bun|den; Zeit|geist,** der; -[e]s; **zeit|ge|mäß; Zeit|ge|nos|se; zeit-ge|nös|sisch; Zeit|ge|winn; zei|tig; Zeit|kar|te; Zeit|lang,** die, nur in: eine Zeitlang, a b e r: einige Zeit lang, eine kurze Zeit lang; **Zeit|lauf,** der; -[e]s, ...läufte (seltener: ...läufe); **zeit|le|bens; zeit|lich;** das Zeitliche segnen (sterben); **zeit|los; Zeit‿lu|pe** (die; -), **...maß** (das), **...not** (die; -), **...punkt, ...raf|fer** (Film); **zeit|rau|bend**

Zeit|raum

◇ Zeitalter, Ära, Epoche, Zeit[abschnitt], Periode, Phase, Zeitspanne, Menschenalter

Zeit|schrift

◇ Periodikum, Illustrierte, Journal, Magazin, Wochen-, Monatsschrift

zeit|spa|rend; Zeit|takt (Fernsprechwesen)

Zei|tung

◇ Presse, Gazette, [Boulevard]blatt

Zei|tungs‿an|zei|ge, ...be|richt, ...en-te, ...pa|pier, ...ver|käu|fer; Zeit-‿ver|geu|dung, ...ver|lust; zeit|ver-setzt; eine -e Fernsehübertragung; **Zeit|ver|treib,** der; -[e]s, -e; **zeit‿wei-lig, ...wei|se; Zeit|wort** (*Mehrz.* ...wörter); **Zeit|zün|der**

ze|le|brie|ren (etwas feierlich gestalten)

Zel|le, die; -, -n; **Zell‿kern, ...stoff** (Zellulose), **...tei|lung; Zel|lu|loid** [*...leut*], das; -[e]s (Kunststoff); **Zel|lu|lo-se,** die; -, -n (Hauptbestandteil pflanzl. Zellwände)

Zelt, das; -[e]s, -e; **Zelt|bahn; zel|ten; Zelt‿he|ring, ...la|ger** (*Mehrz.* ...lager), **...platz, ...stan|ge**

Ze|ment, der; -[e]s, -e (Bindemittel; Baustoff; Bestandteil der Zähne); **ze|men|tie|ren** (mit Zement ausfüllen, verputzen; übertr.: [einen Zustand, Standpunkt] starr u. unverrückbar festlegen); **Ze|ment‿sack, ...si|lo**

zen|sie|ren (beurteilen, prüfen, eine Note geben)

Zen|sur, die; -, -en ([Schul]zeugnis, Note; nur *Einz.:* behördl. Prüfung [und Verbot] von Druckschriften u. a.)

◇ Benotung, Bewertung, Prädikat, [Zeugnis]note · Kontrolle

Zen|ti|me|ter ($^1/_{100}$ m; Zeichen: cm); **Zent|ner,** der; -s, - (100 Pfund = 50 kg; Abk.: Ztr.; Österreich: 100 kg [Meterzentner], Zeichen: q); **zent|ner|schwer**

zen|tral (in der Mitte; im Mittelpunkt befindlich, von ihm ausgehend; Mittel..., Haupt..., Gesamt...); **Zen|tra|le,** die; -, -n (Mittel-, Ausgangspunkt; Hauptort, -stelle; Fernsprechvermittlung [in einem Großbetrieb]; **Zen|tral‿ge|walt, ...hei|zung** (Sammelheizung); **Zen|tra|lis|mus,** der; - (Streben nach Zusammenziehung [der Verwaltung u. a.]); **zen|tra|li|stisch; zen|tri|fu|gal** (vom Mittelpunkt wegstrebend, Flieh...); **Zen|tri|fu|ge,** die; -, -n (Schleudergerät zur Trennung von Flüssigkeiten); **zen|tri|pe|tal** (zum Mittelpunkt hinstrebend); **Zen|trum,** das; -s, ...tren (Mittelpunkt; Innenstadt; Haupt-, Sammelstelle)

Zep|pe|lin, der; -s, -e (Luftschiff)

Zep|ter, das (seltener: der); -s, - (Herrscherstab)

zer|ber|sten

zer|bom|ben

zer|bre|chen; zer|brech|lich

zer|bröckeln [*Trenn.:* ...brök|keln]

zer|drücken [*Trenn.:* ...drük|ken]

Ze|re|mo|nie [auch, österr. nur: *...moni^e*], die; -, ...ien [auch: *...moni^en*] (feierl. Handlung; Förmlichkeit); **ze|re|mo|ni|ell** (feierlich; förmlich, gemessen; steif, umständlich); **Ze|re|mo|ni|ell,** das; -s, -e ([Vorschrift für] feierliche Handlung[en])

zer|fah|ren (verwirrt; gedankenlos); **Zer|fah|ren|heit,** die; -

Zer|fall, der; -[e]s (Zusammenbruch, Zerstörung); **zer|fal|len**

zer|fet|zen; Zer|fet|zung

zer|fled|dern, zer|fle|dern (ugs. für: durch häufigen Gebrauch abnutzen, zerfetzen [von Büchern, Zeitungen o. ä.])

zer|flei|schen (zerreißen)

zer|ge|hen

zer|klei|nern; Zer|klei|ne|rung

zer|klüf|tet; -es Gestein

zer|knirscht; ein -er Sünder; **Zer|knir|schung**

zer|knit|tern; zer|knit|tert; nach der Strafpredigt war er ganz - (ugs. für: gedrückt)

zer|knül|len

zer|krat|zen

zer|krü|meln

zer|las|sen; -e Butter

◇ auslassen, schmelzen, verflüssigen, flüssig machen

zer|lau|fen

zer|leg|bar

zer|le|gen

◇ auseinandernehmen, zertrennen, zerteilen, demontieren, zerschneiden, zerkleinern · aufschneiden, in Scheiben/Stücke schneiden, tranchieren · zergliedern

zer|le|sen; ein zerlesenes Buch

zer|lumpt (ugs.); -e Kleider

zer|mal|men

◇ zerquetschen, zerdrücken, breitdrücken, breitquetschen, breitwalzen, zermatschen (ugs.)

Zer|mal|mung

zer|mar|tern, sich; ich habe mir den Kopf zermartert

zer|mür|ben; zer|mürbt; -es Leder

zer|na|gen

Ze|ro [*se...*], die; -, -s od. das; -s, -s (Null, Nichts; im Roulett: Gewinnfeld des Bankhalters)

zer|pflücken [*Trenn.:* ...pflük|ken]

zer|plat|zen

zer|quet|schen; Zer|quet|schung

Zerr|bild

◇ Karikatur, Fratze, Verhöhnung, Spottbild, Verfälschung, Verzerrung

zer|re|den

zer|reib|bar; zer|rei|ben

zer|rei|ßen; sich -; **zer|reiß|fest; Zer|reiß|pro|be; Zer|rei|ßung**

zer|ren

zer|rin|nen

zer|ris|sen; ein -es Herz; **Zer|ris|sen|heit,** die; -

Zerr|spie|gel; Zer|rung

zer|rüt|ten (zerstören); **zer|rüt|tet;** eine -e Ehe; **Zer|rüt|tung**

zer|schel|len (zerbrechen)

zer|schla|gen; sich -; alle Glieder sind mir wie -

zer|schmet|tern; zer|schmet|tert

zer|set|zen; Zer|set|zung; Zer|set|zungs|pro|zeß

zer|split|tern (in Splitter zerschlagen; in Splitter zerfallen)

zer|sprin|gen

zer|stamp|fen

zer|stäu|ben; Zer|stäu|ber (Gerät zum Versprühen von Flüssigkeiten); **Zer|stäu|bung**

zer|stö|ren

◇ vernichten, verwüsten, zerschlagen, zerbrechen, zerteppern (ugs.), zerschmeißen, zertreten, zerstampfen, zertrampeln

(ugs.), dem Erdboden gleichmachen, ausradieren, in die Luft sprengen, zertrümmern, demolieren, kaputtmachen (ugs.)
Zer|stö|rer; zer|stö|re|risch; Zer|stö|rung
zer|strei|ten, sich
zer|streu|en; sich - (sich leicht unterhalten, ablenken, erholen); **zer|streut;** ein -er Professor; **Zer|streut|heit; Zer|streu|ung**
zer|stückeln [*Trenn.:* ...stük|keln]
Zer|ti|fi|kat, das; -[e]s, -e ([amtl.] Bescheinigung, Zeugnis, Schein)
zer|tram|peln
zer|tren|nen; Zer|tren|nung
zer|trüm|mern; Zer|trüm|me|rung
Zer|ve|lat|wurst [*zärw*^{e}..., auch: *särw*^{e}...] (eine Dauerwurst)
Zer|würf|nis, das; -ses, -se
zer|zau|sen; Zer|zau|sung
ze|tern (ugs. für: wehklagend schreien)
Zett; vgl. Z (Buchstabe)
Zet|tel, der; -s, -; **Zet|tel|ka|sten**
Zeug, das; -[e]s, -e; jmdm. etwas am - flikken (ugs. für: an jmdm. kleinliche Kritik üben); **Zeu|ge,** der; -n, -n; ^{1}**zeu|gen** (hervorbringen, erzeugen); ^{2}**zeu|gen** (bezeugen); es zeugt von Fleiß (es zeigt Fleiß); **Zeu|gen‿aus|sa|ge, ...be|ein|flus|sung; Zeu|gin,** die; -, -nen; **Zeug|nis,** das; -ses, -se; **Zeu|gung; Zeu|gungs|akt; zeu|gungs‿fä|hig, ...un|fä|hig**
Zicken [*Trenn.:* Zik|ken] (*Mehrz.;* ugs. für: Dummheiten)
Zick|zack, der; -[e]s, -e; im Zickzack laufen, a b e r: zickzack laufen; **Zick|zack‿kurs, ...li|nie**
Zie|ge, die; -, -n
Zie|gel, der; -s, -; **Zie|gel‿bren|ner, ...dach; Zie|ge|lei; zie|gel|rot; Zie|gel|stein**
Zie|gen‿bart, ...bock, ...kä|se, ...le|der, ...milch
Zieh|brun|nen
zie|hen; zog (zöge), gezogen; nach sich -
◇ zerren, zupfen, reißen, rupfen, schleifen · strecken
Zieh‿har|mo|ni|ka, ...mut|ter (Pflegemutter)
Zie|hung
◇ Verlosung, Auslosung, Ausspielung
Zieh|va|ter (Pflegevater)
Ziel, das; -[e]s, -e; **ziel|be|wußt; zie|len; Ziel‿fern|rohr, ...ge|ra|de** (Sport: letztes gerades Bahnstück vor dem Ziel); **ziel|los; Ziel|schei|be**
ziel|stre|big
◇ zielbewußt, zielsicher, energisch, resolut, zupackend, tatkräftig, entschlossen, nachdrücklich, drastisch, willensstark
zie|men; es ziemt sich, es ziemt mir; **ziem|lich** (fast, annähernd)

Zier, die; -; **Zie|rat,** der; -[e]s, -e; **Zier|de,** die; -, -n; **zie|ren;** sich -; **Zier‿fisch, ...gar|ten, ...lei|ste; zier|lich; Zier|pup|pe**
Zif|fer, die; -, -n (Zahlzeichen); arabische, römische -n; **Zif|fer|blatt**
zig, -zig (ugs.); zig (auch: -zig) Mark; mit zig (-zig) Sachen in die Kurve; in Zusammensetzungen nur ohne Bindestrich: zigfach, zigmal, zigtausend; ein Zigfaches
Zi|ga|ret|te, die; -, -n; **Zi|ga|ret|ten‿etui, ...kip|pe, ...pau|se; Zi|ga|ril|lo,** der, auch: das; -s, -s, ugs. auch: die; -, -s (kleine Zigarre); **Zi|gar|re,** die; -, -n; **Zi|gar|ren‿ki|ste, ...stum|mel**
Zi|geu|ner, der; -s, -; **Zi|geu|ne|rin,** die; -, -nen; **Zi|geu|ner‿ka|pel|le, ...le|ben** (das; -s), **...mu|sik; zi|geu|nern** (ugs. für: sich herumtreiben, auch: herumlungern)
zig|fach; zig|mal; zig|tau|send
Zi|ka|de, die; -, -n (ein Insekt)
Zim|mer, das; -s, -; **Zim|me|rer; Zim|mer‿flucht** (zusammenhängende Reihe von Zimmern), **...laut|stär|ke, ...mäd|chen, ...mann** (*Mehrz.* ...leute); **zim|mern; Zim|mer|pflan|ze**
zim|per|lich
Zimt, der; -[e]s, -e (ein Gewürz)
Zink, das; -[e]s (chem. Grundstoff, Metall; Zeichen: Zn)
Zin|ke, die; -, -n (Zacke; [Gauner]zeichen); **Zin|ken,** der; -s, - (ugs. für: grobe, dicke Nase)
Zink‿sal|be, ...wan|ne
Zinn, das; -[e]s (chem. Grundstoff, Metall; Zeichen: Sn); **Zinn|be|cher**
Zin|ne, die; -, -n (zahnartiger Mauerabschluß)
zin|nern (von, aus Zinn); **Zinn|fi|gur**
Zin|no|ber, der; -s (eine rote Farbe [österr. nur: das]; ugs. für: Blödsinn); **zin|no|ber|rot**
^{1}**Zins,** der; -es, -en (Ertrag; Abgabe); ^{2}**Zins,** der; -es, -e (südd., österr. u. schweiz. für: Miete); **zin|sen** (schweiz., sonst veralt. für: Zins[en] zahlen); **Zins|er|hö|hung; Zin|ses|zins** (*Mehrz.* ...zinsen); **Zins|fuß** (*Mehrz.* ...füße); **zins|los**
Zip|fel, der; -s, -; **zip|fe|lig, zipf|lig; Zip|fel|müt|ze**
zir|ka (ungefähr)
Zir|kel, der; -s, - (Gerät zum Kreiszeichnen u. Strecken[ab]messen; [gesellschaftlicher] Kreis); **Zir|kel‿ka|sten, ...schluß; Zir|ku|la|ti|on** [*...zion*], die; -, -en (Kreislauf, Umlauf); **zir|ku|lie|ren** (in Umlauf sein, umlaufen)
Zir|kus, der; -, -se (großes Zelt od. Gebäude, in dem Tierdressuren u. a. gezeigt werden; ugs. verächtl., nur *Einz.* für: Durcheinander, Trubel); **Zir|kus|zelt**

zir|pen; die Grillen -
Zir|rho|se, die; -, -n (Med.: chronische Wucherung von Bindegewebe mit nachfolgender Verhärtung und Schrumpfung)
zi|scheln; zi|schen; Zisch|laut
Zi|ster|ne, die; -, -n (unterird. Behälter für Regenwasser)
Zi|ta|del|le, die; -, -n (Befestigungsanlage innerhalb einer Stadt)
Zi|tat, das; -[e]s, -e (wörtlich angeführte Belegstelle; bekannter Ausspruch); **Zi|ta|ten|le|xi|kon**
Zi|ther, die; -, -n (Saiteninstrument)
zi|tie|ren ([eine Textstelle] wörtlich anführen; vorladen)
Zi|tro|nat, das; -[e]s, -e (kandierte Fruchtschale einer Zitronenart); **Zi|tro|ne,** die; -, -n; **Zi|tro|nen˯baum, ...fal|ter; zi|tro|nen|gelb; Zi|tro|nen˯li|mo|na|de, ...säu|re** (die; -)
zit|te|rig, zitt|rig
zit|tern
◇ beben, erzittern, erbeben, zucken
Zit|ter˯pap|pel, ...ro|chen (ein Fisch)
zitt|rig, zit|te|rig
Zit|ze, die; -, -n (Organ zum Säugen bei weibl. Säugetieren)
zi|vil [*ziwil*] (bürgerlich); -e (niedrige) Preise; -er Ersatzdienst; **Zi|vil,** das; -s (bürgerl. Kleidung); **Zi|vil˯be|ruf, ...be|völ|ke|rung, ...cou|ra|ge; Zi|vi|li|sa|ti|on** [*...zion*], die; -, -en (die durch den Fortschritt der Wissenschaft u. Technik verbesserten Lebensbedingungen); **zi|vi|li|sie|ren** (der Zivilisation zuführen); **Zi|vi|list,** der; -en, -en (Bürger, Nichtsoldat); **Zi|vil˯klei|dung, ...per|son, ...pro|zeß** (Gerichtsverfahren, dem die Bestimmungen des Privatrechts zugrunde liegen)
Zlo|ty [*ßloti*], der; -s, -s (Münzeinheit in Polen); 5 -
Zo|bel, der; -s, - (Marder; Pelz)
Zo|fe, die; -, -n
Zö|ge|rer; zö|ger|lich
zö|gern
◇ zaudern, zagen, schwanken, unentschlossen/unschlüssig sein
Zög|ling
Zö|li|bat, das (Theologie: der); -[e]s (pflichtgemäße Ehelosigkeit aus religiösen Gründen, bes. bei kath. Geistlichen)
[1]**Zoll,** der; -[e]s, Zölle (Abgabe)
[2]**Zoll,** der; -[e]s, - (Längenmaß; Zeichen: ″); 3 - breit
Zoll˯ab|fer|ti|gung, ...be|am|te, ...be|hör|de; zol|len; jmdm. Achtung, Bewunderung -; **zoll|frei; Zoll|gren|ze; Zöll|ner** (scherzh. für: Zollbeamter); **zoll|pflich|tig; Zoll|schran|ke**
Zoll|stock (Maßstab; *Mehrz.* ...stöcke)
Zom|bie, der; -[s], -s (Toter, der durch Zauberei wieder zum Leben erweckt wurde [und willenloses Werkzeug des Zauberers ist])
Zo|ne, die; -, -n ([Erd]gürtel; Gebiet[sstreifen])
Zoo [*zo*], der; -s, -s (Kurzform für: zoologischer Garten); **Zoo|hand|lung** [*zo...*]; **Zoo|lo|ge** [*zo-o...*], der; -n, -n (Tierforscher); **Zoo|lo|gie,** die; - (Tierkunde); **zoo|lo|gisch** (tierkundlich); -er Garten
Zoom [*sum*], das; -s, -s (Objektiv mit verstellbarer Brennweite; fotograf. Vorgang, durch den der Aufnahmegegenstand näher herangeholt od. weiter entfernt wird)
Zopf, der; -[e]s, Zöpfe; das ist ein alter - (ugs. für: eine überlebte Gewohnheit, überholte Sache); **Zöpf|chen; zop|fig**
Zo|res, der; - (ugs., bes. südwestdt. für: Wirrwarr, Ärger, Durcheinander)
Zorn, der; -[e]s; von - auf od. gegen jmdn. erfüllt sein; **Zorn˯ader, ...aus|bruch; zorn˯ent|brannt, ...glü|hend; zor|nig;** auf jmdn. od. über etw. - sein; **Zorn|rö|te**
Zo|te, die; -, -n (unanständiger Ausdruck; unanständiger Witz); **Zo|ten|rei|ßer; zo|tig**
Zot|tel, die; -, -n (Haarbüschel; Troddel u. a.); **Zot|tel|bär; zot|te|lig, zott|lig**
z. T. = zum Teil
Ztr. = Zentner (50 kg)
zu; *Verhältnisw.* mit *Wemf.*: zu dem Garten, zum Bahnhof; zu zwei[e]n, zu zweit; vier zu eins (4 : 1); zu Ende gehen; Zum Löwen, Zur Alten Post (Gasthäuser)
zu|al|ler|erst; zu|al|ler|letzt
zu|bau|en; zugebaut
Zu|be|hör, das (seltener: der); -[e]s, -e (schweiz. auch: -den)
◇ Utensilien, Extra, Accessoires, Beiwerk
zu|bei|ßen; zugebissen
Zu|ber (Gefäß; altes Hohlmaß)
zu|be|rei|ten; Zu|be|rei|tung
Zu|bett|ge|hen, das; -s; vor dem -
zu|bil|li|gen; Zu|bil|li|gung
zu|blei|ben (ugs. für: geschlossen bleiben); zugeblieben
zu|brin|gen; zugebracht; **Zu|brin|ger; Zu|brin|ger˯dienst, ...stra|ße**
zu|but|tern (ugs. für: [Geld] zusetzen); zugebuttert
Zucht, die; -, (landwirtschaftlich für: Zuchtergebnisse:) -en; **Zucht|bul|le; züch|ten; Züch|ter; Zucht˯haus, ...häus|ler, ...hengst; züch|tig** (sittsam, verschämt); **züch|ti|gen; Züch|ti|gung; zucht|los; Zucht|stier; Züch|tung; Zucht|vieh**
zuckeln[1] (ugs. für: langsam dahintrotten, dahinfahren); **zucken**[1]; der Blitz zuckt; **zücken**[1] (ziehen, ergreifen); das Schwert -; das Portemonnaie -

[1] *Trenn.:* ...k|k...

Zucker[1], der; -s, (für Zuckersorten:) -; **Zucker‿guß**[1], **...hut** (der); **zuckerkrank**[1]; **Zuckerl**[1], das; -s, -[n] (österr. für: Bonbon); **zuckern**[1] (mit Zucker süßen); **Zucker‿rohr**[1]; **...rü|be; zuckersüß**[1]
zu|decken[1]
zu|dem (überdies)
zu|dre|hen
zu|dring|lich; Zu|dring|lich|keit
zu|drücken[1]
zu ei|gen; sich - - machen; **zu|eig|nen** ([ein Buch] widmen; zu eigen geben)
zu|ein|an|der
zu En|de
zu|er|ken|nen
zu|erst
zu|fä|cheln
Zu|fahrt; Zu|fahrts|stra|ße
Zu|fall; zu|fäl|lig; Zu|falls|tref|fer
zu|fas|sen
zu|flie|gen
zu|flie|ßen
Zu|flucht, die; -
◇ Zufluchtsort, Asyl, Versteck, Unterschlupf
Zu|fluchts‿ort (der; -[e]s, -e), **...stät|te**
Zu|fluß
zu|frie|den; - mit dem Ergebnis
zu|frie|den|ge|ben, sich
◇ sich begnügen/bescheiden, vorliebnehmen mit
Zu|frie|den|heit, die; -; **zu|frie|den‿las|sen** (in Ruhe lassen), **...stel|len**
zu|frie|ren; zugefroren
zu|fü|gen
Zu|fuhr (Herbeischaffen), die; -, -en; **zu|füh|ren**
Zug, der; -[e]s, Züge; im -e des Wiederaufbaus; - um -; Dreiuhrzug
Zu|ga|be
◇ Zutat, Zulage, Beilage, Beigabe
Zu|gang; zu|gan|ge; - kommen, sein; **zu|gäng|lich**
Zug|brücke [*Trenn.:* ...brük|ke]
zu|ge|ben
zu|ge|dacht; diese Auszeichnung war eigentlich ihm -
zu|ge|ge|ben
zu|ge|gen; - bleiben, sein
zu|ge|hen; auf jmdn. -; auf dem Fest ist es sehr lustig zugegangen; der Koffer geht nicht zu; **Zu|geh|frau**
zu|ge|hö|rig; Zu|ge|hö|rig|keit, die; -
zu|ge|knöpft; er war sehr - (ugs. für: verschlossen)
Zü|gel, der; -s, -; **zü|gel|los;** -este; **Zü|gel|lo|sig|keit; zü|geln**
Zu|ge|rei|ste, der u. die; -n, -n
Zu|ge|ständ|nis; zu|ge|ste|hen
zu|ge|tan; er ist ihm herzlich -

[1] *Trenn.:* ...k|k...

Zug‿fe|stig|keit (die; -), **...füh|rer**
zu|gie|ßen
zu|gig (windig); **zü|gig** (in einem Zuge; schweiz. auch: zugkräftig)
zug|kräf|tig
◇ [werbe]wirksam, anreizend, wirkungsvoll, anziehend, attraktiv
zu|gleich
Zug|luft, die; -
Zug‿ma|schi|ne, ...num|mer
zu|grei|fen; Zu|griff, der; -[e]s, -e
zu|grun|de; - gehen, liegen; **zu|grun|de|lie|gend;** die -en Erkenntnisse, aber: das diesem Urteil zugrunde liegende Gesetz
Zug|tier
zu|gucken [*Trenn.:* ...guk|ken] (ugs.)
zu|gun|sten; *Verhältnisw.* mit *Wesf.:* - bedürftiger Kinder; *Umstandsw.:* - von Gerhards Tochter
zu|gu|te; zugute halten, kommen
zu gu|ter Letzt
Zug‿ver|bin|dung, ...vo|gel, ...zwang; unter - stehen
zu|hal|ten; Zu|häl|ter
zu Hän|den; zu Händen des Herrn Müller, (meist:) zu Händen [von] Herrn Müller
zu Haus, zu Hau|se; vgl. Haus; sich wie zu Hause fühlen; **Zu|hau|se,** das; -; er hat kein - mehr
Zu|hil|fe|nah|me, die; -; unter - von
zu|hö|ren; Zu|hö|rer
zu|ju|beln
zu|keh|ren
zu|knei|fen
zu|knöp|fen
zu|kom|men; zu|kom|men las|sen
Zu|kunft, die; -, (selten:) Zukünfte; **zu|künf|tig; Zu|künf|ti|ge,** der u. die; -n, -n (Verlobte[r]); **Zu|kunfts|aus|sich|ten** *(Mehrz.);* **Zu|kunfts|mu|sik** (ugs.); **zu|kunft[s]|wei|send**
zu|lä|cheln
Zu|la|ge
zu|lan|de (daheim); bei uns zulande, hierzulande
zu|lan|gen; zu|läng|lich (hinreichend)
zu|las|sen; zu|läs|sig (erlaubt); **Zu|las|sung; Zu|las|sungs|stel|le**
Zu|lauf; zu|lau|fen
zu|le|gen
zu|leid, zu|lei|de; - tun
zu|lei|ten
zu|letzt, aber: zu guter Letzt
zu|lie|be; dem -; - tun
zum (zu dem); - ersten Male, aber: - erstenmal
zu|ma|chen (schließen)
zu|mal; - [da]
zum Bei|spiel (Abk.: z. B.)
zu|meist
zu|mes|sen

zu|min|dest, aber: zum mindesten
zum Teil (Abk.: z. T.)
zu|mut|bar
zu|mu|ten; zugemutet; **Zu|mu|tung**
zu|nächst
◇ zuerst, fürs erste, vorerst, vorab, vorläufig, bis auf weiteres
Zu|nah|me, die; -, -n
Zu|na|me (Familienname)
zün|den; zün|dend; -ste; **Zün|der; Zünd‿holz, ...ker|ze, ...schlüs|sel; Zün|dung**
zu|neh|men
◇ sich vermehren/vergrößern/ausweiten, eskalieren, anwachsen, ansteigen · dicker/schwerer werden
zu|nei|gen
Zu|nei|gung
◇ Sympathie, Anhänglichkeit, Neigung, [Wohl]gefallen, Liebe, Schwäche, Faible, Freundlichkeit
Zunft, die; -, Zünfte; **zünf|tig**
Zun|ge, die; -, -n; **zün|geln; Zun|gen-spit|ze**
zu|nich|te; - machen
zu|nut|ze; sich etwas - machen
zu|ord|nen
zu|packen [*Trenn.:* ...pak|ken]
zu|paß, zu|pas|se; zupaß od. zupasse kommen
zup|fen; Zupf|in|stru|ment
zu|pro|sten
zur (zu der)
zu|rech|nungs|fä|hig; Zu|rech-nungs|fä|hig|keit, die; -
zu|recht‿fin|den, sich, **...kom|men, ...le|gen, ...ma|chen** (ugs.), **...rücken** [*Trenn.:* ...rük|ken]
zu|re|den
zu|rei|chend; -e Gründe
zu|rei|ten
zu|rich|ten
zür|nen
zu|rück; - sein
zu|rück|be|hal|ten
zu|rück|bil|den; sich -
zu|rück|blei|ben
zu|rück|blicken [*Trenn.:* ...blik|ken]
zu|rück|brin|gen
zu|rück|däm|men
zu|rück|drän|gen
zu|rück|dre|hen
zu|rück|er|bit|ten
zu|rück|er|hal|ten
zu|rück|er|stat|ten
zu|rück|fah|ren
zu|rück|fal|len
zu|rück|fin|den
zu|rück|for|dern
zu|rück|füh|ren
zu|rück|ge|ben
zu|rück|ge|hen
Zu|rück|ge|zo|gen|heit, die; -
zu|rück|grei|fen
zu|rück|hal|ten
◇ behalten, nicht herausgeben/herausrükken (ugs.)
Zu|rück|hal|tung
zu|rück|keh|ren
◇ wiederkommen, nach Hause kommen, zurückkommen, wiederkehren, heimkehren
zu|rück|kom|men
zu|rück|las|sen
zu|rück|le|gen
◇ aufheben, reservieren, [auf]sparen
zu|rück|leh|nen, sich
zu|rück|lie|gen
zu|rück|neh|men
zu|rück|ru|fen; rufen Sie bitte zurück!
zu|rück|schal|ten
zu|rück|schla|gen
zu|rück|schrecken[1]**;** er schrak zurück; er ist zurückgeschreckt, (selten:) er ist zurückgeschrocken; aber (übertr.): - vor etwas (etwas nicht wagen); er schreckte vor etwas zurück, ist vor etwas zurückgeschreckt
zu|rück|sen|den; zurückgesandt u. zurückgesendet
zu|rück|set|zen; Zu|rück|set|zung
zu|rück|stecken[1]
zu|rück|stel|len
zu|rück|sto|ßen
zu|rück|tre|ten
zu|rück|ver|lan|gen
zu|rück|ver|set|zen; sich -
zu|rück|wei|chen
zu|rück|wei|sen
zu|rück|wer|fen
zu|rück|wol|len (ugs.)
zu|rück|zah|len
zu|rück|zie|hen; sich -
Zu|ruf; zu|ru|fen
zur Zeit (Abk.: z. Z.)
Zu|sa|ge, die; -, -n; **zu|sa|gen**
zu|sam|men; - mit; - sein; *Schreibung in Verbindung mit Zeitwörtern: Getrenntschreibung,* wenn „zusammen" bedeutet „gemeinsam, gleichzeitig", z. B. zusammen binden (gemeinsam, gleichzeitig binden); *Zusammenschreibung,* wenn das mit „zusammen" verbundene Verb „vereinigen" bedeutet, z. B. zusammenbinden (in eins binden); ich binde zusammen; zusammengebunden; zusammenzubinden
Zu|sam|men|ar|beit; zu|sam|men|ar-bei|ten
zu|sam|men|bal|len
zu|sam|men|bei|ßen
zu|sam|men|blei|ben (sich nicht wieder trennen)
zu|sam|men|brau|en
zu|sam|men|bre|chen

[1] *Trenn.:* ...k|k...

zu|sam|men|brin|gen (vereinigen)
Zu|sam|men|bruch, der; -[e]s, ...brüche
zu|sam|men|drän|gen; sich -
zu|sam|men|drücken [*Trenn.:* ...drük|ken]
zu|sam|men|fah|ren (aufeinanderstoßen; erschrecken)
zu|sam|men|fal|len (einstürzen; gleichzeitig erfolgen)
zu|sam|men|fal|ten
zu|sam|men|fas|sen (raffen); **Zu|sam|men|fas|sung**
zu|sam|men|fü|gen
zu|sam|men|füh|ren (zueinander hinführen)
zu|sam|men|ge|hö|ren (eng verbunden sein); **zu|sam|men|ge|hö|rig; Zu|sam|men|ge|hö|rig|keits|ge|fühl**
zu|sam|men|ge|setzt; -es Wort
zu|sam|men|ha|ben (ugs. für: gesammelt haben)
Zu|sam|men|halt; zu|sam|men|hal|ten (sich nicht trennen lassen; vereinigen)
Zu|sam|men|hang; im od. in - stehen; **zu|sam|men|hän|gen; zu|sam|men|hän|gend; zu|sam|men|hang[s]|los**
zu|sam|men|hef|ten
zu|sam|men|keh|ren (auf einen Haufen kehren)
zu|sam|men|klap|pen (falten; ugs. für: erschöpft sein)
zu|sam|men|knei|fen
zu|sam|men|knül|len
zu|sam|men|kom|men (sich begegnen); **Zu|sam|men|kunft,** die; -, ...künfte
zu|sam|men|läp|pern, sich (ugs.)
zu|sam|men|lau|fen (sich treffen; gerinnen)
Zu|sam|men|le|ben, das; -s
zu|sam|men|le|gen
zu|sam|men|neh|men, sich
Zu|sam|men|prall; zu|sam|men|pral|len
zu|sam|men|pres|sen
zu|sam|men|raf|fen
zu|sam|men|rei|ßen, sich (ugs. für: sich zusammennehmen)
zu|sam|men|rot|ten, sich
zu|sam|men|sacken [*Trenn.:* ...sak|ken] (ugs. für: zusammenbrechen)
zu|sam|men|schlie|ßen, sich; **Zu|sam|men|schluß**
zu|sam|men|schmel|zen
zu|sam|men|schnü|ren
zu|sam|men|schrecken [*Trenn.:* ...schrek|ken]; du schrickst, auch: schreckst zusammen; du schrakst (schrakest), auch: schrecktest zusammen; du schräkest, auch: schrecktest zusammen; zusammengeschrocken, auch: zusammengeschreckt; schrick, auch: schreck[e] zusammen!
zu|sam|men|schrei|ben; Zu|sam|men|schrei|bung
zu|sam|men|schrump|fen
Zu|sam|men|sein, das; -s
zu|sam|men|set|zen
◇ zusammenfügen, -flicken, -stückeln · bestehen aus, sich rekrutieren aus, gebildet werden von
Zu|sam|men|set|zung
Zu|sam|men|spiel (Sportspr.), das; -[e]s
zu|sam|men|stel|len; Zu|sam|men|stel|lung
Zu|sam|men|stoß
zu|sam|men|sto|ßen
◇ kollidieren, auffahren [auf], anfahren, rammen, zusammenfahren, -prallen, -knallen
zu|sam|men|strö|men
zu|sam|men|stür|zen (einstürzen)
zu|sam|men|su|chen (von überallher suchend zusammentragen)
zu|sam|men|tra|gen (sammeln)
zu|sam|men|tref|fen (begegnen)
zu|sam|men|wir|ken; Zu|sam|men|wir|ken, das; -s
zu|sam|men|zäh|len (addieren)
zu|sam|men|zie|hen (verengern; vereinigen; addieren)
zu|sam|men|zucken [*Trenn.:* ...zuk|ken]
Zu|satz; Zu|satz‿ab|kom|men, ...brems|leuch|te (zusätzliche Bremsleuchte innen an den Seiten des Heckfensters), **...ge|rät; zu|sätz|lich; Zu|satz|zahl**
zu|schan|den; - machen, werden
zu|schan|zen (ugs. für: jmdm. zu etwas verhelfen)
zu|schau|en
◇ zugucken, zusehen, gaffen
Zu|schau|er
◇ Betrachter, [Augen]zeuge, Gaffer, Schaulustiger, Beobachter, Publikum
zu|schicken [*Trenn.:* ...schik|ken]
Zu|schlag; zu|schlag|pflich|tig
zu|schlie|ßen
zu|schnap|pen
zu|schnei|den; Zu|schnitt
zu|schrei|ben
zu|schul|den; sich etwas - kommen lassen
Zu|schuß
◇ Unterstützung, Beitrag, Beihilfe, Subvention
Zu|schuß|be|trieb
zu|schu|stern (ugs. für: jmdm. etwas heimlich zukommen lassen)
zu|se|hen; zu|se|hends
zu|sein (ugs. für: geschlossen sein); der Laden ist zu, ist zugewesen, aber: ..., daß der Laden zu ist, zu war
zu|sen|den; du sandtest u. sendetest zu; (selten:) du sendetest zu; zugesandt u. zugesendet; send[e] zu!

zu|set|zen

zu|si|chern

Zu|si|che|rung

◇ Versprechen, Zusage, Versprechungen · Eid, Schwur, Gelübde

Zu|spiel, das; -[e]s (Sport); **zu|spie|len**

zu|spit|zen; die Lage hat sich zugespitzt; **Zu|spit|zung**

Zu|spruch, der; -[e]s (Anklang, Zulauf; Trost)

Zu|stand; zu|stan|de; - bringen, kommen; **zu|stän|dig; Zu|stän|dig|keit**

zu|stecken [*Trenn.:* ...stek|ken]

zu|ste|hen

zu|stei|gen

zu|stel|len; Zu|stel|lung

zu|stim|men; Zu|stim|mung

zu|sto|ßen

Zu|strom, der; -[e]s

◇ Andrang, Zulauf, Gedränge

zu|ta|ge; - treten

Zu|tat (meist *Mehrz.*)

zu|teil; - werden; **zu|tei|len;** zugeteilt; **Zu|tei|lung**

zu|tiefst (völlig; im Innersten)

zu|tra|gen; sich -

zu|trau|en; Zu|trau|en, das; -s; **zu|trau|lich**

zu|tref|fen; zu|tref|fend; -ste

Zu|tritt, der; -[e]s

zu|tun (hinzufügen; schließen); ich habe kein Auge zugetan

zu|un|gun|sten; *Verhältnisw.* mit *Wesf.:* - vieler Antragsteller; *Umstandsw.:* - von Gerhards Tochter

zu|ver|läs|sig; Zu|ver|läs|sig|keit, die; -

Zu|ver|sicht, die; -

zu|ver|sicht|lich

◇ hoffnungsvoll, unverzagt, optimistisch, zukunftsgläubig, lebensbejahend

zu|viel, zu viel; zuviel des Guten, aber: es sind zu viele Menschen; er weiß zuviel, aber: er weiß viel, ja zu viel davon; du hat viel zuviel gesagt; besser zuviel als zuwenig

zu|vor (vorher)

zu|vor|kom|men (schneller sein); **zu|vor|kom|mend** (liebenswürdig)

Zu|wachs, der; -es (Vermehrung, Erhöhung); **Zu|wachs|ra|te**

zu|we|ge (fertig, gut imstande); - bringen

zu|wei|len

zu|we|nig, zu wenig; du weißt zuwenig, du weißt viel zuwenig, aber: du weißt auch zu wenig!

zu|wi|der; - sein, werden; **Zu|wi|der|hand|lung**

zu|zie|hen; sich -; **zu|züg|lich** (Kaufmannsspr.: unter Hinzurechnung); *Verhältnisw.* mit *Wesf.:* - der Transportkosten, aber: - Beträgen für Verpackung und Versand; - Porto

zu|zwin|kern; zugezwinkert

Zwang, der; -[e]s, Zwänge

◇ Druck, Pression, Nötigung, Drohung, Muß, Dirigismus

zwän|gen (bedrängen; klemmen; einpressen; nötigen); sich -; **zwang|haft; zwang|los;** -este; **Zwangs‿ar|beit, ...jacke**[1]**, ...la|ge; zwangs|läu|fig; Zwangs‿ver|stei|ge|rung, ...voll|streckung**[1]**; zwangs|wei|se**

zwan|zig (Zahlwort); er ist - Jahre alt; **Zwan|zig,** die; -, -en (Zahl); der Mensch über -; **Zwan|zig|mark|schein** (mit Ziffern: 20-Mark-Schein); **zwan|zig|ste**

zwar

Zweck, der; -[e]s, -e (Ziel[punkt]; Absicht; Sinn); **zweck|dien|lich; Zwecke**[1]**,** die; -, -n (Nagel; Metallstift); **Zweck|ent|frem|dung; zweck‿ent|spre|chend** (-ste), **...los**

zweck|mä|ßig

◇ opportun, vernünftig, sinnvoll, handlich, geeignet, brauchbar, praktisch

zwecks (Amtsdt. für: zum Zweck von); *Verhältnisw.* mit *Wesf.:* - Feststellung seiner Personalien (dafür besser: zur Feststellung seiner Personalien od. um seine Personalien festzustellen, ...)

zwei; *Wesf.* zweier, *Wemf.* zweien, zwei; (Zahlwort) er ist - Jahre alt; wir sind zu zweien od. zu zweit; zweier guter (selten: guten) Menschen; zweier Liebenden (seltener: Liebender); **Zwei,** die; -, -en (Zahl); eine - würfeln; er hat in Latein eine - geschrieben; **zwei|deu|tig; Zwei|deu|tig|keit; Zwei|drit|tel|mehr|heit; zwei|ei|ig; zwei|ein|halb; zwei|er|lei; zwei|fach**

Zwei|fel, der; -s, -; **zwei|fel|haft**

zwei|fel|los

◇ zweifelsohne, fraglos, gewiß, sicher[lich], unbestritten, unstreitig, natürlich

zwei|feln

◇ bezweifeln, anzweifeln, in Zweifel ziehen, in Frage stellen

Zwei|fels|fall; im -[e]

Zwei|fron|ten|krieg

Zweig, der; -[e]s, -e

zwei|glei|sig

Zweig‿li|nie, ...stel|le, ...werk

zwei|hun|dert; Zwei|kampf; zwei|mal; Zwei|mark|stück (mit Ziffer: 2-Mark-Stück); **Zwei|rei|her; zwei|rei|hig; zwei|schnei|dig; zwei|sei|tig; Zwei|sit|zer** (Wagen, Motorrad u.a. mit zwei Sitzen); **zwei|spu|rig; zwei|stim|mig; zwei|stöckig**[1]**; Zwei|takt|mo|tor; zwei|tau|send; zwei|te;** zum ersten, zum zweiten, zum dritten; er hat wie kein zweiter (anderer) gearbeitet; etwas aus zweiter Hand kau-

[1] *Trenn.:* ...k|k...

fen; der zweite (der Reihe nach), aber: der Zweite (der Leistung nach); heute ist der Zweite (zweite Monatstag); das Zweite Gesicht; Zweites Deutsches Fernsehen; **zwei|tei|lig; zwei|tens; Zwei|te[r]-Klas|se-Ab|teil; Zweit-fri|sur** (Perücke), **...ge|rät; zweit|klas|sig; zweit|ran|gig; Zweit-schrift, ...stim|me, ...wa|gen**

Zwerch|fell; zwerch|fell|er|schüt|ternd

Zwerg, der; -[e]s, -e

◇ Liliputaner, Pygmäe, Gnom, Kobold, Däumling, Wichtel[männchen], Knirps (ugs.)

Zwerg-pu|del, ...staat (*Mehrz.* ...staaten)

Zwet|sche, die; -, -n; **Zwet|schen-mus, ...schnaps; Zwetsch|ge** (südd., schweiz. für: Zwetsche); **Zwetsch|ke** (bes. österr. für: Zwetsche)

Zwickel[1], der; -s, - (keilförmiger Stoffeinsatz); **zwicken**[1] (ugs. für: kneifen); **Zwick|müh|le** (Stellung im Mühlespiel)

Zwie|back, der; -[e]s, ...bäcke u. -e („zweimal Gebackenes"; geröstetes Weizengebäck)

Zwie|bel, die; -, -n; **Zwie|bel-ku|chen, ...mu|ster** (das; -s; beliebtes Muster der Meißner Porzellanmanufaktur); **zwie|beln** (ugs. für: quälen; übertriebene Anforderungen stellen); **Zwie|bel-ring, ...scha|le, ...turm**

zwie|fach (geh. veraltend für: zweifach); **Zwie|ge|spräch; Zwie|licht,** das; -[e]s; **zwie|lich|tig; Zwie|spalt,** der; -[e]s, (selten:) -e u. ...spälte; **zwie|späl|tig; Zwie|spra|che; Zwie|tracht,** die; -; **zwie|träch|tig**

Zwil|ling (auch: Ⓦⓩ), der; -s, -e; **Zwil|lings-bru|der, ...schwe|ster**

Zwing|burg; zwin|gen, zwang (zwänge), gezwungen; **zwin|gend; Zwin|ger** (Gang, Platz zwischen innerer u. äußerer Burgmauer; Burggraben; fester Turm; Käfig für wilde Tiere; umzäunter Auslauf für Hunde)

zwin|kern (blinzeln)

zwir|beln (wirbelnd drehen)

Zwirn, der; -[e]s, -e; **Zwirns|fa|den** (*Mehrz.* ...fäden)

zwi|schen; *Verhältnisw.* mit *Wemf.* oder *Wenf.*: - den Tischen stehen, aber: - die Tische stellen; **Zwi|schen-be|mer|kung, ...be|scheid, ...bi|lanz, ...deck, ...ding; zwi|schen|durch** (ugs.); **Zwi|schen-er|geb|nis, ...fall** (der), **...fra|ge; zwi|schen|lan|den;** zwischengelandet; **Zwi|schen-lan|dung, ...mahl|zeit; zwi|schen|mensch|lich; Zwi|schen-prü|fung, ...raum, ...spurt; zwi|schen|staat|lich** (auch für: international); **Zwi|schen-sta|ti|on, ...wand, ...zeit; zwi|schen|zeit|lich**

Zwist, der; -es, -e; **zwi|stig** (veralt.); **Zwi|stig|keit** (meist *Mehrz.*)

zwit|schern

Zwit|ter, der; -s, - (Wesen mit männl. u. weibl. Geschlechtsmerkmalen)

zwo vgl. zwei

zwölf; wir sind zu zwölfen od. zu zwölft; es ist fünf [Minuten] vor zwölf (ugs. auch übertr. für: es ist allerhöchste Zeit); nun hat es aber zwölf geschlagen; die zwölf Apostel; die Zwölf Nächte (nach Weihnachten); **Zwölf,** die; -, -en (Zahl); die Zahl Zwölf; eine Zwölf schreiben; sie sind mit der Zwölf (Straßenbahn) gefahren; er hat eine Zwölf geschossen; **Zwölf|fin|ger|darm; zwölf|mal; Zwölf|tel,** das (schweiz. meist: der); -s, -; **zwölf|tens; Zwölf|ton|ner**

Zy|an|ka|li, das; -s (stark giftiges Kaliumsalz der Blausäure)

Zy|klen (*Mehrz.* von: Zyklus); **zy|klisch** [auch: *zü...*], (chem. fachspr.:) cy|clisch (kreisläufig, -förmig; sich auf einen Zyklus beziehend; regelmäßig wiederkehrend); **Zy|klon,** der; -s, -e (Wirbelsturm); **Zy|klop,** der; -en, -en („Rundäugiger"; einäugiger Riese der gr. Sage); **Zy|klus** [auch: *zü...*], der; -, Zyklen (Kreis[lauf]; Zusammenfassung; Folge; Reihe)

Zy|lin|der [*zi...*, auch: *zü...*], der; -s, - (Walze; röhrenförmiger Hohlkörper; hoher Herrenhut); **Zy|lin|der-block** (*Mehrz.* ...blöcke), **...hut** (der); **zy|lin|drisch** (walzenförmig)

Zy|ni|ker (gemeiner, schamloser, frecher Mensch, bissiger Spötter; über die Wertgefühle anderer Spottender); **zy|nisch** (gemein, spöttisch, frech); -ste; **Zy|nis|mus,** der; -, ...men (zynische Einstellung [nur *Einz.*]; zynische Äußerung)

Zy|pres|se, die; -, -n (Kiefernpflanze des Mittelmeergebietes)

Zy|ste, die; -, -n (Med.: Blase; Geschwulst)

z. Z., z. Zt. = zur Zeit

Erläuterungen zum Wörterverzeichnis

Zeichenerklärung

Im Wörterverzeichnis werden die folgenden Zeichen mit besonderer Bedeutung verwendet:

Zeichen:	Erläuterungen:	Beispiele:
.	Der untergesetzte Punkt kennzeichnet eine kurze betonte Silbe.	bestellen
_	Der untergesetzte Strich kennzeichnet eine lange betonte Silbe.	verschließen
|	Der senkrechte Strich dient zur Angabe der Silbentrennung.	Be|strah|lung dar|auf
Ⓦⓩ	Als Warenzeichen geschützte Wörter sind durch das Zeichen Ⓦⓩ kenntlich gemacht. Etwaiges Fehlen dieses Zeichens bietet keine Gewähr dafür, daß es sich hier um ein Wort handelt, das von jedermann frei benutzt werden darf.	Fön Ⓦⓩ
-	Der waagerechte Strich steht stellvertretend für das Stichwort.	ab; - und zu; Allerlei, das; -s, -s; Leipziger -
...	Drei Punkte stehen, wenn Teile eines Wortes ausgelassen werden.	Streß, der; ...sses, ...sse
‿	Der Bogen steht innerhalb einer Ableitung oder Zusammensetzung, um anzuzeigen, daß der vor ihm stehende Wortteil bei den folgenden Wörtern an Stelle der drei Punkte zu setzen ist.	Biber‿pelz, ...schwanz
[]	Die eckigen Klammern schließen Aussprachebezeichnungen, zusätzliche Trennungsangaben, Zusätze zu Erklärungen in runden Klammern und beliebige Auslassungen ein.	Gockel [*Trenn.:* Gok|kel]; abschnitt[s]weise; Wißbegier[de]
()	Die runden Klammern schließen Erklärungen, Verdeutschungen und Hinweise zum heutigen Sprachgebrauch ein. Sie enthalten außerdem grammatische Angaben bei Ableitungen und Zusammensetzungen innerhalb von Wortgruppen.	auserkoren (auserwählt)
◊	Hinter diesem Zeichen stehen sinnverwandte Ausdrücke, die andere Formulierungen ermöglichen sollen.	

Anordnung und Behandlung der Stichwörter

Die Stichwörter sind nach dem Abc angeordnet. Die Umlaute ä, ö, ü, äu werden wie die Selbstlaute a, o, u, au behandelt, der Buchstabe ß wie ss.

Zeitwörter

Bei den unregelmäßigen Zeitwörtern werden neben der Grundform auch die 3. Person Einzahl der Vergangenheit (in der Wirklichkeits- und in der Möglichkeitsform) und das Mittelwort der Vergangenheit angegeben sowie z. T. die Einzahl der Befehlsform:

geben; gab (gäbe); gegeben; gib!

Dies gilt nicht für zusammengesetzte oder mit einer Vorsilbe gebildete Zeitwörter. Die entsprechenden Formen sind immer beim einfachen Zeitwort nachzuschlagen,

also vorziehen bei ziehen
oder eintreffen bei treffen.

Hauptwörter

Bei einfachen Hauptwörtern sind das zugehörige Geschlechtswort und zwei Beugungsformen angegeben, nämlich der Wesfall der Einzahl und der Werfall der Mehrzahl:

Knabe, der; -n, -n
(das bedeutet: der Knabe, des Knaben, die Knaben).

Hauptwörter, die nur in der Mehrzahl vorkommen, werden durch ein nachgestelltes *Mehrz.* gekennzeichnet:

Leute *Mehrz.*

Die Angabe des Geschlechtswortes und der Beugung fehlt meistens bei abgeleiteten Hauptwörtern, die mit einer der folgenden Silben gebildet sind:

Endsilbe:	Beispiel:	Hierzu ist zu ergänzen:
-chen	Mädchen	das; -s, -
-lein	Englein	das; -s, -
-ei	Bäckerei	die; -, -en
-er	Lehrer	der; -s, -
-heit	Freiheit	die; -, -en
-keit	Ähnlichkeit	die; -, -en
-ling	Jüngling	der; -s, -e
-schaft	Landschaft	die; -, -en
-tum	Reichtum	der; -s, ...tümer
-ung	Prüfung	die; -, -en

Für zusammengesetzte Hauptwörter findet man die entsprechenden Angaben beim jeweiligen Grundwort,

also für Eisenbahn bei Bahn
oder für Fruchtsaft bei Saft.

Eigenschaftswörter

Bei Eigenschaftswörtern werden unregelmäßige Steigerungsformen angegeben:

gut; besser, beste.

Ausspracheangaben

Aussprachebezeichnungen stehen bei Fremdwörtern und einigen deutschen Wörtern, deren Aussprache von der sonst üblichen abweicht. Die folgenden besonderen Zeichen ergänzen hierbei das Abc:

Zeichen:	Erläuterung:	Beispiel:
å	ist ein fast wie ein o gesprochenes a	Trawler [*trå...*]
ch	ist der Ich-Laut wie in heimli*ch*	Chemie [*che...*]
~~ch~~	ist der Ach-Laut wie in Ba*ch*	Don Juan [*don ~~ch~~uan*]
ᵉ	ist das unbetonte e wie in Has*e*	Blamage [*...ma~~sch~~ᵉ*]
~~ng~~	bedeutet, daß der vorangehende Selbstlaut durch die Nase gesprochen wird	Terrain [*...rä~~ng~~*]
ʳ	ist das nur angedeutete r wie in He*r*d	Girl [*göʳl*]
ⁱ	ist ein i, das nur angedeutet, nicht voll gesprochen wird	Lady [*leⁱdi*]
s	ist das stimmhafte (weiche) S wie in Rasen	Friseuse [*...sösᵉ*]
ß	ist das stimmlose (scharfe) S wie in e*ss*en	Police [*...lißᵉ*]
~~sch~~	ist ein stimmhaftes (weiches) sch	Genie [*~~sch~~e...*]
~~th~~	ist ein mit der Zungenspitze hinter den oberen Vorderzähnen erzeugter stimmloser Reibelaut (eine Art gelispeltes *ß*)	Thriller [*~~th~~rilᵉr*]
~~dh~~	ist ein mit der Zungenspitze hinter den oberen Vorderzähnen erzeugter stimmhafter Reibelaut	on the rocks [*- ~~dh~~ᵉ -*]
ᵘ	ist ein u, das nur angedeutet, nicht voll gesprochen wird	Bowling [*boᵘling*]

Die Ausspracheangaben stehen hinter dem Stichwort in eckigen Klammern. Vorangehende oder nachgestellte Punkte (...) zeigen an, daß der erste oder letzte Teil des Wortes wie im Deutschen ausgesprochen wird. — Abonnement [*abon⁽ᵉ⁾ma~~ng~~*, schweiz. auch: *...mänt*]

Ein unter den Selbstlaut gesetzter Punkt gibt betonte Kürze an, ein Strich betonte Länge. Sollen bei schwieriger auszusprechenden Fremdwörtern zusätzlich unbetonte Längen gekennzeichnet werden, dann wird die Betonung durch einen Akzent angegeben. — Beefsteak [*bíf߬tek*]

Im Wörterverzeichnis verwendete Abkürzungen

Abkürzungen, bei denen nur die Nachsilbe -isch zu ergänzen ist, sind nicht aufgeführt (z. B. arab. = arabisch). Für die Nachsilbe -lich ist die Abkürzung ...l. (z. B. ähnl. = ähnlich); in Zusammensetzungen werden die Wörter -sprache und -sprachlich mit ...spr. abgekürzt (z. B. hochspr. = hochsprachlich; Musspr. = Aussprache).

Abk.	Abkürzung	Astron.	Astronomie
afrik.	afrikanisch	A. T.	Altes Testament
allg.	allgemein	Bauw.	Bauwesen
amerik.	amerikanisch	Bd./Bde.	Band/Bände
Amtsdt.	Amtsdeutsch	Bem.	Bemerkung
Anm.	Anmerkung	berl.	berlinerisch

bes.	besonders
best.	bestimmt
Bez.	Bezeichnung
Bindew.	Bindewort
Biol.	Biologie
Bot.	Botanik
chin.	chinesisch
dicht.	dichterisch
Druckw.	Druckwesen
dt.	deutsch
Eigenn.	Eigenname
eigtl.	eigentlich
Einz.	Einzahl
etw.	etwa/etwas
ev.	evangelisch
fotogr.	fotografisch
fr.	französisch
gebr.	gebräuchlich
geh.	gehoben
Geol.	Geologie
germ.	germanisch
Ggs.	Gegensatz
gr.	griechisch
hist.	historisch
hl.	heilig
idg.	indogermanisch
insbes.	insbesondere
it.	italienisch
Jh.	Jahrhundert
jmd.	jemand
jmdm.	jemandem
jmdn.	jemanden
jmds.	jemandes
kath.	katholisch
Kochk.	Kochkunst
Kurzbez.	Kurzbezeichnung
Kurzw.	Kurzwort
landsch.	landschaftlich
Landw.	Landwirtschaft
lat.	lateinisch
MA.	Mittelalter
math.	mathematisch
Math.	Mathematik
mdal.	mundartlich
Med.	Medizin
Mehrz.	Mehrzahl
Meteor.	Meteorologie
mitteld.	mitteldeutsch
nationalsoz.	nationalsozialistisch
niederd.	niederdeutsch
niederl.	niederländisch
nordamerik.	nordamerikanisch
nordd.	norddeutsch
N.T.	Neues Testament
o.ä.	oder ähnlich/oder ähnliches
od.	oder
ostd.	ostdeutsch
österr.	österreichisch
ostmitteld.	ostmitteldeutsch
ostpr.	ostpreußisch
Päd.	Pädagogik
Papierdt.	Papierdeutsch
Prof.	Professor
Psych.	Psychologie
Rechtsw.	Rechtswissenschaft
rel.	religiös
Sammelbez.	Sammelbezeichung
scherzh.	scherzhaft
schweiz.	schweizerisch
Sprachw.	Sprachwissenschaft
südd.	süddeutsch
südwestd.	südwestdeutsch
svw.	soviel wie
Textilw.	Textilwesen
Trenn.	Trennung
u.	und
u.a.	und andere
u.ä.	und ähnliches
übertr.	übertragen
ugs.	umgangssprachlich
Umstandsw.	Umstandswort
ung.	ungarisch
urspr.	ursprünglich
usw.	und so weiter
veralt.	veraltet
Verhältnisw.	Verhältniswort
vgl./vgl. d.	vergleiche/vergleiche dort
Wemf.	Wemfall
Wenf.	Wenfall
Wesf.	Wesfall
westd.	westdeutsch
westmitteld.	westmitteldeutsch
Wirtsch.	Wirtschaft
z.B.	zum Beispiel
Zool.	Zoologie
z.T.	zum Teil

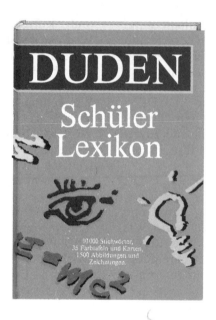